LE·ARTI·A·VIENNA

VENEZIA·PALAZZO GRASSI
20 MAGGIO·16 SETTEMBRE

Sotto l'alto patronato di

Sandro Pertini
Presidente della Repubblica Italiana

Rudolf Kirchschläger
Presidente Federale della Repubblica d' Austria

Comitato d'onore

Giulio Andreotti
*Ministro degli Affari Esteri
della Repubblica Italiana*

Erwin Lanc
*Ministro Federale per gli Affari Esteri
della Repubblica d'Austria*

Nino Gullotti
*Ministro dei Beni Culturali
della Repubblica Italiana*

Heinz Fischer
*Ministro Federale per le Scienze e le Ricerche
della Repubblica d'Austria*

Lelio Lagorio
*Ministro del Turismo e dello Spettacolo
della Repubblica Italiana*

Friedrich Frölichsthal
*Ambasciatore della Repubblica d'Austria
a Roma*

Comitato promotore e consultivo

Hubert Adolph, *Direttore della Österreichische Galerie, Vienna*
Peter Baum, *Direttore della Neue Galerie, Linz*
Carl Blaha, *Direttore del Ministero Federale per le Scienze e le Ricerche, Vienna*
Otto Breicha, *Direttore del Rupertinum, Salisburgo*
Michael Breisky, *Console Generale della Repubblica d'Austria a Milano*
Herbert Fux, *Direttore dell'Österreichisches Museum für Angewandte Kunst, Vienna*
Hans Hollein, *Commissario per La Biennale di Venezia*
Walter Koschatzky, *Direttore della Graphische Sammlung Albertina, Vienna*
Oswald Oberhuber, *Rettore della Hochschule für Angewandte Kunst, Vienna*
Oskar Pausch, *Direttore della Theatersammlung der Österreichischen Nationalbibliothek, Vienna*
Dieter Ronte, *Direttore del Museum Moderner Kunst, Vienna*
Wolfgang Schallenberg, *Direttore Generale del Ministero Federale per gli Affari Esteri*
Wilhelm Schlag, *Direttore Generale del Ministero Federale per le Scienze e le Ricerche, Vienna*
Walter Skreiner, *Direttore della Neue Galerie, Graz*
Robert Waissenberger, *Direttore dei Museen der Stadt, Vienna*

Comitato austriaco di coordinamento

Georg Jankovic, *Direttore Aggiunto del Ministero per gli Affari Esteri*
Karl Kogler, *Direttore del Ministero degli Affari Esteri*
Gertrude Kothanek, *Console per gli Affari Culturali nel Consolato Generale d'Austria a Milano*
Walter Zettl, *Direttore dell'Istituto Austriaco di Cultura a Roma*
Christina Zimmermann, *Vicedirettore dell'Istituto Austriaco di Cultura a Roma*

Comitato scientifico:
Rossana Bossaglia, Maria Marchetti, Marco Pozzetto

Direttore della mostra:
Maurizio Calvesi

Coordinamento della mostra e cura dei testi del catalogo:
Maria Marchetti

Coordinatore in Palazzo Grassi:
Lauro Bergamo con il contributo di Attilio Codognato e Piero Russo.

Allestimento:
Nicoletta Cosentino e Massimo Pazzelli

Rivolgiamo un particolare ringraziamento alla Direzione e ai funzionari della Österreichische Galerie del Belvedere per la collaborazione gentilmente prestata a livello organizzativo e scientifico; alla Direzione e ai funzionari dell'Historisches Museum der Stadt Wien e del Museum für Angewandte Kunst, nonché a tutti gli altri musei che hanno generosamente concorso alla realizzazione della mostra. Si ringraziano inoltre la Direzione e i funzionari del Bundesdenkmalamt per la mirabile esecuzione del *Fregio di Beethoven* di Klimt.
Un sentito ringraziamento va anche a tutti i collezionisti privati, tra cui il Dott. Prof. Rudolf Leopold che ha messo a disposizione della mostra una parte della sua importante collezione di dipinti, la Signora Inge Asenbaum e il Signor Julius Hummel che hanno dato un notevole contributo soprattutto alla sezione delle arti applicate.

LE·ARTI·A·VIENNA

DALLA SECESSIONE ALLA CADUTA DELL'IMPERO ASBURGICO

EDIZIONI LA BIENNALE
realizzazione
MAZZOTTA EDITORE

Realizzazione del catalogo

Coordinamento: Nadine Bortolotti, Toni Ebner
Redazione: Marco Abate, Domenico Pertocoli
Impaginazione: Bianca Franchetti
Traduzioni dal tedesco: Enrico Arosio, Silvia Bortoli, Gabriella Buora,
Paolo Cagna Ninchi, Laura Croci, Eva Gamba, Marta Keller, Edda
Leonarduzzi, Carlo Mainoldi, Roberto Menin, Ursula Olmini, Tulliola
Sparagni, Alex Stenghel, Fulvia Vimercati, Edda Wezel
Copertina: Studio Tapiro, Venezia
Fotolito: Arti Grafiche Chiamenti, Verona
Fotocomposizione: Thoth Style, Milano
Stampa: Arti Grafiche Leva A&G, Sesto S. Giovanni - Arti Grafiche
Fleming, Ponte Sesto di Rozzano

L'editore ringrazia il collega austriaco Christian Brandstätter per la
preziosa e generosa collaborazione alla raccolta del materiale e inoltre
tutti i fotografi e i prestatori di materiale iconografico che non è possibile,
in questa sede, menzionare individualmente.
Gratitudine particolare esprimono la redazione e l'editore a Rossana
Bossaglia per il contributo scientifico prestato.

Nelle didascalie sono state utilizzate le seguenti abbreviazioni: Firma Backhausen
(Joh. Backhausen & Söhne. Backhausen, Wien); Hist. Mus. (Historisches
Museum der Stadt Wien); Hsch. f. angew. Kunst (Hochschule für angewandte
Kunst, Wien); Lds. Mus. Joan. (Landesmuseum Joanneum, Graz); Lobmeyr
(J&L Lobmeyr, Wien); Mus. f. angew. Kunst (Museum für angewandte Kunst,
Wien); Mus. Mod. Kunst (Museum Moderner Kunst, Wien); Neue Galerie,
Linz (Neue Galerie der Stadt, Linz); NÖ Lds. Mus. (Niederösterreichisches
Landesmuseum, Wien); Oö. Lds. Mus. (Oberösterreichisches Landesmuseum,
Linz); Öst. Gal. (Österreichische Galerie, Oberes Belvedere, Wien); ÖNB
(Österreichische Nationalbibliothek, Wien); Stadtmuseum Linz (Stadtmuseum
Linz Nordico, Linz); Theaterslg. ÖNB (Theatersammlung der Österreichischen
Nationalbibliothek/Österreichisches Museum, Wien); Tir. Lds. Mus. (Tiroler
Landesmuseum Ferdinandeum, Innsbruck); W. Stadtbibl. (Wiener
Stadtbibliothek, Wien).

ISBN 88-208-0313-5

In copertina, particolare del *Fregio di Beethoven* (*Diesen Kuss der ganzen Welt*) di
Gustav Klimt (Bundesdenkmalamt, Wien / E. Mejchar / prima del restauro)

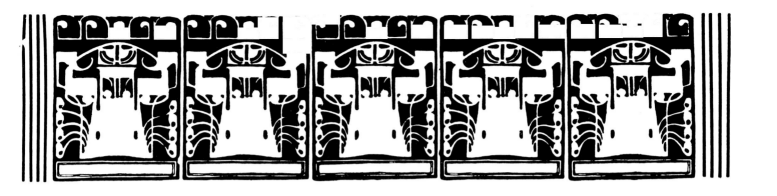

PERCHÉ A VENEZIA

Mario Valeri Manera

Della Secessione parleranno gli amici Portoghesi e Calvesi, per cui io vorrei, più semplicemente, dirvi perché questa mostra si fa a Venezia e come la si è organizzata, come cioè il massimo ente culturale italiano, la Biennale, ente di stato, e il Centro di cultura di Palazzo Grassi, espressione del privato per eccellenza, hanno voluto, potuto, unire le loro forze per realizzare questa manifestazione che per l'impegno, al di là dei risultati che sarà il pubblico, con la legge ferrea del mercato, a decretare, è certamente e di gran lunga la più importante dell'anno.

Qualche tempo fa ciò non sarebbe stato possibile: diffidenze, incomprensioni, polemiche (quasi mai spontanee, quasi sempre sollecitate), gelosie di uomini o magari impreparazione o certe volte arroganza o altre disinteresse (di chi poco importa, magari di tutti) tenevano ben distanti e divisi, per non dire contrapposti, nell'arte (e non solo nell'arte) pubblico e privato, con l'unico risultato di disperdere le forze, di aumentare i costi e di diminuire i risultati.

Portoghesi, Calvesi ed io, perché siamo buoni amici, perché abbiamo gusti ed interessi culturali omogenei (anche se credi politici diversi), pensiamo da sempre che ciò che conta è realizzare e realizzare al meglio, e non ci siamo quindi certo preoccupati, studiando questo accordo, di vedere se otteneva di più il pubblico o il privato, se era l'uno piuttosto dell'altro ad avere il sopravvento, all'interno o verso l'esterno, ma essenzialmente di poter presentare qualcosa che onorasse la cultura, aprisse nuovi spazi alla conoscenza, approfondisse un discorso fondamentale ma non ancora sufficientemente allargato, ne desse il quadro più ampio e nello stesso tempo più preciso, e una indicazione che, per quanto possibile, potesse essere considerata definitiva.

Ho detto Portoghesi, Calvesi ed io, ma era un modo di esemplificare perché i nostri nomi sottintendono consigli d'amministrazione, collaboratori, strutture, esperti, consulenti, che tutti ringrazio perché il merito è loro se questa mostra si può oggi inaugurare, e con loro ringrazio gli sponsor che, secondo un costume che per Palazzo Grassi è tradizionale, ci hanno aiutato in questo sforzo che non è stato da poco e che, in ogni caso, un grosso risultato ha già dato indicando una nuova strada da percorrere insieme, con armonia (e non giocoforza, come prima o dopo sarebbe stato inevitabile), per poter affronta-

Sopra:
J. Hoffmann, *Fregio*, in «Ver Sacrum», settembre 1898.

re livelli di spesa altrimenti impossibili per tutti, pubblici o privati che siano. E perché, vi domanderete, a Venezia? Perché la Biennale e il nostro Centro hanno qui la loro sede? Sì, ma non solo. Perché Venezia è, a mio parere, la città che meglio esalta, assimila, interpreta questo movimento culturale della Secessione, che proprio nelle linee raffinate ed eterne della nostra città, anch'essa sempre capitale, teniamolo bene a mente, può trovare la sua collo cazione più propria e logica e spontanea. Mi si potrà dire che a Venezia, per una ragione o per il suo opposto, succede sempre così! Sì, ma in questo caso di più che in altri. Perché qui a Palazzo Grassi pare che tutto si saldi armonicamente, quasi vi fosse un collegamento o una inconscia continuità. E se ne doveva, non si poteva non tenerne conto.

Ho detto una volta che noi organizzatori culturali scriviamo sull'acqua. Ed è giusto che sia così perché, in fondo, non siamo che dei divulgatori del genio altrui. Ma io vorrei che in ciascuno di voi che s'accosta a questa mostra qualcosa restasse, nel ricordo, non soltanto di quello che vi è esposto ma anche di che cosa essa significa, di quanto ciascuno di noi, pubblico o privato che sia, vi ha dato per realizzarla.

Dicono che per affrontare vie nuove ci vuole coraggio: per percorrerle, aggiungo, anche tempestività, fortuna, l'occasione propizia. Ma più di tutto nel nostro caso ci voleva amore, l'amore per l'arte. Tanto amore per l'arte! Ed è quello che ha sentito ognuno di noi e che io spero anche voi sentirete fino in fondo.

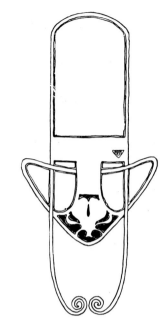

J. Hoffmann, *Fregio*, in «Ver Sacrum», settembre 1898.

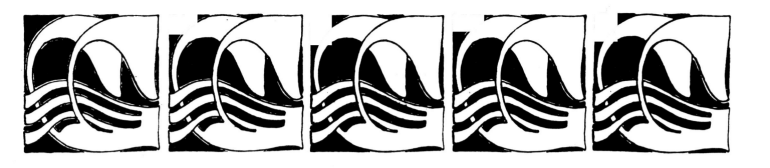

VENEZIA - VIENNA

Paolo Portoghesi

ella primavera del 1984 Venezia celebra Vienna, negli anni tra il 1897 e il 1918 che la videro, arrivata un po' in ritardo sull'orizzonte dell'arte moderna, farsi crogiuolo di ogni sorta di esperienze di ricerca e offrire al mondo una immagine sintetica, di incredibile intensità, di ciò che il nostro secolo avrebbe prodotto nelle oscillazioni del suo ritmo vitale.

La Biennale, nata tra il 1893 e il 1895, celebra la cultura viennese al volgere del secolo, anche perché siamo di nuovo vicini alla fine di un secolo, e riflettere sulla «sacra primavera» di allora può forse aiutarci a capire cosa si nasconde dietro la nuova svolta storica che ci attende.

Venezia aveva più di una ragione per porsi come luogo adatto alla rievocazione di questo grande momento di civiltà, per essere stata allora uno dei punti di riferimento più frequentati dalla immaginazione creatrice viennese, per aver coltivato in tempo recente, attraverso il contributo di studiosi di grande levatura, rinnovate ipotesi critiche e per aver, proprio attraverso la Biennale del 1910, offerto alla pittura di Gustav Klimt una platea internazionale decisiva per la conoscenza della sua arte. La Biennale ha voluto dedicare a Vienna non solo una grande retrospettiva centrata sulla cultura visiva, ma il suo primo grande tentativo di utilizzare la sua struttura pluridisciplinare «ad organum plenum», coinvolgendo cioè tutti i settori di lavoro che la compongono: dalle arti visive, all'architettura, alla musica, al teatro, al cinema.

Dell'arte del periodo della Secessione si era già parlato nel piano quadriennale del 1979 per la proposta avanzata dal settore architettura, poi rinviata per difficoltà di ordine economico, e, nel 1980, Mario Messinis aveva dedicato il festival della musica proprio a questo argomento, risvegliando interesse su figure poco note o dimenticate.

Nel 1983 la prima manifestazione musicale del nuovo quadriennio celebrava il centenario di Anton Webern, figura emblematica della Neue Wiener Schule. Le manifestazioni programmate nel 1984 abbracciano quasi tutti gli aspetti della cultura viennese, offrendo un test significativo delle possibilità uniche che la Biennale possiede, per l'ampiezza e la flessibilità delle sue strutture organizzative nel campo così attuale della «cultura della città», del rapporto cioè

Sopra:
J. Hoffmann, *Fregio*, in «Ver Sacrum», settembre 1898.

tra una comunità e i prodotti che ne hanno espresso i fermenti più vitali.
Di un'altra volontà programmatica della Biennale è diretta espressione questa mostra, per tanti aspetti esemplare: della volontà di collaborazione fattiva con le istituzioni culturali che hanno finalità vicine e complementari, aldilà di intenzioni egemoniche o grette gelosie competitive. Questa mostra è stata resa possibile per la preziosa collaborazione del Centro culturale di Palazzo Grassi e segna un rinnovato patto d'amicizia tra due tradizioni diversamente caratterizzate ma unite dalla missione di Venezia come capitale mondiale della cultura artistica, città della bellezza e perciò della cooperazione internazionale.

La civiltà architettonica di Venezia e il suo linguaggio inconfondibile appaiono dominati da una sorta di ambiguità semantica; in essi convivono aspetti di una città nordica, strettamente imparentata con le città anseatiche e con la cultura del mattone, da Amsterdam a Bruges a Danzica, e aspetti di una città orientale, islamica, splendente di policromie geometriche. I rapporti tra Mitteleuropa e Mediterraneo segnano un percorso ideale che ha Vienna e Venezia come cerniere fondamentali, e un asse lungo il quale scorrono, nell'arco storico, innumerevoli correnti ascendenti e discendenti, mosse da una differenza di potenziale che varia e rovescia il ruolo dei poli opposti secondo cicli imprevedibili.
All'inizio di questo secolo Venezia diventa per Klimt, per Otto Wagner, per Hoffmann e Moser, la reificazione di un Oriente sentito come orizzonte della classicità moderna. Per Klimt è Ravenna la direzione del viaggio, e la testimonianza di Lenz, riferita da Wilhelm Dessauer, ci fa conoscere dettagli significativi sugli umori dell'artista: «Arrivano a Venezia con l'acqua alta e il vaporetto si dibatte sul Canal Grande sferzato dalla tempesta. Piazza San Marco è inondata, soltanto le Procuratie sono praticabili, ma proprio lì è in corso una manifestazione antiaustriaca. La pioggia sarà la compagna di viaggio fissa dei due artisti, ma Klimt, sempre in giro a testa scoperta e senza ombrello, bagnato fradicio, non si ammala mai. Non capisce l'italiano. Sosta muto davanti ai capolavori artistici: con Lenz aveva sin dall'inizio stabilito che ciascuno avrebbe guardato le opere per conto proprio... Proseguono il viaggio attraverso il delta del fiume Po al chiaro di luna, fino a Ravenna, la loro vera meta, dove si compirà il destino di Gustav Klimt. Infatti i mosaici lucenti d'oro delle basiliche ravennati gli fanno un'impressione immensa, decisiva.»

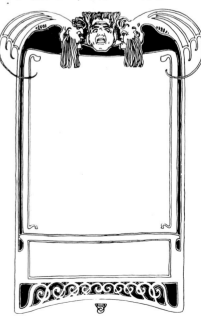

J. Hoffmann, *Decorazione per libro*, in «Ver Sacrum», febbraio 1898.

Venezia è la città dell'oro, il luogo in cui l'oro, superficie senza profondità, e nello stesso tempo profondità riflessa, calata nella superficie, si insinua nel tessuto della città e quindi dell'esperienza come sfondo e come frammento, come assoluto intrecciato al quotidiano. L'oro veneziano e ravennate serve per riportare al presente le valenze dell'astrazione, per operare una sintesi significativa tra astrazione e organicità. Senza il conflitto con l'oro (più tardi analoga funzione la svolgerà la disgregazione dei colori) il naturalismo, la individuazione della identità individuale dei personaggi sarebbe solo impressione e descrizione psicologica. L'oro invece intese intorno alle figure una nicchia in cui la individualità è protetta e, liberata dalle convenzioni sociali, può riguadagnarsi, rivelando i propri istinti segreti, uno spazio di libertà.
Per Otto Wagner Venezia, e oltre Venezia Bisanzio, vuol dire esplorare i confini di una classicità che per essere «moderna» deve superare i confini delle formulazioni accademiche, una classicità liberata, che permette ad Ante-

O. Wagner, *Progetto per l'angolo della Karlplatz*. (Hist. Mus., Vienna).

mio di Tralle e Isidoro da Mileto, nella balconata interna di Santa Sofia, di adoperare la colonna senza trabeazione non più nel suo valore tettonico ma nel suo valore simbolico. Nella modernità di Wagner il passato sarà presente come simbolo, come strumento per mantenere continuità di comunicazione in un contesto rinnovato dalle tecniche e dalle materie prodotte dalla civiltà industriale.

L'architettura veneziana, polimaterica, ricca di colore, continuamente compenetrata da presenze plastiche e cromatiche fornite dalle arti sorelle, è un modello di classicità allargata, un modello di semplificazione volumetrica e di arricchimento superficiale. Questa stessa direzione di ricerca porterà Wagner, dopo la stagione eclettica, a cimentarsi con i volumi puri aggettivati da ritmi grafici, a proporre, attraverso il lavoro della sua scuola, una immagine di città compiuta e coerente, dove la novità delle strutture, l'invasione del cristallo, la semplificazione delle forme, la cancellazione dell'enfasi ornamentale, senza giungere mai all'azzeramento dei codici, tentano una graduale mutazione, una fisiologica evoluzione della tradizione urbana e del «codice dei codici», quello della classicità.

Per Hoffmann e Moser Venezia è il luogo della misteriosa coniugazione tra linea e volume, il luogo in cui la decorazione geometrica raggiunge il massimo della semplicità strutturale. Come per Proust e per Klimt, per Hoffmann e Moser il pavimento della basilica di San Marco è un luogo centrale dell'esperienza estetica, un motivo continuamente emergente. E se per Proust si tratta di una sensazione tattile, prodotta dall'asperità, dalla irriducibilità del pavimento a una superficie, per i viennesi è una sensazione visiva. Klimt può trovare, o meglio ritrovare a San Marco la sua scacchiera triangolare e la disgregazione del motivo geometrico nella vibrazione pulviscolare. Hoffmann può trovare o ritrovare la sua scacchiera ortogonale, i suoi fregi intermittenti che percorrono con una sorta di alfabeto Morse le trame delle sue

13

pareti diafane. Troverà soprattutto quel rapporto tra cornice e volume che produce, attraverso la sottolineatura degli spigoli, una smaterializzazione del volume, una sua riduzione a sommatoria di superfici intersecate.

Il Palazzo Stoclet, enunciazione coerente e completa della poetica della linea smaterializzante, ha a Venezia (oltre che nel battistero fiorentino) la sua profezia, nei frammenti scatolari di muro che si innalzano sulle colonnine della facciata di San Marco: esempio tipico di quel «modo di narrare continuo» in architettura che, proprio in quegli stessi anni a Vienna, Alois Riegl definiva criticamente.

Per Koloman Moser lo schedario veneziano, oltre alle scoperte fatte insieme a Hoffmann, contiene altre suggestioni dirette e indirette, la contemplazione delle qualità materiche del vetro per esempio o la tessitura grafica dei fregi di pietra basati sull'iterazione di un motivo asimmetrico.

Wagner, Olbrich, Hoffmann, Loos, Mahler, Strauss, Schrecker, Schönberg, Zemlinsky, Altenberg, Kraus, Wedekind, Schnitzler, Musil, Trakl, Klimt, Schiele, Kokoschka, Wickoff, Riegl, Freud. È possibile vedere in questo schieramento di grandi personalità «conviventi» un indirizzo comune o almeno una convergenza istantanea? Cultura di una città non vuol dire quasi mai insieme organico e coerente; eppure vuol dire qualcosa di preciso, un insieme di ipotesi e di direzioni che condividono certe condizioni primarie, che emergono da uno stesso sfondo. E lo sfondo, si sa, agisce sulle figure o almeno sulla percezione che ne abbiamo. È evidente che nella Vienna dello Jahrhundertwende, del volgere del secolo, due fronti si contrappongono: quello della inflessibilità e quello dell'adattamento, dell'«acquietamento» come diceva Kraus. Da una parte Kraus, Loos, Kokoschka, il secondo Schönberg e forse l'ultimo Mahler, Freud, dall'altra tutto il resto, il venire a patti con una società, con uno stile di vita e un insieme di convenzioni definite, la ricerca di una nicchia protettiva in cui circoscrivere la propria libertà.

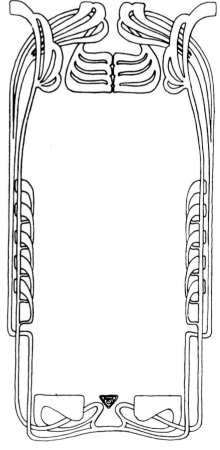

J. Hoffmann, *Decorazione per libro*, in «Ver Sacrum», febbraio 1898.

Vienna e l'«antivienna» insomma, e basta questa definizione legittimata, almeno per Kraus, dalla consapevolezza di un ruolo ben definito, per capire come le due culture siano legate non solo da un eguale destino ma da una infinità di sintomi che le rendono complementari, come sono complementari forma e controforma, il chiodo e la sua impronta lasciata nella materia penetrata.

Nel giudizio storico formulato nei decenni successivi alla «finis Austriae», nell'ottica teleologica del movimento moderno i due fronti erano ben distinguibili anche in virtù del loro gradiente di «modernità», della loro proiettabilità nel futuro divenuto presente. Klimt e Mahler furono espunti, Wagner, Hoffmann e Loos ridimensionati e imprigionati nelle etichette dell'art nouveau e del protorazionalismo. La ricerca artistica aveva preso altre strade e i nuovi movimenti avevano scelto i propri maestri, i propri antecedenti storici altrove, Schönberg, Kokoschka, Loos potevano essere inseriti, a prezzo di evidenti forzature, come profeti di una modernità nata dalla tabula rasa, dall'azzeramento delle tradizioni; il resto restava a testimoniare la morte del «mondo di ieri», l'agonia di una cultura che recava già in sé le premesse di una progressiva decomposizione.

La favola storica ebbe un breve corso e, già all'inizio della sua seconda metà, questo secolo deponeva le sue ottiche trionfalistiche per ritornare, con affettuosa nostalgia, a ripercorrere la sua infanzia felice e la sua nevrotica adolescenza. La riscoperta di Mahler, la rivalutazione e rivisitazione dell'art nou-

1. Plastico del Kaiser Franz Josef Stadtmuseum e della piazza (arch. Baurat Fr. Schachner). (Mus. f. angew. Kunst, Vienna).

veau, la revisione critica del decadentismo in letteratura misero in crisi rapidamente i tentativi di interpretare le vicende della modernità come un sistema organico e la tendenza a considerare l'azzeramento dei codici e i processi di semplificazione e distruzione del linguaggio come irreversibile spartiacque tra una modernità aurorale e incompleta e una modernità matura e definitiva.

Ancora negli anni '60 si potevano contrapporre due genealogie ufficiali dell'arte moderna, divise soprattutto per i ruoli diversi attribuiti a due itinerari nazionali, quello francese e quello austro-tedesco. A distanza di vent'anni anche questa contrapposizione appare ingenua in quanto tesa a individuare una storia univoca piuttosto che a constatare l'esistenza di una pluralità di «storie», che ogni sforzo unificante tende a mistificare e corrompere.

Si creavano così gradualmente le condizioni per riavvicinarsi a Vienna, «laboratorio dell'Apocalisse», a quei vent'anni che videro una imprevedibile coesistenza di spensieratezza e di lacerazioni, di burocrazia e di anticonformismo, di radicalismo e di accomodante pluralismo, e si poteva finalmente comprendere ciò che teneva insieme, nelle sue tensioni e nei suoi abbandoni, questo equilibrio instabile, questo «circolo quadrato fatto di ferro ligneo», secondo la mirabile descrizione dell'*Uomo senza qualità*.

Consideriamo, per fare solo un esempio, Loos e Hoffmann, coppia di opposti in perenne conflitto. Per capire cosa li univa, nella sostanziale differenza, bisogna osservare cosa li divide entrambi dalla cultura delle avanguardie costruttiviste, dalla sintesi sottrattiva operata negli anni '20 all'insegna della razionalità. Loos critica il progetto di dare alla nuova epoca uno stile consistente in un nuovo ennesimo repertorio decorativo, critica l'intenzione di portare l'arte in tutti gli oggetti che accompagnano la vita quotidiana; Hoffmann invece dedica tutto se stesso a tale progetto e lo modifica a mano a mano che i tempi cambiano, adeguando la sua ricerca agli umori e alle aspirazioni di una élite borghese che ha scelto come interlocutrice. Nessuno dei due però attraversa il confine oltre il quale la distinzione tra grande arte e arte applicata non ha più senso perché l'arte non è più necessaria. Per la crociata di Loos è necessario che l'arte smetta di confondersi con la vita perché possa rimanere intatta nel suo empireo di suprema attività conoscitiva, ma sarebbe una sciagura irreparabile se essa sparisse o rinunciasse alla sua natura tradizionale. L'arte si allontana dalla casa perché possa mantenersi come è sempre stata e perché la casa possa diventare davvero «moderna», possa realizzare lo Zeitgeist utilitario dell'età industriale. Perciò l'architettura deve mantenere intat-

O. Wagner, *Progetto per la Franz Josef Platz*, 1895. (Hist. Mus., Vienna).

ta la sua aura negli edifici collettivi, nei monumenti urbani dove Loos adotta un repertorio formale nettamente diverso: quello dell'ordine architettonico classico.

Egualmente Hoffmann, pur negando la distinzione loosiana tra arte e non arte, esplora coraggiosamente i confini di un repertorio nato dalla semplificazione e dal progressivo abbandono di ogni ridondanza linguistica ma non giunge mai all'azzeramento dei codici tradizionali, non rinuncia mai alla riconoscibilità dei termini architettonici convenzionali. La decorazione, la cornice, il timpano, la proporzione tra le parti rimarranno i termini di un discorso ellittico che la rarefazione non riduce mai al silenzio.

Antitesi riducibile anche quella tra l'ottimismo di Otto Wagner e il pessimismo di Gustav Klimt. Wagner rimane di tutti gli architetti della sua generazione, arrivati al traguardo del nuovo secolo con un bagaglio di grandi esperienze costruttive, il più dotato di forza profetica, il meglio capace di indicare un metodo in grado di informare la riprogettazione della città. Gli album che illustrano, anno per anno, i prodotti della sua scuola costituiscono nel loro insieme la profezia di una città moderna equilibrata e armoniosa, nata per logico sviluppo delle conquiste della urbanistica ottocentesca anziché per partenogenesi e per la generalizzazione di processi analitici e quantitativi come volevano i principi dello zoning e degli standard. Wagner in sostanza vuole costruire una città organica dietro le facciate di Potemkin, vuole ridisegnare quelle facciate dopo avervi collocato dietro una società riequilibrata.

La città wagneriana è affettuosamente descritta dai giovani estensori del suo progetto per tipi edilizi e per grandi composizioni organiche, lasciando intendere che essa poteva sorgere dallo sviluppo e dalla trasformazione dei modelli storici tradotti e integrati mutando la retorica urbana degli spazi collettivi dalla grande esperienza degli spazi gerarchici settecenteschi, dall'arte militare e dall'arte dei giardini espressa dalla grande aristocrazia europea.

1. O. Strnad, *Progetto per una sinagoga*, 1904. (Mus. f. angew. Kunst, Vienna).

2. O. Laske, *Moschea a Costantinopoli*, 1910. (Öst. Gal., Vienna).

Confrontando la profezia urbana di Wagner con la storia della città moderna a partire dagli anni '20, si possono constatare impressionanti coincidenze in certe tematiche parziali (le facciate di vetro, per esempio, gli edifici per lo spettacolo), e la sostanziale diversità di fondo legata soprattutto al permanere nell'architettura di Wagner e della sua scuola della tradizione dell'architettura simbolica.

Wagner dunque addita alla società del traballante impero asburgico un orizzonte riformistico capace di avviare a soluzione lo scandaloso problema della carenza di alloggi e vede la possibilità di controllare contemporaneamente l'espansione quantitativa della città residenziale e la sua crescita qualitativa in funzione dei nuovi bisogni della vita collettiva e della produzione industriale.

A questo sogno di riconciliazione come può associarsi lo scavo in profondità di Klimt nel regno degli istinti e nella condizione psicologica lacerata e contraddittoria del borghese moderno? Wagner considerava Klimt «il più grande pittore mai esistito» e guardava senza riserve alla sua funzione di guida spirituale del gruppo della Secessione. Nei primi anni della Secessione, fino al 1905 almeno, l'atteggiamento di coraggiosa sfida espresso da Klimt nei confronti della cultura conservatrice, della cultura che aveva trovato nelle architetture del Ring la sua forma simbolica, poteva essere considerato da Otto Wagner del tutto congruente con la sua battaglia. Anche Klimt era partito da una fase di registrazione dell'esistente negli affreschi del Burgtheater; e ora, architetto e pittore, nonostante la differenza di età, si trovano insieme a organizzare la ribellione, a sostenere la necessità di una restituzione dell'arte allo spirito del tempo e del luogo e a una rivendicazione della loro libertà.

La divaricazione tra Klimt e Wagner avviene con la seconda Secessione, quando Klimt abbandona il simbolismo totalizzante della sua pittura aerea, del suo barocco borghese, immaginato per gli affreschi dell'Università e, preso atto della diffidenza e della ostilità della maggioranza del pubblico, ripiega verso una forma di libertà artistica non più pubblica ma privata, verso la difesa di uno spazio sperimentale in cui celebrare lo sfasamento tra una minoranza capace di vedere e una maggioranza prigioniera della sua cecità. Divaricazione ideologica, perché proprio in questi anni Wagner scrive la sua opera teorica e la aggiorna approfondendone il carattere profetico e ottimistico; ma ancora congruenza e affinità sul piano del gusto. L'abbandono della curva, nella sua accezione dinamica e coinvolgente, e la scelta dei fondi dorati della frammentazione geometrica, della esaltazione dei volumi, sono aspetti che avvicinano due linee di ricerca e permettono loro di intrecciarsi in modo significativo.

E a osservare aldilà della superficie, aldilà delle connotazioni psicologiche, la tensione unificante sta anche nel fatto che, nella rinuncia a disegnare la città secondo un sogno intellettualistico, senza fare i conti con i gusti e i vizi del potere, nel disegnarla anzi in tutta la sua concretezza mondana, si rivela il lato pessimistico del pensiero di Wagner; così come, nella esaltazione di quel quoziente di verità umana che Klimt scopre nella gioia dei sensi e nell'affiorare degli istinti, si può individuare il suo momento ottimistico, la coscienza di partecipare a un'opera di disvelamento che innalza l'uomo al disopra di quelle finzioni che lo riducono alla dimensione della economia domestica e della lotta per il potere.

L'arte viennese insomma sembra nei suoi aspetti diversi la più lontana, nell'orizzonte del secolo, a declinare le sue responsabilità di fronte ai miraggi della rivoluzione politica, del cambiamento degli assetti di potere, la più decisa, quale che sia la strategia scelta da ciascuno dei suoi esponenti, da Loos a Klimt, a occupare spazi, magari occasionali, ma gelosamente liberi e protetti, in cui dare la parola agli uomini attraverso le cose e far scaturire dall'«hic et nunc» momenti e frammenti di verità.

Per questo forse è più facile per noi oggi, di fronte alla crisi delle ideologie totalizzanti, dei sistemi organici di pensiero, riconoscere l'ipotesi viennese in tutta la sua tragica grandezza e sentirla persino vicina, non come presentimento di morte ma come argomento di speranza.

1. F. Jaschke, *Sulla riva del Danubio*, 1903. (Öst. Gal., Vienna).

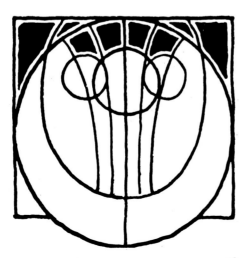

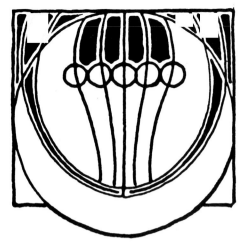  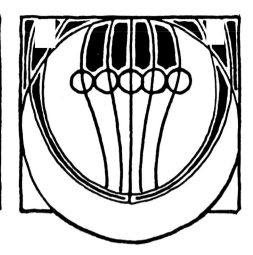

STORIA E SIGNIFICATO DI UNA MOSTRA

Maurizio Calvesi

Sopra:
1. J. Hoffmann, *Fregio*, in «Ver Sacrum», settembre 1898.

2. G. Klimt, *Saffo*, 1888-90. (Hist. Mus., Vienna).

copo di questa mostra, che conta su un numero così rilevante di opere e di artisti, non è e non poteva essere quello di documentare in modo esauriente ma esclusivo le figure più note ed emergenti della civiltà viennese dalla Secessione alla fine dell'impero asburgico: che è come dire le triadi di Klimt, Schiele, Kokoschka in pittura e di Wagner, Hoffmann, Loos in architettura. La selva di nomi cui il visitatore si trova davanti rispecchia visibilmente, al contrario, l'intenzione di rappresentare un contesto, nell'incredibile ricchezza e qualità delle sue centinaia di operatori. Per chi specialista di questa materia non è, una simile abbondanza e varietà può costituire una sorpresa, trovandosi questo fertile ambiente lontano ancora dall'essere veramente ben «conosciuto», e non solo a livelli di divulgazione. E sorpresa è stata, debbo confessarlo, anche per me, sorpresa moltiplicata dal fatto che l'elenco di artisti pervenuti alla selezione finale è lungo meno della metà di quello inizialmente preso in esame con i componenti il comitato scientifico. E ogni qual volta mi provavo a sollecitare il depennamento di questo o quel nome, nel riconsiderare le immagini che mi venivano mostrate dovevo convenire che ogni cancellazione era un arbitrio e un sacrificio, essendo rari i casi di artisti davvero insignificanti. Ragion per cui il drastico ridimensionamento dell'elenco iniziale ha obbedito assai più a preoccupazioni di spazio che non di tenuta qualitativa.

Klimt e gli altri nomi universalmente celebrati della Vienna artistica dopo la Secessione, ovvero le sunnominate triadi, non sono in effetti che la punta di un iceberg, le più rinomate emergenze di una civiltà artistica che non sorprende soltanto per qualità, ma altrettanto per quantità. Il fenomeno può spiegarsi, anche, con il retaggio di un impegno nell'arte che risale alla stagione del liberalismo, nelle particolari forme che la sua egemonia assunse nell'impero asburgico: egemonia tuttavia condizionata, o relativa. Infatti, diversamente da quanto era accaduto in Francia o in Inghilterra, la borghesia austriaca non aveva avuto la forza di rovesciare la classe dei nobili contro cui aveva lottato. I liberali, ascesi al potere alla metà dell'800, istituirono un regime costituzionale ma non riuscirono ad estromettere l'aristocrazia e la burocrazia imperiale, con cui si trovarono a dividere il potere. Sottomesso all'imperatore, in un rapporto di lealtà, il borghese e liberale austriaco aspirò ad integrarsi con l'aristocrazia.

La corte imperiale, in realtà, restava preclusa persino ai nuovi nobili. Una via, però, si rivelò praticabile per realizzare un incontro ed una assimilazione: la via della cultura e dell'arte. E dall'innesto di una cultura liberale ispirata agli ideali della ragione e allo «spirito delle leggi» su una cultura aristocratica postbarocca (aggraziata, celebrativa, sensuale, estetizzante) nacque una miscela eterogenea ma ricca e spettacolare, nel segno dello storicismo e di una sensibilità scenografica. Il numero dei letterati e scrittori, degli autori ed attori di teatro, dei critici e degli artisti fu in costante ascesa sino alla fine del secolo. La cultura estetica, pronuba dell'auspicato abbraccio tra aristocrazia e borghesia, ebbe il ruolo di protagonista.

La Ringstrasse, imponente cintura viaria strutturata nell'area dei vecchi bastioni difensivi, si adornò d'imponenti edifici in funzione simbolica e rappresentativa, adoperando in questa chiave i diversi stili. Nel quartiere del Rathaus, il Diritto e la Cultura si affrontano in un quadrilatero laico che celebra la nuova ideologia liberale come un sistema armonico d'equivalenze e corrispondenze: il Rathaus, emblema dell'autonomia municipale, in stile gotico; il Reichsrat, sede del governo parlamentare, in stile neoclassico grecizzante; l'Università, sacrario della cultura, in stile rinascimento; il Burgtheater, simbolo delle arti, in stile protobarocco, che è lo stile scenografico per eccellenza. La storia trionfava in una visione antologica più che eclettica, come repertorio di collaudati e collaudanti simboli e garanzia di massicci e certi riferimenti laici, segnando le tappe di un cammino insieme progressivo e circolare. Il fluido dell'arte, sprigionandosi dalle strutture auliche ed articolate del Burgheater, permeava di sé l'intero spazio e l'armonia stessa del «sistema».

La crisi, politica e sociale, sopravvenne decisamente con gli anni '90 e partorì una rivoluzione estetica: la Secessione.

Nuovi gruppi sociali premevano con le loro rivendicazioni: lavoratori, artigiani, contadini, cittadini slavi, fondando partiti di massa nel segno di ideologie cristiano-sociali, pangermaniste, nazionaliste e antisemitiche, accomunando spesso nel rigetto liberalismo, capitalismo, ebraismo, cosmopolitanismo.

Nel 1895 viene eletto il borgomastro cattolico Karl Lueger, che Francesco Giuseppe si rifiuta dapprima di riconoscere, ma che è costretto a ratificare nel '97 (lo stesso anno della Secessione). I liberali perdono per sempre il potere, lasciando in eredità una cultura estetica composita cui vengono tuttavia a mancare i puntelli del legalitarismo e del moralismo laico, scientifista e storicistico: sviluppando il proprio latente individualismo, essa s'apre alla vita e alla sua ricchezza istintuale, alla ricerca del nuovo e della «verità». Ma quale verità e quale nuovo?

Una società che si disintegra non è in grado di additare dal suo interno i nuovi valori. Né il rifiuto del passato è sufficiente, di per sé, a tracciare le vie del futuro.

Politicamente, le stesse nuove forze emergenti dal basso non costituivano un quadro omogeneo, anzi con punte di «destra» e di «sinistra», né tutte, d'altra parte, rappresentavano una drastica rottura con il liberalismo: la sinistra socialdemocratica e progressista ne sviluppava infatti, sia pure in una direzione indesiderata, le premesse razionalistiche e cosmopolitane. Ed è su questo versante, tra liberalesimo di sinistra e socialdemocrazia, che vanno ricercati gli agganci con la rivolta estetica della Secessione, la cui formulazione ideologica fu affidata a un politico progressista di formazione nietzschiana, Max Burckhard.

Sia nel campo politico sia in quello artistico, in effetti, gli esponenti della ri-

1. G. Klimt, *Ritratto della sorella*. (Coll. privata, Vienna).

2. G. Klimt, *Stagno nel parco Kammer*, 1899 c. (Coll. privata, Vienna).

1. W. List, *Nudo femminile*. (Hist. Mus., Vienna).

2. W. List, *Nudo femminile* (retro). (Hist. Mus., Vienna).

bellione progressista si autodefinivano «i giovani», «die Jungen». E come «Jungen» si presentarono gli stessi fondatori e adepti della Secessione. Il loro credo si imperniava appunto sul rifiuto dello storicismo, considerato anacronistico, e sulla ricerca del nuovo: il nuovo in tutta la sua fenomenologia d'importazione europea. Chi guardò allo Jugendstil tedesco e all'art nouveau; chi all'impressionismo francese e al naturalismo belga; chi ai preraffaelliti inglesi. Di qui il mosaico delle tendenze e le divaricazioni che questa mostra illustra, al di là dei confini dello stesso raggruppamento della Secessione: la cui funzione di rottura non coincide né con una omogeneità di proposte stilistiche e formali, appunto, né (attraverso il rapido volgere degli eventi e degli anni) con l'area delle nuove ricerche, che presto si frantuma in altre «secessioni», raggruppamenti, laboratori, o in esperienze isolate. La Secessione, insomma, dà il segnale di partenza, ma divenuta istituzione assolve solo per breve tempo al ruolo di compattare le forze in evoluzione.

Più, dunque, che inseguire il farsi e disfarsi dei gruppi e delle alleanze, interessa individuare le linee di tendenza. E tra queste non c'è dubbio che la linea vincente, o portante, è quella che prende le mosse dallo Jugend e dall'art nouveau, elaborando il Sezessionsstil o stile secessionista per eccellenza.

Ma anche all'interno di questo «stile», che accomuna i due capifila Gustav Klimt e Otto Wagner, estendendosi dalla pittura e dalla grafica all'architettura e alle arti applicate, occorre cogliere le sostanziali divergenze e le diverse declinazioni dell'ideologia del «nuovo».

Principale inventore del Sezessionsstil è Klimt. Otto Wagner ne è influenzato e coglie in questo suggerimento la possibilità di sviluppare la propria ricerca architettonica in una direzione che potremmo definire, in qualche misura, funzionalista. Il Sezessionsstil privilegiava la superficie annullando nella sua bidimensionalità, con eleganza lineare, ogni parvenza di volumi. Wagner esalta l'effetto di superficie delle facciate, semplificandone e nitidamente marcandone le linee, e così contrapponendo la nuova architettura a quella della Ringstrasse, che riproponeva il linguaggio plastico dei «corpi» e degli elementi compositivi tradizionali (colonne, timpani, architravi).

Si è detto che Wagner perpetuò, in realtà, una caratteristica della cultura architettonica della Ringstrasse, e cioè la separazione tra struttura e stile o decorazione: epperò, al «ricamo» chiaroscurale dell'ornato storicistico, congeniale appunto alla trascorsa concezione plastico-volumetrica, egli sostituì una decorazione piatta e coloristicamente connotata, la cui funzione non è più quella di ingentilire un solenne apparato, ma di individuare e «far vivere» l'edificio; e se l'ornato storicistico restava servilmente subordinato all'architettura, i partiti decorativi di Wagner assumono un ruolo protagonistico e più che commentare la superficie la qualificano, ne giustificano e ne illustrano la funzione, in stretta connessione con quella stessa dell'edificio.

Un'analoga vocazione «illustrativa» hanno i diversi materiali, dal ferro, al vetro, alla maiolica, che alludono alla vita moderna ma anche alla sua varietà di momenti, sentimenti e condizioni, dalla produttività e dall'efficienza al riposo e alla fiducia. Mentre la futura architettura del razionalismo si limiterà ad interpretare riduttivamente ed asceticamente l'idea di funzione, riportandola a canoni di nuda essenzialità e rispondenza a pure esigenze pratiche, Wagner contempla anche una funzione «psicologica» dell'edificio. Il fruitore dev'essere indirizzato, dall'architettura, nel proprio comportamento, e confortato e rassicurato con immagini vivificanti, allusive (nel loro ordine simmetrico e nelle loro scansioni e partizioni) alle garanzie di buon andamento offerte dalla società e dalla civiltà moderne.

Nella celebre casa in Linke Wienzeile la lineare successione delle vetrate e delle ringhiere in ferro commenta la destinazione commerciale dei piani inferiori, mentre al di sopra di essi, in corrispondenza delle abitazioni, si espandono degli squisiti rami di rose, a suggerire la gioia del riposo, ma anche ad ammonire che i godibili frutti del benessere affondano le radici, proprio come un albero, nel momento dell'economia e degli affari.

Wagner, avvertendo la crisi della società in cui agiva ma non cercandone le ragioni, si applicava ad esorcizzare i riflessi psicologici di tale crisi, che ai suoi occhi si manifestavano come sindrome di «ansiosa insicurezza»: una sorta di disorientamento provocato dal contatto con il mondo moderno. Ebbene, l'architetto aveva il compito, secondo Wagner, di rimuovere l'insicurezza dei cittadini offrendo loro conforto, additando loro modelli, parametri, e suggerendo direzioni di comportamento. Ecco la funzione «direzionale» della linea, trionfante nel Sezessionsstil, funzione dunque estetico-psicologica.

In tale complesso modello di funzione confluivano dunque e si ricongiungevano non solo un'esigenza di «funzionalità» ed essenzialità collegabile ai bisogni della nuova era (l'era della macchina e della febbrile economia produttiva), ma anche le potenzialità gratificanti e suggestive dell'arte, capace di influenzare la sfera dei sentimenti e di qualificare il livello di vita. Il funzionalismo del movimento moderno spoglierà l'arte di ogni edonismo per farne un puro strumento di divulgazione dell'ideologia razionalistica e di corretto controllo qualitativo della produzione industriale. Wagner invece riassorbiva il momento edonistico dell'arte in un'idea più complessa e articolata di «funzione». Decorazione, stile e struttura non sono quindi in contraddizione tra di loro, né vivono separatamente, ma corrispondono a distinti ma confluenti momenti «funzionali».

Questa premessa e questo discorso possono valere, all'incirca, e molto in generale, per gran parte degli sviluppi dell'architettura viennese intorno a Wagner e dopo Wagner, nonché delle arti applicate, ed anche per qualche aspetto della pittura. Chi vuol leggere, in questa straordinaria produzione viennese, un'anticipazione (spesso sorprendente per la precocità delle date) di linguaggi avanguardistici fino all'astrattismo o al Bauhaus, chi, cioè, vuol privilegiarne un'interpretazione «progressista», non ha certo torto: purché si ravvisi la relatività di questa idea di «progresso», dove il punto di approdo (il razionalismo del movimento moderno o l'essenzialità del neoplasticismo e di altre tendenze astratte) resta una mera proiezione ideologica. Né ha torto chi pensa il contrario, purché valga lo stesso avvertimento: c'è nel Sezessionsstil un'evidente diversità ideologica rispetto ai fenomeni «terminali» sopra citati; e alla fine interessa soprattutto di cogliere ed individuare tale diversità nelle sue specifiche connotazioni; ma rendendoci conto che ciò in cui tale diversità si diversifica non può essere giudicato semplicisticamente come resistenza di segno reazionario; e che ciò in cui invece essa si accosta ed «anticipa» non può essere valutato, altrettanto semplicisticamente, come indice di progresso.

Queste considerazioni valgono per lo stesso Loos, di cui è nota l'avversione al decorativismo del Sezessionsstil: non per questo Loos può essere meramente etichettato come iniziatore del razionalismo architettonico. Rifiutando la decorazione, Loos non scartava del tutto quella complessità, anche psicologica, dell'idea di «funzione» che è riscontrabile in Wagner; soltanto che il suo severo sentimento individuava altri canali, non edonistici, per dar corso alle «suggestioni» dell'arte, alle sue «atmosfere», al suo «di più» rispetto al riduttivismo funzionalistico.

La connotazione *positiva* che le ricerche del Sezessionsstil assumono con l'ope-

1. J. Engelhart, *Autoritratto con cilindro*, 1892. (Öst. Gal., Vienna).

2. G. Klimt, *Ritratto del conte Traun*, 1896. (Coll. privata, Vienna).

1. F. Matsch, *Hilda e Franzi*, 1901. (Öst. Gal., Vienna).

2. F. von Myrbach, *Franz Ritter*, 1899. (Hist. Mus., Vienna).

ra di Wagner, nel mediare la «linearità» efficientistica con un «gusto» espressivo o edonisticamente confortevole e gratificante della linea stessa e della decorazione (alla ricerca, per altro, di una qualificazione «aristocratica» del modello produttivo borghese), tale connotazione positiva e serena è riscontrabile, come dicevo, in molti degli sviluppi, linguisticamente eccezionali ed anticipatori, dell'architettura e delle arti applicate: da Hoffmann a Kolo Moser; con convergenze pittoriche di delicata finezza da Mallina, che devia verso un idealismo mistico, a Zülov, a Stolba (il cui astrattismo organico resta nei limiti di una ricerca decorativa, ma nel gettare un ponte tra cosmo e microcosmo apre su un'altra dimensione dell'avanguardia, quella dell'arte come «ricerca»).

Ma va lasciata allo specialista la descrizione ravvicinata di questi sviluppi e di queste diramazioni.

A noi basterà invece segnalare la connotazione e direzione tendenzialmente opposta, *negativa*: quella cioè che registra la crisi e, pur condividendo l'utopia dell'arte, ne circoscrive i possibili effetti benefici alla sfera ideale della consolazione, «privatizzandola» sempre più (Klimt), o incanalandola in fantasie da incubo, o ancora nella denuncia.

Klimt in effetti, pur suggerendo a Wagner, non condivide affatto la sua assunzione ottimistica del Sezessionsstil (o almeno ben presto se ne distingue); né mai si associa al suo dirigismo sociale, che del resto è sentimento e ambizione da architetto. Ma l'iniziale vicenda «pubblica» di Klimt esige di essere sia pur brevemente ripercorsa, per comprendere la sua parabola.

Figlio di artigiani, l'artista frequentò la Scuola d'arti e mestieri, dove veniva largamente insegnata anche la storia dell'arte. E i suoi esordi sono «storicisti», con i dipinti per il Burgtheater e per l'atrio del Kunsthistorisches Museum. Ma pochi anni dopo, nel '97, capeggia la ribellione degli Jungen e fonda la Secessione. Disegna il manifesto della prima esposizione, nel quale è raffigurato Teseo nell'atto di uccidere il Minotauro per liberare la gioventù ateniese: con allusione violenta e palese. Deposta la fede nella storia, la mitologia diventa un repertorio di simboli, utilizzati come riferimento alla perenne attualità di personaggi e situazioni tipo.

Freud, contiguo nello spazio e nel tempo, sceglie Edipo come eroe emblematico della ribellione contro il padre, in una visione intesa a mettere crudamente a nudo gli istinti dell'uomo. Ed anche questa aspirazione alla «nuda verità» è condivisa, benché non certo a livelli psicoanalitici, ma morali, dagli Jungen e da Klimt: occorre gettare la maschera anacronistica dello storicismo, guardare in faccia al «vero volto dell'uomo moderno», come predicava Wagner, e renderlo consapevole di questa verità.

Nel primo numero di «Ver Sacrum» (1898) Klimt disegna la *Nuda Veritas* come una fanciulla senza vesti che mostra uno specchio al riguardante. L'uomo moderno è invitato, in qualche modo, a «conoscere se stesso». La medesima figurina della *Nuda Veritas* compare in mano ad una *Pallade Atena* dipinta da Klimt nello stesso anno. Pallade, armata, è protetta da un elmo e da un usbergo dai riflessi ramati ed aurei. Ai grandi occhi di ghiaccio fa riscontro l'incarnato pastoso e delicatissimo del volto, così come il duro simbolo dell'armatura si sfalda, senza contraddirsi, nella malia accattivante dell'oro. Se l'assunto allegorico ci parla di verità e di corazzata sapienza (la saggezza sorretta dalla forza nella ricerca della nuda verità), la trama pittorica sembra sussurrarci d'inconoscibilità e di mistero, e il vero simbolo che rispecchia questo ansioso sentimento è Pallade non come divinità ma come donna, inquietante emblema del femminile, dell'eros e della morte.

La fluida suggestione si precisa, identificandosi con una più scoperta allegoria, nella *Giuditta con la testa di Oloferne* del 1901, dove l'oro invade anche il fondo e si rischiara in una luce tuttavia velata e come d'acquario. L'occhio dell'eroina è ben aperto, ma solo il sinistro, perché il destro è socchiuso in un'ineffabile distanza e come inclinato sulla bocca anch'essa mezza socchiusa, mentre in basso, sul corpo segnato dai tre sfatti petali rosa dei capezzoli e dell'ombelico, poggia la testa di Oloferne visibile a metà, con l'occhio sigillato dal sonno della morte.

Ma la mano di Giuditta, invece di ghermirne i capelli, sembra quasi deporre una carezza. Tre occhi, digradanti da un enigmatico essere al nulla, tre squisite ed esigue emergenze carnose, tre borchie d'oro magro sul livido velo dell'eroina, tre file di tre bacche, pendenti dai rami astratti di un albero e di alcune piante sullo sfondo, una mano mortale venata d'amore.

Non potrebbe pensarsi un'immagine più malata e decadente, ma al tempo stesso autentica ed intensa. La poetica dell'artista, e la puntuale ambiguità del suo simbolismo, sono qui dichiarate a tutte lettere. Al nitore e all'euforia di Wagner, al suo proposito di rimuovere l'ansiosa insicurezza, si contrappongono il compiacimento dell'incertezza e il canto di un'inquietudine placata solo nella contemplazione del proprio oggetto e dei propri sfoci: il mistero, la malattia, l'amore, la morte.

Né altri contenuti emergono dall'opera di Klimt quando egli è chiamato a dipingere i grandi pannelli (perduti) della *Filosofia*, della *Medicina* e della *Giurisprudenza* per l'aula magna dell'Università. Il motivo conduttore, secondo le autorità accademiche, avrebbe dovuto essere «il trionfo della luce sulle tenebre». Neanche a dirlo, invece dell'orgoglioso potere della scienza, Klimt fotografò la debolezza dell'uomo, ed applicò così il suo culto della «nuda veritas». Nella *Medicina* lo attrasse assai più il tema della malattia, che non quello della guarigione; nella *Filosofia*, assai più il tema dell'inconoscibile che non quello della conoscenza; nella *Giurisprudenza*, assai più l'illustrazione della miseria del reo e dei perversi istinti che non l'apoteosi della legge.

Si potrebbe cogliere un riflesso, ma trasfigurato, della sua cultura storico-artistica nella straordinaria invenzione dei corpi fluttuanti a grappoli nello spazio, se questa deriva, come mi sembra, dal *Giudizio universale* di Michelangelo. E come nel *Giudizio* il vagare dei corpi senza peso nel fatale moto d'ascesa e discesa evoca un vuoto spazio cosmico che ha per centro il Cristo-Apollo (o Cristo-Sole), nel pannello della *Filosofia* si affaccia un cosmo notturno di stelle e galassie tra cui accenna a condensarsi, come un'oscura nuvola, l'immagine della Sfinge. In questo spazio orbitale figure di uomini e donne transitano o fluttuano prive di gravità, disperse, senza direzione, nell'immensità dell'inconoscibile, cercando scampo in disperati abbracci d'amore o prendendosi il volto tra le mani (all'incirca come uno dei dannati del *Giudizio*). Il volto della Sapienza (*Wissen*) s'affaccia in basso come un astro nascente, a suggerire l'auspicato «trionfo della luce sulle tenebre»: ma il suo spazio è minimo e si tratta evidentemente di un accorgimento per rientrare nel tema. Investito da rabbiose polemiche, nella *Medicina* Klimt concede più spazio alla figura solenne e ieratica di *Hygieia*, nitidamente stilata, plastica nel volto e nelle braccia avvolte dal serpente; il corpo è invece nascosto da una tunica piatta che ricade come una cortina, saldandosi alla pietosa cascata di corpi e di lugubri veli che occupa, in altezza, tutto il rimanente spazio del dipinto. Un'umanità sofferente è sfiorata dal pesante alito della morte, con qualche debole eco, ancora, del moto compositivo del *Giudizio*. Del tutto assente è comunque, anche qui, il costruttivismo volumetrico di Michelangelo e sebbene

1. C. Moll, *Schönnbrunn*. (Lds. Mus. Joan., Graz).

2. C. Moll, *Heiligenstadt nella neve*. (Öst. Gal., Vienna).

1. C. Moll, *Natura morta con bottiglia blu*. (Öst. Gal., Vienna).

2. W. Bernatzik, *Lo stagno*. (Öst. Gal., Vienna).

Klimt abbia preferito limitare l'impiego dei suoi moduli stilizzati, il plasticismo dei corpi è scarsamente sviluppato e, soprattutto, come ridotto al silenzio dalla sordina di caliginose atmosfere, dominando piuttosto un musicale andamento di linee, sconsolatamente «empatetico», nello scosceso ma morbido ammasso dei corpi in sospensione.

Nella *Giurisprudenza* l'immagine «positiva» della Giustizia è allontanata ancor più, relegata nella distanza di un piano assai lontano, mentre domina la rappresentazione in «negativo», quella del reo-penitente, simbolo di un'umanità abbandonata alla propria miseria, in balìa delle Furie e di un mostruoso polipo. Si tratta di un «negativo» la cui rappresentazione è ancora più insidiosa in quanto non si accompagna ad un sentimento di condanna, ma di compassionevole partecipazione; o, addirittura, di complice compromissione, per l'ambiguità con cui i nudi corpi distorti e voracemente magri delle tre Furie, alludono ad una perversa vitalità erotica.

Il pessimismo e l'ambiguità di Klimt non potevano soddisfare le attese ideologiche dei committenti e l'insuccesso segna la fine del suo impegno «pubblico». In una società ingiusta ed ottusa all'artista non resta che lo spazio consolatorio e sublime dell'arte, che si identifica con la sfera soggettiva dei sentimenti e dell'amore, sfera privata benché intersoggettivamente «collettiva». È il tema del celebre *Fregio di Beethoven*, eseguito nel 1902 in occasione dell'arrivo di una statua del musicista eseguita dallo scultore tedesco Max Klinger.

Gli artisti della Secessione allestirono nel loro padiglione una sorta di tempio nel quale collocare la statua. Hoffmann fu l'architetto, Klimt il principale decoratore. Gustav Mahler eseguì il giorno dell'inaugurazione un adattamento della *Nona* di Beethoven studiato per l'occasione.

Nel suo programma iconografico del fregio, descritto brevemente nel catalogo, Klimt attinge all'*Ode alla gioia* di Schiller, ripresa appunto nella *Nona* di Beethoven, e soprattutto all'interpretazione che Richard Wagner aveva dato della sinfonia in un suo saggio. (Per altri spunti del programma si è pensato anche ad un'influenza di Nietzsche.)

Nel saggio su Beethoven, Wagner sottolinea la funzione salvifica della musica in un mondo deteriorato dalla civilizzazione moderna e legge la *Nona* come rappresentazione di una sublime lotta dell'anima alla conquista della gioia, contro le potenze ostili e opprimenti che si frappongono tra l'uomo e la sua felicità. Noi combattiamo questo nemico, scrive Wagner, «con una virile energia di resistenza».

L'«anelito alla gioia» (o «alla felicità»), nella prima parte del fregio, è rappresentato da alcune fanciulle librate orizzontalmente in volo con le mani protese in avanti. Le tre figure seguenti visualizzano «la fragile umanità» in preghiera davanti alla «forza ben armata» (che un guerriero impersona) e al gruppo retrostante, chiuso in una sorta di guscio, della «compassione» e della «ambizione». La «forza ben armata», il guerriero che si staglia contro le due figure femminili incapsulate, allude alla «virile energia» intravista da Wagner nei movimenti della sinfonia. La «compassione» e l'«ambizione» sono anch'esse forze, spiega il programma, ma «interiori». L'ambizione è una qualità del genio, secondo Nietzsche, il quale attribuisce poi a Wagner la «compassione per il popolo» come virtù rivoluzionaria.

Ed ecco, nel secondo pannello, il nemico, la personificazione dei «poteri ostili»: un mostruoso ed immenso Tifeo dal corpo di scimmia e la coda di pitone. Al suo fianco, le sue tre figlie Gorgoni, simili alle tre Furie della *Giurisprudenza*, sormontate dalla «malattia», dalla «follia» e dalla «morte». Accanto al mostro, dal lato opposto, appaiono invece la «voluttà», la «lascivia» e l'«incontinenza», con le quali ho l'impressione che Klimt abbia voluto costruire un gruppo eguale e contrario a quello delle tre precedenti virtù: l'ambizione, la compassione, l'energia.

Se quelle erano forze propulsive, abbiamo qui invece tre «tentazioni» che agiscono in senso opposto. Alla voluttà morbidamente accoccolata si sacrifica infatti l'ambizione, che era ben eretta; la lascivia, che inclina la testa ed ha gli occhi chiusi come la compassione, rappresenta tuttavia un momento d'evasione invece che partecipativo; e l'incontinenza, sovrapposta alle prime due e ritratta di profilo come il forte guerriero (ma girata all'indietro mentre questi guardava in avanti), suscita un'idea di rilassata mollezza. Da presso, seduta in affannoso atteggiamento tra le spire di Tifeo, un'emaciata figura femminile che sta a rappresentare «il tormento che rode». Ma al di là delle mostruose e vorticose spire, ecco spuntare con la testa e le braccia protese, librata in un volo che ha sforato quel vortice, una fanciulla dell'aerea processione iniziale, sospinta dall'«anelito alla gioia».

1. L. Sigmundt, *Pascolo*, 1904. (Öst. Gal., Vienna).

Le aspirazioni e i desideri dell'uomo «volano oltre i poteri ostili». Sempre in volo la fanciulla raggiunge con le sue compagne (e siamo al terzo pannello) lo spazio dell'arte: «l'anelito alla gioia trova quiete nella Poesia», impersonata da una figura della musica che imbraccia la lira.

Seguono (dopo un intervallo di vuoto corrispondente allo spazio occupato, nell'ambiente attiguo, dalla statua di Beethoven) cinque figure disposte a cascata l'una sull'altra, rapite in un'estasi che si materializza in ondosi arpeggi di linee: sono «le arti». Poi, il coro paradisiaco degli angeli (ieratici e seriali come in un mosaico bizantino) e due figure, maschile e femminile, avvinte in un abbraccio cui presiedono il sole e la luna. Le didascalie si riferiscono all'*Ode alla gioia* di Schiller: «Gioia, bella scintilla divina»; «Questo bacio a tutto il mondo.»

Le virtù, la gioia, la vittoria sui mali e sulle umane debolezze, l'amore, tutti i trionfi dell'uomo confluiscono e si risolvono nell'arte. Ciò che non potevano la filosofia, la medicina, la legge, può l'arte: l'arte che è dunque «totale» non solo nell'ideale fusione delle sue parti (la musica, la poesia, le arti visive), ma nell'esclusiva totalità del solo bene di questo mondo: l'amore, che l'arte consente di attingere, e che l'arte riproduce (come «unione» o «totalità» appunto) nella sua vittoriosa armonia. Il travaglio del genio che crea si identifica con il travaglio dell'umanità che lotta contro i poteri ostili: e l'esito è un esito reciproco di felicità, un esito che l'arte non solo sublima con il suo stesso processo, ma che unicamente i suoi strumenti rendono possibile.

Il maturare di questa convinzione coincide, nel processo di Klimt, con il raggiungimento di uno «stile» assoluto nella sua bidimensionale coerenza, dove la linea trionfa come mezzo, proprio, *musicale*, atto a smaterializzare i corpi per tradurre e visualizzare invece i moti dell'anima. Se lo «psicologismo» di Wagner consisteva nell'individuazione di elementi di comportamento da indurre attraverso l'influenza capillare dell'arte, lo «psicologismo» di Klimt consiste nell'esplorazione di una psicologia complessa, chiaroscurata e sfumata, da «esprimere» attraverso il sensibilissimo sismografo della pittura, e al tempo stesso da riscattare nel suo trascendente sentimento.

2. V. Krämer, *Taormina*, 1894. (Öst. Gal., Vienna).

Questa ricca gamma psicologica muove infatti, come il fregio illustra, dal tormento magmatico degli istinti per purificarsi nello stesso gioioso procedimento dell'arte. I moti delle linee e la frantumata varietà delle preziose trame decorative possono suggerire assillo e divisione, coome invece estasi e tripudiante armonia: o al tempo stesso, ambiguamente, entrambi i sentimenti, di inquietudine e di felicità.

1. T. Blau, *Kriau nel Prater*, 1902. (Öst. Gal., Vienna).

La forte carica «empatetica» del linearismo di Klimt ne denota l'estrazione simbolistica, con una tendenza all'astrazione che non è però quella della «forma pura», ma è l'astrazione, appunto, del simbolo. Ed è tutt'altro che impossibile sostenere che tutti i moduli ornamentali di Klimt, nella loro svariata fenomenologia, hanno tendenzialmente una valenza simbolica, sono un linguaggio in cifra. Assumono suggerimenti dal repertorio decorativo dell'arte del passato in tutta la sua estensione d'epoche e civiltà, in palese concomitanza con le ricerche della scuola viennese di storia dell'arte: e interpretando, al tempo stesso, quell'anelito «cosmopolitano» che attraversa con volontà di fusione la babele dei linguaggi, nella Vienna capitale di un impero composito. Ma questi diversi reperti, questi frantumi linguistici, queste scaglie si ricompongono immaginosamente nella logica sistematica di un codice di simboli, governati per altro dal simbolo antonomastico e trascendente dell'oro, che è il simbolo della stessa trascendenza luminosa e unificante dell'arte.

Nella produzione di Klimt successiva al fregio domina, come ben noto, la dimensione «privata» dei ritratti, a conferma di una sua scelta d'isolamento e di rifugio in una cerchia elitaria, lungi ormai da qualsiasi pubblico dibattito; nei ritratti le sue minute e brulicanti stilizzazioni decorative si assolutizzano ulteriormente, occupano uno spazio sempre più vasto nel campo del quadro, annullando i corpi per commentare la supremazia del dato spirituale e psicologico, nonché la sublimazione dei cogenti impulsi psicologici in libertà di fantasia: con raffinate, intriganti, quasi deliranti variazioni di frequenza, colori, ritmi, aggregazioni. Ma questa sublimazione nell'arte (e nell'oro) è sempre ascesa, anche, nel regno dell'ambiguità erotica e del risolvente atto d'amore. Nell'opera più tarda infine l'oro, simbolo di questa magia sublimante, unificante e risolvente, si appanna e scompare. Nel celebre dipinto de *La morte e la vita* (1916) tornano gli sbandanti grappoli umani dei pannelli per l'Università, riappare la dolorante nudità della carne, sottoposta alla delicata tortura dei segni e accompagnata da una più informe fioritura di trame decorative. È entrata in crisi, evidentemente, la stessa fiducia nel potere risolutivo e miracoloso dell'arte: le correnti espressioniste, visibilmente registrate da Klimt, portano un turbamento e lasciano riaffiorare la radice di crisi del suo sostanziale pessimismo. L'arte, gli fanno intendere Schiele e Kokoschka, non può essere strumento di evasiva sublimazione, ma è grido e denuncia.

E tuttavia questo espressionismo si era condensato attorno a un polo della sua stessa pittura, era nato da una sua costola. Basta ripensare alle Furie della *Giurisprudenza*, o alle Gorgoni sormontate dalla figura della morte e dalle maschere della malattia e della follia, o ancora alla figura del «Tormento» che si contorce sotto l'ala del mostro. In queste immagini si condensa uno stato d'animo di sgomento, che si direbbe una latente costante psichica di Klimt, anche se il delicato flusso del suo linearismo libera l'angoscia in musica e scioglie in ritmo lo smanioso tormento. Ma è altrettanto vero che di questa «smania» resta una traccia nello stesso lirismo dei momenti più protesi verso la meta della felicità, come nel bellissimo ondeggiare delle «arti» contrapposto alla fissità bizantina della teoria d'angeli: ondeggiamenti e fissità sottilmente angosciosi, nell'intima e quasi viscerale matrice del sentimento dionisiaco, o estatico, che li suggerisce.

Una prova di come lo «smanioso» simbolismo klimtiano potesse essere rivissuto in una tonalità espressionista viene per noi italiani da uno dei capolavori di Boccioni, *Lutto*; di cui mi sembra evidente (e Boccioni stesso parla della sua iniziale passione per Klimt) la discendenza dalle figure del *Fregio di Beethoven*, in particolare da quelle del «Tormento» e delle «Arti». Trapassando dalla de-

2. T. Blau, *Paesaggio*. (Coll. privata, Vienna).

licatezza di Klimt alla violenza boccioniana, queste forme tetre o agitate innescano una lacerante esplosione.

La polarità «negativa» del Sezessionsstil, ambiguamente interpretata da Klimt, si esalta nel segno incisivo di Egon Schiele, provocando una snaturante e irreparabile incrinatura in quegli stessi ideali universalistici e cosmopoliti che pur nelle divergenze salvaguardavano ancora l'unità (o «totalità») di una visione utopica dell'arte, nei grandi protagonisti della Secessione. La pittura di Schiele, recuperando una crudezza «tedesca» e düreriana, diventa un esasperato acme di dolore e il moto sbandante ma fluente e continuo di Klimt si spezza in contrazioni di indicibile sofferenza.

La malattia klimtiana non è mai inferno, né inverno: ha pur sempre le temperate o dolci, autunnali o primaverili inflessioni di uno stato d'incubazione o di convalescenza. Il decorso diventa infausto, invece, in Egon Schiele, nella cui opera dominano il gelo dell'inverno e un sentimento, letteralmente infernale, di dannazione e di destino. L'eros di Schiele non è più ambiguo e neanche perverso, ma addirittura infamante, né dà alcun ristoro alla solitudine dell'uomo.

Se Schiele è l'ultima spiaggia, il vascello di Kokoschka dalle vele gonfie di vento tempestoso bordeggia senza approdare ai lidi della disperazione, ma riprendendo il largo verso nuovi orizzonti di romantica «totalità», o semplicemente di pienezza. Non si tratta più di una pienezza dell'arte come armonia e confluenza, ma come luogo pregnante di rappresentazione, come «vox clamans», come potente e teatrale recitativo; come dramma, nel senso anche teatrale, e narrazione.

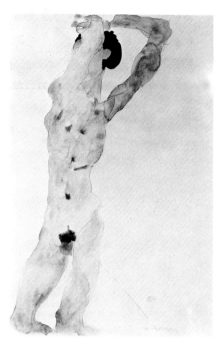

1. E. Schiele, *Nudo maschile*, 1912. (Hist. Mus., Vienna).

Il segno di Schiele registra un gesto convulso, che frustra e inverte la vocazione a comunicare nell'interiorità più cupa e splendentemente allucinata. Kokoschka invece dialoga, dialoga con la stessa ricchezza della pittura, di cui riscopre, dopo le magre campiture di Klimt, le risorse materiche e la vischiosa densità. E come Kokoschka anche Kolig. Ma di questo ritorno alla «materia», come ad una generosa benché inquietante matrice di natura, l'eroe è un altro grandissimo rappresentante dell'espressionismo austriaco, Richard Gerstl. In Gerstl non troviamo nessuna eco del Sezessionsstil, vale a dire del simbolismo e dei suoi affidamenti ai moti empatetici della linea. Semmai, in lui, attinge un esito improvvisamente rivoluzionario quel naturalismo postimpressionista nel quale si erano attardati, pur con notevoli qualità, non pochi artisti affiliati al gruppo della Secessione, ma non partecipi del Sezessionsstil.

2. E. Schiele, *Carl Reininghaus*, 1912. (Hist. Mus., Vienna).

Epperò questa radicale trasformazione interiorizzante del naturalismo passa attraverso i morbosi suggerimenti del «negativo», e di una crisi che aveva spostato l'asse dell'arte sempre più verso la solitudine del privato, e capovolto la sua funzione salvifica, soccorritrice, nel ruolo esistenziale della testimonianza.

Già dalle annotazioni iniziali, il lettore avrà compreso per altro che il mio ruolo di «direttore» di questa mostra si è limitato a momenti organizzativi, o per meglio dire di semplice controllo della macchina progettuale e realizzativa, il cui immane peso è gravato sui colleghi del comitato scientifico e in particolare su Maria Marchetti, che ha validamente e con straordinaria abnegazione e competenza assunto il coordinamento, lavorando a tempo più che pieno dal momento in cui, un anno fa, la mostra è stata scelta e decisa.

Dietro a questa scelta è facile riconoscere la figura del nostro presidente, Paolo Portoghesi, che è un pioniere degli studi italiani sulla Secessione e al tempo

1. E. Schiele, *Heinrich Gomperz*, 1918. (Hist. Mus., Vienna).

2. E. Schiele, *Johannes Fischer*, 1918. (Hist. Mus., Vienna).

stesso un «amatore» nel senso più qualificato ma anche appassionato della parola e che già anni fa, quando dirigeva il settore Architettura della Biennale, aveva progettato una mostra, appunto, su questo tema. Con entusiasmo ho accolto il suggerimento di Paolo Portoghesi e con entusiasmo mi sono messo al lavoro, concordando con il consiglio direttivo della Biennale il comitato scientifico: questo, insieme a Maria Marchetti che pur conservando la cittadinanza austriaca vive da molti anni a Roma, vede i due specialisti italiani più adatti: Rossana Bossaglia, di cui è ben nota la priorità e la competenza nei nostri studi sul liberty e sulle omologhe tendenze internazionali, e Marco Pozzetto, autore di studi altrettanto noti e precoci sull'architettura dell'area qui trattata.

Furono subito presi contatti con i musei e con i collezionisti austriaci; i nomi dei direttori dei musei e dei funzionari che hanno reso possibile dapprima l'accordo e poi la realizzazione dell'impresa, concorrendo con i loro preziosi consigli a delineare la lista delle scelte e dei prestiti, sono nel comitato promotore-consultivo e in quello di coordinamento. Uno speciale ringraziamento, anche a titolo personale, vorrei rivolgere all'on. Helmut Fischer ministro austriaco per le Scienze e le Richerche, al consigliere del ministro dott. Wilhelm Schlag, nonché al direttore dell'Istituto austriaco di cultura a Roma prof. Walter Zettl e al dott. Georg Jancovic direttore aggiunto del ministero austriaco degli Affari esteri, nonché all'architetto Hans Hollein che nella sua qualità, anche, di commissario per il Padiglione austriaco della Biennale ci è stato particolarmente vicino ed ha allestito, in quel padiglione realizzato cinquant'anni fa da Josef Hoffmann e restaurato quest'anno da Hollein, una mostra documentaria inerente alla costruzione del padiglione stesso.

Infine debbo ringraziare la Città di Milano e la direttrice dei civici musei dott.ssa Mercedes Precerutti Garberi, per aver dato il proprio gentile, intelligente e collaborativo assenso a questa manifestazione, rinunciando a tenere una mostra che era stata progettata sullo stesso tema.

A Milano sono state inoltre organizzate dall'Amministrazione provinciale manifestazioni su Klimt, Kokoschka e Schiele, curate da Serge Sabarsky, che hanno funzionato efficacemente come primo approccio, per il pubblico italiano, all'opera dei tre grandi maestri.

Infine l'assessorato alla Cultura del Comune di Venezia, accogliendo una monografica di Egon Schiele che si inaugurerà a Roma poco dopo la presente mostra e sarà trasferita a Venezia ancora nell'arco di tempo della sua apertura, ha offerto la possibilità di una ulteriore lettura di uno dei massimi rappresentanti della pittura viennese del periodo qui preso in esame. Si è così delineato, con reciproca intesa e collaborazione, un piano programmatico di grande significato culturale, piano nel quale rientra poi con particolare spicco la convenzione stipulata, per questa mostra, tra la Biennale e il Centro culturale di Palazzo Grassi.

Delineatasi la mostra sul piano scientifico e degli accordi di massima, si è infatti profilata la possibilità di una collaborazione sul piano realizzativo con il Centro culturale di Palazzo Grassi, che ha messo a disposizione non soltanto la splendida e prestigiosa sede e le sue qualificate attrezzature tecniche, ma anche tutti i propri apparati organizzativi e il proprio personale. Con l'amico Lauro Bergamo l'intesa è stata piena e, credo, ben produttiva. La collaborazione della Biennale con il Centro culturale di Palazzo Grassi è certamente un evento che, al di là di questo pur rilevante risultato, investe positivamente l'immagine di una città come Venezia, affiatata nel perseguire alti e concordi obiettivi culturali.

Il catalogo di questa mostra è un altro risultato di cui il lettore potrà agevolmente valutare l'eccezionalità: esso vede la collaborazione di un elevato numero di specialisti austriaci, ai quali non può che andare la nostra gratitudine. Il nostro grazie più sentito va anche alla direzione e agli operatori del Bundesdenkmalamt. Presso questo istituto si trova attualmente il grande fregio eseguito da Gustav Klimt per la mostra del 1902 dedicata a Max Klinger e a Beethoven. Il suo restauro, splendidamente condotto, è ormai pressoché ultimato e per una più approfondita conoscenza delle tecniche pittoriche impiegate da Klimt nonché dei comportamenti del supporto d'intonaco su canne, gli operatori avevano eseguito la fedele copia di un brano del fregio stesso. Apprezzando, nel corso di una visita, la qualità e l'interesse di questa parziale copia, abbiamo chiesto se non fosse possibile, per la mostra di Venezia, eseguire una analoga copia dell'intero fregio, che si sviluppa per trentaquattro metri (e che, a causa della sua grande delicatezza, sarebbe impensabile trasportare). La richiesta è stata esaudita e l'esecuzione della copia è risultata di tale perfezione da lasciare ammirati per la sapienza tecnica e per l'autentico amore che in questa certosina fatica è stato investito. L'utilità della copia commissionata espressamente dalla Biennale di Venezia e destinata, dopo la mostra, ad una sede pubblica viennese, è duplice: non si limita infatti a documentare con un alto grado di fedeltà l'opera, consentendo al pubblico che visiterà la mostra di intuire la portata dell'invenzione di Klimt, la sua raffinatezza pittorica e la sua valenza decorativa e spaziale; ma si è rivelata ulteriore e importante strumento di conoscenza della tecnica klimtiana, nel reperimento delle materie e nella sperimentazione delle miscele.

Infine debbo un ringraziamento particolare al Consiglio direttivo della Biennale, dal suo presidente Paolo Portoghesi al vicepresidente Mario Rigo, sindaco di Venezia, e, ancora, al segretario generale Giorgio Sala e a tutto il personale dell'ente, agli amici Scarpa, Bagnato, Donaggio e ai componenti del mio ufficio dove Grazia Porazzini ha svolto un intenso lavoro per questa mostra, validamente affiancata da Roberto Rosolen.

1. A. Kolig, *La moglie dell'artista con fiori*, 1913.(Öst. Gal., Vienna).

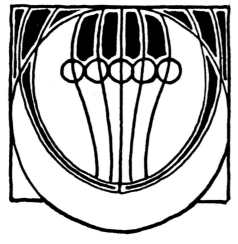

KUNST-ENTHUSIASMUS.

Sopra:
1. Da «Ver Sacrum», gennaio 1899.

li artisti viennesi non furono i primi in Europa a rispolverare e adottare per sé, verso la fine dell'800, il vocabolo «secessione», che suonava insieme fanfara di rivolta, con qualche connotazione antiaristocratica (la «secessio plebis»), e ripristino di valori più alti di quelli convenzionali, appunto per l'implicita aulicità del riferimento alla storia romana.

Il modello, non soltanto terminologico, veniva dalla Germania, e da Monaco in particolare, centro vitalissimo di cultura e attività artistiche, nel quale giovani di diverse nazioni continuavano a recarsi per compiervi gli studi. Fin dal 1892 la Secessione monacense, capeggiata da Stuck, Trübner e Uhde, si era fatta sede del movimento antiromantico per i paesi di lingua tedesca, in nome soprattutto dell'impressionismo e del naturalismo; sarebbe stata fiancheggiata di lì a poco da organi di stampa come la presto celebre rivista «Jugend», che avrebbe decisamente impresso alla cultura artistica d'avanguardia la fisionomia modernista, dando luogo, come tutti ormai sanno, al corrispettivo tedesco dell'art nouveau.

2. F. Stuck, *Testa di Minerva*, simbolo della Secessione di Monaco.

Ci dev'essere tuttavia una precisa ragione storica perché con il procedere del tempo la Secessione per antonomasia sia divenuta quella viennese, mentre soltanto in ambito specialistico, o comunque degli studiosi interessati a questi fenomeni, si identifica il concetto di Secessione monacense o berlinese (per la Germania si preferisce parlare di Jugendstil, benché le due categorie — Jugendstil e Secessione — non si corrispondano del tutto); per non dire della Secessione romana, venendo al caso nostro, durata dal 1913 al '16: non senza qualche merito, e tuttavia senza speciale mordente e autorevolezza.

E ancora: non capita di fare riferimento, anche in vista di semplificare i problemi, a una presunta «Secessione di Parigi», ancorché proprio Hermann Bahr, il geniale scrittore e critico che sostenne il movimento modernista viennese fin dal suo sorgere, parlasse di «Secessioni di Monaco e Parigi»: in quel caso per altro egli non intendeva riferirsi a movimenti ufficiali o a raggruppamenti d'artisti, ma ad orientamenti culturali; identificava nelle due città i poli di un rinnovamento generale della pratica d'arte e del suo stesso concetto, cui spronava i viennesi ad ispirarsi. Mosso dal medesimo criterio un altro scrittore, Ludwig Hevesi, tenendo a battesimo nel 1897 la Secessione viennese, auspicava che essa potesse portare l'arte austriaca «a quel livello internazionale» cui essa aspirava e per il quale aveva le potenzialità.

Qui si può ravvisare uno degli aspetti più singolari, almeno alla prima apparenza e in un giudizio dato dall'esterno, della Vienna fine di secolo: la capitale dell'impero asburgico, per ciò stesso luogo d'incontro e coagulo di realtà linguistiche, etniche e culturali diverse; la splendida città che nel giro di una ventina d'anni si era data un assetto urbanistico-monumentale di alto fascino e decoro, con l'allineamento di edifici rappresentativi lungo il respirante percorso del Ring, tradiva, per bocca di numerosi suoi intellettuali o di giovani artisti impazienti, un'ansia di sprovincializzarsi — come se la cultura avvenisse «altrove» —, che suona sorprendente se, alla luce della prospettiva storica, valutiamo la straordinaria concentrazione di talenti, in tutti i campi delle attività creative e di pensiero, ivi verificatasi dopo il 1880; suona patetica se, ancora col senno di poi, colleghiamo questo ardore con l'incombere del «finis Austriae» (quasi un incrocio fra la torva e solenne decadenza dell'impero romano e quella della repubblica di Venezia, annegata nelle sue grazie rococò); ma che, esaminata fuori di fatali, suggestive e rischiose schematizzazioni, va messa a confronto con un incrocio di eventi e di situazioni da cui scaturì anche la forza propositiva della Secessione locale.

Gli studiosi austriaci molto opportunamente sottolineano in vari luoghi che la Secessione non copre tutto l'arco della significativa produzione artistica viennese in quegli anni; non fu la sola associazione operante a livello qualitativamente alto; non ebbe uno slancio innovativo così immediato e prorompente come si vorrebbe, sia perché i suoi primi passi avevano obiettivi programmatici abbastanza generici (con qualche aspetto di piccolo bisticcio per un piccolo potere), sia perché si valse subito, e anche a lungo, di premesse locali di tutto rispetto; e infine perché, quando si parla di Secessione, si usa una formula astratta, una sigla, ci si riferisce a un mito: primo fra tutti quello, immediatamente contestabile, che Klimt e la Secessione siano un tutt'uno. Veniamo dunque ai fatti. Non senza aver premesso che, in ogni caso, una sigla forte ha una sua legittimità; specie se questa sigla a posteriori identifica non un gruppo, una corrente, una scuola, bensì uno stile.

Lo stile, ecco il punto, non è il corrispettivo dello Jugendstil; non è in linea con il vero e proprio modernismo, insieme internazionale e cosmopolita, cioè moralmente impegnato a stabilire un linguaggio comune per una società omogenea e snobisticamente compiaciuto di liberi e consapevoli interscambi. Rappresenta una situazione che è già la crisi del modernismo. Ma sarà bene procedere con ordine.

I gruppi che nell'ultimo decennio dell'800 intendevano scrollarsi di dosso l'autorità dell'Accademia — o, per essere più precisi, il suo potere — si definivano «die Jungen»: i Giovani. Essi si allineavano dunque, nello spirito e negli atteggiamenti, con tutto il movimento europeo che era sceso in campo contro l'accademismo, contro la gestione dell'arte riservata a vecchie istituzioni, in nome di valori che alla tradizione opponevano libere audacie, la freschezza di un ricorso alla natura non mediato da convenzionalismi stilistici o tipologici. Mai come in questa nuova «querelle des anciens et modernes» i termini «moderno», «modernismo» facevano premio e avevano tanta fortuna; e il termine «Jugendstil», stile giovinezza, di recente conio monacense.

L'obiettivo più immediato di tale polemica era a Vienna, come in ogni importante centro europeo, la pittura di storia; subito dopo, e in subordine, anche il verismo bozzettistico, in nome questa volta del sopraggiunto ideale

1. Il Teatro dell'Opera, primo edificio pubblico della Ringstrasse a essere ultimato, venne inaugurato nel 1869.

2. R. Bacher, *Inaugurazione della Secessione alla presenza dell'imperatore Francesco Giuseppe*.

3. A. Terzi, *Copertina del catalogo della Secessione romana*, 1913.

1. G. Klimt, *Teatro di Taormina* (particolare), Burgtheater, 1886-88.

2. H. Makart, *Il trionfo di Arianna* (particolare), 1873.

simbolista: si trattava per altro di polemiche con obiettivi diversi, giacché la prima riguardava i grandi spazi — e le grandi commissioni —, la seconda il mercato per le quadrerie familiari. Ma qui le vicende si intrecciano e complicano.

Infatti la nobile tradizione romantica tedesca — e di riflesso anche austriaca — era per una pittura storica che vestisse preferibilmente i panni dell'antichità greco-romana; Feuerbach restava un modello insuperato; e quando Klimt, venticinquenne, imprende a decorare, insieme con il fratello e Franz Matsch, il Burgtheater, tempio della società liberale viennese, si adegua a questi illustri modelli, pur riscrivendo il romanticismo storico in un linguaggio che è in chiara direzione simbolista. Il simbolismo klimtiano, il quale si farà più esplicito negli anni di poi, trovando anche una formula linguistica più consentanea alle sue ambizioni antinaturalistiche, muove comunque di qui; attraverso di esso, come attraverso l'opera di altri importanti maestri, specie di area tedesca (Klinger, Stuck) ma con maggiore forza di evoluzione stilistica, la pittura monumentale di ispirazione classico-antica si manterrà fin dentro il XX secolo.

I Giovani viennesi avevano del resto un bersaglio più diretto da colpire, ed era la pittura di Hans Makart; bersaglio più facile perché il sontuoso revival rubensiano di Makart, con la sua esplicita sensualità e il grondante tripudio di colori, contraddiceva in un tempo solo a tutte le inclinazioni, aspirazioni, ansie e anche rabbie e moralismi del modernismo: era trionfalistica, e a proposito non delle «magnifiche sorti e progressive» dell'umanità, bensì di collaudati valori rappresentativi, cioè del potere; non si prestava a utilizzazioni democratico-sociali né, d'altro canto, a incarnare squisitezze estetizzanti; non lasciava aperto alcuno spiraglio agli intimismi né alle naïvetés; non serviva dunque, nel suo ricorso insieme festoso e drammatico a una visione romantica del mondo, né al naturalismo né al simbolismo. Il suo neobarocco, per altro splendido, si inseriva in un clima comune al gusto delle corti europee nell'età di Napoleone III, che sarebbe stato il primo a tramontare dietro la pressione delle ideologie moderniste.

In ogni caso, quando nel 1897 un gruppo di artisti, appoggiati da Hevesi e capeggiati dalla già dominatrice figura di Gustav Klimt, dichiarò di separarsi dall'associazione ufficiale dei pittori viennesi (la Genossenschaft bildender Künstler), diretta da Eugen Felix, che aveva la sua sede nella Künstlerhaus, si trattava di un gruppo ben poco omogeneo: gli impressionisti, per lo più pittori di paesaggio ma anche fini ritrattisti, ispirati ai francesi o agli inglesi «eleganti», o direttamente al grande impressionista austriaco Romako, stavano a fianco di naturalisti influenzati soprattutto dal berlinese Liebermann, e a fianco dei simbolisti — in primis Klimt, Engelhart —, i quali alla lor volta oscillavano tra un fare alla Marées, o alla Böcklin o ai preraffaelliti, senza avere ancora trovato una loro identità.

Una fisionomia autonoma e ben caratterizzata la scuola viennese non pareva aver raggiunto se Julius Meier-Graefe, autore di una celebre storia della pittura moderna, nell'edizione londinese dell'opera datata ormai al 1908 liquidava gli austriaci in un rapido capitoletto. Persino il bel volume *(The Art Revival in Austria)* uscito nel 1906 per le edizioni dell'aggiornatissima rivista inglese «The Studio», pur esprimendo apprezzamenti entusiasti sulla fioritura delle arti nel paese e mostrandosi al corrente del clima e dei caratteri ivi assunti dall'architettura e dalle arti decorative, offriva un panorama di quelle plastico-pittoriche di alto livello ma eterogeneo; il che significa che a quella data il cosiddetto «stile secessionista» non era ancora stabilmente definito in

Europa e comunque non dominava su altre attitudini espressive dell'Austria stessa.

Si sa che i movimenti appaiono più chiari se esaminati a distanza. Infatti, a dispetto di quanto sin qui osservato, nel 1906, e anche prima, un'individualità secessionista, o presunta tale, è riconoscibile. Essa matura, procedendo dalla grafica verso le altre attività espressive (secondo il percorso già collaudato dall'art nouveau), all'inizio del secolo; anche per merito della coerenza di sforzi degli esponenti della Secessione, che si diede un programma, sia pure generico e non tecnico — e ne sottolineeremo più avanti gli aspetti salienti —, predispose ex novo una sede ufficiale — il padiglione/tempietto progettato da Joseph Olbrich —, costituì un organo di diffusione dei suoi propositi e della sua linea stilistica, la rivista «Ver Sacrum», pubblicò accurati cataloghi delle proprie mostre. Proprio attraverso l'impegno inventivo e realizzativo che tutte queste imprese comportarono, nella volontà tesa a formulare un'immagine moderna e il più possibile unitaria del proprio indirizzo artistico, la Secessione trovò un proprio specifico linguaggio.

Il quale, per altro, divenne un fatto culturale più largo di quanto l'istituzione potesse reggere. Infatti, mentre gli artisti rimasti fedeli alla Künstlerhaus, dopo le prime vivaci polemiche, non entrarono in violenta collisione con i secessionisti; e anzi il gusto di costoro influenzò associazioni diverse di artisti, già sorte o sorgenti, la Secessione subì vicende travagliate. Nel 1900 il «Ver Sacrum», passato dall'editore Gerlach e Schenk di Vienna al prestigioso Seeman di Lipsia, ritornava a essere pubblicato a Vienna, e prodotto in proprio dalla Secessione; perdeva anche di mordente informativo, per chiudere del tutto nel 1903. Nello stesso 1903 la fondazione del Laboratorio di arti applicate (la Wiener Werkstätte) turbò i secessionisti di cultura più aristocratica, che mal vedevano pittori e scultori dedicarsi alla produzione di oggetti, tanto più se industrializzata e connessa con il commercio spicciolo; questa attività pareva sottrarre energie alla ricerca artistica pura, anche quando la si intendeva come una professione a beneficio di tutta la collettività. Nel 1905, dopo che la Secessione aveva dato luogo a ben ventitré mostre, Klimt, sempre più inquieto, dinamico e prepotente, si dimise con una decina di colleghi per dar luogo al cosiddetto «Klimtgruppe» e più precisamente, l'anno dopo, all'Österreichischen Künstlerbund. Nel 1900 era sorto intanto, per determinante iniziativa di Joseph Urban, lo Hagenbund, che avrebbe per molti anni rappresentato l'Austria in manifestazioni internazionali. Nel 1908 Klimt stesso sarebbe stato l'animatore della Kunstschau.

La parabola della Secessione, dunque, che avrebbe tuttavia continuato con questa sigla addirittura fino ai giorni nostri, scende a poco a poco sul piano della rilevanza storica: non prima del 1914, però, quando ancora l'istituzione raggruppa forze significative; ma le sue sorti a questa data si sono separate ormai da quelle di Klimt, di Hoffmann e di altri maestri identificati poi per sempre con l'etichetta di «secessionisti».

Sia chiaro che l'associazione, presentatasi come «Vereinigung bildender Künstler Österreichs» (Unione di artisti austriaci), non aveva tratti e atteggiamenti rivoluzionari: prova ne sia che invitò alla presidenza un vecchio pittore di aperta ma non avanguardista cultura, Rudolf von Alt; e che all'inaugurazione della nuova sede presenziò l'imperatore in persona. Questi fatti inducono qualche considerazione: intanto, che urti e scandali sarebbero intervenuti poi; nonostante la pruderie dei giurati della Genossenschaft, che avevano bocciato una figura troppo procace di Engelhart, e le dispute sulle audacie esibizionistiche dei nudi di Klimt, la polemica si sarebbe avuta solo all'at-

1. A. Romako, *Bambini che raccolgono legna*. (Coll. privata, Vienna).

2. Particolare dell'ingresso del Theater an der Wien sulla Wienzeile.

1-2. Decorazioni del Palazzo della Secessione.

to della lunga diatriba tra l'Università e Klimt stesso per la sconvenienza e inadeguatezza delle sue allegorie delle Scienze. Il pronto avallo dato alla Secessione da parte delle massime autorità dello stato non pare in nessun modo un gesto sconsiderato, dovuto a una superficiale informazione sul carattere dell'istituzione nascente: la tesi di alcuni storici, e Schorske in particolare, è che l'imperatore e il suo entourage non tanto intendessero plaudire al carattere internazionale della Secessione, quanto appunto alla sua volontà di fondare un'arte che gareggiasse con quella dell'Europa evoluta per novità e perentorietà di formula, qualità espressiva, autorevolezza. Tale riconoscimento, o incoraggiamento, sancisce un aspetto importante di quella che si verrà definendo come la formula secessionista.

Consideriamo scontato che i funzionari statali non si dessero pensiero dello stile e anzi siano stati piacevolmente impressionati dal carattere eclettico delle prime mostre della Secessione, e dall'ospitalità offerta agli artisti stranieri non in termini di sudditanza bensì di signorile amicizia. Resta che il secessionismo klimtiano procede a poco a poco in senso antimodernista, incarnando un classicismo sempre più orientato verso il barbarico e il primitivo, dunque come categoria aurorale dell'umanità, che profondamente contraddiceva il senso dell'evoluzione storica proprio del pensiero ottocentesco e delle teorie liberal-socialiste. I modernisti viennesi erano, fino all'avvento di «Ver Sacrum», in linea con lo Jugendstil per quanto esso rifletteva dell'ideologia borghese, insieme vitalmente progressista e nevroticamente contraddittoria; l'architettura viennese che aveva superato il solido trionfalismo dello stile della Ringstrasse, era architettura Jugendstil; e fedeli interpreti di quel gusto si sarebbero continuati a trovare anche nel primo procedere del XX secolo, da Fellner a Stephann a Neumann e così via. Lo stesso padiglione della Secessione progettato da Olbrich, cui si fa l'indiscutibile merito di aver introdotto una formula nuova nella concezione dei luoghi per esposizione, utilizzando lo schema quadrato che sarebbe rimasto l'emblema del movimento e ispirandosi a un sacello classico-orientale (due anni prima, si pensi, del tripudio neorococò della grande esposizione di Parigi!), è percorso tuttavia da frementi presenze zoomorfe, non solo nel ritmo serpentino delle tre maschere femminili allacciate sopra l'ingresso, ma nel misterioso comparire di figure di ramarri, tartarughe, uccelli notturni: ispirandosi dunque, sia pure e appunto con intenzioni simboliste, al principio del vitalistico rapporto con la natura in movimento. Dieci anni dopo, il padiglione della Kunstschau progettato da Hoffmann, con le rigide statue di Milena Simandl, perderà ogni animazione per proporre il modello di una sorta di Eretteo in chiave barbarica.

Il movimento di Klimt serve, obiettivamente, l'idea di una restaurazione monarchica antiliberale, quale è stata tracciata da Schorske; con le dovute differenze, si contrappone allo Jugendstil come in Italia il cosiddetto gusto dannunziano, e tutto il simbolismo maturo della scuola romana, si contrappone al vero e proprio liberty, prodotto dell'«internazionale borghese». Non per nulla il conflitto che oppone Klimt e gli universitari viennesi a proposito delle decorazioni con allegorie delle Scienze è un profondo conflitto ideologico, e va ben oltre la sciocca questione del rispetto del pudore (questione, guarda caso, che salta fuori in tutta Europa, e anche in Italia in quel giro d'anni — la polemica sulle statue di Palazzo Castiglioni a Milano —, ogniqualvolta un'opera d'arte urti convenzioni stilistiche corrispondenti a convenzioni sociali); i committenti si aspettavano il trionfo delle scienze, cioè del progresso, e si trovano di fronte l'abisso del mistero e l'immobilità del tempo. Va da sé, per altro, che dove Klimt incominciò a suscitare scandalo, il consenso dello stato non si esplicitò come forza in gioco e anzi restò fuori della contesa, che non gli competeva. Ma è suggestivo collegare l'immagine dell'ultimo atto dell'impero asburgico non alle paternalistiche e affettuose rappresentazioni di Francesco Giuseppe dovute al pennello di artisti di vena accademico-impressionista, ma al ritratto bizantino-barbarico che gli fece Wilhem List perché fosse collocato nell'edificio della Postparkasse di Otto Wagner.

Lo spostamento dell'ideale classico degli artisti austriaci verso formule della decadenza o arcaiche (che sembrano situazioni opposte eppure convivono negando l'immagine insieme storica e razionale della classicità) può essere sunteggiato attraverso tappe significative: nel 1899 è presentato alla IV Mostra della Secessione il modello in gesso del colossale *Marc'Antonio* di Strasser, statua poi collocata all'esterno del padiglione, il cui superbo storicismo si vena di simbolistiche valenze, ma che è comunque reso in termini plastici di tipo naturalistico. Nel fregio per la XIV Mostra, dedicata al *Beethoven* di Klinger, Klimt, dopo esperienze grafiche fondamentali come quella del manifesto e copertina con *Teseo e il Minotauro*, si esprime già secondo la formula appiattita e stilizzata che procederà poi, complice un emblematico viaggio dell'artista a Ravenna, verso il bizantinismo esplicito delle opere tra il 1905 e il 1910; e troverà coronamento nella decorazione del Palazzo Stoclet di Bruxelles, punto d'incontro ed enunciato maturo dei maestri più caratteristici del cosiddetto «stile Secessione».

Sono maestri che provengono dal banco di prova di «Ver Sacrum» e dall'esperienza audacemente innovativa, anche in senso commerciale, della Wiener Werkstätte: sono, assieme a una schiera di cosiddetti minori (e con il fondamentale contributo degli scultori Metzner, Luksch e Minne), Klimt, Hoffmann, Powolny, Czeschka; cui va aggiunto Moser, che nello stesso giro d'anni preparava le vetrate mirabili della chiesa wagneriana am Steinhof, per indicare la pattuglia rappresentativa della nuova formula artistica.

Nel «Ver Sacrum» lo stile era stato subito identificato nel taglio quadrato sia della forma complessiva del fascicolo, sia della pagina tipografica, e ancora nella chiara compattezza del blocco tipografico stesso. Il titolo della rivista, riferito alla cerimonia romana di sacrifici propiziatori, drammatizzava in termini simbolisti la speditezza moderna del titolo della rivista monacense fondata due anni prima, «Jugend», irrigidendo dunque in un'aria rituale la freschezza dell'invenzione modernista: ritualità che andava oltre il paganesimo ferino, fortemente intellettualistico ma insieme liberatorio, dell'altra rivista portavoce del gusto nuovo, il berlinese «Pan». Tuttavia, contro questo bagaglio ideologico, e squisitamente accordato con esso, stava l'invenzione di un'immagine di straordinaria perspicuità e chiarezza, che si prestava a semplificazioni produttive sino ai limiti della cosiddetta «praticità»; un'immagine dunque applicabile dalla piccola alla grande scala senza alterazione di effetti, dall'oggetto all'abitazione: così come voleva l'ideale modernista, il dettato del belga van de Velde, che era ancora alla base della concezione panestetica dei secessionisti, ma tradotto in nuovi ritmi. Sicché l'aristocrazia dei concetti non contraddiceva l'ipotesi di una divulgazione della bellezza: «Ver Sacrum» non era rivista per soli iniziati e la Wiener Werkstätte produceva molti oggetti semplici e maneggevoli, adatti a una clientela non sofisticata, tanto più che erano in gran parte oggetti d'uso corrente. È anzi legittimo individuare nelle prediche moralistiche di Loos contro la decorazione e nel suo disprezzo per l'artigianato uno snobismo intellettuale assai maggiore.

Che le prime radici dello «stile Secessione» si trovino nella cultura modernista anglo-scozzese è ormai luogo comune; è addirittura leggendario, come sotto-

1. W. List, *Francesco Giuseppe con i paramenti dell'ordine del Toson d'oro.*

2. K. Moser, *Vetrata*, chiesa di Steinhof.

Manifesto per la XIX Mostra della Secessione, 1903.

linea Schweiger, che la Wiener Werkstätte abbia individuato la propria fisionomia accostando l'opera del «clan» di Mackintosh, soprattutto dopo l'VIII Mostra della Secessione, nel 1900, che raccoglieva l'attività decorativa della scuola di Glasgow insieme con quella inglese di Ashbee, i francesi della «Maison moderne» e così via. A essere precisi, il primo contatto, come Schweiger stesso ribadisce, era avvenuto con Ashbee piuttosto che con Mackintosh, e comunque l'idea della «forma quadrata», secondo la felice individuazione della Prakken-Bisanz, era già operante in «Ver Sacrum» prima che vi uniformasse la propria progettazione di arredi il Laboratorio fondato nel 1903 da Hoffmann.

Questo quadrato nitido, che lascia larghe zone vuote per combinazioni luminosissime di superfici, o che gioca sul ritmo alternato di scacchiere dove si evidenzi solo una delle due serie di caselle, è la grande idea della scuola viennese; che sovrintende anche alle scelte dello stile piatto amato da Klimt e dai suoi nel momento più formalistico della loro carriera, oltre che alla loro predilezione per le cornici di misura quadrata. Però, mentre il comporre sul piano, in sé, non è altro che il rispondere alla concezione basilare modernista, da Crane a van de Velde, l'aver trasformato l'arabesco iperbolico e duttile nella lucida durezza dell'angolo retto, la indeterminatezza del segno aperto nella specularità, apparentemente controllabile ma in realtà insondabile della forma a quattro lati uguali ritornanti su se stessi, è invenzione originale: non tanto come espediente grafico, ma come marchio e sistema generale.

Mentre Bahr individuava in questa strada un graduale progredire verso l'astrazione, il sistema «ad quadratum» si estendeva e impossessava di tutta la grande progettazione viennese. Nell'architettura, Otto Wagner, prontissimo a cogliere il senso dei tempi e del gusto nuovo e a riuscire ad anticiparlo, pur senza averlo inventato, già al finire del secolo aveva dato saggi di impaginazione «à plat» dei propri edifici, scrivendo la decorazione sulla pagina chiara delle facciate sulla Linke Wienzeile. Le sue stupefacenti stazioni della metropolitana mediavano ancora il tema del sacello bizantino con il tema dell'edificio barocco a pianta centrale e cupola mossa, in una contaminazione reinventata marca Jugendstil. Subito dopo, però, mentre Fabiani e Plecnik sperimentavano, nelle loro case a risvolto del secolo, più pitagoriche progettazioni, con una serie di colpi di genio produce in successione l'edificio della Postparkasse e la chiesa am Steinhof: inno alla formula «ad quadratum», trionfo della ininterrotta luminosità spaziale e della parsimonia di decorazione — in sovrano disprezzo di convenzionali soggezioni tipologiche — unite a una tensione estetica, ed estetizzante, portata al diapason; emblema macroscopico dello «stile Secessione».

Tutto questo si è venuto dicendo sul piano dell'individuazione sintetica dello stile, per dare una risposta al quesito che si era affacciato in esordio: che cosa costituisca la peculiarità della scuola viennese e se sia legittima l'identificazione di essa con il cosiddetto secessionismo. I fatti spiccioli, esaminati a distanza ravvicinata, la cronaca, sono, si sa, un'altra cosa: meno netti ed espliciti. Intanto, lo schieramento secessionista non è nettissimo perché spesso e volentieri non solo avvengono defezioni e abbandoni del campo, ma artisti significativi espongono presso vari sodalizi, scorrendo dalle mostre della Vereinigung bildender Künstler a quelle dello Hagenbund e poi del gruppo klimtiano. Nello stesso tempo, le mostre della Secessione non hanno carattere stilistico rigidamente unitario per quanto concerne le opere raccolte, molte delle quali straniere, con privilegio di impressionisti e naturalisti; lo hanno di più, a partire soprattutto dal 1900, e fino all'uscita dei klimtiani, sotto il profilo dell'ambientazione, come la mostra per il *Beethoven* di Klinger, nel 1902, e quella, esemplare, di Hodler, del 1904. D'altro canto il «Ver Sacrum», a dispetto della novità della veste tipografico editoriale, non ospita, neppure nella splendida annata 1899, materiale omogeneo: anche qui, facendo posto all'informazione sugli stranieri e alternando parti grafiche con documentazioni fotografiche, mantiene spesso sapore Jugendstil.

XIV Mostra della Secessione, 1902. Da sinistra: A. Stark, G. Klimt, K. Moser (davanti a Klimt col cappello), A. Böhm, M. Lenz (disteso), E. Stöhr (col cappello), W. List, E. Orlik (seduto), M. Kurzweil (col berretto), L. Stolba, C. Moll (disteso), R. Bacher.

Per converso, la suggestione di «Ver Sacrum» e dei cataloghi delle mostre della Secessione si esercita immediatamente su tutta l'arte tipografica del periodo, non soltanto viennese: un caso esemplare è quello italiano dell'album annuale «Novissima»; ma si pensi alla pubblicazione di Schroll *Moderne Bauformen*, sempre a Vienna, agli album sulla Wagnerschule editi da Baumgartner a Lipsia, per citare a caso.

Quanto alla parte teorica, esposta sia nel «Ver Sacrum» sia nei singoli cataloghi delle mostre, essa non si distingue molto per originalità di accenti dai temi conduttori del modernismo internazionale, insistendo sulla coincidenza simbolista tra le varie arti e sulla necessità che la traduzione in immagine di un'idea come la presentazione tipografica e ambientale di varie immagini siano all'altezza espressiva dei contenuti veicolati e facciano un tutt'uno con essi. Concetti esposti in particolare nei primi cataloghi, con appelli alla purezza del dettato e all'uso proprio dei materiali; per la VI Mostra, dedicata nel 1900 all'arte giapponese, il catalogo si impegna in enunciati perentori sulla fine dell'epoca del naturalismo in favore della stilizzazione. Sono dichiarazioni certo importanti negli anni in cui venivano prodotte, anche se a noi suonano scontate, o familiari, per averle noi ormai mille volte incontrate nella letteratura programmatica degli inglesi, dei francesi e dei belgi cui quella viennese si accodava.

C. Moll, *Interno* (particolare), 1903 c.

F. Zeymer, *Foglio illustrato della Wiener Werkstätte n. 17.* (Mus. f. angew. Kunst, Vienna).

Il valore dei cataloghi della Secessione, nel panorama internazionale, sta soprattutto nella loro veste grafico-tipografica, che, sebbene meno impegnativa di quella della rivista «Ver Sacrum», vi corrisponde ed è di grande intelligenza e gratificante armonia. Nel 1898-99 si incontrano nei cataloghi, come nella rivista, ancora decorazioni a colpo di frusta; la fisionomia dei libriccini si assesta nel 1900; nel 1901, in occasione della X Mostra (quella nella quale appare il dipinto klimtiano con la *Medicina*), riproduzioni fotografiche ricapitolano gli allestimenti delle mostre fino a quella data. Il formato dei cataloghi non è standard, ma prevale, all'inizio del secolo, quello quadrato, anche per l'esposizione austriaca a St. Louis, del febbraio 1904.

Il tono cala, con impoverimento anche dell'immagine della copertina, a partire dal 1904 e soprattutto dopo il 1905, uscito il gruppo klimtiano con il genialissimo Moser; e tuttavia mantiene una sua dignitosa eleganza. Del resto, per giudicare della forza propositiva dei cataloghi della Secessione viennese, è sufficiente confrontarli da un lato con quelli della Secessione di Monaco, che sono i tradizionali libretti ottocenteschi senza alcuna novità neppure nei caratteri tipografici; dall'altro con quelli dello Hagenbund, progettati da Joseph Urban, che si ispirano, con bei risultati, al modello Klimt-Moser-Roller dell'istituzione con cui sono in parallelo, accentuando però l'imitazione degli scozzesi. Anche in questi cataloghi, nel 1902-03, si fa più evidente lo schema «ad quadratum» e dopo il 1904 si insinua un più aspro gusto arcaizzante. Gli allestimenti delle mostre dello Hagenbund sono di netta impronta hoffmanniana.

Lo Hagenbund annoverava del resto nel suo comitato personalità di cultura «secessionista», come Hevesi, e fece una serie di mostre importanti, anche per larghezza di informazione: nel 1902, mentre nel padiglione olbrichiano sulla Friedrichstrasse si avvicendavano Böcklin, Klinger, Minne, allo Hagenbund esponeva il gruppo secessionista praghese con Jan Kotéra; nel 1903 una retrospettiva di Böcklin compariva anche nello Hagenbund, e nel 1906 una gran mostra di Meunier faceva da controcanto alla comparsa dello scultore belga nell'altra istituzione. Nel 1907 compariva come scultore Powolny, dell'ambiente della Wiener Werkstätte; nel 1908 una vasta rassegna era dedicata ai polacchi, Mehoffer e Wyspianski in testa.

Le mostre della Secessione intanto continuavano il loro cammino, nonostante la scossa della defezione dei klimtiani, e avendo in certo senso esaurito l'epoca d'oro che, da Segantini a Munch, dai francesi ai russi, aveva saputo dar conto di tutta la grande moderna arte europea. Gli artisti che più sono rappresentati dal 1906 sono Ivan Mestrovic, già presente nel 1905 e partecipe diretto delle vicende viennesi, e Josef Engelhart, ormai agli antipodi, con il suo simbolismo descrittivo, rispetto agli «stilisti» del gruppo Klimt: a Engelhart nel 1909 è dedicato un bellissimo catalogo. Nel 1907 l'ospitalità offerta alla Secessione di Monaco dimostra quale scatto in avanti aveva compiuto la scuola viennese staccandosi dalle fumose simbologie di Stuck. Nel 1908 la copertina per il catalogo della XXXIII Mostra è disegnata da Kokoschka.

È appunto l'anno della grande manifestazione alla Kunstschau, trionfo dell'instancabile attivismo di Klimt, che sotto il velo della propria ieratica bellezza celava una fortissima aggressività. Cinquantaquattro sale, centocinquantasette artisti, gli sforzi congiunti di ex secessionisti (o secessionisti a metà), dell'Österreichische Künstlerbund di recente fondazione klimtiana, della Wiener Werkstätte (e il collaboratore di questa Otto Prutscher fungeva da segretario del comitato), della Kunstgewerbeschule, celebravano insieme i risultati positivi della battaglia per lo stile condotta a oltranza, come della battaglia per la diffusione del gusto attraverso l'oggetto, l'arredo, le piccole stampe (così la serie di cartoline e carte da gioco). La Wiener Werkstätte vedeva riconosciuto il suo lavoro e il suo gusto anche con acquisti ufficiali da parte dello stato.

Ma il clima stava già cambiando. Gli studiosi dell'espressionismo austriaco indicano il 1908 come data fatale, giacché essa segna insieme la comparsa pubblica di Kokoschka; la prima aggregazione del gruppo che intorno a Schiele si sarebbe chiamato della «Nuova arte» (Neukunst); il suicidio del giovane e allora sconosciutissimo Gerstl. Se a ciò si aggiunge la pubblicazione di *Ornamento e delitto* di Loos, saggio destinato a diventare fin troppo celebre, si ha il quadro di un anno davvero cruciale nella storia dell'arte austriaca. Le forze estetizzanti, che avevano fondato il loro predominio sulla vittoria contro i moralismi positivisti e sulla eticità della bellezza, sono in sontuoso declino. Klimt è ancora rispettato e adorato e avrà di lì a poco nuove consacrazioni in Europa, e alla Biennale di Venezia; ma lui stesso sta cambiando, inserendosi in quella situazione di recupero naturalistico che accomuna molti simbolisti e avanguardisti nel secondo decennio del secolo, attorno alla guerra. Per altro sono proprio le avanguardie a esercitare una pressione determinante sulla svolta del gusto e dell'idea dell'arte: il caso di Schiele è il caso limite di prezioso equilibrio tra decadentismo ed espressionismo e di soluzione dei personali problemi umani in chiave formale; Gerstl testimonierà a posteriori di un espressionismo interiorizzato, insieme spoglio e violento, mentre Kokoschka va procedendo verso la liberazione di quel suo segno singultante, che per due decenni ne farà un protagonista dell'arte europea, passando attraverso il regresso verso il primitivo e l'infantile.

Il raffinato arcaismo di Klimt, sviluppato in senso drammatico-monumentale dai tardo-simbolisti, specie scultori (si pensi a Mestrovic, che si ispira ai frontoni di Egina o addirittura all'arte micenea), si trasforma in uno stilizzato folklore: è troppo facile individuare riferimenti psicanalitici in questo regresso a un'oscura innocenza; ma è certo che il primitivismo e l'antiedonismo delle avanguardie picchia alla porta delle roccaforti dello «stile», anche se l'avanguardia viennese non assume i connotati di pubblica polemica che in altri paesi vive ed esprime il dramma del difficile connubio tra ricerche elitarie e azione sociale. Essa tende piuttosto a un processo di introversione che, nonostante l'estendersi del fenomeno, mantiene ai suoi esponenti il carattere di artisti solitari. Il pensiero socialista austriaco si incontrerà con l'attività artistica piuttosto sul terreno dell'architettura — come pare del resto più ragionevole aspettarsi —: valendosi in qualche modo degli atteggiamenti antiliberali di Otto Wagner, che preparano la strada alla nuova politica urbanistica del dopoguerra. Ma Wagner, come Klimt, a quel punto sarà giusto morto: nel 1918.

Dieci anni prima i manifesti della Kunstschau (Kokoschka, Kalvach, Löffler) spezzavano in irti segmenti e in audaci sintesi iconografiche il narcisismo voluttuoso della maniera klimtiana; nel 1909 il manifesto di Kokoschka per il teatro dell'esposizione, abbandonati gli ultimi preziosismi decorativi e compiacimenti coloristici, annunciava, con l'evidenza della testa-teschio e il clangore del suo rosso sanguinante, la fine dell'immagine squisita dello «stile Secessione».

J. Hoffmann, *Fregio*, in «Ver Sacrum», maggio 1899.

Una mostra storica dell'arte viennese tra '800 e '900 alla Biennale di Venezia non può fare a meno di considerare sia pure di passata quali siano stati i rap-

porti tra la scuola austriaca e l'Italia negli anni che abbiamo considerato.
Non furono rapporti specialmente attivi; alle mostre di Vienna risultano presenti pochissimi italiani: Alfonso Canciani, che per altro ivi risiedeva, Adolfo Levier, di patria triestina ma di esperienze internazionali, Camillo Sodoma, Ugo Zovetti, Alfeo Argentieri, Vittore Zanetti Zilla, Carlo Crampa, Rosina del Fabro, Pietro Marussig. Sono per la gran parte maestri di lingua italiana ma sudditi austriaci, come quelli che salgono a studiare a Vienna da Trento e da Bolzano, per esempio Luigi Bonazza. Alle mostre della Secessione compaiono anche Medardo Rosso e Boldini, ma in quanto inseriti tra i francesi; e compare, con la grande personale del 1898 e con quella commemorativa del 1901, Giovanni Segantini: ma Segantini era un apolide e molte patrie se lo contendono.

Alla Kunstschau del 1909 è presente con una bella serie di opere lo scultore romano Ernesto de Fiori, il cui destino sarebbe poi rimasto legato ai paesi di lingua tedesca.

Neppure tra i membri corrispondenti e onorari della Secessione figurano italiani, se non Boldini e Segantini. Il che tanto più colpisce in quanto negli elenchi dei partecipanti e aderenti alla Secessione di Monaco gli italiani sono numerosissimi, delle scuole più diverse. In effetti, i punti di riferimento per gli artisti italiani che volevano aggiornarsi in senso europeo erano Parigi e Monaco. Lo dimostrano anche le presenze inverse, cioè le comparse straniere alla Biennale di Venezia.

Nel 1895, alla I Biennale, i pittori tedeschi Liebermann e Menzel, consideratissimi in tutta Europa, sono nel comitato d'onore; l'Austria è rappresentata

G. Hoffmann, *Il padiglione austriaco all'Esposizione di Roma del 1911.*

41

da Ludwig Passini. Nel 1897 la rappresentanza austro-ungherese è costituita soprattutto da maestri che hanno fatto il loro apprendistato a Monaco. Nel '99 infine compaiono Engelhart, Klimt, Moll; ma il gruppo austriaco non ha speciale rilevanza, negli anni seguenti non ha neppure sale specifiche; abbondano, caso mai, gli ungheresi. Finalmente, nel 1907, l'Austria scende in campo con un bello schieramento: ma non è la Secessione, bensì lo Hagenbund, presieduto da Urban, che esibisce una sessantina di opere; mentre in altra parte dell'esposizione pittori come Angeli o Egger-Lienz compaiono in un «gruppo di artisti viennesi» capitanato da Max von Poosch. Nel 1910 infine Klimt, assieme con pochi altri compatrioti, è di nuovo presente, questa volta con ventidue quadri, soprattutto di paesaggio: e darà l'avvio a un generale innamoramento italiano per il suo stile, rinverdito l'anno successivo dalla sua comparsa alla mostra celebrativa di Roma.

La Biennale di Venezia dell'anteguerra ospiterà ancora gli austriaci nell'edizione successiva, 1912, presentando la Wiener Künstler Genossenschaft: e si vedranno Epstein, Herschel, Hofner con alcuni altri; anche Luigi Bonazza. Nel 1914 ci sarà la grande personale di Mestrovic; e ci saranno, proprio alle soglie della brutale separazione della guerra, i klimtiani, ormai da qualche anno operanti: l'Italia dannunziana — accantonato da tempo il florealismo art nouveau e avendo abiurato anche alle seduzioni dello Jugendstil — trova in Klimt un ultimo baluardo per la difesa delle sue nostalgie estetizzanti, tra simbolo e mito. Più timido ma più interessante è il seguito italiano delle architetture della Wagnerschule; quello che pittori e grafici esibiscono come loro personale secessionismo è comunque un fenomeno di gusto di larga portata. «Finale klimtiano», scrivevamo una ventina d'anni fa, commentando la fase estrema del nostro liberty.

Aprile 1984

J. Engelhart, *Theodor Hörmann che dipinge*. (Öst. Gal., Vienna).

L'ARTIGIANATO ARTISTICO NELL'ERA DELL'OPERA D'ARTE TOTALE

Maria Marchetti

Nulla è più ammirevole del popolo nella sua attività artistica, il popolo stesso è un artista più grande di quanto sia stato qualsiasi individuo.» Queste sono parole scritte nel 1879 da Rudolf von Eitelberger, il fondatore dello Österreichisches Museum für Kunst und Industrie, il Museo dell'arte e dell'industria sorto nel 1864 sul modello del South Kensington Museum di Londra (ora Victoria and Albert Museum) che è il primo al mondo di questo genere. Parole che in un primo tempo possono sembrere un controsenso, dato che si vuole parlare dell'arte applicata degli anni attorno al volgere del secolo, e in particolare di quella viennese che è quasi tutta «d'autore»; che invece evidenziano due aspetti fondamentali: da un lato il fatto semplice ma significativo che oggetti d'uso fossero considerati degni di trovare collocazione nelle sale di un museo, e dall'altro lato che non vi si trovassero solo oggetti creati da «grandi artisti». Nel corso degli ultimi decenni del XIX secolo comincia a svilupparsi anche nel campo dell'arte qualcosa come una coscienza sociale: coscienza e utopia sociale legate agli stessi uomini ai quali è legata la rinascita dell'artigianato artistico, come per esempio William Morris e più tardi anche Henry van de Velde. Anche a Vienna si comincia a sentire esigenze di questo tipo; nel 1894 la Zuckerkandl scrive: «Sarebbe auspicabile che l'oggetto artistico smettesse di essere semplicemente un pezzo da esposizione, che l'oggetto d'uso cominciasse ad avere valore artistico. Dunque gli artisti facciano ancora un passo avanti e creino oggetti d'uso che, accessibili a tutti, rallegrino gli occhi di tutti per la loro originalità artistica; allora il tempo di un Baudelaire e di un Millet non avrà soltanto un'arte aristocratica, comprensibile a pochi consimili, avrà anche un'arte che diventa bene comune del popolo intero.»

Nello stesso anno in cui ci sarà la fondazione della Secessione viennese, Arthur von Scala diventa direttore dello Österreichisches Museum für Kunst und Industrie e vi introduce nuove idee e anche una maggiore apertura verso l'attualità. Egli ammira molto il mobile inglese e infatti, già nel corso della prima esposizione fatta sotto la nuova direzione, accanto alle copie dei mobili antichi vengono mostrati mobili moderni creati per il boudoir di una signora dai due artisti Urban e Lefler. «A che punto sarebbe l'arte applicata viennese senza di lui? Scala e la Secessione erano uno la fortuna dell'altro, perché han-

Sopra:
J. Auchenthaller, *Decorazione per libro*, in «Ver Sacrum», luglio 1898.

no dato fuoco al mondo viennese da due parti», dirà Hevesi anni dopo.
Quanta importanza fosse attribuita all'arte applicata diventa evidente per il fatto che nel primo numero della rivista «Ver Sacrum», l'organo della Secessione, se ne parla in modo più che esauriente nell'articolo introduttivo intitolato *Perché pubblichiamo questa rivista*: «E quindi ci rivolgiamo a tutti voi, senza differenza di ceto e di censo. Non conosciamo differenza tra ''arte nobile'' e ''arti minori'', tra arte per ricchi e arte per poveri. L'arte è un bene comune.»

Queste parole fanno capire che gli artisti della Secessione volevano l'arte per tutti, intenzione più che lodevole, ma certamente queste, rafforzate da quelle seguenti, rendono pure evidente quanto grande fosse il loro distacco dalla realtà della classe povera. L'ignoto autore dell'articolo continua così: «E se uno tra di voi dice: ''Ma a che cosa mi servono gli artisti? Non mi piacciono i quadri '', allora gli vogliamo rispondere: ''Se non ti piacciono i quadri, vogliamo ornare le tue pareti con meravigliose carte da parati, e forse ami bere il tuo vino da un bicchiere plasmato artisticamente: vieni da noi, ti indicheremo la forma del recipiente degno della nobile bevanda. Oppure vuoi un gioiello squisito, un tessuto singolare con cui ornare la tua donna o la tua amante?...''» Una distanza incolmabile divideva questi artisti dalla gente povera cui dicevano: «Tutti voi avete in verità sete di una bevuta rinfrescante dalla fonte di giovinezza dell'eterna bellezza e verità.» Questo emerge anche dalle rime che il giovane Hofmannsthal compone quando nel 1890 si trova davanti alla prima manifestazione degli operai in occasione del I Maggio, oppure dalle note del diario di Arthur Schnitzler. In una lettera del 1895 Hofmannsthal, interpellato su che cosa fosse la questione sociale, risponde: «Che cosa sia ''veramente'' non lo sa probabilmente nessuno, né quelli che vi si trovano in mezzo e meno che mai la ''classe più elevata''. Il ''popolo'' non lo conosco. Non esiste, credo io, un popolo, ma, per lo meno da noi, soltanto ''gente'', e in effetti gente molto diversa, anche tra i poveri molto diversa, con mondi interiori totalmente diversi.» Sarà lo stesso Hofmannsthal a dire durante una conferenza tenuta nel 1896 che «dalla poesia non c'è via diretta alla vita, dalla vita non ce n'è nessuna alla poesia».

In questo che possiamo considerare il proclama della Secessione, per lo meno per quanto riguarda i primi anni di attività, troviamo già un dualismo d'intenti. Vi è contemporaneamente la volontà di creare un'arte estremamente sofisticata, e quindi riservata a pochi eletti, e il desiderio di diffondere maggiormente quest'arte. Meno di un mese dopo l'inaugurazione della I Mostra della Secessione, Hermann Bahr scrive a suo padre: «Ora ho un nuovo passatempo: ogni domenica mattina dalle 8 alle 10 faccio una visita guidata per operai nella mostra della Secessione... In autunno, quando la Secessione avrà la propria casa, che si sta costruendo, farò vedere la domenica pomeriggio agli artigiani, falegnami, rilegatori ecc. i lavori fatti in questo campo da inglesi e belgi, così spero di riuscire a ricavare in pochi anni qualcosa che si possa far vedere dovunque come ''stile austriaco''.» La fondazione della Wiener Werkstätte avviene nel 1903, ma sembra soltanto la logica conseguenza di intenti come questi. Frequentemente si è sottolineato quanto importante per quest'impresa fosse l'esempio inglese e quello scozzese, però Kolo Moser indica in una sua autobiografia artistica, pubblicata nel 1916-17, come particolarmente stimolante l'esempio delle teorie di Julius Maier-Graefe e della Maison moderne di Parigi gestita da lui.

Il dualismo, già illustrato per quanto riguarda il messaggio della Secessione, è ugualmente presente anche nella Wiener Werkstätte; non solo, ma fin dal

J. Auchenthaller, *Decorazione per libro*, in «Ver Sacrum», luglio 1898.

principio vi possiamo anche individuare una maggiore propensione per un'arte raffinata prodotta solo artigianalmente e quindi a causa del costo effettivo riservata a pochi buongustai dell'estetismo. Nel programma della Wiener Werkstätte si dichiara di essere consapevoli che «in certe circostanze può venire creato con l'aiuto di macchine un prodotto di massa sopportabile», ma concretamente si rifiuta questa possibilità. In effetti, nell'ambito della Wiener Werkstätte, l'impegno sociale esistente nei primi anni del nuovo secolo trova una sua espressione: non viene apprezzato soltanto il lavoro di chi determina formalmente un oggetto, ma anche quello di chi lo produce materialmente. Per sigillare questo patto di creatività, ciascun oggetto porta la sigla dell'autore dell'idea assieme a quella dell'autore materiale, oltre allo stemma dell'istituzione stessa. Il laboratorio funziona appoggiandosi, oltre che a una sensibilità artistica particolare in ognuno dei suoi componenti, a una collaborazione e a una solidarietà democratica capaci di rigenerare il valore e la capacità creativa del lavoratore e dell'artigiano, rendendo omogenei talento manuale e qualità dell'ideazione, unificando il fare al pensiero che fa, avvicinando nella gioia di creare l'idea alla materia. Per rendersi conto di quanto importante fosse il ruolo degli artigiani esecutori e la simbiosi creativa tra loro e i progettisti, basta guardare alcuni disegni esecutivi della Wiener Werkstätte che sono quasi sempre privi di definizione esatta, lasciando molto spazio all'ingegno dell'esecutore.

J. Auchenthaller, *Decorazione per libro*, in «Ver Sacrum», luglio 1898.

Non a caso molti aspetti del programma ideale della Wiener Werkstätte vengono successivamente elaborati, ripresi tanto dal Werkbund, di cui del resto Hoffmann sarà uno dei membri fondatori, quanto dalla Bauhaus dove vengono sposati all'insegnamento veramente esemplare della scuola annessa allo Österreichisches Museum für Kunst und Industrie. La volontà di avvolgere tutta la vita nell'arte emerge chiaramente dal programma della Wiener Werkstätte: «Non può essere assolutamente sufficiente comprare dei quadri, anche se fossero splendidi. Fino a quando le nostre città, le nostre case, i nostri ambienti, i nostri armadi, i nostri utensili, i nostri vestiti e i nostri gioielli, fino a quando il nostro linguaggio e i nostri sentimenti non simboleggeranno in modo schietto, semplice e bello lo spirito della nostra epoca che ci è propria, ci troveremo infinitamente più indietro rispetto ai nostri avi...»

L'uomo desidera un ambiente congeniale alla sua anima: nel 1897 la Zuckerkandl afferma che non si può più accettare di «affidare al tappezziere la creazione di una cornice per i nostri sentimenti, stati d'animo e nervi». I concetti elaborati da poeti, scrittori e filosofi cercano, e trovano, la loro espressione nelle altre arti. Hermann Bahr, scrittore, padre ideale e ideologo degli scrittori e dei poeti della «Jung Wien» tra cui Rilke, il giovane Hofmannsthal che allora usava lo pseudonimo di Loris, e tanti altri, scrive nel 1891 un articolo intitolato *Romantik der Nerven* (Romanticismo dei nervi). Nell'arte applicata, per esempio nei primi allestimenti delle mostre della Secessione, troviamo infatti questo ambiente congeniale caratterizzato dalla «Gefühlslinie», la linea del sentimento, dell'emozione.

Dalle teorie del fisico e filosofo Ernst Mach, che nel 1886 scrive *Beiträge zur Analyse der Empfindungen* (Contributi per un'analisi delle emozioni), che sembra un vademecum della pittura impressionista, deriva l'equivalenza di parvenza e realtà.

Il pensiero che ha comunque influenzato più di tutti la concezione dell'arte degli anni a cavallo del secolo è stato senza dubbio quello di Richard Wagner assieme a quello di Friedrich Nietzsche.

«Oggi ciascuna arte non può più inventare qualcosa di nuovo e questo non soltanto l'arte figurativa, ma nemmeno l'arte del ballo, la musica strumentale e la poesia. Adesso tutte hanno sviluppato la loro massima capacità, cosicché possono inventare sempre qualcosa di nuovo nell'ambito dell'opera d'arte totale, nel dramma», scrive Richard Wagner nel 1894; e ancora: «Qui, dunque, lo spirito, nel suo tendere artistico a ricongiungersi con la natura nell'opera d'arte, vede indicata... la sua unica speranza... Capisce che può conquistare la sua redenzione soltanto nell'opera d'arte sensualmente presente... La grande opera d'arte totale, che deve comprendere tutte le specie d'arte, annientando ogni singola specie...» Queste parole, scritte nel 1850, sembrano la sintesi di tutto ciò che muoverà l'arte cinquant'anni dopo.

Infatti anche la Wiener Werkstätte nasce da questa concezione totale e totalizzante dell'arte. Nella sua autobiografia Josef Hoffmann ricorderà: «Il tempo movimentato della fondazione della Secessione viennese, che aveva scritto sulle proprie bandiere il motto ''Al tempo la propria arte'' e che amava occuparsi di tutti i problemi della vita sgorgante, aveva svegliato in Moser e in me il possente desiderio di plasmare ex novo tutte le cose della vita quotidiana.» È interessante notare che, nella memoria dell'anziano maestro, Secessione e Wiener Werkstätte sono legate intimamente, e anche che del motto della Secessione «Der Zeit ihre Kunst, der Kunst ihre Freiheit» (al tempo la propria arte, all'arte la propria libertà), che risale a Bahr, scritta non a caso rimossa quando la libertà non doveva più costituire uno degli interessi primari del cittadino, Hoffmann ricorda solo la prima metà; ma questo ci porterebbe troppo lontano.

I prodotti della Wiener Werkstätte sono certo tuttora emozionanti per la loro raffinatezza e anche per il fatto che almeno alcuni di essi, come per esempio gli innumerevoli cestini di lamiera traforata generalmente verniciati di bianco, sono realmente qualcosa di affatto nuovo e originale, senza il benché minimo riferimento a elementi decorativi o a strutture del passato, sempre che non li vogliamo interpretare come «stilizzazioni» dei più semplici prodotti artigianali di tutte le epoche, cioè dei cestini di vimini intrecciati. Il loro effetto è comunque di grande interesse, così come lo è anche il fatto che tutte le pubblicazioni dell'epoca li mostrano sempre «in uso», quindi con frutta o fiori, che si trovano in contrapposizione e insieme in simbiosi con il rigore della loro forma. Anche questa è un'espressione dell'opera d'arte totale in quanto unione tra natura e arte, tra Dioniso e Apollo?

In quest'epoca il rapporto tra arte e natura è estremamente interessante e meriterebbe forse un'analisi più approfondita, ma in questa sede vogliamo ricordare soltanto alcuni esempi: il fatto estremamente affascinante che l'architetto Leopold Bauer decide, creando una credenza per l'arredamento della casa del pittore Josef Engelhart, di inserire tra i quattro pannelli decorativi in legno intarsiato della parte superiore uno che consiste di una pietra semidura semplicemente tagliata, considerando quindi la natura stessa alla stregua dell'artista.

Molto sarebbe da dire sull'uso delle piante vive (si tratta, guarda caso, proprio di alberelli d'alloro e di camelie) che viene fatto nell'allestimento della I Mostra della Secessione, allestimento curato da Olbrich e da Hoffmann. Così come è affascinante e denso di valori simbolici l'uso che Olbrich fa, questa volta stilizzandolo, del motivo dell'albero d'alloro quando progetta la sede della Secessione: l'associazione più evidente è certamente quella dell'albero della vita che protegge, per così dire, la sacra comunità di artisti. L'edificio simboleggia e diventa esso stesso l'unione tra intelletto e natura o, per tornare alla concezione nietzschiana, unità e fusione dell'elemento apollineo e di

K. Moser, *Calendario*. (Coll. privata, Monaco).

quello dionisiaco: è dunque primavera sacra, «Ver Sacrum».
Vengono in mente le parole di Friederich Schlegel che Ricarda Huch, certo non a caso, premette a un estratto di un suo scritto pubblicato in anteprima su «Ver Sacrum» (siamo nel 1898): «Tutti i giochi sacri dell'arte sono soltanto una lontana imitazione dell'infinito gioco del mondo, dell'opera d'arte che si crea continuamente da sé. In altre parole: tutta la bellezza è allegoria.» Le parole di Hofmannsthal nella poesia intitolata *La rosa e la scrivania* ci illustrano anch'esse qualcosa del rapporto tra l'uomo e la natura: Hofmannsthal racconta di aver raccolto dalla neve della strada una rosa rossa: «...La portai con me, la misi in un piccolissimo vaso giapponese sulla mia scrivania e mi addormentai. Devo essermi svegliato poco tempo dopo. Nella stanza era steso un chiarore crepuscolare, non della luna ma della luce delle stelle. Respirando sentivo il profumo della rosa riscaldata avvicinarsi fluttuando e sentii parlare a bassa voce. Era la rosa di porcellana del calamaio ''vecchia Vienna'' che faceva osservazioni su qualche cosa. ''Non ha assolutamente più alcuna sensibilità per lo stile — diceva —, alcuna traccia di gusto.'' Con questo voleva indicare me. ''Altrimenti non avrebbe potuto assolutamente mettere una cosa simile accanto a me.'' Con queste parole voleva indicare la rosa viva.»
Ma torniamo alla Wiener Werkstätte: stoffe, lavori in metallo, in pelle, in ceramica, in vetro, in carta, mobili, gioielli, ma anche palazzi interi diventano veicolo, agente per la formazione di questo laboratorio sperimentale in cui poter riflettere sulla essenza costitutiva degli oggetti e poterli produrre non in grande serie, ma controllandoli nel loro farsi artistico. Lusso e creazione si concentrano su tutti i prodotti; la clientela infatti è costituita da una cerchia di borghesi facoltosi, ricchi e colti, intenditori raffinati ed esigenti, capaci di domanda elevata sul piano artistico. È la stessa clientela per cui Klimt farà molti ritratti, legati a tutti i fatti della cultura della Vienna di allora: Mahler, Beer-Hoffmann, Stoclet, Hodler e i Wittgenstein, per nominarne solo alcuni. Finezza superiore colorata di un trapasso impercettibile, cosciente di sé e tesa nel sentimento della fine. Richard Kralik ricorderà: «Allora, verso il 1878-79, quasi tutti credevano che l'attuale struttura sociale non potesse esistere ancora a lungo, che dovesse far posto al collettivismo della scuola di Karl Marx, o a causa di violenze distruttrici, o a causa di un irresistibile cambiamento nello sviluppo. Allora certuni davano via i loro capitali con animo leggero poiché credevano di sapere che il loro denaro non avrebbe più avuto alcun valore.»
Infatti la Wiener Werkstätte assorbe il patrimonio di diverse famiglie, a cominciare da quello di colui che aveva reso possibile la sua nascita, Fritz Waerndorfer. Un inizio della fine per questa borghesia è la guerra; definitiva sarà la crisi del '29 e l'inevitabile oscurarsi della capacità di produrre e prodursi in idea e materia, in autonomia e libertà.
Nel 1905 la Zuckerkandl avvertirà: «L'origine culturale democratica di una ''arte per tutti'', le cui benedizioni si esprimono in un livello culturale più alto degli oggetti di tutti i giorni, conduce con le sue conseguenze più estreme alla perfezione aristocratica di un raffinato estetismo culturale.» Infatti le opere d'arte, ma anche quelle dell'arte applicata, acquistano una sempre maggiore sacralità; secondo questi artisti, tutta quanta la vita deve essere avulsa dall'arte.
Nel programma della Wiener Werkstätte, pubblicato nel 1905 sulle pagine della rivista «Hohe Warte», leggiamo le seguenti parole oltremodo significative: «Il lavoro dell'artigiano dovrà venire misurato con lo stesso metro di quello del pittore e dello scultore.» In un suo saggio del 1908 Joseph August Lux sottolineerà, invece, un altro aspetto molto importante dell'arte applica-

ta di quel tempo: il fatto che l'oggetto piccolo, per esempio la cassetta di metallo, viene progettato non solo con la stessa attenzione, ma anche con lo stesso spirito di una casa, e spesso sembra differenziarsi sostanzialmente solo per la scala. Egli dice: «Se vogliamo esprimere in poche parole l'evento principale degli ultimi anni, allora si tratta della conquista dell'arte applicata da parte dell'architettura.»

Troviamo la massima espressione di questo spirito nel Palazzo Stoclet, il capolavoro sublime tanto di Josef Hoffmann quanto della Wiener Werkstätte, incominciato proprio nel 1905. Infatti, escluso il fregio di Klimt per la sala da pranzo, tutto è progettato ed eseguito dagli artisti della Wiener Werkstätte ed è anche espressione di ciò che questi artisti considerano un'opera d'arte totale. Non a caso, oltre a una raffinata collezione d'arte, il palazzo comprende tutti gli ambienti necessari a un'esistenza degna dei loro proprietari, raffinati quanto facoltosi borghesi, e vi si trova anche una sala teatrale che è contemporaneamente sala di musica. La musica in effetti assume un ruolo assai importante in questa raffinata residenza, esiste un impianto alquanto sofisticato dotato di svariati accorgimenti acustici che serve a diffondere nei vari ambienti la musica prodotta da un organo elettrico, controllandone e regolandone il volume. Senza dubbio si può affermare che per questo edificio l'architetto si è trasformato in poeta. Joseph August Lux ne esprimerà perfettamente lo spirito quando nel 1908 scriverà: «L'uomo stesso [può sembrare] una tale opera d'arte, a patto che egli non perda il suo contegno.»

Effettivamente nell'epoca dell'opera d'arte totale i confini tra le varie discipline sembrano diventare sempre più evanescenti e le cose dell'arte tendono a fondersi e a compenetrarsi. È certo significativo che il ricavato della I Mostra della Secessione, tenutasi nei saloni della Gartenbaugesellschaft nella primavera del 1898, serva a procurare buona parte della cifra necessaria per provvedere alla costruzione della sede della nuova associazione di artisti. Hoffmann ricorda: «In occasione delle prime mostre ci furono oltre centomila visitatori paganti.» Le mostre costituiscono il fulcro dell'attività dell'associazione degli artisti, tanto da un punto di vista formale ed estetico — sono un perfetto campo di sperimentazione — quanto da un punto di vista ideale, ma possono venire considerate addirittura la base materiale della Secessione.

In un mondo teso alla stilizzazione e quindi all'estetizzazione di tutte le manifestazioni della vita e perciò anche degli oggetti d'uso, quelli che Morris molto poeticamente chiama le «necessaries of life», l'aspetto formale e proprio l'«esporre» assumono un'importanza sempre maggiore, ragione per cui l'arte dell'esporre diventa sempre più importante. Questo vale, in particolare, per l'arte applicata, che spesso sembra esistere addirittura in funzione dell'esposizione oltre e forse più che della funzionalità, alla quale si dichiara di aspirare. «Tutto il vasellame era un'invenzione di Hoffmann. Argenteria di una semplice tipicità tutta sua che deriva direttamente dalla funzione... Un cucchiaio da salsa potrebbe servire come tema per una conferenza sulla logica.» E anche: «Chi non conosce le posate d'argento di Hoffmann? Quando una cosa simile apparve per la prima volta nella Secessione, una tempesta attraversò il mondo che mangia. Si diceva che con questo non si può mangiare e mangiare correttamente, mangiare ''all'inglese'', meno che mai.» Werner Hofmann scrive: «In fondo l'estetizzazione totale deve quindi... tendere all'arte espositiva; infatti solo nell'esposizione il cucchiaio si libera della sua funzione.»

È di grande interesse anche il fatto che già per l'epoca immediatamente precedente, quella della Gründerzeit, l'esporre avesse una rilevanza enorme: era

K. Moser, *Calendario*. (Coll. privata, Monaco).

l'epoca delle grandi esposizioni universali, celebrazioni dell'efficienza dell'uomo, espressione della sua fede nel progresso e nella scienza. Werner Hofmann la definisce come l'epoca nella quale «la coscienza dell'homo faber aspira alla glorificazione». A cavallo del secolo, invece, le mostre sembrano diventare un fatto ancora più intimamente esistenziale, sono l'espressione del rapporto cambiato tra l'uomo e il mondo che gli sta attorno, espressione della fine di una fede nel progresso, nell'«età della ragione». È venuta l'era nella quale «non si comprende più per mezzo dell'intelletto, come nella Divina Commedia di Dante, bensì del sentimento, i cui arti prensili sono in effetti i sensi», come dice Hevesi nel 1899. Questo è certo un aspetto che differenzia sostanzialmente quella che Otto Wagner chiama una «naissance dalla renaissance», rapporto del resto frequentemente citato anche dai contemporanei come reale e forte, ma questo ci porterebbe troppo lontano. Non a caso gli allestimenti si trasformano in spazi pervasi da «solenne gravità»: il famoso allestimento della XIV Mostra della Secessione viene definito «tempio», «chiesa dell'arte», ma anche «vollkommener Stimmungsbau», cioè perfetto edificio suggestivo, edificio dei sentimenti.

Sulle tracce di Friedrich Nietzsche e di Richard Wagner, l'uomo ha sostituito l'arte alla religione, o meglio ha fatto diventare l'arte religione, religione pagana beninteso, tesa tutta alle più impercettibili manifestazioni dell'anima, dell'io: io per il quale parvenza e realtà, come dice Mach, si confondono, in definitiva «unrettbares ich», io insalvabile secondo il titolo usato da Bahr per un suo saggio. In fondo l'individuo stesso, con le sue sensazioni, i suoi «nervi» e le sue nevrosi, è diventato oggetto di venerazione: venerazione profondamente narcisistica ma anche pregna di un senso di trapasso. Ci troviamo di fronte alla celebrazione collettiva dell'individualismo. Contemporaneamente il rapporto tra esporre ed esporsi sembra diventare sempre più stretto, così l'allestimento della mostra o della casa si trasforma in scena, in scena teatrale: pensiamo per esempio a una casa come il Palazzo Stoclet, con il suo teatro e la sua celebrazione quasi sacrale dei riti della vita sociale, oppure alla Villa Primavesi, anch'essa di Hoffmann, con le sue feste ritualizzate a un punto tale da richiedere addirittura delle «tuniche sacrali» appositamente disegnate. Contemporaneamente l'uomo si trasforma in protagonista (torniamo a citare Lux): «L'uomo stesso [si trasforma] in una tale opera d'arte, a patto che egli non perda il suo contegno.» Non a caso questa è l'epoca delle «feste d'arte e di vita» (Feste des Lebens und der Kunst) celebrate nella Darmstadt di Olbrich. Va quindi sottolineata l'importanza dell'aspetto formale anche nella vita dell'uomo, il che è ovvio in un'epoca che vede il suo ideale nell'opera d'arte totale e che si identifica con essa. Significativa sembra in questo contesto la descrizione dei vani d'esposizione della Wiener Werkstätte dataci da Hevesi nel 1906: «Una sala nero-bianca, come dice la gente, non so veramente perché… Non è affatto nero-bianca, ma bianco-nera, una cosa effettivamente tutta diversa. Una sala meravigliosa, semplice come la semplicità stessa e ornata di fiori. Come un signore in un vestito irreprensibile, con un fiore all'occhiello.»

Il cerchio si chiude: ci troviamo davanti a un mondo che vede la vita come opera d'arte, opera d'arte che a sua volta esiste in funzione dell'esibire e dell'esibirsi e quindi del teatro, teatro che è, d'altro canto, secondo il pensiero di Nietzsche, unità perfetta, equilibrio tra Apollo e Dioniso e quindi contemporaneamente quintessenza ma anche sostituto della religione, così come l'opera d'arte stessa.

Nel 1907, due anni dopo l'abbandono della Secessione da parte del gruppo di artisti che fa capo a Klimt e un anno prima della Kunstschau del 1908, che è la prima mostra e che sarà allo stesso tempo l'apoteosi ma anche il canto del cigno di questo mondo, la Zuckerkandl scrive: «Le Secessioni muoiono dell'adempimento del loro compito; dovevano liberare la via agli impulsi arginati, soggiogati e violentati dell'arte del tempo.»

L'area espositiva della Kunstschau con i suoi padiglioni comprende, in effetti, le cose più impensate, sembra voler riassumere l'intero mondo dell'arte, ma anche il cosmo intero: vi troviamo l'arte del bambino così come un caffè, giardini, una completa casa modello e ovviamente anche un teatro, teatro che oltretutto ospiterà una rappresentazione del dramma espressionista di Oskar Kokoschka, diventato più tardi famoso, intitolato *Morder, Hoffnung der Frauen* (Assassino, speranza delle donne), e che solleverà uno scandalo inimmaginabile; Kokoschka stesso racconta che la rappresentazione terminò in una grande rissa controllata solo dall'intervento delle forze dell'ordine. È significativo che la festa della Kunstschau, omaggio a Gustav Klimt e, se vogliamo, all'arte secessionista, porti in sé il germe della propria fine, preannunciata proprio dall'opera di Kokoschka. Germe di morte, che sembra addirittura concretizzarsi fisicamente nell'ambito della mostra: parte dell'area espositiva consiste in un «piccolo cimitero modello» completo di tombe modello — idea che oggi ci sembra alquanto sorprendente e anche, perfino troppo ovviamente, pregna di significato e di messaggi premonitori. L'effimera festa dell'arte comprende quindi la propria morte, morte e tensione di morte che oltretutto costituiscono un importante aspetto dell'epoca a cavallo del secolo; qui vogliamo ricordare soltanto i titoli di due opere letterarie come *Sterben* (Morire) di Arthur Schnitzler e *Der Tor und der Tod* (Il folle e la morte) di Hugo von Hofmannsthal, titoli in cui il tema è più che esplicito.

Ben presto lo stile secessionista diventa anche fatto di moda. Bahr descrive la situazione nel 1899, appena due anni dopo la fondazione della Secessione, in un saggio intitolato *Falsa Secessione*: «Se ora una giovane coppia ordina un arredamento a un tappezziere, ha solo un desiderio: possibilmente Secessione! Se un commesso ci vuole imporre una cravatta pazza, dice strabuzzando gli occhi: prego Secessione! Secessione in tutte le vie, a tutti gli angoli, Secessione da vedere, Secessione da sentire, da mangiare e da bere; si parla addirittura di salse secessioniste...» Infatti si sviluppa una specie di manierismo secessionista: invece di copiare i maestri antichi, vengono copiati quelli moderni. Più tardi proprio il problema della commercializzazione dell'arte, che era stato alla radice della fondazione di questa associazione di artisti, diventa causa della sua disgregazione così come dell'abbandono della Wiener Werkstätte da parte di Kolo Moser. Moser puntualizza nelle sue memorie che è stata proprio una eccessiva condiscendenza verso il gusto e/o i desideri del pubblico a costituire una delle ragioni per cui si era ritirato dal laboratorio.

In quest'epoca e in questa Vienna non esiste però solo l'arte raffinata, squisita ed elitaria della Wiener Werkstätte, che deriva la sua ideologia, se così la vogliamo chiamare, dalla Secessione. Possiamo trovare un'arte applicata prodotta industrialmente, per esempio, nell'ambito della produzione di mobili su vasta scala: basta pensare a quelli di Thonet, oppure a quelli d'autore disegnati da artisti, tra cui Moser e Hoffmann per Kohn, oppure ancora a quelli della ditta Prag-Rudniker, molto meno noti ma spesso di grande interesse.

Preme qui ricordare anche altri tentativi di garantire una maggiore diffusione dell'arte applicata secessionista anche tra strati sociali meno abbienti: nel 1899 Arthur von Scala, il direttore dello Österreichisches Museum für Kunst

1. M. Balzarek, *Studio per la Oö Landes-handwerker-Ausstellung*, 1909. (Stadtmuseum, Linz).

2. L.F. Graf, *Manifesto per il giubileo dell'imperatore*, 1908. (Hist. Mus., Vienna).

und Industrie, bandisce un concorso per la progettazione di un arredamento per la stanza di un operaio sposato, che ovviamente deve venire prodotto a un prezzo contenuto. Il concorso avrà molti partecipanti, tra cui anche Otto Wagner, e porterà risultati formalmente interessanti, ma i modelli vincitori vengono prodotti in poche copie e venduti a un'illuminata clientela borghese che si differenzia di poco o niente da quella della Wiener Werkstätte.

D'altro canto, tanto i maestri, tra cui molti membri della Secessione, quanto gli allievi della scuola annessa allo Österreichisches Museum für Kunst und Industrie erano interessanti per le industrie che volevano estrarre dei prodotti di qualità dall'arte applicata. Questa offerta dell'industria procura molti lavori a Moser, Hoffmann e ai loro allievi ed è terreno di sperimentazione per esperienze culturalmente avanzate, superando persino l'impostazione della Wiener Werkstätte con la sua ideologia antindustriale e dando all'arte la possibilità di essere riprodotta e quindi consegnata realmente a un gruppo più vasto che pure reclamava l'arte.

È comunque importante sottolineare che l'arte onnicomprensiva di spirito o di marca secessionista aveva sin dal principio i suoi fieri, anche se isolati, oppositori, oppositori che si identificavano nel piccolo gruppo di intellettuali intorno a Karl Kraus e Adolf Loos. Quando Kraus pubblica nel luglio del 1898 su «Ver Sacrum», la rivista della Secessione, il suo famoso saggio *Die potemkinsche Stadt* (La città di Potemkin), insieme a un altro intitolato *Ai nostri giovani architetti*, si trova già in antitesi con le tendenze della Secessione. È nettamente contrario a un mondo plasmato da artisti e architetti. Sempre nel 1898 scrive: «Né l'archeologo, né il decoratore, né l'architetto, né lo scultore devono arredare il nostro appartamento,... ognuno sia il proprio decoratore.» E, rincarando la dose: «Vogliamo di nuovo essere padroni delle nostre quattro mura. Se siamo privi di gusto, pazienza, allora ci arrederemo con cattivo gusto. Meglio se abbiamo gusto. Comunque non ci vogliamo più far tiranneggiare dalle nostre stanze.» Nell'ambito dell'arredamento Loos si oppone accanitamente all'invenzione di modelli nuovi per degli oggetti, delle tipologie che sono secondo lui già perfette; allo stesso modo rifiuta la creazione di nuovi elementi decorativi che ritiene del tutto indegni di un uomo civile del '900: nel suo famoso saggio *Ornamento e delitto* teorizza addirittura che l'ornamento è espressione di una sessualità primitiva e quindi è osceno. Sempre del 1898 sono le seguenti parole: «Tutto quello che hanno creato i secoli precedenti può venire copiato oggi, a patto che sia ancora utile. Nuove manifestazioni della nostra cultura... devono venire risolte formalmente senza reminiscenze coscienti di uno stile ormai superato. Non sono permesse modifiche in un oggetto antico per adattarlo a nuove esigenze.» Secondo questi principi Loos adopera quindi copie fedeli di oggetti antichi, come per esempio uno sgabello a tre gambe che è la copia di uno prodotto dalla ditta Liberty di Londra e che è a sua volta la fedele replica di un antico sgabello egizio, oppure fa eseguire da un eccelso artigiano, Josef Veillich (Loos ne scriverà l'appassionato necrologio), repliche di sedie Chippendale, oppure utilizza in un arredamento un tavolino che è la copia di uno pompeiano modellato come un'architettura. Oltre a questo, l'arredamento moderno secondo Loos deve consistere in mobili a muro, sistema che non si differenzia affatto da certi arredamenti di Moser o di Hoffmann, mobili che avvolgono l'uomo come in un guscio, guscio che talvolta può trasformarsi addirittura in tana o in nido: basta pensare alla stanza da letto che Loos disegna ed esegue per la propria casa e la propria moglie nel 1903. Salta agli occhi un contrasto che va ben oltre il rapporto dialettico tra le teorie moraliste e puriste di Loos e le implicazioni di natura psicologica che sembrano insite in molte sue opere. Loos, creatore di spazi formidabili, tuttora vivibili e affascinanti, manca però di coerenza. Non è comunque certo un caso che Loos apprezzi e incoraggi, aiutandolo in tutti i modi, il giovane Kokoschka, il quale esprime nelle sue opere un tormento intimo che Loos doveva sentire molto vicino.

Su «Das Andere» Loos pubblica nel 1903 un attacco violento all'estetica secessionista che considera amorale in quanto lontana dalla vita reale, accusa posta comunque in termini tali che sarebbe perfettamente possibile e legittimo rivolgerla a Loos stesso; basta ricordarne certi interni sontuosi o quanto mai raffinati, anche se in essi si trova sempre una punta di austerità e freddezza. Egli scrive: «Mai la gravità della vita si avvicini a voi... Descrivete dunque come si svolgono e si presentano, in una camera da letto di Olbrich, la nascita e la morte, le urla di dolore di un figlio infortunato, il rantolo di morte di una madre, gli ultimi pensieri di una figlia che vuole darsi la morte... È di buon gusto la stanza dove questo avviene? Chi se lo chiede mai?...»

Karl Kraus riassume questo rapporto tra la visione della vita propria ai secessionisti e quella di Loos — e quella di Kraus stesso — come meglio non si potrebbe: «Adolf Loos e io, lui letteralmente e io linguisticamente, non abbiamo fatto altro che mostrare che esiste una differenza di cultura tra un'urna e un vaso da notte e soltanto in questa differenza la cultura trova il suo spazio. Gli altri, però, quelli ''positivi'', si dividono in quelli che adoperano l'urna come vaso da notte e in quelli che usano il vaso da notte come urna.»

Nel 1899 Hermann Bahr pubblica un suo saggio intitolato *La sedia* che, con l'unica eccezione di Loos, riassume sinteticamente le varie posizioni di fronte alla creazione di un oggetto d'uso, in questo caso una sedia: «Infatti quando l'artista abbraccia l'artigianato deve scegliere fra tre tendenze... Un artista decide di fare una sedia. Che cosa può volere con questo? Ci sono tre possibilità. Può cercare la sedia assoluta, può volere una sedia individuale, oppure mirare a una sedia nazionale.» La sedia assoluta è, secondo Bahr, quella che cerca di risolvere in primo luogo il fatto di sedersi. Invece l'artista che crea la sedia individuale vuole comunicare a chi la adopera il proprio umore, la propria tensione poetica, le proprie sensazioni. Chi crea una sedia nazionale vuole che questa esprima qualcosa della gente che gli sta attorno e dell'ambiente, che comunichi il genius loci.

L'arte e il pensiero dei secessionisti sono stati certamente determinanti per un'epoca, epoca di raffinata fioritura dell'arte e anche di massima espressione dello spirito cosmopolita che dominava, anche se per brevissimo tempo, nell'impero asburgico in una Vienna che faceva da catalizzatore ai talenti delle sue innumerevoli etnie, arte però che è soprattutto espressione delle tensioni individuali ed è quindi destinata a venire travolta da un mondo che cambia; mondo nuovo le cui inquietudini trovano comunque già la loro espressione nelle opere di coloro che plasmeranno la Vienna del primo dopoguerra, la Vienna che sposta la sua attenzione dall'arte figurativa e da quella applicata all'architettura, dall'individuo a quella «gente» che Hofmannsthal aveva detto di ignorare.

Bibliografia essenziale: Hermann Bahr, *Secession*, Wien, 1900; Ludwig Hevesi, *Acht Jahre Secession*, Wien, 1906; Ludwig Hevesi, *Altkunst — Neukunst*, Wien, 1909; Bertha Zuckerkandl, *Zeitkunst*, Wien, 1908; Adolf Loos, *Sämtliche Schriften*, Wien, 1962; Werner Hofmann, *Gustav Klimt*, Salzburg, 1970; *Jugend in Wien — Literatur um 1900*, cat. mostra, Marbach, 1974; Hugo von Hofmannsthal, *Gesammelte Werke in 10 Bänden*, Frankfurt/M., 1979; *Die Wiener Moderne — Literatur, Kunst und Musik zwischen 1890 und 1910*, Stuttgart, 1981; Eduard F. Sekler, *Josef Hoffmann, das architektonische Werk*, Salzburg, 1982; *Das Gesamtkunstwerk*, cat. mostra, Aarau e Frankfurt/M., 1983; «Ver Sacrum», Wien, 1898-1903.

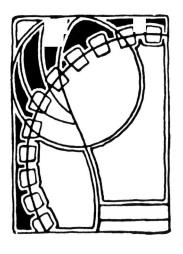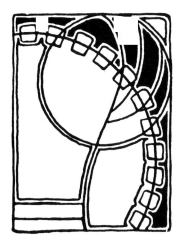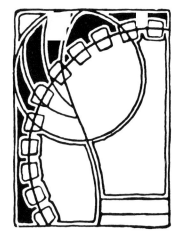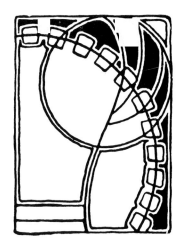

ARCHITETTURA A VIENNA ALLA FINE DELL'IMPERO

Marco Pozzetto

Sopra:
1. J. Hoffmann, *Fregio*, in «Ver Sacrum», settembre 1898.

2. O. Wagner, *Progetto per il Kaiser Franz Josef Stadtmuseum* (pianta). (Hist. Mus., Vienna).

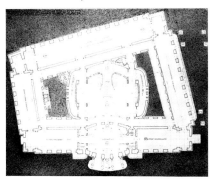

Sono trascorsi ormai vent'anni da quando, nel 1964, Friedrich Achleitner, Sokratis Dimitriou, Friedrich Kurrent e Johannes Spalt riproposero alla cultura internazionale il tema dell'architettura viennese a cavallo dei secoli in una contenuta ma fortunatissima mostra itinerante dal titolo «Wien um 1900»: raramente una mostra storica ebbe il potere di risvegliare tanto interesse per un mondo definitivamente scomparso, del quale peraltro almeno «un terzo dell'Europa si sente erede». Non si spiegherebbe altrimenti la ricchissima messe di studi critici e di monografie sulle opere dei protagonisti, da Otto Wagner, Josef Hoffmann, Joseph Maria Olbrich, Adolf Loos, Josef Plecnik, Max Fabiani, István Benkő Medgyaszay, Jan Kotéra, Oskar Strnad, Josef Frank, a Pavel Janák, Viktor Kovacic, Hugo Ehrlich, Bohumil Hübschmann, per citare solo i più importanti. Tuttavia ritengo che una corretta valutazione dei contributi effettivi non sia ancora possibile.

Del gran numero di mostre con i relativi cataloghi credo di dover nominare almeno quelle su Max Fellerer a Vienna, su Antonìn Engel a Praga e quella didattica, itinerante, della scuola di Wagner che, verosimilmente, mi ha portato l'onere e l'onore di scrivere questo non facile saggio.

In effetti l'interesse precipuo degli studiosi-architetti fu rivolto a quel settore dell'architettura viennese che, in qualche modo, poteva essere definito come «moderno», senza che ne fossero precisati i limiti; gli studiosi-storici dell'arte contemporanea affrontarono, con i loro inesorabili strumenti disciplinari, il problema dello storicismo, i cui confini sono, se possibile, ancor più vaghi di quelli del modernismo.

Nell'attuale momento culturale le varie sovrapposizioni si sommano alla contrapposizione perdurante tra l'architettura degli architetti e degli ingegneri che anche a Vienna ha avuto dei fulgidi esempi.

A questo punto, l'uomo di media cultura, turbato dall'inestricabile groviglio tra gli storicisti moderni, i moderni eclettici, i secessionisti, gli storicisti puri e spuri e i modernisti, viene invogliato ad affrontare, quasi in fuga, la fatica dell'assurdo, bellissimo, smisurato scalone semperiano del Kunsthistorisches Museum, per godersi in pace la bellezza dei Bruegel.

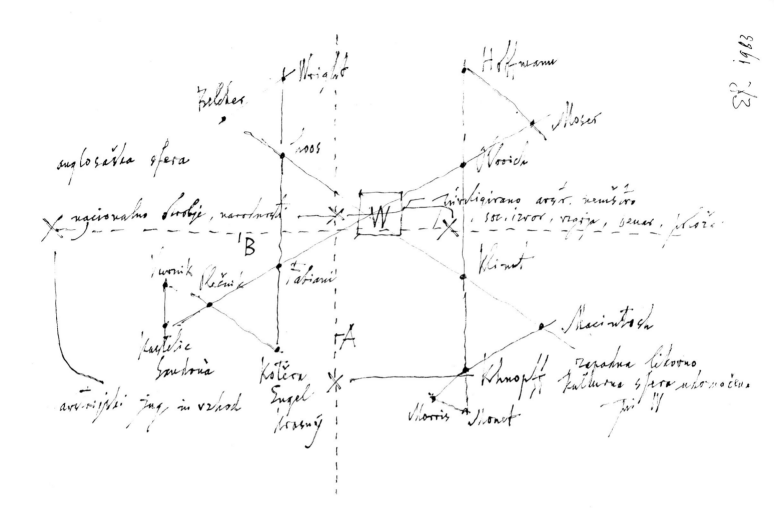

Se l'architettura più delle altre arti rappresenta uno «specchio dei tempi» (ed è già una definizione viennese), ne discende che quella dell'ultimo ventennio dell'esistenza dell'impero danubiano dovrebbe riflettere le sfaccettature e le contraddizioni dell'imperial-regia capitale, oltre che le tendenze insite nella sua storia generale. Ciò autorizza a porre l'ipotesi di partenza, secondo la quale il fenomeno fu addirittura più complesso a Vienna che altrove, per cui dovrebbe essere analizzato innanzitutto dal punto di vista teorico per poter comprenderne e valutarne appieno i raggiungimenti.

Non molti tra i grandi architetti del lungo regno di Francesco Giuseppe furono viennesi. I «mostri sacri» del «Gründerzeit», come viene definito il periodo della strutturazione del Ring, Siccard von Sicardsburg, Eduard van der Nüll, Emil von Förster, Heinrich von Ferstel, Theophilus Hansen, Friedrich Schmidt, Gottfried Semper, Karl von Hasenauer, aggiunsero alla loro già notevole cultura concetti di ordine sovranazionale, quasi un kantiano «architettura in sé», con valori, simbolismi e regole propri. Tra queste regole peraltro ognuno riuscì a conservare il modo peculiare di esprimersi, prescindendo del tutto dallo stile usato di volta in volta negli edifici costruiti.

Questi artisti di statura internazionale accettarono le istanze progressiste e tecnologiche dei tempi solo fino al punto in cui esse potevano adattarsi alla loro altissima concezione dell'arte. Rimasero anche pressoché insensibili alle

Edvard Ravnikar: *La costellazione di Wagner* (quadrante superiore a sinistra: sfera anglosassone; tratteggiata centrale: periodo nazionalistico, nazionalità, germanesimo austriaco privilegiato - provenienza sociale, educazione, mezzi, posizione; quadrante inferiore a sinistra: il meridione e l'oriente dell'Austria; quadrante inferiore a destra: sfera delle arti visive dell'occidente recepita da Wagner).

conseguenze delle teorizzazioni di Semper — in veste di filosofo dell'arte — sull'incidenza psicologica negativa dei nuovi materiali e delle nuove tecnologie sull'«arte seria» e alla conseguente necessità di un lungo adattamento all'arte dei materiali considerati «non nobili», quali ferro e vetro.

In tal modo nella seconda metà dell'800 «il maestoso incedere dell'arte», per usare un'espressione di Otto Wagner, strutturò il Ring viennese con quegli austeri edifici a «dimensione dello stato» che nel loro splendido, aureo isolamento simboleggiavano l'astratta idea dei vertici delle varie attività della grande monarchia: educazione, arte, scienza, teatro, finanze, commercio, economia, amministrazione, politica, esercito e via dicendo.

I fuori scala dello storicismo viennese, estesi in qualche misura anche all'edilizia abitativa della Ringstrasse (e dintorni), dovrebbero essere considerati sotto tale profilo simbolico, anche perché contengono una delle radici dell'esplosione del moderno. Un'altra radice è di natura tecnologica ed è individuabile soprattutto nelle opere site ai margini esterni della città, in quelle di ingegneria e nelle poco studiate architetture degli ingegneri.

Ma, se queste sono state le cause universali della nascita del moderno, a eccezione forse dei fuori scala, a Vienna vi si aggiunsero molti altri stimoli, difficili da precisare. L'incremento demografico di quasi un milione di persone nei trentacinque anni precedenti il crollo dello stato non attirò nella capitale solo la forza-lavoro, ma anche la parte più brillante e ambiziosa dell'intelligentsia delle diciassette nazionalità riconosciute e di qualche altra che, ufficialmente, non esisteva nella koinè danubiana. Alcune delucidazioni sul contributo fondamentale di quest'immigrazione sono state fatte nell'ambito delle letterature comparate e in quello della musica; si continua invece a tenere in scarsa considerazione gli influssi delle culture nazionali e regionali sull'architettura, forse per inerzia mentale o forse per errata valutazione dell'incidenza delle culture cosiddette forti: mi riferisco, tra l'altro, ai moltissimi volumi informativi sulle Berliner-, Pariser-, Londoner-Bauten e simili. Un'idea epidermica dell'ampiezza dei contributi regionali può essere desunta dalle numerose, spesso puntualissime, pubblicazioni artistiche, etnografiche, geografiche o semplicemente descrittive dei vasti territori dell'impero e della valutazione delle eredità culturali di provenienza dei protagonisti.

Spero che la frettolosa elencazione degli ingredienti disordinatamente versati nello shaker dell'imperial-regia cultura artistica degli anni '80 e '90, violentemente agitato da eventi socio-economici, politici, scientifici, tecnici e culturali in senso lato, riesca a spiegare quell'esplosione artistica con la quale Vienna in sostanza «restituì all'Europa tutto ciò che per secoli aveva ricevuto dal Continente».

Forse l'ultima grande manifestazione unitaria della cultura delle arti visive di Vienna fu il concorso internazionale per il piano regolatore generale della città che, nel mese di febbraio del '94, vide vincitore Otto Wagner a pari merito con il germanico Josef Stübben.

La maggior parte dei concorrenti premiati, assieme a un ristretto numero di altri architetti, sarebbero divenuti, qualche anno più tardi, veri e propri guardiani della tradizione, definiti dai progressisti con il termine leggermente canzonatorio di rappresentanti della «Altkunst», letteralmente, arte vecchia. Ciò nonostante riporterò i loro nomi per tre ordini di ragioni. In primo luogo occorre menzionarli per l'intrinseco valore delle loro architetture, spogliate dalle «etichette» che contribuiscono a sminuirne il giudizio di valore; poi per-

L. Baumann, *Il ponte di Aspern sul Donaukanal*, 1912. (Hist. Mus., Vienna).

ché questo ristretto gruppo per un trentennio esercitava il potere effettivo, sia attraverso il Politecnico, considerato quale «prima scuola dell'impero», che attraverso la potentissima Società degli ingegneri e architetti (ÖIAV), le cui commissioni permanenti promuovevano, condizionavano e decidevano su quasi tutti i problemi veramente importanti di architettura a Vienna e nell'impero; sia infine perché furono membri influenti delle commissioni stabili nominate dal potere politico-amministrativo. La considerazione di queste realtà potrà far comprendere meglio la vera natura eversiva della sfida wagneriana.

Franz von Gruber, Christof Ulrich, Karl König, Karl Mayreder, Karl Holey furono in tempi diversi rettori del Politecnico: Gruber e Mayreder s'occuparono soprattutto di urbanistica, Holey fu Dombaumeister (proto) di Santo Stefano e personaggio importante della Zentralkommission für Denkmalpflege, la prestigiosa istituzione per la protezione dei monumenti, diretta nell'epoca che c'interessa da Max Dvorak. Tra i professori universitari Theodor Bach e Leopold Simony furono titolari di uno dei maggiori studi di architettura e urbanistica della capitale; Ferdinand Fellner e Hermann Helmer vantano il primato mondiale nella costruzione dei teatri: ne lasciarono ben quarantotto, sparsi tra Amburgo e Odessa, oltre alla Tonhalle di Zurigo e il Konzerthaus di Vienna; Julius Deininger, Franz von Neumann, Georg Niemann, Max von Ferstel, Franz von Krauss, Joseph Neuwirth costruirono edifici di prestigio in tutte le regioni della monarchia. Andreas Streit e Friedrich Schachner proposero già all'inizio degli anni '80 interessanti soluzioni urbanistiche: Streit fu cofondatore della «Wiener Bahütte», un'associazione degli architetti per la promozione degli studi storici visti dal punto di vista dell'architetto, come testimonia l'omonima rivista. Eugen Fassbender e Camillo Sitte furono alfieri dell'urbanistica teorica della monarchia e, se l'opera di Sitte può considerarsi universalmente nota, Fassbender legò il proprio nome a un maggior numero di piani adottati (basterebbe citare quelli di Brno, Villach e Maribor). Max Fabiani si specializzò nell'urbanistica delle città pic-

1. L. Baumann, *Il padiglione austriaco all'Esposizione universale di Parigi*, 1900. (Hist. Mus., Vienna).

cole e nella pianificazione territoriale, inventando i concetti di pianificazione continua e di quella partecipata. I fratelli Julius e Rudolf Mayreder operarono prevalentemente nell'ambito urbanistico della città di Vienna, in particolare dopo che nel 1895 fu creato dal municipio il General-Regulierungsburo (Ufficio del piano) diretto per la parte artistica dal loro fratello Karl e per quella strettamente tecnica dall'ingegnere Heinrich Goldemund. Ludwig Baumann, allievo di Semper, fu preposto all'organizzazione delle grandi esposizioni di Londra, Glasgow, Parigi, Torino, Milano, St. Louis: a Torino passò addirittura per secessionista! Friedrich Ohmann di Leopoli in Ucraina, allievo di König, operò per lungo tempo a Praga, prima di trasferirsi a Vienna dove per le sue straordinarie qualità artistiche venne chiamato alla cattedra di composizione dell'Accademia. Si potrebbe anche dire che rappresentava il contraltare di Wagner, come del resto testimoniano i «Quaderni» della sua scuola. Viktor Luntz, già ordinario del Politecnico, resse dal 1892 al 1902 la «scuola gotica» dell'Accademia come successore del «mostro sacro» Friedrich Schmidt.

In seguito alla vittoria nel concorso per il piano di Vienna Otto Wagner ottenne la cattedra di composizione architettonica all'Accademia delle belle arti di Vienna. Il suo primo atto ufficiale, il programma degli studi, pubblicato, per ogni evenienza, nella «Deutsche Bauzeitung» di Berlino (27.10.1894), oggi suona come una vera e propria dichiarazione di guerra all'altero mondo culturale di cui egli fu uno degli esponenti più in vista. Ne ribadì i princìpi, assieme ai «precetti» per una nuova architettura, nel libro *Moderne Architektur*, dedicato agli allievi. Questi furono centonovantuno in diciannove anni, per cui le quattro edizioni in lingua tedesca e una in quella boema ebbero una diffusione che superò non solo l'ambiente scolastico ma anche, e di gran lunga, i confini dell'impero.

2. O. Wagner, *Progetto per la Interimskirche*, 1906-07 c. (Hist. Mus., Vienna).

Quel libro tuttavia ripropone, almeno per la Vienna dell'epoca, l'elegante problema semperiano dell'architettura come la Urmutter, la progenitrice delle arti. Constatato che l'organizzazione teorica dei princìpi dell'architettura precede persino gli informali dibattiti dello Siebnerklub (su cui altri scriverà), bisognerebbe mettersi d'accordo su cosa considerare come «moderno». A me la questione sembra fondamentale. Se infatti si volessero confinare le manifestazioni architettoniche entro gli schemi delle forme geometrizzanti e tutt'al più fitoformi, teorizzate da Walter Crane (Expressive Line) e più tardi da Henry van de Velde (Die Linie), come talvolta si è tentato di fare, allora il fenomeno viennese rimarrebbe paurosamente ridotto, prescindendo dall'evidente errore di ricondurre il concetto dell'architettura alle due dimensioni. In realtà occorre prendere in considerazione la lunga serie delle componenti vitruviane dell'architettura, del resto solo arricchite da Wagner, che però propose diversi e anche nuovi equilibri, senza precisarli dal punto di vista della forma, visto che solo l'esperienza li avrebbe determinati.

Quando Wagner scrisse nella *Moderne Architektur* del divario tra il *valore* e il *potere*, doveva essere ben conscio delle immani difficoltà che occorre superare per proporre un linguaggio formale effettivamente nuovo. I superamenti successivi di tali difficoltà si possono controllare negli «Einige Skizzen» per Wagner e nei «Quaderni» della sua scuola per gli allievi.

Ho precisato altrove come questo processo, per successivi aggiustamenti della forma, da parte degli architetti avesse prodotto delle incontestabili, documentate precedenze rispetto alle «scoperte» degli altri artisti. La consapevolezza del fatto non implica alcun giudizio di valore artistico sui singoli elaborati, ma credo confermi la validità della teoria che considera l'architettura come la Urmutter anche, e soprattutto, della Secessione viennese.

Le «novità» wagneriane cozzarono contro le scricchiolanti certezze, ma anche contro gli ideali artistici dell'establishment architettonico e, naturalmente, contro le esigenze politiche della monarchia i cui ultimi, prestigiosi simboli odoravano ancora di calce, come si è visto. Nessuno poteva approvare a cuor leggero le argomentazioni di Wagner, secondo cui si doveva «demolire le basi stesse dell'arte». Appare significativo che qualche anno appresso, nel 1901, Alois Riegl propose una simile «demolizione» per i dominî della storia dell'arte. Queste richieste con i relativi corollari offrono una precisa testimonianza dell'unitarietà dello sviluppo di quella parte della cultura viennese che discende direttamente dalle teorizzazioni di Semper, nell'architettura per quanto concerne le sintesi, nella storia dell'arte per l'analisi.

Ma ci si potrebbe chiedere se questo azzeramento fu portato a termine da Wagner e dalla sua cerchia battagliera, dopo che se ne ebbero alcune avvisaglie iniziali. Temo che la risposta debba essere negativa per l'imperial-regia Austria, salvo alcuni sporadici tentativi dei singoli architetti di non grandissimo nome. Il peso della millenaria tradizione architettonica, di cui Wagner era permeato esattamente come tutti gli altri architetti coevi, non gli permise di staccarsene veramente; lo dimostrano numerosi esempi. Per chiarire il concetto ne cito uno molto semplice.

Gli edifici a destinazione mista, commercio e abitazione, oppure alberghi, dovevano essere progettati con i piani inferiori completamente vetrati, come nelle case di majolika in cui persiste la strutturazione tradizionale, ma gli elementi architettonici sono mutuati con dettagli e materiali non tradizionali. Gli allievi proposero molte soluzioni brillanti, ma solo fino al 1901, quando ci si accorse che la massa dell'edificio, costituita dai piani superiori, posta sul volume trasparente dei piani inferiori suscitava un notevole senso di insicurezza sia nei fruitori che nel pubblico. L'esperimento venne abbandonato e tra gli allievi venne bandito un concorso per trovare la soluzione di raccordo tra i piani commerciali e quelli di abitazione.

Fu Leopold Bauer nella sua acuta ed entusiastica difesa del maestro a scoprire che «è la prima volta dall'antichità che l'architettura ha prodotto un elemento di ordine superiore». Questo elemento è la casa, intesa come parte della via che, a sua volta, rappresenta l'opera d'arte. Il ragionamento di Bauer si basa sull'analogia e appare perfettamente logico. Infatti la casa sarebbe diventata un elemento compositivo allo stesso modo «delle antiche forme semplici [che], divenute simboliche, sono confluite in combinazioni fisse di elementi, per trasformarsi in concetti immutabili». Sarebbe pertanto inutile che l'architetto si mettesse a inventare frontoni e cornicioni nuovi.

Bauer, che pure venne considerato come «teorico» del movimento wagneriano, non ebbe grande fortuna critica nell'ultimo mezzo secolo, forse perché già nel 1903 si dissociò da Wagner, benché fosse il primo dei «moderni» austriaci. I suoi interni equivalgono a quelli di Hoffmann allorché non si tratta dei «monumenti». Fu forse dotato di una maggior logica progettuale, come testimonia la sua vittoria a pari merito con Mackintosh nel famoso concorso per la «casa di un amatore d'arte» bandito da Koch a Darmstadt nel 1900. A suo discapito vanno i non limpidi «cambi di stile», dovuti probabilmente a cause che non avevano molto a che fare con l'architettura.

Joseph Olbrich non fu allievo di Wagner, mentre Josef Hoffmann lo fu per un anno solo: il loro quadriennale tirocinio nello studio di Wagner supplì

J. Urban, *Palco d'onore*. (Hist. Mus., Vienna).

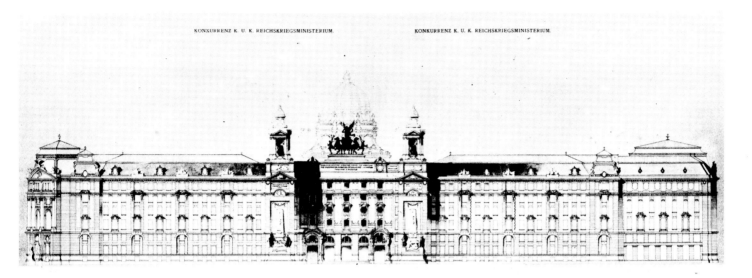

KONXURRENZ K. U. K. REICHSKRIEGSMINISTERIUM.   KONXURRENZ K. U. K. REICHSKRIEGSMINISTERIUM.

1. R. Dick, *Progetto per il Ministero della Guerra*, 1908. (Mus. f. angew. Kunst, Vienna).

egregiamente alla scuola, anzi fu probabilmente questa collaborazione a far emergere in entrambi quelle caratteristiche che avrebbero fatto di loro dei capiscuola.

Jan Kotéra non fu tanto fortunato, visto che dovette farsi da sé in una città così ricca di tradizioni come era Praga. L'essere considerato, a ragione, come il «padre» del modernismo boemo, prova che fu più dotato artisticamente di quanto non gli riconosca l'attuale storiografia austriaca.

L'opera di Joze Plecnik ha un posto a sé: egli fu l'architetto più progressivo tra i viennesi del primo decennio del secolo, poi decise di indirizzare le proprie ricerche «al di sopra della storia». Il valore e il significato delle sue opere sono forse meno immediati di quelli degli architetti sopra citati, ma sono certamente più profondi, benché personalissimi e quindi intrasmissibili, se non dal punto di vista concettuale.

Neppure Viktor Kovacic emerse a Vienna, ma assieme a Vjekoslav Bastl coinvolse buona parte degli architetti croati in quell'azione che sarebbe sfociata nel luminoso «razionalismo» croato degli anni '20 e '30.

Furono questi architetti wagneriani dei primi cinque anni della «rivoluzione», con pochi altri, spalleggiati dall'esterno da Max Fabiani che invece proveniva dal Politecnico e aiutati da alcuni artisti come Klimt, Kurzweil e Moser, a sostenere il movimento nelle furibonde polemiche dell'epoca o, nella migliore dell'ipotesi, contro il prudente «wait & see» della cultura impegnata, come risulta da un editoriale di von Feldegg nella rivista «Der Architekt». Occorre forse osservare che solo due di loro, Bauer e Hoffmann, si erano fermati a Vienna.

Nella capitale rimase anche Adolf Loos, le cui fortune critiche superano la sua pur notevole bravura di architetto: in quell'ambiente egli si assunse la funzione di «fustigatore degli altrui costumi». La serie di monografie recenti rivela la maggior parte delle sue contraddizioni, simili a quelle degli altri architetti coevi e che potrebbero essere sintetizzate con il wagneriano volere e potere di cui sopra. La suggestione dei suoi slogan sembrerebbe ancora tanto forte da riuscire a sostituirsi alla realtà degli avvenimenti storici. Infatti, se la critica considera l'uso degli elementi classici, colonne e via dicendo, da parte degli architetti coevi, come un riprovevole eclettismo diretto o di ritorno, nei riguardi di Loos esso viene giustificato come una necessaria accentuazione della modernità. Credo che questa riflessione esalti l'opera polemica dell'architetto moravo, del resto indispensabile in quel momento storico, ma nello stesso tempo ponga l'accento sulla necessità di una revisione storiografica della sua opera di architetto.

L'elaborazione corale del linguaggio architettonico adatto ai tempi, con tutte le implicazioni, continuò fino allo scoppio della prima guerra mondiale, ma con un ritmo decrescente, simile a quello con cui cresceva altrove. Le mete raggiunte furono indubbiamente fulgide e numerose: basterebbe citare la «casa trasportabile», presentata alla Spiritusausstellung del 1904, o la «machine à habiter» di lecorbusieriana memoria, che nella elaborazione viennese del 1908 venne così precisata: «L'edificio deve funzionare come una macchina, come un apparecchio costruito in maniera irreprensibile; i suoi arredamenti debbono essere a livello di quelli dei vagoni-letto; deve rispondere alle esigenze di una clinica nell'igiene e nella pulizia, anche per ciò che concerne gli oggetti d'uso.»

Probabilmente queste innovazioni furono premature e confinate nella rarefatta atmosfera di alta cultura, quasi in una «turris eburnea» dei clan progressisti. Loos rimase su un piano diverso e, per quanto consta, non se ne interessò; la maggior parte dei primi wagneriani se ne dissociò e i nuovi ingegneri-architetti del Politecnico perseguirono ricerche formali diverse pur tentando di accettarne i concetti.

A parte la ventina di ben noti edifici, veri e propri «incunaboli» dell'architettura moderna, che nessuna città europea può vantare in numero così cospicuo, credo che le architetture viennesi costruite tra il 1895 e il 1915, siano, nella stragrande maggioranza, la conseguenza di un doppio compromesso tra i princìpi antichi e moderni e tra l'espressione tipicamente austriaca e quella germanica.

Per il primo compromesso si tratta della costante ricerca di equilibrio tra la tradizione, interpretata nei casi migliori come la riproduzione dei concetti pitagorico-platonici della progettazione, e la «parte accettabile» dei precetti wagneriani, riferiti all'uso delle forme ereditate. Fu infatti Wagner a scrivere che l'architetto moderno può prendere a piene mani dallo scrigno della tradizione; mai però dovrà trattarsi della copia dell'esempio prescelto, ma di un suo adattamento ai fini da raggiungere, attraverso la sua ristrutturazione oppure ricavandone un effetto nuovo.

I risultati di questo processo sono stati frettolosamente definiti in modo errato con il termine di «storicismo di ritorno», ma se lo storicismo è per definizione l'assemblaggio degli elementi architettonici del passato nella loro forma più pura, questa parte dell'architettura viennese ottiene i suoi effetti mediante l'uso di forme storiche riprogettate e spesso reinventate. Citerei solo il cornicione «barocco» di Urania del 1910: indubbiamente l'effetto è barocco benché il disegno dei profili contraddica le regole barocche di composizione.

L'altro compromesso, o meglio la serie di compromessi, è di carattere formale. Si è visto che la rivoluzione viennese rimase sostanzialmente agnostica davanti al problema della forma. L'uso del rivestimento ceramico delle facciate ebbe una precisa giustificazione utilitaristica e la forma prevalentemente quadrata della piastrella offrì il pretesto a infinite combinazioni cromatiche e di disegno. Non sono in grado di stabilire se questo «geometrismo» emerse dai dibattiti tra Wagner, Klimt, Hoffmann, Olbrich, Fabiani e i più giovani Deininger, Hoppe, Schönthal, o se venne inizialmente proposto da Wagner e poi elaborato da altri. Ad ogni modo si può affermare che tale geometrismo, in breve tempo, divenne popolare, tanto da essere usato non solo in architettura ma anche nelle arti della visione e in quelle applicate.

Credo si possa sostenere che il ritorno alle più semplici forme geometriche e alle loro combinazioni rappresenti il maggior contributo viennese al modernismo.

La realtà culturale della capitale era un groviglio pressoché inestricabile di nazionalità, ma con ovvia prevalenza tedesca. Se ciò permise a Vienna di emergere e rimanere ai vertici dell'arte e dell'architettura europea con la propria espressione artistica almeno fino al 1905, si dovrà pur riconoscere un giorno o l'altro che per motivi di ordine nazionalistico e malgrado la sua relativa debolezza l'arte progressista germanica vi prevalse ben presto. Il «neo-Biedermeier» fu proposto da Bauer già nel 1903 (!) e fu immediatamente ripreso da Schönthal a Vienna e da Olbrich a Darmstadt. È facile vedere come il tentativo di geometrizzare questo modo d'espressione non sia stato perfezionato con la stessa incredibile perizia dedicata al geometrismo della Secessione. Ciò nondimeno fu il neo-Biedermeier *lo stile* viennese del periodo 1905-15, visto che rari architetti ne sono rimasti indenni e, d'altra parte, la sua «gentilezza» affascinava anche i progettisti anziani.

In conclusione direi che questa mostra non vuole documentare solo il fortunato periodo di ricerche sul moderno viennese iniziate una ventina d'anni fa, ma propone di estendere la ricerca a quei complessi rami dell'architettura che finora non sono stati indagati, ma la cui conoscenza verosimilmente permetterà di rispondere ad alcune precise ed importanti domande. Ad esempio, perché i wagneriani rimasti entro i confini dell'Austria attuale nella quasi totalità vollero dedicarsi alla rivalutazione delle peculiarità delle architetture regionali, mentre i loro colleghi boemi, con l'identica formazione, primeggiarono nell'Europa progressista almeno fino al 1925?

La ragione di questa proposta non ha nulla a che vedere con l'inutile rivalutazione dello storicismo e tanto meno con le nostalgie di carattere politico circa la koinè danubiana, sparita altrettanto definitivamente quanto il regno di Carlo Magno, oppure col desiderio di modificare la più o meno accettata scala dei giudizi di valore sui singoli protagonisti. Il motivo è del tutto teorico e si riallaccia direttamente all'antica analisi di Jakob Burckhardt sullo «stato come opera d'arte» (Der Staat als Kunstwerk) dove lo studioso svizzero, riprendendo alcune osservazioni di Platone, osserva che anche nel rinascimento italiano la più splendida esplosione di energie artistiche fu accompagnata dalla disintegrazione politica.

Dopo una ventina d'anni di studio su questi problemi viennesi estesi anche, in vario modo, a tutti gli stati eredi della bicipite monarchia, sono ragionevolmente convinto che l'analisi di Burckhardt sul rinascimento può e deve essere adattata alla relazione arte-politica della capitale dell'impero danubiano, con tutti i relativi corollari.

LO STORICISMO

Renata Kassal-Mikula

Sopra:
G. Klimt-F.Matsch, *Allegoria*, 1900 c.

[1] *Experiment Weltuntergang — Wien um 1900*, cat. mostra, Hamburg, 1981.
[2] Cat. della *1. Ausstellung der Secession*, 1898, pp. 1-2.
[3] Gerbert Frodl, *Begegnung im Theater — Hans Makart und Gustav Klimt*, in «Mitteilungen der Österreichischen Galerie», anno 22-23, 1978-79, nn. 66-67, p. 9 sgg.
[4] Werner Kitlitschka, *Die Malerei der Wiener Ringstrasse — Die Wiener Ringstrasse, Bild einer Epoche*, vol. X, Wiesbaden, 1981, p. 1 sgg.

Quanto più avanza il secolo XX, tanto più evidente si fa il bisogno di seguire le tracce di quel che alla cultura viennese fu dato di raggiungere nel 1900. Una delle ragioni di ciò è che, a quell'epoca, musica, letteratura e arti figurative «entrarono di colpo nella modernità», evento i cui effetti si sono perpetuati al di là della cesura del 1918. Ma v'è qualcosa d'altro ancora a spiegazione del fascino che emana dall'epoca di Freud, Schönberg, Schnitzler, Klimt, Schiele, Gerstl e Kokoschka: allo stato d'animo da tempi ultimi che domina oggi corrispose allora uno stato d'animo consimile, e neppure la catastrofe si fece attendere a lungo. L'esposizione «Experiment Weltuntergang — Wien um 1900» (Esperimento Fine del Mondo — Vienna attorno al 1900), realizzata ad Amburgo nel 1981 da Werner Hoffmann, ha cercato di analizzare questo fenomeno e le sue cause.[1] E l'attenzione non si è concentrata soltanto sull'arte da Klimt a Kokoschka; si è estesa anche a un artista della generazione precedente, Hans Makart (1840-1884), che per un quindicennio impresse il suo segno nella vita artistica di Vienna. Una scelta ben giustificata dalla considerazione dello stato in cui lo storicismo versava allora. Dalla crisi in cui lo storicismo era caduto al tempo di Makart erano emerse le possibilità di un suo «superamento», proprio come la Secessione aveva scritto sulle sue bandiere. Nella prefazione alla I Esposizione del 1898 si leggevano queste combattive parole: «...perché non è più tollerabile dover vagare da una sala all'altra, sino a che, oppresso da un guazzabuglio di mediocrità, uno non perde la freschezza per godere le poche cose buone... perché noi siamo partito e partito vogliamo restare, sino a quando la stagnante situazione culturale di Vienna non sia rivitalizzata e gli artisti di questo paese e il pubblico di questo paese non si siano fatti un'immagine del movimento dell'arte moderna.»[2] La fondazione della Secessione, d'altra parte, non fu affatto un avvenimento che nell'ambito artistico rappresentasse un nuovo cominciamento assoluto, non almeno per Klimt e non per altri protagonisti della «primavera sacra», poiché le premesse erano state poste già prima, quando lo storicismo si era rivelato una visione del mondo ormai inadeguata.[3]

L'impiego del concetto di «storicismo» per il secolo XIX e per la definizione di una determinata successione di stili ha indotto a discutere in linea di principio se esso possa applicarsi ai fenomeni dell'arte figurativa.[4] Anche se il dibattito in proposito è ancora in corso, resta il fatto che esso offre uno schema idoneo a caratterizzare i propri oggetti, il quale deve poter applicarsi anche qui, per spiegare l'evoluzione della pittura dell'epoca che precedette l'avvento dello Jugendstil.

A Vienna, nella seconda metà dell'800, alla pittura «storicista» erano stati assegnati grandi compiti. La decisione presa nel 1857 di ampliare la città con i monumentali edifici della Ringstrasse aprì un vasto campo di attività. Nei grandi cicli decorativi che riguardarono l'Opera, i musei, il Parlamento, il Burgtheater e infine anche l'Università si dispiegò la coscienza storica del secolo. Storiografia, mitologia e allegoria mediarono i contenuti in cui allora si esprimeva la consonanza tra arte e società. Fondandosi sulla concezione liberale, in quelle idealizzate rappresentazioni fu evocata un'imperturbata, tersa età dell'oro.

Anche la chiamata di Hans Makart a Vienna (1869) con l'incarico di decorare gli edifici della Ringstrasse va vista su questo sfondo. Già a Monaco egli aveva fornito la prova (moderni *Amorini, La peste a Firenze*) che avrebbe congenialmente risposto alle positive attese dei suoi futuri committenti ufficiali. Makart venne, e sino alla sua morte nel 1884 attese a soddisfare i desideri della società viennese. Ogni cosa, abitazioni, abbigliamento e la sua pittura stessa furono al servizio dell'opera d'arte totale quale era negli ideali dello storicismo. In corrispondenza ai suoi scopi di volta in volta egli mise a partito forme stilistiche del rinascimento, del barocco o del rococò. Grazie a lui la pittura «storicista» entrò nella sua fase tarda. Il *Dunbazimmer* (1871), *Il sogno di una notte d'estate* (1871-72), *Venezia rende onore a Caterina Cornaro* (1872-73), *Il trionfo d'Arianna* (1873), *L'ingresso di Carlo V ad Anversa* (1875-78), il corteo per le nozze d'argento della coppia imperiale (1879), *L'estate* (1880), le figure nelle lunette al Kunsthistorisches Museum (1882-84), il progetto per la camera da letto dell'imperatrice Elisabetta a Villa Hermes (1884) furono tutte testimonianze del sogno di una vita idealizzata, ebbra di bellezza.

Oltre che grandi consensi le sue opere ebbero però anche critiche. Gli si rimproverava la mancanza di «senso storico», poiché nella sua monumentale opera *Venezia rende onore a Caterina Cornaro* aveva osato dipingere un soggetto del '400 in costumi del tardo '500. Tanto il costume quanto anche il disegno delle figure in stile accademico, che Makart troppo spesso trascurava, dovevano essere «corretti», cioè filologicamente fedeli. Makart, quindi, non teneva conto dei canoni cari ai fautori del quadro storico

in senso stretto, che insistevano sull'intelligibilità letteraria e sull'«ambiente» storicamente ricostruito. Con lui, in effetti, il contenuto cessò di essere scopo della pittura. I temi figurativi — i titoli, spesso, venivano aggiunti a opera finita» — si svilirono a mero pretesto, sì che potesse dispiegarsi la magia coloristica che fu di Makart. La preziosità delle superfici, il virtuosismo della pennellata divennero il vero movente dell'artista. Solo i nervi ottici andavano eccitati; i contenuti, dietro, non c'erano più.

In tal modo lo storicismo, per lo meno nella pittura di questo artista, era abbandonato alla decadenza. La sua pittura atematica, che trovava approvazione soltanto nelle istanze formali di una «pittura pura» (come nei poco apprezzati paesaggisti), si rivelò importante per l'arte della generazione successiva. Di che cosa fosse accaduto nel caso di Makart già si era accorto verso il 1900 Ludwig Hevesi, il cui tema d'indagine era l'interpretazione della Secessione e dei suoi obiettivi: «Per tutto il suo universo fluiva un'unica, unitaria corrente di cromaticità, come passione visibile, godimento ottico. E tutto quel che emergeva in questa corrente assumeva un colore, un colore oltremodo policromo, il colore di Makart. Era in essa come un'ininterrotta scintillante fantasmagoria, un crepitare, un ribollire, un fiammeggiare senza fine. E questo mondo gorgogliante, fermentante, egli vagliava secondo il suo impulso, quasi fosse un suo proprio dominante istinto cromatico. Egli era a se stesso abbastanza natura per organizzare su fondamenta nuove l'intero ambiente da quell'unico punto di vista... Solo dopo quest'orgia di colori d'atelier, dopo questo ebbro, lento dissolversi di tutti i tesori che la vecchia estetica dello storicismo aveva accumulato in musei, atelier e cervelli, fu fatta tabula rasa per la nascita del nuovo. Makart consumse se stesso e i suoi tesori e le sue donne su splendidi fiammeggianti roghi. Andò con lui in fumo la rinascita dell'arte rinascimentale, il cui tempio sono le nostre gallerie. Nessun artista dotato dipingerà, scolpirà, edificherà più così.»[5]

Quale pericolo si annidasse nell'arte di Makart e insidiasse lo stesso Klimt è stato detto recentemente in modo assai calzante: «Dietro la festa in costume della

1. H. Makart, *Ritratto di F. von Lenbach*, 1880 c. (Ö.N.B., Bibl., Vienna).

2. G. Max, *Ritratto di Hans Makart*, 1869. In «Pan», n. 2, 1895.

[5] Ludwig Hevesi, *Hans Makart und die Wiener Sezession* (14 giugno 1900), in *Acht Jahre Sezession*, Wien, 1906, p. 266 sgg.

H. Makart, *Manifesto*, 1882.

[6] *Experiment Weltuntergang*, cit., p. 12.
[7] Herbert Giese, *Franz von Matsch — Ein Wiener Maler der Jahrhundertwende*, in *Katalog der 75. Sonderausstellung des Historischen Museum der Stadt Wien*, 1981-82, p. 21.
[8] Gerbert Frodl, *op. cit.*, p. 9 sgg.
[9] Werner Kitlitschka, *op. cit.*, cit. in Herbert Giese, *op. cit.*, p. 172.

gioia dei sensi guata, in Makart come in Klimt, la danza macabra. Una maschera si dispone sull'altra, l'ornamento della morte su quello della vita, sinché entrambi s'eguagliano nell'esperienza voluttuosa della caducità. Lungo questa linea il connubio indistinto di poesia e vita, sognato come opera d'arte totale, cadde dalla pompa clamorosa di Makart nel sacrale silenzio dei secessionisti e la vita rinunziò alla propria potenza a favore di una stilizzazione onnicomprensiva.»[6]

L'«esiziale» conseguenza dell'interazione tra Makart e Klimt non pesò sull'opera prima di quest'ultimo. Klimt, piuttosto, ebbe una solida formazione nello spirito dello storicismo. Quel che Makart aveva fatto «esalare» nel fuoco d'artificio dei suoi colori, altri a Vienna, alla Kunstgewerbeschule (dal 1868), aveva catalogato in maniera sistematica, mediandolo agli allievi. Tra questi, dal 1876 al 1883, c'era anche Klimt. Lo storicismo aveva trovato qui un centro di coltura, coltivando la persuasione che qualsivoglia produzione d'arte potesse adeguare i suoi scopi soltanto grazie a un'ampia conoscenza di tutti gli stili e al loro perfetto padroneggiamento tecnico. E a molti pittori, per esempio a Franz Matsch, nemmeno dopo il 1900 riuscì di sciogliersi da questa suggestione.

Negli anni '80 la rottura con la tradizione non era ancora tema di dibattito. Al contrario si giunse a produrre cataloghi di forme, e non solo alla Kunstgewerbeschule. Anche l'opera a schede successive *Allegorien & Embleme*, edita nel 1882-84 dalla Gerlach & Schenk (dal 1895 ne uscì una nuova serie) e assai apprezzata, era usata come un manuale di modelli.[7] Klimt collaborò alla raccolta di questi materiali, il cui intento era di rivitalizzare l'allegoria negli stili storici.

L'incontro con Makart avvenne per il tramite di alcune sue opere nate negli anni successivi a Vienna e lontano da Vienna. Klimt, assieme al fratello Ernst (che morì nel 1892) e a Franz Matsch (1861-1942), anch'essi allievi della Kunstgewerbeschule, si era legato a un «sodalizio di pittori» che riuscirono ad aver parte in importanti committenze. Dopo i dipinti realizzati nei teatri municipali di Reichenberg (1882-83), Fiume (1884-85) e Karlsbad (1885-86), ebbero committenze di prestigio a Vienna. A Villa Hermes (1886, camera da letto e salotto) eseguirono il vano scale del Burgtheater (1886-88) e del Kunsthistorisches Museum (1890-91). In tutti e tre i casi la decorazione l'avrebbe dovuta assumere Makart, ma ne era stato impedito dalla morte.

Nel 1885, nella Villa Hermes e a Karlsbad, l'influenza della pittura di Makart raggiunse il punto culminante. Il «manoscritto» pittorico da lui lasciato fu ripreso con virtuosismo; ciò che era rimasto allo stato di schizzo fu colto ed elaborato in tutte le sue finezze. Ciò nonostante la ripresa di elementi pittorici makartiani rimase, tutto sommato, un fatto estrinseco.[8]

Al Burgtheater e al Kunsthistorisches Museum il «sodalizio» dei pittori coltivò invece uno storicismo «scientifico», com'era in fondo più consono a chi era stato allievo della Kunstgewerbeschule. Facendo ricorso a particolari autentici, ci si sforzava di attingere una credibilità maggiore, e non ci si peritava di «civettare» col pubblico solleticandone l'ambizione di poter esibire il suo livello di cultura.[9] Ancora una volta, fedeli alla tradizione delle istanze culturali storiciste, nella trattazione della storia del teatro (dall'antichità al secolo XVIII) e nelle raffigurazioni simboliche e idealizzate delle varie epoche artistiche (Egitto, antichità classica, ecc.) sciorinarono l'intero repertorio. Un rituale iconografico toccava qui, per l'ultima volta, il suo acme. In tal modo lo storicismo aveva dato fondo a tutte le sue possibilità.

Se in queste opere il nuovo orientamento artistico di Klimt venne attuandosi costantemente, cosa che la critica oggi riconosce unanimamente, dato che la «primavera sacra» non fiorì certo d'un tratto, occorre ricordare che la polemica accesasi nell'ambito della Secessione a causa degli affreschi per il salone dell'Università (l'incarico era stato affidato nel 1894 a Klimt e a Matsch) ha ancor sempre dei riferimenti retrospettivi allo storicismo. In primo luogo il progetto di collocare sul soffitto *La vittoria della Luce sulle Tenebre* (Makart aveva concepito lo stesso tema per il Kunsthistorisches Museum) come immagine centrale, e la raffigurazione delle quattro facoltà universitarie e dei singoli campi delle scienze, non uscivano dallo schema ortodosso. Non furono dello stesso avviso i cattedratici e molti altri personaggi che aprirono le ostilità contro le immagini di Klimt. La loro autocomprensione artistica, che si era nutrita dello storicismo e non era andata oltre il Burgtheater o il Kunsthistorisches Museum, ora era completamente paralizzata. L'evoluzione di Klimt nel frattempo — Carl E. Schorske ne ha scorto la causa nella «crisi dell'io liberale»[10] — aveva condotto la sua pittura a nuove soluzioni di contenuto e formali, il cui frutto fu la rottura dell'artista con la società in cui operava. Matsch, invece, si attenne al ben noto schema ed evitò provocazioni. Si allineò con quegli artisti che, al di là della Secessione, continuavano alla vecchia maniera. Oggi si tributano i più alti riconoscimenti ai raggiungimenti della Secessione quando Klimt era alla sua testa; facilmente si tende a sorvolare sul fatto che, anche dopo l'ingresso nel nuovo secolo, la tradizione storicista persistette ininterrotta. Il riconoscimento e il sostegno non andarono allo Jugendstil e agli esponenti della Secessione, bensì a coloro che si rendevano benemeriti nell'illustrare le glorie nazionali. La «rinascita dello storicismo», cui non mancarono appoggi di politica culturale, si fondò su pittori che erano disposti a perpetuare, nei tardi edifici della Ringstrasse, l'autoctono pathos barocco.[11] Anche i concetti di «neostoricismo» e «monumentalismo» si intonarono a questo atteggiamento. Nel 1918 sia la continuità dello storicismo sia l'indirizzo moderno trovarono la fine: i principali esponenti della modernità morirono, l'impero cessò di esistere.

[10] Carl E. Schorske, *Wien — Geist und Gesellschaft im Fin de Siècle*, Frankfurt am Main, 1982, p. 195 sgg.
[11] Werner Kitlitschka, *op. cit.*, citazione tratta da Maria Pötzl-Malikova, p. 187 sgg.

F. Matsch, *Allegoria*, 1900 c. (Coll. privata, Vienna).

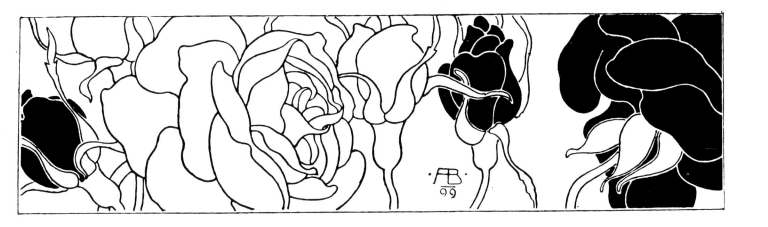

IMPRESSIONISMO DI STATI D'ANIMO E NATURALISMO

Gerbert Frodl

Dagli anni '70 del secolo XIX si venne sviluppando a Vienna una specifica corrente di pittura paesaggistica che più tardi fu designata con l'espressione «Stimmungsimpressionismus», «impressionismo di stati d'animo». Essa prese avvio all'interno della scuola accademica di paesaggio di Albert Zimmermann (1808-1888), che tra il 1860 e il 1870 (gli anni in cui insegnò) seppe indurre un gruppetto di giovani artisti alla pittura en plein air, entusiasmandoli e convincendoli della sua imprescindibile necessità. Personalmente egli era un artista conservatore con una predilezione particolare per la montagna intatta, selvaggia. Alla scuola di Zimmermann crebbe una nuova generazione di paesaggisti viennesi, tra i quali emerse come figura centrale Emil Jakob Schindler (1842-1892). Per lui e per Robert Russ (1847-1922), Eugen Jettel (1845-1901), Rudolf Ribarz (1848-1904) e altri ancora la consapevolezza della necessità di una pittura lontana dagli atelier, nutrita della conoscenza, benché superficiale, dei conseguimenti della scuola francese di Barbizon, diventò la molla essenziale del lavoro. Vedevano la natura in modo diverso da come si era avvezzi a fare a Vienna sino ad allora e da come, accanto a loro e dopo di loro, in molti casi si faceva e si sarebbe fatto: la natura andava colta con la tensione di tutti i sensi, e non solo nelle sue componenti reali, alberi, pietre, fiumi, ma anche nei suoi stati mutevoli, e dunque con il temporale, in qualsiasi periodo dell'anno. Il «motivo» regredì sullo sfondo; acquistò importanza il modo in cui il paesaggio o una piccola porzione di esso si offriva al pittore. E per questo divenne particolarmente importante il personale atteggiamento dell'artista verso quanto lo circondava. Si passò così dalla rappresentazione oggettiva di una situazione alla soggettiva messa a nudo di stati d'animo personali. Schindler attuò questi intenti con la maggior consequenzialità, dipingendo oggetti sempre uguali o simili — per il vero di scarsa attrattiva — e nondimeno variando ogni volta le premesse. L'«impressionismo viennese di stati d'animo», lo dice già l'espressione, è un modo di dipingere la cui peculiarità consiste nel rendere visibili, anzi persino tattilmente percepibili, appunto degli stati d'animo. «Una spiccata valenza emotiva opera nella pittura paesaggistica realistica, ma in maniera ritardante rispetto all'effetto meramente impressionistico» (F. Novotny). Giacché si commisurano — ora con buoni, ora con meno buoni motivi — sviluppi e manifestazioni della pittura dell'800 e del primo '900 con i decisivi raggiungimenti dell'arte francese in quell'epoca. Un impressionismo «puro», fondato su princìpi rigorosi, a Vienna e in Austria non ci fu. La Vienna della seconda metà del secolo era conservatrice; e ciò vale anche per l'impressionismo di stati d'animo: a raffrontarlo con esiti comparabili, si vede subito che va arrancando con una ventina d'anni di ritardo. Già molto prima della metà del secolo i pittori della cosiddetta scuola di Barbizon (un villaggio ai margini della foresta di Fontainebleau, vicino a Parigi), con le loro idee e i loro obiettivi, soprattutto col loro bisogno di dipingere all'aperto, avevano scatenato un'ondata di rinnovamento nella pittura paesaggistica europea. Tuttavia l'impressionismo di stati d'animo di Schindler e dei suoi colleghi occorre riguardarlo come fenomeno con valori propri (come anche Hans Makart, nello stesso periodo), che può essere nitidamente separato dall'accademica «pittura alpina», con le sue ambizioni eroico-romantiche, o dall'idillio post-Biedermeier. Per darne una valutazione è bene non solo partire dal contesto internazionale, il quale, come abbiamo constatato, conosce sfasature temporali, ma anche tener conto del sommarsi delle tradizioni locali (e ci riferiamo per esempio al realismo della pittura paesaggistica del Biedermeier viennese). A Vienna non ci fu alcuna rivoluzione a sconvolgere radicalmente la pittura di paesaggio: troppo esiguo il gruppo di «pittori di stati d'animo», troppo potente l'accademia.

La maggior parte dei pittori viennesi di quest'epoca viaggiano molto e volentieri. In parte lo fanno a scopo d'istruzione, in parte per raccogliere nuove impressioni dai paesaggi attraversati. Fare un viaggio a Parigi era addirittura un dovere, eppure, per molti, sostanzialmente era più attraente l'Olanda (il che si spiega con la tradizione, ancora sempre viva, del grande paesaggismo olandese del '600). In generale i pittori viennesi di quella generazione erano soddisfatti di sé, non erano molto aperti a influenze esterne. Schindler, per esempio, quando nel 1873 si trovò di fronte a quadri dei pittori di Barbizon (Corot, Dupré ecc.) presenti all'Esposizione universale di Vienna in un più vasto contesto, non vide in tali opere che una conferma della sua scelta personale.

Due tra questi pittori di stati d'animo, subito dopo aver concluso gli studi accademici, si trasferiscono a Parigi e vi trascorrono molti anni: Eugen Jettel e Rudolf Ribarz, i quali proseguono senza ripensamenti lungo la via intrapresa. Da Parigi nulla accolgono, né Parigi offre loro spunti di sorta. Per entrambi il motivo preferito è costituito dalle pianure della Francia settentrionale, del Belgio e dell'Olanda. Il loro concentrarsi sul cielo e l'orizzonte talora influisce, in più di un'opera, in senso riduttivo sulla composizione, secondo scelte che — come per esempio la linea dell'orizzonte estremamente alta — anticipano modi compositivi dello Jugendstil. A stimolarli in questo senso può essere stata la «scuola dell'Aia», una pittura affine per un verso a quella di Barbizon, per un altro verso a quella «di stati d'animo» dei viennesi.

Emil Jakob Schindler non fu mai un insegnante accademico e difficilmente sarebbe stato adatto a esercitare un insegnamento tradizionale. A partire dal 1880 prese a raccogliere attorno a sé una piccola cerchia di allievi, con i quali faceva escursioni e viaggi. Egli insegnava loro non tanto a dipingere, quanto a vedere, coinvolgendone non già l'intelletto, sibbene l'anima. Una delle sue allieve, Olga Wisinger-Florian (1884-1926), seguace accessima del modo di vedere «emotivo» del maestro, gradualmente si volse a una pittura più realistica, maggiormente risolta sulla dimensione del colore. Al pari di Tina Blau (1845-1916), i cui paesaggi e le cui immagini di strade rivelano una sostanziale affinità con Schindler, la Wisinger-Florian rimase estranea alle correnti interne alla Secessione o alle acquisizioni della Wiener Werkstätte.

Il pittore austriaco che più di ogni altro poteva rivendicare per sé il titolo di impressionista era Theodor von Hörmann (1840-1895). Misuratosi puntigliosamente nel corso di molti anni a Parigi con le correnti più moderne della pittura francese, egli tuttavia non ebbe mai a dubitare dei propri princìpi, che si sostanziavano in una visione della natura quanto mai sofferta. Nell'ossessione che si direbbe disarmante di cogliere e restituire la natura «vera», la sua pittura, sotto l'influsso parigino, si svolse in una «zona intermedia tra l'esattezza realistica e l'istantanea impressionistica». E «realista» com'era, dovette rimanergli sostanzialmente estranea la pittura di stati d'animo di Schindler, che pure aveva molto ammirato e del quale spesso aveva accolto i consigli. Il suo impegno a favore di giovani artisti della «Genossenschaft bildender Künstler Wiens-Künstlerhaus», che in parte è spiegabile

1. T. Hörmann, *Paesaggio nella Bassa Austria*. (N. Ö. Lds. Mus., Vienna).

2. L. Blauensteiner, *Uomo con berretto*, 1905 c. (Coll. privata, Vienna).

3. W. Bernatzik, *Paesaggio con fiume*, 1903 c. (Coll. privata, Monaco).

1. C. Moll, *Autoritratto nell'atelier*. (Akademie, Vienna).

2. E. Stöhr, *Contrabbasso*, 1908. (Öst. Gal., Vienna).

3. L. Blauensteiner, *Ragazza con ghepardo*. (Neue Gal., Linz).

con il poco riguardoso trattamento riservatogli da quella corporazione, contribuì notevolmente agli sviluppi successivi che sfociarono nella Seccessione.

Quei pittori che nell'aprile del 1897 fondarono la «Vereinigung bildender Künstler Österreichs — Sezession» e quelli che poco dopo aderirono alla nuova associazione, provenivano dalle più varie tradizioni pittoriche viennesi. Si raccolsero e si concentrarono energie che non differivano sostanzialmente da quelle che avevano dominato alla Künstlerhaus (quando nacque la Secessione le forze autenticamente progressiste tra i fondatori erano gli architetti). I pittori erano artisti già formati, in parte di successo, e quando risolsero di aderire alla nuova associazione abbandonando la Künstlerhaus non erano affatto giovanissimi. Le loro opere tradivano le tensioni fra la tradizione dell'accademismo degli anni '70 e '80 e le nuove tendenze, comunque queste si manifestassero, e ciò appariva nel modo più evidente e stimolante nel caso di Klimt. In alcuni, pochi, queste tensioni erano piuttosto attenuate: in Eugen Jettel, per esempio, o in Josef Engelhart (1846-1941) i quali dopo anni di successi lontano da Vienna si erano in qualche modo definiti. Al pari di Hörmann, pochi anni prima che fosse fondata la Secessione Engelhart era stato davvero discriminato dalla Künstlerhaus. Ciò tuttavia non significa che la Secessione fosse in origine un bacino di raccolta degli scontenti; era però, per l'appunto, un «ricetto» per artisti le cui opere non necessariamente concordavano con quanto comunemente s'intende per «secessionistico». Anche nello Hagenbund, che nacque più tardi, le feconde tensioni di cui sopra continuarono a sussistere; però questa associazione di artisti si mosse, tutto sommato, in acque più tranquille.

Tornando brevemente a Gustav Klimt: insieme a suo fratello Ernst e a Franz Matsch egli era, già ai tempi di Makart (1840-1884), un pittore di successo e fino verso il 1890 continuò a progredire sino a porsi come il successore del «principe dei pittori» nell'ambito dell'arte decorativa monumentale. Anche nel suo periodo più alto (che durò sin verso il 1908), rimase «profondamente ancorato alle concezioni artistiche proprie del secolo XIX» (J. Dobai), come gli ulteriori sviluppi dimostrano, soprattutto per i contenuti dei suoi quadri. Dal punto di vista formale giocò a fondo, con virtuosismo, per così dire, «partite figurative» all'insegna dell'ornamentazione astratta. La pittura di Klimt svolse negli ultimi anni del secolo un ruolo di mediazione, estendendosi dallo «stilismo» al naturalismo più schietto, e Dobai proprio in questo scorge — in questa molteplicità di possibilità, che non va scambiata per assenza di unità — la ragione più importante dell'aver Klimt rivestito la funzione di «guida spirituale delle forze della modernità».

Meno molteplice e meno complessa appare la figura di Carl Moll (1861-1945). Quasi coetaneo di Klimt, egli proveniva da un clima artistico completamente antitetico alle radici della pittura del primo: proveniva cioè dalla cerchia di Jakob Schindler. Da giovane Moll aveva seguito incondizionatamente quel grande esempio, facendo propria in tutto e per tutto la sua concezione della natura. Solo dopo la morte del maestro (1892) cominciò a rendersi autonomo, ma restando pur sempre uno Stimmungsmaler. Stimmung: è questo uno dei concetti la cui centralità non è mai venuta meno per la pittura viennese attorno al 1900; paradossalmente meno conservandola quanto a coloro che non furono toccati nè dall'«arte delle superfici», né dalla stilizzazione ornamentale (Tina Blau, Viktor Krämer o Olga Wisinger-Florian).

I valori emotivi dell'impressionismo degli stati d'animo rimasero vincolanti. Questa sembra essere una spiccata costante viennese. La combinazione di paesaggio e di figure accessorie, che Schindler considerava ideale, trovò prosecuzione nelle opere di Leopold Blauensteiner (1881-1947) e di Ludwig Sigmundt: è rimasto persino l'unificante tono di colore, generatore della Stimmung ed elemento cui tutto è subordinato. La tavolozza, secondo i casi anche piuttosto limitata, si è fatta sostanzialmente più chiara, circostanza certamente da ascrivere all'influenza universalissima della pittura luministica francese. Colpisce che in questa tarda fase della pittura viennese di stati d'animo vibri a tratti, ora più ora meno percettibile, un sottotono simbolistico. Ciò si coglie nelle opere di Wilhelm Bernatzik (1853-1906), soprattutto nei quadri della Collezione Weiher, nelle composizioni inondate da una fredda luce lunare di Ernst Stöhr (1860-1917), in certi interni di Walter Hampel (1867-1949) e, talvolta, anche in Carl Moll (*Dämmerung*). Una corrente paragonabile al simbolismo belga o a quello di Monaco non ci fu a Vienna, così come non ci fu un impressionismo «autentico», cioè scevro di valenze emo-

tive. Singoli tentativi di adottare la tecnica del pointillisme furono intrapresi, per esempio, da Franz Jaschke (1862-1910), ma più per amor dell'effetto che dell'idea. Dopo l'uscita del gruppo di Klimt dalla Secessione nel 1905 nessuno dei cosiddetti «stilisti» mantenne più i contatti. Il ponte, che come esponenti del nuovo essi avevano gettato verso i «naturalisti» conservatori, era crollato.

1. W. Bernatzik, *Stagno con gigli rossi*. (Coll. privata, Vienna).

2. A. Hölzel, *Pioppi*. (Hist. Mus., Vienna).

Da sinistra:
3. E. Stöhr, *Bambino seduto*, 1901. (Neue Gal., Linz).

4. E. Stöhr, *Il lago di Berg*, 1904 c. (Coll. privata, Monaco).

1. F. Barwig d. Ä, *Eva*, 1910 c. (Öst. Gal., Vienna). □ 2. F. Metzner, *Cavaliere*, 1912. (Öst. Gal., Vienna).

I. Mestrovic, *Il principe Marko*, 1910 c. (Coll. privata).

A pagina seguente: 1. A. Strasser, *Elefante con due pantere*, 1906. (Hsch. f. angew. Kunst, Vienna). □ 2. R. Luksch, *Salamandra «Serenissimus»*. (Hsch. f. angew. Kunst, Vienna). □ 3. F. Metzner, *Contadina*, 1912 c. (Hsch. f. angew. Kunst, Vienna).

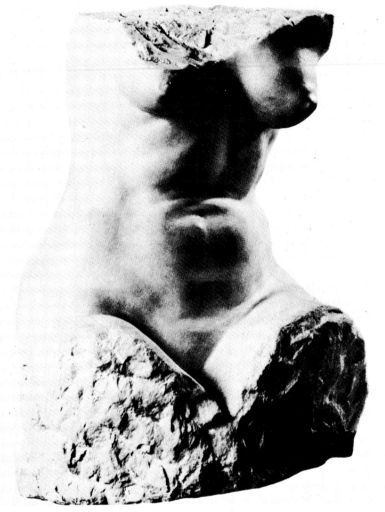

1. A. Hanak, *Busto*. (Hanak Museum, Langenzersdorf). □ 2. A. Canciani, *Wagner*, 1907. (Coll. privata, Brazzano). □ 3. E. Luksch,, *Prigionieri di guerra russi*. (Coll. privata, Amburgo). □ 4. A. Canciani, *Mia figlia Nerina*, 1917. (Coll. privata, Brazzano).

SIMBOLISMO E JUGENDSTIL NELLA VIENNA AL VOLGERE DEL SECOLO
Un approccio critico

Peter Gorsen

Sopra:
1. J. Eckmann, *Decorazione*, in «Jugend», n. 17, 1896.

[1] Oggi la storia del secessionismo viennese è ampiamente documentata, ma non si faranno qui ulteriori riferimenti. Una buona e completa descrizione del periodo costitutivo è fornita da Hans Ankwigz von Kleehoven in «Alte und Moderne Kunst», anno V, n. 6-7, 1960, pp. 6-10.
[2] Hermann Bahr, *Secession*, Wien, 1900, p. 15.
[3] Hans H. Hofstätter, *Symbolismus und die Kunst der Jahrhundertwende*, Köln, 1965, p. 10.
[4] Richard Haman - Jost Hermand, *Stilkunst um 1900*, München, 1973, p. 19.

Oggi sappiamo che simbolismo e Jugendstil non sono due autonome sfere stilistiche facilmente circoscrivibili; queste etichette o, come Siegfried Wichmann volle chiamarle, «Stilersatzbegriffen» (nozioni di equivalenza stilistica) ci permettono eventualmente di discernere singole caratteristiche e peculiarità appartenenti a un'epoca che, congiungendo perfettamente il XIX secolo col XX, esprime un'unità nel campo della raffigurazione impressionista, simbolista, decorativa, espressionista e persino neo-oggettiva che va oltre ogni possibile confine.

Ciò che è chiamato «Weltstil» (stile universale), alla maniera dell'autorevole definizione che titolava il testo di Ahlers Hestermann, *Stilwende* (Berlino, 1941), palesava nei grossi centri urbani dell'epoca, quali Bruxelles, Parigi, Nancy, Glasgow, Londra, Darmstadt, Monaco, Vienna, quelle differenziazioni nazionali e particolarità proprie delle singole personalità che oggi vengono ampiamente esplorate e possono essere inquadrate in un fenomeno di universalità stilistica caratterizzante il volgere del secolo

Le «secessioni» di Monaco, Berlino e Vienna[1] rappresentarono apparizioni parallele di natura transitoria, di poco differite nel tempo, e che, grazie a veloci mezzi di riproduzione quali riviste e cataloghi, strinsero in nome di un vitale discorso stilistico reciproci legami successivamente allargati al resto dell'Europa.

Il cronista della Secessione viennese Hermann Bahr poté così riconoscere nella prima esposizione del 1898 «un résumé dell'intera pittura moderna capace di dimostrare che in Austria esistono nomi in grado di affiancare e di misurarsi con i migliori europei».[2]

Eppure questa osservazione, che al tempo non poteva facilmente dirsi sporadica, esercitò il suo giusto effetto negli scritti di storia dell'arte solamente dopo molti decenni. In seguito a una lunga fase di sottovalutazione, se non addirittura di disapprovazione, segregato alla periferia del letterario e della «Gedankenmalerei» (pittura intellettuale o concettuale), il simbolismo tornò in primo piano negli anni '60: divenne allora la preistoria, un tempo dimenticata, della fase modernista e abbandonò definitivamente il ruolo di fenomeno isolato. Hans H. Hofstätter in proposito ha sottolineato il carattere aggressivo, antiborghese e talvolta persino antimoralista della Gedankenmalerei, contrapposto al naturalismo borghese, allo storicismo e allo scientismo.[3] Esiste oggi una completa concordanza tra gli studiosi nel caratterizzare la fine del secolo quale sistema storico-culturale[4] proiettato tanto in fasi ritardanti e reazionarie quanto in slanci progressivi e anticipatori di uno sviluppo, che nell'insieme si è svolto in maniera comprensibilmente contraddittoria.

Proprio a causa di questa mistificazione, che trasformò simbolismo e Jugendstil in espressioni di decadenza, la tendenza della moderna rivalutazione è quella di un'acritica interpretazione della fine dell'800 quale punto di partenza o «breccia aperta sul XX secolo»[5] in nome di un'avanguardia che è tale proprio perché in grado di rigenerarsi costantemente.

Contro inoffensive categorie storico-stilistiche Richard Hamann e Jost Hermand hanno proposto, finora con scarso successo, una considerazione di natura sociologica: «Anziché attenersi alle formali prestazioni di splendore del Jugendstil, del decorativismo e della Secessione viennese, si dovrebbero in futuro tenere presenti quelle tendenze artistiche patriottico-popolari, quelle espressioni neotedesche di natura monumentale, senza che alcuna seria considerazione di quel periodo debba necessariamente spingersi in primo piano. A conferma di quanto detto è possibile citare l'esposizione ''Stilkunst um 1900'' tenutasi nell'autunno del 1972 alla Nationalgalerie di Berlino.»[6]

Non a caso il secessionismo viennese appare in questa indicazione come esempio di ristretta ricezione unilaterale di «formali prestazioni di splendore». In effetti gli anni della riscoperta e della rivalutazione dello stile secessionista furono testimoni di tentativi acritici, talvolta pressanti, che miravano a far derivare la decorazione piana e la quadratura ornamentale degli interni da uno spirito precursore della modernità, ciò che permise di pensare a Josef Hoffmann e Koloman Moser, gli autentici capostipiti della decorazione viennese, come ai fondatori del costruttivismo e dell'astrattismo del gruppo De Stijl (Mondrian, Van Doesburg, Vantongerloo). D'altro canto la modernità del conservatorismo viennese non può essere di certo tralasciata. La dialettica storica del funzionalismo ci ha insegnato a guardare a Loos e alla sua eredità con gli occhi degli stilisti intorno a Hoffmann, riconoscendovi una capitolazione della fantasia delle forme e dell'umana necessità di decorazione di fronte al puro Zweckstil (stile funzionale), impostosi in termini politico-economici.

Solo oggi, con la progressiva evoluzione della critica al funzionalismo unidimensionale e al rifiuto dell'elemento ornamentale operato dal design industriale, si riscoprono la fantasia emancipatrice e

le forme decorative dello stile secessionista. Esse sono rinate con la progressiva esigenza di una maggiore presenza soggettiva e di un più vasto spazio da destinarsi all'individualità. «Nostalgia postmoderna» sarebbe una maldestra definizione per questa legittima aspirazione. L'esigenza psichica di espressione nel simbolismo, l'emancipazione dell'elemento ornamentale all'interno del secessionismo viennese, che dal «doppio ruolo in rapporto alla decorazione» (Otto Wagner)[7] giunge a estendersi alle prestazioni di arte applicata della Wiener Werkstätte,[8] ci appaiono oggi, nei confronti di una spietata oggettivazione dell'esistenza quotidiana e di una inflazionata industrializzazione della vita, come atti di umanità e di entusiamo ai quali in verità si negò un vasto e democratico godimento.

Il progetto di uno spirito fortemente morale come quello di William Morris, lo stesso sostenuto dalla «Art and Crafts Exhibition» del 1888, quello cioè di volere bella la quotidianità, le «necessaries of life», terminò per parte della media e alta borghesia nella decorazione di lusso e nella home art, mentre i ceti più elevati rimasero tradizionalmente bloccati, come avvenne per lo stile coreografico neobarocco (Ausstattungsstil).

L'ideale dell'autenticità e dell'equità materiale unita alla fantasia decorativa si trasformò in un notevole onere per la Wiener Werkstätte e rese gli artisti dipendenti da committenti che inizialmente non vennero enumerati nella cerchia della possibile clientela.

L'alternativa all'artigianale produzione di lusso, un modello di fabbricazione consapevole dei costi e in verità orientato al profitto, che fu oggetto di discussioni in tutti i centri europei di art nouveau e che notoriamente divenne motivo di aspra controversia nel Deutsche Werkbund, non fu mai affrontata dai viennesi: essi pagarono per l'elitaria matrice del loro pensiero fino al finale fallimento della Wiener Werkstätte, vittima di notevoli insolvenze.

Per quanto riguarda la già citata valutazione, priva di alcun senso critico, dello Jugendstil costruttivista di coniatura viennese, che in esso vedeva l'avanguardia del neoplasticismo e del De Stijl, ciò che viene qui espresso è una oggettiva

Copertina di «Jugend», n. 1-2, 1896.

[5] Helmut Seling (a cura di), *Jugendstil — Der Weg ins 20. Jahrhundert*, München, 1979.
[6] Hamann-Hermand, *op. cit.*, p. 24.
[7] Già i critici contemporanei furono colpiti dal «doppio ruolo dell'atteggiamento wagneriano di fronte alla decorazione». Hans Tietze nel suo breve studio *Otto Wagner* (Wien-Berlin-München-Leipzig, 1922) e Josef August Lux nella sua monografia di Wagner, la prima (München, 1914), evidenziano nell'approccio wagneriano all'ornamentazione — o più esattamente all'ornamento storicamente tradito e alla neoornamentazione di stile secessionista — una fondamentale contraddizione: l'inconciliabilità con il funzionalismo. In Wagner «l'esigenza costruttiva e quella decorativa non agiscono sempre come due flussi sanguigni dello stesso gruppo; al contrario affondano le loro radici in terreni differenti. La sua ricchezza è talvolta sinonimo di guarnizione, di Schlingwerk su mura spoglie».
[8] Hermann Muthesius (in *Wirtschaftsformen in Kunstgewerbe*, Berlin, 1908, p. 26) parla di un «particolare metodo di produzione introdotto dalle imprese viennesi». «Queste imprese avevano come principio la fabbricazione di prodotti di massima raffinatezza tecnica e artistica. Ciò che esse hanno fatto nel campo della lavorazione dei metalli pregiati, del gioiello, della rilegatura, della tipografia e delle suppellettili ricercate merita la massima ammirazione. Si è qui raggiunto un apice che senza dubbio appartiene alla schiera delle eccezioni del nostro tempo. Queste imprese sono la riprova del fatto che esiste effettivamente un pubblico per simili prestazioni di arte applicata. Na-

Da «Jugend», luglio 1896.

turalmente queste prestazioni non hanno nulla da spartire con la fabbricazione di prodotti su più larga scala.»

[9] Un paragone tra l'olandese stile astrattista del De Stijl (prendiamo per esempio un rilievo di Georges Vantongerloo del 1919) e il «Brettl-Stil» (stile cabarettistico) di Hoffmann ci può condurre fuori strada. I volumi spaziali astratti e tridimensionali di Vantongerloo si sviluppano in modo indipendente dall'ambiente in cui essi sono inseriti quali forme plastiche assolute, mentre i rilievi di Hoffmann nell'impianto spaziale della mostra sono elementi inscindibili dal complesso dell'opera. In Hermann Obrist e nella sua «colonna» del 1898 (andata distrutta) è possibile rintracciare uno sviluppo affine verso forme di geometrismo decorativo e ornamentalismo, erroneamente definito «konstruktiver Jugendstil». Fu giustamente osservato in modo critico da Werner Hofmann che nella composizione protoastratta di Hoffmann «la simbiosi tra opera d'arte e oggetto d'uso era uno dei motivi per i quali la Secessione si prodigò in simili elementi formali astratti, ma non poté giungere a proclamare l'astrattismo come assoluta e distinta forma pittorica» (Hofmann, *Klimt und die Wiener Jahrhundertwende*, Salzburg, 1970, p. 40). Cfr. Dieter Bogner, *Die geometrischen Reliefs von Josef Hoffmann*, in «Alte und Moderne Kunst», n. 27, 1982, pp. 24-32: «L'affermazione secondo la quale Hoffmann ha prodotto qualcosa di simile alle prestazioni di Mondrian e Vantongerloo si è rivelata completamente falsa.»

[10] Willy Pastor, *Max Klinger*, Berlin, 1919, p. 151.

[11] *Ibidem*, p. 153.

[12] *Ibidem*.

[13] Max Klinger, *Malerei und Radierung*, Leipzig, 1903, p. 49.

[14] Elsa Asenijeff, in W. Pastor, *op. cit.*, p. 161.

[15] *Ibidem*.

cautela fin troppo spesso rimpianta nei circoli dei collezionisti e dei compratori viennesi.

Anche il giornalismo artistico è riuscito a sollevare particolare interesse intorno alla figura protoastrattista di Hoffmann. Se tramite Hoffmann ci si richiamasse al rilievo sovrastante il portale incorniciato di pilastri della XIV Esposizione secessionista (1902), ci si dimenticherebbe che tale dettaglio era parte inscindibile dell'impianto spaziale, il cui scopo era quello di creare una cornice decorativa per una serie di quadri autenticamente simbolisti dedicata a Beethoven.[9]

Lo stesso può essere detto del fregio di Klimt appositamente creato per il Weiheraum (padiglione di consacrazione) e delle monumentali composizioni di Adolf Böhm, *Giorno nascente*, e Alfred Roller, *Notte calante*. Le angeliche personificazioni dell'inizio e della fine del giorno rimangono, nonostante il loro rilassamento, forme geometriche solide e schematici prototipi di allegorie. L'ornamento plastico di Maximilian Lenz rimane, malgrado l'inserimento della balaustrata in una cornice quadrata, una rappresentazione allegorica della lotta per l'amore. La forma a colonna tanto esercitata da Lenz sottolinea il tradizionale carattere decorativo di questo stile. Il concreto legame con la raffigurazione appare altrettanto marcato nella Lehn-Stühle di Ferdinand Adri, il quale impreziosisce i sostegni dei fauteuils di minuziosi intagli grotteschi a sagoma di gnomo.

La Secessione viennese, nella sua qualità di stile decorativo simbolista, non si è mai più manifestata così palesemente come in questa occasione e nella contemporanea rivista d'arte «Ver Sacrum» (1898-1903). Un tale livello non fu raggiunto nemmeno con la Wiener Werkstätte che, fondata nel 1903, inizialmente si presentò come gruppo in senso programmatico ma ben presto si coalizzò in una non salda cooperazione di mani e teste, talvolta estranee alla sua stessa natura, nel campo della produzione di arte applicata, sempre più proiettata verso l'architettura.

Hoffmann trasformò le tre sale dell'esposizione nel palazzo della Secessione in un tempio racchiuso (come già aveva preteso nella sua forma architettonica esterna Josef Maria Olbrich) che il visitatore doveva percorrere in una sorta di prestabilita «via sacra». Superato il *Fregio di Beethoven*, opera di Klimt, sul lato sinistro della sala lo accoglieva il monumento a Beethoven di Max Klinger. Dopo un giro intorno a esso, «obbligatorio secondo le segnalazioni», il visitatore accedeva alla sala laterale di destra, ornata di affreschi allegorici di Andri e Auchenthaller. Attraverso la sala di lettura decorata da Leopold Bauer il visitatore guadagnava infine l'uscita.

L'eccessivo omaggio della Secessione viennese all'ospite Max Klinger non fu un riconoscimento della sua complessiva concezione dell'opera d'arte; Klinger apparteneva in realtà a quella schiera di artisti che da parecchio tempo avevano sollecitato il superamento della frammentazione dei generi artistici tramite la policromia dei materiali utilizzati. Egli credeva di avere scoperto nel colore «l'elemento unitario delle tre arti, architettura, pittura, scultura»[10] e «la condizione prima per l'opera universale».[11] In termini generici tale operazione gli era riuscita tra il 1885 e il 1902 nel monumento a Beethoven, opera plastica simbolista che, grazie a una sintesi di materiali eterogenei e policromi, venne formalmente riconosciuta come «opera universale». Ciò che allettò i secessionisti viennesi e in particolare Hoffmann fu la possibilità di verificare all'interno di una propria mostra «il legame tra opera plastica e spazio».[12] Lo stesso Klinger aveva già sottolineato che «a un'opera figurativa multicolore doveva necessariamente corrispondere un determinato ambito cromatico».[13] In tal modo l'opera di Klinger assurse a elemento dimostrativo del modo in cui lo spirito viennese interpretava e rinvigoriva il pensiero artistico universale della fine del secolo, compito affatto facile se si considera la Kleinodientechnik propria di Klinger[14] che, mirando al monumentale, utilizzava materiali del tutto preziosi: «Il corpo di Beethoven è in marmo greco insulare; la veste di onice tirolese. Per la roccia e l'aquila è stato utilizzato il marmo dei Pirenei, mentre le teste degli angeli sono in avorio massiccio. Lo sfondo è realizzato in opale. Per le ali si è pensato ad agata, diaspro ecc. Il trono e gli artigli sono in autentico bronzo.»[15] Un tale sfarzo policromo non incontrò subito il gusto dei secessionisti viennesi, i quali intorno al 1900 vantavano quella «grandiosa semplicità» (Josef August Lux) propria di uno Jugendstil inteso in senso tipicamente austriaco. Essi erano soliti privilegiare nelle loro mostre materiali schietti e semplici, prediligendo alla violenta policromia i pacati toni del bianco, del rosa delicato e del giallo nel materiale talvolta grezzo, talvolta levigato. «La preziosità delle stanze deriva unicamente dalle opere esposte», dice un reportage contemporaneo sulla XIV Mostra della Secessione.[16]

Se l'idea che stava alla base del monumento a Beethoven, quella cioè di unificare differenziazioni e aspirazioni contrastanti, sia stata esteticamente tradotta in modo soddisfacente nella mostra rimane oggetto di pareri divergenti. Lux giunse a una risposta positiva su «Deutsche Kunst und Dekoration», organo determinante nella comprensione del fenomeno internazionale dello Jugendstil. «È proprio la dichiarata proprietà soggettiva della raffigurazione spaziale a staccarsi nettamente dalla natura di Klinger. Due diverse sfere percettive si incrociano oscillando; due culture separate, qui forzate all'unità.»[17] Hermann Bahr aveva espresso, nella raccolta di saggi sulla Secessione viennese pubblicata nel 1900, le sue perplessità nei confronti del sincretismo simbolista di Klinger: «Riconosco di essermi occupato del suo *Cristo nell'Olimpo*, ma l'opera non ha prodotto alcun effetto su di me. Sono rimasto seduto e ho atteso, ma non è successo nulla, solo qualche pensiero ma nessuna sensazione.»[18] Questo dipinto di Klinger era stato prescelto quale icona centrale nella mostra della Secessione del 1899 e a prima vista delineava la notoria concezione di derivazione italiana rinascimentale — michelangiolesca e preraffaellita — della fusione dei valori della Grecia antica con l'esperienza cristiana.[19] Con il rinnovato omaggio a Klinger, questa volta per il monumento a Beethoven, divenne ormai palese l'interesse dei secessionisti per la simbiosi «tra lo spirito germanico-cristiano e il mondo rappresentativo ellenico, ancora così vivo nella nostra formazione.»[20]

Secondo Lux, Klinger rappresentò Beethoven come il «titano dell'ispirazione musicale, troneggiante su di una nuvola lontana dal mondo, ai suoi piedi il fidato Flieger, che timido e riverente lo guarda dal basso. Il trono in bronzo è ornato di rilievi con richiami alla tradizione ellenistica e cristiana, quasi fossero elementi della nostra cultura; descrivono i motivi di base delle creazioni beethoveniane: la dolorosa lotta per la conoscenza e lo strazio del riconoscimento, rappresentati in Adamo ed Eva nell'albero della conoscenza e in Tantalo».[21]

Bahr, che non poteva certo appassionarsi a questo genere di pittura, ha saputo riconoscere il punto critico di quest'opera di fine secolo, a dispetto di altri cronisti dello stile secessionista viennese quali Lux, Hevesi, Zuckerkandl e altri. Se questo quadro avesse dovuto essere una crosta per la borghesia di formazione cristiano-liberale, avrebbe dovuto rappresentare in termini attuali e rinnovati un conflitto sepolto da troppo tempo, quello tra due sistemi storici, e Klinger avrebbe dovuto presentarsi nelle vesti di un pagano «inoltratosi nel sentiero della cristianità».[22] Proprio in questa direzione Bahr spinge la sua interpretazione di Klinger e giunge a includere la cristianità nel regno delle mitologie destinate all'estinzione, ad essa rilasciando addirittura un certificato di morte. Del *Cristo nell'Olimpo* afferma che, secondo l'artista, «Cristo è diventato come noi, così come Zeus, Ares e Apollo sono come noi. Lo ha incluso nella cerchia degli antichi dei, e noi non crediamo più agli antichi dei... Il fatto che oggi esistano buoni cristiani che possono tollerare questo quadro dimostra cosa sia della loro cristianità: essi credono a Cristo come noi a Zeus».[23]

Bahr non è così naïf da interpretare il simbolismo di Klinger in un vago spirito panteista, sinonimo di forza eternamente agente nella natura, anche perché lo stesso Zeus appartiene alla schiera mortale della mitologia.[24] D'altro canto la sua interpretazione rende indirettamente palese ciò che di Klinger interessò ai simbolisti viennesi e ciò che talvolta, nelle loro singole opere, rimase represso: una conversione ai motivi dell'antico mondo pagano, panerotico, cattolico e pertanto una rivitalizzazione della creazione artistica costretta in ipocrisie di cultura e direttive accademiche. Dietro

Raccolta della rivista «Deutsche Kunst und Dekoration».

[16] Josef August Lux, in «Deutsche Kunst und Dekoration», vol. X, 1900, p. 477.
[17] *Ibidem*, p. 481.
[18] Bahr, *op. cit.*, p. 98.
[19] «Non si possono separare i pregi del rinascimento dal fatto che la divergenza con il cristianesimo non ha provocato alcuna frattura... Il rinascimento fiorì senza opporsi in modo aperto ed esasperato all'esperienza precedente» (Leonid M. Batkin, *Die historische Gesamtheit der italienischen Renaissance*, Dresden, 1979, p. 371. Altrimenti Raffaello non avrebbe potuto fondere i modelli antichi al modello naturale, così come fece nel suo *Parnaso* (Stanza della Segnatura), e tanto meno avrebbe potuto dipingere un'opera così sorprendente come la sua *Visione di Ezechiele* (intorno al 1517-18), dove Cristo appare una sorta di Giove, o meglio dove Giove ritorna nella figura di Cristo, come scrisse Vasari. Archeologia, riscoperta del paganesimo e religione cristiana della salvezza sono qui strettamente uniti tra di loro.
[20] Lux, *op. cit.*, p. 481.
[21] *Ibidem*, p. 476.
[22] Bahr, *op. cit.*, p. 98.
[23] *Ibidem*, p. 100.
[24] *Ibidem*.

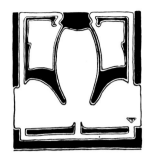

J. Hoffmann, *Decorazione per libro*, in «Ver Sacrum», gennaio 1898.

[25] Si vedano le raffigurazioni allegoriche nate dopo il 1913 in contrasto con Hodler, quali *La luce* (1913-15), *Il viandante* (1916), *Solitudine campestre* (1913), *Giovane inginocchiato* (1914), *Figura allegorica* (1913-15), in Werner Fenz, *Kolo Moser, Internationaler Jugendstil und Wiener Secession*, Salzburg, 1976, p. 136.

[26] Max Mell ci offre indirettamente «l'unica descrizione dei *Traumtragende*: figure umane con l'espressione estatica del desiderio e della brama nei movimenti, affollati intorno al mare e agli scogli, che si presentano come tatuati di fauna e flora fantastiche». Questa descrizione ben si adatta anche alla terza litografia a colori *Träumende Knaben* e ha inoltre riconosciuto una serie di elementi, per i quali si può concludere che i *Traumtragende* non erano altro che i *Träumende Knaben* in forma di arazzo» (Werner J. Schweiger, *Der junge Kokoschka*, cat. mostra, Pöchlarn, Wien, 1983, p. 50). Nel 1911 si pervenne ad un'attualizzazione del materiale appartenente alla tradizione cristiana, come dimostrato dal *Colombo incatenato* che sperimentò una sorta di simbiosi delle prime tendenze matriarcali di Kokoschka sotto l'influsso di Bachofen. Nella *Donna lunare* (Alma Mahler) Kokoschka si prefisse «una relazione ancora più stretta tra cristiano e pagano»; il mito di Adamo ed Eva soggiace qui a una interpretazione cosmico-erotica. Cfr. Hans Bisanz, *Oskar Kokoschka, die frühen Jahre*, cat. mostra, Historisches Museum der Stadt, Wien, 1983, p. 15.

[27] «La connessione con il mondo concettuale di Nietzsche non si lacera se si prendono in considerazione i disegni del 1913. I titoli *Rufer* e *Seher* e le contemporanee opere centrali della *Erlösung* e *Der Tänzer* possono essere letti come titoli di capitoli dello *Zarathustra* nietzschiano e mostrano l'inalterata concezione che Schiele ha dei compiti dell'artista» (Hans Bisanz, *Egon Schiele*, cat. mostra, Historisches Museum der Stadt, Wien, 1981, p. 13).

[28] Friedrich Nietzsche, *Werke*, München, 1956, vol. II, p. 1072.

[29] *Experiment Weltuntergang, Wien um 1900*, cat. mostra, Hamburger Kunsthalle, a cura di W. Hofmann, München, 1981, p. 6.

alla scintillante e decorativa facciata dello Jugendstil è possibile percepire una nota di scetticismo nella scelta dei contenuti. Tale connotazione è facilmente riscontrabile nell'opera di Arthur Strasser (si pensi al suo decadente gruppo intitolato *Marco Antonio*), nella pittura dei simbolisti seguaci del Klimt erotico, oppure in quella di Rudolf Jettmar, il disegnatore di mitologici paesaggi di fantasia, e non da ultimo nelle composizioni di Koloman Moser che, convertitosi al luteranesimo nel 1905, trasferì parte del pathos dello *Zarathustra* nietzschiano nelle allegorie dipinte durante gli ultimi anni della sua vita.[25] Nella «Kunstschau 1908», tempio consacrato alla Secessione, accanto a Hoffmann, che si riproponeva di ripetere il successo della XIV Esposizione, fece la sua prima sconcertante apparizione Oskar Kokoschka con la sua opera *Die Traumtragende*.[26] E nel 1918 fu la volta di Schiele, le cui opere portavano titoli che tradivano una schietta vicinanza al pensiero nietzschiano, di ottenere la prima retrospettiva della Secessione viennese.[27]

Formazione stilistica, simbolismo ed espressività si trovarono dopo il 1900 inscindibilmente intrecciati. Il doppio ruolo giocato dal secessionismo nei termini di declino e rinascita, di autocompiacente estetica e pressante moralismo indirizzato al significato ultimo dell'esistente, trova rispondenza in Nietzsche, profeta adottato dalla Gedankenmalerei secessionista. Nietzsche stesso aveva confessato in modo consciamente contraddittorio nell'*Ecce homo* del 1884: «Se io sono decadente e anche il suo contrario», la decadenza quale forma «dell'essere malato» può diventare «un energico stimolo alla vita, a una vita più intensa».[28]

L'aforisma nietzschiano sulla filosofia della vita venne più volte ripetuto negli scritti dello Jugendstil. Il suo pericoloso insegnamento del superuomo e dell'esteta amorale, che supera la malaticcia etica della compassione e si libera dell'istinto conformista, ha influito non poco sulla rappresentazione umana nell'arte del simbolismo e dello Jugendstil. È noto che la liberazione da una mascherata stilistica nonché da una doppia morale favorì contemporaneamente forme di nichilismo e di individualismo estetico tali da creare una minaccia altrettanto pericolosa al vivere quanto le precedenti idee di uguaglianza della cristianità, della democrazia e del socialismo, così violentemente avversate da Nietzsche e dai suoi seguaci. Questo sviluppo è da riferirsi sempre all'accostamento iconografico dell'arte simbolista al pensiero di Nietzsche. Sotto tale influsso realismo, naturalismo e impressionismo risultarono sempre più perdenti sia in arte che in letteratura. Un esempio per la Germania è dato da Liebermann, per l'Austria da Engelhart. Le concezioni «pagane» di collettivismo e socialismo lasciarono spazio a uno sfrenato individualismo e alla nuova «art pour l'art». L'iniziale accostamento alla realtà, il liberale pluralismo dei simboli e delle idee si trasformarono in sacrificio consacrato a una fanatica volontà stilizzatrice.

La Vienna al volgere del secolo è senza dubbio un campo di forze assai complesse, determinato da distinte personalità come Hofmannstahl e Schnitzler, Otto Weininger e Sigmund Freud, Klimt e Moser, nella cornice solenne di mostre di architettura di Urban, Olbrich e Hoffmann, mentre contemporaneamente Kokoschka e Schiele, Gerstl e Schönberg, il primo in qualità di pittore, il secondo come compositore, e successivamente Karl Kraus e Loos si imporranno quali tenaci oppositori della cultura delle apparenze e dei surrogati ornamentali di una borghesia avida di sensualità.

Tracciare un confine tra le forze progressiste e le forze conservatrici al fine di caratterizzare il secessionismo come sviluppo reazionario e segnale di degenerazione della decadente monarchia non ha senso, contraddirebbe in sé la realtà storica. In una mostra d'arte tenuta ad Amburgo intorno al 1900 l'apporto viennese venne così negativamente definito: «Austria: momento di sperimentazione del mondo decadente.» In questo modo Karl Kraus stigmatizzava un'epoca ormai giunta alla fine. Il secessionismo viennese appare qui nella unilaterale funzione di mascheramento e abbellimento di una disintegrazione sociale per la quale pagheranno i fanatici della verità, nemici di ogni compromesso, i quali si voteranno come Schönberg all'«emancipazione della dissonanza» sullo sfondo di lotte sociali e di conflitti di interesse.[29] Secondo Kraus e Loos, le cui polemiche concezioni prospettiche si elevano qui a un criterio di analisi storica, i secessionisti furono i decoratori della decadenza che permisero di intravedere il giorno in cui «emblemi e ornamenti della gloria sopravvissuta e del predominante raccapriccio ci fisseranno come maschere carnevalesche... Nello stesso momento in cui Kraus esprime la volontà di fare tabula rasa di questa vita adorna di glorie meschine, egli trae l'ultima conclusione dell'estetica della rinuncia, quella stessa tanto predicata negli scritti di Loos. Nell'ornamento combattono entrambi l'impero, che si conquista la morte ricoprendosi di ornamenti.»[30]

In realtà le aspirazioni riformatrici della Secessione viennese facevano parte di questa lotta contro lo stile fastoso della belle époque, contro l'arida potenza del neostilismo e dell'architettura della Ringstrasse partorita da Teophile von Hausen e Friedrich Schmidt, contro l'arte commissionata dalla corte e gli opulenti Zinspalais dell'aristocrazia finanziaria e dell'alta borghesia, i cosidetti «Zinshäuser im Palaisstil» di Eduard Todesco, Gustav Epstein e Ignaz Ephrussi, e non da ultimo contro l'ormai esaurita arte neobarocca da retroscena prodotta da Hans Makart, Hans Canon e Franz von Matsch.

L'estetica della rinuncia di Loos e il rigorismo morale di Kraus indicarono un'estenuata condotta di vita, che continuava a fregiarsi di estranei ornamenti appartenenti a epoche passate e a mantenere in vita artificialmente — grazie ai propri noti obblighi di rappresentanza — stile e ornamento; contemporaneamente sferrarono un duro colpo all'opposizione estetica dello Jugendstil, a quella minoranza cioè che massimamente in Vienna protestava contro il tradizionalismo, le ipocrisie di costume, la reggenza sotto lo sfarzo storico. Una ristretta bohème di artisti e letterati sopravvisse per breve tempo, misconosciuta da misantropi quali Loos e Kraus: una libera cerchia di artisti priva di sicuri committenti,[31] che aveva come scopo ideale una riforma etica della vita quotidiana, un affinamento della sfera residenziale, che sostituisse il fenomeno di Musealisierung esclusivo degli alti ceti privilegiati. Questi riformatori della «sacra primavera» dovevano ancora perdere

il loro stato d'innocenza.

Se è soliti oggi delineare lo Jugendstil e il secessionismo viennese partendo dall'esito ultimo del prodotto storico-artistico, ovverosia come momento stilistico figlio di una migrazione interna, di un ritorno alla sfera del privato e dell'individuale. Alla radice di ogni secessione esiste però un'insoddisfazione nei confronti delle condizioni presenti, una rivolta romantica e forse pedagogica contro la moderna dissipazione dell'esistenza e lo straniamento di valori nell'essere urbanizzato, del quale poteva risentire perfino un artista non dichiaratamente materialista. Georg Hirth, editore della rivista «Jugend», giunse a dichiarare che «con "Stil" non si intendeva definire alcuno stile nel senso stretto del termine» bensì «si delineava il principio dell'utilità e del sentimento artistico».[32]

Anche Bahr, il teorico della Secessione, testimonia che «da noi non si è contro o a favore della tradizione,... non si dibatte sull'arte antica o sull'arte moderna; lo scontro è tra due spiriti: lo spirito commerciale e lo spirito artistico». I quadri non sono merci «come pantaloni e sigari». I pittori vogliono essere artisti e non commercianti che pensano in numeri di pezzi. «Commercio o arte, questa è la domanda della nostra Secessione.»[33]

Dall'atteggiamento di rifiuto del ribelle romantico nacque a Vienna e nei centri dello Jugendstil una nuova visione idealistica del mondo e dell'arte che, rifacendosi al pensiero nietzschiano, prese come prototipo l'uomo di potenza e di azione e si rese ricettiva alle nuove idee nazionaliste e imperialiste.

Questo «imperialismo dell'anima» (Hamann-Hermand) è elemento comune nelle opere simboliste della Secessione viennese, che presto manifestò un'onesta sfiducia nei confronti della riproduzione meccanicizzata del prodotto artigianale creativo. Si pensi all'idealismo d'azione della monumentale opera di Moser, *Il viandante* (1915), oppure agli autoritratti di Schiele, oscillanti tra l'eroico e il sacro, nei panni del *Monaco*, del *Veggente*, del *Banditore*, del *Danzatore*, del *Predicatore*, o alle sue rappresentazioni della *Devozione*, della *Liberazione*, dell'*Incontro* risalenti al 1913. E non a caso un simbolista come Ferdinand Hodler ottenne il suo primo grande successo inter-

Copertina di «Jugend», n. 12, 1896.

[30] *Ibidem*.
[31] Wolf Sternberger ha giustamente parlato di «una classe di artisti che raggiunsero il massimo punto di ascesa al volgere del secolo». «Artisti universali come Olbrich e Behrens, come van de Welde e Eckmann, come il gruppo Mackintosh in Scozia, come Joseph Hoffmann e Otto Wagner in Austria... non erano i manovali dei loro committenti; si imponevano e agivano» (Sternberger, *Über Jugendstil*, Frankfurt/M., 1977, p. 14.
[32] Georg Hirth, *Wege zur Kunst*, München, 1918, p. 412.
[33] Bahr, *op. cit.*, p. 8.

M. Kurzweil, *Il cuscino*, 1903. (Coll. privata, Monaco).

[34] Walter Benjamin, *Schriften II*, Frankfurt/M., 1955, p. 325.

[35] Il passaggio dal floreale e dal curvo al geometrico e all'angolare si evidenzia per la prima volta nella configurazione spaziale, che Hoffmann diede all'VIII Mostra della Secessione (1900): «La condotta della linea è sempre molto cauta e prevalentemente ad angolo retto, priva di quelle curve che solo un anno prima erano inconfondibili caratteristiche» (Eduard Sekler, *Josef Hoffmann — Das architektonische Werk*, Salzburg, 1982, p. 265).
Nacque così il motto della «falsa Secessione», coniato da Bahr (*op. cit.*, p. 288) per le Tischler-Reproduktionen del primo Jugendstil viennese e internazionale. Hoffmann descrisse il mutamento stilistico che lo riguardò in prima persona: «Il tempo delle false curve è ormai finito da noi, grazie a Dio, anche se guardiamo con rispetto a quel genere» (minuta di una lettera probabilmente indirizzata a van de Welde, ove egli intendeva prendere le debite distanze).

[36] Hermann Muthesius, in «Dekorative Kunst», vol. VIII, München, 1901, p. 363. Concordo con Sekler nel porre la «rinuncia di Hoffmann allo slancio curvilineo in favore di forme più semplici in relazione storica con il generale allontanamento sperimentato dallo Jugendstil intorno al 1900 nella ripresa di un ideale classicista» (Sekler, *op. cit.*, p. 38). Il cosiddetto «konstruktiver Jugendstil» non fu una singola espressione del secessionismo viennese del tutto indipendente dallo sviluppo artistico internazionale.

[37] Siegfried Wichmann, *Jugendstil Floral Funktional*, cat. mostra, Bayerischen Nationalmuseum, München, 1983, p. 152.

nazionale con una mostra che nel 1904 preparò la strada a Vienna a un'entusiastica partigianeria all'interno della Secessione. Il mondo figurativo del secessionismo viennese può essere inoltre preso ad esempio per quel risveglio del sociale nella realtà biologico-naturale a cui Walter Benjamin si rifà a proposito di una analisi di Stefan George nella caratterizzazione del tipico e in gran parte inconscio tentativo di formazione retrospettiva operato dallo Jugendstil.[34] Sebbene intorno al 1900 i secessionisti cominciassero ad allontanarsi in architettura e nelle arti applicate dalla moda della decorazione floreale,[35] raccogliendo il richiamo di Hermann Muthesius alla «semplificazione» e all'«astensione dall'eccessivo ornamento e sfoggio nei tratti»,[36] ancora per lungo tempo subirono nell'opera di Klimt l'influsso di un simbolismo di regressione al ciclo naturale della vita. Questo indietreggiare di fronte alla realtà del quotidiano, all'oggettivazione delle condizioni di vita in un mondo determinato dal potere del denaro e dalla razionalizzazione, provocò a Vienna un irrazionale allontanamento dallo sviluppo generale, che può dirsi ancora più veloce rispetto a quanto sperimentato nelle altre capitali dello Jugendstil. Le aziende artigiane viennesi intorno al 1900, non da ultima la Wiener Werkstätte, contribuirono a una «aristocratizzazione del gusto» (Zuckerkandl), che in verità significò un vero e proprio privilegiare oggetti di lusso. La separazione della «qualità del lavoro artigianale» dal prodotto puramente meccanico facilitò la volontà stilizzatrice dei secessionisti nella direzione di una nobilitazione artistica di un metodo di produzione così anacronistico come quello artigianale in una società industrializzata.
Il rozzo confronto tra l'«inanimato» prodotto meccanico e il «vitale» prodotto artigianale venne tenacemente sostenuto sino all'esasperazione nella cerchia viennese, mentre all'estero, come dimostrano le opere di Behrens, Gropius, van de Velde e il dibattito del Deutsche Werk-Bund, i fronti ostili cominciarono a sgretolarsi. Fu proprio questo atteggiamento solitario, avverso allo sviluppo e al progresso, a dare un taglio conservatore, isolazionista e infine fascista allo stile artistico viennese. Non bisogna meravi-

gliarsi, quindi, se Loos esasperò la sua polemica contro «gli stilizzatori ed i professori di arte applicata» in una città dove si manteneva sempre saldo il prestigio esercitato dal lavoro artigianale e dove in architettura, con Wagner e i suoi seguaci, si procedeva alla depurazione della facciata dalla storica decorazione, dall'eccessivo «lusso spirituale» dell'ornamento. L'accento della contemporanea pittura secessionista cadeva sull'idealismo soggettivo, sul panteismo (come nei paesaggi dell'ultimo Klimt) e sul misticismo teosofico di Molina e altri, mentre il modernismo si staccò violentemente da questo genere di Gedankenmalerei. Tuttavia non ci si deve lasciar confondere dalle motivazioni critiche e sociologiche che animarono l'opposizione estetica del secessionismo nelle sue fasi iniziali, alimentate dagli scritti di Morris e Lichtwark e che portarono all'emancipazione degli spazi reazionari della Ringstrassegesellschaft.
La prima produzione secessionista nel campo dell'arredamento fu una produzione più d'uso che di prestigio. Per lo meno i designers intorno a Hoffmann tentarono di unificare la funzione del «gebogener Trägersystem» (sistema a supporto incurvato) di Thonet, il cosiddetto «Bugholzmöbel», con gli elementi stilistici propri del secessionismo, sfera, quadrato e cubo, giungendo, secondo le parole di Fritz Schamalenbach, a un'«espressione di funzionalità». Questo tentativo di riconciliazione tra stile e funzionalità ebbe successo. «Sfera e ovulo, soggetti stabilizzatori,... elementi essenziali di costituzione» del mobile, divennero contrassegni della Secessione: «Il culto della statura nello Jugendstil della prima fase, intorno al 1900, fu sostanzialmente d'effetto solo nella seconda fase dello sviluppo costruttivo lineare.»[37] Con la costruzione del sanatorio di Purkersdorf (1904-06) ad opera di Hoffmann e della Wiener Werkstätte la nuova misura di decorazione e Neue Sachlichkeit, di ornamento e funzionalità, giunse al trionfo.
Il primo Moser, lo stilista di «Ver Sacrum» (1898-1903), esprimeva l'eccezionale potenza grafica dei secessionisti. Moser è colui che maggiormente evidenzia il tentativo psicologico di esplosione e di evasione dello Jugendstil dalla schia-

vitù dello storico ornamentale e delle sue teorizzazioni. Percepiamo dai suoi tratti l'inconscia attrazione per l'elemento erotico, una sorta di ritorno del represso e del rimosso.[38] Il primo «Flächenstil» (stile piano) è ancora libero da manierismi e «Allegoristereien» (Karl Kraus), e lascia intuire parte dell'entusiasmo con cui vennero seguiti i consigli pedagogici di Walter Crane, nel tentativo cioè di «trovare una lingua compatta in cui si possano esprimere la percezione delle grandi forze della natura e il loro influsso sulla vita quotidiana e nella quale si incarnino in emblemi pittorici, simboli od allegorie le primarie raffigurazioni dell'ordine universale».[39]

Burle, caricature, satire, quadri di costume non erano certo da sottovalutare nella prima critica dello Jugendstil, sia nel caso di riviste quali «Ver Sacrum», «The Studio», «Simplicissimus», sia nel caso del Cabaret Fledermaus di Vienna (1907) e del teatro di Wedekind, Schnitzler e Bahr. Gli umoristi della Wiener Werkstätte contribuirono inoltre all'emancipazione di una svagata attività artistica femminile.[40]

I disegni di Hoffmann, che nel settimo anno di pubblicazione di «Ver Sacrum» non a caso accompagnano il basilare saggio di Arthur Symon su Aubrey Beardsley, tradiscono una sorta di propensione per il grottesco. Le sue raffigurazioni geroglifiche vegetali ben catturano l'esaltazione e l'isteria femminea del dandy inglese, così come altrettanto efficaci sono la nitida evoluzione della linea, a tratti punteggiata, e il decadente allungamento della figura in silhouette, che Hoffmann assottiglia ulteriormente in un anemico stile da vignetta. Si potrebbe quasi intravedere una eccessiva stilizzazione del tratto alla Beardsley, un minimalismo grafico che trasferisce i lineamenti del predecessore in grottesche astrazioni. Lo stile cubo-geometrico impostosi in questi anni, la scozzese «Mackintosh-Linie» non lasciarono però ulteriore spazio a questo genere di arte. Le «vignette» di Hoffmann divennero sottili e angolosi omiciuoli che fedelmente seguivano il reticolo della carta millimetrata. (Nel decennio successivo, sotto l'influsso di Dagobert Peche, Hoffmann diede alle sue anemiche figure lineari un contorno ritmico arabescato di maggiore movimento.)

La pittura di Klimt, Khnopff, Munch e Toorop, in assonanza con le idee di Nietzsche, Huysmans, Ibsen, Maeterlinck, Rimbaud e Whitman, oppose al compromesso borghese tra moralità e sensualità l'esibizionismo erotico quale efficace metodo di «Selbstdarstellung» e di distacco definitivo dalla repressione dell'instinto e della censura. Non è pertanto corretto ridurre allo stesso denominatore temporale ciò che William M. Johnston aveva notato dell'alta borghesia viennese dal 1867 al 1914, «la loro predilezione per i divertimenti mondani e l'autoillusione», se si paragonano tra di loro «il sereno godere delle arti» o «estetismo»[41] nelle diverse espressioni del Biedermeier, dell'impero e del secessionismo.

Ciò che in Makart viene apprezzato se non addirittura acclamato come culto di sensualità condusse Klimt a una scandalosa requisizione (1900) e a un'inchiesta parlamentare (relativa ai suoi schizzi e all'acquisto della *Medicina*), Schiele a un umiliante processo (1912) e in genere portò alla criminalizzazione dell'arte erotica. Kokoschka, il «selvaggio» della «Kunstschau 1908», riuscì sostanzialmente a farla franca.

Elemento comune in questi artisti è lo sfondo sociale, il dissolvimento della monarchia asburgica, la cui politica di potenza crollò di fronte alle contraddizioni interne di uno stato di minoranze etniche. Fin dalla sua prima apparizione il secessionismo si caratterizzò in opposizione allo straniamento della vita in copie manierate e concepì le sue mostre come bacini di raccolta delle forze progressiste. I più disparati vennero ammessi: «Naturalisti e simbolisti, Klinger e Uhde, Andreas Zorn e Toorop, Meunier, Rodin, Khnopff, Carrière, Whistler, Laermans, Segantini, Zuegel, Puvis de Chavannes. Accanto alla giovane arte del tardo impressionismo e ai primi esempi di art nouveau c'erano i classici dell'impressionismo, Manet e i maestri dell'incisione giapponese. Seguivano poi i nomi dei veri pionieri della pittura ''moderna'': van Gogh, Munch, Cézanne, Seurat.»[42]

Nel corso dello sviluppo artistico dello Jugendstil, prima che il pluralismo delle avanguardie artistiche facesse spazio a

Da «Ver Sacrum», marzo, 1898.

[38] Cfr. Marian Bisanz-Prakken, *Das Quadrat in der Flächenkunst der Wiener Secession*, in «Alte und Moderne Kunst», n. 27, 1982, pp. 40-46. Un'analisi dell'ornamento tipografico di «Ver Sacrum» e del monogramma degli artisti di Moser è nel catalogo della mostra su Beethoven del 1902.

[39] Walter Crane, *Die Grundlagen der Zeichnung*, Leipzig, 1897, p. 228; e *Linie und Form*, Leipzig, 1901 (le prime edizioni tedesche) una fonte pedagogica del secessionismo viennese e dei suoi maestri alla Kunstgewerbeschule.
La base dello Jugendstil era notoriamente la stilizzazione naturalista, l'astrazione della forma ornamentale in piante e fiori. Per lo sviluppo successivo dello Jugendstil viennese l'ornamentazione storica costituì una fonte di ispirazione limitata (in particolar modo per il ritorno alla forma classica). L'influsso della morfologia scientifica tramite Ernst Haeckel, Wilhelm Bölsche e D'Arcy Thompson, che in Germania stava prendendo piede grazie ad Olbrist, Endell e Pankok, non può pertanto essere sottovalutato.

[40] Il catalogo principale della Kunstgewerbeschule di Vienna (Österreichisches Museum für Kunst und Industrie) enumera nella sezione «arti applicate» del 1915-16 sotto la guida di Josef Hoffmann ben dieci alunne su quindici partecipanti: tra esse, Mathilde Flögel, Maria Likarz, Friederike Löw, Felice Rix. Successivamente lavorarono per la Wiener Werkstätte e la Kunstgewerbeschule Christa Ehrlich, Gudrun Baudisch, Charlotte Hahn, Gertrud Höchsmann, Ernestine Kopriva, Hilda Jesser, Olga Sikarz e Valerie Wieselthier, solo per citare alcuni nomi che diventeranno prestigiosi nel mondo artistico.

[41] William M. Johnston, *Österreichische Kultur- und Geistesgeschichte, Gesellschaft und Ideen im Donauraum 1848 bis 1938*, Wien-Köln-Graz, 1980, p. 127.

[42] Fritz Novotny, in *Wien um 1900*, cat.

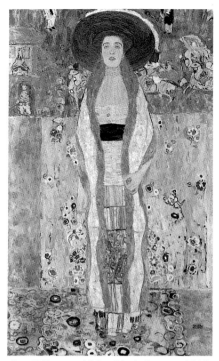

G. Klimt, *Adele Bloch-Bauer*, 1912. (Mus. Mod. Kunst, Vienna).

mostra, Kulturamt der Stadt, Wien, 1964, p. XXII.
[43] Siegfried Wichmann, in *Secession, Europäische Kunst um die Jahrhundertwende*, cat. mostra, Haus der Kunst, München, 1964, p. 6.
[44] *Ibidem*. Il «gruppo di Klimt», uscito dalla Secessione nel 1905, costituisce il reale proseguimento dello stile secessionista.
[45] Fritz Novotny - Johann Dobai, *Gustav Klimt*, Salzburg, 1967, p. 80.
[46] Werner Kitlitschka, *Die Malerei der Wiener Ringstrasse*, Wiesbaden, 1981, p. 255.
[47] Carl E. Schorske, *Wien, Geist und Gesellschaft im Fin de Siècle*, Frankfurt / M., 1982, p. 228.

una unitaria volontà stilizzatrice, prima ancora che la molteplicità dei contenuti rappresentativi di natura realista, impressionista, simbolista ed espressionista dovesse cedere il passo a una forma estetica protoastratta, Klimt seppe carpire la ricchezza di quel momento. La sua opera pittorica concentrò mimesi, simbolo e stilizzazione prima che questi elementi potessero scindersi in forme separate di rappresentazione e che il pensiero artistico universale potesse congedarsi a fine secolo. Sotto la sua protezione si fece strada nel secessionismo viennese «una mistura di preraffaellismo inglese, neoimpressionismo e stile alla Mackintosh»:[43] era nato uno stile unitario di bellezza che si riproponeva di riscattare il miscuglio stilistico e l'eclettismo degli anni intorno al '900. L'opera artistica universale simboleggiava l'unità nella molteplicità. Klimt era l'artista universale e contemporaneamente l'assimilatore delle diverse aspirazioni riformatrici nel campo dello stile, ovverossia «il cuore della Secessione viennese».[44]

«La discrepanza tra naturalismo e contenuto simbolico»[45] delle sue opere gli permise di bilanciarsi tra elementi oggettivi, figurativi e concettuali, un campo d'azione, questo, che egli allargò ulteriormente nella produzione ornamentale. Nella raffigurazione umana si destreggiò tra riproduzione e astrazione. I suoi ritratti, come quello di Adele Bloch-Bauer (1907), mostrano lo stile secessionista nel momento della sua dichiarazione di autonomia decorativa nella forma di fronte alla rappresentazione naturalistica. Sebbene il puro decorativismo sembri voler rimuovere la funzione riproduttiva del quadro, le due forze rimangono sempre bilanciate. I dettagli che debbono ricondurre all'originale, il volto e le mani, sono esentati dalle astratte forme ornamentali, che al contrario iniziano sempre con il profilo dell'abito. Il richiamo vegetale alla forma naturale, mantenuto nello Jugendstil viennese fino al 1900, è definitivamente abolito. Il disegno ornamentale appare assolutamente cristallino e inorganico. La piana composizione del quadro, l'accerchiamento ornamentale delle zone espressive, rimaste naturaliste, fa sì che la persona ritratta appaia irrigidita, spettrale, quasi senza vita. Le spirali rafforzano la sensazione di coagu-

lamento del processo vitale della stagnazione. Il fregio Stoclet (1905-09), in cui un melo dai vasti rami occupa le pareti longitudinali di un magnifico salone da pranzo, utilizza lo stesso motivo della spirale per la raffigurazione stilistica dell'intrico dei rami. La decorazione dorata delle foglie lascia ancora intravedere una formale analogia con la crescita naturale. È l'irrigidimento però a dominare questo simbolo vitale. Se il primo stile secessionista volle innalzare la primavera della vita a unico «sacro» principio dell'essere, Klimt decise di prendere in considerazione il dissonante intreccio tra vita e morte. La raffigurazione allegorica della *Medicina* per l'aula magna dell'Università di Vienna (1900-05) rappresenta, accanto a un carosello cosmico di nascita, vita e morte, gioia e affanno, desiderio e dolore, la figura a tre quarti di Hygieia, radiosamente illuminata. La figlia di Esculapio si contrappone come simbolo di speranza per le sofferenze umane al groviglio di corpi fatalmente roteanti, affondati in una morbida luce crepuscolare, quasi a voler forzare ai limiti del visionario il concetto nietzschiano dell'eterno ritorno. La personificazione femminile della *Medicina*, del tutto inusuale, appare frontalmente, imperiosa, alla piatta maniera dello stile secessionista, in netto contrasto con l'illusione pittorica del resto del quadro, cosa che già al tempo venne contestata. In via puramente formale questo quadro sollevò opposizione per la sua «doppiezza di espressione grafica e pittorica»[46] e risultò del tutto singolare per il contrasto tra la rilevante corposità plastica delle singole figure e l'«informe» rapporto delle stesse con lo spazio. La vitalità delle figure sembra deporre a favore del loro isolamento e non della loro interrelazione. I corpi vanno alla deriva nell'etere cosmico, privi di ogni contatto. «In questo modo l'esperienza psicofisica di sofferenza e sensibilità si astrae dal terreno comunemente metafisico e sociale. L'umanità si perde nello spazio.»[47] Con queste parole Carl E. Schorske delineò correttamente l'orizzonte sensibile del quadro.

La visione allegorica del quadro dovette aver deluso, se non addirittura depresso, o persino scioccato il vasto pubblico di allora, e così pure gli studiosi di medicina contemporanea. Klimt in effetti non aveva fatto il benché minimo tentativo di offrire della facoltà di medicina una versione ottimistica e fiduciosa nel progresso; anzi entrò consciamente in aperto contrasto con la concezione medica di moderna diagnosi, terapia e profilassi. Klimt non affidò alla *Medicina* il simbolo del trionfo dell'illuminismo e della scienza sulle forze della natura; al contrario «abusò» di essa nell'intento di dubitare della ormai smisurata riflessione positivista sul progresso e del suo ibrido culto della ragione. La Hygieia klimtiana, grazie al portamento sacerdotale e alla simbologia dell'antica Grecia, a cui essa si richiama, non si presenta come allegoria del dominio scientifico sulla natura; essa ci appare nelle vesti di una strega, di una maga che sa disporre sapientemente delle forze della natura, quale esatto contrario di una simbologia di dominio, che nella figura del medico e nell'apporto del sapere e della conoscenza delle leggi naturali vede sconfitto il fatale ciclo del divenire, del patire e del morire. Fornendo un ulteriore segnale di crisi dell'era della ragione, ormai vicina alla fine, Klimt presenta Hygieia con il serpente, simbolo androgino, di notevole importanza nello Jugendstil klimtiano, secondo quanto puntualizzato da Schorske. Il serpente, creatura anfibia e contemporaneamente simbolo fallico, incarna il superamento del limite tracciato tra maschile e femminile, tra terra e mare, tra vita e morte, in piena assonanza con il risveglio dell'omosessualità e dell'androginia di fine secolo, e racchiude in sé «l'espressione della liberazione dello slancio erotico da un lato e della paura maschile della facoltà procreatrice dall'altro».[48] Il serpente è sempre presente nelle opere di Klimt; lo troviamo in *Atena*, nella *Nuda Veritas* e nelle sue numerose rappresentazioni delle «bisce d'acqua». Il serpente è la trascendenza dell'individuo nell'eros e nella morte, e nello stile artistico dell'epoca si impose come simbolo di regressione alle forme istintive sovraindividuali. Nella *Medicina* si manifestano l'euforica atmosfera di un'epoca che sta per chiudersi e il desiderio di morte del simbolismo stesso; è la spaventosa esperienza di come l'esistenza aneli alla naturale coesione cosmica, nel momento stesso in cui per breve tempo se ne distacchi individualmente, e di

come l'esistenza si accompagni a un edonismo pieno di aspettative e pur sempre fatalista, tipicamente fatalista per Klimt. La vita è così la più alta forma di affermazione del destino, proprio come in Nietzsche, di quell'«amor fati» cantato con tanta enfasi da uno scrittore di «Ver Sacrum», Richerd Dehmels, nella sua poesia *Due Uomini* del 1903: «Intorno al perno della vita ruotano / estasi e dolore con la stessa benedizione; / in un irrefrenabile desiderio si mostrano / gli uomini l'uno all'altro contro Dio! / Anche se incespichi in cadaveri, / non indietreggiare per l'orrore! / Perché, uomo, si tratta di raggiungere / una felicità senza pari.»
Schorske e Peter Vergo hanno richiamato l'attenzione sul decisivo influsso che Nietzsche, Schopenhauer e Wagner hanno avuto sulle componenti dionisiache e inebrianti della visione klimtiana della vita.[49] Accanto a Nietzsche, che teorizzò la crisi del pensiero razionale nella scienza positivista, anche Schopenhauer e Wagner hanno infatti pesato sulla volontaristica visione del mondo intorno al 1900. La formula ridotta all'irrazionale «mondo come volontà, come cieca forza agente in un infinito ciclo di procreazione, amore e morte»,[50] presente nelle allegorie della *Filosofia* e della *Medicina*, è patrimonio schopenhaueriano. È anche possibile che nell'allegoria della *Musica* e nel *Fregio di Beethoven* Klimt abbia filtrato ciò che Wagner aveva percepito del pensiero schopenhaueriano, e cioè che la musica è superiore a ogni altra forma artistica in quanto «riflesso non dell'idea platonica ma della volontà stessa».[51] Se poi Klimt abbia derivato il principio vitale della volontà presente nel suo simbolismo dall'interpretazione wagneriana di Beethoven o direttamente da Schopenhauer, rimane un quesito tuttora irrisolto. Sin dal 1899 si era interessato a Wagner ed è noto che in occasione della seconda mostra del *Fregio a Beethoven* nella retrospettiva del 1903 l'originaria citazione di Schiller, «Gioia, bella scintilla divina,... questo bacio al mondo intero» venne sostituita dalla citazione tratta dalla Bibbia e tanto amata da Wagner: «Il mio regno non è di questo mondo.»[52]
Klimt dipinse due allegorie musicali, una nel 1895, l'altra nel 1898. Diversamente dal predecessore Schubert, im-

G. Klimt, *Nuda Veritas*, in «Ver Sacrum», gennaio 1898.

[48] *Ibidem*.
[49] Peter Vergo, *Klimts «Philosophie» und das Programm der Universitätsgemälde*, in AA. VV., *Klimtstudien*, Salzburg, 1978, p. 100.
[50] Schorske, *op. cit.*, p. 216.
[51] Vergo, *op. cit.*, p. 93.
[52] *Ibidem*, p. 92.

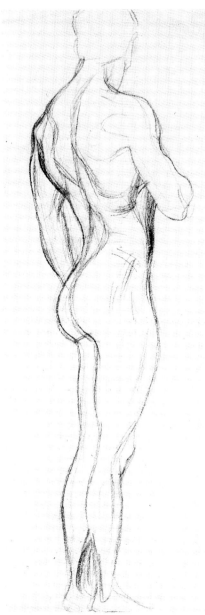

G. Klimt, *Nudo maschile di spalle*, studio per il «*Fregio di Beethoven*», 1902 c. (Coll. privata, Vienna).

[53] Schorske, *op. cit.*, p. 210.
[54] Alice Strobl, *Klimts Irrlichter, Phantombild eines verschollenen Gemäldes*, in *Klimt-Studien*, cit., p. 139.
[55] Jost Hermand, *Jugendstil*, Darmstadt, 1971, p. 476.
[56] *Ibidem*, p. 479.
[57] Marian Bisanz-Prakken, *Gustav Klimt und die «Stilkunst Jan Toorops»*, in *Klimt-Studien*, cit., p. 169.
[58] *Ibidem*, p. 152.
[59] Hermand, *op. cit.*, p. 491.

pressionista, egli nel 1895 armò la sua fantasia allegorica di quei simboli archeologici che vennero successivamente rintracciati da Schorske nell'opera di Nietzsche *La nascita della tragedia*.[53] Su una tomba, alle spalle di una corista che arpeggia sulle corde di una cetra, è possibile riconoscere Sileno, il compagno di Dioniso dal naso camuso, in Nietzsche «una rappresentazione sensuale dell'universale violenza del sesso nella natura» (Schorske). Più in là appare la Sfinge, mescolanza di umano e animalesco, simbolo dell'istinto. La corista, che invoca le sepolte forze dell'istinto, appartiene alla schiera delle potenti sacerdotesse klimtiane che Schorske ha interpretato come portavoce del «Trunkenes Lied» (canto ebbro) di *Così parlò Zarathustra* di Nietzsche. Altre personificazioni simboliche dell'impulso umano sono da ritrovarsi nella figura di Tifeo, il mostro-polipo del *Fregio di Beethoven* e nell'allegoria della *Speranza*, che secondo Alice Strobl è da porsi in relazione iconografica con la rappresentazione del drago Fafner di Beardsley.[54] La figura nera del drago dagli occhi scintillanti, proprio come nei dimenticati «fuochi fatui» di Klimt, dovrebbe così rappresentare le forze distruttrici della natura. Strobl fa risalire l'influsso di Beardsley alla sequenza incompiuta di illustrazioni per *The Comedy of Rheingold* (1896). Qui troviamo le figlie del Reno dalle chiome stilizzate a criniera mentre nuotano nell'acqua, ripetendo il motivo della cerchia klimtiana delle elementari forze femminili, delle ondine, delle naiadi, delle sirene. A esse appartengono anche le creazioni intitolate *Sangue di pesce* e le *Bisce d'acqua II* (1907), corpi femminei piacevolmente curvati, natanti incorniciate di onde e chiome in forme ornamentali che si impongono al piano flusso lineare dell'artista. Jost Hermand ha definito l'ondina «un simbolo neoromantico di unità a priori». Anche Klimt concorda che nel simbolismo di Beardsley, Böcklin e Toorop si esprime «un multiforme repertorio anticipatore» dell'elementarità femminite:[55] qui le donne sono espressioni di «natura inarticolata. Sono le anonime, le segrete, le congiunte con l'origine prima dell'essere».[56] Lo Jugendstil mistico di Toorop fu ben accolto dai secessionisti viennesi, in particolare da Klimt. La sua opera principale, *Le tre spose* (1893), fu esposta nella VII Mostra della Secessione del 1907 e indusse Ludwig Hevesi, che già aveva scritto di Toorop su «Ver Sacrum», a decantarne «la riscoperta dell'anima».[57] Solo Marian Bisanz-Prakken si occupò tuttavia dell'influsso che questa opera ebbe su Klimt. In *O Grave where is thy Victory*, un disegno di Toorop del 1892, «le silfidi, stilizzate come bambole Wajang di Giava», che appaiono qui per la prima volta nelle vesti di spiriti dell'aria, «liberano l'uomo morente dai rami di pruno. Egli è ancora... oppresso dalle sue passioni». La stilizzazione lineare è contemporaneamente «mezzo espressivo simbolico e accordo psichico». Le chiome delle silfidi aleggiano in un'incurvatura di lunghe linee parallele alle vesti tese, il cui morbido movimento simbolicamente solleva «la purezza dell'anima» dalla materialità dell'orbe terrestre e dalle passioni a esso connesse. Come Toorop, anche Klimt segue il «principio dell'incorniciamento delle figure in linee ornamentali».[58] Nelle *Bisce d'acqua I* (1904-07) un sottile tessuto di linee ricopre la superficie del quadro. Le figure sembrano fluttuare nell'acqua, l'«Urelement» della vita, e simboleggiano nella loro assenza di peso un atto sia di liberazione che di regressione. Jost Hermand si domanda come mai lo Jugendstil ammetta tanta parte di natura in questo mondo di apparenza, se poi lo ricopre di ornamenti. L'arte a cavallo del secolo «si lascia attrarre dallo splendore della natura, che poi imprigiona nell'ornamento, smorzando nella decorazione l'impronta dell'universale. In questo modo lo stesso elemento primordiale umano, l'anfibio, difficilmente forza i confini del fregio stilizzato, del tutto inoffensivo. Il regno subacqueo delle grotte delle ondine serve in ultima analisi all'illusione puramente letteraria di esteti solitari».[59] Fu però l'inconfondibile esibizionismo erotico piuttosto che la scrittura stilistica ornamentale di questa estetica a essere percepito in termini di provocazione dalla società viennese. Basti pensare alla reazione all'opera di Klimt del 1902, *Pesci rossi*, presentata alla XIII Mostra della Secessione: ancora una volta una scena d'acqua, con il doppio effetto di trasparenza e occultamento. La chiara posa di spalle della figura femminile, che voleva essere una risposta agli attacchi ricevuti per le facoltà universitarie, doveva portare originariamente il titolo «Ai miei denigratori».[60] Hevesi, il simpatizzante della Secessione viennese, associò ingenuamente a essa «figure fluttuanti: ondulazioni di forme femminili, splendenti come madreperla; rossa capigliatura soavemente fluttuante che, da massa appallottolata, si distende in fili a ornamento; piccoli bianchi lampi dei denti e dei globi oculari; spessi filamenti azzurrini di sconosciute alghe marine che giocando serpeggiano verso il fondo e mantengono viva la sensazione di un fitto mondo; e lì in mezzo, oro puro, mischiato all'ondulante guizzare della luce nelle profondità, o forse squame dorate di sciami di piccoli pesci?».[61]

Klimt non è il solo pittore a ritornare al quadro Kitsch della seduttrice acquatica al fine di mostrare contemporaneamente la dimensione dei fenomeni della repressione degli impulsi e della regressione. Nella stessa mostra in cui vennero presentati i *Pesci rossi*, accanto ai quadri di Fritz Ezler e Franz von Stuck, l'attenzione si focalizzò sull'opera di Böcklin *Idilli marini* del 1887. Proprio questo quadro, decadente anticipazione della neoromantica arte da salotto, venne acquistato dal ministero per l'Istruzione per la Galleria d'arte moderna. L'estetica della regressione, del declino e del pessimismo culturale di fine secolo esercitarono tutto il loro influsso nelle opere tarde di Klimt. *Morte e Vita* del 1916 (e la precedente versione del 1911) riprende in modo rinnovato la riflessione filosofica sulla vita presente nell'allegoria della *Medicina*. Anche qui, come nella prima composizione, l'unica figura isolata è contrapposta in maniera puramente formale a un blocco di corpi. La somiglianza compositiva cede però in un punto decisivo. L'immagine della sacerdotessa è qui sostituita da quella della Morte, figura isolata posta in netto contrasto con la Vita stessa. L'umanità rappresentata nella *Medicina* ha al suo centro la morte: essa è relativizzata quale elemento della vita e dell'eros, affermata e riconosciuta come forza della natura. Ora, invece, la figura della Morte ci appare in tutta la sua grandezza di nemico e avversario dell'uomo. Klimt la investe di tutto il pathos di un'«annunciatrice e profetessa».

Paragonata al blocco di corpi dormienti, passivi, inconsci, sofferenti, questa versione del carosello vitale dionisiaco-eracliteo si avvicina a una cieca e sconsolata sottomissione alle leggi naturali.

L'umanità irragionevole e impotente, posta su un variopinto tappeto di fiori, è inconciliabilmente contrapposta alla «velenosa» figura della Morte, cromaticamente dissonante. Nella versione del 1911 la figura della profetessa era nobilitata da una santificante aureola. Non più «Ver sacrum» ma «Mors sacra» potrebbe fungere da epitaffio metaforico a quest'opera.

Nella composizione dal titolo *Le tre età della vita* (1905) Klimt diede alla sua interpretazione astorica e irrazionale del ciclo vitale una formula assolutamente conformista, rifacendosi nell'esemplificazione del destino femminile all'evoluzione naturale dal bambino al vecchio. In Klimt il ruolo naturale della donna non sembra essere per nulla aperto alla trasformazione e tanto meno sostanzialmente influenzato dal processo conoscitivo storico. La donna segue un percorso naturale prestabilito. Nemmeno l'emancipazione della sua immagine erotica, che Klimt pone in conflitto con i tabù, le ipocrisie di costume e il moralismo piccolo-borghese del tempo, nemmeno questa emancipazione altera lo stato delle cose. Benché l'artista sia sempre interessato all'elemento naturalista nei dipinti e nei ritratti, non è però in grado di liberarsi dalla concezione ciclico-biologica, dalla mistificazione e dalla sacralizzazione dell'eterno ritorno. Il simbolismo klimtiano non poteva e non voleva muovere il primo passo decisivo verso la realtà sociale. Non era compito del simbolista rivelare la dissonanza tra bello e brutto, tra arte e vita, apparenza e realtà: egli rappresentò quel «democratico» livellamento a un'estetica idealista che comprende il logoro, il decadente, il malato, il morente, il brutto nel lato negativo del bello. Klimt accoppiò nell'allegoria della età della vita due livelli stilistici: al primo appartiene la figura della giovane madre illuminata dalla bellezza, al secondo il corpo imbruttito della vecchia segnata dall'attività naturale. L'artista aveva così allargato il concetto classicista di bellezza ideale in modo neoromantico, giungendo all'elemento deca-

1. G. Klimt, *Donna sospesa, studio per la «Medicina»*, 1901 c. (Coll. privata, Vienna).

2. G. Klimt, *Sangue di pesce*, in «Ver Sacrum», marzo 1898.

[60] Novotny-Dobai, *op. cit.*, p. 83.
[61] Christian M. Nebehay, *Gustav Klimt Dokumentation*, Wien, 1969, p. 263.

G. Klimt, *Studio per il programma del Congresso di scienze naturali a Karlsbad*, 1902. (Coll. privata, Vienna).

dente del processo vitale, ma non aveva ancora aperto la via al reale, ciò che solo Schiele e Kokoschka, al di là di ogni stilizzazione, furono in grado di fare.

Nell'opera non terminata del 1917-18, *Baby*, un motivo già utilizzato per *La sposa* dello stesso anno, Klimt fece però un passo in avanti. Qui il bimbo-uomo troneggia a simbolo di principio e futuro su una montagna di cuscini. La qualità pittorica di quest'opera dà adito a una evoluzione che Klimt non aveva ancora spinto oltre il simbolismo biologico, ma che presso i suoi seguaci lo aveva avvicinato all'autonomia espressionista di forma e colore. La «polifonia del multicolore»[62] aveva sconfitto la predominanza dell'ornamento, dei sacri paramenti dorati e argentati, e con essi il «goldener Stil» del secessionismo viennese. Nella contemporanea *Sposa* incompiuta Klimt raggiunse un nuovo stile di figura monumentale, che gli permise di assicurarsi il ruolo di capostipite della moderna pittura murale accanto a Hodler e Munch. Dipinse formazioni di corpi che, accatastati in blocchi o colonne, sembravano anelare a una prosecuzione oltre la barriera della cornice, come già nel *Fregio di Beethoven* e in generale nella pittura europea posteriore all'impressionismo sotto l'influsso dello stile giapponese. Ciò che la coppia Dobai-Novotny oggi vuole presentare come appendice letteraria e intellettualistica alla vera pittura di Klimt, ovverosia il contenuto rappresentativo caricato del simbolo, era in realtà nel 1900 il nocciolo della pittura secessionista viennese. Bahr aveva apprezzato nel suo «discorso su Klimt» tenuto nel 1901 l'unità tra pittura e pensiero, quando, nel definire il pittore un «idealista», non mirò ad oltraggiarlo bensì a motivarlo. Egli si richiamò alla definizione di arte offerta da Oskar Wilde; essa deve portare a termine le incompiute intenzioni della natura».[63] Bahr stabilì che il simbolista viennese dovesse «elevarsi al di sopra del reale... e rimanere saldo all'interno del sensibile», esercitando una pittura al tempo stesso idealista e naturalista.[64] Le considerazioni di Bahr furono una prima reazione alle critiche mosse alle «Allegoristereien» e al pallore intellettualistico della pittura klimtiana da Kark Kraus, che notoriamente si oppose al secessionismo viennese e volle sempre

considerare Klimt un impressionista naturalista.[65] Ciò che la stampa quotidiana ricusò delle rappresentazioni simboliche femminili di Klimt, quali nudità perverse e pornografiche, venne giudicato da Kraus «massimamente atto a esorcizzare rapidamente "pensieri morbosi"».[66]

In effetti il simbolismo di Klimt lasciava trapelare un curioso rapporto con l'erotismo. Quel che in lui diede scandalo fu la mancanza di una rappresentazione idealizzante della nudità secondo la tradizione barocca, fu l'immediatezza naturalistica delle pose assunte dai corpi, e non da ultimo l'introduzione della rappresentazione della gravidanza, un tabù per l'epoca. Ad alterare l'apprezzamento di Kraus per tale immediatezza fu proprio la religiosa generalizzazione dell'erotico nei termini di un mito della fecondità. Gli studi sulla modella incinta Herma lo resero sospetto e gli affibbiarono la fama di perverso e disgustoso voyeur. Fu un equivoco, naturalmente. Il modo in cui egli aveva nascosto da sguardi non autorizzati il suo quadro *Speranza*, che non mancò di suscitare indignazione, dimostra più l'intento di trasfigurazione e sacralizzazione della gravidanza, che non la volontà di profanazione in un'opera d'arte. Secondo Hevesi, che vide per la prima volta il quadro incriminato presso un mecenate collezionista di opere secessioniste, Fritz Wärndorfer, Klimt aveva costruito appositamente «una cornice a ponte con battenti nella maniera dello scrigno medievale» al fine di sottrarre la composizione a sguardi indiscreti e conferire al tempo stesso la giusta consacrazione al nascere di una vuova vita.[67]

Una studiosa di Klimt, Alice Strobl, sottolinea come l'interesse di Klimt per il tema della gravidanza sia comprovato da un notevole numero di studi, che mostrano «una coppia nuda in piedi, volta a sinistra, ove l'uomo, in atteggiamento protettivo, poggia il braccio sulle spalle della donna incinta».[68] «Successivamente egli rappresentò solo la donna. Partì ancora dalla posizione di profilo, ma la mantenne solo nel corpo indirizzando lo sguardo della donna verso l'osservatore, come nel dipinto di Ottawa.» Fino ad allora «non si sapeva che Klimt aveva rappresentato la donna dapprima in un paesaggio e successivamente di fronte a un tappeto ricamato, ma già al tempo

[62] Novotny-Dobai, *op. cit.*, p. 83.
[63] Hermann Bahr, *Rede über Klimt*, Wien, 1901, p. 17.
[64] *Ibidem*, p. 19.
[65] Nike Wagner, *Geist und Geschlecht, Karl Kraus und die Erotik der Wiener Moderne*, Frankfurt/M., 1982, p. 44.
[66] *Ibidem*, p. 45.
[67] Strobl, *op. cit.*, p. 139.
[68] *Ibidem*, p. 138.

dell'allestimento della mostra collettiva nel novembre 1903 egli aveva progettato di sostituire quest'ultimo con una serie di teste caratteristiche allo scopo di illustrare il contenuto concettuale dell'opera».[69] Klimt qui si muove da uno studio naturalistico legato alla situazione a una simbolica ideazione del veduto, dal particolare al generale, con un metodo noto alla contemporanea filosofia dello Jugendstil di Edmund Husserl come «Wesensschau».[70] «In strati densi, sovrapposti l'uno all'altro, Klimt dipinse dietro la gestante la Morte, di lato un mostro marino, la cui coda le si appoggia ai piedi, e tre figure con spaventosi volti stilizzati a maschere. Questo gruppo venne identificato come Malattia e Vizio, Miseria, Delitto, in occasione della ''Internationale Kunstschau 1909''.»[71]

In questo modo la figura della Speranza venne limitata a personificazione della paura del vivere e del morire. Klimt aveva intrapreso un pessimistico sovvertimento di valori nel suo mondo artistico, che si manifestò per la prima volta nel 1902 nel *Fregio di Beethoven*. Le «Forze nemiche» occupano la parete minore del padiglione adibito alla Secessione. Secondo il catalogo, «le tre Gorgoni, figlie del gigante Tifeo, esse stesse dee, lottano vanamente contro di lui. Malattia, Follia, Morte. Voluttà e Lascivia, Smoderatezza, Affanno logorante. Le brame e i desideri degli uomini fuggono volando sopra di esse».[72]

Il catalogo spiega che le incarnazioni delle brame e dei desideri umani «volano» al di sopra delle Forze nemiche: nessun conflitto è presente nel fregio di Klimt. Desiderio e realtà non si scontrano, ma le loro personificazioni fluttuano nello spazio invece di combattere. Schorske ha interpretato questa allegoria in senso psicanalitico e sociologico, definendola un'ammissione di regressione narcisista e di utopica beatitudine. «La lotta trova qui riscontro nella fuga. Laddova la politica aveva portato sconfitta e sofferenza, l'arte offrì evasione e conforto. Il *Fregio di Beethoven* segna una svolta dal punto di vista sia stilistico che concettuale nella carriera dell'artista.»[73] Se è vero che le facoltà universitarie rappresentano «il culmine della sfida klimtiana alla cultura delle leggi», alla fede nel progresso, al positivismo della filosofia e

della medicina moderne, è anche vero che il *Fregio di Beethoven* rese pienamente manifesto il suo ideale artistico come «fuga dalla realtà moderna».[74] Se inoltre, sempre nelle facoltà universitarie, aveva espresso il suo scetticismo nei confronti della vittoria della ragione sulle cieche leggi naturali, successivamente cessò di insistere sulla disillusione e sulla critica delle ideologie dominanti e ritornò sui passi del «narcisismo collettivo» (Schorske) del secessionismo, «per diventare il pittore e il decoratore della bella società viennese».

Negli ultimi quindici anni della sua attività dipinse preziosi ritratti di donne, giardini in fiore e paesaggi panteistici. Questo arresto dell'ultimo rassegnato Klimt costituisce un tipico esempio del destino seguito dalle tendenze regressive ed estetizzanti del secessionismo viennese che, dopo una breve fase di utopico impegno sociale nell'estetica della vita quotidiana, perse ogni interesse per questi elementi. Si può affermare che, nel generale sovvertimento dei valori che ebbe luogo nell'arte austriaca dopo il 1900, Klimt e i secessionisti rimasero giusto a metà strada.

Ciò che Klimt salvò dei suoi primi anni di critica ideologica e racchiuse nella torre d'avorio del suo successivo estetismo prese la forma di un contributo all'«estetica del brutto» (Karl Rosenkranz). Le «spaventose scene della tragedia della bellezza», siano esse la donna incinta o l'obesa, o in genere il corpo invecchiato e segnato dall'esistenza, hanno interessato Klimt profondamente per tutto il corso della sua vita, come osservò Hevesi. L'artista non ha idealizzato o corretto, ha piuttosto estetizzato il brutto strappandogli le vesti del quotidiano. Alle «Forze nemiche», le Gorgoni, simboli della lascivia, della voluttà e della smoderatezza, ha affidato una corposità naturalistica plastico-volumetrica, che si pone in contraddizione con il Flächenstil secessionista. In lui le positive figure simboliche della Promessa e del Compimento della felicità sono piene di riserbo come le fantastiche, aeree e quasi immateriali figure della «Poesia» e delle «Coriste celestiali», delle «Guaritrici» e delle «Sacerdotesse». L'antitesi stilistica evidenzia l'inconciliabile contrapposizione tra bello e brutto, tra spirituale ed eroti-

Da «Ver Sacrum», settembre 1898.

[69] *Ibidem*, p. 139.
[70] In relazione alle apparizioni parallele nella filosofia e nell'arte dello Jugendstil, cfr. Peter Gorsen, *Zur Phänomenologie des Bewusstseinsstroms — Bergson, Dilthey, Husserl, Simmel und die lebensphilosophischen Antinomien*, Bonn, 1966.
[71] Resoconto della mostra di Zuckerkandl, cit. da Strobl, *op. cit.*
[72] Nebehay, *Klimt — Sein Leben nach zeitgenössischen Berichten und Quellen*, München, 1976, p. 189.
[73] Schorske, *op. cit.*, p. 240.
[74] *Ibidem*, p. 250.

G. Klimt, *L'invidia*, in «Ver Sacrum», marzo 1898.

co-sensuale, tra ideale e realtà, tra realizzazione della felicità tramite l'arte e totale dipendenza dalla violenza, dalla sofferenza, dall'amore e dalla morte. «Solo le arti ci guidano al regno ideale», annuncia l'ultimo riquadro del *Fregio di Beethoven*. In Klimt esse hanno una funzione religiosa; una dignità sacerdotale unita all'orgoglio del neofita era l'ornamento dell'artista della Secessione.

Non è affatto sorprendente che Klimt, una volta emigrato nella torre d'avorio del suo estetismo e della sua religione artistica, non abbia più riconosciuto alcun ruolo primario all'eroe maschile del suo mondo figurativo. La figura eroica del suo Teseo, quello del manifesto per la I Mostra della Secessione, non ha avuto alcun riscontro nella rappresentazione del cavaliere del *Fregio di Beethoven*, dove essa si accompagna al «dolore della debole umanità». «Il cavaliere esce da una torre a forma di seno di donna, incoraggiato da due spiriti di sesso femminile» (Schorske); non appare combattuto, manifesta piuttosto passività, quale immagine di salvezza derivata da un principio vitale muliebre e animato da spirito poetico. Si potrebbe intravedervi un simbolico ritratto dell'artista della Secessione, che Klimt ha dotato di connotati femminei ed erotici.

Schorske non rischia molto quando nella capitale della psicanalisi interpreta questa allegoria del *Fregio di Beethoven* in termini sessuali. Il Bacio e l'Abbraccio dell'ultimo riquadro, che Klimt ha intitolato con le parole di Schiller tratte dall'*Inno alla gioia*, «questo bacio al mondo intero», sono legati a un corpo materno. «Il volo, tipico esempio di una fantasia narcisista di onnipotenza, giunge a compimento erotico nel corpo della madre. E proprio in quello stesso cielo chiome miliebri... avviluppano pericolosamente i malleoli dell'amante... Anche nell'Arcadia il sesso è irretimento.»[75] L'inconscia fantasia intrauterina è associata a un'altra di natura fallica: Klimt colloca la figura dell'amante in stretta analogia a un membro maschile in erezione «all'interno di una sfera uterina di estasi». Stilisticamente l'elemento irreale e fantasmagorico si esprime in una forma astratta, piana e lineare.

L'immagine femminile è centrale nell'opera klimtiana, tanto da determi-narne spesso inconsciamente la sfera delle tematiche. È l'essenza ultima del simbolismo intorno al '900. Superficialmente parlando, si può definire Klimt un erede di Makart. Ma anche laddove l'artista ritrasse le sue voluttuose eroine in pose teatrali e costumi d'epoca (si pensi all'attrice Charlotte Walter nei panni di Messalina), la sua arte mirava a far prevalere la Wesensschau dell'elemento femminile, l'unità nella molteplicità, che sempre rimase salda nella sua mente, fosse essa espressa nei numerosi ritratti femminili di Adele Bloch-Bauer, Flöge Henneberg, Mäda Primavesi, Frietza von Riedler, Margaret Stonborough-Wittgenstein, o nei nudi specificamente sessuati delle ondine, della sfinge, della dea della fecondità, della sacerdotessa, della guerriera Pallade Atena, così come nelle immagini della femme fatale (Giuditta e Salomé), della donna materna e voluttuosa e non da ultimo nelle incarnazioni della Poesia e della Musica.

«Rannicchiata in primo piano, occupando l'intera superficie del quadro»,[76] appare *Danae* del 1907-08, sessuata in naturalistica chiarezza. Che la simbologia dell'unione e della pioggia d'oro qui rappresentata fosse di carattere morfologico e biologico è comprovato dai richiami dell'ornamentazione a forme cromosomiche e spermatozoiche. Se si analizza la rappresentazione inconscia dell'impulso in Klimt, è possibile riconoscere nei contorni del corpo e della coscia di Danae, così come nella *Leda* del 1917, un prodotto fallico androgino.[77]

Il tipo della donna disponibile e anonima appare anche nel *Bacio* del 1907-08. «L'unico rettangolo, che in *Danae* è simbolo fallico di Zeus, si moltiplica nel *Bacio* sul mantello della figura maschile, mentre la veste della donna è punteggiata di simboli ovali e floreali. I simboli sessuali, confinati nei loro rispettivi campi, vengono riassunti a unità dei contrari dalla tremula parete dorata che funge da sfondo.»[78]

Più che il carattere inconsciamente sensuale dell'ornamento stupisce qui il grado di freddezza dell'estasi. Abbandono e rifiuto sperimentano un paradossale connubio in quest'opera manierata, connubio che è da ricondursi a un formale montaggio di elementi ornamentali naturalistici e astratti. La felicità e lo stra-

[75] *Ibidem*, p. 248.
[76] Wagner, *op. cit.*, p. 48.
[77] Carl E. Schorske ha definito le figure femminili greche di Klimt, quali Athena, Nike, Hygieia e le Furie, creazioni «falliche e androgine» (*op. cit.*, p. 259).
[78] *Ibidem*, p. 260.

niamento dei due sessi sono rispecchiati dall'ambivalenza dell'atteggiamento di abbandono della donna. «L'abbraccio della donna è spasmodicamente rigido, angolare, gli occhi socchiusi nel rilassamento, ma le labbra strette, compresse.» Il corpo femminile «raggiunge il precipizio pur distaccandosene. L'incarnato di un grigio glaciale contrasta con quello più caldo della figura maschile, come pure col colore della labbra, e sembra presagire un punto di congelamento dell'amore, possibile in ogni istante. Il suo gesto si può tramutare da un momento all'altro in rifiuto».[79]

Più a lungo si osserva il quadro e più predominante si fa l'effetto della stilizzazione sulla rappresentazione erotica. Nonostante la formale unione e l'abbraccio della coppia di amanti, il bacio sembra non avvenire; il contatto fisico fa pensare a una rappresentazione del desiderio appesantita di misticismo, piuttosto che apparire realmente vissuto. Nella sacra idealizzazione e glorificazione dell'atto d'amore, che l'anima simbolista di Klimt ha qui forzato all'ultimo stadio, sopravvive ancora qualcosa della separazione e dell'alienazione tra i sessi propria della fin de siècle. Sarà poi Schiele a interpretare ancor più inequivocabilmente bacio e abbraccio nel furore della sua opera *Koitus*, del 1915.

La composizione incompiuta dal titolo *Adamo ed Eva* di Klimt (1917-18) non combacia più con il reticolo stilistico del secessionismo viennese. Lo stile bizantineggiante iconografico del *Bacio*, che nel mantello impreziosito di disegni e ornamenti provoca il soffocamento delle figure umane, cede il passo a un tappeto di vivace e colorata polifonia. L'atmosfera mistica viene qui recuperata sotto un aspetto prettamente pittorico nelle percettibili espressioni di disincanto e donazione. Sembra quasi che la concettualità del simbolismo venga superata e lasci libero il campo al dissolvimento pittorico della Allegoristerei. La coppia di amanti ha invertito, non per la prima volta, le posizioni stereotipate. Ora è l'uomo a mantenere l'atteggiamento passivo e devoto del sognatore; la figura di Eva, frontalmente eretta, rappresenta invece l'elemento vitale, la presenza attiva, il risveglio dell'autocoscienza, che va oltre il limite della figura sensuale della seduttrice e della peccatrice.

Come se il maturo Klimt fosse riuscito ad allentare in parte la tensione del rapporto con il realismo erotico, la perenne irresolutezza tra ideale e realtà, tra religione ed eros, giunge a dare spazio a un più chiaro e meno irrazionale atteggiamento nei confronti della vita.

1. G. Klimt, *Decorazione per libro*, in «Ver Sacrum», 1898.

[79] Miloran Stanic, *Klimts Kuss*, in Eckhard Siepmann (a cura di), *Kunst und Alltag um 1900*, III Jahrbuch des Werkbund-Archivs, Giessen, 1978, p. 283.

2. A. Böhm, *Fregio della tigre*, in «Ver Sacrum», luglio 1898.

VEREINIGUNG
BILDENDER
KÜNSTLER
ÖSTERREICHS.

S E C E S S I O N.

LA SECESSIONE VIENNESE
Storia di un'associazione di artisti

Heribert R. Hutter

Sopra:
1. J. Hoffmann, *Decorazione per libro*, in «Ver Sacrum», gennaio 1898.

2. J.M. Olbrich, *Palazzo della Secessione.*

A Vienna la Secessione ha due dimensioni: una topografico-materiale, l'altra storico-ideale. Mentre la prima è tuttora materialmente presente nella realtà, la seconda è stata trasfigurata in una sorta di mito locale.

La costruzione chiamata «Secessione», progettata nel 1897 da Josef Maria Olbrich, è un insieme concretamente tangibile di forme puramente geometriche. Gli elementi che formano questo «tempio dell'arte» sono il cubo, il parallellepipedo e la sfera; il corpo della costruzione è strutturato secondo uno schema tradizionale, mentre la sua forma complessiva indica un nuovo atteggiamento concettuale.

Il maestoso ingresso, al quale si accede per una scalinata con ampie fiancate laterali, è caratterizzato da quattro pilastri a forma di torre e da una cupola centrale. Sull'entrata un massiccio blocco a mo' di attico reca l'iscrizione programmatica — «Al tempo la sua arte — all'arte la sua libertà» — e collega tra loro le parti laterali della facciata che sono nettamente distanziate. Seguono all'interno i locali adibiti all'esposizione, distribuiti con parsimonia e decorati con delicatezza. Questa disposizione architettonica potrebbe essere considerata come la riduzione e l'interpretazione in un nuovo linguaggio formale di un altro «tempio dell'arte», solo un po' più vecchio, il vicino Museo di storia dell'arte.

Fu impiegato un tempo sorprendentemente breve per erigere quelle bianche,
levigate pareti con la cupola traforata, formata da foglie d'alloro (il tutto venne definito all'inizio, anche dai più benevoli, come «una costruzione non ben riuscita», mentre altri la deridevano come «a forma di cavolo»).

Il 17 novembre 1897 il Comune di Vienna concedeva l'area edificabile; il 31 marzo e il 6 aprile 1898 ci furono le trattative per il cantiere; il 28 aprile venne posata la prima pietra e il 7 novembre dello stesso anno fu concesso il nullaosta per l'utilizzazione dello stabile. Così la prima esposizione della «Vereinigung bildender Künstler Österreichs Secession» (Associazione di artisti figurativi della Secessione austriaca) venne inaugurata nella sua propria dimora.

La nascita dell'associazione fu la conseguenza ultima di un aspro conflitto di idee all'interno della «Genossenschaft bildender Künstler Wiens» (Compagnia degli artisti figurativi di Vienna), la cosiddetta «Künstlerhaus» (casa dell'artista), conflitto che, oltre ad avere una lunga storia alle spalle, ebbe anche sviluppi violenti, fino a giungere a veri e propri duelli. Occasioni per rinnovare continuamente questi conflitti erano offerte dalle scelte della direzione e della giuria quando si trattava di determinare le partecipazioni a mostre e manifestazioni. Per ottenere più spazio alcuni membri, soprattutto tra i più giovani dell'associazione, costituirono, già a partire dall'inizio di aprile del 1897, una «società nella società». Ma ciò nonostante le tensioni perduravano.

Nel maggio del 1897, in occasione della selezione per l'esposizione annuale, la *Kirschenpflückerin* (Raccoglitrice di ciliege) di Josef Engelhart, un nudo di ragazza immerso nella luce del sole, venne rifiutata non sulla base di scarse qualità artistiche — che anzi le venivano espressamente riconosciute — ma perché le «signore della società» avrebbero potuto scandalizzarsi. Fu la classica goccia che fece traboccare il vaso. Il 21 giugno un gruppo di artisti usciva dalla compagnia e tre giorni dopo decideva di operare come associazione autonoma.

Poteva così iniziare la storia della Secessione, con Gustav Klimt presidente e l'ottantacinquenne Rudolf von Alt presidente onorario. Lo scrittore Hermann Bahr, che si considerava il padre spirituale della giovane associazione, attribuiva alla Secessione viennese un compito diverso da quello di analoghi avvenimenti verificatisi all'estero. Nel primo numero della rivista «Ver Sacrum» (gennaio 1898) scriveva: «Il senso delle Secessioni di Monaco e di Parigi è stato quello di contrapporre alla ''vecchia'' una ''nuova'' arte. Si trattava quindi di una disputa interna all'arte riguardo a quale dovesse essere la forma migliore... Era una disputa di scuole, culture, modi d'essere, o comunque la si voglia chiamare. Ma da noi non è così. Da noi è diverso. Da noi non ci si scontra pro o contro la tradizione: a noi questa manca del tutto. Neppure ci si scontra per un'arte vecchia, che da noi non c'è, o per un'arte nuova. Non ci si scontra per questa o quell'evoluzione o trasformazione dell'arte, ma per l'arte in sé e per sé... La disputa è: arte o commercio. È questa la questione che pone la nostra Secessione...»

Bahr non si rendeva ancora conto che proprio tale questione avrebbe portato, pochi anni più tardi, a una grave crisi e all'uscita dalla Secessione di un buon numero degli artisti più significativi.

Tuttavia il senso di liberazione accomunò nella prima fase, sia sul piano umano che su quello artistico, personalità profondamente diverse tra loro. Alcune di queste avevano già costituito, sulla base di ottimi rapporti sul piano personale, dei circoli informali. La «Hagengesellschaft» si riuniva regolarmente già a par-

tire dal 1876 nella locanda «Zum blauen Freihaus» dell'oste Hagen, dal quale derivava il proprio nome che, nonostante un'ipotesi diffusa, non aveva quindi nulla a che spartire con i Nibelunghi. Anche il «Siebenerclub» (Club dei sette), fondato da J. Olbrich, J. Hoffmann, F. Pilz, Kolo Moser, M. Kurzweil, L. Kaindl e A. Kapellus, si riuniva in un locale, un caffè, e non sempre veniva rispettato il numero sette, né l'appartenenza degli artisti alle arti figurative. Proprio da circoli come questi e da altri «dissidenti» la Secessione reclutò i propri membri, che nel primo anno furono: 49 soci regolari e 39 per corrispondenza.

La prima iniziativa presa dall'associazione fu la pubblicazione di una rivista, «Ver Sacrum». «Il fatto umiliante che l'Austria non disponesse neppure di un giornale d'arte, destinato alla massima diffusione e adeguato alle proprie particolari esigenze, ha finora impedito agli artisti di allargare gli ambiti dei loro sforzi artistici. A ciò vuol porre rimedio questa rivista. Suo obiettivo è quello di rendere l'Austria artisticamente indipendente dall'estero, ponendo fine a quel trattamento da matrigna che, da questo punto di vista, ha dovuto sino ad ora subire ovunque» («Ver Sacrum», n. 1).

Per completare l'azione promozionale per le proprie opere l'Austria aveva bisogno di acquistare maggior confidenza con l'arte degli altri paesi. Questa idea programmatica trovò modo di esprimersi chiaramente sin dalla prima esposizione della Secessione, organizzata da fine di marzo a fine di giugno del 1898 in locali affittati presso la Società di giardinaggio. Questo, che in un'autovalutazione fu definito il «primo tentativo di offrire al pubblico un'esposizione del meglio delle opere d'arte moderne», procurò un grande successo alla giovane associazione. Quasi 57.000 visitatori e oltre 200 opere vendute consacrarono la validità dell'idea di mettere a confronto il lavoro dei membri dell'associazione con quello di artisti stranieri. Questa fu per molti la prima occasione d'incontro con Giovanni Segantini, presente con molte opere, con Ferdinand Khnopff e Constantin Meunier, con Puvis de Chavannes e Auguste Rodin, con Franz Stuck, Max Klinger e moltri altri. Il buon risul-

1. *Ritratto di Hermann Bahr*, foto D'Ora.

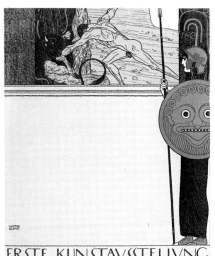

HERMANN BAHR.

2. J. Hoffmann, *Decorazione per il libro di H. Bahr*, in «Ver Sacrum», gennaio 1898.

3. G. Klimt, *Manifesto per la I Mostra della Secessione*, 1897. (Mus. f. angew. Kunst, Vienna).

ERSTE KUNSTAVSSTELLVNG DER VEREINIGVNG BILDENDER KÜNSTLER ÖSTERREICHS [SECESSION] ERÖFFNUNG ENDE MÄRZ SCHLVSS MITTE JUNI WIEN · I · PARCRING · 12 [BLVMENSÄLE]

1. M. Klinger, *Statua di Beethoven*, XIV Mostra della Secessione, 1902.

2. A. Roller, *Manifesto per la XIV Mostra della Secessione*, 1902. (Mus. f. angew. Kunst, Vienna).

tato ottenuto dai propri membri in questa cornice internazionale fu registrato con grande soddisfazione. La Secessione avrebbe mantenuto ferma in seguito (e fino a oggi) questa iniziale impostazione delle sue esposizioni, anche se non sempre con lo stesso peso e il medesimo successo delle prime esposizioni.

Si affermò un nuovo stile anche nel modo di presentare la opere esposte: i quadri venivano appesi a gruppi in maniera relativamente sciolta davanti a pareti dai colori sfumati e decorate con molta parsimonia. Questo modo di esporre, progettato da Joseph Olbrich e Josef Hoffmann, nella sua coerente evoluzione porterà, qualche anno dopo, a un'esposizione concentrata su un'unica opera, alla quale viene subordinato tutto il resto della struttura espositiva. Così al centro della IV Esposizione, nella primavera del 1899, si situava il *Gruppo di Marco Antonio* di Arthur Strasser, mentre nella primavera del 1902 la XIV Esposizione era tutta impostata, sia tematicamente sia formalmente, sulla statua di *Beethoven* di Max Klinger.

Questa concezione dell'«esposizione come opera d'arte totale» porterà a considerare anche l'arte applicata e la grafica generi artistici di pari valore e quindi non più subordinati agli altri: già in occasione della I Esposizione era stato dedicato un locale a «Ver Sacrum», la rivista appena fondata, e Josef Hoffmann aveva allestito a casa sua una «stanza Ver Sacrum», destinata a esposizioni di grafica e utilizzabile anche come sala di lettura.

Merita inoltre di essere segnalata un'altra iniziativa che documenta come la Secessione aspirasse ad allargare la sfera della propria influenza: la domenica mattina venivano organizzate «visite guidate per lavoratori», con prezzi d'ingresso fortemente ridotti — 30 Heller anziché una corona — e omaggio del catalogo. Hermann Bahr faceva lui stesso da guida e informava con orgoglio suo padre dei risultati soddisfacenti ottenuti dai suoi sforzi.

La Secessione, già in occasione della I Esposizione, dimostrò di essere in grado di far fronte alle ambizioni del suo programma, che evidentemente esorbitava dai limiti di un'associazione professionale. Anzi i suoi obiettivi di politica cultu-rale si spingevano ben oltre: in particolare la Secessione premeva per la costituzione di una «galleria d'arte moderna», dedicando parte dei propri introiti all'acquisto di opere di artisti contemporanei da affidare a una collezione pubblica. Da questa fonte provengono, tra gli altri, il busto di Henri Rochefort di Rodin (il modello di gesso venne acquistato nel 1899 in occasione dell'esposizione), *Le cattive madri* di Segantini e *Pianura presso Anvers* di Vincent van Gogh, opere acquisite rispettivamente nel 1901 e nel 1903. Anche il *Cuoco (Monsieur Paul)* di Monet proviene da queste esposizioni della Secessione. Tutte queste opere costituiscono ancor oggi una parte molto importante della Nuova galleria del Museo di storia dell'arte di Vienna.

Se la Secessione aveva ottenuto in un colpo solo il risultato di risvegliare e mettere in movimento il mondo artistico di Vienna, negli anni successivi si trattava di mantener vivo, anzi di far crescere l'interesse e di controbattere a una critica che si infiammava continuamente, assumendo a volte anche forme inqualificabili. Per esempio, già il primo manifesto progettato da Klimt venne contestato dalla censura statale: furono fatte coprire le nudità di Teseo che abbatte il Minotauro. Il palazzo della Secessione venne imbrattato con escrementi. Soprattutto i quadri di Gustav Klimt fornivano continua occasione di violente discussioni, che nel caso dei quadri per l'Università arrivarono addirittura al Consiglio del Reich; attacchi particolarmente indegni furono riservati alle pitture murali eseguite da Klimt per il *Beethoven* di Klinger in occasione della XIV Esposizione. Ma nonostante tutta questa ostilità la Secessione riuscì ad affermarsi come istituzione e ad assumere un ruolo di portavoce dell'arte moderna, e in misura tale che ben presto si arrivò a definire «secessionistico» tutto ciò che usciva dalla norma.

All'interno dell'associazione il ruolo dominante era svolto dal gruppo raccolto intorno a Klimt, Josef Hoffmann e Kolo Moser. Si riconosce chiaramente il loro influsso nella scelta e nella disposizione delle esposizioni per la forte sottolineatura dell'arte applicata e dell'architettura d'interni: il tema della V Esposizione fu la «Griffelkunst», che sta a indicare le tecniche grafiche; la VI espose silografie giapponesi; l'VIII Esposizione, dell'autunno del 1900, affiancò con un peso significativo a tre opere di Edgar Degas lavori di Rennie Mackintosh, Margaret Macdonald, Charles R. Ashbee e Georges Minne. La conoscenza degli inglesi, approfondita da Hoffmann con un viaggio, suscitò una grande influenza, senza la quale sarebbe stata impensabile la fondazione della «Wiener Werkstätte», avvenuta nel 1903. Ma proprio queste attività svolte al di fuori dell'associazione, a cui seguirono iniziative solitarie, come quella di Hoffmann e Klimt per l'Esposizione mondiale del 1904 a St. Louis e infine il progetto lanciato da Carl Moll di collegare la Secessione con un'impresa commerciale, la Galleria Miethke, portarono a una grave rottura e alla conseguente uscita dalla Secessione del «Klimt-Gruppe» nella primavera del 1905.

Tuttavia prima che ciò avvenisse il calendario delle manifestazioni aveva offerto momenti di notevole interesse. Nella primavera del 1903, in occasione della XVI Esposizione, dedicata all'«evoluzione dell'impressionismo», fu tentato un interessante esperimento: interpretare l'arte precedente come manifestazione della problematica pittorica dell'impressionismo, definito per così dire la fase finale di un lungo sviluppo. Nell'autunno del 1903 si tenne la grande mostra di Klimt e nella primavera del 1905 la XIX Esposizione impose Ferdinand Hodler sulla scena internazionale. Infine, all'inizio del 1904, un'esposizione di scultura favorì un fecondo confronto tra artisti austriaci e stranieri.

La potenzialità artistica della Secessione fu modificata in maniera determinante dal distacco degli «Stilisten», i quali poi, in due «Kunstschauen» divenute famose, una del 1908, l'altra del 1909, fecero conoscere soprattutto Egon Schiele e Oskar Kokoschka. Tuttavia l'associazione, anche se forse in modo meno programmatico, proseguì nel suo impegno di società artistica, non soltanto continuando a presentare al pubblico il lavoro dei propri membri, ma anche organizzando esposizioni sia su temi specifici sia a carattere internazionale.

Possono bastare alcuni esempi a documentare questa continuità nel tempo dell'attività informativa e internazionale svolta dalla Secessione.

Nell'inverno del 1907 venne ospitata la Secessione di Monaco; nel 1908-09 fu realizzata una panoramica della produzione moderna in Russia; nel 1910-11 fu organizzata un'esposizione d'arte femminile, una delle prime nel suo genere. Nel marzo del 1918 entrava finalmente nella Secessione Egon Schiele, che otteneva con questa esposizione il suo primo grande successo.

Dopo la prima guerra mondiale un'esposizione importante fu dedicata nel 1925 ai «principali maestri dell'arte francese del XIX secolo»; ad essa seguirono nell'autunno del 1927 quella dei «maestri di tre secoli di pittura inglese» e nel 1930 quella di «tre secoli d'arte fiamminga, 1400-1700».

La Secessione continuò nella sua consolidata tradizione anche dopo la seconda guerra mondiale: per esempio l'«Esposizione internazionale Art-Club» (1950) e le «Biennali di grafica» organizzate a partire dal 1970 testimoniano interessi che vanno ben al di là dell'ambito viennese.

Questa breve storia della Secessione dimostra chiaramente quanto incisivo e duraturo sia stato il segno lasciato da questa associazione di artisti nella vita culturale viennese. Attraverso il confronto con artisti e correnti artistiche contemporanei provenienti dall'estero la Secessione ha determinato una disponibilità nei confronti dell'arte moderna internazionale fino ad allora sconosciuta a Vienna. Grazie a questo fecondo incontro essa ha contribuito in maniera decisiva all'evoluzione e alla diffusione dello Jugendstil nella sua espressione viennese. Membri della Secessione hanno elaborato un modello nuovo nella presentazione delle opere da esporre, che ha influenzato a sua volta la forma stessa delle collezioni da museo. A ciò si connette l'obiettivo dell'«opera d'arte totale», nella quale vengono assunte con pari valore delle «arti maggiori» l'arte applicata e l'architettura d'interni. Anche questo principio ha continuato a sviluppare la sua azione e non soltanto nelle esposizioni.

Nell'analizzare il significato storico della Secessione non va sottovalutato il contributo in idee e opere dato alla fondazione

1. Progetto per la sala della Secessione alla Esposizione mondiale di St. Louis del 1914.

2. XIV Mostra della Secessione, sala laterale destra: M. Klinger, atleta (scultura); F. Andri, coronamento della colonna (legno); J. Hoffmann, sopraporta (cemento), 1902.

Da sinistra:
1. XIV Mostra della Secessione, atrio, 1902. □ 2. XIV Mostra della Secessione, sala laterale destra: arredamento di J. Hoffmann; sulle pareti laterali affreschi di J.M. Auchenthaller; al centro affreschi di F. König, 1902. □ 3. Palazzo della Secessione, 1902.

di una galleria d'arte moderna; la Secessione ha risvegliato, dando per prima il buon esempio, la coscienza pubblica all'impegno nei confronti dell'arte contemporanea, senza di che non ci sarebbe alcun museo d'arte moderna.

Bibliografia: Hermann Bahr, *Secession*, Wien, 1900. Ludwig Hevesi, *8 Jahre Secession*, Wien, 1906. Berta Zuckerkandl, *Zeitkunst Wien 1901-1907*, Wien-Leipzig, 1908. Robert Waissenberger, *Die Wiener Secession*, Wien-München, 1971. Christian Nebehay, *Ver Sacrum*, Wien, 1975. Hans Ankwicz-Kleehoven, *Die Anfänge der Wiener Secession*, in «Alte und Moderne Kunst», n. 5, 1960. Walther Maria Neuwirth, *Die sieben heroischen Jahre der Wiener Moderne*, in «Alte und Moderne Kunst», n. 9, 1964. Cat. *Wien um 1900*, Wien, 1964 (Franz Glück). Cat. *Experiment Weltuntergang — Wien um 1900*, Hamburg, 1981 (Werner Hofmann). Cat. *Vienna 1900*, Edinburgh, 1983 (Peter Vergo).

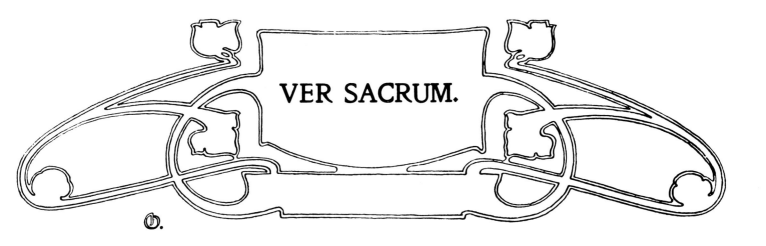

«VER SACRUM»
Pubblicazione e campo sperimentale della Secessione viennese

Dieter Bogner

Sopra:
1. J.M. Olbrich, *Decorazione per libro*, in «Ver Sacrum», ottobre 1898.

2. *Ritratto di Alfred Roller*, foto D'Ora, 1908. (ÖNB. Bibl., Vienna).

[1] Per un panorama del materiale illustrativo di «Ver Sacrum», cfr. Christian M. Nebehay, *«Ver Sacrum», 1898-1903*, Wien, 1975.
[2] *Idem*, edizione München, 1979, p. 182.

Nessun documento meglio della rivista d'arte «Ver Sacrum», la «sacra primavera», [1] permette di conoscere a fondo idee e attività della Secessione viennese. Questa pubblicazione periodica di grandissima importanza artistica segue le vicende della Secessione soltanto per poco tempo, dal 1898 al 1903, che sono però gli anni d'oro di questa associazione di artisti. Alfred Roller, nella sua funzione di redattore e di collaboratore intensamente impegnato sin dal primo numero nella preparazione artistica della rivista, in una lettera a Gustav Klimt esprime così gli altissimi princìpi qualitativi ai quali vuole improntata la pubblicazione: «Insisto con fermezza affinché ogni numero di ''Ver Sacrum'' sia una piccola, e l'intera ''Ver Sacrum'' una grande mostra...» [2] «Mostra» qui non va però intesa come riproduzione di una sequela puramente informativa delle opere di aderenti e di artisti stranieri nonché di saggi letterari e teorici; ogni numero doveva essere un'opera d'arte completa, compiuta in sé, che rappresentasse la concezione secessionista del momento. Lo stesso obiettivo è perseguito anche dalle esposizioni vere e proprie allestite dai secessionisti, che si erano prefissi — con successo — di indicare i nuovi ideali anche con questo mezzo di comunicazione. Non vogliono esporre la produzione di un artista o di un gruppo isolato in un ambiente qualunque, ma concepiscono lo stesso allestimento come una sia pur effimera opera d'arte. Vogliono che l'es-senza delle opere esposte si rispecchi nell'ambientazione artistica per fondervisi in perfetta sintonia. Questa concezione raggiunge il suo apice negli anni 1901-02 grazie soprattutto alle idee di Josef Hoffmann e Kolo Moser per la X e la XIV «Mostra della Secessione». Negli stessi anni escono anche i numeri tipograficamente più avanzati e indicativi di «Ver Sacrum», nei quali trova un particolare spazio l'opera di Kolo Moser (n. 18-19 del 1901).

Sia per la struttura della mostra, sia per le pubblicazioni d'arte vigeva la massima, fedele al nuovo concetto formale di Christian von Ehrenfels, che l'insieme dovesse essere superiore alla somma delle sue componenti. Un fascicolo di «Ver Sacrum» non fornisce soltanto dati isolati, la sua stessa impostazione artistica globale deve indicare un «di più» che conduca al di là dei parallelismi slegati, un ideale superiore. Nessun dettaglio è abbastanza trascurabile sul piano artistico da non diventare oggetto di considerazione tanto per il grande pittore che per il grafico. Il materiale, i colori, la copertina, il risvolto, i caratteri tipografici e le illustrazioni, tutto, pur essendo creato da diversi artisti, deve riflettere l'idea collettiva. Con la loro rivista, dice Ludwig Hevesi, gli artisti «mostrano a coloro che sono ormai arcistufi dell'arte schematica... come può essere una pagina stampata se illustrata da artisti, come immagine e testo formino un ornamento mosso, sia pure strettamente bidimensionale».[3] In questo settore periferico della creazione artistica, una volta riservato alle arti decorative e quasi incontaminato dalle norme artistiche accademiche, gli artisti della Secessione, alla ricerca di nuove vie, potevano dedicarsi alle loro sperimentazioni relativamente indisturbati.

La veste artistica dei singoli numeri di «Ver Sacrum» era di volta in volta affidata a un piccolo gruppo i cui componenti cambiavano in continuazione. Se da un lato ciò conferiva un carattere sempre nuovo alla pubblicazione e le dava anche un diverso peso nello sviluppo di nuove forme, dall'altro faceva sì che la rivista offrisse un eccellente spaccato della struttura artistica secessionista, perché permetteva di seguire il formarsi della comunità, l'enuclearsi dei suoi concetti formali e dei suoi obiettivi, come pure le diversissime reazioni dei singoli membri di fronte alle nuove idee rivoluzionarie. Sotto questo aspetto «Ver Sacrum» non è l'organo di alcuni artisti di primo piano, anche se Hoffmann, Moser e Roller sono i collaboratori di maggior spicco, bensì il manifesto artistico vero e proprio della Secessione viennese. Il concetto di fondo, emblematico della fin de siècle viennese, che vuole l'opera d'arte universale e collettiva, si esprime nella rivista non meno che nelle mostre e nei relativi cataloghi dalla veste tipografica e artistica tanto attraente.

I testi pubblicati da «Ver Sacrum» sono saggi su argomenti d'arte scritti da Hermann Bahr, Adolf Loos, Giovanni Segantini, Ferdinand Khnopff e altri, ma anche interventi nelle polemiche attuali della cultura viennese, per esempio nel dibattito attorno agli affreschi di Klimt per le facoltà universitarie. Prevalgono tuttavia le opere letterarie, in primo luogo liriche, tra i cui autori «Ver Sacrum» annovera anche Arno Holz, Rainer Maria Rilke, Ferdinand von Saar e Maurice Maeterlinck. Questi contributi letterari sono particolarmente importanti nel contesto artistico in quanto danno lo spunto per la discussione nell'ambito della grande controversia su come ottenere la sintonia tra il contenuto lirico di un testo e la sua presentazione artistica. L'idea della fusione armoniosa di tutte le arti si ricollega direttamente al dibattito sulla forza espressiva autonoma, cioè indipendente dal contenuto, della forma e dei colori, che allora interessa gli ambienti artistici europei. In un articolo sulla moderna presentazione grafica dei libri, apparso su un numero di «Ver Sacrum» del 1898, si legge per esempio che non è compito dell'artista illustrare concretamente il contenuto di un testo, bensì cogliere e riflettere nel disegno le «vibrazioni» parallele al contenuto traducendole in «intense allegorie di linee e colori».[4]

Grazie a questo postulato la creazione delle pagine di poesie è investita di un significato particolare a seconda del modo in cui gli artisti della Secessione affrontano le tendenze stilizzanti e rigorosamente astrattiste del volgere del secolo. Un confronto tra le «illustrazioni» delle liriche di Arno Holz per mano di vari artisti, tra cui Adolf Böhm, Alfred Roller e Kolo Moser (1898, n. 11), e l'«ornamento tipografico» che quest'ultimo crea appena due anni dopo per alcune opere dello stesso autore (1901, n. 18-19) rivela sia lo sviluppo sia i poli estremi delle possibilità figurative di allora. Moser rinuncia gradualmente alla separazione tra il testo e la sua presentazione artistica a favore dell'unità armoniosa dell'intera pagina nella quale tutti gli elementi devono equivalersi. Già qualche anno prima Ernst Stöhr accompagnava le proprie liriche con un disegno lineare che occupava l'intera pagina, mentre le pagine a fronte riproducevano disegni figurali (1899, n. 12). Molto più tardi alcuni motivi verranno ripresi nelle opere del pittore boemo ma parigino d'adozione Frantisek Kupka, molto vicino alla Secessione.[5]

Gli ornamenti dei margini di Kolo Moser e Ernst Stöhr si compongono di linee organicamente vibranti e di forme anorganiche («cristalline»), una combinazione molto caratteristica della Vienna all'inizio del '900. Queste linee e forme non sono in contrasto ma segnalano due possibilità equivalenti di creazione artistica. Già nel 1898, per la casa d'affitto della Linke Wienzeile, detta «Casa della maiolica», Otto Wagner ricorreva alla decorazione floreale distribuendola uniformemente sopra l'intera facciata; nel medesimo periodo Max Fabiani, per la facciata del Palazzo Portoi & Fix della Ungergasse nel III Rione di Vienna,

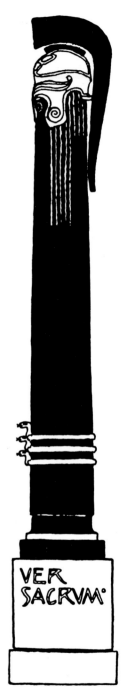

G. Klimt, *Decorazione*, in «Ver Sacrum», luglio 1898.

[3] Ludwig Hevesi, *Acht Jahre Sezession*, Wien, 1906, p. 9.
[4] Wilhelm Sch., *Buchschmuck* in «Ver Sacrum», settembre 1898, p. 24.
[5] Dieter Bogner, *Die geometrischen Reliefs von Josef Hoffmann*, in «Alte und Moderne Kunst», vol. 184-185, 1982, p. 29.

K. Moser, *Decorazione per libro*, in «Ver Sacrum», gennaio 1898.

[6] *Idem*, p. 24 sgg. Per la geometria nella Secessione, cfr. soprattutto Marian Bisanz-Prakken, *Das Quadrat in der Flächenkunst der Wiener Sezession*, in «Alte und Moderne Kunst», cit., vol. 180-181, 1982.
[7] Cat. per la XIV «Mostra dell'associazione artisti figurativi d'Austria — Secessione», *Max Klinger - Beethoven*, Wien, 1902; Joseph A. Lux, *XIV. Kunstausstellung*, in «Deutsche Kunst und Dekoration», 1902, vol. 10, p. 475.
[8] F. Servaes, «Ver Sacrum», 1902, n. 7, p. 111.
[9] William M. Johnston, *Österreichische Kultur- und Geistesgeschichte*, Graz, 1974, p. 142 sgg. (Eduard Hanslick) e p. 285 sgg. (Johann Friedrich Herbart).

usava elementi di stucco prettamente geometrici. Questa geometria secessionista appare con insuperata coerenza nei due famosi rilievi creati da Josef Hoffmann per gli interni della XIV Mostra.[6] Gli esperimenti formali innovatori della Secessione differiscono dagli sviluppi successivi in un punto essenziale: il patrimonio formale astratto, o non rappresentativo, viene impiegato per le figurazioni in un settore artistico del tutto particolare che coesiste con la pittura tradizionale e in cui rientrano innanzitutto l'arte libraria e l'architettura d'interni. Non pretende affatto, come più tardi faranno invece i cubisti, Kandinsky o Mondrian, che venga sostituito alle arti figurative. La scissione tra l'«arte dell'immagine» tradizionale e l'«arte dei piani», che si distingue da tutte le altre correnti artistiche per i propri princìpi creativi fondamentalmente diversi o addirittura antitetici, raggiunge a Vienna una coerenza assolutamente singolare. Citiamo in proposito dalla prefazione programmatica alla V Mostra del 1899: «Il vero regno del disegno a colori è il piano. I princìpi dell'ornamento a piani sono in totale contrasto con quelli dell'immagine. Mentre di fronte al piano non dobbiamo avere il minimo dubbio sul fatto di trovarci davanti, appunto, a un piano, la caratteristica essenziale dell'immagine è l'abolizione dell'effetto piano per indurci a vedere un effetto di spazio.» Con questa nitida distinzione gli artisti della Secessione si sottraggono al confronto con le «leggi» della pittura accademica; creano un loro campo sperimentale senza conflitti dove poter applicare le nuove idee, che in quegli anni vengono discusse in tutti i maggiori centri d'arte europei. Ciò premesso, non sorprende che la pittura di alcuni di loro sia notevolmente più conservatrice della loro grafica o dei loro affreschi.

Le premesse dell'arte dei piani, di cui fanno parte tanto la concezione artistica di «Ver Sacrum» quanto il klimtiano *Fregio di Beethoven*, «invitano addirittura — scrive Max Klinger in un saggio sull'architettura d'interni al quale i secessionisti spesso si richiamano — ad abolire le leggi naturali delle forme e dei colori, altrimenti tanto rigorose, a favore di un impiego puramente poetico dei mezzi».[7] Klinger stesso, nel tradurre nella pratica queste idee, non è mai stato così radicale come gli artisti viennesi, ai cui fini esse si adattavano a meraviglia. Infatti nel saggio poc'anzi citato del 1899 a proposito del disegno autonomo si legge: «Esso da un lato riesce a essere efficace soltanto grazie alla sua percettività sensoriale con le relative implicazioni, dall'altro però può servire a interessi intellettuali, per esprimere sensazioni, stati d'animo, pensieri, e per riprodurre tutto quanto di formalmente caratteristico vi sia...» Non importa, dice altrove l'autore parlando dell'arte lineare, con particolare riferimento all'illustrazione dei libri, se la linea «assume qua e là forme precise, per esempio di una fiamma o un fiore», poiché «l'unico vero significato è nella linea».[8]

L'intensità con cui la questione della creazione puramente formale viene trattata nella Vienna di fine secolo non è semplicemente una reazione ai dibattiti sull'arte nell'Europa di quegli anni. È riconducibile altresì alla teoria estetica prettamente formalista del XIX secolo, allora in auge, che ha dato un impulso essenziale al grande interesse per questo genere di problemi e alla quale si devono probabilmente anche i rigorosi tentativi risolutori.[9] Le concezioni assunte così dall'arte libraria e dall'architettura d'interni hanno esercitato almeno in parte un'influenza tutt'altro che trascurabile sulla pittura, comprese le opere di Klimt, senza tuttavia che questa, a prescindere da molti capolavori, abbia compiuto in pieno la stessa evoluzione innovatrice. La delimitazione dei due settori artistici con le loro leggi specifiche derivate dai rispettivi compiti si ripercuoterà anche in seguito, negli anni '20 e ancora nel secondo dopoguerra, sulla ricettività nei confronti dell'arte astratta e non rappresentativa. E questo nonostante che Hermann Bahr, promotore e seguace critico della Secessione, già nel 1903 invitasse insistentemente gli artisti ad applicare, come per la musica assoluta, i princìpi formali della creazione ornamentale anche alla pittura: «Nessuno chiederà cosa "significhi" un ornamento, nessuno lo metterà in relazione con la realtà... Si può così immaginare un quadro del tutto "privo di significato", che cioè non abbia alcun rapporto con la realtà ma agisca unicamente attraverso i colori, che non significano né raffigurano o rappresentano nulla ma suscitano sensazioni e stati d'animo con la sola loro forza.» Avesse qualcuno finalmente il coraggio, prosegue Bahr, di dipingere con oggettività a tal punto che la gente smetta di cercarvi un legame con la realtà e di domandare cosa significhi propriamente, poiché dopo tutto il colore «propriamente» non può essere altro che colore.[10]

Il passaggio dalla forma rigorosamente stilizzata e non rappresentativa, nel contesto superiore dell'«opera d'arte universale» collettiva, al suo uso come mezzo creativo autonomo delle arti figurative è stato compiuto, in un ambiente artistico

e teorico completamente diverso, da Frantisek Kupka. Sia nelle sue libere composizioni lineari che nelle sue costruzioni geometriche affiorano nel corso degli anni '20 numerose reminiscenze di esperimenti formali compiuti dalla Secessione viennese. Questo intimo rapporto anche teorico e filosofico di Kupka con l'arte viennese di fine secolo rivela chiaramente quanto sia stato importante il ruolo di antesignana che ebbe l'arte viennese.[11] In quegli anni così decisivi «Ver Sacrum» fu un campo di sperimentazione la cui struttura pluralistica offriva una visione delle possibilità, come anche dei limiti, di questo periodo rivoluzionario dell'arte europea.

[10] Hermann Bahr, *Impressionismus* (1903), in *Essays*, Wien, 1962, p. 185 sgg. L'autore si riferisce ai «più giovani impressionisti, specialmente Odilon Redon e Maurice Denis», le cui idee egli porta avanti per tradurle in un postulato radicale.
[11] Werner Hofmann, *Kupka und Wien*, in *Ausstellungskatalog Frank Kupka*, pubblicazione del Museum des 20. Jahrhunderts, n. 28, 1967; Meda Mladek, *Frantisek Kupka*, in *Ausstellungskatalog Frantisek Kupka, 1871-1917*, The Solomon R. Guggenheim Foundation, New York, 1975.

Pagine illustrate di «Ver Sacrum». Da sinistra: J. Hoffmann, gennaio 1898; settembre 1898; novembre 1898; K. Moser, *Poesia di A. Holz*, 1901; A. Bohm, *Poesia di A. Holz*, 1898; E. Stöhr, *Poesia di E. Stöhr*, 1899.

GUSTAV KLIMT

Thomas Zaunschirm

Sopra:

1. G. Klimt, *Studio per il manifesto della I Mostra della Secessione*. (Coll. privata, Vienna).

2. Gustav Klimt, 1880 c.

Nei primi anni del nostro secolo Gustav Klimt fu il leader indiscusso di un movimento d'avanguardia che, limitandosi dapprima ad autodefinirsi «moderno» e a orientarsi più sul presente che sul passato, mise ordine, in nome di una nuova etica artistica, nelle anticaglie della Vienna accademica e storicista.

Con Klimt ha inizio in Austria la pittura moderna. Una constatazione che può sorprendere, se vediamo in lui il virtuoso e spontaneo disegnatore di nudi, il maestro dell'arte paesaggista o anche il genio del ritratto decorativista e di una rinata pittura murale.

Klimt era un espertissimo artigiano, la cui maestria tecnica fu confermata dai suoi stessi detrattori (ne ebbe parecchi, e fu proprio questo fatto a consolidare ben presto la sua fama). Malgrado ciò, a dimostrazione della situazione sociopolitica della Vienna di allora, egli non ottenne mai una cattedra; il ministero ripetutamente respinse la proposta di nomina dell'Accademia delle arti.

Karl Kraus, che in tal senso l'aveva invano sostenuto con la sua attività pubblicistica, d'altra parte ebbe a criticare la sua «presunzione», riferendosi ai discussi pannelli allegorici delle facoltà per l'Università di Vienna, e non disdegnò una mordace caricatura del suo presunto eclettismo: «Se prima coloro che ammiravano Makart avevano acquistato le opere del suo imitatore Klimt, ora, per acquistare quelle del Klimt imitatore di Khnopff, dovettero farsi educare all'ammirazione di Khnopff; ma chi, oggi, si lascerebbe ritrarre dal signor Klimt a tecnica puntinista se non sapesse come son ben pagati, in Europa occidentale, i quadri dei puntinisti, e se non avesse avuto occasione, esaminando quei quadri, di constatare la fedeltà dell'imitazione?» («Die Fackel», n. 29, 1900, p. 17). Ma se anche siamo bene informati sugli influssi storici e contemporanei nell'opera di Klimt, intensificati forse dalla vivacità dei secessionisti in fatto di mostre, quegli influssi furono il presupposto di un tratto divenuto inconfondibile, e non certo la testimonianza di indebite appropriazioni formali. La forza motrice dell'improvvisa evoluzione di Klimt non risiedeva in una sintesi di un certo numero di modelli, ma, al contrario, in una lunga e coerente serie di rinunce. L'inebriante armonia che promanava dalle sue opere giunse a maturazione in un'atmosfera piuttosto ascetica: a differenza del raffinato atelier di Hans Makart, il suo studio precariamente attrezzato fu bersaglio di numerosi aneddoti. E le strategie da lui scelte per sfuggire alla tradizione si correlavano casualmente, dal lato esteriore, con la fondazione di nuove organizzazioni di artisti.

Finché fu fedele a quella «società di artisti» che aveva formato insieme al fratello Ernst e a Franz Matsch, e che garantiva al committente l'uniformità stilistica dell'esecuzione, Klimt riuscì solo a tratti a liberarsi della tecnica accademica che, dopo tutto, era necessaria alla realizzazione di opere commissionate ufficialmente. Solo a partire dal 1890-91, nei pannelli per lo scalone del Kunsthistorisches Museum e in alcuni ritratti, cominciano ad affiorare i primi motivi Jugendstil. Ma questi tentativi, per il momento, non riuscirono a imporsi.

Anche a causa della morte del fratello Ernst, nel 1892 Klimt ruppe il sodalizio con Matsch. Negli anni successivi la sua evoluzione ebbe una battuta d'arresto. Nei ritratti Klimt non riusciva a proporre uno stile innovativo convincente, e neppure le due allegorie *Amore* e *La musica* (1895) si distinguevano particolarmente.

Il fatto che, alla fondazione della Secessione (1897), Klimt venne eletto suo primo presidente, va dunque valutato piuttosto alla luce delle sue qualità umane. Nell'uscire dal precedente sodalizio della Künstlerhaus Klimt non interpretava certo la parte del rivoluzionario, avendo già ottenuto diversi riconoscimenti ufficiali (fu il primo vincitore del Premio dell'Imperatore, nel 1890, per la sua gouache del *Vecchio Burgtheater*).

Per Klimt, all'epoca già trentacinquenne, le inquietudini della giovane generazione rappresentavano un segnale: anche per lui era giunto il momento di sottrarsi a una stagnazione artistica durata diversi anni. Nel corso del solo 1898 nacque una serie di importanti opere che gli crearono nuove e più salde fondamenta. I progetti di composizione per le tre allegorie delle facoltà universitarie (*Giurisprudenza*, *Filosofia* e *Medicina*) gettarono il seme per il più grande scandalo artistico che Vienna ricordi; il *Ritratto di Sonia Knips* è il primo ritratto di donna con una composizione studiata per il grande formato quadrato; con la *Pallade Atena* (anch'essa di formato quadrato) Klimt rinuncia definitivamente alla citazione di motivi plastici e sostituisce la figura di Nike con il segno erotico in un nudo dalla folta chioma rossa, che l'anno seguente (1899) riprenderà nella *Nuda Veritas* (in cui non è la verità che gli appare nuda, ma il contrario); in *Acqua mossa* le figure che nuotano, parallele all'asse orizzontale della tela, sviluppano ulteriormente e in modo autonomo il motivo del titolo; in un disegno per il primo numero della rivista «Ver Sacrum», l'organo «bibliofilo» della Secessione, Klimt, abi-

tualmente avaro di parole per quanto riguarda la propria visione dell'arte, si dichiara programmaticamente a favore della pittura come moderno mezzo di espressione (al contrario della scultura, di indirizzo classicista o comunque fedele alla tradizione; tra l'altro Otto Wagner si vantò troppo presto di essere riuscito a convincere Klimt a dedicarsi alla scultura, perché di fatto ci è giunta ben scarsa notizia degli esiti di questi tentativi); il suo manifesto per la I Esposizione della Secessione, *Teseo e il Minotauro*, in cui domina la stilizzazione lineare e senza ombre, viene ritenuto «immorale» e censurato; infine, con le varie *Mele di seta* e il *Frutteto*, dipinge i suoi primi paesaggi.

Con queste esperienze, in apparenza slegate tra loro e che ci siamo limitati a tracciare in modo sommario, Klimt si apre a un'insospettata ricchezza di gamme espressive che in seguito svilupperà, incurante delle pubbliche ingiurie per le allegorie delle facoltà universitarie. Anche nella semplicità del paesaggio dobbiamo vedere una trasfigurazione di ispirazione panteista e un simbolico atto liberatorio; mentre Makart, insieme al quale lavorò al Burgtheater e al Kunsthistorisches Museum e i cui trionfi personali non poteva aver dimenticato, ignorava l'uso di motivi spaziali tesi aldilà della superficie del dipinto.

Nel 1905, per porre fine alle querele, Klimt decide di riacquistare dal ministero i pannelli delle facoltà, dichiarando che si tratta di opere incompiute. In fin dei conti, indipendentemente dalle discussioni di carattere iconografico, nella loro composizione verticalizzante sarebbero stati decisamente inadatti per i soffitti dell'aula magna e in netto contrasto col pannello centrale, la *Vittoria della luce* e la *Teologia* dell'ex associato Matsch. Klimt cominciava a conquistarsi un proprio spazio; nell'esecuzione delle opere citate non poteva più interessargli quell'unità stilistica che in precedenza gli era parsa naturale.

Gli anni emozionanti ma logoranti della Secessione furono l'inizio — e, con le opere principali, il culmine — della sua carriera di artista. Per la XIV Mostra della Secessione (1902), mentre gli artisti presenti rendevano omaggio alla statua di *Beethoven* di Max Klinger, Klimt creò

1. A. Trcka, *Ritratto di Gustav Klimt.* (Mus. Mod. Kunst, Vienna).

2. Gustav Klimt e Emilie Flöge. (Lascito E. Flöge, coll. privata, Vienna/ Londra).

1. G. Klimt, *Decorazione per la sua biografia*, in «Ver Sacrum», marzo 1898.

2. Klimt davanti al suo studio in Josefstädterstrasse a Vienna.

a sua volta il *Fregio di Beethoven*, in cui sfruttò in misura ottimale i «limitati mezzi a disposizione» per un'opera in origine ritenuta occasionale. Tutto è ridotto a pura superficie e a una colorazione molto semplice. Incurante delle ricche possibilità ornamentali e dei ritmi lineari, nel *Fregio di Beethoven* Klimt affida l'espressività principale al pathos e alla gestualità del corpo umano. Questo vale in particolare per la parete mediana, detta delle «Forze avverse», combattute dalle membra fluttuanti e nubiformi del «Desiderio di felicità». Si vedono figure di magrezza scheletrica (per esempio in «Angoscia tormentosa») e l'obesa «Intemperanza» accanto alla mostruosa, scimmiesca figura del gigante Tifeo, ma anche le linee armoniose della «Voluttà» e della «Lussuria». Nel mezzo del «Coro degli angeli del Paradiso» l'azione si concretizza nell'immagine di «Questo bacio a tutto il mondo» (verso di Schiller, dal coro della *Nona Sinfonia*). L'uomo visto di spalle, che abbraccia la figura femminile appena accennata, è ancora nudo; nelle variazioni successive di questo motivo l'artista avrebbe scelto soluzioni completamente diverse.

Il distacco dalla Secessione del «gruppo di Klimt», nel 1905, non solo ferì a morte il movimento ma impedì che si facesse avanti un movimento sostitutivo di pari valore. La «Kunstschau» del 1908 e del 1909, organizzata insieme alla Wiener Werkstätte e alla Kunstgewerbeschule, fu un episodio che non confermò le speranze nutrite dagli ex secessionisti, anche se come mostra ebbe un certo successo e contribuì, tra l'altro, a mettere in luce Kokoschka e Schiele.

Più importante, per Klimt, fu la collaborazione con Josef Hoffmann. Per il Palazzo Stoclet, «opera totale» realizzata da Hoffmann a Bruxelles, Klimt creò la decorazione murale della sala da pranzo, a suo stesso dire «l'estrema conseguenza della mia evoluzione nell'arte dell'ornamento».

Negli anni precedenti, le opere paesaggistiche di Klimt, accanto al motivo delle acque luccicanti alla luce del sole, avevano prediletto soprattutto gli alberi (frutteti, betulle, pioppi, abeti, frassini), resi con profondità prospettica a dispetto di certe dissolvenze di stampo impressionista. Il motivo dominante del fregio a mosaico, disposto specularmente, rappresenta l'albero della vita che si dischiude in ramificazioni spiraliformi. La figura femminile dell'«Attesa» e la coppia abbracciata del «Desiderio di felicità placato nella poesia» — la ricerca della felicità è appunto il tema del *Fregio di Beethoven* — sono intessute nel prezioso ornamento guarnito d'oro, pietre dure e corallo. Dai corpi è svanita ogni plasticità e proporzione organica, e solo le mani e le teste, intrecciate al flusso delle linee di contorno, emergono isolate dal complesso decorativo.

Sulla parete anteriore della sala, di fronte alla finestra che dà sul giardino, c'è il mosaico a rettangolo verticale che apparentemente non contiene alcun cenno di carattere antropomorfico; per un attimo qui Klimt varca la soglia dell'astrazione. Ma come punto di partenza di un'ulteriore ricerca questo dettaglio dell'opera d'arte totale non era sufficiente: Klimt, per la decorazione di fondo di ritratti e allegorie, era tuttora affascinato dall'espressività simbolista dell'arte ornamentale.

Klimt organizza la superficie decorata dietro e intorno alla figura, le cui vesti dapprima mantengono inalterato il carattere del tessuto (vedi *Margaret Stonborough-Wittgenstein*, 1905), per poi inglobare le forme della decorazione di fondo (*Adele Bloch-Bauer I*, 1907). Ma per i ritratti su commissione (sempre femminili) Klimt si allontanerà nuovamente da questo modello. Ciò che nelle allegorie può apparire come un involucro che nasconde (vedi *Le tre età della donna*, 1905; *Il bacio*, 1907-08; *La speranza II*, 1907-08; *Vita e morte*, 1911-16), riduce al minimo, in quanto guscio di esclusivo ermetismo, il trasparire della personalità individuale. Può essere questa, forse, la ragione per cui Klimt abbandonò rapidamente lo «stile dorato», come dimostrano i ritratti più convenzionali di alcune signore col cappello (tra il 1907 e il 1912).

Dopo il 1905 i paesaggi klimtiani si concentrano sempre più sulla raffigurazione di fiori: l'equivalente, nella forza pulsante della natura, al proprio gusto per la presenza del «materiale». In queste felici espressioni cromatiche, create durante le estati trascorse in riva all'Attersee, le scintillanti soluzioni coloristiche toccano il loro vertice. E la pennellata «impressionista» che le caratterizza appare più convinta in seguito al soggiorno parigino dell'artista nel 1909.

Nel 1912 Klimt è nuovamente eletto presidente di una società di artisti, il Bund Österreichischer Künstler. Di nuovo egli si rivolge alle nuove leve e, tra gli altri, invita Egon Schiele a prendervi parte.

Mentre nei paesaggi e nelle allegorie Klimt rimane fedele alla pennellata breve, e d'altro canto alla parcellizzazione «insulare» dell'ornamento (*La vergine*, 1913; *Culla*, 1917-18), nei ritratti l'artista attraversa un ulteriore cambiamento. I soggetti sono posti ora davanti a sfondi decorati con motivi in stile giapponese (*Adele Bloch-Bauer II*, 1912; *Elisabeth Bachofen-Echt*, 1914; *Friederike Maria Beer*, 1916; *Le amiche*, 1916-17; e altri). In questi lavori il legame tra figura e sfondo si alleggerisce. Senza ritrarre i suoi soggetti su sfondi di paesaggio — una tecnica che Klimt evitò di adottare fino all'ultimo — li fa entrare in rapporto con un ornamento che tende a rendersi autonomo anche in senso spaziale, un ornamento che non costringe la figura entro schemi forzati e che suggerisce associazioni esotiche. Parallelamente a questa tendenza nella fase finale dell'opera klimtiana i paesaggi riacquistano in profondità (per esempio, *Viale nel parco dello Schloss Kammer*, 1912).

Fino in ultimo, comunque, Klimt mantiene intatto il contrasto tra il naturalismo delle teste e degli arti e il decorativismo della composizione. Questa soglia

invalicabile lo separa così dalla nuova generazione in ascesa, quella degli espressionisti, la cui disinvolta carica «selvaggia» lo impressiona notevolmente e inizia a lasciare tracce nel suo lavoro (*Madre con bambini*, 1909-10).

Con le sue contraddizioni — la forza primitiva e il gusto raffinato, il simbolismo nel suo senso più ampio e la maestria del colorito abbinata alla passione sfrenata per il dettaglio, l'eccessiva laboriosità e il gusto edonista per la vita, il tratto sfumato-erotizzante del disegno e lo sfarzo sovraccarico dell'ornamento materiale — Klimt, a Vienna, ebbe a subire lo scherno più malevolo e al tempo stesso si meritò l'ammirazione più sfrenata. E il terreno di Vienna su cui crebbe la sua opera era un terreno dissestato da una morale ambigua: una brama di vita frivola e malinconica, uno spirito di decadente rassegnazione, ma anche un gusto morboso dell'agio e dell'intimità e un latente, ostile provincialismo.

Sulla soglia del nuovo secolo Klimt rappresentò il culmine della nostalgia di un'epoca al tramonto, raffigurata nelle immagini da lui create come la ricerca di un paradiso perduto. Non a caso quest'esperienza viennese di un mondo giunto alla fine, così come è incarnata nell'opera di Klimt, ci affascina particolarmente proprio oggi. Con la differenza che allora era ancora possibile credere, panesteticamente, in una salvezza mediata dall'arte.

104

1. Sala da pranzo con il fregio di Klimt, Palazzo Stoclet, Bruxelles, 1905-11.

A pagina precedente:
1. G. Klimt, *Studio per il «Minotauro»*, 1898-99. (Coll. privata, Vienna).
2. G. Klimt, *Decorazione per libro*, in «Ver Sacrum», marzo 1898.

2. J. Hoffmann, *Palazzo Stoclet*, Bruxelles, 1905-11.

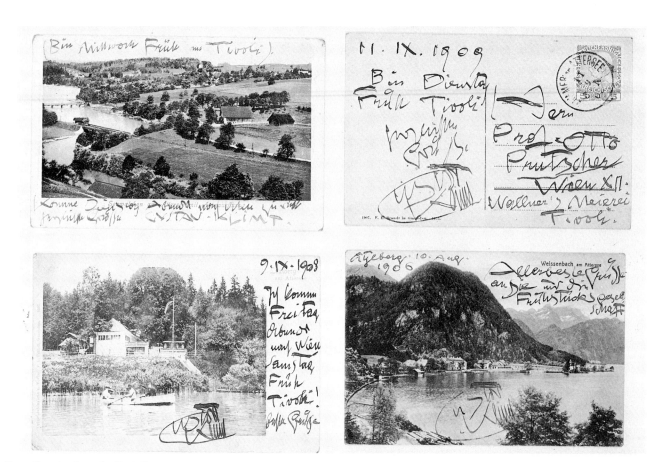

1-4. Cartoline inviate da G. Klimt. (Coll. privata, Milano). □ 5-6. Cartoline inviate da G. Klimt. (Coll. privata, Londra). □ 7. Annuncio mortuario di Gustav Klimt, 7 febbraio 1918.

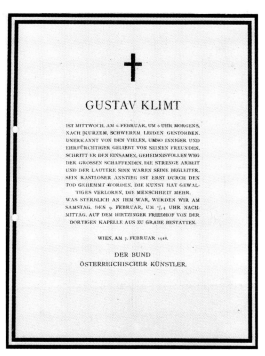

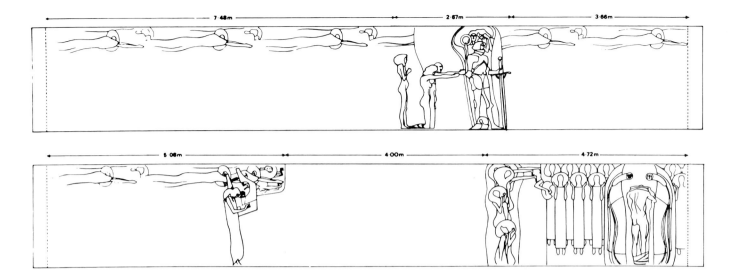

IL FREGIO DI BEETHOVEN DI GUSTAV KLIMT

Ivo Hammer

Sopra:
Ricostruzione del *Fregio di Beethoven* di G. Klimt.

[1] Catalogo della XIV Esposizione della Secessione, *Klinger - Beethoven*, Wien, 1902, p. 23.
[2] Struttura usuale per soffitti a partire dal tardo XVII secolo; cfr. Manfred Koller, *Klimts Beethovenfries — Zur Technologie und Erhaltung*, in *Mitteilungen der Österreichischen Galerie 1978-79*, p. 219.
[3] Lunghezza delle superfici dipinte: 34,14 m, di cui pareti lunghe 13,92 m cadauna, parete corta 6,30 m. Lesene d'angolo circa 40 cm di larghezza. Altezza della parete sotto il fregio: circa 3,10 m, distanza del fregio circa 15 cm.
[4] *Klinger — Beethoven*, cit., p. 25 sgg.
[5] *Ibidem*, pp. 26-35. Il catalogo spiega nei dettagli la tecnica di ogni lastra, ma non nomina mai il tema.
[6] Ludwig Hevesi, *Acht Jahre Sezession*, Wien, 1906, pp. 360-394; cit. da Christian M. Nebehay, *Gustav Klimt — Dokumentation*, Wien, 1969, p. 299.
[7] Per l'interpretazione si veda Dieter Bogner, *Die geometrischen Reliefs von Josef Hoffmann*, in «Alte und Moderne Kunst», n. 184-185, 1982, p. 24 sgg.
[8] Sala centrale con volta a botte con cornice di legno dorato. Cfr. L. Hevesi, *op. cit.*

Architettura e decorazione

Dopo più di ottant'anni si può nuovamente accedere per la prima volta al *Beethovenfries* (Fregio di Beethoven) di Gustav Klimt. Tuttavia non è l'originale, ma una copia fedele.

Questo fregio faceva parte della decorazione per la XIV Esposizione della Secessione, dall'aprile al giugno 1902 a Vienna, cui collaborarono i più prestigiosi membri di questa associazione. Josef Hoffmann progettò una solenne sala a tre navate quale «degna cornice»[1] per il monumento a Beethoven di Max Klinger.

Nel preesistente complesso architettonico della Secessione di Joseph M. Olbrich (1898) fu inserita, per questa esposizione, una costruzione apposita in materiali leggeri, fatta di assi di legno, giunchi e intonaco.[2] Terminata la mostra, questa costruzione fu smantellata. E le decorazioni che ne facevano parte andarono in gran parte distrutte.

Nella sala laterale di sinistra, il cui livello era rialzato di circa 60 cm rispetto alla sala centrale, Klimt dipinse un fregio la cui lunghezza era di circa 35 metri.[3] Nel catalogo della mostra del 1902 si descrive come segue la tematica del fregio: «La parete lunga, di fronte all'entrata: il desiderio di felicità; le sofferenze dell'umanità debole; le preghiere di questa all'uomo forte e ben armato sono la forza interna; la compassione e l'orgoglio sono la forza esterna che lo inducono a intraprendere la lotta per la felicità. La parete

stretta: le forze nemiche. Il gigante Tifeo contro il quale anche gli dei lottano invano; le sue figlie, le tre Gorgoni. Malattia, follia, morte. Volutta, lascivia, incontinenza. Dolore struggente. Gli aneliti, i desideri degli uomini volano al di sopra di tutto. Seconda parete lunga: il desiderio di felicità viene appagato nella poesia. Le arti ci conducono nel regno ideale dove solo noi possiamo trovare la vera gioia, la vera felicità, il vero amore. Coro degli angeli del Paradiso. "Freude schöner Götterfunke." "Diesen Kuss der ganzen Welt."»[4] Per non interrompere la visione del *Beethoven* di Klinger, viene tagliata la continuità del fregio.

Sotto il fregio furono inserite tredici «lastre ornamentali» in due diverse grandezze e di diverse tecniche,[5] come d'altronde «tutto il decoro delle pareti rappresenta un insieme di esperimenti con tutti i materiali e le possibilità tecniche».[6] La superficie della parete e anche le lesene erano in intonaco grezzo. La parte alta dei pilastri dell'apertura verso la sala centrale e l'adiacente scalinata era evidenziata da un fregio a scacchi fatto con superfici di intonaco liscio. I famosi rilievi geometrici erano ugualmente in calce.[7] I travi della nicchia dello scalone erano di un colore più scuro delle pareti e ornati con grossi chiodi da tappezziere di color ottone. Il pavimento era coperto da una moquette con una gradazione di colore meno chiara, per cui le pareti si staccavano nettamente dal pavimento. A differenza della sala centrale,[8] più illuminata, gli altri spazi avevano un'illuminazione più contenuta e diffusa da una leggera tela ben tesa. Nella parte dove il soffitto era chiuso per circa 1,40 metri, il fregio appariva meno illuminato e più scuro.[9] Josef Hoffmann, nella policromia della sua architettura, voleva conciliare «il grande accordo musicale con la massima semplicità», e lasciare «solo delicati effetti di suono con pochi energici accenti». Il colore della parete centrale era bianco, «quello delle navate laterali più giallo per rendere meglio la prospettiva».[10]

Il supporto del fregio consisteva — come in origine tutta l'architettura dell'esposizione — in un graticcio di legno inchiodato e canne applicate con fil di ferro e due strati di intonaco. La rifinitura dell'intonaco aveva un colore particolare dovuto alla scelta della sabbia e all'aggiunta di cemento grigio. La struttura superficiale dell'intonaco cambiava lungo il fregio adattandosi al suo motivo: sulla parete lunga, ruvida; sulla parete stretta, in parte ruvida (Tifeo) e in parte liscia (figure di donna); sulla seconda parete lunga, quasi interamente liscia.

Per i diversi gradi di esecuzione della pittura erano ancora visibili le tracce della tecnica del trasporto dal bozzetto alla parete: il reticolo per le singole parti, i punti dello spolvero per le parti fatte in serie. La carta da spolvero per i «Geni beati» Klimt la usò nove volte. La ripetibilità di questa pittura[11] trova un correlato nella tecnica dello spolvero ripetuto (un procedimento noto ai disegnatori di stoffe). Le braccia tese delle «Arti» sono ripetute tre volte sulla base del reticolo con la carta da spolvero, e le braccia tese dei «Geni» sopra la «Poesia» addirittura quattro volte. Lo spolvero viene usato anche di rovescio, come per il volto delle due «Arti» in alto.

Effettuando delle incisioni nella calce, spesso combinate con applicazioni in stucco o altre applicazioni (armature dei cavalieri, «Incontinenza», «Poesia» e lo sfondo del «Bacio»), Klimt ha ottenuto anche effetti supplementari di riflessi di luce e di colore. Le applicazioni consistono in chiodi da tappezziere di varie grandezze (armatura, Citera della «Poesia», cintura dell'«Incontinenza»), madreperla (occhi di Tifeo), e una gamma di bigiotterie in vetro colorato (impugnatura della spada, diadema e cintura della «In-

continenza»). Appaiono estese applicazioni in oro: da una parte collegate alla figura (capelli dei Geni, armature, «Incontinenza»), dall'altra per far emergere e straniare le figure con lo sfondo dorato (struttura alare dietro «Ambizione» e «Compassione», forme di fallo e vulva in «Incontinenza» e «Voluttà», «Geni» sopra la «Poesia», «Arti» e «Bacio»). Queste applicazioni in oro sono differenziate con velature piatte colorate e anche con tratti interni monocromi (grafite) o colorati (pennello).

Il *Fregio di Beethoven* di Klimt solo al primo colpo d'occhio poteva sembrare una pittura decorativa creata frettolosamente per un'occasione effimera. Guardandolo con più attenzione, si rimaneva sorpresi e affascinati dalla raffinata esecuzione, anche di quelle parti che — più per motivi di contenuto che di tempo — erano rimaste allo stadio di abbozzo («Arti», «Coro del Paradiso»). Klimt dipinge (con colori a caseina) solo i fondi, ad esempio sotto i capelli. Il resto è da considerare come un disegno colorato, eseguito col pennello, ma anche con carboncino, grafite o pastello.[12]

Tutte le superfici, a eccezione degli incarnati delle figure umane, quindi tutte le superfici accessorie emanano vibrazioni ottenute con piccoli brevi tratteggi di stile impressionista, oppure con modelli dai rapporti continuamente variati. Si contrappongono con ottimo effetto ai contorni lineari e delicati degli incarnati, lasciati quasi nella tonalità naturale dell'intonaco. L'illusione di spazialità delle figure viene riportata sul piano con un «trucco»: l'effetto di piano delle parti del corpo in rilievo viene rafforzato mediante la raschiatura dell'intonaco in modo che questi punti in controluce appaiono un po' più scuri. L'effetto complessivamente opaco della pittura è dato soprattutto dallo scarso fissativo usato nel colore, e dà più risalto alle applicazioni in metallo e in altri materiali. Nel giovo alternato di questi diversi effetti di piani si esplicano in modo molto raffinato tutte le possibilità che la pittura può dare. L'uso molto variato dei diversi materiali e dei contrasti esteticamente corrispondenti (come ruvido-liscio, opaco-brillante, vuoto-pieno, schizzo-disegno dettagliato, colorato-monocromatico, chiaro-scuro ecc.) produce lo specifi-

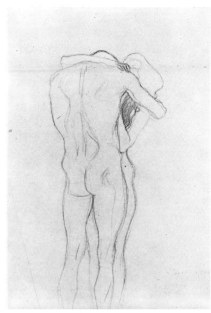

G. Klimt, *Abbraccio, studio per il «Fregio di Beethoven»*, 1902. (Coll. privata, Vienna).

[9] Dimensioni dell'apertura: lunghezza circa 12 m, larghezza circa 3,80 m.
[10] L. Hevesi, *op. cit.*, p. 391; cfr. anche Marian Bisanz-Prakken, *Gustav Klimt — Der Beethovenfries*, Salzburg, 1977, p. 23 sgg.
[11] Robert Schmutzler, *Art Nouveau-Jugendstil*, Stuttgart, 1962, p. 30; cit. da Jost Hermand, *Jugendstil — Ein Forschungsbericht 1918-1964*, Stuttgart, 1965, p. 38.
[12] M. Koller si riferisce ai tentativi di innovazioni e nuovi sviluppi delle tecniche della pittura su parete come il «pastello monumentale» di Wilhelm Ostwald (1905 e 1912); cfr. Manfred Koller, *Monumentales Pastell — A Forgotten Invention in Wall-painting — Techniques about 1900*, in *Kongressakten ICOM-Committee for Conservation 5th Triennal Meeting*, Zagreb, 1978, Paper 78/15/2.

[13] Già la collocazione in mutate condizioni di luce comporta un effetto artistico falsificato; tanto più questo succede se si cambiano le condizioni della riflessione di luce della superficie del fregio (per esempio con un vetro o una lastra di plexiglas). Per Klimt era di grande importanza il carattere opaco della superficie e si sa che Klimt era «un assoluto avversario della vernice sui suoi quadri». Egli «dava la massima importanza a che nessun punto brillasse». Cfr. C. M. Nebehay, *op. cit.*, p. 29.

[14] *Klinger — Beethoven*, cit., p. 77: «I prezzi delle opere saranno comunicati in segreteria.» Le lastre preziose sono state fissate solo prima dell'applicazione dell'intonaco grezzo e pertanto erano facili da togliere.

[15] Vedere le fotografie in situ; e anche Marjan Bisanz-Prakken, *op. cit.*, tav. 16.

[16] C.M. Nebehay, *op. cit.*, p. 299. Fu asportato in otto parti. La parete stretta fu segata in due parti solo dopo essere stata asportata. Il pezzo di intonaco vuoto tra la «Poesia» e il «Bacio» non fu conservato.

[17] Il pezzo più lungo (la «Poesia») con sostegno provvisorio per il trasporto, circa 5,60 m di larghezza, circa 2,40 m di altezza, circa 1,2 ton di peso.

[18] Direzione: Gertrude Tripp (fino al 1979), poi Manfred Koller.

[19] Pezzo 1: si veda la relazione di M. Koller, *op. cit.*; pezzi 2-8: Ivo Hammer, Heinz Leitner, Manuela Mitschke-Pokorny, Christoff Neugebauer-Serentschy; collaborazione di Elfriede Mejchar (fotografia), Hermann Höfler (muratore), Stefan Hirsch, Michael Loicht (falegnami), Willibald Lieb (fabbro) e altri specialisti del laboratorio di restauro dell'Ente federale per i monumenti.

[20] Ringraziamo Otto Wächter, della Biblioteca nazionale austriaca, per il suo aiuto.

[21] Eseguito per il pezzo 1. Il processo di trasferimento sarebbe stato un onere meccanico troppo grande anche per l'intonaco.

[22] Ditta TBN, Ing. Nowak, Wien.

[23] Ivo Hammer (direzione tecnica); Thomas Hus (copia 1, parete lunga); Heinz Leitner (copia parete stretta); Manuela Mitschke-Pokorny, Christoff Neugebauer-Serentschy (copia 2, parete lunga); Hermann Höfler (intonaco); Willibald Lieb, Michael Loicht (montaggio supporto); Elfriede Mejchar, Marcelo Slama (fotografia).

[24] Fabbricazione: Ditta Isosport, Eisenstadt.

[25] Calce, sabbia, sabbia di marmo, 6% cemento grigio, 6% dispersione di acrilato (Primal AC 33). Irruvidimento della superficie delle lastre plastiche con sabbia e resina. Fissaggio con dispersione di acrilato. Pezzo copia n. 5 (Tifeo) con canne e intonaco senza resina sintetica.

[26] Dimensioni dei supporti: 1ª parete lunga: 4 x 3,50 m; parete stretta: 3,00 x 3,38 m; 2ª parete lunga: 4 x 2,50 m. L'intonaco non dipinto non è stato considerato nella copia.

co effetto di questa pittura decorativa, un effetto che può essere verificato solo con una spiegazione critica dell'opera originale.[13]

Conservazione e restauro

Come l'intera decorazione dell'esposizione, anche il *Fregio di Beethoven* non era destinato a durare, anche se l'associazione aveva speculato con la vendita di parti dell'esposizione.[14] Probabilmente solo poco prima della sua demolizione il fregio fu acquistato, grazie alla mediazione di Egon Schiele, dall'industriale Carl Reininghaus; nel 1915 fu comperato dalla collezione Lederer insieme a trecento disegni preparatori, e dal 1973 è di proprietà della Repubblica Austriaca.

Quando fu progettata la XIV Esposizione della Secessione non si era pensato a degli accorgimenti tecnici per poter trasformare senza difficoltà il fregio da opera d'arte legata alla parete in un'opera trasportabile. Già prima o durante l'esposizione si era prodotta una screpolatura nell'intonaco della «Poesia».[15] D'altra parte i danni provocati dall'asportazione non sono stati apparentemente molto grandi.[16] Tenuto conto delle dimensioni delle parti e del loro peso, dell'instabilità della struttura portante e della fragilità della superficie del dipinto, c'è da meravigliarsi e nel contempo da congratularsi che il *Fregio di Beethoven* sia ancora in uno stato di conservazione relativamente buono.[17]

Dal 1974 i laboratori dell'Ente federale per i monumenti[18] incaricati del restauro del *Fregio di Beethoven*[19] devono far fronte essenzialmente a tre gruppi di problemi:
— pulizia delle superfici dipinte;
— restauro dei danni all'intonaco;
— consolidamento del supporto.

Il fregio, in tutta la sua lunghezza, era molto sporco. Importanti parti della pittura, soprattutto quelle parti solo segnate con matita o pastelli, erano attaccate all'intonaco quasi quanto la polvere che le ricopriva. Poiché sia il disegno che la polvere aderivano quasi in ugual modo, il fregio fu pulito con una speciale polvere cancellante[20] come un disegno a pastelli su carta. Si lasciarono tutte le tracce di colore che avevano un richiamo con l'architettura dell'esposizione.

Fu presto abbandonata l'idea di staccare l'intonaco con la pittura dal supporto instabile fatto di canne e tralicci di legno.[21] Il motivo principale di questo cambiamento di metodo nel restauro fu di aver riconosciuto che era impossibile fissare questa superficie opaca senza mutare le caratteristiche di riflessione della luce e quindi senza mutare i colori. Si tentò anche, senza risultati soddisfacenti, di consolidare il supporto esistente di legno e canne con schiuma poliuretana.

Un ufficio tecnico studiò e costruì una cornice d'acciaio con appositi attacchi per dare stabilità ai singoli pezzi del fregio senza pericolo di distorsioni.[22] Con questo sistema di stabilizzazione del supporto si evita di intervenire nella struttura originale.

Ma anche dopo il restauro il *Fregio di Beethoven* sarebbe rimasto un'opera tecnicamente fragile e vulnerabile. La sua conservazione per un lungo periodo di tempo è possibile solo se lo si pone in un museo. Nonostante la cornice di acciaio come supporto, il fregio non può tecnicamente diventare un pezzo mobile perché non è autonomo né tecnicamente né esteticamente.

La copia

Per questi motivi di conservazione si decise di eseguire una copia completa del *Fregio di Beethoven* nei laboratori di restauro dell'Ente federale per i monumenti.[23] Questa copia viene esposta per la prima volta a Venezia. Il supporto è formato da una lastra leggera di materiale plastico.[24] A causa del peso è stato poi applicato un intonaco di soli 4 mm.[25] Per motivi tecnici si è dovuta modificare la composizione dei materiali che formano l'intonaco della copia, e questo ha modificato in certo modo la sua porosità e i riflessi di luce, che però solo un occhio esperto può notare. Per il resto la copia pittorica è pressoché identica all'originale, persino nella maggior parte delle applicazioni. Il resto è stato rifatto come nell'originale. Le dimensioni del supporto corrispondono complessivamente a quelle dell'originale (è stata cambiata solo la divisione dei pezzi per il trasporto).[26] Come nell'originale, sono rimaste quelle strisce di intonaco senza pittura, e cioè sul bordo inferiore e alla fine delle pareti del fregio, come lo erano nell'architettura originale dell'esposizione di Hoffmann. Anche nella copia non si vuole dare l'impressione di opera «autonoma», di pittura staccata dal contesto dell'architettura e dal suo scopo.

Problemi di interpretazione

Nel testo del catalogo per la XIV Esposizione della Secessione Ernst Stöhr scrive: «Prima doveva essere creato un ambiente uniforme e la pittura e la scultura dovevano adornarlo mantenendone l'uniformità. Si tratta qui di subordinare, limitatamente e in proporzioni ben definite, le singole parti all'effetto complessivo. Una logica inesorabile costringe a penetrare nel carattere dell'ambiente e a fissarne l'idea dominante. Le grandi opere d'arte monumentale pongono necessariamente questa regola, e quanto di più alto e sublime l'umanità abbia creato in tutti i tempi si è rivolto all'arte del tempio. Dal desiderio di compiere una grande opera che dovesse andare oltre il normale studio di pittura o quadro nacque l'idea di osare in casa propria ciò che nella nostra epoca è negato al forte impulso creativo dei nostri artisti: la configurazione di un ambiente interno che abbia un suo scopo ben preciso. Volevamo sperimentare su di noi il compimento di un lavoro che avesse un suo scopo e una sua destinazione. Volevamo imparare. La realizzazione doveva avvenire nell'ambito di una esposizione, entro i limiti della sede in cui non doveva essere creato nulla di duraturo, perché una esposizione deve inglobare necessariamente l'opera di chi l'ha preceduta.»[27] Nel concetto della XIV Esposizione della Secessione si rispecchia pertanto il disagio degli artisti per la troppa autonomia dell'arte, e cioè che l'arte non venga usata in un più vasto contesto sociale. Nella società borghese l'arte è diventata nient'altro che merce e rappresenta soprattutto il valore commerciale convertibile in denaro.[28] Non a caso Max Klinger, nel suo scritto *Malerei und Zeichnung*, facendo riferimento a epoche in cui l'arte ancora non era autonoma, dice: «Purtroppo non ci sono più veri monumenti all'infuori di poche creazioni dell'epoca

romanica e gotica o del rinascimento.»[29] Tre anni più tardi, alla I Wiener Kunstschau, organizzata dal gruppo di Klimt che nel frattempo aveva abbandonato la Secessione, Klimt dirà: «Noi non consideriamo certamente la mostra come forma ideale per creare un contatto tra l'artista e il pubblico; avremmo desiderato molto di più risolvere i grandi compiti dell'arte per il pubblico.»[30] Si nota la delusione di Klimt per il fatto che le mostre come «opera unitaria» non siano riuscite a superare la divisione tra l'arte e la vita, anzi questa divisione veniva ancora più accentuata dall'involucro di bellezza ornamentale che voleva comprendere tutto in sé. Anche la XIV Esposizione della Secessione poté solo inscenare la sua pretesa di redimere l'umanità mediante l'arte, ma non poté offrire nessuna prospettiva per realizzare questa pretesa. La volontà di cambiare il mondo con l'arte penetrando nella vita dell'uomo con l'estetica e con lo «stile che tutto concilia»[31] era condannata a naufragare nel reale contesto di una società alla vigilia del crollo della monarchia danubiana in cui si sentiva sempre più forte la necessità di risolvere i gravi contrasti tra le classi antagoniste. La XIV Esposizione rimase un «surrogato del mondo»,[32] come in teatro, un mondo che alla fine della mostra fu «mutilato e stracciato» come quelle opere d'arte totale «di grandi epoche passate», di cui parla Max Klinger, il cui valore non può più essere utilizzato in «epoche di idee diverse».[33]
Dopo varie ricerche e studi è stato riconosciuto e precisato il rapporto con Richard Wagner, in particolare la «analogia tra il contenuto del fregio e l'interpretazione beethoveniana di Richard Wagner», e anche altri rapporti iconografici (per esempio con la filosofia di Friedrich Nietzsche).[34] Tuttavia lo studio interpretativo del contenuto rappresentato nel *Fregio di Beethoven* non è sfuggito che raramente al pericolo di porre sullo stesso piano il «fatto» artistico e la tendenza simbolistica del testo del catalogo. Anche nella spiegazione chiarificatrice che Werner Hofmann dà dell'arte di Klimt, le figure di donna sulla parete stretta vengono definite «personificazioni del carattere negativo del femminile».[35] Le figure femminili sulla parete stretta sono messe dal testo del catalogo,

1. XVIII Mostra della Secessione, personale di G. Klimt, 1903.

2. G. Klimt, *Capoverso*, in «Ver Sacrum», marzo 1898.

[27] *Klinger - Beethoven*, cit. pp. 9-11.
[28] Cfr. Michael Müller e altri, *Autonomie der Kunst*, Frankfurt/M., 1972.
[29] *Klinger - Beethoven*, cit., p. 16.
[30] Werner Hofmann, *Gustav Klimt und die Wiener Jahrhundertwende*, Salzburg, 1970, p. 10.
[31] L. Hevesi, *op. cit.*, p. 450.
[32] W. Hofmann, *op. cit.*, p. 14.
[33] *Klinger - Beethoven*, cit., p. 20.
[34] W. Bisanz-Prakken, *op. cit.*, p. 32.
[35] W. Hofmann, *op. cit.*, p. 28.

dai critici all'esposizione e anche dagli studiosi in un contesto la cui vicinanza alla iconografia cristiana (e alla pratica della Inquisizione) delle «streghe» e dei «vizi» varrebbe la pena di approfondire. Anche nella sua globalità il fregio appare come una versione profana di redenzione cristiana piena di reminiscenze iconografiche cristiane.[36]

Nel fregio di Klimt è caratteristica la contraddittorietà tra il tema e la forma artistica. Nella parete stretta le idee dominanti e repressive di moralità vengono scavalcate in modo provocatorio. Ma includendo queste «trasgressioni» in un contesto moralistico, queste idee di moralità vengono riprodotte, e l'opposizione di Klimt rimane regressiva. Il male della società in Klimt appare come «privato», paura dell'individuo nei confronti della sessualità della donna.[37] Si dovrebbero definire pura ipocrisia le implicazioni morali del testo del catalogo, considerando la vita di Klimt, se quello per cui Klimt è storicamente «responsabile» (l'autore del testo non si deve identificare con Klimt), cioè la pittura decorativa, non facesse capire un significato che sotto certi aspetti contrasta con il testo del catalogo. Se infatti si osservano le figure femminili, per così dire, serenamente, senza lasciarsi influenzare dal contesto iconologico o iconografico, si constaterà che da queste figure sprigiona un innegabile fascino erotico, che le figure del «Male» (i serpenti nei capelli delle Gorgoni, le applicazioni d'argento nei loro occhi ecc.) sono solo requisiti teatrali per inscenare il cosiddetto «Male».[38] Lo sguardo della «Lascivia», che pare prostituirsi con le sue lusinghe, sembra anticipare l'uso della sessualità femminile (o la sessualità del «voyeur» maschile?) nel sistema pubblicitario del tardo capitalismo.[39] Alla base di questo utilizzo sta proprio l'effetto erotico. La somiglianza del tema della «Lascivia» con quello delle «Arti» che conducono in Paradiso[40] è da interpretare, non solo per il contenuto, come analogia della promessa di felicità. È anche da notare che l'impegno artistico, la sensibilità e l'emozione di Klimt si sono concentrati inequivocabilmente sulle donne della parete stretta. Anche l'intensità della decorazione della veste della «Poesia» appare quasi «scarna» accanto al decoro esuberante dell'«Incontinenza». Ma le rappresentazioni di donne in Klimt rimangono ambivalenti: esse esprimono «contemporaneamente qualcosa del desiderio di dar libero sfogo alla sessualità e qualcosa dell'immagine repressiva che l'uomo si fa della donna, un essere solo sessuale e pertanto primitivo».

L'uomo «forte e ben armato» di Klimt rende poco l'idea di aspirazione eroica e allo stesso tempo teatrale di liberazione dell'umanità da parte dell'arte. «Il cavaliere di Klimt non è un redentore, è lui che cerca la redenzione.»[41] Il pathos maschile nel suo volto (zigomo sporgente, labbro inferiore proteso, naso da pugile) è in strano contrasto con la figura irrigidita, leggermente piegata all'indietro.

Il carattere di verità e la qualità della pittura del *Fregio di Beethoven* stanno proprio nel rendere questa contraddittorietà e ambivalenza del contenuto tematico. Con la configurazione artistica vengono messi in discussione gli elementi morali. Le belle apparenze sono inscenate in modo tale, con molto oro, scintillio e decorazioni, che si vive direttamente il carattere dell'illusione, del travestimento, la pittura si rivela essa stessa un travestimento — ben fatto — di realtà.

[36] Accanto all'iconografia delle streghe, delle virtù e dei vizi sarebbero da considerare anche altre rappresentazioni con una tematica che denuncia la donna (nuda), che offrirono agli artisti occasione per presentazioni artistiche. Sarebbe da studiare anche l'iconografia di concetti come miles Christi, decreto di Dio, misericordia, ambizione, ecc. Sono importanti i collegamenti con l'*Apocalisse* di Dürer. Klinger sulla parete posteriore del monumento a Beethoven fa notare il collegamento tra iconografia cristiana e antcheggiante: Golgota e Venere: amore come redenzione del mondo. Cfr. M. Bisanz-Prakken, *op. cit.*, p. 16 sgg.

[37] Klimt pare abbia voluto indicare nella figura femminile del «Dolore struggente» la tanto temuta sifilide. Cfr. Alice Strobl, *Gustav Klimt*, vol. I, p. 224.

[38] Le mani delle Gorgoni non sono dipinte con più manierismo di quelle dei Geni e delle Arti. M. Bisanz-Prakken (*op. cit.*, p. 44) definisce le mani come «irrigidite da un crampo».

[39] Cfr. per esempio Wolfgang Fritz Haug, *Kritik der Warenaesthetik*, Frankfurt/M., 1971.

[40] Cfr. A. Strobl, *op. cit.*, p. 224.

[41] W. Hofmann, *op. cit.*, p. 28.

Particolare del *Fregio di Beethoven*, prima e dopo il restauro. (Bundesdenkmalamt/E. Mejchar)..

1. XIV Mostra della Secessione: la costruzione della sala laterale destra, 1902.

2. XIV Mostra della Secessione, sala laterale destra, 1902.

3. G. Klimt, *Fregio di Beethoven, particolare de «L'anelito alla felicità».*

1-2. G. Klimt, *Fregio di Beethoven, particolari de «L'ostilità delle forze avverse».*

3-4. G. Klimt, *Fregio di Beethoven, particolari de «L'anelito alla felicità si placa nella poesia».*

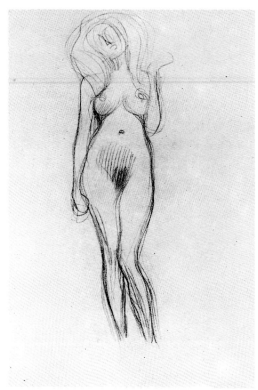

114

GUSTAV KLIMT DISEGNATORE

Alice Strobl

Sopra:

1. G. Klimt, *Primo studio per il Palazzo della Secessione.*

2. G. Klimt, *Studio per uomo seduto di spalle.* (Lds. Mus. Joan., Graz).

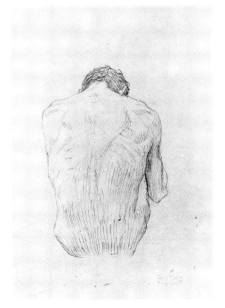

Come disegnatore Klimt appartiene al gruppo dei veramente grandi del suo tempo. La qualità straordinaria delle sue creazioni grafiche ebbe subito un riconoscimento senza riserve. Occasionali obiezioni furono rivolte solamente alla libertà della sua tematica, concentrata quasi esclusivamente sulla rappresentazione della donna e del suo corpo. Immagini pervase di sensibilità e sensualità. Molte possiedono un fascino singolare che ha per presupposto un certo decadentismo. Tensioni estetiche, stati d'animo fantastici e di trance, ma anche soggiogati dalla disperazione, trovano nei suoi disegni un posto importante. Il demonico ha un ruolo notevole, specialmente al tempo del *Fregio di Beethoven* (1902), ma è limitato alla rappresentazione simbolica, perché compare quasi esclusivamente in opere allegoriche.

Klimt stesso stimava molto i propri disegni, che nascevano quasi esclusivamente in associazione con i quadri, insieme ai quali ripetutamente li espose in mostre in patria e all'estero. Tuttavia il carattere autonomo dei suoi disegni apparve con particolare evidenza.

Nel corso di una attività di quasi quarant'anni Klimt sottopose il proprio ideale figurativo, come pure il tipo di segno, a un costante mutamento. Periodi di bellezza classica, di composizione meditata e di euritmia delle linee si alternano ad altri fortemente manieristici, in cui uno stile angoloso nel disegno delle figure e proporzioni alterate trovano applicazione al fine di una maggiore espressività.

Responsabile di questo continuo cambiamento può essere la volontà di Klimt di non fermarsi mai e di creare sempre qualcosa di nuovo, come egli stesso aveva precisato in un'intervista del 1903. Era con ciò in connessione l'ininterrotta riflessione sugli impulsi che gli provenivano dall'arte del suo tempo o anche dalle opere del passato. La preparazione scolastica avuta da Klimt e la predilezione a essa correlata dei suggerimenti provenienti dall'area mediterranea possono essere considerate la causa degli elementi classici presenti nella sua opera. Esse conferirono ai disegni di Klimt qualcosa che era fuori dal tempo. Lo studio, fortemente impregnato di storicismo, alla Kunstgewerbeschule di Vienna lo introdusse innanzitutto all'arte del Rinascimento italiano, ma lo rese anche sensibile ai suggerimenti che scaturivano da altri stili del passato e del presente. Così come non sfuggì ad un certa influenza dell'arte di Makart (1840-1884), mostrò però già negli studi per le pitture del soffitto dei due scaloni del Burgtheater di Vienna di possedere uno stile molto personale del segno, con il quale egli trasponeva nel disegno la levigatezza della porcellana e la plasticità dei corpi femminili che si potevano osservare nelle esposizioni francesi e inglesi del tempo. Particolarmente importante per lui fu Alma Tadema (1836-1912), che era stimato uno dei migliori conoscitori e interpreti della vita nell'antichità.

Benché le pitture del Burgtheater avessero procurato a Klimt una vasta fama, ciò non gli impedì, entrando nel novero dell'arte contemporanea, specialmente di quella dei preraffelliti, dei simbolisti e della Jugend monacense, di cooperare molto attivamente alla diffusione del nuovo stile, lo Jugendstil. Al tempo della fondazione della Secessione, nel 1897, lo Jugendstil fece le prime apparizioni con opere grafiche e Klimt utilizzò come modello, per i fogli pubblicati in «Ver Sacrum» insieme a cenni programmatici, la pittura vascolare dell'antichità con il suo piano stile lineare, mentre i suoi studi di ritratto e di nudo seguivano lo stile internazionale, al quale egli conferì una nota molto personale per mezzo di varie strutture e con l'accentuazione di contorni ritmicamente vibranti.

Questo modo di operare col segno caratterizzò anche gli studi per le prime fasi della *Filosofia* (1900) e della *Medicina* (1901), per i quali le sculture di Rodin (1840-1917) furono determinanti, a cominciare dal tema. I concetti espressi da Klimt in entrambi i dipinti hanno un ruolo significativo anche in numerose opere successive. Essi hanno di preferenza per oggetto gli eventi elementari, con tutta la loro problematica, della vita di un uomo. La rappresentazione del divenire, essere e passare, il che al tempo di Klimt era spesso denominato come il ‹mistero della vita», costituisce il tema centrale.

Al punto più alto della prima fase del nuovo stile di Klimt debbono essere collocati gli schizzi per il *Fregio di Beethoven* (1902) e per la *Giurisprudenza* (1903). In questi studi il contorno con gessetto nero fino agli ondeggianti capelli, che fluiscono in linee parallele, assume il ruolo di esclusiva intelaiatura portante dell'insieme. Una svolta verso una rappresentazione più fortemente espressiva delle forme si verificò attraverso il contatto con l'arte di Jan Toorop (1858-1928) e di George Minne (1866-1941). Negli studi sugli abiti per i numerosi ritratti di donne Klimt riuscì anche, per mezzo di un'accentuata dinamica delle linee, a esprimere qualcosa sulla psiche dei soggetti.

Mentre tutti questi disegni furono eseguiti ancora con gessetto nero sulla superficie ruvida di carta da pacchi, a partire dal 1903 fino al termine della vita Klimt preferì le carte giapponesi dalla bella superficie rilucente, sulle quali disegnò esclusivamente con la matita. Disegni particolarmente belli fece anche con matite blu e rosse nonché con gesso bianco.

Di un fascino tutto particolare sono i fogli, eseguiti a matita sottile, che comparvero negli *Hetärengespräche* (Dialoghi delle cortigiane) di Luciano in una edizione di Franz Blei pubblicata a Lipsia nel 1907. Tanto Hermann Bahr (1863-1934), che in tre lettere al curatore si dichiarava entusiasta di questa opera, quanto Max Brod (1884-1968), in una conversazione apparsa sulla rivista «Die Gegenwart» (9 dicembre 1907, p. 363), credettero di riconoscere nei disegni di Klimt la coerenza con l'antichità. Max Brod parlò di una stupefacente unità tra il testo, che risaliva al II secolo dopo Cristo, e i disegni di Klimt. Un'affermazione sorprendente se si pensa che questi fogli non erano nati per l'illustrazione del testo ma erano stati scelti tra un fascio di disegni eseguiti nell'arco di tre anni. Le concordanze si possono spiegare soltanto con il fatto che, sia per il testo che per i disegni, si tratta di opere che hanno origine in una cultura nella fase ormai avanzata nel tempo, nella fase cioè in cui un accresciuto estetismo e la rappresentazione di una atmosfera erotica hanno un ruolo importante. E si deve aggiungere che Klimt, nel suo costante impegno nella raffigurazione del corpo umano, aveva sempre presenti nel suo spirito i modelli dell'antichità, che proprio in quel periodo, essendosi nuovamente occupato di pittura vascolare greca, dovettero maggiormente influenzarlo. Questo recente contatto ebbe per conseguenza un ritorno alla regolarità delle proporzioni negli anni 1905-1909.

Per i ritratti di profilo disegnati da Klimt intorno al 1904 dovrebbero essere stati determinanti i ritratti fiorentini del '400 con la loro delicata accentuazione dei contorni, mentre successivamente, intorno al 1906, non mancò nei ritratti di donna l'influenza di Velázquez (1599-1660) e nel 1908 quella di Toulouse-Lautrec (1864-1901).

Due viaggi a Ravenna, nel maggio e nel dicembre del 1903, potrebbero essere

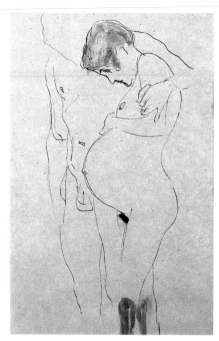

1. G. Klimt, *Donna incinta con uomo*, 1902 c. (Coll. privata, Vienna).

2. G. Klimt, *Studio per «Pallas Athene»*, 1900 c. (Coll. privata, Vienna).

1. G. Klimt, *Donna accovacciata*. (Coll. privata, Ginevra).

2. G. Klimt, *Donna seduta con le braccia incrociate*, 1910 c. (Coll. privata, Vienna).

stati decisivi per la maturazione dell'arte di Klimt. A prescindere dalla grande importanza che ebbero per la sua pittura, stimoli provenienti dall'arte ravennate si rintracciano anche nei disegni. Una particolare citazione merita il mosaico dell'imperatrice Teodora in San Vitale, al quale è ispirata una serie di studi per il ritratto di Adele Bloch-Bauer del 1907 (Österreichische Galerie di Vienna). Influenza non inferiore ebbe l'ornamentazione ravennate a tralci per lo sfondo degli schizzi delle due figure simboliche del fregio a mosaico nel Palazzo Stoclet a Bruxelles (1905-11), tra le quali la *Danzatrice (Attesa)* rivela le proprie radici nell'arte egizia, pur essendo tuttavia un'opera dell'autentico Klimt.

In tutti questi fogli, nei quali l'accento principale è posto sulla linea che dà risalto alle due dimensioni, è chiaramente percepibile l'impegno dell'artista verso forme geometriche. La causa di questa tendenza fu vista in un più marcato avvicinamento di Klimt all'arte dell'architetto Josef Hoffmann (1870-1956) e della Wiener Werkstätte, che avevano sviluppato un modulo dello Jugendstil basato su forme geometriche. Si deve aggiungere inoltre l'interesse di Klimt per l'arte giapponese e per quella di Aubrey Beardsley (1872-1898), le cui illustrazioni per *Salomé* ispirarono a Klimt la *Giuditta* del 1909 (Galleria d'arte moderna Ca' Pesaro, Venezia). Il critico d'arte Franz Servaes (1862-1947) individuò sicuramente un tratto tipico e molto significativo di Klimt quando lo definì un genio della fusione di ispirazioni estetiche come forse nessun altro dopo Raffaello. Un viaggio a Parigi e in Spagna nel 1909 portò a un certo distacco dallo stile della maturità, denominato anche «stile aureo». Questo cambiamento fu segnalato da Karl Moll, che accompagnò Klimt nel viaggio, in un breve scritto a Josef Hoffmann. Non fu certamente un caso il fatto che questa notizia provenisse da Toledo, la città di El Greco, la cui influenza sull'arte di Klimt tuttavia sarebbe apparsa sensibile soltanto molto più tardi. La constatazione di una sua particolare posizione nell'arte ebbe per conseguenza uno stato di depressione che si manifestò intorno al 1910 in quadri alquanto tetri, cui fa riscontro però già nel 1912 l'apparire di colori splendenti, per i quali gli stimoli provenienti dalla pittura francese contemporanea furono determinanti.

Negli studi per il quadro *La vergine* del 1913 (Galleria nazionale di Praga) comparvero in misura crescente tendenze barocche. La rigorosa bidimensionalità fu abbandonata a favore di un più marcato aprirsi dello spazio per mezzo della figura umana. Accanto a figure gracili trovarono sempre più spicco corpi pienotti, presentati in piena libertà, con rotazioni, sbilanciamenti e uso del contrapposto. Divenne evidente un tipo di composizione con forme concentrate, fortemente espressive. Posizioni che ricordano il *Fauno Barberini* della Gliptoteca di Monaco e la *Venere callipigia* del Museo nazionale di Napoli vengono utilizzate nelle più differenti varianti. In esse sembra trovare espressione qualcosa di dionisiaco. Attraverso una lunga serie di studi si concretizzarono nelle figure dei quadri *Vergine*, *Fidanzata* e *Leda*. L'estasi diviene con sempre maggior frequenza il tema dell'opera.

Il conseguimento degli effetti tridimensionali fu facilitato nell'opera di Klimt anche dal tipo del suo tardo linguaggio grafico. Già verso la fine del periodo della maturità si verificò un allontanamento dai contorni continui, al cui posto comparvero linee sfilacciate, forme intrecciate e tratti concentrati. Nel periodo tardo Klimt ispirò in questo senso anche l'ornamentazione. Quei cerchi che, all'inizio, intorno al 1904, Klimt disegnava calligraficamente sugli abiti col suo personale stile del segno — se ne trovano di simili nella pittura vascolare dell'antichità come pure in xilografie policrome giapponesi — si trasformarono in seguito in anelli e riccioli. Mantennero dapprima un carattere ornamentale e simbolico che sottolineava la superficie piana, mentre dopo il 1911 furono usati come elementi per la creazione dello spazio.

Verso il 1916 Klimt eseguì, per la preparazione di alcuni quadri, degli studi di abiti in cui linee astratte avevano il compito di costruire la figura tridimensionale. Sempre a quel tempo sia Hodler (1853-1918), che forniva suggerimenti a Klimt soprattutto con motivi connessi agli atteggiamenti, sia Rodin continuavano a influenzare in misura rilevante i suoi schizzi. Ma non era più il Rodin della *Porte de l'Enfer,* bensì quello delle *Cambogia-Danzatrici,* fogli che furono esposti anche a Vienna, e precisamente alla Galleria Heller, nel 1908.

Nell'ultimo periodo un interessamento sino allora sconosciuto di Klimt per la pittura di El Greco (1541-1614) determinò una nuova svolta verso il manierismo, il cui stile pittorico fiammeggiante Klimt trasportò nelle linee curve dei contorni dei suoi nudi e le cui formule di espressione del sentimento religioso, come le teste in estasi, assimilò negli studi di nudo e di seminudo. In alcuni di questi fogli le donne dei nudi risultano spiritualizzate in maniera da farle apparire diafane, come consumate dalle proprie passioni. Vi si scorge un abbandonarsi dei loro corpi come in uno spazio che abbraccia ogni cosa. Benché Klimt in questi disegni, intesi a manifestare principalmente moti dell'anima, abbia raggiunto il massimo in espressività, essi tuttavia non possono essere assegnati all'espressionismo. La ragione può essere vista nella diversità generazionale, principalmente nella formazione spirituale di Klimt, in cui l'esemplare e l'universalmente valido erano in primo piano. Lo sforzo di inserire le proprie rappresentazioni in un nesso universale, così come appare anche nei disegni dell'ultimo periodo, dominò l'intera sua opera pittorica.

Diversa era la situazione degli espressionisti, per i quali il più alto obiettivo era costituito dalla rappresentazione dell'occasionale e dell'individuale, con l'impiego della deformazione artistica volta ad accrescere l'espressività. Questo radicale mutamento dell'immagine della natura fu presente in Klimt in misura molto limitata perché le sue radici affondavano in un'arte ispirata all'armonia delle forme.

In basso da sinistra:
G. Klimt: 1. *Studio di donna distesa.* (Lds. Mus. Joan., Graz). □ 2. *Gruppo di donne.* (Coll. privata, Ginevra). □ 3. *Nudo femminile seduto,* 1910 c. (Neue Gal., Linz). □ 4. *Studio per «Leda»,* 1916-1917. (Coll. privata, Vienna).

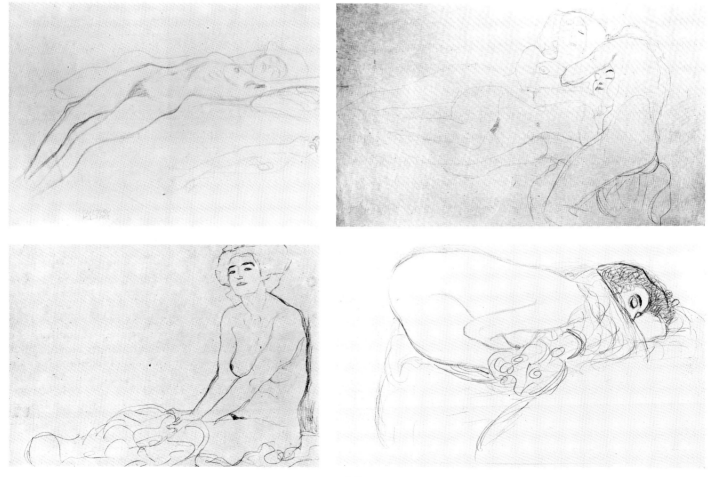

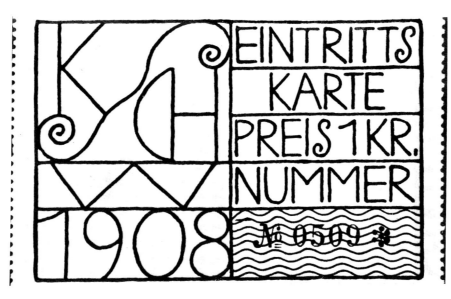

IL GRUPPO DI KLIMT

Thomas Zaunschirm

Sopra:

1. A. Kling, *Biglietto d'ingresso alla Kunstschau del 1908.*

2. Firme delle presenze alla riunione per la Kunstschau del 17.1.1908.

Pochi mesi dopo la morte del vecchio presidente onorario Rudolf von Alt, avvenuta nella primavera del 1905, l'uscita del «Klimt-Gruppe», il gruppo che si era formato attorno al pittore Gustav Klimt, scosse la Secessione dalle sue fondamenta. Il tempio dell'arte secessionista, costruito nel 1898 su progetto di Olbrich, era il centro dell'avanguardia viennese al volgere del secolo; in seguito non avrebbe più avuto un uguale ruolo di primo piano. Ma per gli artisti del gruppo di Klimt sorse ora il problema di trovare una sede per l'associazione e quindi degli spazi dove allestire mostre rappresentative. La mancanza di una sede adeguata fu infatti il motivo per cui la «Österreichische Künstlerbund», l'unione di artisti fondata da Klimt nel 1906, non riuscì ad avere il rilievo auspicato e il lavoro collettivo poté essere avviato soltanto con un anno di ritardo. Era infatti la personalità di Klimt, più che qualsiasi statuto o contratto, a unire i collaboratori, un fatto che suscitò l'ammirazione anche dei suoi contemporanei.

Nell'autunno del 1907 venne fondato il comitato per la progettazione della Kunstschau, che era diviso in due sezioni. Della prima, riservata alle questioni inerenti all'architettura d'interni, erano responsabili gli architetti Josef Hoffmann, Otto Schönthal e Wilhelm Schmidt, mentre della seconda (pittura, scultura ecc.) si occupavano Bertold Löffler, Carl Moll e Koloman (Kolo) Moser. Ben presto si crearono altri sottocomitati, uno per il teatro (responsabile Alfred Roller), per la scultura monumentale e i giardini, e uno per la grafica, la scultura minore e l'artigianato artistico (a carico di Hoffmann e Otto Prutscher), nonché per l'arte dedicata all'infanzia (a cura di Adolf Boehm e Franz Cizek), per la grafica pubblicitaria, di cui si occupavano oltre a Löffler anche Anton Kling e Rudolf von Larisch. Né si escludeva la creazione di ulteriori sezioni speciali. I singoli direttori operavano autonomamente organizzando in fretta e furia i rispettivi settori; d'altronde molto spesso il tempo tra la presentazione delle domande di iscrizione e la consegna delle opere era di appena una settimana.

La Galleria Miethke fungeva da centro di coordinamento, ma per qualsiasi cosa ci si poteva rivolgere anche direttamente a Klimt, che invitò tutti con una circolare del 15 febbraio 1908 a trovarsi insieme ogni venerdì nel ristorante «Deutsches Haus» sulla Stephansplatz. L'invito diceva: «Poiché sono iniziati i preparativi per la mostra e disponiamo già di un progetto di costruzione, desidero che gli spettabili espositori si riuniscano nelle dette sere nei locali del ristorante per stabilire i necessari contatti e discutere liberamente. Colgo l'occasione per ricordare loro di presentare i bozzetti per il manifesto della Kunstschau 1908.»

Per la costruzione dell'edificio della mostra su un'area messa a disposizione dal ministero degli Interni — oggi vi si trova la Konzerthaus — non rimanevano che sei o sette settimane, ma in maggio si riuscì comunque a inaugurare la più grande rassegna d'arte mai vista prima a Vienna. La stampa insisté a parlare della «Kunstschau del gruppo di Klimt», ma in realtà vi parteciparono anche numerosi artisti non secessionisti.

Alla «Kunstschau 1908» presero parte ben 157 artisti (non tutti citati nell'indice del catalogo), mentre gli ex secessionisti tra loro erano poco più di una dozzina, e di questi non tutti parteciparono alla mostra. Josef Auchenthaller, per esempio, non si mosse da Grado dove viveva, e Wilhelm Bernatzik era morto nel 1906. La grande mostra fu senza dubbio il culmine di tutti i sogni dei «creatori d'interni» e rappresentò la realizzazione di tutti gli intenti che li avevano portati ad abbandonare la Secessione. Ma come ci si era arrivati?

Già allora i numerosi commenti della stampa non concordarono sul numero dei componenti il gruppo di Klimt, questo perché inclusero nel conteggio anche alcuni artisti che vivevano stabilmente o a intervalli all'estero, come Auchenthaller, Adolf Hölzl, Felician von Myrbach, Emil Orlik, che erano ormai usciti dal gruppo, o come Hans Schwaiger che viveva a Praga. Tra i pochi rimasti vi erano comunque le personalità dominanti.

La Secessione era nata per sfuggire alla routine delle mostre che la Künstlerhaus allestiva secondo canoni ufficiali e con un occhio al mercato. I secessionisti volevano porre l'accento non già sulla commerciabilità ma sui valori autenticamente artistici delle opere esposte, curando in modo particolare la presentazione di artisti stranieri. Nel nome della «Vereinigung bildender Künstler Österreichs — Sezession» (l'Associazione degli artisti figurativi d'Austria — Secessione, com'era il nome per intero), Klimt scrive alla Associazione degli artisti figurativi viennesi, cioè alla Künstlerhaus, circa «la necessità di creare uno scambio di idee più vivo tra il mondo artistico viennese e i continui sviluppi dell'arte all'estero e di organizzare le mostre con criteri esclusivamente artistici, senza implicazioni commerciali».

Per ironia della sorte furono proprio i rapporti con la Galleria Miethke a dare l'avvio alla votazione polemica seguita dall'uscita del gruppo di Klimt dalla Secessione. Carl Moll, che aveva assunto la consulenza della casa d'arte, se n'era andato già prima. Infatti le divergenze d'opinione covavano da tempo sotto la cenere.

Klimt fu il presidente dell'associazione per i primi due anni appena, ma ne rimase il protagonista assoluto anche in seguito. Degli affronti pubblici ai quali era esposto lo compensava abbondantemente l'entusiastica adorazione dei suoi accoliti. Al di là della sua collaborazione permanente a «Ver Sacrum», a cataloghi e manifesti, e oltre alle mostre dei suoi quadri, il più grande e importante contributo che diede alla Secessione fu il *Fregio* per la mostra del *Beethoven* di Klinger.

Con e per Klimt opera instancabile Josef Hoffmann, per il quale la Secessione è il trampolino di lancio. Allievo di Otto Wagner, Hoffmann inizia la propria carriera decorando libri (nel 1895) e allestendo mostre (dal 1898); crea mobili per i suoi amici artisti, per Moser, ad esempio, o per Kurzweil, con i quali ai tempi dell'accademia frequentava il Siebener-Club, un circolo studentesco. A ventinove anni, prima ancora di ottenere effettivi incarichi di architettura, Hoffmann è professore della Scuola di arti decorative, la Kunstgewerbeschule. La nascita della Wiener Werkstätte nel 1903, di cui è fondatore anche Hoffmann, avviene in seguito all'VIII Mostra della Secessione del 1900, nella quale le arti decorative austriache possono competere per la prima volta con quelle inglesi.

La pretesa universal-artistico-artigianale dell'architettura d'interni di Hoffmann richiedeva committenti benestanti che fossero disposti a farsi arredare la casa interamente in stile moderno e le cui mogli si facessero ritrarre da Klimt. Qui era impossibile separare i rapporti d'amicizia dagli affari. Nel 1904, per esempio, Hoffmann e Moser arredano la sala da pranzo di Editha Mautner-Markhof, la cui figlia Moser sposa l'anno seguente. Lo stesso Moser abbandona poi la Wiener Werkstätte quando Wärndorfer, uno dei fondatori, si rivolge a sua insaputa a sua moglie per chiedere un aiuto finanziario.

Data la loro aspirazione a elevare l'artigianato allo status di arte, ai «creatori di interni», a differenza degli artisti puri,

1. Gustav Klimt, 1908 c.

2. Da sinistra: Kolo Moser e Gustav Klimt nel giardino di Villa Moll sulla Hohe Warte.

1. Ingresso della Kunstschau 1908, costruzione di J. Hoffmann.

2. A. Kling, *Carta intestata della Kunstschau 1908.*

3. Catalogo della Kunstschau con il discorso di inaugurazione di G. Klimt.

GUSTAV KLIMTS REDE BEI DER ERÖFFNUNG DER AUSSTELLUNG.

EINE DAMEN UND HERREN, SEIT 4 JAHREN HABEN WIR NICHT MEHR GELEGENHEIT GEHABT, IHNEN DIE ERGEBNISSE unserer Arbeit durch eine Ausstellung vorzuführen.
Wir betrachten ja bekanntlich die Ausstellung keineswegs als die ideale Form zur Herstellung des Kontaktes zwischen Künstler und Publikum; die Lösung großer öffentlicher Kunstaufgaben z. B. wäre uns für diesen Zweck ungleich erwünschter. Aber solange das öffentliche Leben sich vorwiegend mit wirtschaftlichen und politischen Angelegenheiten befaßt, ist der Weg der

non bastavano gli ambienti neutrali per le loro mostre-mercato. Se la concezione della mostra per il *Beethoven* prevedeva già la subordinazione degli artisti individuali a un ideale superiore, con il fallito colpo di mano che si tentò a sostegno di Klimt in occasione dell'Esposizione mondiale del 1904 a St. Louis, questa tendenza sfociò nell'esasperazione. In seguito al tardivo invito da parte del ministero competente, il comitato di esposizione decise di mandare a St. Louis soltanto le opere di Klimt più qualche scultura di contorno di Metzner e Luksch, il tutto in un'ambientazione di Hoffmann. Dopo la generale levata di scudi contro una simile limitazione a scapito degli altri artisti e la conseguente marcia indietro del ministero, la Secessione rinunciò del tutto alla propria partecipazione. Da quel momento il clima rimase definitivamente avvelenato.

L'invidia e i malumori venivano espressi solo indirettamente contro Klimt, ma la crescente influenza dei suoi intimi era seguita dagli altri con aperta diffidenza. Oltre a Hoffmann, anche Moser, Roller e Strasser insegnavano alla Scuola di arti decorative, il cui direttore era allora Felician von Myrbach. Hoffmann aveva le mani in tutte le paste. Già la fondazione della Wiener Werkstätte aveva creato cattivo sangue perché questa si accaparrava tutte le commissioni, e quando Moll assunse la direzione della più grande casa d'arte viennese i pittori secessionisti videro con ragione andare in fumo i loro progetti. Chi non era ammesso alla ristretta cerchia attorno a Klimt, Hoffmann, Moser e Moll non aveva che la Secessione, in concreto cioè lo spazio della mostra, per trovare di che vivere. Ovviamente questo ultimo baluardo andava difeso strenuamente; ma certi intrighi e affarismi rimanevano per questi «esclusi» il chiaro segno che l'ideale secessionista era stato tradito.

Nella votazione decisiva il gruppo di Klimt perse per un solo voto. Decine di anni più tardi, quando il concetto di architettura d'interni assume contorni precisi grazie alle nuove correnti come la Bauhaus, l'abbandono del gruppo di Klimt è ormai acqua passata; tant'è che nel 1938 Hoffmann rientra nella Secessione.

Nel 1905 lui e Klimt erano totalmente

assorbiti dai progetti per il Palazzo Stoclet di Bruxelles; per questa ragione dovettero passare quasi due anni perché il gruppo di Klimt cominciasse a preparare per Vienna una mostra in grande stile di «creazioni d'interni». Visto il complesso intreccio di rapporti, è ovvio che, oltre ai sette (Klimt, Boehm, Hoffmann, List, Moll, Moser e Roller) che costituivano il nucleo del gruppo, la commissione di lavoro comprendesse anche colleghi, allievi e collaboratori, come Cizek, Kling, Larisch, Löffler, Prutscher, Schmidt, Schönthal e Wimmer.

Oggi stentiamo a credere che un simile progetto potesse essere realizzato in così breve tempo. Fino all'ultimo momento si modificò il programma, si lottò per strappare sovvenzioni in denaro e in forma di prestazioni gratuite, che i ministeri, la regione Bassa Austria, il Comune di Vienna e mecenati privati non mancarono di concedere, tutto quanto per realizzare l'obiettivo comune che Roller, come responsabile della sezione teatro (per la quale era praticamente predestinato in quanto direttore della scenografia alla Hofoper sotto Gustav Mahler), definiva così: «Dare al consueto forme nuove e migliori e schiudere la porta per l'insolito, per le soluzioni nuove; opporsi dunque ai vizi antiartistici che imperversano sulle nostre scene e sono accettati come naturali e inevitabili dal pubblico reso insensibile dall'assuefazione; d'altronde la mancanza di uno stile regna sovrana in questo come in tanti altri ambienti» (lettera agli espositori).

Di nuovo si aspira a uno stile onnicomprensivo che si estenda a tutti gli ambiti della vita, così massicciamente che il pubblico ne è stravolto. Il giornale «Österreichische Volks-Zeitung» conia il termine azzeccato di «galoppatore della Kunstschau» per il visitatore della mostra. Vi si trova proprio di tutto, dagli oggetti d'uso alla casa modello di Hoffmann, all'«arte per l'infanzia», alla moda dei camicioni informi ma sani e pratici, fino ai progetti per cimiteri.

I critici più benevoli riconobbero forza creativa alle opere architettoniche di Hoffmann: «Ogni ambiente è compiuto in sé, un creazione autonoma. Spazi chiusi si alternano a cortili e giardini — scrive Marcel Kammerer —. Un lembo di cielo azzurro catturato tra il bianco dei muri, la luce del sole e il verde trasformati in elementi strutturali da una volontà decisa rallegrano i nostri sensi.» In mezzo a tutta questa ricerca dell'armonia universale si badava assai meno alle opere individuali. Kokoschka ed Egon Schiele (che avrebbe partecipato poi alla «Kunstschau 1909») rappresentavano già la generazione successiva che, manifestando i propri concetti artistici attraverso l'espressività emotiva, si lasciava alle spalle lo Jugendstil con la sua «arte d'interni».

La scienza dell'arte, interessata più che altro alle opere individuali, ha dedicato ampie monografie ai personaggi eminenti di quegli anni e ultimamente si sta occupando anche degli artisti che, dotati di un'eccellente preparazione artigiana, insegnavano oppure aprivano laboratori. Quanto alla maggioranza dei nomi tuttora significativi, tra cui Boehm e Roller, per citarne i più importanti, dovranno invece aspettare ancora qualche anno per avere gli onori della rievocazione storico-critica. Simile a un gigantesco mosaico caleidoscopico si sta ricostruendo gradualmente l'immagine del periodo precedente la grande guerra, così denso di avvenimenti, nel quale l'ormai quasi dimenticata attività del gruppo di Klimt attorno alla Kunstschau fu certamente l'evento di maggiore spicco.

Chi, munito del catalogo, perlustrava i ben 54 ambienti veniva accolto nell'atrio e preparato spiritualmente da una citazione di Carlyle: «Il tramonto del passato è stato annunciato ed è ormai inevitabile. Il passato è morto. Ma, ahinoi, il futuro è ancora prigioniero del travaglio del proprio parto.» Allora si ignorava che quel «travaglio del parto» dal quale stava per nascere il futuro fosse identico al «tramonto del passato». Era troppo allettante d'altronde l'idea della fusione tra pubblico e arte, una visione che riacquista attualità anche oggi e che Klimt nel suo discorso inaugurale esprimeva con queste parole: «La nostra concezione dell'"artista" è uguale a quella che abbiamo dell'"opera d'arte". Chiamiamo artisti non solamente i creatori ma anche coloro che godono dell'arte, che sono cioè capaci di rivivere e valutare con i propri sensi ricettivi le creazioni artistiche. Per noi, il "connubio artistico" è l'unione ideale di tutti, creatori e fruitori dell'arte.»

Ma nello stesso discorso Klimt già presagisce la fine del suo gruppo. Infatti poco dopo aggiunge questa malinconica considerazione: «Noialtri, che per tante settimane abbiamo collaborato per dare vita a questa mostra, ora che è aperta ci risepareremo, andando ciascuno per la propria strada. Ma non è detto che in un prossimo futuro non ci si riunisca di nuovo, in modo diverso e con scopi diversi...»

Bibliografia: Katalog der Kunstschau, Wien, 1908; Marcel Kammerer, *Die Architektur der Kunstschau*, in «Moderne Bauformen», VII, n. 9, Stuttgart, 1908; Peter Vergo, *Art in Vienna 1898-1918*, London, 1975; Horst-Herbert Kossatz, *Der Austritt der Klimt-Gruppe, eine Pressenachschau*, in «Alte und Moderne Kunst», n. 141, Innsbruck, 1975, pp. 23-26; Werner J. Schweiger, *Der junge Kokoschka*, Wien, 1983; pubblicazioni periodiche diverse («Hohe Warte», «Kunst und Kunsthandwerk»), cataloghi e fonti inedite (con un ringraziamento particolare a Paul Asenbaum).

Georg Klimt, *Rilievo in metallo da un disegno di Gustav Klimt*. (Coll. privata, Vienna).

Inaugurazione della Kunstschau del 1908. (Foto R. Teschner).

Oskar Kokoschka, 1909.

NOTE SULL'OPERA GIOVANILE DI OSKAR KOKOSCHKA

Herbert Giese

Sopra:

1. J. Hoffmann, *Decorazione per libro*, in «Ver Sacrum», settembre 1898.

2. O. Kokoschka, *Autoritratto,* manifesto per «Der Sturm», 1910.

Gli storici d'arte, o almeno coloro che sentono questa «vocazione», sono oggi per la maggior parte archivisti e ricercatori. Poche sembrano le eccezioni. Il timore di un giudizio scorretto o di una valutazione incerta troppo spesso vieta un vero raffronto con l'arte figurativa. Registrare materiali con estrema pignoleria appare oggi decisamente più importante che affrontare un coraggioso dibattito. Questo vale per gran parte dei temi della storia dell'arte più recente, e in particolar modo per l'opera del giovane Kokoschka.[1]

Nel suo caso sembra trionfare il motto: «Raccogliere materiale è tutto.» Ma proprio perché abbiamo a che fare con l'affascinante tema dell'opera giovanile di Kokoschka non possiamo arrenderci a questo slogan. Tra il 1907 e il 1913 (un limite temporale che può apparire puntiglioso, ma che trova rispondenza nell'opera dell'autore e non in convenienti dati storici) si snoda l'evoluzione dell'artista da dotato litografo Jugendstil a maturo creatore di arte moderna.

Se la storia fosse fatta di avvenimenti da cartellone potremmo richiamare una coincidenza che chiarirebbe rapidamente quanto appena detto. Se infatti il *Bacio* di Klimt non fosse stato esposto alla «Kunstschau» del 1908 ma un anno più tardi, la *Natura morta con montone* di Oskar Kokoschka sarebbe stata ammirata accanto al *Bacio* nella stessa mostra. Null'altro potrebbe meglio illuminare la posizione dell'artista e il significato della

sua opera. È significativo che questi due dipinti così importanti per la pittura austriaca siano nati quasi contemporaneamente: da un lato l'opera del maturo Gustav Klimt, che anelava a una sintesi; dall'altro uno dei primi colpi di genio del rivoluzionario che proprio da tale sintesi rifuggiva. Werner Hofmann parla di un'avvenuta «emancipazione della dissonanza».[2] Si dovrebbe aggiungere: «emancipazione della sintesi».

Altrove ho già compiuto il tentativo di identificare nella definizione «dualismo come principio» le costruzioni concettuali delle diverse «volontà artistiche», che promossero lo sviluppo dell'arte viennese al volgere del secolo e negli anni successivi.[3] Nei primi anni del nostro secolo una simile formulazione è stata stranamente condivisa da storici d'arte (Riegl), «semiartisti» (Worringer) e artisti veri e propri (Kandinsky). Molto schematicamente le loro concezioni possono essere così riassunte.

Esistono due distinte «volontà artistiche» che in misura diversa hanno da sempre esercitato il loro influsso sull'arte figurativa.[4] Esse si fronteggiano agli antipodi: da un lato la massima verità naturalistica (immedesimazione secondo Worringer e «Grosse Realistik» di Kandinsky), dall'altro la massima astrazione (il *Porte-bouteilles* di Duchamp e le composizioni di Kandinsky).

Mi è facile supporre che la capitale viennese alla fine del secolo e soprattutto dopo il 1900 ricercasse una sintesi tra le

due «volontà artistiche», e cioè una equilibrata fusione di questo paradigma degli opposti, «spirito e sensibilità», «razionalità e irrazionalismo», «mente e corpo».
Vienna, non solo con i pittori ma anche con i matematici, i musicisti, i filosofi, i letterati, i linguisti, cercò di ricreare una condizione di «equilibrio», che era stata spezzata dal positivismo del «Gründerzeit» tra il 1871 e il 1873 e dal suo unilaterale orientamento al razionale.
Il principale interprete della pittura austriaca intorno al 1900, Gustav Klimt, era più che mai attivo nella ricerca di questa sintesi. Nell'artista l'ornamento era mediatore e portatore dell'astratto, mentre il vero naturale dei suoi vivi incarnati era espressione diretta della cosiddetta «Grosse Realistik». Questa tendenza è presente anche nei suoi paesaggi, che pure a prima vista sembrano sottrarsi a una simile interpretazione. Nel loro complesso essi risentono della vicinanza dell'impressionismo quale apice e conclusione della ricerca realista del XIX secolo, e nel dettaglio stilizzato e spesso astratto identificano la loro controparte razionale.
L'arte di fine secolo e del periodo immediatamente successivo mira dunque a una sintesi. In uno scenario artistico così raffinato ed equilibrato fa la sua apparizione Oskar Kokoschka; selvaggio e disinibito, il suo animo non è certo disposto a condividere la generale aspirazione alla sintesi.
Il suo rifiuto di aderire positivamente alla «bellezza della vita» (Schönlebendigkeit), così come l'abbandono dell'astrazione decorativa, che nello Jugendstil viennese era conosciuta sotto il nome di «Stilkunst», hanno lo stesso effetto di un urlo nel silenzio: il suo è il tentativo di restituire al «brutto» e al «deforme» la giusta collocazione all'interno della produzione artistica.
Già con la sua partecipazione alla «Kunstschau 1908», purtroppo scarsamente documentata, Oskar Kokoschka non esita a dare un taglio netto alla tradizione. Nei due anni successivi si rifiuta categoricamente e in modo sempre più brutale e «stravagante» di partecipare alla ricerca di un nuovo canone di «astrazione e immedesimazione». Ricusa l'adesione al «bello vitale» quale massima espressione del realismo e così pure

la tendenza all'astrazione nel suo eccesso di razionalità e trionfo della ragione: nel nuovo mondo non la sintesi «artificiale» ma l'espressione è reale mediatrice di vita in tutti i campi. La sua protesta si rivela ovunque: nei quadri, negli scritti, nelle sue apparizioni pubbliche.
Oskar Kokoschka appartiene dunque a quella ristretta cerchia di artisti che hanno portato a termine il processo di formazione di una nuova realtà, fino ad allora misconosciuta, isolata o sottovalutata, spesso considerata un mero frutto di esercizio manuale e di caricatura; un mondo figurativo, quindi, che si è emancipato, lasciandosi alle spalle ogni principio ottimistico e che nella negazione del «bello vitale» ha ammesso l'esistenza del «brutto» e della «dissonanza», riconoscendone in tal modo l'importanza.
Con la nascita dell'espressionismo l'arte figurativa ha deposto il corsetto della costrizione naturalistica, fino ad allora ritenuto necessario, e nella nuda esistenza ha dimostrato che qualcosa esisteva al di là dei confini conosciuti, e che era arte. Se è vero che la creatività artistica amplia il nostro orizzonte mentale, Kokoschka e i suoi contemporanei hanno largamente operato in questa direzione.
In Kokoschka il superamento dei limiti descritti non si arrestò a un piano puramente formale. Già nei primi anni della sua carriera egli amava lasciare «segni»: questo significava shoccare il pubblico e agire in piena anarchia ed evidente provocazione, ma significava soprattutto porre alla base della propria attività, della propria produzione artistica e letteraria, una moderna pulsione creativa e un principio di sviluppo artistico nel senso più vero del termine.
Certamente l'artista doveva avere un'innata predilezione per il protagonismo e la provocazione. Gran parte di ciò che fece fu protesta, e protesta fine a se stessa, un metodo di risveglio delle capacità emotive e della sensibilità oggi del tutto giustificato. Come si potrebbe spiegare altrimenti il suo manifesto per la «Kunstschau 1909», una «pietas» rovesciata: la madre vivente tramutata in cadavere e il Cristo morto rivitalizzato in un fagotto di carne pulsante di sangue? O forse non è rovesciata? Non è forse questo il mondo dell'irretimento, il nostro mondo? Quell'irretimento dei sessi

1. O. Kokoschka, *Illustrazione per la «Muraglia cinese» di K. Kraus*. (Coll. privata, Vienna).

2. O. Kokoschka, *Bozzetto di costumi per il giubileo dell'imperatore del 1908*. (Hist. Mus., Vienna).

[1] Cfr. W.J. Schweiger, *Der junge Kokoschka*, Wien-München, 1983.
[2] *Experiment Weltuntergang - - Wien um 1900*, cat. mostra, Hamburg-München, 1981, p. 63.
[3] In «Alte und Moderne Kunst», n. 183, Wien-Salzburg, 1982.
[4] Alois Riegl, *Die spätrömische Kunstindustrie*, Wien, 1901.

1. O. Kokoschka, *Testa di ragazza*, 1908 c. (Coll. privata, Vienna).

2. O. Kokoschka, *Autoritratto*, 1914.

[5] Dalla metà del primo decennio del secolo, soprattutto nella decorazione, si rafforza la tendenza a storicismi legati al classicismo e al Biedermeier in architettura, arte applicata e pittura.
[6] W. Hofmann, *Von der Nachahmung zur Wirklichkeit*, Köln, 1974, p. 62.

che Kokoschka e alcuni tra i suoi contemporanei hanno percepito come minaccia alla vita stessa? È proprio nostro questo mondo, dove la donna uccide l'uomo? La resurrezione è dunque quella che avviene nell'annientamento reciproco di uomo e donna?

Kokoschka stesso ha appassionatamente sostenuto questa interpretazione, che trova rispondenza nel suo dramma *Assassino, speranza delle donne* pubblicizzato con il manifesto della «pietas».

In modo più polemico appare *Träumende Knaben* del 1908, combattente e guerriero con le stigmate della resurrezione, che nel gesto derivato da Michelangelo — qui in funzione puramente teatrale (le dita della mano protesa) — assurge per così dire a «creatore» e sceglie per sé la lotta dei sessi.

«L'uovo di cuculo nel giardino d'estasi degli esteti», come Schorske lo definì, non mancò di fare effetto, anche se l'effetto di questo «canto mattutino espressionista» (Kokoschka) non fu propriamente pacifico, e altrettanto si può dire della corrispondente reazione. L'uovo di cuculo non era d'altronde propriamente originale, era al contrario un tema preso in prestito da Otto Weininger e rielaborato per l'occasione.

Il binomio «sesso e indole» era già stato trattato in modo molto pertinente e ampiamente pubblicizzato pochi anni prima. Oskar Kokoschka non poteva dunque farsi sfuggire un tema così promettente. Il suo adattamento apparve dignitoso e geniale, e l'artista ne uscì vestendo i panni di un Nestroy del modernismo classico.

Siamo oggi a conoscenza di una particolare predilezione di Oskar Kokoschka: egli amava interpretare la realtà di fatto a vantaggio del primato del tempo. Era questa una proprietà comune a molti artisti all'epoca della scoperta del concetto di «genio». Essere un genio, avere conoscenze nel campo della storia dell'arte, dimostrare una sensibile ambizione: erano questi gli elementi che indussero alcuni di loro a essere essi stessi interpreti della propria storia.

Ma oggi sappiamo anche che il giovane Kokoschka non aveva bisogno di questo genere di aiuto. Nel suo ruolo di pittore e disegnatore espressionista egli scoprì nuovi ambiti di verità. Da quando esiste Oskar Kokoschka, esistono la *sua* visione della realtà e il *suo* mondo. E questo ha significato per noi un notevole arricchimento.

Dopo un breve excursus ritorniamo ora alla nostra riflessione originaria. Oskar Kokoschka aveva dunque abbandonato quella tendenza sintetica, propria della generazione a lui precedente, che, laddove non si era realizzata in massima espressione artistica (come nel caso di Gustav Klimt), si trasformò presto in estetismo e, nella sua crescente debolezza, cercò rifugio in una nuova forma di storicismo.[5]

Pittori come Oskar Kokoschka (potremmo aggiungere Gerstl e il giovane Schiele) non condivisero questo tentativo di salvezza. Furono costretti a distruggere l'ordine tradizionale per ricrearne uno nuovo di più larga prospettiva (il nuovo orizzonte).

La grande esperienza della scoperta della realtà, che nella prima metà del XIX secolo si era espressa nel «Biedermeierstil», non era ancora esaurita. Tutte le verità e le realtà erano state esplorate (il realismo ottico fino al lampo dell'istantanea, il sentimento e la morale fino al simbolismo) fuorché una: quella dell'emozione disinibita, libera dalle briglie della repressione. L'espressionismo fu dunque l'ultimo conseguente capitolo di un'evoluzione artistica a ciclo chiuso, fu la logica conclusione di quel «viaggio di esplorazione» iniziato dalla generazione precedente, che non ha solo scoperto la modernità ma in gran parte l'ha *inventata*.

Considerare l'opera di Kokoschka tra il 1907 e il 1913 come l'ultimo atto di questo sviluppo significa però ignorare l'importante ruolo giocato dalla sua volontà artistica nel superamento dei limiti finora descritti. Nel momento stesso in cui l'artista portò a termine un processo logico in maniera logica, aprì l'orizzonte a una nuova dimensione della creazione artistica.

Al concetto di «simultaneità dei diversi piani del reale»[6] è stata riconosciuta un'importanza decisiva nel pensiero moderno. Se la generazione precedente aveva elaborato questa simultaneità in un sintetico bilanciamento di princìpi dualistici sempre ben. nascosti, Kokoschka non poté esimersi dal formulare le sue nuove concezioni in modo brutale e privo di ogni pudore estetico. Anch'egli si occupò in verità di questo principio di simultaneità, ma notoriamente rifuggì da nozioni di equilibrio, sintesi e decoro. Dal 1909, infatti, sul sentiero della deformazione del reale sempre più marcatamente espressionista, egli si avvicinò alla rappresentazione sinottica di diversi piani del reale all'interno di una stessa composizione.

Ripetutamente si è fatto notare che dal 1909 in poi, dal *Weisse Tiertöter* alle illustrazioni per il *Tubutsch* di Albert Ehrenstein, il «Binnenzeichnung», nella visualizzazione di fasci di nervi e vasi sanguigni, di una vera e propria realtà sottocutanea (flussi percettivi?) acquista sempre più importanza. Anche nei ritratti l'artista ricorre spesso all'uso inverso del pennello per accentuare quelle «linee vitali» che sfuggono all'occhio umano.

Sarebbe errato identificare questa «simultaneità dei diversi piani del reale» con le manifeste esigenze della volontà espressiva o con uno stridente mascheramento di eccessi patetici. Questo può essere uno degli aspetti, ma non certamente il solo. La visione sinottica è paragonabile all'aspirazione stilistica di ampliamento del reale espressa a quel tempo anche dal cubismo. Alla visione diretta della realtà, l'unica possibile dal punto di vista fisiologico, si antepone ora una doppia e multiforme visione della realtà, prodotta dall'intelletto ed esternata in senso ottico, quale risultato di una cooperazione tra mente e vista.

Si è soliti considerare fuori dal comune uno schizzo di Oskar Kokoschka del 1909 per una scena teatrale in simultanea,[7] che manifesta questo stesso intento di rappresentazione di realtà sincrone.[8] Tale aspirazione trova d'altronde conferma nella tendenza ad allargare l'opera grafica alla produzione poetica, al linguaggio descrittivo, nell'intento di intensificare l'intersezione dei diversi piani del reale. Tratto e parola non si illustrano mai tra di loro, o molto raramente; piuttosto si accompagnano e grazie alla rispettiva autonomia scoprono diversi livelli di realtà appartenenti a un'unica grande aspirazione orientata alla percezione e alla creazione del moderno.

Oggi sappiamo che durante i primi due anni di attività pubblica, nel 1907-08,

Kokoschka aveva acquisito notorietà come litografo. Ad alcuni oli della prima metà del 1909 occorre guardare con relativa cautela, considerando il contesto al quale si riferiscono. Mi è difficile valutare quale di questi sia contemporaneo alle cartoline per la Wiener Werkstätte o al *Träumende Knaben*. In realtà è probabile che solo con il *Weisse Tiertöter* — composizione iniziata nell'autunno del 1908, nella quale il Binnenzeichnung assume per la prima volta un ruolo di rilievo — si sia realizzato un sostanziale avvicinamento alla pittura ad olio. Non penso pertanto di sbagliarmi nell'affermare che Kokoschka scoprì la pittura a olio all'inizio del 1909, incitato da Adolf Loos, il quale a quel tempo condivideva lo stesso interesse per la ritrattistica a olio. Se infatti Kokoschka avesse dipinto tra il 1907 e il 1908 oli di un certo valore (cosa peraltro poco probabile, considerato il programma di studi della Kunstgewerbeschule), sicuramente egli li avrebbe esposti alla «Kunstschau 1908». La sua prima apparizione pubblica come ritrattista risale comunque al maggio 1909.[9] Si è soliti affrontare il problema della datazione delle opere giovanili di Kokoschka con estrema prudenza. Si pensi alle incertezze e ai dubbi avanzati in relazione alle riproduzioni della Wiener Werkstätte. La loro numerazione, per quanto ne possiamo sapere oggi, è sempre stata accostata alla data senza prendere nella giusta considerazione le obiettive diversità stilistiche.[10]

Naturalmente qualcuno è dell'opinione che la storia dell'arte non debba essere misurata in mesi o settimane (tanto meno l'opera di Oskar Kokoschka, che solleva problematiche di ben altra portata), ma sono proprio queste riproduzioni dell'autunno e dell'inverno del 1907 a indirizzarci per la prima volta alle maggiori litografie di Oskar Kokoschka, allo stesso *Träumende Knaben*: il linguaggio formale, che nelle riproduzioni della Wiener Werkstätte si fa sempre più radicale, diventa particolarmente significativo nell'evoluzione dell'artista verso l'espressionismo (come dimostrano gli schizzi incompiuti). Non si dovrebbe pertanto considerare la numerazione in termini indiscutibili: opere come *Giardino in fiore*, *Biedermeierdame*, *Pastorella con mucca*, *I musicanti* e soprattutto *Fanciulla*

1. O. Kokoschka, *Copertina per il «Tubutsch» di A. Ehrenstein*, 1911.

2. O. Kokoschka, *Prima edizione di «Assassino, speranza delle donne» in «Der Sturm»*, 1910-11.

[7] Schweiger, *op. cit.*, p. 30.
[8] È una visione ormai quasi istituzionalizzata dal tempo della vecchia commedia musicale viennese (*Paradiso/Inferno*) e di Nestroy (*A pian terreno e al primo piano*, *La casa dei quattro spiriti*).
[9] Alla «Kunstschau» con il ritratto di Ernst Reinhold.
[10] La numerazione fornisce un'informazione solo sulla data di pubblicazione.

1. O. Kokoschka, *Illustrazione per «Assassino, speranza delle donne»*, in «Der Sturm», 1910-11.

2. O. Kokoschka, *Amor sacro e amor profano*, in «Der Sturm», 1910-11.

[11] In F. Welz, *Oskar Kokoschka — Frühe Druckgraphic 1906-1912*, Salzburg, 1977, il problema della datazione di queste opere viene risolto in maniera approssimativa.

alla finestra, che evidenzia l'influsso di Franz von Zülov, non possono risalire alla stessa data di quelle collocate all'inizio della serie o alle ultime, tra cui *Le tre fanciulle*, *I re magi* e *Fanciulla sul prato*.[11]

Una simile imparzialità dovrebbe essere applicata anche ad alcune opere del 1908 e del 1909, nella cui datazione le prime pubblicazioni hanno reso giustizia a tutto fuorché al loro aspetto.

Lo sviluppo stilistico dall'autunno del 1907 alle composizioni per lo «Sturm» e alle successive illustrazioni per il *Tubutsch* segue un criterio di fedele coerenza logica. Anche se qui non mi è possibile soffermarmi in una minuziosa analisi stilistica, voglio sottolineare che non è difficile interpretare quell'evoluzione che, partendo dalle cartoline per la Wiener Werkstätte, passa attraverso *Träumende Knaben* e *Weisse Tiertöter* per giungere ai disegni di *Assassino, speranza delle donne*, *Teste di uomo* e al *Tubutsch* di Ehrenstein. Essa equivale allo sviluppo di uno stile inizialmente ancora decorativo, schiavo del «bello vitale», a un ideale figurativo sempre più angolare («il tondo è fuori moda»), anche se ancora determinato nel profilo, il quale all'improvviso si concentra nel linguaggio formale di un Binnenzeichnung che cresce costantemente di intensità, approdando nell'*Assassino, speranza delle donne* e nel *Tubutsch* a un sostanziale distacco dal dato naturale e, secondo i canoni più tradizionali, a una completa illeggibilità di ciò che è rappresentato.

In proposito occorre aggiungere che le *Teste d'uomo* occupano una posizione che definirei di eccezione. Talvolta si ha la sensazione che Oskar Kokoschka abbia sempre ben meditato sui suoi soggetti. Sembra che l'artista, per esempio, abbia apertamente dimostrato stima nei confronti dell'«anarchico di professione» Walde al tempo in cui egli stava dipingendo il ritratto di Adolf Loos quale omaggio al «bello vitale». È facile pensare che Kokoschka abbia voluto significare: «Posso fare anch'io come il vecchio Klimt», tanto straordinaria fu quest'opera rispetto alle contemporanee. Voleva forse essere un biglietto da visita per quel committente che gli era stato promesso da Loos?

Nel 1909 Kokoschka inizia improvvisamente una serie di ritratti a olio. In breve tempo percorre quella sorprendente galleria di ritratti il cui apice è segnato dal *Rentmeister* della Österreichische Galerie di Vienna (1910).

Se finora l'artista è stato colui che grida, colui che crede, colui che crea la modernità, nei suoi ritratti egli diventa l'esploratore che indaga sulla vita umana. Se all'inizio sembra ritornare, soprattutto nei ritratti del 1909, a un prediletto mezzo stilistico espressivo (mani ostentatamente vigorose, violenti chiaroscuri), in seguito riprende le diverse possibilità pittoriche. Nel *Rentmeister* l'accordo è perfetto. Le linee grafiche, ottenute con l'uso inverso del pennello, costituiscono in quest'opera un secondo piano in modo analogo alle composizioni precedenti, un mezzo espressivo del tutto congeniale all'artista.

L'opera principale del giovane Kokoschka è però, senza alcuna ombra di dubbio, la *Natura morta con montone*, conservata alla Österreichische Galerie di Vienna. È una perfetta formulazione delle sue concezioni artistiche. Non mi riesce però di identificare il montone come rappresentazione di una silenziosa disintegrazione, di un «memento mori» del mondo che si accinge a «frantumarsi in mille schegge»: esso al contrario simboleggia una più ampia visione del mondo.

Fino al montone e alla brocca tutto è vita in questo quadro: il topo, la salamandra, la testuggine, il giacinto (che è considerato soggetto dell'opera in senso pittorico, sebbene lo sia in termini di contenuto), lo stesso scintillante eden rossastro che funge da sfondo, sono testimonianze di vita, di quella vita che fino a oggi non è stata mai considerata tale, eccezion fatta per il giacinto. Non c'è alcuna nota di vanità in questa mia osservazione, solo la volontà di illuminare quei dettagli vitali che sono stati finora taciuti e negletti. L'«emancipazione della dissonanza» esiste, ma non può significare dissolvimento.

Kokoschka rappresenta qui la sua visione del mondo valida ancor oggi. Egli smaschera l'«onesta menzogna» di ogni possibile sintesi dimostrando che l'aspirazione della generazione a lui precedente era un semplice desiderio idealistico, che non poteva corrispondere alla realtà del XX secolo.

Esiste la morte del nostro mondo, ed essa può essere spaventosa e brutale, fino allo scorticamento; ma c'è anche la bellezza della vita in piena fioritura e splendore (il giacinto). Esistono i segreti nascosti (la brocca), così come lo strano (il topo), la segregazione dal mondo dei vulnerabili (la testuggine) e la sensibilità scoperta desiderosa di verità (la salamandra). Nulla fa pensare a uno sgretolamento, a una frantumazione.

Non è il mondo a frantumarsi in mille schegge, ma la *visione del mondo* valida fino ad allora. L'artista si è emancipato dall'angusta interpretazione del mondo concepita come sintesi e livellamento sia nella forma che nel contenuto. Il canone artistico della generazione precedente non ha più alcun valore per Oskar Kokoschka e per gli artisti che lo seguono.

1. O. Kokoschka, *Madre con bambino*, 1909 c. (Hist. Mus., Vienna).

O. Kokoschka e Herwarth Walden, Berlino, 1916.

RICHARD GERSTL

Almut Krapf-Weiler

Sopra:
1. A. Böhm, *Decorazione per libro*, in «Ver Sacrum», gennaio 1898.

2. R. Gerstl, *Autoritratto*.

[1] Nato a Vienna il 14 settembre 1883, il padre, Emil Gerstl, era un facoltoso possidente di Neutra (allora in Ungheria), la madre Maria proveniva invece da Koplitz (presso Budweis); i fratelli maggiori si chiamavano August e Alois. Per la biografia e

Il 22 luglio 1908, da Traunstein, suo luogo di villeggiatura, il ventiquattrenne Richard Gerstl[1] scrive (la scrittura si presenta dura e rabbiosa e con molte sottolineature, dettate evidentemente da una grande indignazione) al ministero per il Culto e l'Istruzione: «Già da cinque semestri sono allievo del corso del professor Lefler presso l'Accademia di arti figurative di Vienna. Alla mostra del corso, inaugurata il 19 del corrente mese, non è stato esposto nessuno dei miei quadri; la mostra ha lo scopo di far conoscere il lavoro di *ogni* allievo. E tanto più avrei avuto il diritto di vedere esposti i miei quadri se si considera quanto ha affermato il professor Lefler a un mio collega: *"Egli (cioè io) percorre vie del tutto nuove e non lo si può seguire facilmente, ma io non posso fare nulla per lui."* La mancata esposizione delle mie opere, a mia insaputa e senza il mio consenso, mi ha escluso dal concorso per il premio, assegnato a Ignaz Schönfeld. Il professor Lefler mi ha ripetutamente dichiarato, l'ultima volta quattro settimane fa, di ritenere questo allievo *completamente privo di talento* [sottolineato tre volte]. Poiché non ritengo il rettore della regia e imperiale Accademia un'autorità competente a decidere il mio caso, prego il ministero di indennizzarmi per questo comportamento, sicuramente più che scorretto. Richard Gerstl, attualmente a Traunstein, n. 18 presso Gmüden. P.S. Il professor Lefler ha espresso l'osservazione sopra riportata al signor Victor Hammer.»

Il 20 agosto la lettera viene rimessa d'ufficio dal ministero al rettorato dell'Accademia e il rettore, il 6 settembre, annota quanto segue: «Prescindendo assolutamente dal fatto che è lasciata alla discrezione di ogni professore la scelta di chi e di quali opere siano da ammettere all'esposizione della scuola, questo ricorso non merita, per la sua forma gravemente sconveniente, attenzione e considerazione di alcun genere e quindi, agli atti. Firmato L'Allemand, letto p.c. H. Lefler, H. Bitterlich.»[2]
La lettera conferma quanto indicano, sulla personalità del pittore Richard Gerstl, i pochi fatti conosciuti relativi ai suoi problemi artistici e quanto appare come logica conseguenza nelle sue opere, soprattutto dell'ultimo anno di vita: la consapevolezza, cioè, di seguire vie nuove e di aver trovato, dopo una lunga e difficile ricerca, l'unico percorso a lui congeniale. Gerstl rifiutava coerentemente ogni autorità in materia d'arte, convinto com'era di sé e del proprio lavoro, che naturalmente desiderava poter esporre, ritenendolo (ma in questo era il solo) degno di considerazione.
Si teneva quell'anno la prima mostra presentata da Klimt e dal suo gruppo. Oskar Kokoschka, che compariva per la prima volta nel ruolo di «capo selvaggio» di quel settore artistico già bollato dalla critica come gabinetto degli orrori, destò scandalo con i suoi lavori giovanili, mentre Gustav Klimt e Adolf Loos ne prendevano risolutamente le difese. Era an-

che l'anno in cui i giovani pittori che più tardi dovevano formare il gruppo «Neukunst», come Egon Schiele, Anton Faistauer, Anton Kolig, Franz Wiegele, lasciavano il corso del professor Griepenkerl all'Accademia. Richard Gerstl, più anziano di qualche anno, non sembra aver avuto contatti con il gruppo di Klimt né con gli artisti più giovani, anche se il fratello di Kokoschka ha affermato che Gerstl cercò di avvicinare Oskar, verso il quale avrebbe avuto, a proposito della mostra, espressioni di elogio.[3] Ma la sua morte precoce, proprio quando i tempi erano maturi perché la sua opera potesse imporsi, impedì ogni confronto, e quando nel 1931 si ebbe la sua riscoperta, quei quadri, che avrebbero potuto costituire un forte impulso per il primo espressionismo austriaco, furono sì giudicati sensazionali ma raccolsero la giusta considerazione solo dopo la seconda guerra mondiale, con l'espressionismo astratto.

Nel 1931 Wolfgang Born narrerà come erano nate queste opere straordinarie: «Il suo lavoro produttivo si concentrava in poche ore. Un testimone oculare riferisce come il lavoro lo impegnasse fisicamente fino all'esaurimento. Per la preparazione dei dipinti a olio Gerstl era solito eseguire giganteschi studi ad acquarello, per i quali usava pennelli lunghi più di un metro. In questo modo otteneva la visione d'insieme sulla spazialità del dipinto. Aveva in mente l'organizzazione di tutto il quadro prima ancora di incominciare. Ma poi scagliava i colori sulla tela come per impulso di una forte rabbia repressa.»[4]
Questo processo pittorico «eruttivo» si coglie soprattutto nei ritratti delle famiglie Schönberg e Zemlinsky e nei paesaggi creati nell'estate del 1908 sul Traunsee. Bianco, racchiuso in un alone di luce, Alexander von Zemlinsky è fermo davanti alle onde del lago. I riflessi luminosi dell'acqua non permettono all'occhio del pittore di percepire nettamente i contorni, che restano così indefiniti, frammentari, confusi; e la figura, sospesa e diafana, è come un'apparizione luminosa. L'abito bianco ispira a Gerstl un'instantanea impressionista, ricca di luce e di gioia, resa tuttavia con lo slan-

cio, l'impazienza e l'intensità di un fare pittorico, di un gesto che solo decenni più tardi sarà decisivo nei modi dell'espressionismo astratto, dell'informale o dell'action painting e poi ancora nella «pittura selvaggia» degli anni '80. Il formato lungo e stretto concentra l'attenzione interamente sulla fragile figura che, nonostante la pennellata sciolta e veloce, possiede una convincente fedeltà ritrattistica. Il maestro e cognato di Schönberg viene qui rappresentato come una persona schiva e ritrosa, un ispirato intellettuale, musicista e compositore che, nella teoria come nella pratica, aveva preparato le basi per la musica dodecafonica di Schönberg.
Il tocco pittorico conosce un ulteriore rafforzamento nel ritratto della famiglia Schönberg. Davanti a un albero, su un verde prato, appare nella chiara luce del giorno la massa chiusa e compatta delle quattro persone, mossa solamente dalla mano sinistra di Schönberg.
Anche in questo caso il bianco del vestito ha il massimo grado di luminosità mentre la fedeltà ritrattistica è appena percepibile; ciò nonostante stupisce la straordinaria intensità degli sguardi, che Gerstl già nel precedente ritratto delle sorelle Fey aveva sottolineato così espressivamente, e su cui Schönberg, dopo la morte di Gerstl, concentrerà l'attenzione nei suoi tentativi di pittura astratta.
Ancora più in là va però il ritratto di gruppo degli Schönberg, che può anche essere letto come uno psicodramma della crisi e delle tensioni imminenti. Alcuni elementi del dipinto, in particolare lo sguardo irritante che Mathilde Schönberg, in abito scuro e capelli rossi, punta direttamente sul pittore (a differenza degli altri tre personaggi, seduti o in ginocchio accanto a lei e che guardano invece davanti a sé), la figura centrale in rosa alla quale, per sbilanciare in modo del tutto asimmetrico e inusuale la composizione, ne è accostata un'altra leggermente rialzata, o ancora l'apparente e disinvolta casualità delle spesse pennellate visibili sullo sfondo e l'andamento curvilineo dell'abito davanti a destra, sono tutti segnali della coerenza di Gerstl nel trovare e seguire «vie del tutto nuove» con la sua pittura, così come Schönberg e soprattutto il suo coetaneo Anton von Webern fecero con la musica. I te-

R. Gerstl, *Autoritratto*. (Mus. Stadt, Vienna).

la bibliografia cfr. Otto Breicha, *Katalog der Austellung Richard Gerstl*, Kunsthistorisches Museum der Stadt Wien, 1983.
[2] Vienna, Akademie der bildenden Künste 437-1908.

R. Gerstl, *Ritratto di A. Schönberg*, 1905 c.

[3] O. Breicha, *op. cit.*
[4] W. Born, in «Belvedere», 10 giugno 1931, p. 157.
[5] Cfr. H.H. Stuckenschmidt, *Arnold Schönberg*, New York, 1977; Jane Kallir, *Austria's Expressionism*, New York, 1981.
[6] Victor Hammer: «Gerstl non ha mai esposto. Nessuno allora ne ritenne degne le sue opere». Victor Hammer aveva conosciuto Gerstl al corso di Griepenkerl, restandone amico fino alla morte. L'ammirazione di Hammer per la cultura superiore e lo sviluppo spirituale di Gerstl parve a questi compensare l'incomprensione artistica. Nel 1963 Hammer scriveva per l'editore Otto Kallir i propri ricordi su Gerstl, che Kallir pubblicherà insieme alla documentazione e ai ricordi che il fratello di Gerstl, Alois, aveva scritto nel 1954: in *Mitteilungen der Österreichischen Galerie*, Wien, 1974, pp. 125-193.
[7] Arnold Schönberg, *Malerische Einflüsse*, Los Angeles, 11 febbraio 1938, manoscritto pubblicato in *Katalog der Gedenkausstellung A. Schönberg*, Wien, 1974, cat. n. 125.
[8] *Ibidem*, nn. 138, 173, 174.

stamenti, almeno tre, tristi e sfiduciati, che Schönberg redasse dopo essere caduto in grave crisi e in preda a tentazioni suicide, e lo stesso brutale suicidio di Gerstl indicano quale logorio fisico e nervoso provocasse quella costante tensione.

Mathilde Schönberg, sorella di Zemlinsky, sposata a Schönberg dal 1901 e madre di due figli, aveva abbandonato la famiglia per vivere con il pittore ventiquattrenne. Nei ritratti di Gerstl ispira un'impressione di positiva calma materna e sembra anzi che l'artista l'abbia persino ritratta somigliante alla propria madre. Solo il forte fascino di quel genio di sei anni più giovane aveva potuto spingerla a quel passo. Mathilde tornò dal marito solo dopo penose insistenze, soprattutto ad opera di Anton von Webern, preoccupato per le condizioni di Schönberg.[5] Gerstl, che non aveva nessun amico in ansia per lui, rimase completamente solo.

L'euforia febbrile dell'estate, quando amore e fortuna sembravano infondergli una imprevista energia creatrice, non resse di fronte alla più cocente e totale delusione. Non solo il fallimento e la sconfitta di fronte all'uomo e al rivale più forte, ma anche — fattore ancora più decisivo — il disprezzo per la propria arte che Gerstl ora avvertiva inevitabilmente nella cerchia di Schönberg, unica autorità artistica accettata fino a quel momento, lo condussero a una situazione senza uscita.[6]

L'11 febbraio 1938 Arnold Schönberg ricorderà: «Quando quest'uomo entrò a casa mia era allievo di Lefler che, a quanto pare, lo giudicava troppo radicale. Ma lui in realtà non lo era per niente, visto che il suo ideale, il suo modello era allora Liebermann. In molti colloqui sull'arte, sulla musica, su tutto, gli manifestai apertamente e senza preclusioni i miei pensieri, come faccio con chiunque voglia ascoltarmi. E questo, verosimilmente, ha incoraggiato tanto il suo radicalismo, fino a quel momento ancora molto innocuo, che alla vista di alcuni miei bozzetti, per la verità mal riusciti, di quadri a olio, ritenendo erroneamente voluto il loro povero aspetto esclamò: ''Ora ho imparato da lei come si deve dipingere!'' Credo che Webern potrà confermarlo. Immediatamente si diede a di-

pingere ''alla moderna''.»[7]

L'episodio è credibile perché Gerstl aveva bisogno solo di un piccolo incentivo per poter esprimere la sua visione radicale della pittura; ancora più terribili sono le parole successive di Schönberg, che illuminano la tragedia di questa amicizia naufragata: «Non saprei proprio dire se i suoi quadri valgono qualcosa. Non ne sono mai stato entusiasta.»

Schönberg cominciò a dedicarsi intensamente alla pittura dopo la morte di Gerstl, arrivando ad esporre nel 1910 alla Galleria Heller una cinquantina di quadri e disegni, con autoritratti, visioni, vedute e il grande ritratto di donna intitolato *Mia moglie*. Kandinsky gli scrive nel 1911: «Provo un sincero entusiasmo per i suoi quadri.» Quindi lo invita a partecipare alla prima mostra del «Blaue Reiter». In quell'occasione sarà possibile vedere l'*Autoritratto di spalle* che denuncia nel modo più chiaro quell'influenza di Gerstl che Schönberg negava così risolutamente.[8]

È stato riconosciuto, soprattutto in due drammatiche testimonianze, lo sforzo del musicista di compensare psichicamente la tragedia nel dramma in musica *Die glückliche Hand* (La mano felice), il cui testo poetico era già stato concepito nel 1908, e nel monodramma *Erwartung* (Attesa), i cui versi Schönberg, ricevutili nell'estate del 1909 dalla giovane poetessa Marie Pappenheim, aveva musicato in pochi giorni di febbrile ispirazione. In *Die glückliche Hand* si trovano descrizioni tonali di colore fortemente espressive del «crescendo dell'illuminazione» al fine di aumentare l'intensa drammaticità dei processi psichici. Precluso alla felicità da dubbi tormentosi, le risoluzioni creative di Schönberg si configurarono con mezzi che presuppongono il suo contatto con la psicanalisi. «In *Erwartung* c'è l'intenzione di rappresentare ciò che, dilatato in una mezz'ora come per una, per così dire, ripresa al rallentatore, si consuma invece in un secondo della massima tensione psichica» (Schönberg). Una donna angosciata vaga lamentandosi in un bosco alla ricerca dell'amante infedele e lo trova morto, il petto squarciato da una coltellata, in una pozza di sangue. Amore, gelosia, odio per la rivale, colpa: tutto fa sospettare che la donna operi un inconscio processo di rimozione. Parente della poetessa era Bertha Pappenheim, la paziente descritta da Freud in *Il caso di Anna O.*; fatto che conferma la vicinanza della psicanalisi anche per questo dramma.[9]

Entrambi i testi non fanno diretto riferimento a Richard Gerstl, ma l'impiego della tematica psicanalitica in generale e la raffigurazione di stati psichici come «opere brevi» della più intensa forza espressiva devono essere stati una sorta di incentivo per il superamento della crisi.

Senza la cerchia degli Schönberg, le appassionate discussioni, l'assoluta esigenza di innovazione e con il mancato consenso per la sua concezione dell'arte come verità, difficilmente Gerstl avrebbe potuto trovare la sua strada così presto e così coerentemente. Nondimeno aveva cercato per tutta la vita con grande versatilità e passione una propria via. Amava molto la musica, andava spesso all'opera, ammirando soprattutto Gustav Mahler, e così aveva incontrato Schönberg e Zemlinsky. In seguito conobbe pure Alban Berg, Webern e anche l'«Ansorge-Verein» e il critico Paul Stefan, che nel 1931 lo definì una «natura geniale».[10] Tutto questo è importante soprattutto per la sua formazione teorica. Viene descritto come una persona di cultura superiore e di grandi letture, lo interessavano in particolare Ibsen, Wedekind, Freud e Otto Weininger. A Victor Hammer ebbe a parlare dell'*Interpretazione dei sogni* di Freud e di Otto Weininger, il cui destino lo affascinava al punto che una volta si recò con Hammer nello Schwarzspanierhaus, dove aveva abitato Beethoven e dove nel 1903 il ventitreenne Otto Weininger si era suicidato con un colpo di pistola. Però i suoi molteplici interessi — studiava le lingue neolatine per leggere opere scientifiche, si occupava di filosofia, di letteratura e soprattutto di musica — non lo distolsero mai dalla sua precipua formazione di pittore.

Già durante la scuola media aveva ricevuto lezioni private. Il trasferimento in un liceo privato, perché al Piaristengymnasium di Josefstadt erano insorte difficoltà insormontabili, palesa il suo carattere testardo e originale, insofferente di ogni obbligo scolastico. Incoraggiato dalla madre, le cui cure più amorevoli si

riversavano sul figlio minore, e appena tollerato dal padre,[11] frequenta per due mesi la scuola di disegno «Aula» come preparazione per l'accesso all'Accademia nel corso generale di pittura del professor Griepenkerl.[12] Ma qui, a dire il vero, non ha alcun successo: il ritratto dal vivo, il disegno classico e del nudo, così come la pittura dal vero vengono valutati in tutti e tre i giudizi annuali con un generico «sufficiente» (anche a Schiele in seguito non doveva andare diversamente), mentre la condotta è sempre «ottima» e l'impegno «buono» o «molto buono». Dal 1901-02 fino al 1903-04 Gerstl interrompe la scuola per recarsi dapprima a Nagy Banya, dove il pittore Simon Hoyos, abitualmente residente a Monaco, tiene una scuola estiva. Ma studia preferibilmente per conto suo, soprattutto lingue, in una camera presa in affitto. Conoscendo la sua vivacità intellettuale è facile supporre che Gerstl abbia visto a Vienna le più importanti esposizioni, quelle che provocavano sensazione e scandalo. Nel 1901 ci fu la grande mostra di Segantini alla Secessione, nel 1902 quella dedicata a Beethoven, e nel 1903 l'esposizione degli impressionisti e postimpressionisti. Qui sicuramente c'era più da imparare che da Griepenkerl, e lui imparò. Nel 1902 venne fondato, sotto la presidenza di Heinrich Lefler, lo «Hagenbund», che organizzò mostre nella Zedlitzhalle nel 1903 con Böcklin e nel 1904 con Liebermann. Ma in quell'anno c'erano soprattutto da vedere, al Kunstsalon Mietke, i quadri di Edvard Munch.

Dell'opera di Richard Gerstl, giuntaci molto incompleta, mancano in primo luogo i lavori iniziali, i disegni, gli studi preparatori e le annotazioni scritte, che sicuramente non potevano mancare con un artista così intellettuale. Deve aver stimato anche gli spagnoli Velázquez e Goya, al pari del pittore iberico contemporaneo Ignacio Zuloaga, che intorno al 1900 cercava di adattare l'antica pittura spagnola al gusto del tempo.[13]

Uno straordinario segno di indipendenza e audacia è il quadro *Due sorelle*, eseguito, secondo quanto ricordano le due protagoniste, verso il 1905. Le sorelle Pauline e Karoline Fey vengono rappresentate in bianchi abiti da sera, le spalle coperte di veli che nascondono le mani,

R. Gerstl, *La famiglia Schönberg*, 1908 c.

[9] *Ibidem*, n. 129.

[10] Paul Stefan, in «Die Stunde», Wien, 7 ottobre 1931, cit. in *Mitteilungen...*, cit., p. 139.

[11] V. Hammer, *op. cit.*: «Il padre era un uomo barbuto dalla voce profonda; parlava molto lentamente e si ripeteva spesso... Il padre era ebreo. La madre era una donna particolarmente buona e amichevole e il figlio le era molto attaccato. Richard assomigliava alla madre, e non aveva il piacevole aspetto del padre... Il comportamento dei figli verso i genitori era molto affettuoso. Il padre stava sempre in pensiero per Richard, che non sopportava il suo solido ambiente. La madre, credo, era alquanto più disponibile a partecipare alle ambizioni artistiche del figlio minore.»

[12] Vienna, Akademie der bildenden Künste, foglio n. 2046, ottobre 1898. Nome: Gerstl Richard / Professione: pittore... / Lingua: tedesca / Religione: Cattolica romana / Istruzione: 4 ginnasio, 2 mesi Aula... Dall'inverno del 1898 fino all'estate del 1901 vengono pagate le tasse scolastiche, poi segue l'annotazione: Interrotto: I-II 1901-02 fino al 1903-04, poi I 1905-06 — 3 e 1/2 anni, matricola al 28.12.1904 pagato di nuovo. Foglio scolastico della scuola di specializzazione Lefler: 1906-08 pagato, l'ultima volta il 17 aprile 1908 per il semestre estivo.

[13] Cfr. V. Hammer, *op. cit.*

R. Gerstl, *Ritratto di E. Diez*, 1905-06.

davanti a uno sfondo a macchie di colore bruno scuro, tono su tono, steso in lunghe fasce con un largo pennello. La pennellata, gli inusuali tocchi grigio-bruni che formano i contorni sulla sinistra e in mezzo i due vestiti, i lunghi tratti di bianco a destra e a sinistra scaturiscono dallo stesso desiderio di spontaneità, di verità, di mancanza di affettazione, come più tardi nel ritratto degli Schönberg. Dalla massa compatta degli abiti i volti qui dipinti si staccano con precisione e una morbidezza ancora maggiori ben caratterizzati individualmente. La più giovane è pallida, delicata, con grandi occhi spalancati e uno sguardo infiammato; la maggiore mostra un largo e calmo sorriso. Dal contrasto tra il bianco e il bruno scuro, non limitato allo sfondo ma esteso anche al primo piano per serrare ancora più saldamente la massa bianca, scaturisce l'intensità degli sguardi di quei volti pallidi.

All'incirca in questo periodo deve essere stato eseguito anche il ritratto di Ernst Diez, storico dell'arte e cugino di Webern, opera che testimonia più d'ogni altra la forte influenza recepita da Munch. Ma la pennellata sciolta, l'«aura» grigia che circonda la figura, le proporzioni dell'insieme e la sua ripartizione, la posizione delle gambe e l'atteggiamento delle braccia, e infine il formato accostano il dipinto al ritratto di Zemlinsky, ed è questa una delle poche affinità nel lavoro del giovane artista, sempre alla ricerca del nuovo. Gerstl sembra avere apprezzato molto questo quadro, che tuttavia appare di qualità inferiore rispetto alla *Signora in verde* e al ritratto di uomo seduto.[14]

Gerstl, certamente per accontentare gli ansiosi genitori, era tornato al corso di Griepenkerl, che gli tributò ancora una volta il solito «sufficiente», ora esteso anche all'impegno. Gerstl era un pittore troppo originale e indipendente e troppo convinto di essere un genio da cima a fondo, per continuare a frequentare regolarmente l'Accademia. Secondo quanto afferma Victor Hammer, il professor Heinrich Lefler, di gusti più liberali e progressisti, vide il ritratto delle sorelle Fey e si interessò all'autore. Dopo un colloquio con Gerstl lo invitò nella pro-

pria scuola, cosa che Gerstl accettò a condizione di poter avere un proprio spazio a disposizione: dal 1906 al 1908 fu iscritto da Lefler. Nel 1906 allo Hagenbund c'era da vedere Lovis Corinth, ma il grande avvenimento dell'anno furono i quadri di Van Gogh alla Galleria Mietke. Gerstl ne fu visibilmente impressionato e per la prima volta, pare, creò un'intera serie di paesaggi e di autoritratti che giudicò meritevoli di essere conservati. *Tracciato di ferrovia e cremagliera sul Kahlenberg*, l'autoritratto con sfondo blu, il piccolo autoritratto, quello con l'autore sorridente, e altri ancora mostrano nella tavolozza e nella pennellata i risultati di questo incontro, anticipando i dipinti successivi.

Gli autoritratti occupano nell'opera di Gerstl un posto rilevante. Il primo grande quadro a olio è appunto un autoritratto: una figura solitaria, immersa in un blu profondo e illuminata come da se stessa; i raggi luminosi creano una sorta di alone blu chiaro che circonda, vibrante, l'apparizione immobile e di una frontalità quasi statuaria. La sottile parte superiore del corpo, dritta e slanciata, le braccia penzoloni e il bianco perizoma suggeriscono l'immagine di un resuscitato, di una creatura che non è di questo mondo.[15] Il volto, a differenza delle mani, quasi sempre indistinte in Gerstl, è reso minutamente, con gli occhi vicini che sembrano guardare sconosciute lontananze e con un'espressione di raccoglimento ascetico, e rafforza così l'impressione di osservare qualcosa di profetico e di simbolico. Come nel caso delle sorelle Fey, lo sfondo, nella sua apparente uniformità, è invece ricco e articolato.

Ben diverso è l'autoritratto di Gerstl sorridente. Barba e capelli sono simili al ritratto precedente, ma occhi, naso, bocca, per proporzioni, espressione e disposizione, differiscono nettamente. Qui la figura ride aggressivamente in faccia al mondo, ed è la figura di un uomo in rivolta, che un giorno distrusse un proprio quadro perché era piaciuto a un visitatore detestato, con la spiegazione che in tal caso non doveva valere molto. Ma in questo dipinto si nota anche l'immediatezza dei contadini della pittura fiamminga, all'incirca come nel *Malle Babbe* di Franz Hals: vividi riflessi sulla fronte, il naso, le guance e i denti danno al volto

[14] A. Krapf, *Gerstls Diez-Bildnis*, «Die Presse», 8-9 agosto 1981.
[15] V. Hammer, *op. cit.*: «Egli voleva sempre avere un aspetto statuario, ed era solito ''concentrare'' lo sfondo in un colore neutro per far risaltare meglio la figura. Aveva un forte sentimento per questo effetto... Entrambi avevamo dipinto degli autoritratti da nudi e utilizzavamo lo stesso specchio, una volta lui e poi di nuovo io.»
W. Born, *op. cit.*: «Il pittore Leo Dalitz riferisce che Richard Gerstl giustificava questi radicali autoritratti con il fatto che voleva imparare incessantemente.»

un'insolita impronta di plasticità. Il lungo collo che sbuca dalla camicia aperta, senza colletto, come pure la scura spalla destra sono avvicinati maggiormente allo sfondo da rapide pennellate di punta, facendo emergere dal quadro la testa in modo strano e suggestivo. L'espressione beffarda, eppure di attesa disperata, si fissa con gli occhi sulla catastrofe finale di cui sono segnali gli unici quadri datati di Gerstl. Il grande autoritratto nudo a figura intera del 12 settembre 1908 ne documenta lo stadio iniziale. Ancora una volta le mani sono accennate con fuggevoli e veloci tocchi di pennello, il corpo e lo sfondo, di un mosso e inquieto blu, sono ora abbozzati a pennellate violente. Soltanto il viso e lo sguardo disperato degli occhi spalancati mostrano una precisa messa a fuoco. È come il rovesciamento del precedente autoritratto statuario. Là avevamo un messia pieno di speranza, ancora infervorato dalla fede nella propria assoluta missione di artista; qui, invece, un uomo che dispera dei propri mezzi e della grandezza della propria arte.

Un'altra volta ancora Gerstl mostra un'interpretazione di se stesso, la propria essenza nuda e sincera, insistendo caparbiamente nella ricerca di nuove strade. La precisa messa a fuoco, in un'ottica molto confusa, determina l'immediata e sorprendente significanza del riferimento biografico, conscio o inconscio. Non più il perizoma, anche se resta qualcosa dell'ombra azzurra, non più l'indistinto spazio blu cupo ma la nuda realtà dello studio, non più la precedente frontalità statuaria ma un muoversi nervoso che sembra procedere inquieto verso destra. Alcuni disegni veramente impressionanti accompagnano il grande

quadro, uno datato 15 settembre, il giorno successivo al venticinquesimo compleanno, altri due del 29 settembre. Gerstl si era esercitato a lungo nel disegnare la testa, e sicuramente non per accontentare l'insegnante ma per poter liberamente variare con questo mezzo espressione e sguardo. Altre volte aveva lasciato apparire il proprio viso come per magia dalla carta, attraverso un leggero e fitto punteggiare, ma ora i forti contorni hanno un significato inequivocabile: gli occhi aperti e sbarrati, la bocca serrata con gli angoli abbassati comunicano una solitudine smarrita. Questa nota emotiva si rafforza ulteriormente nel foglio dove Gerstl si rappresenta anche con la propria immagine riflessa dallo specchio. Il disegno mostra occhi delineati da spessi tratti nervosi, che guardano nello specchio come per un'autoanalisi, quasi che il proprio viso potesse offrire la spiegazione del naufragio.

Altri due fogli sono datati 29 settembre. Il primo esibisce con linea vigorosa il volto serrato, duro e quasi brutale di un condannato a morte, deciso a essere insieme carnefice e vittima. L'altro, molto più interessante dal punto di vista della forma, mostra con la massima purezza la vera essenza di questa arte: espressione dell'interiorità, dei moti dell'animo, riproduzione precisa della malattia spirituale riflessa sul volto, autodiagnosi.

Ciò che per Schönberg, Kokoschka e Schiele diventa un mezzo per lenire il dolore, contribuendo alla soluzione delle proprie crisi, a Gerstl non offre alcuna salvezza:[16] egli distrugge tutti i suoi bozzetti e si impicca nella notte tra il 4 e il 5 novembre, dopo essersi piantato un coltello nel corpo con l'inesorabilità del boia verso la propria vittima.

1. R. Gerstl, *Autoritratto*. (Hist. Mus., Vienna).

In basso:
2. J. Hoffmann, *Decorazione per libro*, in «Ver Sacrum», settembre 1898.

[16] Cfr. W. Hofmann, *Experiment Weltuntergang*, Hamburger Kunsthalle, 1981, p. 213.

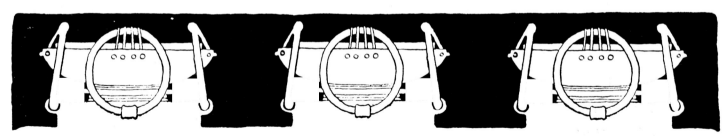

EGON SCHIELE

Rudolf Leopold

E. Schiele, *Lettera autografa*, 1914. (Albertina, Vienna).

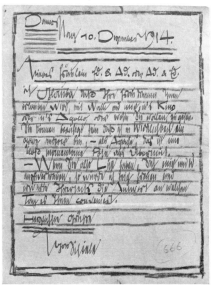

Nel settembre 1911 Schiele scriveva al dottor Oskar Reichel: «Ho in me risorse immediate, vorrei dire... per condurre la mia ricerca, per poter inventare, per scoprire, con mezzi che sento nel mio intimo, che da soli hanno la forza di incendiare, di bruciare, di splendere, come un pensiero, di luce eterna, e di aprire un varco di luce nella più oscura eternità del nostro piccolo mondo... Così sento continuamente qualcosa di più, qualcosa d'altro, una luce che dal mio intimo brilla all'infinito... Sono talmente ricco da esser costretto a dilapidare ciò che è in me.» All'inizio dell'anno Schiele inviò, sempre a quel collezionista, un quadro della «nuova serie». Alla nuova serie appartengono *Deliri, Profeti*, seguiti poi da *I lirici*, da *Autoosservazione* e da *Visione e destino*. In proposito Schiele scriveva a Reichel: «Non passerà molto tempo che lei stesso ne sarà pienamente convinto, appena cioè inizierà non tanto a guardarlo ma a penetrarlo con lo sguardo. Il quadro è proprio quello rispetto al quale Klimt ha detto che sarebbe contento di poter vedere facce come quelle. È senz'altro il meglio di ciò che a Vienna, attualmente, è stato fatto.»

Leggendo queste frasi di Schiele si potrebbe credere che si tratti di parole troppo grosse per un ventenne. Oggi però, considerandole retrospettivamente, si deve convenire che aveva ragione. Infatti qualitativamente — e tenendo conto an-che delle acquisizioni di Neuland — gli unici seri concorrenti di Schiele erano Klimt e Kokoschka.

Gustav Klimt, a quel tempo, dopo l'abbandono dello «stile d'oro» e in seguito a un viaggio a Parigi e in Spagna che lo aveva gettato in una nuova depressione (Alice Strobl, *Gustav Klimt der Zeichner*), era in un periodo di stasi artistica. Oskar Kokoschka fin dal 1910 si trovava a Berlino. Del resto, da parte di quest'ultimo, erano da registrare sfoghi ben più frequenti di un'esasperata consapevolezza del proprio valore. Il 6 maggio 1910, per esempio, egli chiedeva in una cartolina a Herwarth Walden se l'allora conosciutissimo mercante d'arte Cassirer capisse, dai lavori inviatigli da Kokoschka per una mostra, che «erano le cose più belle del mondo».

In ogni caso entrambi, sia Kokoschka che Schiele, riconoscevano in Klimt la figura più significativa e stilisticamente decisiva della nuova pittura viennese. Ma non si trattava soltanto dell'arte di Klimt: anche la sua personalità ebbe una profonda influenza nello sviluppo della maturità artistica di Schiele e Kokoschka. Va peraltro ricordato che Klimt, anni dopo, trovò a sua volta in Schiele diversi stimoli per la propria arte: per esempio la posizione della *Danae* di Schiele del 1909 ha probabilmente ispirato la *Leda* di Klimt del 1916-17, anche se il braccio che cinge il seno destro della *Leda* è riconducibile alla ragazza in basso del suo quadro *Bisce d'acqua* e anche se la

Leda ha un profilo più marcato che in Schiele. Inoltre il magnifico *Albero d'autunno nella brezza* di Schiele, del 1912, ha verosimilmente influenzato da un punto di vista formale il paesaggio del *Melo* dipinto da Klimt quattro anni dopo: benché il melo di Klimt sia carico di fogliame e di frutti, il contorno della corona di foglie è in tutto simile al profilo dell'albero autunnale di Schiele; si aggiungano poi somiglianze strutturali nel cielo e soprattutto la linea bassa dell'orizzonte che segue, se pure nella direzione opposta, l'obliquità del primo piano nel quadro di Schiele. Va poi ricordato lo sposo di aspetto quasi monacale del quadro incompiuto *La sposa*, che corrisponde, seppure di nuovo in posizione specularmente opposta, alle caratteristiche formali del monaco morente nel quadro di Schiele *Agonia* del 1912: si osservi soltanto la posizione delle spalle, una sollevata e l'altra cadente, in rapporto all'obliquità del capo; l'impiego formale di questa posizione è stata da sempre una caratteristica precipua di Schiele.

Questo excursus di alcuni tra gli influssi che l'arte di Schiele esercitò su Klimt non vuole affatto sminuire gli influssi ben più profondi che Klimt, più vecchio di una generazione, riversò sul giovane Schiele.

Nella ricerca della propria identità estetica Schiele è legato senz'altro anche a Kokoschka, più vecchio di quattro anni. Entrambi però si collocano vicino al Klimt del *Fregio di Beethoven*. Kokoschka tra l'altro trovò stimolanti sollecitazioni anche nell'arte micenea. E a questo punto non va misconosciuto che anche Schiele ebbe una certa influenza sull'arte di Kokoschka. I suoi studi di nudo sul ragazzo savoiardo, del 1912, non sarebbero stati possibili senza quella particolare accentuazione del contorno nei nudi di Schiele del 1910. Anche la posizione con la testa di lato e gli occhi in direzione decisamente opposta, che ritroviamo nella litografia di Kokoschka *Autoritratto con matita* e nell'*Autoritratto con pennello* datato 24 dicembre 1914, non è pensabile senza i precedenti lavori di Schiele, ad esempio il suo *Selbstbildnis mit Lampionfruechte*, del 1912. In linea di massima però le reciproche influenze dei due più rappresentativi espressionisti austriaci non sono né numerose né decisive.

Come ogni grande artista anche Schiele ha preso le mosse da una precisa tradizione. E non ha mai ripudiato le sue origini legate al secessionismo viennese in generale e a Klimt in particolare — nonostante le pretese di una «nuova arte» — anche se poi è riuscito a trasformare quel complesso di stimoli estetici in maniera decisamente personale. Si aggiunga però che gli influssi dei primi anni non sono paragonabili per importanza a tutto ciò che Schiele riuscì a produrre quale contributo personale alla nuova arte.

Schiele aveva, come Klimt, un'innata capacità di creare composizioni di una perfezione formale indiscutibile. Diversamente però dalle soluzioni decorative adottate da Klimt, i lavori di Schiele hanno un'impronta più strutturale. Le differenze sono individuabili anche altrove. Laddove Klimt raggiunge una tensione estetica utilizzando mezzi espressivi disomogenei, ad esempio inserendo parti naturalistiche in un «mosaico pittorico» astratto-ornamentale, Schiele intervenne esclusivamente, e in maniera differenziata, sulla composizione. Nei gruppi di persone composti da Klimt l'idea concettuale si manifesta in sacrali e lussureggianti allegorie e simboli che oggi, sotto l'aspetto contenutistico, ci convincono in ben pochi casi. Quanto poco congeniali siano il tragico e l'abissale alla natura gaudente di Klimt, al suo gusto epicureo per la pienezza sensuale, lo dimostra tra gli altri il suo dipinto *Madre con bambino* (1909-10), noto anche col titolo *Emigrante*, e ciò risulta ancora più evidente se lo si confronta col quadro di Schiele *Madre morta* che risale al 1910. La zona più stimolante in Schiele è il viso reclinato della madre, attraversato nella parte inferiore dall'ombra. In Klimt la profonda tristezza della madre vestita di nero contrasta apertamente con la sua rigogliosa corporeità. Ancor meno evidenti sono il preteso abbandono e la minaccia che graverebbe sui bambini. In Schiele non è così: la tragicità del tema è riconoscibile in ogni particolare della rappresentazione. Il bambino sembra veramente minacciato, i tratti della madre sono quelli di una persona distrutta dalla pena. Anche i colori sottolineano la tragicità della scena. La forza espressiva di Schiele realizza l'elemento

1. I coniugi Schiele con i figli Egon, Melanie ed Elvira, 1892 c.

2. E. Schiele, *Studio di uomo con barba*, 1908. (Lds. Mus. Joan., Graz).

E. Schiele, *Nudo femminile in piedi*, 1910. (Lds. Mus. Joan., Graz).

tragico tramite un processo di intima identificazione.

La cruda rappresentazione degli aspetti negativi e dei drammi dell'esistenza umana non poteva non entrare in conflitto con l'esasperato estetismo dello Jugendstil, anche di quello viennese. Schiele e Kokoschka per primi, quali portavoce di una nuova espressività ed essi stessi pervasi di una più forte emotività, hanno aperto il loro impegno al tragico e al brutto; direi di più, hanno individuato per primi la dimensione estetica del brutto aprendo una nuova strada all'arte di questo secolo. E le loro scelte espressive di allora non hanno perso a tutt'oggi alcunché della loro forza e del loro fascino. Al contrario, l'interesse e il successo strepitoso di oggi non fanno che confermare un'identità del nostro gusto con quello dell'avanguardia espressionista dell'inizio del secolo.

Solo una conoscenza dell'intera opera di Schiele fondata su una critica stilistica di ogni suo importante dettaglio può permettere di definire la sua posizione all'interno dell'arte del tempo. Esistono evidentemente diversità fondamentali rispetto ad altre tendenze dell'espressionismo, come ad esempio rispetto al gruppo della Brücke. In ogni caso sarà necessario valutare la peculiarità e i risultati della sua arte sullo sfondo della pittura viennese di allora e dei suoi protagonisti. In tal senso Schiele si differenzia notevolmente anche dal giovane Kokoschka, al cui gusto per l'immediatezza dell'improvvisazione e per il pittorico corrisponde in Schiele un impegno decisamente strutturale. Kokoschka si specializzò all'inizio soprattutto nel ritratto, mentre Schiele, oltre a composizioni con figure umane, creò un gran numero di paesaggi sicuramente espressivi e di non minore qualità. E se Kokoschka si indirizzò ben presto nella sua pittura verso un'espressività spettacolare di taglio barocco, Schiele era e rimase fondamentalmente legato al gotico, sognatore e realista al contempo.

Certo non si possono misconoscere gli elementi comuni a entrambi e che costituiscono l'espressionismo viennese. In tal senso Schiele e Kokoschka si dedicarono nei primi e decisivi anni, e in quelle opere così vistosamente insolite per allora, a una pittura di cupe tonalità fine-

mente sfumate che ha ben poco in comune con l'espressività spesso intenzionalmente barbara dell'espressionismo tedesco. La forza espressiva dei due viennesi (e di coloro che seguirono questa tendenza) predilige un approccio psicologico al soggetto della rappresentazione. La vibrante spiritualità dei ritratti e la suggestione che emanano i paesaggi sono il risultato di uno sforzo analitico e di una immedesimazione profonda. L'espressionismo tedesco, allora ai primi passi, si fece invece portatore di un gusto provocatorio e violento, con aspri contorni e soprattutto con un cromatismo radicalmente esasperato. (Le grandi superfici colorate delle opere legate ai primi anni della Brücke mostrano chiaramente un legame col fauvismo francese.) Diversamente dagli artisti della Brücke, Kokoschka e Schiele provengono da esperienze legate a quella Stilkunst che aveva come maestri Gustav Klimt, Ferdinand Hodler e Edvard Munch (per i disegni di Schiele bisogna rifarsi anche a Toulouse-Lautrec). Se è chiaro il debito formale di Kokoschka e Schiele verso Klimt e Hodler, rispetto a Munch bisognerà parlare di legame tematico. Fu senza dubbio affascinante per Schiele vedere come Munch interpretava le forze vitali senza appesantimenti simbolici; e poi come si dedicava agli aspetti oscuri dell'esistenza facendo della solitudine, della sofferenza, della disperazione e della morte gli argomenti dominanti delle sue composizioni. Nell'affrontare però formalmente questi elementi i due espressionisti viennesi si differenziano in maniera decisiva dal grande norvegese. E il tema dell'erotismo mostra più che mai la diversità di Schiele, più giovane di una generazione. In lui non si troverà accenno alla «guerra dei sessi» o alla minacciosa «donna demonio» di Munch. La cosa è spiegabile per un verso nelle diversità di carattere, per un altro negli ambienti in cui vissero i pittori. La Vienna fin de siècle non è il mondo di un Ibsen o di uno Strindberg, in cui si svilupparono quelle idee, quella costellazione di sentimenti a cui Munch rimase per sempre legato. La decadenza viennese attorno al 1900 è nervosismo, è un pullulare di umori e stati d'animo, ossessionata contemporaneamente dall'amore e dalla morte. Si tratta di un'epoca e di una città i cui artefici furono Hofmannsthal e Schnitzler, Otto Weininger e Sigmund Freud. Gli arabeschi della Stilkunst, che diventarono di moda nella Vienna fin de siècle, non furono affatto così arbitrari e così conformisticamente alla moda come da altre parti.

Nonostante tutto l'estetismo e la spensieratezza che si vorrebbero attribuire a Vienna quale sua peculiarità, a quel tempo si era seriamente alla ricerca delle cause ultime, dei nessi fondamentali, di quell'indefinito non-so-che celato sotto la superficie delle belle lettere o dietro le facciate sontuose dei palazzi. A Vienna poi l'epoca dei fondatori (Gründerzeit) entra in crisi precocemente, e con essa la pomposa sicurezza di cui era portatrice. La letteratura e la pittura stanno a dimostrarlo (si veda ad esempio l'opera di Anton Romako, a cui si riallaccerà il giovane Kokoschka). La dissoluzione in un'assurdità comico-tragica, in un'orgia di oscura decadenza e di grottesco non-sense, è il tema del romanzo di Alfred Kubin *Die andere Seite* e del racconto di Albert Ehrenstein *Tubutsch*, illustrato quattro anni dopo da Kokoschka. La vita diventa «malattia che conduce alla morte». La rivelazione della fine incombente e il fascino della rovina mortale impegnano Georg Trakl per tutta la sua vita: un parallelismo con l'arte di Schiele che varrebbe la pena di analizzare a parte.

Il giovane Schiele si convince ben presto di dover rifiutare schematismi infondati e soluzioni troppo facili. L'espressività della sua arte ne sarà potenziata impetuosamente. Dai suoi dipinti si percepisce la pena dell'uomo solo, l'indigenza dell'afflitto, il dolore e la disperazione del sofferente, la tristezza del disperato. Schiele però riesce a sublimare l'impressione soggettiva in valore universale. L'autunno diventa in lui simbolo della transitorietà degli uomini e delle cose. E non solo la natura viva, ma anche la natura morta avrà il tocco spirituale dell'anima. Nelle composizioni di figure umane, come nei paesaggi di alberi e case e nelle immagini di città, la forma naturale delle cose viene sostituita da una forma assolutamente insolita, soprattutto per i suoi contemporanei, che è la forma dell'esperienza dell'artista; gli stati d'animo e i sentimenti si trasformano co-

sì in immagini visionarie cariche di significati universalmente umani e che riescono a coinvolgere lo spettatore con assoluta immediatezza. Anche ai soggetti più abituali Schiele riesce a conferire un nuovo contenuto. L'espressionismo si è schierato dalla parte dell'uomo come nessun'altra tendenza artistica di questo secolo, e tra gli espressionisti non ce ne sarà un altro talmente invasato da quel compito come il giovane Schiele. Egli era fino in fondo pervaso dalla sua missione di uomo e di artista. La sua vita e la sua sofferenza, che trapassano sulle tele, sono quelle di un eletto che riesce a vedere là dove altri non vedono, che compie ciò che ad altri non riesce.

Schiele era espressionista, ma sarebbe errato trascurare in nome del suo credo, degli aspetti animistici, estatici o visionari delle sue opere, quelle che sono le straordinarie qualità formali. E sarebbe altrettanto errato ricondurre semplicemente l'aspetto formale delle sue composizioni a istanze decorative. Se è vero che Schiele ha preso le mosse da quello Jugendstil così legato a effetti di superficie, ha poi subordinato tali spunti alle proprie intuizioni. In tale processo non ha affatto negato in maniera sommaria i suoi legami con la Stilkunst, come hanno fatto altri espressionisti (arrivati alla nuova espressività partendo da quelle premesse). Proprio nel passaggio senza rotture dallo Jugendstil (viennese) all'espressionismo sta l'importanza di Schiele per la storia dell'arte. Otto Benesch, che fin dall'infanzia, e per tramite del padre, ebbe familiarità con i lavori di Schiele, lo ha definito «uno dei più geniali disegnatori di tutti i tempi». E ha ragione: la tecnica di cui Schiele si impossessò, dimostrandone poi le capacità espressive e il valore, era proprio il tratto personalissimo. Schiele ha raggiunto risultati decisivi nell'arte di evidenziare e trascurare le parti. Pochi dopo di lui sapranno riprodurre elementi sia formali che emozionali servendosi del solo disegno, e spesso esclusivamente del contorno. Come disegnatore Schiele occupa senza dubbio un posto unico nel panorama espressionista. Nessun altro ha creato un tratto talmente virtuosistico e al contempo così espressivo: fortemente tagliente o sinuoso, strutturale o fragile, crudo, nervoso, quasi sommario o pieno

1. E. Schiele, 1909

2. E. Schiele, *Uomo seduto*, 1910 c. (Coll. privata).

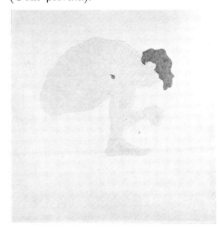

1. E. Schiele, *Busto*, 1912. (Coll. privata, Ginevra).

2. E. Schiele, *Madre con bambino*, 1910. (Hist. Mus., Vienna).

di tensione, intermittente o impetuosamente fuorviante. Il suo registro espressivo era talmente ricco che avrebbe potuto benissimo rinunciare al colore senza farcene sentire la mancanza.

Schiele però non fu soltanto un geniale disegnatore ma anche un importante maestro del colore al quale si farebbe un grave torto se si considerasse l'aspetto pittorico quale semplice riempitivo di aree delimitate dal disegno o come pura manifestazione di qualità emozionali. Se la rispondenza emotiva del colore ha un'importanza decisiva, non va però trascurata la sua funzione strutturale nella composizione. Nei suoi dipinti e acquarelli il disegno rappresenta quasi sempre l'intelaiatura sensibile, in cui però il colore occupa un posto ugualmente autorevole per dare piena espressione alla molteplicità dei sentimenti e degli stati d'animo.

Tra il debutto di Schiele e la sua grande affermazione all'esposizione primaverile della Secessione nel 1918 (sei mesi prima della morte) passano soltanto dieci anni, che a lui furono però sufficienti per diventare un precursore dell'espressionismo, e non solo di quello viennese. Tuttavia non si riuscirebbe a comprendere pienamente la complessità della sua opera se ci si accontentasse del pur eminente contributo al nuovo gusto espressionista. Prima di molti altri Schiele ha abbandonato le tendenze più programmatiche dell'espressionismo per dedicarsi a un nuovo stile pittorico più naturalistico (come testimoniano le sue opere a partire dal 1916). L'accenno qui riportato non può e non vuole affatto sminuire l'importanza dell'opera espressionista di Schiele. Anzi l'autore di queste note è convinto che Schiele, a prescindere dagli ultimi orientamenti sopravvenuti prima della morte, abbia dato il meglio di sé nel periodo dal 1910 al 1915. Anche allora però Schiele non voleva legarsi a nessuna tendenza (per non precludersi alcuna possibilità). Decisioni e controdecisioni hanno reso affascinante il cammino di questo artista e della sua opera. Le strade percorse e i mutamenti di rotta stanno a confermare la vitale maturità della sua arte, che non si lascia ridurre, quasi fosse guidata da un calcolo preventivo, a nessuna tendenza univoca. A Schiele non interessava l'appartenenza a un determinato gruppo, interessava solo l'arte. È per questo che scrisse su un acquarello: «L'arte non può essere moderna, è eterna.»

1890

Il 12 giugno, nella cittadina di Tulln an der Donau (Bassa Austria) nasce Egon Schiele, terzo figlio di Adolf Eugen Schiele, capostazione, e di sua moglie Marie nata Soucup. Egon ha già due sorelle, Elvira nata nel 1883 e che morirà all'età di 10 anni, e Melanie, nata nel 1886. Nel 1894 nascerà la sorella più giovane, Gertrude, che poserà per lui nei primi anni d'attività artistica. Nel 1914 Gertrude sposerà il pittore Anton Peschka.

1896-1905

Schiele frequenta la scuola inferiore a Tulln. Esegue disegni della stazione ferroviaria, nella quale il padre disponeva di un'abitazione. A dieci anni frequenta il Realgymnasium di Krems. In seguito agli scarsi risultati scolastici il padre lo invia, nell'autunno del 1902, al collegio di Klosterneuburg, dove frequenta il Landes-Real und Obergymnasium. Anche lì però il suo rendimento non è brillante. I professori si lamentano perché disturba le lezioni disegnando. Questo interesse precoce per l'arte è confermato anche da una lettera di Schiele all'amico Marx Karpfen in cui racconta di come lavori assiduamente alla realizzazione delle sue «opere» per la loro mostra collettiva «Union-Kunstausstellung».

Nella notte di San Silvestro del 1904 il padre di Schiele muore di paralisi progressiva (non era propriamente malato di mente, come affermano alcuni critici). Quanto sia costata al giovane quattordicenne la perdita del padre risulta anche da una lettera scritta molti anni dopo ad Anton Peschka.

L'ingegner Leopold Czihaczek, zio e padrino di Egon, diventa suo tutore e decide di inviare il giovane alla Technische Hochschule.

1906

In seguito agli scadenti risultati scolastici la madre di Schiele si rivolge alla sorella Olga Augerer, moglie del proprietario di un'azienda chimico-grafica, sperando di far assumere Egon come disegnatore, ma ne riceve un netto rifiuto.

Pensa quindi alla Kunstgewerbeschule di Vienna. Due professori del Realgymnasium, il professore di disegno Ludwig

Karl Strauch e il canonico agostiniano Wolfgang Pauker, come pure il pittore di Klosterneuburg Max Kahrer consigliano il curriculum artistico. I disegni che Schiele presenta alla Kunstgewerbeschule vengono giudicati così belli che si raccomanda al giovane di frequentare l'Accademia di belle arti. Nell'ottobre 1906 Schiele supera con successo l'esame di ammissione all'Accademia. Viene inserito nel corso di disegno di Christian Griepenkerl. Schiele si lancia in questa nuova attività con un entusiasmo frenetico. Ben presto però il rapporto col reazionario professore di disegno si incrinerà.

1907

Schiele cerca di entrare in contatto con Klimt già nel 1907. Assieme alla sorella minore Gertrude intraprende un viaggio a Trieste, dove esegue diversi studi del porto. Apre un atelier personale nel II Distretto di Vienna, in Kurzbauergasse n. 6.

1908

Schiele partecipa per la prima volta a una mostra pubblica presentando dieci lavori. Si svolge dal 16 maggio alla fine di giugno nel salone imperiale del convento di Klosterneuburg.

1909

Dato che le divergenze di opinioni con Griepenkerl su questioni centrali aumentano continuamente, in aprile Schiele abbandona l'Accademia assieme a numerosi colleghi e fonda con un gruppo di artisti il «Neukunstgruppe».

Nella «Internationale Kunstschau» di Vienna del 1909 — di cui Klimt presiede il comitato organizzativo — vengono ammessi quattro dipinti di Schiele.

Schiele conosce Josef Hoffmann ed entra in contatto con la Wiener Werkstätte.

Il Neukunstgruppe espone per la prima volta nel dicembre 1909 nella galleria del commerciante d'arte Pisko in Schwarzenbergplatz. Anton Faistauer disegna il manifesto e Schiele redige il testo programmatico della mostra. Durante l'esposizione Schiele conosce lo scrittore e critico dell'«Arbeiterzeitung» Anton Rössler e i collezionisti Carl Reininghaus e Oskar Reichel, oltre all'editore Eduard Kosmack.

1910

La Wiener Werkstätte pubblica tre car-

E. Schiele, *Copertina per «Die Besessenen»*, 1913

E. Schiele, 1914, foto di J. Fischer. (Albertina, Vienna).

toline con disegni di moda di Schiele. Grazie all'appoggio di Josef Hoffmann l'artista partecipa con un dipinto alla «Internationale Jagdausstellung» di Vienna.

Dietro suggerimento dell'architetto Otto Wagner Schiele inizia a dipingere una serie di ritratti a grandezza naturale di personalità del tempo: tra gli altri, Rössler e Kosmack. Lo stesso Wagner posa per lui, ma dopo poche sedute perde la pazienza e suggerisce di far posare un altro al suo posto dato che, in ogni caso, il viso è già finito. Schiele, deluso, abbandonerà il progetto della serie di ritratti. Nell'autunno 1910 espone nuovamente nel convento di Klosterneuburg. Il funzionario delle ferrovie Heinrich Benesch si entusiasma talmente al quadro *Girasole* che vuole conoscerne l'autore. Benesch diventerà il più assiduo collezionista di disegni e acquarelli di Schiele.

1911

Primo intervento scritto su Egon Schiele ad opera di Paris von Gütersloh, *Egon Schiele — Versuch einer Vorrede*. Arthur Rössler pubblica un saggio su Schiele nel n. 3 della rivista mensile «Bildende Künstler».

In aprile-maggio ha luogo la prima — anche se poco considerevole come ampiezza — mostra retrospettiva di Schiele nella Galleria Miethke.

Cinque graziosi progetti di cartoline per la Wiener Werkstätte vengono respinti. Schiele si trasferisce a Krumau an der Moldau, città natale della madre. Là inizia un periodo intensamente produttivo. Dipinge diversi paesaggi urbani fantastici e visionari. Ben presto però entra in collisione col provincialismo degli abitanti per i suoi studi di nudi eseguiti su ragazze di Krumau, per non parlare del «rapporto di concubinato» con la sua modella viennese Wally Neuzil. Schiele deve andarsene da Krumau e, dopo una breve permanenza presso la madre, si stabilisce a Neulengbach, una cittadina vicino a Vienna.

In settembre Rössler lo mette in contatto col mercante d'arte Hans Goltz. Dei 7 dipinti e 72 acquarelli che Schiele gli invia già in ottobre Goltz ne presenta una parte nella mostra «Buch und Bild». In novembre Schiele viene ammesso nell'associazione di artisti di Monaco «Se-

ma», di cui fanno parte anche Kubin e Klee.

1912

All'inizio dell'anno Schiele espone con il Neukunstgruppe alla Künstlerhaus di Budapest (non riesce a vendere nulla). Goltz espone dal 13 febbraio al 15 marzo quadri e acquarelli di Schiele assieme a quelli del gruppo «Der blaue Reiter». Subito dopo invia lavori di Schiele (assieme a opere di grafica di Emile Zoires) al Museum Folkwang, dove Karl Ernst Osthaus organizza in aprile-maggio una significativa esposizione. Poco tempo prima, in marzo-aprile, Schiele ha potuto partecipare a una mostra della Secessione di Monaco.

Nella cartella curata dalla Sema appare il primo lavoro di grafica di Schiele, una litografia con l'autoritratto nudo.

Questa serie positiva di eventi viene presto interrotta. Il 13 aprile Egon viene arrestato e il 30 aprile assegnato al carcere circoscrizionale di St. Pölten. L'accusa principale, di aver rapito una minorenne, si rivela senza fondamento: ma poiché era accaduto che nel suo atelier alcuni minorenni avessero visto i suoi studi di nudo, questo bastò al tribunale per provare l'accusa di «diffusione di disegni osceni». Schiele venne perciò condannato a tre giorni di prigione e il giudice, alla fine del dibattimento, bruciò in pubblico uno dei disegni provenienti dall'atelier.

Per Schiele è un colpo durissimo. (Nel 1922, quattro anni dopo la morte dell'artista, Arthur Rössler pubblicherà i «ricordi» di Schiele dalla prigione, inventati però da Rössler stesso.)

Il periodo di Neulengbach, uno dei più produttivi, viene quindi troncato dagli avvenimenti. Schiele si reca poi in Carinzia e a Trieste, quindi affitta provvisoriamente l'atelier, a suo dire, meno caro di Vienna, quello del collega Erwin Osen, che passa l'estate a Krumau.

In giugno Schiele è ben rappresentato nella mostra dell'Hagenbund. Vengono esposti 7 dipinti a olio, tra i quali il grande e importante quadro *Eremiti*. Durante la mostra conquista l'albergatore Franz Hauer che diventa suo nuovo collezionista.

Dal 25 maggio al 30 settembre si tiene a Colonia l'importante esposizione inter-

nazionale del Sonderbund. Vengono, presentate 3 opere di Schiele
In agosto Schiele va a Monaco, Lindau e Bregenz, dove si ferma a lungo. In novembre trovò un nuovo atelier a Vienna, che manterrà fino alla fine (Hietzinger Hauptstrasse 101).
Klimt, che considera Schiele uno dei migliori artisti austriaci, gli presenta uno dei suoi più facoltosi collezionisti, l'industriale August Lederer. Questi invita Schiele a Gyoer (Raab) per le feste di Natale e fine anno. Erich Lederer, di cui Schiele esegue un ritratto, diventa anche suo allievo.

1913

Il 17 gennaio il Bund Österreichischer Künstler accetta Schiele come suo membro; il 19 gennaio Gustav Klimt, presidente dell'associazione, sottoscrive l'atto di nomina di Schiele.
Con questa associazione Schiele espone nel marzo 1913 a Budapest 4 oli e 20 disegni. Come nell'anno precedente, Schiele partecipa alla mostra primaverile della Secessione di Monaco. Dal 26 giugno al 15 luglio la Galleria Goltz gli organizza una grande retrospettiva. I suoi quadri vengono presentati anche a Berlino e Düsseldorf. A Vienna Schiele partecipa alla «Internationale Schwarz-Weiss-Ausstellung» e alla XLIII Mostra della Secessione.
Schiele viaggia molto. Si reca varie volte nella Wachau e ne nascono le immagini della città di Stein an der Donau. Va poi a Krumau, Monaco, Villach e Tarvisio. Passa l'estate sul Traunsee e in Carinzia.
Diventa collaboratore della rivista berlinese «Die Aktion», un settimanale di «politica, letteratura e arte» curato da Franz Pfemfert sul quale compariranno, a partire dal 1913, sia disegni che scritti di Schiele. Nel 1916 «Die Aktion» dedicherà un intero numero a Schiele (n. 35-36), contenente, oltre che diverse riproduzioni di disegni, la xilografia *Badende Männer* (Uomini al bagno) e la poesia *Abendland* (Occidente). Nel n. 39-40 la rivista stamperà la xilografia *Männlicher Kopf* (Testa maschile).

1914

Vengono nuovamente esposti in Germania lavori di Schiele: in due gallerie di Dresda, alla Hamburger Kunstverein,

alla Secessione di Monaco e alla mostra del Werkbund di Colonia. Schiele partecipa inoltre a mostre a Roma, a Bruxelles e a Parigi. Il successo all'estero non è eccezionale. Ma anche a Vienna Schiele non si è ancora imposto in maniera decisiva. Al concorso di gennaio-febbraio 1914 organizzato da Carl Reininghaus vengono infatti premiati solo Faistauer e Gütersloh.
Nei mesi di marzo e aprile Robert Philippi insegna a Schiele le tecniche di intaglio del legno e di incisione all'acquaforte. Entro l'estate produrrà 6 acqueforti.
Col fotografo Anton Joseph Trcka Schiele sperimenta una serie di foto-ritratti assolutamente originali.
In Heinrich Böhler, cugino del pittore Hans Böhler, Schiele trova un nuovo e facoltoso collezionista e anche, fino alla metà dell'anno seguente, un allievo.

1915

Dal 31 dicembre 1914 al 31 gennaio 1915, nella galleria viennese di Guido Arnot, si tiene un'importante retrospettiva di Schiele con 16 dipinti e numerosi acquarelli e disegni. Anche alla Kunsthaus di Zurigo vengono esposti acquarelli e disegni dell'artista.
Il 16 febbraio Schiele comunica a Rössler la sua intenzione di sposarsi, senza però fare alcun nome. Si tratta di Edith Harms, con la quale si unirà in matrimonio il 17 giugno, quattro giorni prima di arruolarsi per il servizio militare.
Il 21 giugno parte soldato per Praga. Sua moglie lo segue stabilendosi all'Hotel Paris. Schiele viene poi trasferito a Neuhaus in Boemia e la moglie lo segue di nuovo. Entro il 20 luglio viene ritrasferito a Vienna. Nelle ore di libertà disegna e dipinge il grande *Ritratto di Edith Schiele in gonna a righe*. Tra i vari compiti assegnatigli come soldato Schiele deve sorvegliare dei prigionieri russi, che ritrae in alcune opere.
Alla fine dell'anno Schiele viene invitato dalla Secessione berlinese a partecipare alla «Wiener Kunstschau».

1916

Per quell'importante esposizione, che ha luogo in gennaio-febbraio nei locali della Secessione di Berlino, Schiele manda, oltre a numerosi disegni, i dipinti *Dileguarsi*, *La morte e la bambina* e *Madre con*

1. A. Trcka, *Autoritratto.*

2. Egon Schiele, foto di A. Trcka, 1914.

1. Egon Schiele, foto di A. Trcka, 1914.

2. Lettera di Egon Schiele a Josef Hoffmann, 23.2.1917. (W. Stadtbibl., Vienna).

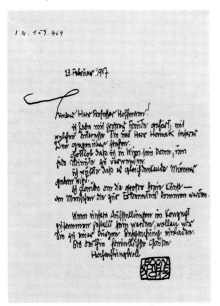

due bambini. Secondo una lettera di Schiele, nel salone d'ingresso della mostra viene esposto *Dileguarsi* proprio di fronte a *La morte e la vita* di Klimt.

Oltre che a Berlino le opere di Schiele vengono esposte alla Secessione di Monaco, nella Galleria Goltz e in una mostra di grafica della Künstlervereinigung Dresden.

Dall'8 marzo fino al 30 settembre Schiele tiene un diario di guerra. Il I maggio è distaccato al campo di prigionia per ufficiali russi di Mühling, presso Wieselburg. Qui esegue diversi ritratti di ufficiali russi e austriaci (purtroppo sono rimasti solo il *Mulino in rovina* e *La visione di Sant'Uberto*, un lavoro, quest'ultimo, commissionatogli da un superiore).

Nel n. 3 della rivista «Die Graphischen Künste» Leopold Liegler pubblica un pregevole articolo sull'arte di Schiele.

1917

In gennaio Schiele può tornare a Vienna dove un suo superiore, il tenente maggiore Hans Rose, gli affida l'incarico di eseguire i disegni della sede centrale di un istituto militare e anche delle filiali disseminate in ogni parte dell'impero (il tutto per una pubblicazione che, a causa della fine della guerra, non verrà realizzata). Schiele si mette in viaggio verso la metà del 1917 per realizzare quel compito. Esegue anche alcuni disegni sul Tirolo.

Fallisce il progetto di fondare, assieme ad altri artisti, esponenti delle arti figurative, della letteratura e della musica, una commissione mista «Kunsthalle» allo scopo di contribuire alla ricostruzione culturale dopo la guerra. Schiele comunque partecipa alla «Kriegsausstellung» al Kaisergarten nel Prater ed è incaricato, assieme ad Albert Paris Gütersloh, di effettuare la selezione delle opere per la terza sala. Subito dopo invia 8 dipinti e 10 disegni all'esposizione della Secessione di Monaco che quell'anno si svolge al Glaspalast. Partecipa inoltre a mostre di arte austriaca ad Amsterdam, Stoccolma e Copenhagen.

In ottobre esce presso le edizioni della Libreria Richard Lanyi una prima cartella con riproduzioni al naturale di disegni e acquarelli di Schiele.

1918

Il 15 dicembre 1917 esce il primo numero di «Der Anbruch — Flugblaetter aus der Zeit»; in prima pagina è riprodotto un disegno di Schiele. Anche il numero del 15 gennaio porta un suo disegno sul frontespizio e altri due all'interno. Sul n. 3 Schiele scrive un necrologio in onore di Klimt, morto il 6 febbraio 1918. Il giorno dopo la sua morte Schiele esegue nell'Allgemeine Krankenhaus tre disegni di Klimt col capo rapato a zero.

Per l'esposizione del marzo 1918 la Secessione viennese mette il proprio palazzo a disposizione di Schiele e del suo gruppo; a Schiele è riservato il salone principale, dove presenta 19 grandi oli e 29 disegni in parte acquarellati. Questa mostra segna il primo vero grande successo dal punto di vista artistico ed economico.

Nello stesso mese la Gesellschaft für vervielfältigende Kunst sollecita Schiele a inviare un nudo e un paesaggio per farne delle litografie a colori per una cartella. Nessuno dei due disegni (*Ritratto di Paris Gütersloh* e *Nudo di ragazza sdraiata*) viene accettato.

Verso la fine di aprile del 1918 Schiele riesce a essere trasferito al Museo imperial-regio dell'esercito, dove gli impegni di servizio gli lasciano molto più tempo a disposizione per l'attività artistica.

Nella mostra intitolata «Un secolo di pittura viennese», che si tiene dal 12 maggio al 16 giugno nella Kunsthaus di Zurigo, vengono accolti 4 dipinti e numerosi disegni di Schiele. Il Kunstverein für Böhmen di Praga gli offre in maggio l'opportunità di esporre circa 200 tra disegni e opere grafiche del suo gruppo di artisti. I lavori verranno presentati alla Künstlerhaus Rudolphinum di Praga e poi presso i locali del mercante d'arte Arnold di Dresda.

Il 5 giugno Schiele apre un nuovo atelier a Hietzing (Vienna), in Wattmanngasse 6, mantenendo anche però il vecchio atelier in Hietzinger Hauptstrasse.

Da una lettera di Schiele si deduce che la moglie, ormai al sesto mese di gravidanza, è costretta a letto già dal 19 ottobre, malata di «influenza spagnola». Nove giorni dopo, il 28 ottobre, alle otto di mattina, Edith muore. La sera precedente Schiele ha eseguito due disegni di lei. Contagiato dall'identico male, Egon viene curato dalla famiglia della moglie.

Muore il 31 ottobre 1918, all'una di notte.
Martha Fein lo fotografa sul letto di morte. Anton Sandig ne prende la maschera mortuaria. Il 3 novembre viene seppellito nel cimitero di Ober St. Veit.

Nel 1943 Arthur Rössler annoterà le presunte «ultime parole» di Schiele sulla base di una testimonianza diretta, ma, come in altre occasioni, probabilmente falsificandole. La cognata di Schiele si trovava, al momento della morte dell'artista, nella camera accanto, e attraverso lo spiraglio della porta lo avrebbe sentito dire alla madre: «La guerra è finita e io me ne devo andare. I miei dipinti però devono essere esposti in tutti i musei del mondo!»

E. Schiele, *Quartiere di città*, 1917. (Lds. Mus. Joan., Graz).

NEL CAMPO DI TENSIONE TRA REALTÀ E FANTASTICO
L'opera di Alfred Kubin, Klemens Brosch e Carl Anton Reichel

Peter Baum

Sopra:

A. Kubin, *La donna pantera*, 1900 c. (Albertina, Vienna).

2. A. Kubin, *Parata*, 1897. (Oö. Lds. Mus., Linz).

Sebbene nel più recente passato, anche sul piano internazionale, si debba registrare un più vivo interesse per la pittura e per la grafica austriache della fine del secolo e degli anni compresi tra le due guerre, sono però ancora necessarie correzioni e integrazioni per ottenere un quadro generale pienamente comprensivo del momento storico-artistico. Un pubblico sempre più numeroso si occupa oggi di quel periodo della declinante monarchia, tra il 1900 e il 1920, così affascinante per tutti i settori della storia della cultura e dello spirito, un periodo che presenta realizzazioni notevoli, originali e insostituibili nel loro genere, specialmente nella musica, nella letteratura e nelle arti figurative (pittura, grafica, scultura, architettura, design), in strettissimo contatto tra loro. Il molteplice dispiegarsi delle forze culturali intorno al 1900 si rivela oggi sempre più come una riserva di nuove scoperte e conoscenze. Molto di quanto fino a pochi anni fa è passato inosservato o è stato chiaramente sottovalutato viene oggi visto e giudicato sotto una luce diversa e con un nuovo approccio. Infatti lo spirito dei nostri anni '80 (includendovi necessariamente le prospettive e le realizzazioni alternative) ha contratto insospettabili legami estetici, e tanti aspetti che erano in voga al momento della massima fioritura dello Jugendstil, della Secessione viennese e del primo espressionismo si allineano con analoghe preferenze e concezioni attuali. Tanto queste esperienze affermative quanto le loro possibilità contrarie,

opere e fenomeni storico-artistici ben precisi, da vedere e stimare oggi diversamente da ieri, costituiscono la bruciante attualità della materia.

Se noi ora riconosciamo con chiarezza che, accanto ai capolavori di un'élite d'avanguardia (con Klimt, Schiele, Kokoschka, Otto Wagner, Josef Hoffmann, Kolo Moser e Adolf Loos), era presente anche una corrispondente ampiezza qualitativa (soprattutto all'interno della Secessione viennese sorta nel 1897 e della Wiener Werkstätte fondata nel 1905), questa circostanza giustifica una comprensione storico-artistica e culturale insieme ancora più ravvicinata di molti altri settori.

Rientra tra le peculiarità della pittura e della grafica austriache il fatto che entrambe siano costituite in grande misura da solitari e outsiders. Molti di questi, come ad esempio Egon Schiele (1890-1918), per molto tempo violentemente avversato, o il giovane Kokoschka delle due sensazionali mostre del 1908 e 1909 e in misura minore Richard Gerstl, suicida a venticinque anni (1883-1908), hanno nel frattempo riscosso un grado di notorietà di poco inferiore a quella degli impressionisti francesi. La loro opera gode ormai di considerazione universale. Un tempo sottovalutati e messi al bando per il loro radicalismo, sono ora diventati per l'immagine dell'Austria i più importanti esponenti dell'arte, nei quali il paese si riconosce. Ciò che scandalizzava anche nei circoli artistici, e che in taluni casi condusse persino ad azioni giudiziarie, si ritrova ora in migliaia di riproduzioni a colori nelle case, specialmente dei giovani che, avventuratisi da poco nei percorsi dell'arte, scorgono nell'interesse per la cultura e l'arte una reale e superiore qualità della vita cui tendere.

I tre artisti che sono oggetto di questo sommario contributo si possono definire come outsiders della scena artistica austriaca. Di fama internazionale è soltanto Alfred Kubin (1877-1959) che, non ultimo grazie alla sua attività di illustratore, gode da generazioni di grande considerazione e notorietà, soprattutto nell'area tedesca. Invece Klemens Brosch (1894-1926) di Linz e Carl Anton Reichel (1874-1944), lui pure originario del Nord dell'Austria, sono conosciuti soltanto da specialisti anche nel loro paese. Caratteristica di tutti e tre gli artisti è la loro pressoché esclusiva adesione alla grafica, all'arte severa del puro bianco e nero. In Kubin e Brosch stanno alla base, senza ombra di dubbio, il disegno e lo schizzo, in Reichel l'incisione, in cui questo artista, circondato dal mistero e con una biografia ricchissima di svolte, diede realizzazioni incomparabili.

Kubin, Brosch e Reichel sono tre tipi solitari di grande e incondizionata autenticità artistica, che aprono una tradizione austriaca, iniziata in questo secolo e continuata fino ai giorni nostri, di un complesso confronto grafico con i problemi dell'esistenza umana. Ne consegue, nei tre casi, un impegno artistico di estrema soggettività e originariamente associato ai suggestivi caratteri stilistici di una personalissima grafia.

Il disegno come diagnosi psichica e come ricerca nell'anima di tracce nascoste connota tanto il primo Kubin e Klemens Brosch, prematuramente scomparso, che trasformò gli orrori della prima guerra mondiale in un atto d'accusa scaturito dal dolore e dall'impotenza, quanto gli artisti preminenti della scena attuale, come Arnulf Rainer e Günter Brus.

Anche se è difficile trovare un comune denominatore per Kubin, Brosch e Reichel, è possibile però riportare la maggior parte della loro opera al campo di tensione fra realismo e fantastico. Il mondo con cui si scontrano i tre artisti non è quello delle belle apparenze e dell'idillio, ma quello dei problemi e delle dolorose esperienze dell'esistenza. Un'analisi delle singole opere (ossia di certi settori del loro lavoro) mostra sia parallelismi e angoli di visuale simili, sia aspetti e concezioni artistiche del tutto contrastanti. Sebbene Kubin e Reichel in particolare avessero ben conosciuto la scena viennese con la Secessione e il primo Hagenbund e le tendenze dominanti a Monaco e a Parigi, la loro evoluzione artistica si compì in linea di massima al di fuori di tutti questi avvenimenti, libera da soggezioni stilistiche e da quei fattori formali obbligatori in ciò che era piuttosto moda che spirito del tempo, intendendo con questo una necessità spirituale e artistica insieme.

È qui presa in considerazione per quanto riguarda Alfred Kubin, questo infaticabile «visionario della penna» che dal 1906 fino alla morte nel 1959 visse ritirato nel piccolo castello di campagna di Zwickledt, solo la prima parte della sua opera, quella che dal 1900 arriva al 1920. Gli esiti più elevati, le rappresentazioni più efficaci e le più sconvolgenti fantasmagorie Kubin le ha create negli anni immediatamente successivi al 1900, quando risiedeva ancora a Monaco, dove nel 1903, per iniziativa dell'editore Hans von Weber, venne pubblicata una cartella di 15 facsimili dei suoi disegni migliori.

Con un'opera complessiva comprendente circa 25.000 disegni Kubin può ben essere definito come il più prolifico cantore dell'esistenza umana nella pittura e nella grafica austriache della prima metà del secolo. I suoi lavori scaturiscono da una struttura spirituale straordinariamente complessa, connotata da una sensibilità, soprattutto agli inizi, portata all'eccesso, che si riflette nella grafica kubiniana con la precisione di un sismografo. L'artista ha saputo tracciare e scandagliare i confini tra forza e impotenza, volontà e istinto, conscio e inconscio, e in questa ricerca sempre e nuovamente avvincente è approdato più di una volta ad allegorie figurate che ancora oggi tolgono il respiro. La sua arte si nutre di segreti e misteri e la sua visione del mondo indaga in innumerevoli parabole ciò che in ultimo non si può esprimere e che nasce più dal presentimento che dal sapere.

L'opera giovanile di Kubin, tra l'auto-

1. C.A. Reichel, *Opus 141*, 1915. (Neue Gal., Linz).

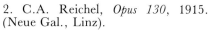

2. C.A. Reichel, *Opus 130*, 1915. (Neue Gal., Linz).

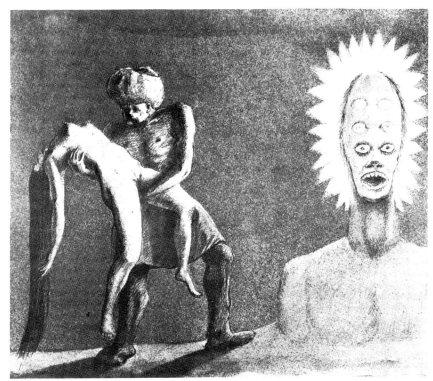

Da sinistra dall'alto:
A. Kubin: 1. *Agrippina*, 1900-03. (Oö. Lds. Mus., Linz). ☐ 2. *La strega*, 1900 c. (Oö. Lds. Mus., Linz). ☐ 3. *Sacrificio ariano*, 1900 c. (Oö. Lds. Mus., Linz). ☐ 4. *Il velo*, 1900-03. (Oö. Lds. Mus., Linz).

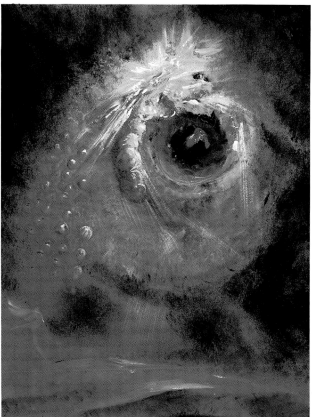

Da sinistra dall'alto:
A. Kubin: 1. *Piante acquatiche*, 1903-06. (Oö. Lds. Mus., Linz). ☐ 2.
L'occhio del temporale, 1906 c. ☐ 3. *Animale fiabesco*, 1903-05. (Oö. Lds.
Mus., Linz). ☐ 4. *Il lupo verde*, 1918 c. (Oö. Lds. Mus., Linz).

1. K. Brosch, *Betulle*, 1914 c. (Neue Gal., Linz).

2. K. Brosch, *Studio di mani*, 1914-15 c. (Neue Gal., Linz).

[1] Wilfried Kirschl, in *Klemens Brosch, Carl Anton Reichel, Aloys Wach*, cat. mostra, Neue Galerie der Stadt, Linz, 1982, p. 13.

biografico e l'onirico, trasforma eros, morte e disperazione in metafore della riflessione umana sull'esistenza, spaventose e cupe, ma di grande forza evocativa. Intorno al 1900 sottostà a precisi influssi del simbolismo e dello Jugendstil, come del resto anche i disegni, di sorprendente precocità, di Klemens Brosch, allora ancora allievo della Realschule di Linz, che trovò per la propria grafica, al pari del più anziano Kubin, significativi punti d'appoggio nelle incisioni di Max Klinger. Kubin, che alla propria morte lasciò in donazione una cospicua collezione formata in prevalenza di lavori dei suoi colleghi del Blaue Reiter, stimava soprattutto Goya ed Ensor, alla cui grandiosa opera incisoria s'accostò in modo sensibile.

Senza dubbio Klemens Brosch doveva conoscere anche le scene naturalistiche di Hans Thoma, che insieme alla già citata grafica di Klinger e alle cognizioni formali di tipo astratto-decorativo dei secessionisti formavano il campo di tensione e di interesse della sua ispirazione e del suo ampliamento d'orizzonte. «L'impronta personale, la forza costitutiva del disegno di Brosch, che qualificò il suo disegno fin nei minimi movimenti della penna o della matita, proveniva dal suo quasi fantastico studio della natura ed era il risultato di una vivida capacità di osservazione e di non meno intensi sforzi per esprimere con i mezzi del disegno l'insieme delle percezioni, luce, materia, peso e leggerezza, rigidità e fluidità e per tradurre tutto questo in chiari segni grafici.»[1]

Klemens Brosch si esprimeva quindi con un disegno serrato ed intenso, come se analizzasse ai raggi X realtà e verità, riversando sull'oggetto inteso come causa concreta di riflessioni interiori e di fatti sociali una partecipazione emozionale e una impostazione analitica del disegno, come nessun altro artista in questo periodo. La precisione del suo tratto, che sembra come attirato da campi di forza nelle più fini vibrazioni e che rivela splendore, durezza e poesia, la sua resa formale decisa e disinvolta, e soprattutto la capacità di Brosch di conferire a una rappresentazione (a un tema, a una visione) ciò che, nella fusione di realtà ed irrealtà, può essere indicato come «aura» di qualcosa che si presenta nitido ma chiuso in se stesso, tutto questo sottolinea l'esemplarità di un talento ancora troppo poco considerato. Solo negli ultimi anni alcune mostre nelle maggiori città austriache hanno rivelato a un pubblico ristretto ma pieno d'interesse l'importanza del significato artistico di quest'uomo dal carattere sensibile che, spezzato dall'orrore della guerra, tossicodipendente, si uccise il 17 dicembre del 1926 nel cimitero Pöstlingberg di Linz. Quando la mattina del 18 venne rinvenuto il cadavere coperto di neve, la scena assomigliava a uno di quei suoi spaventosi disegni eseguiti durante la guerra ed esposti a Linz nel 1915, allorché era dovuto tornare a casa per malattia.

Al centro dell'opera di Carl Anton Reichel c'è l'incisione. I primi esemplari creati verso il 1900 rimandano ancora all'opera dei nuovi artisti francesi, come Toulouse-Lautrec, ma anche del belga Andreas Zorn. Ma già nel 1913-14 la maniera di Reichel raggiunge un più deciso grado di autonomia che in breve tempo riesce a imporsi in modo convincente. Reichel conobbe allora la stima dei maggiori specialisti del settore e i suoi lavori vennero acquistati da importanti collezioni di grafica. In alcune riviste d'arte apparvero anche nel 1914 e nel 1921 articoli di notevole estensione a lui dedicati. Eppure l'outsider Carl Anton Reichel si formò fondamentalmente come autodidatta. Ha lasciato un corpus di circa 300 incisioni, la maggior parte nella tecnica della puntasecca, specialmente quelle più tarde, in cui Reichel riporta il trattamento lineare simbolistico, di origine Jugendstil, a un linguaggio formale più astratto e semplificato. I pochi originali degli stampati, che l'artista preparava a mano su un proprio torchio, recano un numero di contrassegno che lo stesso Reichel apponeva al posto del titolo e della data.

L'opera incisoria di Carl Anton Reichel rispecchia tanto la situazione di tensione determinatasi dopo la svolta del secolo, le sue predilezioni stilistiche e la sua ampiezza d'orizzonte spirituale e artistico, quanto l'inquieto spirito di ricerca creativa del suo autore, dotato di poteri medianici che sapeva frenare solo a stento la molteplicità dei suoi interessi e delle sue capacità.

Nato a Wels nel 1874, Reichel in un primo tempo s'indirizzò verso lo studio della medicina all'Università di Vienna. Già da allora si interessava ai problemi estremi della mente e dell'anima. «A Parigi cerca seriamente di esaminare le forme di suggestione, ipnosi e spiritismo, ma presto preferisce darsi all'impegno artistico e lavora con Julian.»[2] Tornato in Austria, «l'artista si addentra nello studio delle culture lontane, occupandosi di sanscrito, buddhismo e saggezza orientale».[3] Questi interessi di Reichel, così come le sue esigenze spirituali, si riverberarono continuamente e chiaramente nell'opera artistica. Il suo orizzonte spirituale e l'intensa frequentazione di nomi importanti della musica, della letteratura, dell'arte e della politica

(tra gli altri Hans Pfitzner, Arnold Schönberg, Alfred Kubin e il principe ereditario Rupprecht di Baviera) conferiscono a questa eclettica personalità, per molti inaccessibile e che viveva isolata a Salisburgo e nell'Alta Austria, il marchio dell'eccentrico. Nella vita privata senza dubbio un uomo «difficile», amante delle signore della danza e del teatro (infatti ne sposò due), Reichel attirava tuttavia le simpatie di uomini della più varia condizione sociale e dei più disparati campi di attività. Gli anni centrali della sua vita spirituale, politica e culturale furono quelli tra il 1917 e il 1924, trascorsi nella casa di Kremstaler. Mai più da allora si è visto in questa regione qualcosa di simile.

In basso da sinistra:
K. Brosch: 1. *Pietraia*, 1912. (Neue Gal., Linz). □ 2. *Tempesta in lontananza*, 1913. (Neue Gal., Linz). □ 3. *Vista attraverso la porta di vetro*, 1915. (Neue Gal., Linz). □ 4. *La siesta dei boia*, 1916. (Neue Gal., Linz).

[2] Walter Koschatzky, in *ibidem*, p. 44.
[3] *Ibidem*.

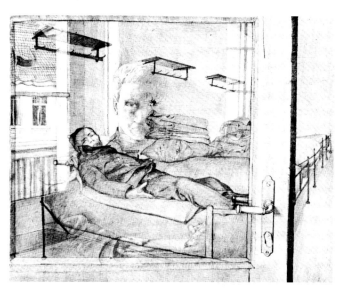

L'ESPRESSIONISMO AUSTRIACO

Patrick Werkner

Sopra:
A. Kubin, *Ombre*, 1900 c. (Albertina, Vienna).

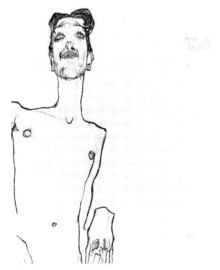

2. E. Schiele, *Ritratto di Mime van Osen*, 1910. (Lds. Mus. Joan., Graz).

[1] Donald E. Gordon, *On the Origin of the Word «Expressionism»*, in «Journal of the Warburg and Courtauld Institutes», XXIX, 1966, pp. 368-385.

1.
Espressionismo austriaco? C'è stato veramente un espressionismo austriaco? Il cassetto della storia dell'arte con l'etichetta «Espressionismo», che oggi tanti riaprono per rovistarvi, non è forse riservato ad artisti di altra nazionalità? A van Gogh e a Munch, ai fauves e ai pittori della Brücke? Certo, Kokoschka è da sempre posto in relazione, come espressionista, anche se non molto spesso e in pubblicazioni non austriache, con artisti tedeschi per i periodi da lui trascorsi a Berlino e a Dresda. Un espressionista, Schiele? Certamente, ma la sua pittura non è troppo estetizzante, il suo disegno non è troppo raffinato, i suoi colori non debbono troppo al sottile haut gout della Secessione viennese, per poterlo paragonare, poniamo, col primo Kirchner o con Heckel? E Kubin: un simbolista occupato a visualizzare le sue ossessioni, un espressionista anche lui? Gerstl, del quale quasi mai capita di vedere un quadro, non era piuttosto un impressionista di grande temperamento? E chi altri c'è ancora a quell'epoca in Austria?...
Una così ampia presentazione dell'arte viennese può essere che sollevi in Italia queste o consimili domande in più di un visitatore della mostra. Precisamente, quanto al concetto di espressionismo, non sembra però giustificato rilevarne la sussistenza sotto il profilo stilistico o nazionale. Soprattutto se si guarda alla sua accezione originaria: infatti, già sul finire del secolo XIX fu in uso in Francia, e

più tardi, poco perspicuamente, applicato all'intera avanguardia europea della fine del secolo.[1] Alcuni anni dopo la comparsa dei fauves e della Brücke a Dresda, Herwarth Walden se ne appropriò per definire gli artisti che esponevano alle sue mostre «Sturm» a Berlino. In senso stretto, oggi, con «espressionismo» si indica una precisa corrente dell'arte tedesca che si espresse dal 1905 circa al 1925. In senso lato, quello in cui è qui inteso, il termine si riferisce a un fondamentale indirizzo dell'arte moderna europea che si manifestò nei decenni a cavallo del secolo.
La rappresentazione di tendenze e processi spirituali; la diretta Erlebnis visiva, soggettivamente esasperata; il rigetto di ogni arte accademica vincolata a regole, nel contemporaneo richiamarsi all'interiore necessità dell'artista; il volgersi all'arte dei primitivi, all'arte popolare e alle epoche di accentuata espressività dell'arte universale; il bisogno di mediare contenuti spirituali; un atteggiamento per lo più antiborghese; un linguaggio formale violento, impulsivo, la rinuncia a esiti raffinati e formalizzati a favore di contrasti crudi, colori intensi e una figurazione in apparenza deformante: se tutto questo vale come contrassegno dell'espressionismo, allora vale sicuramente anche per un'essenziale corrente artistica di genere siffatto che ebbe svolgimento in Austria ai primi del secolo. Ma esiste un espressionismo specificamente austriaco?

2.

Gerstl, Kokoschka, Schiele e Kubin sono trattati in questa sede in appositi capitoli, e non ripeteremo qui una caratterizzazione dei loro percorsi. Per dar conto del primo espressionismo austriaco occorre inoltre tener presente un artista che agli esordi del secolo arricchisce la pittura nazionale di una valenza peculiarissima: Arnold Schönberg. Negli anni tra il 1906 e il 1912 Schönberg produsse una serie di dipinti e alcuni disegni. Aveva preso lezioni di pittura da Richard Gerstl, al quale per molti anni fu legato d'amicizia. Dal punto di vista pittorico e tecnico Schönberg rimase sempre un dilettante. Taluni dei primi quadri sono studi dal vero sommersi dalla luce e risolti in un pointillismo piuttosto goffo; oppure, in parte, ritratti di grande formato.[2] Dipinti come il ritratto di Alban Berg a grandezza naturale, gli studi di Mathilde Schönberg o i numerosi autoritratti rispecchiano un realismo maldestro, del quale peraltro lo stesso Schönberg era pienamente consapevole. Pure, quando non cedette all'ispirazione di restituire la realtà e cercò invece di dare forma alle immagini che aveva dentro, egli approdò ad alcuni dipinti di estrema forza espressiva, calati in un'atmosfera tesa, angosciante. *Sguardi* e *Visioni* egli chiamò questi esiti che testimoniano di esperienze segnate dalla paura, allucinanti. A quanto asseriva, Schönberg avvertì sempre che l'essenziale in una persona era lo sguardo, dietro il quale si celava l'esteriore darsi fenomenico della sua figura.[3]

Gli occhi sbarrati e selvaggiamente spalancati delle sue teste spettrali, lo spettrale dispiegarsi di molte immagini, tale da sottrarsi a ogni definizione, rimontano a quel tempo. Il passo compiuto verso l'atonalità nella sua musica, la perdurante ostilità che gli veniva dall'ambiente conservatore della musica viennese, le croniche difficoltà finanziarie e la relazione di sua moglie con Richard Gerstl, infine il suicidio di quest'ultimo lo condussero a quell'intimo sconvolgimento che sfociò in un accentuato bisogno di esprimersi. Nei sui dipinti Schönberg cercava di esorcizzare i volti che lo perseguitavano. È da presumere che egli sentisse come liberatorio servirsi di uno strumento diverso dalla musica, alla

quale veniva ponendo ardui, ambiziosi traguardi. La funzione apotropaica, da sempre una delle molle più potenti dell'arte, l'esorcizzare la paura, esperienza primigenia, col porre un'immagine, un simbolo, nel caso di Schönberg pittore, si palesa in un'immediatezza che non si vede in altri pittori, ai quali l'essere dei professionisti dell'arte loro impone di affaticarsi maggiormente alla soluzione di problemi formali. Proprio il dar quel risalto agli occhi fa del gesto pittorico di Schönberg un indizio inequivocabile di una situazione di crisi, di una specie quale ricorre nelle più varie epoche di rottura e nei loro riflessi sull'arte in generale.[4]

In questo senso gli *Sguardi* e le *Visioni* di Schönberg non sono da prendere alla stregua di testimonianze di vissuti sinestesici, o come visualizzazioni di esperienze musicali, ma piuttosto come psicodrammi figurati. La sinestesia, che tanti artisti affascinava al volgere del secolo, compare nondimeno in un'altra opera di Schönberg, nata in coincidenza con la sua attività di pittore: *La mano felice*.[5] In questo «dramma come musica» Schönberg configurò un'opera d'arte totale d'alta espressività, che può essere intesa come un progetto antitetico alle impostazioni estetizzanti della Secessione e della Wiener Werkstätte. Poesia, teatro, musica, scenografia — della quale ultima Schönberg si occupò con una serie di progetti — e sinanco gli effetti luce, sono le componenti che egli convogliò in un'opera teatrale, per la cui realizzazione si sollevano problemi affatto eccezionali. L'aspetto sinestesico dell'opera è rinvenibile soprattutto nel ricorso, simbolicamente pregnante, al gioco delle luci, il cui variare accompagna costantemente la musica e l'azione, della quale talora può tenere il luogo. Schönberg infatti definì la *Mano felice* come un tentativo di «fare musica con i mezzi della scena».[6]

3.

Il superamento dei rispettivi confini sussistenti tra i mezzi d'espressione artistica ha un particolare valore nell'espressionismo. Quanto all'Austria, molte cose si concentrano nell'anno 1908. È l'anno in cui Kubin — ritornato da un viaggio

A. Schönberg, *Autoritratto*, 1910 c.

[2] Una sorta di catalogo dei dipinti e dei disegni di Schönberg si trova in *Schönberg as Artist*, in «Journal of the Arnold Schönberg Institute», Los Angeles, II, n. 5, 1978.
[3] Appunto manoscritto *Malerische Einflüsse*, Los Angeles, pubblicato in *Katalog Schönberg*, Wien, Universal Edition, 1974, n. 138, p. 207.
[4] Dagobert Frey, *Dämonie des Blickes*, Akademie der Wissenschaften und Literatur, Abhandlungen der geistes- und sozialwissenschaftlichen Klasse, n. 6, Wiesbaden, 1953.
[5] Recentemente pubblicata in Arnold Schönberg — Wassily Kandinsky, *Briefe, Bilder und Dokumente einer außergewöhnlichen Begegnung*, a cura di Jelena Hahl-Koch, Salzburg-Wien, 1980.
[6] Arnold Schönberg, discorso tenuto a Breslavia sulla *Mano felice* (1928), in *ibidem*, p. 131.

A. Schönberg, *Ritratto di Alban Berg*,
1910 c.

[7] Otto Kallir, *Richard Gerstl — Beiträge zur Dokumentation seines Lebens und Werkes*, in «Mitteilungen der Österreichischen Galerie», 1974, n. 62, p. 138.
[8] *Katalog Schönberg*, cit., n. 133, p. 205.

nell'Italia settentrionale e, nonostante il grande bisogno di creazione, incapace di disegnare — stende in poche settimane il suo romanzo *Die andere Seite*. Ultimato il quale si dissolse anche l'inibizione del lavoro figurativo. Del 1908 sono pure i primi abbozzi di Schönberg per la *Mano felice*, la cui elaborazione richiese più anni. L'anno successivo ci fu la prima rappresentazione del dramma di Kokoschka *Mörder, Hoffnung der Frauen* (Assassino, speranza delle donne). Questi lavori teatrali di Schönberg e di Kokoschka sono perciò tra i primissimi «Ich-Dramen» dell'espressionismo, e *L'altra parte* di Kubin è annoverata tra le opere chiave della letteratura espressionista. Come Schönberg che, oltre alla musica, aveva bisogno anche del medium della pittura, anche Schiele compose poesie di forte carica espressiva, che nel loro linguaggio estetico e mistico sono l'analogo dei suoi quadri e disegni coevi.

Il 1908 fu anche l'anno della prima mostra d'arte organizzata nelle effimere strutture di Joseph Hoffmann con la sua monumentale presentazione della Wiener Werkstätte e dell'arte della Secessione, la stessa che diede spunto alla celebre polemica di Adolf Loos su «ornamento e delitto». La mostra però fu anche occasione del primo positivo emergere di Kokoschka, il cui dramma truculento fu messo parimenti in scena nel suo ambito, al Gartentheater. Il 1908 fu l'anno del pomposo corteo organizzato per il sessantennio di regno di Francesco Giuseppe, un residuato storico dell'epoca di Makart, che indusse Gerstl a uno scontro gravido di conseguenze con il suo maestro Heinrich Lefler sulla moralità dell'artista.[7] Il 1908, infine, è l'anno del suicidio del non ancora venticinquenne Richard Gerstl, senza che l'artista avesse esposto al pubblico nemmeno una sua opera.

Nel caso di Gerstl è sicuramente giustificato ricorrere all'espressione di «genio misconosciuto». Ma per quanto riguarda Kokoschka, Schiele o Kubin una simile presentazione dei fatti non è che una leggenda. Ognuno di loro ebbe protettori influenti, collezionisti che si mossero subito, esaurienti esposizioni e l'attenzione di critici importanti. Il più entusiasta tra i primi fautori di Kokoschka fu Adolf Loos, il quale non solo lo introdusse nei circoli letterari e intellettuali di Vienna, ma lo presentò anche ai suoi committenti perché eventualmente se ne facessero fare il ritratto. E l'interessamento di Fritz Wärndorfer, il principale finanziatore della Wiener Werkstätte, consentì la pubblicazione del libro di fiabe di Kokoschka *Die träumenden Knaben* (I ragazzi sognanti). Alla protezione di Klimt risale la stessa partecipazione di Kokoschka alla mostra del 1908, così come, l'anno successivo, anche quella di Schiele alla seconda mostra. Ben presto Schiele ebbe al suo fianco il critico e pubblicista Arthur Rössler e l'entusiasmo di collezionisti quali Heinrich Benesch e suo figlio Otto, il futuro direttore dell'Albertina, ma anche del facoltosissimo Oskar Reichel, il quale parimenti andava raccogliendo opere di Kokoschka, nonché dell'industriale Carl Reininghaus.

Kubin, negli anni trascorsi a Monaco, aveva già trovato i primi collezionisti e, nell'amico e mecenate Max von Weber, anche il suo primo editore. Il quale, nel 1903, aveva pubblicato la cosiddetta *Weber-Mappe* (cartella Weber) con quindici «stampe in facsimile dai fogli dell'album di Alfred Kubin». Cognato di Kubin era l'allora abbastanza noto scrittore simbolista Oscar Schmitz. L'amicizia con il poeta Karl Wolfskehl, nel cui Schwabinger Salon si raccoglievano il «Kreis der Kosmiker» e la cerchia di Stefan George, ma anche s'incontravano Kandinsky, Marc e Klee, valse a Kubin altri essenziali contatti. Già nel 1902 aveva avuto la sua prima personale da Cassirer a Berlino, alla quale presto ne seguirono altre in parecchie città della Germania, dando il via a una serie di penetranti discussioni sulla sua opera.

Diversamente andarono le cose nel caso di Schönberg. Pressoché escluso dall'attività e dalla vita musicale improntata alla tradizione, dileggiato dalla critica ufficiale, Schönberg aveva nondimeno attorno a sé una cerchia di giovani fanatici ammiratori, e a coprirgli le spalle si ergeva «Der Merker», l'esclusiva rivista musicale viennese; era inoltre cognato di Alexander Zemlinsky e godeva della benevolenza di Gustav Mahler. Carl Moll aveva sì respinto l'offerta di Schönberg di esporre i suoi quadri alla Galleria Miethke[8] (Moll era allora il gestore di quella bottega d'arte); ma nel 1910 la Libreria Hugo Heller finì col far conoscere al pubblico i dipinti di Schönberg, organizzando il giorno dell'inaugurazione anche un concerto del Quartetto Rosé che eseguì opere del maestro.[9] In questa libreria non solo si trovavano le pubblicazioni d'arte più recenti nei vari campi, ma essa era anche sede di mostre e casa editrice: gli scritti di Freud apparvero con i tipi di Hugo Heller e altrettanto il periodico diretto da Freud «Imago — Zeitschrift für die Anwendung der Psychoanalyse auf die Geisteswissenschaften», il quale del resto pubblicò anche un'ampia recensione del romanzo di Kubin *Die andere Seite*.[10]

Anche l'Akademischer Verband für Literatur und Musik, fondato nel 1908, nel quale s'incontravano Hermann Bahr, Karl Kraus, Stefan Zweig e altri scrittori, organizzò tra l'altro concerti di Schönberg e conferenze di lui e di Kokoschka. Nel 1912 l'associazione pubblicò la rivista espressionista «Der Ruf», che tra i suoi collaboratori aveva Kokoschka e Schiele. Un'altra istituzione, d'iniziativa privata, era una scuola voluta dagli influenti coniugi Schwarzwald, che oggi presumibilmente sarebbe considerata una scuola alternativa. Sia Kokoschka che Schönberg tenevano ogni tanto delle conferenze alla Scuola Schwarzwald. Così, per gli esponenti dell'espressionismo, ci furono sin dall'inizio molteplici forme e possibilità di emergere e di dibattere sulla scena intellettuale e artistica, per non dire di quel tramite di informazione e comunicazione che erano i caffè di Vienna, su cui tante volte si è discorso. Del resto erano gli stessi artisti a organizzarsi e a farsi pubblicità in vari modi. Tra i promotori più eloquenti nell'ambito dell'espressionismo c'era il giovane Albert Paris Gütersloh, che nel 1912 organizzò una mostra nella Casa degli artisti di Budapest, alla quale presero parte anche Schiele, Schönberg, Anton Kolig, Anton Faistauer, Robin Christian Anderson ed egli stesso, e per la quale stese anche un catalogo.[11] Già nel 1909 Schiele aveva organizzato con alcuni amici dalle stesse sue idee una mostra intitolata «Neukunst» (Arte nuova). Anche l'esposizione di Budapest si chiamò «Neukunst Wien 1912».

La definizione di «arte nuova», che evitava di fissare un preciso concetto stilistico, era stata scelta da un gruppo di giovani studenti dell'Accademia che, rifiutando la bolsa routine dell'insegnamento accademico, dimostrativamente erano usciti da quell'istituzione. Seguendo in tal modo l'esempio dei secessionisti nel 1897 e del gruppo di Klimt del 1905, col loro ostentato abbandono di associazioni ossificate, il gruppo della Neukunst si presentò per la prima volta al pubblico al Kunstsalon Gustav Pisko. In questo eterogeneo e variopinto gruppo di giovani, oltre a molti altri, esposero allora le loro opere Schiele, Gütersloh, Faistauer, Hans Böhler, Franz Wiegele e Rudolf von Kalvach. Gütersloh e Schiele erano stati presentati già alcuni mesi prima alla mostra del 1909, accanto a quadri di Max Oppenheimer (Mopp) e dell'ormai famigerato enfant terrible Oskar Kokoschka. Due anni dopo fu la mostra «Hagenbund» a esporre nuovamente Faistauer, Wiegele e Gütersloh, cui si aggiunsero Kokoschka, Anton Kolig e Sebastian Isepp. Kokoschka, Gütersloh e Schiele erano indubbiamente in quegli anni le punte rivoluzionarie tra i giovani artisti e rappresentavano altresì dei punti di cristallizzazione delle loro mostre.

4.

Mentre la produzione di Gerstl si era compiuta in un isolamento oggi difficilmente comprensibile, restando sconosciuta anche dopo la sua morte, attorno a Kokoschka e altrettanto attorno a Schiele si raccolsero ben presto amici e colleghi, che furono chiaramente influenzati dalla loro inconfondibile personalità. Max Oppenheimer, che firmava le sue opere con l'abbreviazione di «Mopp» e divenne noto con questa firma, nei suoi primi anni ebbe ogni volta a subire il rimprovero di essere un imitatore di Kokoschka, peraltro con il contributo dello stesso Kokoschka che, spalleggiato dai suoi amici, sconfessò senza scampo Mopp presso critici e galleristi.[12] Tuttavia i suoi primi ritratti testimoniano di uno straordinario talento pittorico, anche se non si può negare una forte influenza kokoschkiana. Gruppi, scene religiose, nudi e ritratti, questi i temi delle sue pitture, molto spesso resi con colori spezzati, sfumati, talora in toni opachi e con una grandissima libertà espressiva

1. *A.P. von Gütersloh*. (Mus. Stadt, Vienna).

2. R. Kalvach, *Barche nel porto di Trieste*, 1908 c. (Coll. privata, Monaco).

[9] Paul Stefan, *Schönberg-Abend*, in «Der Merker», 2, 1910-11, fasc. 2, p. 79.
[10] Hanns Sachs, *Die andere Seite*, in «Imago — Zeitschrift für die Anwendung der Psychoanalyse auf die Geisteswissenschaften», diretto da Sigmund Freud, 1, 1912, fasc. 2, pp. 197-204.
[11] *Katalog A Neukunst Wien 1912*, Budapest, Müvészhás, gennaio 1912. Il testo apparve anche in tedesco sul «Pester Lloyd, Morgenblatt», Budapest, 4 gennaio 1912, pp. 1-3.
[12] Werner J. Schweiger, *Der junge Kokoschka*, Wien, 1893, pp. 202-208.

1. A. Egger-Lienz, *Studio per la danza della morte.*

2. F. von Zülow, *La finestra*, 1915. (Coll privata, Vienna).

nel restituire le fisionomie. L'influenza del cubismo si esprime nel suo lavoro all'incirca dal 1912, allorché si rendono visibili tendenze all'analisi formale. Più vicino era invece Mopp al futurismo, affascinato com'era dal movimento e dal tentativo di rendere perspicacemente nell'immagine processi dinamici. Ripetutamente, egli rappresentò musicisti nell'atto dell'esecuzione, o scene mosse, patetiche.

Mopp configurò molti dei suoi temi anche nella grafica e alcuni ne pubblicò nella rivista degli espressionisti berlinesi «Die Aktion». Anche Schiele collaborava a questa pubblicazione, e altrettanto Felix Albrecht Harta, i cui primi disegni riflettono l'influsso di Kokoschka. Di suggestioni cubiste risentì invece Carry Hauser e le elaborò in temi mistico-religiosi.

Dei primi lavori di Albert Paris Gütersloh, il poeta-attore che anche dipingeva, ben poco si è conservato, e tuttavia queste immagini espressive spiccano nettamente rispetto alla sua opera successiva. Ludwig Heinrich Jungnickel è noto soprattutto per le sue raffigurazioni di animali, a causa delle quali vengono spesso obliati i suoi nudi improntati alla maniera di Schiele. Anche Hans Böhler, amico di Jungnickel e di Schiele, apparteneva alla cerchia degli espressionisti e, oltre a dipinti di forte impasto coloristico, diede mano a una serie di disegni di carattere erotico. Alfons Walde, nel periodo che trascorse a Vienna, risentì in modo decisivo della pittura di Klimt e di Schiele. Tali influssi sono rilevabili soprattutto nelle prime immagini muliebri e nel nudo, dove di frequente egli toccò un'atmosfera di mondanità o toni di una sensualità eccitata. Anche gli esordi di Anton Faistauer non sono pensabili al di fuori dell'influenza di Schiele, dal quale peraltro egli ben presto si staccò ostentatamente. Più intensamente debitrice dell'arte industriale è l'opera di Franz von Zülow, che approdò a stilizzati paesaggi realizzati con la tecnica della xilografia colorata e a lavori su superficie piana d'intensa colorazione e con un tratto scientemente naïf.

Molti artisti i cui inizi si radicano nell'espressionismo o vi sono assai prossimi batterono la via del consolidamento formale, come per esempio Franz Wiegele.

Un modo di lavorare originantesi nell'impulso pittorico-gestuale fu determinante per l'evoluzione ulteriore di Anton Kolig, mentre nel disegno il leitmotiv è nelle strutture reticolari dei nudi. L'impiego del colore quale mezzo figurativo primario rende Kolig affine a Herbert Boeckl, per il quale in principio il colore costituì la possibilità espressiva preminente. Boeckl usò il colore con una vitalità così sensuale da porsi in antitesi con i primi tormentati quadri di Kokoschka, quasi di un decennio più anziano. Egli così si distacca dal primo espressionismo e dalle sue tendenze psicologizzanti, poco garbandogli il forte ancoramento dei primi espressionisti all'atmosfera urbana.

Albin Egger-Lienz, pur prendendo le distanze dall'espressionismo, che ai suoi occhi era un'aberrazione transitoria nella storia dell'arte, gli fu nondimeno assai vicino in alcune opere. A dissolvere il luogo comune che lo vuole pittore del «Blut und Boden» non sono solo certi ritratti di estrema freschezza, come quelli dei suoi figli, ma anche i dipinti, assai rilevanti nel nostro contesto, nei quali raffigurò l'orrore delle esperienze fatte in guerra. Influenze espressioniste accolse Anton Hanak in numerosi disegni, influenze che, più moderatamente, si espressero anche nella sua scultura, pur se egli rimase sempre legato alle sue origini artistiche ottocentesche. Nel caso di Broncia Koller, la quale è ancora della generazione di Klimt e la cui arte è debitrice della prima Secessione, non ci fu, come per una serie di altri pittori, che un incontro formale con l'espressionismo.

Quale rilevante mediatore dell'espressionismo, ma in pari tempo anche del futurismo, del cubismo e delle tendenze costruttiviste, è infine da menzionare Franz Cizek. Insegnante alla Scuola d'arte industriale a Vienna, già dal 1906 si occupò di corsi per bambini e giovani il cui intento era di destarne la creatività spontanea. Più tardi egli propose un suo cosiddetto cinetismo, nel quale le suddette correnti confluivano in una sintesi. Questa panoramica su alcuni artisti che erano attivi nell'ambito dell'espressionismo, o che ne furono a tratti stimolati, consente di scorgere con chiarezza l'ampio spettro dell'efficacia di tale movimento. Un'efficacia destinata a proseguire ancora dopo là prima guerra mondiale e a condurre infine, nella variante del cosiddetto espressionismo pittorico viennese, a un appiattimento e imborghesimento che non aveva più molto a che vedere con le mete originarie dell'espressionismo.

5.

La molteplicità dei summenzionati artisti configura uno spettro di posizioni artistiche estremamente contrapposte all'interno dell'espressionismo austriaco. Siamo così ricondotti ai quesiti che ponevamo in principio circa le sue caratteristiche. A differenza che in Germania e in Francia, non si ebbero gruppi permanenti e stabili. Anche l'esperienza della costruttività del colore mutuata dai fauves o dai pittori della Brücke, e altrettanto l'affrancamento conseguito rispetto al mondo degli oggetti, il loro ispirarsi alle forme originarie dell'arte e il loro progetto di vita sostanzialmente rivoluzionario, tutto questo si manifesta in Austria con incisività minore. Regge il paragone unicamente Gerstl, che con i suoi punti di contatto con van Gogh, Munch e gli impressionisti francesi viene a occupare, grazie alla sua pittura liberamente gestuale e al suo rifiuto del simbolismo, una posizione peculiare. Dalle coeve e affini correnti europee l'espressionismo austriaco si distingue poi per il suo inclinare alla psicologia e al simbolo, alle asserzioni e rappresentazioni soggettivistiche, che talora possono assumere tratti narcisistici e patologici. Nel primo Kubin, ma altrettanto in Schönberg e, in modi diversi, in Kokoschka e in Schiele, si rinviene quell'improntare le immagini a una valenza d'incubo, pervadendola di angoscia e di orrore, che è così caratteristico del primo espressionismo austriaco. Da tali movenze allucinatorie si viene sviluppando, in particolar modo nel caso di Kokoschka e di Schiele, un'arte patetica nell'accezione originaria del termine: tanto come esperienza della sofferenza, quanto come esigenza di attingere con ciò stesso un significato. Le loro creazioni, in questo paragonabili a quelle di Kubin, pervengono così a formulazioni di pregnanza archetipica. Ognuno di loro, muovendo da interiori sconvolgimenti, si dà a tematizzare, sia pure nella

diversità degli accenti, il campo di tensione aperto tra le polarità eros/sessualità e thanatos/distruzione. Il ritratto, ma anche la rappresentazione della figura intera, come immagine dell'anima, viene ad assumere un significato particolare, e anche qui l'aspetto visionario dell'espressionismo austriaco si manifesta con peculiare evidenza.

Nel caso di Schiele, verso il 1915 la sua visione del mondo prende ad armonizzarsi, e questa nuova serenità si sedimenta con chiarezza nella sua arte. Un consimile distacco dall'estatico e dal morboso e una parallela decantazione sono rilevabili anche in Kokoschka, divenendo particolarmente evidenti nel suo periodo di Dresda, all'incirca dal 1917. Max Oppenheimer rimane fedele alla sua matrice espressionista, con altrettante attenuazioni a tutti gli anni '30, mentre nel caso di Harry Hauser si ha ben presto un approdo alla nuova oggettività. Per la maggior parte degli altri artisti, come Jungnickel, Walde, Gütersloh, l'espressionismo conserva un senso soprattutto sino alla metà degli anni '10. In altri pittori, ad esempio in Kolig, Boeckl, Zülow, più moderatamente anche in Böhler, sfocia in un modo di lavorare determinato dall'impulso pittorico e dalla vivace esperienza della luce e dello spazio. Le creazioni più intense dell'espressionismo restano tuttavia le prime, all'epoca del suo esplosivo erompere.

Una cosa che non può non colpire è che, con l'ulteriore evolversi dell'espressionismo, anche l'importanza di Vienna come centro artistico venne restringendosi. Il primo espressionismo austriaco invece non poté nascere che nella metropoli dell'impero asburgico, nel teatro di quella che Karl Kraus chiamò «Versuchsstation des Weltuntergangs» (stazione sperimentale della fine del mondo). La crisi europea, cui tennero dietro i rivolgimenti politici, sociali e culturali del volgere del secolo, nell'arte viennese si manifestò, in parte, con peculiare forza. Essa si rende visibile sullo scenario di quella città ebbra di bellezza e della sua società che nella celebrazione di se stesse trovavano il loro appagamento.

6.

Una così esauriente esposizione allestita

E. Schiele, *Studio per il ritratto della moglie Edith in abito a strisce*, 1915. (Coll. privata, Vienna).

M. Oppenheimer, *La pittura e la musica*, 1919. (Coll. privata, Monaco).

in Italia sull'arte del primo movimento moderno austriaco solleva ovviamente anche la questione dei rapporti di questo movimento con l'arte coeva del paese vicino. Nel nostro contesto occorre interrogarci sulle relazioni, le affinità o le eventuali antitesi che si delineano tra l'espressionismo austriaco e il futurismo. Comparabili sono le date di nascita: nel 1909 Balla, Boccioni, Carrà, Russolo e Severini si uniscono a Marinetti, nel febbraio del 1910 pubblicano il loro *Manifesto della pittura futurista*. Futurismo ed espressionismo austriaco appartengono a correnti artistiche paragonabili fra loro, basate su un accentuato bisogno espressivo, sul soggettivismo e un atteggiamento antiaccademico, sdegnoso delle convenzioni. Ma ai futuristi, nel loro discendere dal divisionismo, la variante italiana del pointillisme, è paragonabile, tra gli artisti dianzi nominati, il solo Richard Gerstl. Lo documentano i suoi primi dipinti, che da una parte furono influenzati, tra le altre cose, dagli impressionisti francesi presentati nelle esposizioni della Secessione, dall'altra da Giovanni Segantini, artista celebratissimo a Vienna. Al pointillisme Gerstl ricorse per la sua pittura emozionale, immersa nella luce, ma vi rinunziò ben presto. Alcuni dei suoi ritratti tuttavia mostrano quegli interni inondati di luce, in cui oggetti e persone paiono dissolversi in particelle luminose, alla maniera in cui li avevano dipinti anche «prefuturisti» quali Boccioni o Balla.

Su altri piani invece i due movimenti radicalmente divergono: all'impegno politico e sociale, sia pure sfumato, dei futuristi, alla loro euforia per il progresso, al loro entusiasmo per le macchine e per la tecnica si contrappongono, nel tardo espressionismo austriaco, il frequente tematizzare la morte e la distruzione, la melanconia, la componente mistica, allucinatoria e narcisistica. Di conseguenza non si dà a Vienna alcun equivalente degli autonomi e astratti dipinti e disegni radicantisi nel dinamismo dei futuristi, né dei loro collages o dell'intensa ricezione del cubismo da parte loro, tesa in particolare alla visualizzazione di processi dinamici. Allo sfondo della morente monarchia danubiana, che così profondamente segna l'arte viennese, fa da contraltare, nel futurismo, l'aurorale temperie che invece si viveva nell'Italia unificata da pochi decenni. Una temperie avvertibile nel modo più intenso probabilmente a Milano, città trasformatasi d'un tratto da centro agrario a centro industriale e che non a caso i futuristi avevano scelto a loro ribalta.

Una figura di ideologo e di capo paragonabile a Marinetti in Austria non ci fu, e nemmeno qualcosa che si possa comparare al confluire del futurismo nel fascismo. L'agitazione politica era estranea agli artisti austriaci, e così pure le «serate» anarcoidi dei futuristi con i loro programmi che travalicavano i confini tra arte e vita.[13] Né ci fu un entusiasmo guerresco raffrontabile a quello degli artisti italiani: Schiele in guerra provava nausea per le divise[14] e, come Mopp e Harta, di quando in quando collaborava con la rivista antimilitarista «Aktion»; Kokoschka si arruolò sì volontario, ma fu piuttosto una fuga in avanti, dopo la separazione da Alma Mahler; e dopo essere stato ferito si fece sospendere dal servizio militare. Kubin seguiva turbato e angosciato, dal suo eremo nell'alta Austria, gli eventi bellici, e si sentiva «immerso nel lezzo dei cadaveri».[15]

È pertanto evidente che tra i due movimenti ci furono soltanto alcuni generici punti di contatto. Di una influenza reciproca non è quasi il caso di parlare: già si è detto di certe tendenze futuristico-cubiste presenti in Mopp, e si possono qui menzionare anche taluni primi quadri di Gütersloh. Echi si avvertono del pari in altri artisti, e tuttavia a fare i conti a fondo col futurismo e a tentare un'elaborazione teorica fu soltanto Franz Cizek. L'esposizione futurista che si tenne a Vienna alla fine del 1912 non suscitò richiami particolari. Dall'agosto di quell'anno Herwarth Walden andava esponendo i quadri degli italiani all'Aia, Rotterdam e Amsterdam, e ora li aveva portati anche a Vienna. La mostra ebbe luogo a dicembre e comprendeva opere di Boccioni, Carrà, Russolo e Severini. Nel catalogo figurava tra l'altro il *Manifesto* marinettiano di fondazione del futurismo.[16] Su «Kunst und Kunsthandwerk», una rivista che usciva a Vienna, Hartwig Fischel dette conto dei «quattro alquanto giovani pittori italiani», la cui opera gli parve degna di considerazione, sia pure con qualche riserva, ma non da

[13] Patrick Werkner, *Sendungsbewußtein, Provokation und Publikum im Futurismus*, in «Römische Historische Mitteilungen», a cura dell'Österreichisches Kulturinstitut in Rom und Österreichische Akademie der Wissenschaften, fasc. 21, 1979, pp. 161-186.
[14] Christian M. Nebehay, *Egon Schiele — Leben, Briefe, Gedichte*, Salzburg-Wien, 1979, n. 820, p. 347.
[15] Alfred Kubin, *Aus meinem Leben*, München, 1974, p. 50.
[16] Donald E. Gordon, *Modern Art Exhibitions 1900-1916*, vol. I, München, 1974, p. 89.

respingere. Se i loro tentativi presentavano ai suoi occhi «risultati confusi, grezzi, impossibili», pure egli avvertiva che «c'è del metodo nella loro follia».[17]

Viceversa, Kokoschka, Schiele, Kubin e a maggior ragione gli artisti austriaci meno significativi rimasero in Italia pressoché degli sconosciuti. (Quattro disegni di Schiele erano stati esposti nel 1914 a Roma nell'ambito della seconda Esposizione internazionale dell'arte della Secessione.)[18] A impedire un'ulteriore presa d'atto da parte italiana furono ben presto gli eventi politici e l'acceso atteggiamento antiaustriaco dei futuristi, che conseguiva al loro preciso impegno irredentistico. Del resto i futuristi spregiavano l'arte moderna che si faceva in Austria e l'equiparavano alle creazioni della Secessione. Lo documenta drasticamente un'asserzione di Boccioni che — se pensiamo alla mostra che abbiamo qui organizzato — non possiamo leggere senza provare un moto di ironia. Scriveva infatti Boccioni nel 1916 «...Dell'ignobile influenza che i giovani della mia generazione hanno subito, attraverso Segantini e le biennali veneziane. Tutta la miserabile calligrafia plastica, tedesca-austriaca-ungherese, ci ha un po' pesato sopra... Ultimo, l'austriaco Klimt, impasto commerciale di bizantino, di giapponese, di zingaresco, era da noi considerato come un aristocratico innovatore dello stile.»[19]

[17] Hartwig Fischel, *Die Futuristen (Aus dem Wiener Kunstleben)*, in «Kunst und Kunsthandwerk», n. 16, 1913, p. 70.
[18] Gordon, *op. cit.*, vol. II, p. 795.
[19] Guido Ballo, *Boccioni a Milano*, in cat. mostra «Boccioni a Milano», Milano, Palazzo Reale, 1982; ed. Mazzotta, 1982.

1. A. Egger-Lienz, *Soldati*. (Zentralsparkasse, Vienna).

2. A. Egger-Lienz, *Gruppo di case nel verde*. (Coll. privata, Vienna).

H. Makart, *Ritratto di signora.*
(Hist. Mus., Vienna).

Da sinistra:
J. Engelhart: 1. *Testa di donna*, 1902 c. (Coll. privata, Vienna). □ 2. *Musicanti ciechi*, 1913. (ÖNB, Vienna). □ 3. *Rachele con i bambini morti*. (Heiliggeist Kirche, Vienna).

W. List, *Ritratto di donna*, 1895. (Hsch. f. angew. Kunst, Vienna).

1. J. Engelhart, *Il suo atelier, donna in rosso*, 1909. (Coll. privata, Vienna).

2. O. Friedrich, *Elsa Galafrès*, 1908. (Öst. Gal., Vienna).

A pagina precedente: W. List, *Ritratto di donna*, 1904. (Hist. Mus., Vienna).

3. M. Kurzweil, *Nudo maschile disteso*. (Coll. privata, Vienna).

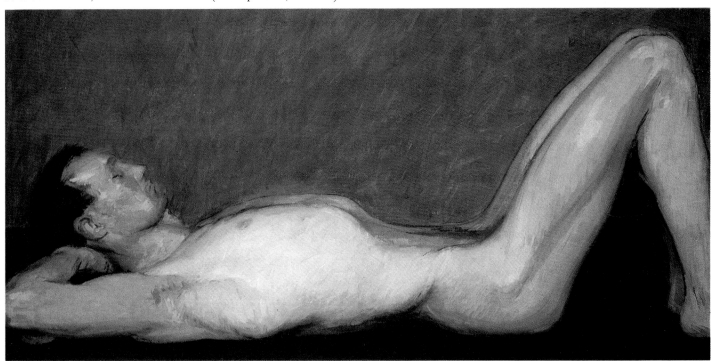

F. Andri: 1-2. *Bassorilievi in legno*, 1902. (Coll. privata, Vienna).

F. Andri: 3. *Ritratto di Gustav Klimt*, 1906 c. (Coll. privata, Monaco).

F. von Bayros, *Nöck*. (Coll. privata, Monaco).

Da sinistra dall'alto:
1. F. Andri, *Burraia*, 1902 c. (N.Ö. Lds. Mus., Vienna). □ 2. A. Böhm, *Vista dall'atelier dell'artista*, 1900. (Coll. privata, Vienna). □ 3. F. von Bayros, *Salomé*, 1912 c. (Coll. privata, Monaco).

Da sinistra dall'alto:
C. Moll: 1. *Bambino nel Wertheimstein Park*. (Coll. privata, Vienna). ☐ 2. *Casa e giardino dell'artista*. (Coll. privata, Vienna). ☐ 3. *Crepuscolo*. (Öst. Gal., Vienna).

E. Mallina: 1. *Testa del Cristo con due angeli*, 1910 c. (Coll. privata, Vienna). □ 2. *Studio per volo d'angeli*, 1904. (Coll. privata, Vienna).

2. *Studio per volo d'angeli*, 1904. (Coll. privata, Vienna).

A fronte:
E. Mallina, *La morte*, 1905 c. (Coll. privata, Vienna).

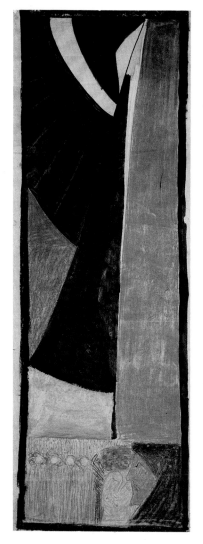

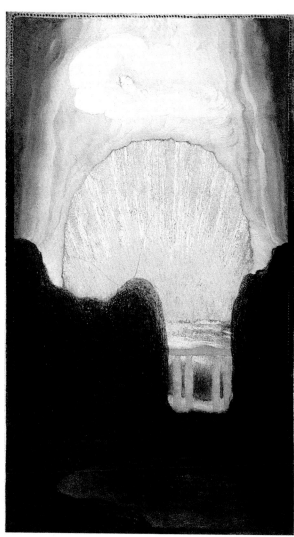

A fronte:
G. Klimt, *Ritratto di signora*, 1894,
(Hist. Mus., Vienna).

Da sinistra dall'alto:
E. Mallina: 1. *Volo d'angeli*, 1904.
(Hsch. f. angew. Kunst, Vienna). □
2. *Angelo*, 1903 c. (Coll. privata,
Vienna). □ 3. *Donna sospesa*, (Coll.
privata, Vienna).

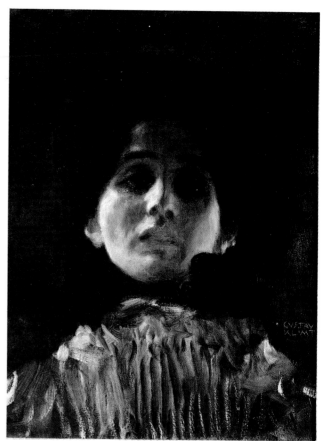

2. G. Klimt, *Ritratto di signora*, 1898-99. (Öst. Gal., Vienna).

A fronte:
G. Klimt, *Studio per «Tragoedie»*, 1897. (Coll. privata, Vienna).

1. G. Klimt, *Dopo la pioggia*, 1899. (Öst. Gal., Vienna).

174

G. Klimt, *Amore (Il bacio)*, 1895. (Hist. Mus., Vienna).

G. Klimt, *Campo di papaveri*, 1907. (Öst. Gal., Vienna).

G. Klimt, *Faggeto*, 1903. (Öst. Gal., Vienna).

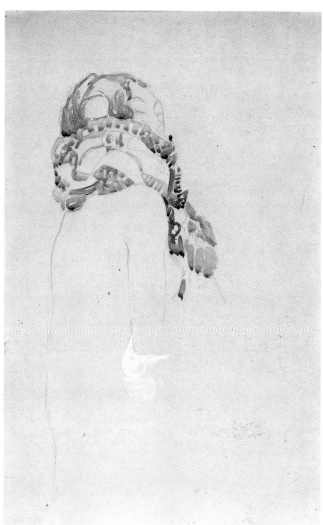

Da sinistra dall'alto:
G. Klimt: 1. *Cantante*, 1901. (Neue Gal., Linz).
□ 2. *Seminudo femminile - Studio per Leda*, 1917.
(Coll. privata, Vienna). □ 3. *Ragazza sdraiata con
vestito a ruches*, 1904 c. (Coll. privata, Vienna).

G. Klimt, *Danae*, 1907-08. (Coll. privata, Zurigo).

G. Klimt, *Vita e morte*, 1908. (Coll. privata, Vienna).

G. Klimt, *Giuditta (II)*, 1909. (Gall. Arte Mod., Venezia).

A fronte:
G. Klimt, *Ritratto di signora*, 1917-18. (Neue Gal., Linz).

1. L. Bonazza, *La leggenda di Orfeo*, 1905. (SO.SAT., Trento).

Da sinistra:
2. A. Roller, *Ritratto di Mileva Roller*, 1906. (Coll. privata, Vienna). □ 3. R. Jettmar, *Pegaso*, 1907. (Coll. privata, Monaco).

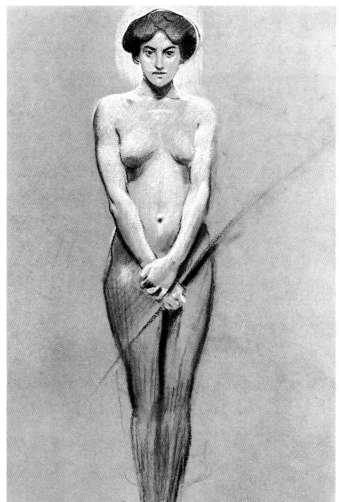

Da sinistra dall'alto:
A. Hirschl-Hirémy: 1. *La fantasia incatenata*, 1890 c.
(Coll. privata, Roma). □ 2. *Nudo femminile in piedi*,
1905 c. (Coll. privata, Roma). □ 3. *Due nudi con barba
in atto di suonare l'arpa*, 1910 c. (Coll. privata, Roma).

1. K. Moser, *Portatore di fiaccola*, 1913 c. (Coll. privata, Vienna).

A pagina precedente: K. Moser: 1. *Tre donne*. (Mus. Mod. Kunst, Vienna). ☐ 2. *Wolfgangsee*, 1913. (Coll. privata, Vienna). ☐ 3. *Wolfgangsee*, 1913. (Coll. privata Vienna).

2. K. Moser, *Paesaggio*, 1913. (Coll. privata, Vienna).

3. K. Moser, *Susanna e i due vecchi*, 1916. (Coll. privata, Vienna).

Da sinistra:
K. Moser: 1. *Venere nella grotta.* (Coll. privata, Vienna). □ 2. *Venere nella grotta*, 1913 c. (Neue Gal., Linz).

3. A. Egger Lienz, *Hulda*, 1898. (Coll. privata, Innsbruck).

Da sinistra:
A. Egger-Lienz: 1. *Autori-tratto*, 1911. (Coll. privata, Vienna). □ 2. *Il seminatore.* (Coll. privata, Vienna).

3. W. Bernatzik, *Casa colonica*. (Coll. privata, Vienna).

L. Blauensteiner, *La strada*, 1904 c. (Coll. privata, Vienna).

R. Kalvach, *Favola indiana*, 1907 c. (Hsch. f. angew. Kunst, Vienna).

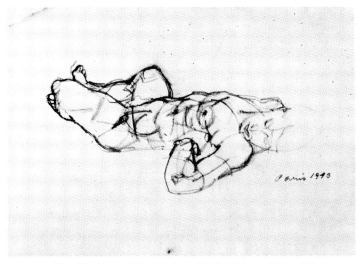

1. A. Kolig, *Nudo maschile sdraiato*, 1913. (Neue Gal., Linz).

2. A. Kolig, *Due nudi maschili sdraiati*, 1914 c. (Coll. privata, Vienna).

A pagina precedente, da sinistra dall'alto:
1. R. Kalvach, *Personaggi fiabeschi*, 1908 c. (Hsch. f. angew. Kunst, Vienna). □ 2. R. Kalvach, *Favola orientale*. (Coll. privata, Vienna). □ 3. R. Geyling, *Paesaggio esotico*, 1910 c. (Coll. privata, Monaco).

3. A Kolig, *Nudo*, 1912. (Coll. privata, Vienna).

4. A. Kolig, *Paesaggio*, 1917. (Coll. privata, Vienna).

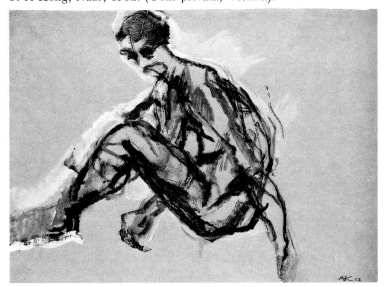

Da sinistra dall'alto:
O. Kokoschka: 1. *Il capo tesoriere*, 1910. (Tir. Lds. Mus., Innsbruck). ☐ 2. *Ludwig von Ficker*, 1915. (Tir. Lds. Mus., Innsbruck).

3. O. Kokoschka, *Ragazza*, 1908. (Coll. privata, Vienna).

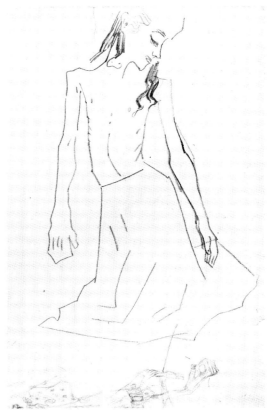

O. Kokoschka: 1. *The Lunatic Girl*, 1909 c. (Hist, Mus., Vienna). □ 2. *Ritratto di una sconosciuta*, 1908. (Mus. Mod. Kunst, Vienna). □ 3. *Nudo*. (Coll. privata, Vienna).

O. Kokoschka, *Illustrazioni per «I ragazzi sognanti»*, 1907-08.

O. Kokoschka, *Illustrazioni per «I ragazzi sognanti»*, 1907-08.

O. Kokoschka, *Bambino con le mani dei genitori*, 1909. (Öst. Gal., Vienna).

R. Gerstl, *Autoritratto*, 1906-07. (Tir. Lds. Mus., Innsbruck).

Da sinistra dall'alto:
R. Gerstl: 1. *Albero da frutta*, 1908 c. (Coll. privata, Vienna). □ 2.
Strada costiera presso Gmunden, 1908. (Coll. privata, Vienna). □ 3.
Liechtenstein Palais. (Coll. privata, Vienna).

A. Schönberg, *Ritratto di Mathilde Schönberg,* 1910. (Hsch. f. angew. Kunst, Vienna).

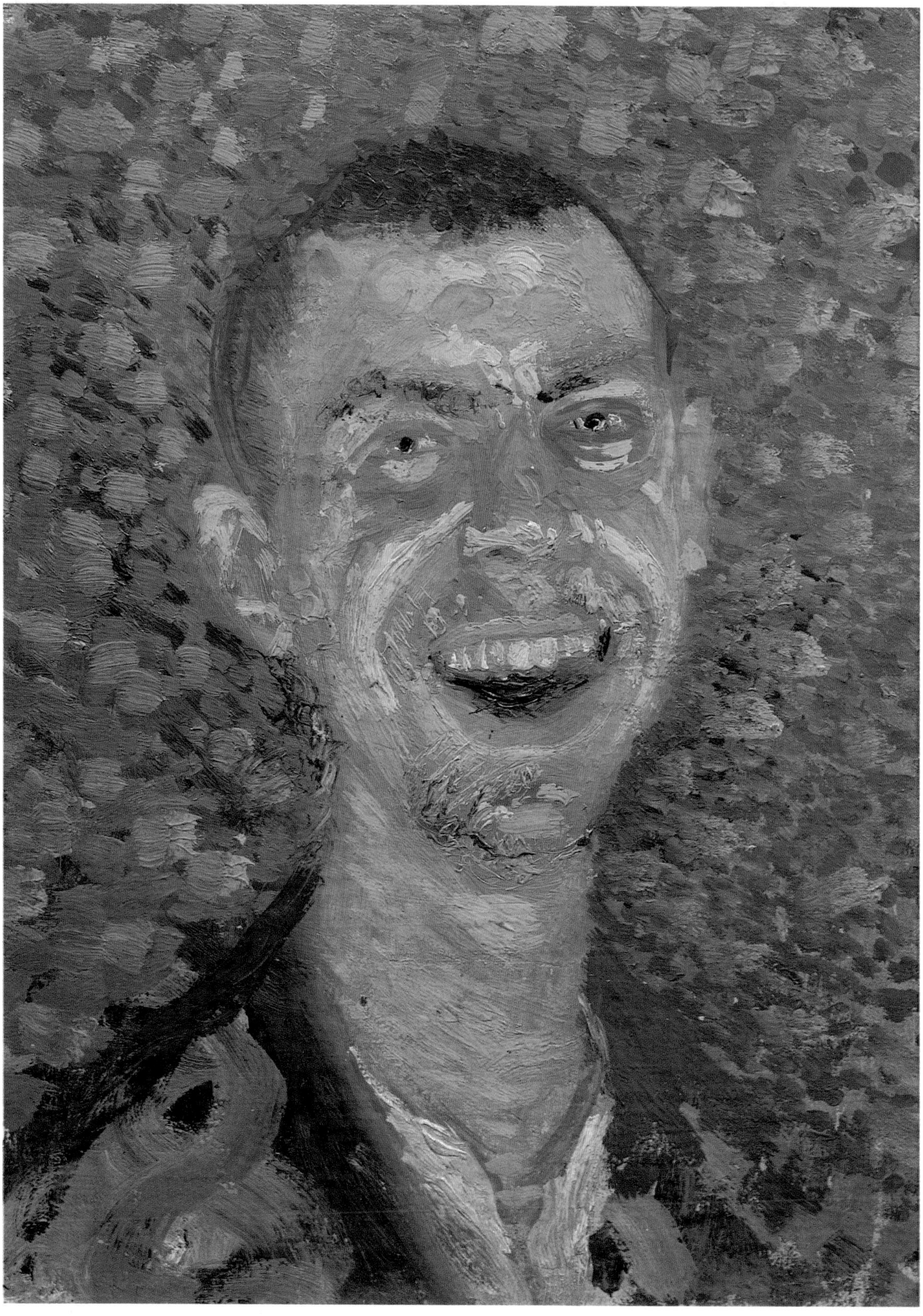

R. Gerstl, *Autoritratto sorridente*. (Öst. Gal., Vienna).

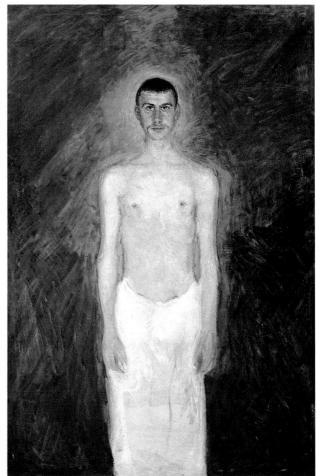

Da sinistra dall'alto:
R. Gerstl: 1. *Donna seduta con cappello*, 1906. (Coll. privata, Vienna). □ 2. *Autoritratto seminudo*. (Coll. privata, Vienna). □ 3. *Coppia nel verde*, 1908. (Coll. privata, Vienna). □ 4. *Paesaggio*, 1908. (Coll. privata, Vienna).

Da sinistra dall'alto:
1. B. Löffler, *Ritratto di Melita Löffler*. (Hsch. f. angew. Kunst, Vienna). □ 2. H. Böhler, *Ragazzo negro*, 1925. (Coll. privata Vienna). □ 3. E. Orlik, *Ritratto di Anna Bahr-Mildenburg*. □ 4. B. Löffler, *Ecce homo*. (Hsch. f. angew. Kunst, Vienna).

A.P. von Gütersloh, *Scena di paese*, 1909-10 c. (Coll. privata, Vienna).

1. F. König, *Crepuscolo*, 1900 c. (Hsch. f. angew. Kunst, Vienna).

2. B. Koller, *Il giudizio finale*. (Coll. privata, Vienna).

3. B. Koller, *Tulipani*. (Coll. privata, Vienna).

Da sinistra:
M. Oppenheimer: 1. *Flagellazione*. (Coll. privata, Vienna). □2. *Orchestra*, 1910-12. (Hsch. f. angew. Kunst, Vienna).

3. M. Oppenheimer, *Ritratto di Egon Schiele,* 1907 c. (Coll. privata, Vienna).

1. B. Koller, *Ritratto della sorella Silvia*, 1914. (Coll. privata, Vienna).

A pagina precedente:
M. Oppenheimer, *Ritratto di Franz Blei*, 1910-11. (Mus. Mod. Kunst, Vienna).

2. B. Koller, *Giovane donna di fronte alla gabbia degli uccellini*, 1910 c. (Neue Gal., Linz).

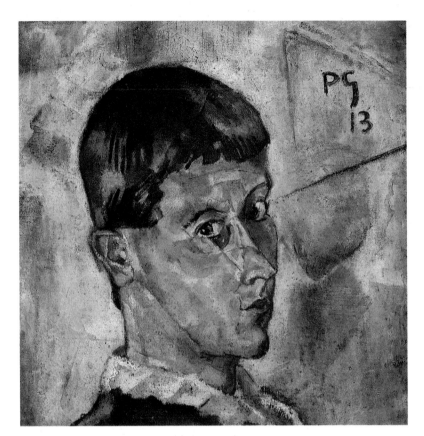

A fronte:
E. Schiele, *Madre morta*, 1910. (Coll. privata, Vienna).

Da sinistra dall'alto:
1. A.P. von Gütersloh, *Autoritratto*, 1913. (Coll. privata, Vienna). □ 2. A.P. von Gütersloh, *Autoritratto*, 1912. (Öst. Gal., Vienna). □ 3. L.F. Graf, *Barca a vela*, 1912. (Coll. privata, Vienna).

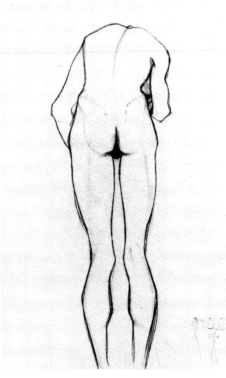

Da sinistra dall'alto:
E. Schiele: 1. *Testa d'uomo con la barba*, 1907. (N.Ö. Lds. Mus., Vienna). ☐ 2. *Nudo femminile di spalle*, 1908. (Coll. privata, Vienna). ☐ 3. *Velieri nel porto di Trieste*, 1908. (Coll. privata). ☐ 4. *Case a Krumau*, 1908. (Coll. privata Graz).

E. Schiele, *Studio di girasoli*, 1908. (N.Ö. Lds. Mus., Vienna).

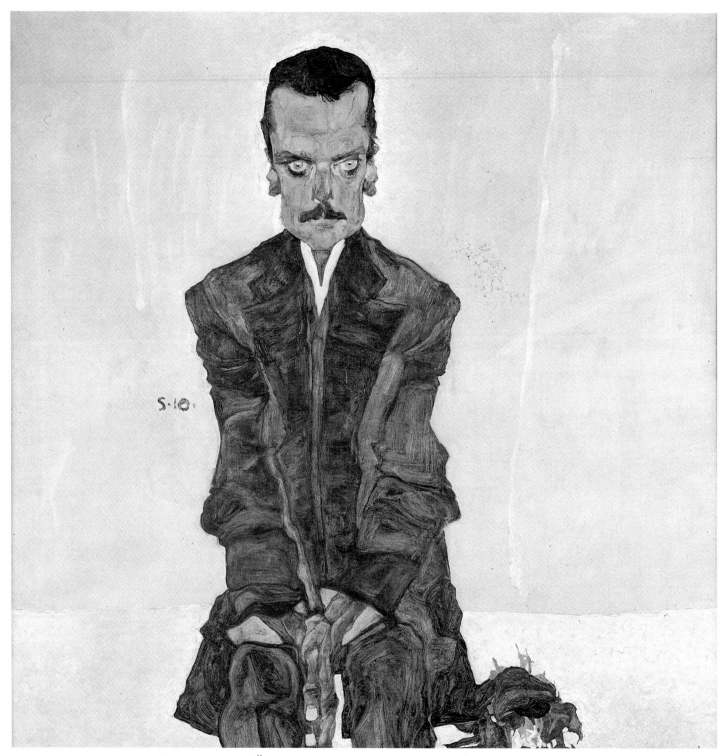

E. Schiele, *Ritratto di Eduard Kosmack*, 1910. (Öst. Gal., Vienna).

E. Schiele, *Autoritratto con pan-ciotto*, 1911. (Coll. privata, Vienna).

E. Schiele, *Nudo di ragazza*, 1910. (Albertina, Vienna).

E. Schiele, *Autoritratto seminudo*, 1910. (Albertina, Vienna).

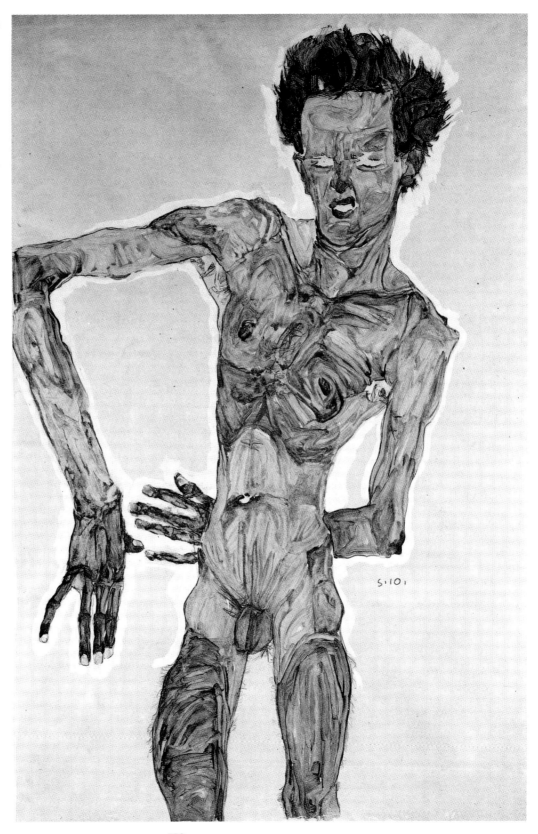

E. Schiele, *Alberi autunnali*, 1911. (Coll. privata, Zurigo).

E. Schiele: 1. *Busto femminile sdraiato*, 1910. (Coll. privata, Vienna). □ 2. *Ragazza*, 1911. (Coll. privata, Vienna).

Da sinistra dall'alto:
E. Schiele: 1. *Rissa*, 1910-12 c. (Neue Gal., Linz). □ 2. *Madre con bambino in mantello rosso*, 1911. (Neue Gal., Linz). □ 3. *Cartolina della Wiener Werkstätte n. 288.* (Hist. Mus., Vienna).

E. Schiele, *Colui che vede se stesso (L'uomo e la morte)*, 1911. (Coll. privata, Vienna).

E. Schiele, *Il poeta*, 1911. (Coll. privata, Vienna).

A fronte:
E. Schiele, *Prato, case e chiesa a Mödling*, 1912. (Coll. privata, Ginevra).

E. Schiele, *Nudo di donna di spalle con capelli rossi*. (Coll. privata).

Da sinistra dall'alto: E. Schiele: 1. *Castello di Deuring*, 1912. (Coll. privata, Vienna). □ 2. *Città morta*, 1911. (Coll. privata, Vienna). □ 3. *Veduta di Krumau*. 1914. (Coll. privata, Vienna).

Da sinistra dall'alto:
E. Schiele: 1. *Coppia nuda*, 1911. (Coll. privata, Vienna). □ 2. *Madre e figlia*, 1913. (Coll. privata, Vienna). □ 3. *Coppia seduta*, 1915. (Albertina, Vienna). □ 4. *Autoritratto in camicia chiara*, 1910. (Coll. privata, Vienna).

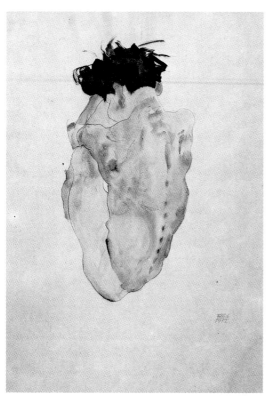

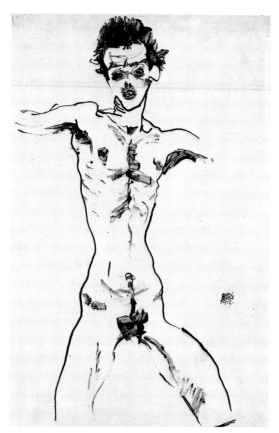

Da sinistra dall'alto:
E. Schiele: 1. *Accoccolata*, 1912. (Coll. privata, Vienna). □ 2. *Autoritratto*, 1912. (Coll. privata, Vienna). □ 3. *Autoritratto da prigioniero*, 1912. (Albertina, Vienna). □ 4. *Nudo maschile*, 1912. (Neue Gal., Linz).

234

E. Schiele, *Non mi sento punito ma purificato*, 1912. (Albertina, Vienna).

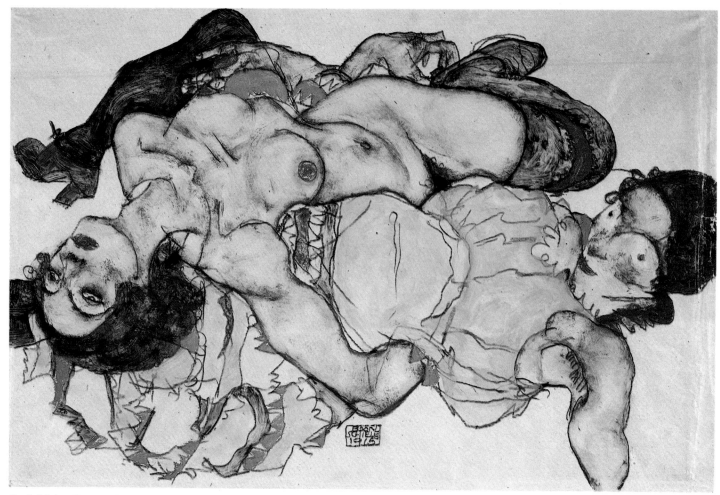

E. Schiele, *Donne sdraiate*, 1915. (Albertina, Vienna).

E. Schiele, *Abbraccio*, 1917. (Öst. Gal., Vienna).

E. Schiele, *Soldato prigioniero russo*, 1916. (Albertina, Vienna).

238

E. Schiele: *Mulino vecchio*, 1916. (N.Ö. Lds. Mus., Linz).

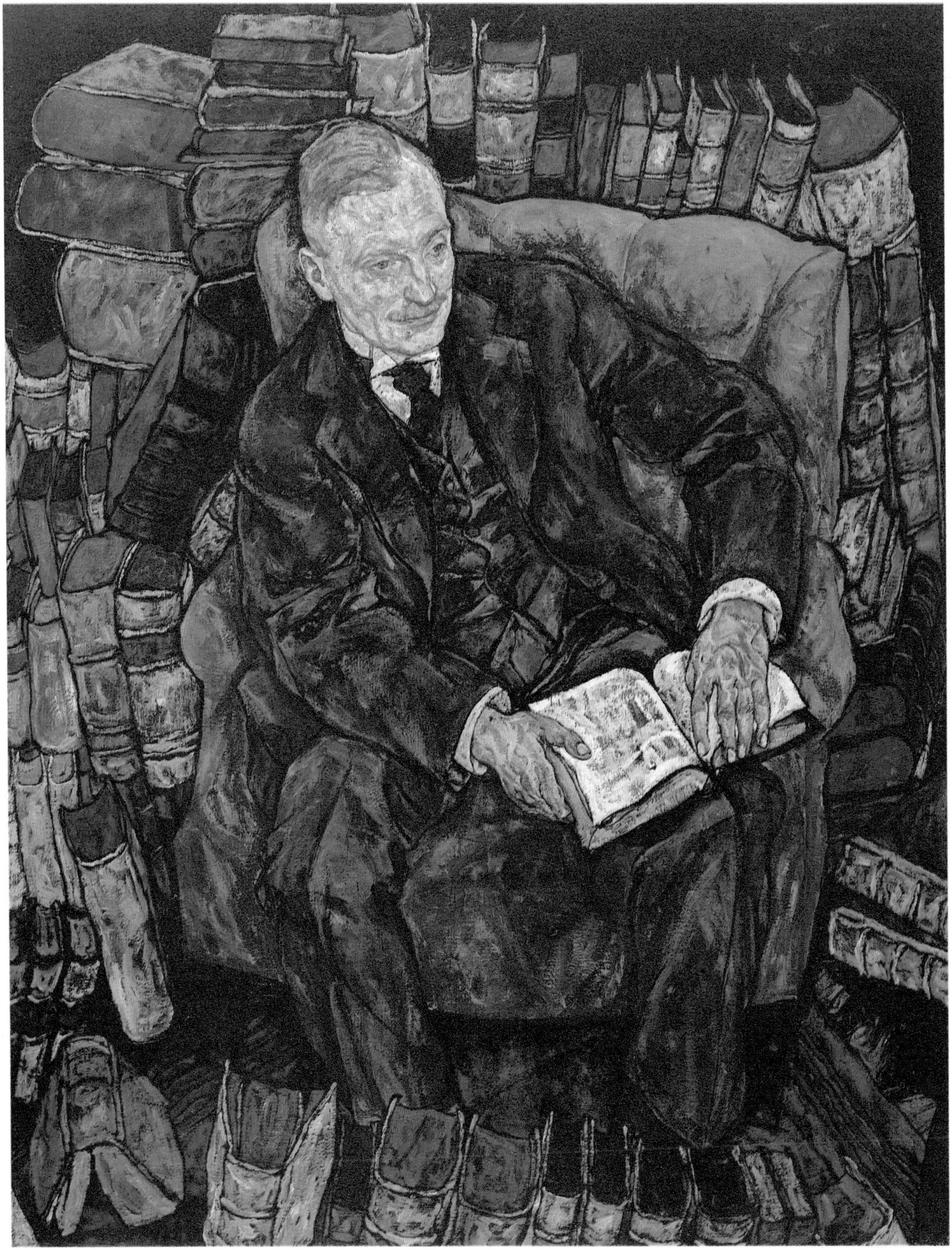

E. Schiele: 1. *Ritratto di Hugo Koller*, 1918. (Öst. Gal., Vienna).

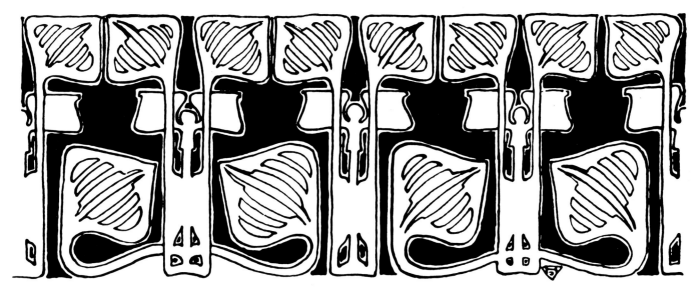

Sopra:
1. J. Hoffmann, *Fregio*, in «Ver Sacrum», gennaio 1898.

IL MOBILE MODERNO INTORNO AL 1900

Christian Witt-Dörring

2. Joseph August Lux.

[1] J.A. Lux, *Die moderne Wohnung und ihre Ausstattung*, Wien-Leipzig, 1905, p. 18.
[2] J. Folnesics, *Unser Verhältnis zum Biedermeierstil*, Wien, 1903.
[3] «Kunstgewerbeblatt NF», anno XI, Leipzig, p. 124.

Nel 1905 Josef August Lux così descrive la situazione abitativa di gran parte del ceto medio viennese: «Ancora oggi quasi tutto è accordato sulle note false di un lusso di riporto, per il quale l'apparenza ha più valore della realtà.»[1] Il motivo di tale tendenza risiedeva, non diversamente da oggi, nel desiderio del meno abbiente di imitare il «ricco». Si cerca di circondarsi di un ambiente rappresentativo pur non avendone alcuna necessità; si adottano gli elementi di uno stile di vita più dispendioso per assicurarsi un'apparenza di distinzione e signorilità. Ma in mancanza dei mezzi necessari non è possibile andare oltre la citazione, in ordini di grandezza «adattati» e con materiali sostitutivi di scarsa qualità: un'atmosfera che evoca invano un lusso altrimenti irraggiungibile.

Fu il repertorio formale della cultura storicista a rendere possibile la realizzazione di questo mondo dell'apparenza, fornendo i requisiti necessari a uno stile di arredamento che, in epoche precedenti, era stato accessibile solo agli strati più alti della società. La ricchezza indispensabile a tal fine, una ricchezza che il ceto medio non possedeva, venne aggirata a scapito dei materiali: l'ornamento prodotto industrialmente e le imitazioni di materiali nobili ebbero come inevitabile conseguenza un'evoluzione negativa del gusto.

Nell'ultimo decennio del secolo scorso la giovane generazione degli artisti europei iniziò a prendere coscienza di questo fatto e a ricercare possibilità espressive più attuali. Molto indicative, per l'ambiente viennese, furono le idee socio-politiche sviluppate in Inghilterra da William Morris, che culminavano nella conclusione che la bellezza risiede solo in ciò che è utile e nell'esigenza di forme semplici e naturali. A Vienna ci si ricordò dell'ultima epoca in cui era possibile rintracciare un senso artistico negli oggetti creati dall'uomo.[2] Si cercò di riallacciarsi al punto in cui le soluzioni formali erano frutto di esigenze funzionali poste dalla vita quotidiana. Queste soluzioni erano state realizzate dalla generazione dei nonni: un'epoca che prima del 1900 si era imposta tra gli stili ufficialmente riconosciuti con il nome di «Biedermeier».[3] A quell'epoca l'industrializzazione in Austria non aveva ancora coinvolto l'oggetto d'uso comune. All'inizio del XIX secolo il rispetto del materiale e l'unità di progetto ed esecuzione (artigianale) erano la regola. Solo a partire dalla divisione del lavoro indotta dalla produzione industriale il progetto venne adattato alle possibilità della macchina e l'uomo si ridusse a semplice esecutore. La conseguente perdita di carattere individuale e di espressività dell'oggetto d'uso si estese anche ad altri campi della vita quotidiana. William Morris riconobbe molto presto queste interrelazioni e cercò di rivitalizzare la vecchia struttura della produzione artigianale sottomettendola alla guida dell'artista. Anche a Vienna la sua proposta venne accolta con favore. Il «moderno» artigianato artistico intorno al 1900 doveva a queste tendenze gli impulsi che culminarono in una critica molto creativa degli artisti alla tradizione delle arti applicate. Già nel 1899 Ludwig Hevesi aveva commentato, in occasione dell'esposizione invernale del Museo austriaco delle arti e dell'industria: «Anche il fatto che alcuni artisti di grido si siano di nuovo rivolti all'artigianato artistico è una gradita dimostrazione che le arti applicate sono tornate finalmente a essere considerate come un'autentica forza vitale.»[4]

Negli anni anteriori al 1900 a Vienna ci si era resi conto che un nuovo «spirito del tempo» richiedeva forme altrettanto nuove. Forme che dovevano essere non solo appariscenti e fantasiose, ma anche compatibili con le esigenze pratiche e i nuovi mezzi a disposizione dell'individuo, come il telefono, la luce elettrica e la stufa a gas. Allo stesso tempo si diede voce all'esigenza di un nuovo tipo di lavorazione fedele alle caratteristiche del materiale e di un recupero delle tradizioni artigianali. Si era coscientemente disposti a rinunciare alla creazione di articoli di lusso per risollevare le sorti del gusto collettivo.

A Vienna Otto Wagner fu il primo a esprimere queste esigenze e a trasmetterle, a partire dal 1894, ai suoi allievi dell'Accademia: «Tutto ciò che è creato con criteri moderni deve corrispondere ai nuovi materiali e alle esigenze del presente, se vuole adattarsi all'umanità moderna; deve illustrare la parte migliore di noi, la nostra indole democratica, pensante, consapevole del proprio valore, e tener conto delle colossali conquiste tecniche e scientifiche nonché dell'ininterrotta tradizione della cultura pratica che attraversa la storia umana — mi sembra naturale!»[5] Nell'arredamento (1898-99) del proprio appartamento al n. 3 della Köstlergasse, nel VI Distretto, vediamo realizzata per la prima volta l'idea del mobile moderno. Forme semplici e costruttive che, per quanto riguarda i tessuti, appaiono ancora legate all'aura fastosa dello storicismo. Una grossa innovazione era l'importanza che Wagner riservava all'arredamento dei bagni e di tutti i locali di servizio, rispettoso del postulato «essere, non apparire». Nella stessa coerente linea di sviluppo troviamo l'ufficio telegrafico della «Zeit» (1901-02) e la Cassa di risparmio postale (1904-06). Per l'allestimento d'interni di entrambi gli edifici Wagner utilizzò in parte mobili in legno curvato prodotti in serie. Le eleganti proporzioni, l'ornamentazione semplice, geometrica e funzionale, e l'assoluta padronanza del materiale, utilizzata anche per differenziare i singoli ambienti secondo le loro funzioni, fanno di questi due lavori i prototipi del funzionale arredamento d'uffici.

Nel 1897, al ritorno dagli Stati Uniti, Adolf Loos intraprese con una serie di articoli sulla «Neue Freie Presse» una crociata contro il cattivo gusto. Un suo contemporaneo, definendolo come una persona civilizzata all'americana, così riassumeva i suoi propositi: «funzionalità e semplicità dalla quale, insieme all'impeccabile fattura, nasce spontaneamente una forma di tecnica eleganza.»[6] E proprio questo «spontaneamente» è il segreto di Loos nell'architettura d'interni. Evitando di imporre all'oggetto la propria creatività formale, Loos è impegnato, al pari di Otto Wagner, a unificare, con mezzi molto semplici, forma, funzione e materiale. Loos critica con veemenza il «movimento» dell'artigianato artistico che aspira a creare le case e il loro arredamento come un solo pezzo, restringendo così la libertà individuale di chi le deve abitare.[7] Solo a Otto Wagner egli è disposto a concedere questa capacità.[8] Le esperienze che Loos porta con sé dagli Stati Uniti sono di fondamentale importanza. In America, nell'ambito dell'architettura d'interni e della costruzione di mobili, si era già giunti a soluzioni funzionali che a Vienna ancora non si conoscevano.[9] L'allestimento del salone di mode per uomo Goldman & Salatsch, progettato da Loos nel 1898, mostra, nella scelta dei mobili, un'evidente influenza della «craftsman furniture» americana com'era prodotta, per esempio, da Gustav Stickley a New York intorno al 1900. Ma altrettanto importanti per Loos sono i suoi rapporti con l'Inghilterra, dove la coscienza tradizionale della borghesia aveva creato una cultura abitativa orientata non sulla rappresentanza ma sulla comodità, e adottata persino dall'aristocrazia. Oltre alle sedie, alle poltrone, ai divani inglesi, che Loos considerava esemplari, trova-

O. Wagner, *Sedia per la Postsparkasse*, 1904-06. (Coll. privata, Vienna).

[4] «Kunst und Kunsthandwerk», anno III, Wien, 1900, p. 3: «Vediamo il pittore Hugo Charlemont pagare il suo tirocinio nell'arte del mobile con alcuni mobili da studio tinteggiati in verde e montati in ferro lucido, destinati alla casa di campagna di Dornbach del signor Philipp von Schöller.»

[5] O. Wagner, *Die Baukunst unserer Zeit*, Wien, 1914, IV ediz., p. 39.

[6] «Kunst und Kunsthandwerk», anno II, Wien, 1899, p. 196.

[7] Nella sua parabola *Von einem armen reichen Manne* (Di un pover'uomo ricco, 26.4.1900) Loos si esprime contro l'opera d'arte totale (Gesamtkunstwerk) nell'architettura d'interni.

[8] A. Loos, *Sämtliche Schriften*, Vol. I, Wien, 1962, p. 46 sgg.: «Io sono contrario a coloro che ritengono essere cosa eccellentissima che un edificio nasca tutto, a eccezione della pala per il carbone, dalla mano di un architetto... In un caso del genere ogni tratto caratteristico va perduto. Ma davanti al genio di Otto Wagner debbo gettare le armi. Otto Wagner ha difatti una qualità che finora ho ritrovato unicamente presso pochi architetti inglesi: egli può disfarsi della sua pelle d'architetto per vestirsi di quella di un qualsiasi artigiano. Se deve fare un bicchiere, egli ragiona come un soffiatore, un molatore di vetro...»

[9] Le riviste di settore dell'epoca pubblicarono ripetutamente articoli sulla casa di campagna in America e la cosiddetta «patent furniture».

1. A. Loos, *Lampada da tavolo*, 1900 c. (Coll. privata, Vienna).

3. A. Loos, *Sedia*, 1900 c. (Coll. privata, Vienna).

2-4. A. Loos, *Interni del negozio d'abbigliamento Goldman & Salatsch a Vienna*.

rono accesso all'architettura d'interni austriaca anche il cosiddetto «cozy corner», la zona-camino e il soggiorno comprensivo di gradini d'accesso delle case di campagna inglesi. In questa sua passione Loos fu aiutato dalla nuova direzione del Museo austriaco delle arti e dell'industria. Arthur von Skala, alla «Mostra di Natale» del 1897, espose un gran numero di sedie, poltrone e mobili piccoli inglesi e americani costruiti secondo criteri tradizionali, che avrebbero dato avvio a Vienna, a una vera e propria mania dei mobili inglesi. L'anno seguente, a questa mostra, fece seguito la presentazione dei più recenti lavori degli allievi delle scuole di artigianato artistico inglesi.

Nel suo Café Museum del 1898-99 Loos dimostra per la prima volta quella che egli definiva «l'arte dell'utile». Senza grande dispendio di mezzi Loos crea un'atmosfera di oggettiva eleganza. La luce elettrica, una novità, viene distribuita su tutto l'ambiente da semplici lampadine. Le sedie sono in legno curvato, progettate e costruite da Loos e Kohn secondo l'esatta suddivisione del peso corporeo. I tavoli fanno parte del catalogo della ditta Kohn e i biliardi provengono dalla vecchia fabbrica viennese Seifert. In questo ambiente dunque il nuovo convive con il vecchio e lo sperimentato, evitando un'organizzazione formale forzatamente omogenea. È una caratteristica che vale anche per le abitazioni private arredate da Loos.

In evidente contrasto con Loos si trovava il rinnovamento formale che in tutta Europa si era opposto allo storicismo. Sotto il manto del rinnovamento la nuova arte ornamentale ispirata a motivi floreali si era andata imponendo sui vecchi mobili, presentandosi al pubblico come uno stile di arredamento moderno e funzionale. A Vienna un intervento di questo tipo, in cui «le fragili eppur logiche forme cercano di aderire il più possibile ai canoni di funzionalità del presente»,[10] fu esposto per la prima volta nel 1897 al Museo austriaco delle arti e dell'industria. Era un salone per signora nato dalla cooperazione degli architetti Josef Urban e Franz Schönthaler Jr. con il pittore Heinrich Lefler e lo scultore Hans Rathausky. «Per essere moderno, lo è certamente — osservò Adolf Loos —. Ma se lo esami-

niamo più da presso, è soltanto un buon vecchio salone da feste stile Rinascimento tedesco in versione moderna. Non manca nulla. La pannellatura in legno a intarsi, il divano decorato tedesco antico (Dio l'abbia in gloria!)...»[11]

L'applicazione all'architettura d'interni di tali soluzioni formali, rispettose della propria funzione e del materiale, fu tema di riflessione per diversi giovani artisti della Secessione. Con l'appartamento Spitzer, nel 1899 Josef M. Olbrich creò un personale stile di arredamento che si accordava nella scelta dei colori con le tendenze della pittura contemporanea. I mobili si ispirano a un «barocco moderno», come evidenzia giustamente Folnesics.[12] Gli elementi prevalentemente costruttivi si mischiano a elementi decorativi e strutturali di sapore secessionista. La sala da bagno di Casa Spitzer è un esempio assai tipico di questa simbiosi. Mentre nell'arredamento di Villa Bahr (1899-1900) gli elementi in stile secessionista passano in seconda linea rispetto a quelli costruttivi.

Nel 1900 Robert Oerley presentava in due articoli programmatici[13] le proprie idee a proposito del mobile funzionale. Le esigenze espresse non sono nuove. Ma l'aspetto interessante è il tipo di realizzazione del mobile. Accanto a sedie estremamente funzionali, rivestite di semplici cinghie, affiorano reminiscenze formali di Riemerschmidt. E altrettanto nuovi sono i cassettoni e gli sgabelli costruiti con semplici assi di legno assemblate. Ma per l'evoluzione dell'arredamento viennese ben più importanti di Olbrich e Oerley furono Josef Hoffmann, Kolo Moser e i loro allievi della Kunstgewerbeschule. Hoffmann, nel postulare un'architettura d'interni ispirata al concetto di Gesamtkunstwerk, era in netto contrasto con Adolf Loos. «...Anche da noi — scriveva Hoffmann nel 1897 — un giorno giungerà il momento in cui la tappezzeria, la pittura del soffitto, i mobili e gli oggetti d'uso comune non si ordineranno più al commerciante, ma all'artista.»[14] Con questa osservazione Hoffmann preparava il terreno per un ripensamento del rapporto tra l'uomo e l'oggetto comune, finalmente sottratto all'anonimità, nella prospettiva di un autentico contatto tra pubblico, progettista e artigiano. In Inghil-

1. J. Hoffmann, *Studio per camera da letto*. (Mus. f. angew. Kunst, Vienna).

2. J. Hoffmann, *Sedia*, 1901 c. (Coll. privata, Vienna).

1. J. Hoffmann, *Tavolino*, 1904 c. (Coll. privata, Vienna).

2. J. Hoffmann, *Sedia*, 1905-07. (Coll. privata, Vienna).

terra, del resto, questa forma di cooperazione era già nota. Ispirandosi a Ruskin e a Morris, nel 1886-87 C.R. Ashbee aveva fondato la Guild of Handicraft: uno strumento che gli permetteva di produrre gli oggetti reputati ideali, a stretto contatto con l'artigiano e in virtù di una perfetta conoscenza dei materiali. Questa corporazione artigiana non soltanto funse da modello ispiratore per la fondazione della Wiener Werkstätte nel 1903, ma suggerì anche idee formali al moderno artigianato artistico viennese. Ci riferiamo in particolare agli elementi costruttivi nei mobili di Ashbee, che denotano ancora forti influenze di origine medievale. Anche le idee sociali connesse al modello di corporazione artigiana inglese vennero accolte programmaticamente dalla Wiener Werkstätte; l'artigiano doveva essere coinvolto nel processo produttivo e il suo lavoro doveva procurargli piacere. Segno tangibile di questa nuova concezione del lavoro fu l'opportunità concessa all'artigiano di firmare i mobili realizzati con le proprie iniziali.

I primi mobili di Hoffmann, prima del 1900, sono, similmente a quelli di Oerley e Olbrich, caratterizzati da decorazioni floreali e denotano un'idea di movimento limitata alla superficie. Tale movimento è dato dall'intaglio di cerchi o segmenti nelle assi di legno, oppure dal modellare le assi secondo le forme volute: l'assemblaggio dei singoli elementi avviene secondo criteri costruttivi e si ispira al cosiddetto «Brettelstil»[15] che si svilupperà poi nella direzione del moderno mobile funzionale e socialmente accessibile. Tra questi primi lavori si trovano l'arredamento della casa sulla Bergerhöhe e l'ufficio del segretario della Secessione (1898-99). Ma anche l'arredamento dell'atelier del pittore Kurzweil, che risale a poco prima del 1900, appartiene a queste prime opere, anche se qui i singoli elementi strutturali già si consolidano in un volume. E il primo passo in questa direzione è l'arredamento per sala da pranzo — non del tutto privo di elementi floreali — presentato al Museo austriaco delle arti e dell'industria in occasione dell'esposizione invernale del 1899.

Il passaggio definitivo di Hoffmann alla forma funzionale e non ornamentale è datato 1900, con i mobili esposti all'VIII Mostra della Secessione. Essi sono la realizzazione di soluzioni già anticipate da Adolf Loos. L'opinione corrente, che la forma funzionale fece il suo ingresso a Vienna grazie agli oggetti esposti da artisti scozzesi (Ch.R. Mackintosh, M. MacDonald-Mackintosh) all'VIII Mostra, è contraddetta appunto da questi

[10] «Kunst und Kunsthandwerk», anno II, Wien, 1898, p. 60.
[11] A. Loos, *op. cit.*, p. 149.
[12] J. Folnesics, *Das moderne Wiener Kunstgewerbe*, in «Deutsche Kunst und Dekoration», anno VI, Darmstadt, 1900, p. 256.
[13] «Das Interieur», anno I, Wien, 1900, pp. 17 sgg. e 177 sgg.
[14] «Der Architekt», Wien, 1897, p. 13.
[15] L. Hevesi, *Die Winterausstellung im Österreichischen Museum*, in «Kunst und Kunsthandwerk», anno III, Wien, 1900, p. 11.

1. O. Wagner, *Gruppo di sedie con tavolino*, 1903 c. (Hsch. f. angew. Kunst, Vienna).

risultati perseguiti in precedenza. Era piuttosto la «linea scozzese» tradizionale già nota a Vienna ad avere influenzato i mobili del nuovo stile.[16] Ma quella prima presenza a Vienna degli scozzesi significò per l'evoluzione del mobile viennese una sensibilizzazione in fatto di forme e proporzioni e l'adozione di una nuova scala cromatica per l'architettura d'interni.

Kolo Moser espose per la prima volta i mobili da lui progettati alla Secessione del 1900. Tra questi c'era la famosa credenza con la ricca decorazione di superficie tipica del suo stile. Il pubblico dell'epoca decretò che i mobili di Moser erano i più riusciti di tutti.[17]

Fedeli all'esigenza del nuovo movimento, di mettere a disposizione dei ceti medi oggetti d'uso comune più affinati nel gusto oltre che più funzionali, Kolo Moser, Josef Hoffmann e i loro allievi presentarono anche progetti per la loro produzione industriale (oggetti in vimini di Praga-Rudnik, produzione Kohn ecc.). Gli interni realizzati da Hoffmann e Moser dopo l'VIII Mostra della Secessione elaboravano le influenze scozzesi: soprattutto l'uso del colore bianco, posto consapevolmente in contrasto con un altro colore. Mobili costruiti in modo semplice e ben proporzionato erano «coordinati» tra loro da un uso misurato dell'ornamentazione geometrica e della «linea scozzese». Nacquero così le ville costrui-

te da Hoffmann sulla Hohe Warte (Moser-Moll, 1900; Spitzer, 1901-02; Henneberg 1901) e alcuni allestimenti d'interni (Salzer, 1902; Biach, 1902). La collaborazione di Hoffmann e di Moser diede origine tra l'altro, insieme alla neofondata Wiener Werkstätte, ai grandi progetti unitari del sanatorio di Purkersdorf (1904-05) e del Palazzo Stoclet di Bruxelles (dal 1905). Ma già verso il 1910 l'uso chiaro e semplice della forma voluto da Hoffmann cominciò a perdere terreno, lasciando il passo all'evoluzione, influenzata dalla Wiener Werkstätte, di uno stile decorativo di gusto molto raffinato. Gli sforzi intrapresi prima del 1900 per giungere a una forma espressiva contemporanea e funzionale venivano ora resi vani all'insegna del nuovo motto: «Abbellisci la tua casa, ma questa volta con buon gusto.» L'unico che rimase fedele ai suoi principi, con un'eleganza al di là delle mode, fu Adolf Loos...

E il cerchio si chiude su un'osservazione dello stesso Loos che non ha perso di attualità: «...un'epoca in cui non vi era alcuna differenza tra i mobili e i prodotti di falegnameria inglesi e austriaci. L'epoca del Congresso di Vienna. Un'epoca vecchia di quasi cent'anni, nel corso dei quali tutti i fattori hanno contribuito con passo lento ma sicuro a degradarci a popolazione balcanica.»[18]

2. J. Hoffmann, *Decorazione per libro*, in «Ver Sacrum», settembre 1898.

[16] *Die VIII Ausstellung der Wiener «Secession»*, in «Die Kunst», anno IV, München, 1901, p. 176.
[17] W. Fred, *Die Wiener Sezession: VIII Ausstellung*, in «Illustrierte Kunstgewerbliche Zeitschrift für Innendekoration», febbraio 1900, p. 32: «Il rapporto tra le due pareti laterali, quello tra il corpo e l'alzata, la lieve curvatura della parte superiore: tutte queste finezze costruttive fanno sì che il mobile, mentre acquista in funzionalità, si faccia più vicino alla nostra sensibilità.»
[18] A. Loos, «Das Andere — Ein Blatt zur Einführung Abendländischer Kultur in Österreich», anno I, n. 2, Wien, 1903, p. 2.

LA WIENER WERKSTÄTTE

Elisabeth Schmuttermeier

Sopra:

1. J. Hoffmann - K. Moser, *Intestazione della carta da lettere della Wiener Werkstätte*, 1903-10.

2. Locandina pubblicitaria della Wiener Werkstätte.

Alla svolta del secolo si verificò in Europa un nuovo orientamento nel campo delle discipline artistiche. Le forze nuove non volevano più restare fedeli all'«antiquato» stile della tradizione, convinte che le ripercussioni dei fermenti della nuova epoca dovessero trovarsi nella realizzazione delle opere da parte degli stessi artisti.

Nel suo libro *Moderne Architektur*, apparso nel 1896, Otto Wagner esprime, primo a Vienna, questa esigenza: «Tutto ciò che è creato con criteri moderni deve corrispondere ai nuovi materiali e alle esigenze del presente, se vuole adattarsi all'umanità moderna; deve illustrare la parte migliore di noi, la nostra indole democratica, pensante, consapevole del proprio valore, e tener conto delle colossali conquiste tecniche e scientifiche nonché dell'ininterrotta tradizione della cultura pratica che attraversa la storia umana — mi sembra naturale!»[1] Prima di Otto Wagner simili proposti formali e simili aspirazioni erano già stati espressi in Inghilterra e in Belgio, dove sia l'arte che l'artigianato avevano sentito la necessità di seguire un nuovo orientamento. A quest'ordine di idee aderì anche il movimento viennese della Secessione, che attraverso l'arte voleva rinnovare l'intera sfera della vita umana e cioè tutto ciò che veniva creato e utilizzato dall'uomo. In questo modo si sarebbe giunti alla creazione dell'opera d'arte totale.

Queste idee erano sostenute soprattutto da due membri della Secessione: Josef Hoffmann e Koloman Moser, professori anche alla Kunstgewerbeschule di Vienna. Il loro obiettivo finale era di ridare un nuovo stimolo alle arti decorative austriache e alle loro tecniche riformandole secondo le idee dei nuovi criteri artistici. «Nella maggior parte dei casi la macchina si sostituisce alla mano, come l'uomo d'affari si sostituisce all'artigiano.»[2] La loro speranza era di contribuire alla formazione del gusto. Ispirandosi alla «Guild of Handicraft» che Charles Ashbee dirigeva nella Essex House di Londra, Hoffmann e Moser vollero creare una iniziativa simile anche a Vienna e nel 1903, sostenuti finanziariamente e idealmente dall'industriale Fritz Waerndorfer, fondarono la Wiener Werkstätte. All'inizio l'attività si svolse nella Neustiftgasse 32-34, nel VII Distretto comunale. Gli artigiani lavoravano seguendo i progetti di Josef Hoffmann e Kolo Moser.

Dato che nella Neustiftgasse avevano sede non solo i laboratori e gli uffici ma anche le vetrine per l'esposizione e la vendita, venne a crearsi un contatto diretto tra progettisti, artigiani e compratori, con una conseguente positiva influenza sulla produzione. «Il valore del lavoro artistico e le idee devono essere nuovamente riconosciuti e apprezzati. Il lavoro dell'artigiano deve essere giudicato con lo stesso criterio di quello del pittore e dello scultore. Noi nonpossiamo né vogliamo competere con la mediocrità; ciò va innanzitutto a spese dell'operaio e noi riteniamo nostro principale dovere ridargli nuovamente gioia nel creare e una esistenza degna dell'essere umano.»[3]

In accordo con queste esigenze era stato curato l'arredamento estetico-igienico dei locali di lavoro della Wiener Werkstätte: luminosi, ariosi e dipinti di bianco. Queste condizioni di lavoro, straordinariamente buone, produssero un piacevole clima aziendale e aumentarono l'impegno dell'artigiano nel suo campo. Come segni esteriori della collaborazione furono adottate disposizioni secondo le quali ogni oggetto prodotto dalla Wiener Werkstätte dovesse portare un monogramma sia dell'artista che aveva ideato il disegno, sia dell'operaio che aveva eseguito il lavoro. Il lavoratore manuale e l'artista garantivano con il proprio nome l'oggetto prodotto, sia in senso negativo che in senso positivo. In questo modo l'artigiano veniva stimolato a lavorare il più accuratamente possibile.

Ma nella pratica questa idea non sopravvisse a lungo. Fotografie dei locali di lavoro mostrano inoltre che non era possibile eliminare completamente le macchine. Sotto la denominazione di «Wiener Werkstätte Produktiv Genossenschaft von Kunsthandwerken in Wien» (Laboratori viennesi, cooperativa creativa di artigiani a Vienna) furono inizialmente costruiti i locali per la lavorazione dei metalli nobili e non nobili, i locali per i lavori di legatoria e per la lavorazione della pelle, come pure una falegnameria, un locale adibito alla verniciatura e un ufficio edile che, riuniti, costituivano un unico complesso produttivo. In questi locali dovevano essere prodotti utensili domestici semplici ma di buona qualità che assolvessero anche a esigenze di praticità, di utilità e di serietà del materiale.

Come si può dedurre dal programma della Wiener Werkstätte, questi princìpi erano già stati condivisi sia nel passato dal Biedermeier austriaco, sia nelle attività di John Ruskin e William Morris. Anche il Giappone venne preso ad esempio. «Chi si potrebbe immaginare un qualsiasi lavoro dell'artigianato artistico giapponese prodotto industrialmente?»[4] Il rifarsi allo stile Biedermeier fu ritenuto da Josef Hoffmann e dai suoi amici come il logico perfezionamento dell'età moderna. «L'armonia ritmica delle propor-

zioni, la grande semplicità delle sagomature, la logica percezione della funzionalità erano le caratteristiche principali di questi stili viennesi, la cui perfezione tecnica era raggiunta mediante una perfetta lavorazione del materiale, che veniva impiegato sempre e solo come superficie liscia.»[5] Questa definizione degli stili impero e Biedermeier è anche un'ottima descrizione dello stile dei lavori giovanili di Josef Hoffmann e Kolo Moser. Non a caso entrambi gli artisti, in mancanza di possibilità finanziarie, arredarono i loro primi locali di lavoro con mobili Biedermeier acquistati a buon mercato.[6]

Fino alla svolta del secolo l'utilizzazione dello Jugendstil da parte degli artisti viennesi non si discostava dalla rappresentazione che se ne faceva all'estero. A partire dal 1900 l'«aspetto geometrico», ideato a Vienna, prese il sopravvento per alcuni anni,[7] tanto da opporsi diametralmente, eccezion fatta per lo scozzese Charles Rennie Mackintosh, al resto del movimento artistico europeo. Nel 1900, all'VIII Mostra della Secessione, gli oggetti presentati dai coniugi C.R. Mackintosh e Margaret MacDonald di Glasgow contribuirono sicuramente alla sensibilizzazione di Hoffmann riguardo a certi elementi. Il contrasto nero-bianco, l'eleganza dell'ambientazione degli interni, così come l'elemento decorativo quadrato, inserito in modo isolato, dello scozzese, erano un esempio di grande personalità. Successivamente il quadrato come elemento decorativo divenne ufficialmente il marchio di fabbrica di Hoffmann. «Il semplice quadrato e l'uso del nero-bianco come colori dominanti mi interessano in modo particolare perché questi puri elementi non erano mai apparsi in precedenti stili.»[8]

La possibilità di utilizzare l'elemento geometrico come decorazione su ogni genere di materiale fece sì che le sigle dei singoli collaboratori presentassero, come lo stesso monogramma della Wiener Werkstätte, uno schema formale basato sul quadrato. Il più importante dei marchi di fabbrica registrati, il «marchio delle rose», modellò la sua forma sul quadrato con l'aggiunta di due rettangoli simili.

Quasi tutti i prodotti fabbricati nei primi anni si rifanno alle elementari figure geometriche del cubo, del parallelepipe-

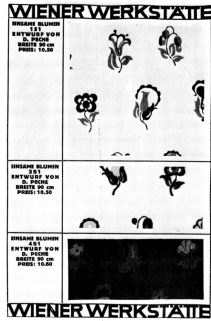

1. A.P. von Gütersloh, *Frontespizio dell'Almanacco della Wiener Werkstätte*, 1911.

2. D. Peche, *Campionario di stoffe della Wiener Werkstätte*.

[1] Otto Wagner, *Moderne Architektur*, Wien, 1896, I ediz., p. 37, introduzione del 1895.
[2] Cfr. *Programm der Wiener Werkstätte*, pubblicato in brossura nel 1905 a Vienna da Josef Hoffmann, Koloman Moser e Fritz Waerndorfer.

1. J. Hoffmann - E.J. Wimmer-Wisgrill, *Sala della Wiener Werkstätte all'esposizione del Werkbund a Colonia*, 1914.

2. Vetrine della prima esposizione della Wiener Werkstätte.

[3] *Ibidem.*
[4] *Ibidem.*
[5] Bertha Zuckerkandl, *Zeitkunst*, Wien, 1901-1907; Wien-Leipzig, 1908, p. 3.
[6] Josef Hoffmann, *Selbstbiographie*, in «*Ver Sacrum*», Neue Hefte für Kunst und Literatur, Wien-München, p. 111.
[7] Herbert Giese, *Aspekte des Wiener Kunstgewerbes um 1900 — Dualismus als Prinzip*, in «Alte und Moderne Kunst», 27, 1982, fasc. 183, p. 33.
[8] Robert Schmutzler, *Art Nouveau — Jugendstil*, Stuttgart, 1977, p. 176.
[9] H. Giese, *op. cit.*, pp. 33-34.
[10] Felix Poppenberg, *Das lebendige Kleid*, Gera, 1910, II ediz., p. 19.
[11] Cfr. *Programm der Wiener Werkstätte*, cit.
[12] *Ibidem.*

do, della sfera e del cilindro. Con l'ausilio di semplicissimi accorgimenti la pesantezza del prodotto stereometrico si smaterializza e si annulla. Un oggetto di forma cubica, verniciato di bianco, con sovrastampato un motivo decorativo a griglia, perde, grazie alla stereotipia dei fori quadrati, la caratteristica tipica del blocco. La martellinatura di lavori in metallo ha come effetto una lacerazione della superficie che toglie compattezza all'oggetto.[9]

In un testo sull'estetica della funzionalità Poppenberg cita come esempio anche la Wiener Werkstätte: «Soltanto attraverso l'uso queste pareti a griglia, con fori quadrati, ottengono il loro completo effetto decorativo. Le fruttiere sono pensate in modo che gli effetti colorati delle mele, delle pere e dei grappoli d'uva giochino attraverso le maglie, smaltate di bianco, delle pareti... I portatovaglioli colorati di nero sono quindi studiati in modo che i loro fori quadrati vengano riempiti dal bianco del tessuto damascato.»[10]

Non appena la Wiener Werkstätte presentò in alcune fotografie l'utilizzazione dei suoi prodotti: panieri o soprammobili colmi di cibi, mensole con sopra un vaso di fiori ecc., venne immediatamente rimproverata per la «non funzionalità» dei suoi lavori. «Il nostro punto di partenza è la funzionalità e la praticità è il principio fondamentale; la nostra forza deve reggersi su giuste proporzioni e su un buon uso del materiale.»[11] Tuttavia in alcuni oggetti, come per esempio nelle posate «modello piatto», progettate da Hoffmann nel 1903-04, la praticità era difficilmente riscontrabile.

Il «designer team» Hoffmann e Moser si integrò così bene nei primi anni che spesso sorgono notevoli difficoltà nel distinguere le loro opere, a meno che la paternità non sia chiaramente provata. La domanda «chi dei due ha influito sull'altro?» non potrà probabilmente mai ricevere una risposta.

Come già accennato all'inizio, l'interesse maggiore della Secessione e dei suoi membri era rivolto all'opera d'arte totale. Nella Wiener Werkstätte esempi eccellenti della realizzazione di questa aspirazione sono la costruzione del sanatorio a Purkersdorf e quella del Palazzo Stoclet a Bruxelles. La casa di cura di Purkersdorf, costruita da Viktor Zuckerkandl nel 1903-05, può essere considerata un esempio tipico della funzionalità della forma cubica nell'ambito architettonico. Responsabile della progettazione di questo utile edificio, il primo in Europa ad avere un tetto a terrazza, fu Josef Hoffmann. Nel 1926 l'aggiunta di un terzo piano a tetto inclinato ha purtroppo tolto alla costruzione il suo carattere originale. Sempre di Hoffmann furono anche i progetti per il Palazzo Stoclet, ancora oggi perfettamente conservato. A questo palazzo cittadino lavorarono dal 1905 al 1911 i migliori artigiani e artisti che l'associazione aveva potuto riunire: Gustav Klimt, Carl Czeschka, Heinrich Löffler, Michael Powolny, per citarne solo alcuni.

Poiché la realizzazione sia esterna che interna del palazzo non aveva limitazioni finanziarie, per l'attuazione del progetto fu messo a disposizione dei singoli collaboratori il miglior materiale. Ma nella Wiener Werkstätte migliore riguardo al materiale non era sinonimo di più costoso. «Noi amiamo l'argento per il suo luccichio, come amiamo l'oro per il suo scintillio; per noi il rame è prezioso quanto i metalli nobili, da un punto di vista artistico. Dobbiamo confessare che una decorazione in argento può essere ugualmente preziosa quanto una in oro e pietre preziose. Il valore del lavoro artistico e le idee devono essere nuovamente riconosciuti ed apprezzati.»[12]

Già nel corso della costruzione del palazzo di Bruxelles si poté avvertire un cambiamento stilistico nei lavori dell'associazione. La preferenza per la geometria e per l'oggettività ornamentale venne a poco a poco abbandonata a favore delle forme vibranti e rivestite di decorazioni. Questo processo però si compì lentamente. Iniziò nel 1907 con l'uscita di Kolo Moser dall'attività dei laboratori e culminò nel periodo di Dagobert Peche, che divenne collaboratore della Wiener Werkstätte a partire dal 1915. Questo fu un grande merito di Hoffmann, che lasciò sperimentare Peche nei campi più diversi, dandogli la possibilità di formarsi liberamente e lasciandogli carta bianca, contando sulle sue straordinarie capacità di immedesimazione in ogni tecnica.

Con l'entrata di Peche nella Wiener

Werkstätte si giunse a un nuovo orientamento formale, alla vittoria dell'ornamento, non essendo stato posto nessun limite alla sua fantasia. Proprio come Hoffmann, Peche disegnò progetti in tutti i campi. Ma il suo talento personale si distingueva nei lavori di oreficeria, nella decorazione dei tessuti e delle tappezzerie. In queste specialità il suo gusto decorativo, che coglieva e assorbiva tutto, ha senz'altro conquistato nuovi terreni distaccandosi nettamente dai contributi dei suoi contemporanei. Il suo soggiorno a Zurigo nel 1915-17 influì molto positivamente sulla sua creatività. Durante questo periodo egli diresse la filiale zurighese della Wiener Werkstätte, fuori dai disordini della guerra che in precedenza avevano molto disturbato questo artista psicologicamente sensibile. «Il ritmo delle linee di Peche, le sue stravaganti armonie di colori, le sue forme fantastiche, la sua eleganza e spontaneità erano caratteristiche essenziali, alle quali non si poté sottrarre completamente nemmeno Josef Hoffmann.»[13] Peche subì inconsciamente l'influenza di Hoffmann in molti campi, fino al 1923, anno della sua morte improvvisa.

Hoffmann non volle né poté mai negare il peso che l'architettura rivestì nei suoi progetti. Soprattutto a partire dagli anni '20 egli applicò alle arti decorative elementi e strutture architettonici. Sia nei suoi mobili che nei suoi lavori in metallo risulta evidente il forte rapporto con le costruzioni di quel periodo. Senza contare le ripercussioni che le tendenze contemporanee in pittura, quali il cubismo e l'espressionismo, portarono nella sua attività.

Josef Hoffmann, in quanto «designer», lavorava in tutte le discipline: non è ancora chiarito però se si sia anche occupato di moda. Nel reparto moda della Wiener Werkstätte lavoravano soprattutto il direttore Eduard Josef Wimmer-Wisgrill e il suo allievo e quindi successore Max Snischek. Il reparto per i prodotti tessili venne probabilmente costruito nel 1909-10, per cui le stoffe prima di allora venivano prodotte al di fuori dell'associazione. Sul gran numero di stoffe prodotte l'archivio della Wiener Werkstätte, che ora si trova all'Österreichischen Museum für angewandte Kunst ci informa dell'esistenza di circa 10.000 campioni di stoffa.

Il campo tessile, per il quale quasi tutti i collaboratori della Wiener Werkstätte avevano fornito dei disegni, era sicuramente uno dei più produttivi e uno dei più vantaggiosi settori dell'attività. Il reparto moda, autonomo, con l'atelier di sartoria, ottenne la licenza industriale il 9 marzo 1911.[14]

La crisi finanziaria che iniziò intorno al 1914 e che andò aumentando soprattutto dopo la prima guerra mondiale portò l'attività, stimata in tutto il mondo, verso il quasi totale fallimento. Nonostante i ripetuti tentativi di risanamento, nel 1932 la direzione, che continuava a cambiare e sicuramente non era molto competente di aspetti finanziari, dovette chiedere la liquidazione della Wiener Werkstätte. Con questo atto si giunse allo scioglimento di una iniziativa che, con i suoi prodotti, aveva dato un essenziale contributo alla formazione del gusto e allo sviluppo dell'artigianato artistico viennese nel primo quarto del XX secolo.

Le riproduzioni attuali di lavori creati allora, eseguite da ditte nazionali ed estere, per quanto ciò possa essere discutibile, permettono di riconoscere la validità di una linea creativa. Contemporaneamente i prezzi altissimi raggiunti nelle aste pubbliche dagli oggetti prodotti dalla Wiener Werkstätte sono una prova che il gusto artistico ed estetico di quel tempo possiede ancora oggi una intatta forza espressiva. E questo interesse non può essere solo spiegato dall'attuale ondata di nostalgia.

1. Prima esposizione della Wiener Werkstätte.

2. Prima esposizione della Wiener Werkstätte alla Galleria Miethke, 1905. Sullo sfondo, le sculture di Luksch originariamente destinate alla casa di cura di Purkersdorf.

[13] Wilhelm Mrazek, *Die Wiener Werkstätte — Modernes Kunsthandwerk von 1903 bis 1932*, cat. mostra Österreichischen Museum für angewandte Kunst, Wien, 1967, p. 16.
[14] Cfr. Angela Völker, *Die Mode der Wiener Werkstätte — Von den Anfängen bis zum Ende des ersten Weltkrieges*, in *Waffen- und Kostümkunde*, 1983, p. 122.

I CENTRI DELLO JUGENDSTIL A VIENNA INTORNO AL 1900
La Secessione, il gruppo di Klimt, la Scuola d'arte applicata dell'Osterreichisches Museum für Kunst und Industrie

Wilhelm Mrazek

Sopra:
J. Hoffmann, *Decorazione per libro*, in «Ver Sacrum», aprile 1898.

[1] Wilhelm Mrazek, *Kunstindustrie, Kunstgewerbe, Kunsthandwerk*, in Rupert Feuchtmüller - Wilhelm Mrazek, *Kunst in Österreich, 1860-1918*, Wien, 1964, pp. 75-126.
[2] Ludwig Hevesi, *Acht Jahre Wiener Secession*, Wien, 1906.
[3] Hans Ankwicz-Kleehoven, *Die Anfänge der Wiener Secession*, in «Alte und Moderne Kunst», 5, 1960, fasc. 6-7, pp. 6-10. Walther Maria Neuwirth, *Die sieben heroischen Jahre der Wiener Moderne*, in «Alte und Moderne Kunst», 9, 1964, fasc. 74, pp. 28-31.
[4] «Ver Sacrum», 1, 1898, fasc. 1.
[5] Si veda la nota 3.

All'aprirsi degli anni '90 del secolo scorso l'ondata di rinnovamento e di riforma che aveva investito in Europa tutti i campi dell'arte era giunta anche a Vienna, capitale e città di residenza dell'imperial-regia monarchia austro-ungarica, agitandone e sommovendone la scena artistica. Per il vero il movimento di riforma che dal 1850 aveva preso le mosse dall'Inghilterrra (Londra, Esposizione universale del 1851), nonché tutti gli indirizzi della scuola parigina quali il naturalismo, l'impressionismo e la pittura en plein air, già in precedenza avevano influenzato in qualche misura lo sviluppo artistico in Austria, ma soltanto in quel decennio avevano dispiegato il loro pieno effetto. Solo ora i mutati orientamenti manifestatisi in Inghilterra verso le creazioni dell'arte applicata trovarono esponenti ben risoluti e talora pugnaci.[1] Alcunché di simile era avvenuto nell'ambito della pittura, dove i nuovi princìpi della scuola di Parigi e il suo concetto d'arte che metteva al bando l'arte applicata si erano fatti virulenti. Nella seconda metà del secolo si contrapponevano dunque due tendenze artistiche antitetiche, l'impressionismo e lo Jugendstil; i rappresentanti di quest'ultimo ebbero dal 1893, nella rivista d'arte «The Studio», uno strumento di propaganda di risonanza internazionale da non sottovalutare.[2]

Già negli anni '90 si erano costituiti a Vienna, accanto alla «Genossenschaft bildender Künstler Österreichs, Künstlerhaus», circoli di artisti solidali tra loro, come la Hagen-Gesellschaft e il Club dei sette.[3] Nel 1897 tuttavia diciannove giovani membri del Künstlerhaus, indotti da difficoltà interne, non si sentirono più in grado di continuare ad appartenervi, giacché «vedevano messa in pericolo la stessa sacra causa dell'arte».[4] Si risolsero perciò a una secessione, non solo uscendo dalla vecchia associazione, ma contemporaneamente dando vita a una nuova, che fu la «Vereinigung bildender Künstler Österreichs, Secession».[5]

Alla presidenza di questa nuova associazione fu eletto un eminente pittore, il trentacinquenne Gustav Klimt (1862-1905), e scelto come presidente onorario l'ottantacinquenne Rudolf von Alt (1812-1905) affinché, con la sua autorità ovunque riconosciuta, assistesse i giovani nella loro battaglia per il rinnovamento e la riforma dell'arte. Tutti ora intendevano battersi contro la commercializzazione dell'arte applicata quale si era venuta sviluppando nel contesto e come conseguenza dell'impetuosa crescita economica e del benessere di cui la società borghese godeva sotto la monarchia. Tutte le loro aspirazioni si compendiavano nel motto: «A ogni epoca la sua arte, all'arte la sua libertà.» E questo grido di guerra essi apposero sulla facciata dell'edificio in cui esponevano, la Secessione viennese, che, edificato in sei mesi, fu solennemente inaugurato il 12 novembre 1898. Autore del progetto di quest'opera senza precedenti era stato uno dei fondatori dell'associazione, il giovane architetto Joseph Maria Olbrich (1867-1908), allievo di Otto Wagner.[6] Nello stesso anno questi giovani pubblicarono una loro rivista che intitolarono «Ver Sacrum».[7]

La Secessione viennese

Negli anni che vanno sino alla fine della prima guerra mondiale la Secessione viennese ebbe sorti assai mutevoli.[8] Oltre che di «Ver Sacrum», efficace organo di propaganda delle loro idee sino al 1903, anno in cui cessò le pubblicazioni, gli aderenti al movimento seppero avvalersi delle esposizioni, organizzandone entro il 1905 ben 23 che suscitarono, con le loro particolari attrazioni, l'interesse nazionale e internazionale. All'VIII Esposizione del 1900 esposero quasi esclusivamente lavori stranieri di arte applicata, e la XIV, nel 1902, fu interamente nel segno del *Beethoven* di Max Klinger, quel *Beethoven* cui andò l'omaggio originale degli artisti della Secessione, primo fra tutti, Gustav Klimt col suo fregio dedicato al grande musicista.[9]

Benché la maggior parte dei secessionisti fossero pittori, nelle loro mostre, sin dall'inizio, venivano presentati anche lavori di arte industriale. Ciò si deve particolarmente al fatto che Klimt, Josef Hoffmann (1870-1956), Kolo Moser (1868-1913) e altri intrattenevano rapporti assai stretti con la Scuola d'arte applicata dell'Österreichisches Museum für Kunst und Industrie. Gustav Klimt, indubbiamente il personaggio guida tra i secessionisti, ne era stato allievo dal 1876 al 1883. Josef Hoffmann e Kolo Moser, poi, insegnavano in questo istituto dal 1899. Sicché, sotto la direzione del secessionista Felician von Myrbach (1853-1940), anch'egli nominato in quel 1899, l'istituto seppe dar corpo alle aspirazioni di riforma attenendosi alle idee della Secessione. In questo ebbe l'appoggio di Arthur von Scala (1845-1908), che dal 1897 era direttore del museo e appoggiava in particolar modo le tendenze stilistiche inglesi. Il che aveva assicurato agli esponenti di questa corrente, gli «Stilisten», una chiara preminenza sui fautori della scuola parigina, gli impres-

sionisti. Sino al 1905 tale polarizzazione all'interno del movimento secessionista conobbe un tal quale equilibrio.[10] E tuttavia, sin dal principio, Gustav Klimt e le attività promosse all'interno della scuola dai due docenti Hoffmann e Moser furono al centro di tutte le tensioni e difficoltà interne. I quali Hoffmann e Moser, dal conto loro, fondando nel 1903 la Wiener Werkstätte, si aprirono un nuovo campo di attività esterno alla Secessione.[11] Quanto a Gustav Klimt, attese in primo luogo agli affreschi (*Filosofia, Medicina* e *Giurisprudenza*) per l'Università di Vienna. In seguito però i suoi progetti di esporre i suoi lavori suscitarono l'invidia, lo sfavore e anche i sospetti degli aderenti alla Secessione, al punto che a tutte quelle rimostranze Klimt credette di porre rimedio uscendo dal movimento che aveva contribuito a fondare.[12] La rottura definitiva avvenne il 10 giugno 1905. Quel che nessuno si era atteso era infine avvenuto: le liti e la malevolenza, le delusioni e l'amarezza avevano distrutto l'armonia e l'unità della Secessione viennese. La crisi si acutizzò perché con Klimt uscirono altri esponenti autorevoli. A Gustav Klimt e ai suoi amici erano sempre stati a cuore i princìpi che avevano annunziato alla loro epoca, quei princìpi da cui invece avevano sempre più preso le distanze, capitanati da Josef Engelhart (1864-1941), i sostenitori della concezione dell'arte propria degli impressionisti, la quale escludeva l'arte applicata.

Con Klimt, come si diceva, uscirono dal movimento altri diciotto artisti tra i più eminenti. Sicché il gruppo di Klimt si trovò privo del sostegno che il grande e notissimo palazzo delle esposizioni aveva offerto a tutti loro, e per molti anni dovettero adattarsi a essere artisticamente dei senzatetto. Alcuni però svilupparono una peculiare attività che andò a beneficio della Wiener Werkstätte, sorta nel 1903. Si trattò soprattutto di Josef Hoffmann e di Kolo Moser che, grazie all'aiuto finanziario del mecenate Fritz Wärndorfer (1867-1939), si diedero a organizzare e a potenziare tale cooperativa di produzione. Sempre nel 1905 uscì un breve opuscolo contenente il programma di lavoro, i marchi e i contrassegni del laboratorio e dei vari collaboratori: i fondatori vi proclamavano ancora una volta

F. Andri, *Manifesto per la XXV Mostra della Secessione*, 1906. (Mus. f. angew. Kunst, Vienna).

[6] *J.M. Olbrich, 1867-1908 — Das Werk des Architekten*, Darmstadt, Hessisches Landesmuseum, 1967.
[7] Christian M. Nebehay, *«Ver Sacrum», 1898-1903*, Wien, 1975, München, 1979. *«Ver Sacrum», die Zeitschrift der Wiener Secession 1898-1903*, Wien, 1982-83 (77ª Esposizione speciale dell'Historisches Museum der Stadt Wien).
[8] Ludwig Hevesi, *op. cit.* Robert Waissenberger, *Die Wiener Secession — Eine Dokumentation*, Wien-München, 1971. Oskar Matulla, *Die Wiener Secession und Niederösterreich*, in «Kulturberichte», Wien, 1972, pp. 3-4.
[9] Ludwig Hevesi, *Altkunst, Neukunst*, Wien, 1909. Christian M. Nebehay, *Gustav Klimt — Sein Leben nach zeitgenössischen Berichten und Quellen*, Wien, 1960. Marian Bisanz-Prakken, *Gustav Klimt — Der Beethovenfries, Geschichte, Funktion und Bedeutung*, Salzburg, 1977.
[10] Ludwig Hevesi, *op. cit.*
[11] Wilhelm Mrazek, *Die Wiener Werkstätte, modernes Kunsthandwerk von 1903-1932* (esposizione tenutasi all'Österreichisches Museum für angewandte Kunst, Wien, 1967). Wilhelm Mrazek, *Die Wiener Werkstätte — Modernes Kunsthandwerk von 1903 bis 1932* (infor Austria, Kulturnachrichten aus Österreich, Bundeskanzleramt, s.d.). Werner J. Schweiger, *Wiener Werkstätte — Kunst und Handwerk, 1903-1932*, Wien, 1982.
[12] Horst Herbert Kossatz, *Der Austritt der Klimt-Gruppe, eine Presseschau*, in «Alte und Moderne Kunst», 20, 1975, fasc. 141, pp. 23-26.

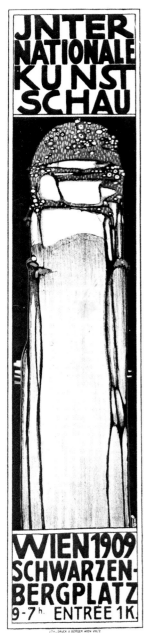

B. Löffler, *Manifesto per la Kunstschau del 1909*. (Hist. Mus., Vienna).

[13] Renate Wagner-Rieger (a cura di), *Die Wiener Ringstrasse — Bild einer Epoche*, 11 voll., Wien e altri luoghi, 1969-1979.
[14] Gottfried Semper, *Ideales Museum für Metalltechnik*, manoscritto conservato nella biblioteca dell'Österreichisches Museum für angewandte Kunst, steso a Londra nel 1852, e al Museo dedicato da Zurigo in data 13 dicembre 1867.
[15] Wilhelm Mrazek, *op. cit.*, nota 1, pp. 102 109.

la loro fedeltà alle vecchie idee proprie della Secessione e al «Werkstättenprinzip» dei loro modelli inglesi.

La Scuola d'arte applicata dell'Österreichisches Museum für Kunst und Industrie

La più ambiziosa intrapresa urbanistica decisa in quel tempo a Vienna, la Wiener Ringstrasse, attorno al 1900 era entrata nella fase finale.[13] Nei decenni che avevano visto il rinnovamento e la configurazione urbanistica della capitale il Museum für Kunst und Industrie, fondato nel 1864, e la sua Scuola d'arte applicata avevano assunto un ruolo guida. Dal 1867 questo istituto e la sua scuola furono centri di un'attività scientifica e di educazione artistica che assursero a modello per l'intera Europa. L'istituzione era sorta, per iniziativa di Rudolf von Eitelberger (1817-1885) e con il patrocinio del granduca Rainer, sulle orme del South Kensington Museum, l'attuale Victoria and Albert Museum. Già pochi anni dopo, questo primo museo statale poteva vantare un'attività sua propria, che gli consentì di porsi come modello non soltanto per i paesi soggetti alla monarchia asburgica, ma per numerose altre nazioni d'Europa. La sua articolazione, da un lato come istituto scientifico, dall'altro come attività scolastica, indusse Gottfried Semper a darne la definizione di «museo ideale».[14]

Ma, dopo oltre un trentennio di attività, anche per questo istituto negli anni '90 si era aperta una crisi, cui si credette di poter ovviare semplicemente cambiandone i dirigenti. A spingere in modo determinante per tutti questi cambiamenti era stato Otto Wagner (1841-1918), il quale già nel 1895, con la sua *Moderne Architektur*, si era fatto portavoce dei nuovi indirizzi. Non senza il suo intervento, dopo la morte di Jacob von Falke, nel 1897 fu designato a succedergli nella direzione del museo Arthur von Scala, già segnalatosi per le sue doti di organizzatore e per la sua anglofilia. Von Scala riformò i criteri delle esposizioni presentando ai viennesi l'arte applicata contemporanea prodotta in Austria e, soprattutto, in Inghilterra. Per queste iniziative, oltre che dissensi egli ottene anche riconoscimenti. Ancora una volta, e per un lungo periodo, l'Österreichisches Museum für Kunst und Industrie si trovò al centro dell'attenzione dell'opinione pubblica.[15]

Ma non era tutto. Otto Wagner, che faceva parte del consiglio d'amministrazione, non cessò mai di premere per un consolidamento dell'indirizzo moderno nell'ambito del museo, sul cui ruolo guida egli non aveva alcun dubbio. Nelle discussioni in seno al consiglio d'amministrazione gli riuscì infine di far adottare delle misure di riorganizzazione della Scuola d'arte applicata. Direttore di questa fu nominato il secessionista Felician von Myrbach. Il posto del pittore Rudolf Ribarz (1848-1904) fu preso da Kolo Moser; anche Josef Hoffmann, ottenuto il titolo di professore, fu chiamato all'insegnamento. Con questo staff di collaboratori-artisti, al quale nel 1899 si era associato anche Alfred Roller (1864-1935), Arthur von Scala e il suo istituto entravano nel nuovo secolo. Una simile rottura con il passato era senza precedenti in Europa, e si era compiuta, con l'appoggio delle autorità ufficiali, più rapidamente che altrove. Da quel confronto e da quei dibattiti era uscito vincitore il movimento moderno. L'Österreichisches Museum für Kunst und Industrie e la sua Scuola d'arte applicata potevano ora proseguire su basi nuove e moderne l'attività formativa ed educativa, cancellando i segni di invecchiamento accumulatisi nei trent'anni trascorsi dalla fondazione. Otto Wagner aveva posto l'accento sulla necessità non di una «renaissance» bensì di un vera «naissance», e fu appunto questa la base di tutte le attività del museo e della connessa Scuola d'arte applicata.

Sino ad allora tale scuola era stata concepita per la formazione di studenti forniti di minor preparazione scolastica, onde farne abili disegnatori industriali o specialisti dell'artigianato d'arte, persone che quasi sempre per l'arte industriale rappresentavano tutt'al più degli ausili subalterni oppure operavano come piccoli imprenditori. Con gli insegnanti secessionisti emerse una tendenza nuova, un aspetto proiettato nel futuro, nel tentativo di fondere in una unità inscindibile e con più energia che in passato educazione e lavoro e di inserire ogni talento creativo nel lavoro di tutti i giorni. L'indirizzo riformatore impresso alla scuola dai secessionisti fece affluire allievi da tutti i paesi della monarchia, con una potenzialità artistica che fece scadere l'importanza della vecchia Accademia delle arti figurative, ferma nel suo conservatorismo.

Così il figlio di un incisore, Gustav Klimt, era stato allievo di questa scuola, dove si era formato negli anni 1876-1883, influenzato soprattutto da Ferdinand Julius Laufberger e da Julius Victor Berger, insegnanti di vecchio stampo e pittori di soggetti storici. Costoro gli avevano reso familiari i princìpi di una pittura rievocatrice della storia in modi ornamentali e decorativi. Ciò spiega i suoi avvii stilistici negli anni successivi. Un celebre rappresentante della generazione di allievi che seguì a quella di Klimt fu Oskar Kokoschka, che dal 1904-05 al 1909 studiò alla Scuola d'arte applicata con l'incoraggiamento dello stesso Klimt e degli insegnanti Berthold Löffler e Carl Otto Czeschka (1878-1960). Dal 1911 al 1912 Kokoschka fu a sua volta attivo come insegnante in questo istituto. Questi due eminenti artisti, accanto a molti altri della generazione più giovane che si erano formati alla Scuola d'arte applicata, sono una chiara testimonianza dell'assoluto rilievo da essa raggiunto nella vita artistica viennese. Si può dire, riassumendo, che le attività connesse con la Secessione, con il gruppo di Klimt e la Scuola d'arte applicata hanno sostanziato a Vienna l'avvento del secolo XX. Fu merito della Secessio-ne aver tratto le arti fuori dall'accademismo del passato e aver intensificato i contatti internazionali. Di particolare rilievo fu nondimeno l'unificazione di tendenze proprie dello Jugendstil e di tendenze decorativo-ornamentali[16] in una forma stilistica peculiare, quale culminò nelle opere di Gustav Klimt e di altri.

La partecipazione del gruppo di Klimt si estese fondamentalmente alle iniziative della «Kunstschau Wien 1908»[17] e della «Internationale Kunstschau 1909», nelle quali le potenzialità artistiche della vecchia Austria si manifestarono per l'ultima volta con una felicità e una fastosità senza pari. Giacché quelle mostre, accanto alle opere dei principali esponenti della generazione più anziana, fecero conoscere soprattutto i lavori di molti artisti più giovani, che erano gli antesignani dell'arte del XX secolo, e con Oskar Kokoschka ed Egon Schiele già poterono presentare maestri tra i più significativi del nostro secolo.

Il vasto interesse e il successo del movimento moderno furono tuttavia possibili soltanto perché l'Österreichisches Museum e la sua Scuola d'arte applicata, in un'attività espositiva ed educativa di oltre un trentennio, già ne avevano preparato il terreno tra i loro esponenti e nel pubblico. Soltanto la cooperazione di tutte queste istituzioni rese possibile il fiorire della corrente moderna d'impronta austriaca antecedente la prima guerra mondiale.

[16] Karl Rosner, *Die dekorative Kunst im 19. Jahrhundert*, Berlin, 1898.
[17] Franz Servaes, *Die Kunstschau 1908, die Eröffnung der Kunstschau*, in «Neue Freie Presse», Wien, 2 giugno 1908. Franz Servaes, *Kunstschau-Glossen 1908*, in «Neue Freie Presse», Wien, 5 e 11 giugno 1908. Ludwig Hevesi, *Kunstschau 1908*, in *Kunst und Kunsthandwerk*, 1908, p. 395. Josef August Lux, *Kunstschau*, in «Erdgeist», 1908, p. 590. Karl M. Kuzmany, *Kunstschau Wien 1908*, in *Deutsche Kunst und Dekoration*, I, 1909, p. 33. Hermann Muthesius, *Die Architektur auf der Ausstellung in Darmstadt, München und Wien*, in «Kunst und Künstler», 1908, p. 491 sgg. Berta Zuckerkandl, *Kunstschau und Kunstscheu*, in «Wiener Allgemeine Zeitung», 18 e 19 settembre 1908. Ludwig Hevesi, *Von der Klimt-Gruppe und Weiteres von Klimt*, in *Altkunst, Neukunst*, Wien, 1909, pp. 308-320.

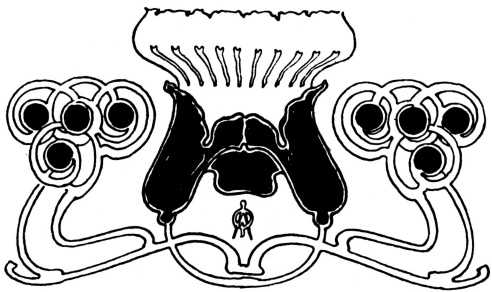

Da «Ver Sacrum», ottobre 1898.

LA GRAFICA APPLICATA

Hans Bisanz

Sopra:
1. K. Moser, *Decorazione per libro*, in «Ver Sacrum», gennaio 1898.

2. Ch.R. Mackintosh, *Bozzetto*, 1901.

[1] H.E. v. Berlepsch, *Eine Placat-Ausstellung*, in *Die Graphischen Künste*, comunicazione della Gesellschaft für verveilfältigende Kunst, 1897.
[2] «Ver Sacrum», n. 8, 1898, p. 13 sgg.
[3] «Ver Sacrum», n. 1, 1898, p. 6.

Nel 1896 a Monaco venne allestita un'esposizione di manifesti che venne ripresa subito dopo dalla Künstlerhaus di Vienna. I manifesti esposti provenivano dalla Francia (Chéret, Toulouse-Lautrec, Grasset), dall'Inghilterra (Crane, Beardsley, Mackintosh), dagli USA (Bradley, Rhead) ed erano destinati a esercitare un'influenza decisiva sugli sviluppi successivi di questo genere artistico. H. E. v. Berlepsch rimandava in una sua recensione all'importanza che in generale avevano i giapponesi per lo sviluppo di un linguaggio figurativo nuovo e destinato a svolgere una grande influenza: «Nelle pitture su carta dei giapponesi si trova ciò che deve costituire l'essenza del manifesto: semplicità della composizione, fissata in linee generali, assoluta marginalità del dettaglio rispetto alla figura principale, impiego di grandi, serene macchie cromatiche senza sovrastampa.»[1]
Berlepsch si augurava da questa esposizione un effetto positivo sull'ancora «poco eccitante» cartellonistica austriaca e intanto prevedeva una «nuova arte popolare... perché il manifesto policromo si rivolge a tutti, ricchi e poveri, nobili e plebei; le possibilità di rappresentazione dei suoi contenuti riguardano tutti, proprio tutti i possibili campi d'intervento dell'epoca». Un ottimismo analogo si trova frequentemente in autori di quel periodo. In «Ver Sacrum», la rivista della Secessione viennese, Gustav Gugitz scriveva addirittura nel 1898 che il mani-

festo poteva essere ora «quello che le statue hanno rappresentato in Grecia. No, non è una bestemmia! Non è più tempo di eroi ma di bisogni».[2]
Tutto questo era determinato da una buona intenzione, quella di produrre un'arte per tutti. L'obiettivo di una democratizzazione dell'arte proveniva dall'Inghilterra, soprattutto da William Morris, ed era già stato espresso in «Ver Sacrum» con queste parole: «Noi non riconosciamo nessuna distinzione tra "arte maggiore" e "arte minore", tra arte per ricchi e arte per poveri. L'arte è un bene collettivo.»[3] Conseguentemente cresceva l'importanza del manifesto perché, grazie alla sua accessibilità totale in quanto quadro da strada, si poneva in posizione di vantaggio non solo nei confronti dell'«arte maggiore», ma anche nei confronti del resto dell'arte applicata (programmi, prospetti, ex libris ecc.).
Ma la speranza che la cartellonistica potesse mantenere un equilibrio tra il lato artistico e quello commerciale si realizzò solo in parte, poiché nei successivi sviluppi la prevalenza delle esigenze commerciali, dei «bisogni», divenne sempre più sensibile. Già nel 1909 Karl Kraus scriveva su «Die Fackel», in un testo intitolato al «mondo dei manifesti»: «...Non c'è scampo!», smascherando di gran lunga prima degli «Hidden Persuaders» (i persuasori occulti) di Vance Packard la sollecitazione esercitata in modo raffinato anche sul subconscio del potenziale cliente: «In questo modo noi vogliamo

chiudere gli occhi per rifugiarci nel paradiso dei sogni... Ma anche qui abbiamo fatto i conti senza l'oste che considera proprio il mondo dei sogni l'occasione adatta per mettere la sua faccia accanto alla nostra...»[4]

La Secessione viennese, il più importante movimento della nuova «Stilkunst» intorno al 1900, prima della fondazione dello «Hagenbund» (1900) e della «Wiener Werkstätte» (1903), aveva assunto un atteggiamento ambiguo di fronte all'aspetto commerciale. Da un lato i secessionisti, con l'uscita dal «Künstlerhaus», avevano dichiarato guerra agli aspetti commerciali dell'attività artistica che vi si svolgeva («Il Künstlerhaus — scriveva già nel 1896 Hermann Bahr — non è altro che un mercato; i commercianti sciorinino pure le loro mercanzie»);[5] dall'altro lato, non solo avevano bisogno, come tutti gli altri, di acquirenti benestanti, ma erano anche interessati a realizzare quella popolarizzazione dell'arte che essi stessi andavano proclamando.

Questo dilemma caratterizza la produzione di manifesti degli artisti della Secessione che vi si dedicarono. La maggior parte dei manifesti preparati per le loro prime mostre, nei quali fanno quindi propaganda al proprio mondo, ha un potere di convincimento maggiore, dal punto di vista dell'unità artistico-propagandistica, che i manifesti realizzati per il commercio e l'industria: questi, pur essendo i più lontani possibile dal loro ideale artistico, dovendo elogiare il «mondo terreno», falliscono spesso l'assunto pubblicitario.

A questo si deve aggiungere il fatto che i soggetti di carattere imperiale, caratteristici della Vienna di allora, influenzavano anche la grafica applicata molto più profondamente di quanto gli stessi secessionisti potessero ammettere nel loro entusiasmo. Già nel 1915 il collezionista viennese Ottokar Mascha poteva affermare appropriatamente: «Fintanto che [nel manifesto] si tratta di un'arte che riguarda la figura, allora lo splendore, lo sfarzo, la grandiosità nell'ornato e nella stilizzazione sono le caratteristiche eminenti dell'arte viennese da Makart a oggi. Anche l'avvento della Secessione ha conservato questo tratto eminente dell'arte viennese... Sono arrivate nuove forme, ma questo contenuto dell'arte viennese non è mai stato rinnegato.»[6] (Naturalmente queste parole sono valide sia per le copertine dei cataloghi della Secessione, sia per la veste tipografica della rivista «Ver Sacrum».)

Insomma i primi manifesti per le esposizioni della Secessione sono caratterizzati da una eleganza aulica che esorbita visibilmente dal campo della semplice pubblicità per una associazione di artisti. In questa forma elegante le tendenze generalmente estetizzanti della Stilkunst si fondono con i riferimenti alla tradizione viennese evidenziati da Mascha.

Inizialmente i manifesti della Secessione sono legati a temi di carattere mitologico. Il primo manifesto per un'esposizione, progettato da Gustav Klimt (1897), raffigura la «lotta della moderna, libera arte contro la tendenza accademica personificata in Teseo e nel Minotauro. Atena... assiste alla lotta» (Mascha).[7] In un altro esempio, il manifesto di Kolo Moser per la V Esposizione (1899), raffigurante un genio alato, si esprime soprattutto la dinamica decorativa che si sottrae attraverso la forma ludica a una interpretazione fideistica dell'antica mitologia. Il manifesto di Kolo Moser per la XIII Esposizione (1902), un esempio particolarmente felice di composizione rigorosa (in contrappunto con Mackintosh) e nello stesso tempo di fine poetica, mostra tre angeliche allegorie delle arti avvolte in un unico alone. L'atmosfera di fondo di questo manifesto è vicina al sentimento religioso e anticipa i progetti di Moser per le vetrate della chiesa di Steinhof. Questo si verifica anche in un suo manifesto commerciale per il mobilificio Jakob e Josef Kohn, nel quale appare evidente la frattura tra l'assunto artistico e quello commerciale.

Nei manifesti di Adolf Boehm (VIII Esposizione, 1900) e di Alfred Roller (XII Esposizione, 1901) risalta l'influsso rigorosamente ornamentale di Henry van de Velde, che nel 1897 aveva progettato il suo «primo manifesto astratto» per l'alimentazione a base di albume «Tropon».

D'altro canto nei manifesti per la Kunstschau del 1908 (Berthold Löffler, Oskar Kokoschka, Rudolf Kalvach) l'aspetto figurativo veniva enfatizzato ed espressivamente esasperato, cosa che si verifica-

1. O. Kokoschka, *Studio per cartolina della Wiener Werkstätte*, 1908. (Coll. privata, Vienna).

A fronte:

1. F. Delavilla, *Foglio illustrato n. 16 per la Wiener Werkstätte.* (Hist. Mus., Vienna).

2. J. Auchenthaller, *Manifesto per la VII Mostra della Secessione*, 1900. (Hist. Mus., Vienna).

2. C. Krenek, *Foglio illustrato n. 32: Fattoria.* (Hist. Mus., Vienna).

[4] «Die Fackel», n. 283-284, 1909, p. 22 sgg.
[5] Hermann Bahr, *Secession*, Wien, 1900, p. 2.
[6] Ottokar Mascha, *Österreichische Plakatkunst*, Wien, 1915, p. 44.
[7] *Ibidem*, p. 45.

va ancora più esplicitamente nel manifesto di Egon Schiele per la IXL Esposizione della Secessione (1918).

In contiguità stilistica con la Secessione e la Kunstschau si collocano i manifesti e i cataloghi dello Hagenbund, nei quali però trova espressione un lato più popolare, piuttosto orientato al fiabesco, della Stilkunst.

Anche i primi manifesti commerciali di membri della Secessione sono caratterizzati da motivi mitologici. A partire dal progetto di Alfred Roller per la ferrovia dello Schneeberg (1897): un poderoso genio alato che supera monti e valli con i passeggeri sulla schiena. Per il manifesto «Richardsquelle» (1899) Kolo Moser utilizzò il motivo, allora in gran voga, della naiade, mentre per la «Österreichs Illustrierte Zeitung» (1900) raffigurò una lettrice accostandosi a quello che allora era il tema elevato a prototipo della signora nel salotto. Ma soprattutto Josef Maria Auchenthaller riuscì anche in questo campo a trovare vie d'uscita dalla banalità del quotidiano, spaziando nell'ideale. Nel manifesto per l'oreficeria G.A. Scheid (1904), dal lavoro di fusione dei metalli seppe cogliere aspetti inconsueti, magici; mentre nel manifesto d'argomento turistico «Seebad Grado» (Bagni di Grado) proiettò l'atmosfera esotica del «paradiso» di vacanze per ricchi borghesi nella raffinatezza del Jugendstil.

Nella produzione intorno al 1900 risulta spesso difficile tenere separata la grafica applicata da quella strettamente artistica: è questa infatti una fase stilistica i cui protagonisti presero posizione per l'arte totale, intesa come rappresentazione ideale che sovrasta i singoli generi artistici. E intesero dimostrarlo, in arte, con un impegno personale applicato ai più disparati campi artistici. Questo comportava un continuo superamento dei limiti: riviste come «Ver Sacrum» o «Die Fläche» pubblicarono numerosi «progetti di manifesti e di ex libris» sperimentali, utopistici, proposti non tanto come ipotesi da realizzare concretamente, ma come base per una discussione estetica. Oltre a ciò già Gugitz aveva aperto la strada al collezionismo di manifesti; una parte della tiratura delle cartoline postali della «Wiener Werkstätte» e della produzione di ex libris non venne mai utilizzata secondo l'uso cui era destinata, ma divenne oggetto di collezione e di scambio come «libere» opere d'arte (questo era già stato reso possibile dalla pubblicazione, a cura della casa editrice viennese Gerlach & Schenk, della serie campione «Allegorie, nuova serie»; questa si distingueva dalla precedente serie «Allegorie e simboli» per il legame assai minore con vere esigenze pedagogiche).

Le serie di cartoline postali della Wiener Werkstätte, destinate a diventare famose in tutto il mondo, iniziarono nel 1908 con l'edizione di quattro cartoline che reclamizzavano la Kunstschau del Klimt-gruppe, uscita dalla Secessione, e proseguì fino al 1914 superando il numero di mille. Come nel caso della Kunstschau, si fece anche pubblicità per il «Kabarett Fledermaus» fondato nel 1907 dalla Wiener Werkstätte; lo stesso avveniva in programmi e prospetti (Berthold Löffler, Franz Karl Delavilla, C.O. Czeschka, Fritz Zeymer, Moriz Jung). Come argomento venne utilizzata anche la processione per il giubileo dell'imperatore del 1908, alla cui realizzazione presero parte attiva la Wiener Werkstätte e le scuole di arte applicata (Löffler, Josef Divéky, Remigius Geyling). In seguito vennero prodotte in proprio numerose cartoline postali con soggetti contemporanei, storici o di fantasia (Mela Köhler, Maria Likarz e altri).

Nel quadro di questa evoluzione le cartoline della Wiener Werkstätte svolsero la funzione di un'antologia nella quale si potevano già esprimere numerosi giovani artisti. Anche in questo campo esercitò la sua influenza la tendenza viennese alla grandiosità e all'eleganza che aveva condizionato la cartellonistica. Tuttavia la maggior libertà tematica, propria di questo genere, arricchì il repertorio grafico: con la poesia decorativa (Gustav Marisch), il racconto illustrato (Oskar Kokoschka) e l'umorismo raffinato o volgare (Moriz Jung, Rudolf Kalvach). Questi temi liberi si conquistarono il loro spazio nelle serie di cartoline accanto ad altri che rimanevano condizionati dall'uso (cartoline d'auguri, di paesaggi ecc.), spesso superandoli per gradevolezza. Per esempio, nei progetti di cartoline di Kokoschka, i motivi del Natale e della Pasqua lievitavano in una sfera fiabesco-folcloristica che costituiva anche lo sfondo delle contemporanee illustrazioni per *Träumende Knaben*. Nel 1910 vennero stampate tre cartoline con figurini di moda su disegni di Egon Schiele, ma altri suoi progetti degli anni successivi non vennero accettati per il loro carattere espressionista troppo in contrasto con i princìpi decorativi della serie.

Nelle cartoline postali della Wiener Werkstätte — al contrario di quanto avveniva per i manifesti — la pubblicità non riguardava soltanto il committente ma anche l'acquirente. Infatti, diventandone mittente (o rimanendone collezionista), poteva esprimere il proprio gusto nel momento in cui le sceglieva.

Una funzione analoga fu svolta dall'arte degli ex libris che raggiunse livelli ancora più intimamente personali. Questa arte conobbe un'epoca aurea intorno al 1900 sulla spinta della richiesta dell'élite colta della borghesia, perché si prestava a fornire simboli di status basati non sulle ricchezze materiali ma su quelle «spirituali». Le tendenze a un distacco dal mondo materiale a favore di quello ideale, ascrivibili alla Secessione, trovarono sfogo nell'ambito domestico e nel piccolo formato degli ex libris. Si giunse anche a pretendere dall'ex libris ciò che si chiedeva al nuovo manifesto: «l'effetto maggiore con il minimo dei mezzi... secondo il principio del massimo di risultato con il minimo di spesa».[8] Membri della Secessione, come Gustav Klimt, Emil Orlik o Carl Moll, si dedicavano, oltre che alle loro già numerose attività, anche agli ex libris. Cosa che fecero anche Josef Hoffmann, Kolo Moser e altri artisti della cerchia della Wiener Werkstätte, o i suoi progettisti di cartoline postali (C.O. Czeschka, Berthold Löffler, Oskar Kokoschka). I temi degli ex libris viennesi intorno al 1900 (a parte il campo specifico dell'araldica) spaziavano anche qui dall'allegorico al fiabesco, al narrativo, fino all'umoristico.

Per ultimo va citato il rapporto della grafica applicata viennese con la sfera dell'«ufficialità», un rapporto per lungo tempo non particolarmente felice. Come in altri generi artistici — basti il riferimento a Otto Wagner — anche in questo campo venivano indetti concorsi ufficiali dei cui risultati però non si teneva gran conto al momento di conferire le commissioni. Quando nel 1901 venne indetto ancora uno di questi pseudoconcorsi per una nuova banconota, la Secessione e lo Hagenbund rinunciarono a parteciparvi.[9]

Il 1908, anno del giubileo imperiale, con la realizzazione del corteo portò a una parziale e tardiva riconciliazione. Nella Kunstschau, che tutto sommato è da annoverare tra le celebrazioni del giubileo, vennero esposte anche le serie di francobolli progettate da Kolo Moser («Bosnia-Erzegovina», «Giubileo imperiale»).[10] Il posto di Moser come grafico per le diverse edizioni ufficiali della tipografia imperial-regia e dello stato fu assunto da Rudolf Jung dello Hagenbund.

Nel programma della tipografia di corte e dello stato già in precedenza era stata avviata in via straordinaria una iniziativa ufficiale gradita e coronata da successo: la serie delle carte geografiche murali per le scuole. Per essa furono indetti pubblici concorsi a partire dal 1902. I progetti dei vincitori (Max Kurzweil, Josef Danilowatz, Maximilian Lenz, Karl Krenek e altri) furono successivamente utilizzati per litografie a colori di grande formato. Per questa serie di carte geografiche vennero prese a modello le Fitzroy-Pictures inglesi, le vedute di Parigi di Henri Rivière e la serie di Lipsia di Teubner e Voigtländer. In essa si realizzò un'armoniosa fusione delle esigenze d'informazione pedagogica con un'interpretazione artistica della realtà destinata a entusiasmare l'osservatore.

1. C.O. Czeschka, *Copertina per «Die Quelle»*. (Hist. Mus., Vienna).

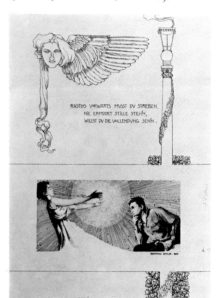

2. B. Löffler, *Illustrazione*, 1899. (Hist. Mus., Vienna).

[8] Richard Braungart, *Das moderne deutsche Gebrauchs — Ex libris*, München, 1922, p. 12.
[9] *Die Banknotenfrage*, in «Ver Sacrum», IV, 1901, p. 26.
[10] *Die k.k. Hof - und Staatsdruckerei 1804-1904*, Wien, 1904, p. 107.

STAMPA, GRAFICA E ARTE DEL LIBRO

Marian Bisanz Prakken

Sopra:

1. K. Moser, *Decorazione per libro*, in «Ver Sacrum», luglio 1898.

2. R. Jettmar, *Incisione*. (Hist. Mus., Vienna).

A Vienna l'innovazione radicale dell'arte grafica iniziò con molto ritardo rispetto agli altri paesi europei. Qui dominò fino alla metà dell'800 la riproduzione grafica nell'ambito della quale la Gesellschaft für Vervielfältigende Kunst (Associazione dell'arte della riproduzione) aveva ricoperto un ruolo chiave nei decenni passati. I principali obiettivi dell'artista grafico erano la «fedeltà della riproduzione» e una «esecuzione perfettamente artistica».

Nel 1879 l'associazione pubblicò in formato di lusso la rivista «Die Graphischen Künste», che con saggi e relazioni, oltre che con illustrazioni di notevole qualità, informava il pubblico sulle mostre e le pubblicazioni in patria e all'estero.

È caratteristico della situazione viennese che sia i critici sia gli artisti si siano resi conto solo molto lentamente e con una certa titubanza del fatto che la riproduzione grafica si stava avvicinando alla fine, sostituita da un lato dalla fotografia e dall'altro dalla Originalgraphik (arte grafica originale). Sebbene nei comunicati dell'associazione si potesse venire a conoscenza degli sviluppi all'estero nell'ambito della Originalgraphik (Francia, Germania, Inghilterra), nella I «Mostra internazionale della grafica» (1883) furono premiate esclusivamente le riproduzioni tecniche (incisioni su rame, acqueforti, xilografie, litografie, fotografie). Il primo chiaro cenno alle possibilità di espressione soggettiva nella Originalgraphik si trova in uno studio di Wilhelm von Bode (1890) su Klinger, Geyger e Stauffer-Bern.[1]

Nella II «Mostra internazionale della grafica» (1894) la riproduzione grafica si trovava ancora al primo posto, nonostante fosse già in crisi; in una conferenza per la «Mostra sui lavori grafici originali del passato» (1895), con lavori di Klinger, Zorn, Stuck, Liebermann, Rops, Ensor, Seymour Haden, Kerkomer e altri, si affermava: «Alla riproduzione artigianale per mezzo dell'arte grafica, alla pura copia, è ora tolto spazio per sempre.»[2]

Dal punto di vista teorico questo impegno a favore della Originalgraphik si sviluppò tuttavia solo in seguito, poiché sorprendentemente in questo periodo immediatamente precedente alla nascita della Secessione, durante la quale i «moderni» si imposero in tutti i campi della letteratura e dell'arte, non ci fu a Vienna, quasi nessun artista che scegliesse la grafica come mezzo di espressione autonomo. Una delle poche eccezioni fu Rudolf Jettmar, che già nella I «Mostra della Secessione» (1898) si era fatto notare per le sue acqueforti visionarie. Emil Orlik, uomo di formazione culturale internazionale, era di gran lunga superiore agli altri secessionisti grazie alla sua esperienza di stampa grafica: conosceva perfettamente l'acquaforte (dal 1892), la litografia (dal 1895) e la xilografia, delle quali dal 1900 era un pioniere a Vienna. Come terzo artista si deve menzionare Felician von Myrbach che, dopo un'annosa attività come illustratore a Parigi, nel 1897 si stabilì a Vienna, dove subito la sezione grafica della Kunstgewerbe-schule (Scuola reale d'arte applicata) lo assunse come professore. Il suo campo di specializzazione era la litografia e la stampa in alluminio che egli, dopo la nomina a direttore provvisorio (1899), appoggiò energicamente e più di ogni altra cosa.

La Secessione, fondata nel 1897, operò a Vienna, per lo più nel campo della sperimentazione, malgrado gli inizi molto cauti. Fra i contributi degli artisti viennesi che collaboravano alla rivista «Ver Sacrum» e di quelli legati a «Gründerausgabe» dominava nei primi anni la litografia policroma, alla quale si interessarono Moser, Engelhart, Lenz, List, Bernatzik, König e Andri.

Contemporaneamente alla Secessione (1898) la Gesellschaft für Vervielfältigende Kunst iniziò la pubblicazione di quaderni annuali con contributi di grafica originale da parte di artisti stranieri e austriaci. È da notare il fatto che, nonostante il legame tra l'associazione e la Künstlerhaus, parteciparono anche membri della Secessione (Orlik, Myrbach, Moll, ecc.).

Così mentre gli esordi nel campo della Originalgraphik, dapprima esitanti, procedevano e i secessionisti davano spazio nelle loro mostre più agli ospiti stranieri che a se stessi, questi svilupparono nell'altro campo della «Flächenkunst» una vasta e cosciente attività in proprio per «Ver Sacrum» e per il catalogo della mostra come «libro d'arte», il quale, sebbene riprodotto con un procedimento fotomeccanico sul foglio di zinco prima della stampa, aveva valore come forma particolare dell'arte della stampa, poiché appositi originali erano stati creati per questo preciso scopo.[3] Le mostre dei secessionisti puntavano molto non solo sulla scelta dei lavori, ma anche e soprattutto sulla loro presentazione, come pure sull'aspetto esteriore dei fascicoli di «Ver Sacrum» e del catalogo, nei quali i testi e le fotografie, insieme a cornici, fregi iniziali e illustrazioni, dovevano dare un certo quadro armonico d'insieme, così come gli allestimenti nelle mostre subivano un continuo rinnovamento. È un fatto significativo che l'avanguardia viennese abbia rinnovato questi due

campi, quello ambientale e quello della Flächenkunst, in produttiva interconnessione, con un enorme interesse per la sperimentazione, e che si sia subito imposta sul piano internazionale senza trovare concorrenza. La Secessione viennese e più avanti la Wiener Werkstätte avevano una concezione particolare dell'allestimento su base bi- e tridimensionale che stabilì paradossalmente una continuità con l'arte della Ringstrasse, che nella sua particolarità, come retroscena ideologico, più delle altre forme dello storicismo in Europa si basava sulla rappresentazione.

Alle già nominate forme della Flächenkunst fece ricorso la maggior parte degli artisti secessionisti, fra cui Gustav Klimt, che generalmente non si era mai occupato delle tecniche tipografiche. Nonostante la grande differenza dei contributi, che potevano andare dai puri ornamenti narrativi, figurativi o simbolici fino alle stilizzazioni floreali, rimaneva un principio di fondo unificante, al quale erano soggetti tutti gli elementi e che consisteva in un sistema di segni fortemente decorativi orizzontali e verticali. Queste forme rettangolari e quadrate prevalsero sempre di più negli anni seguenti, fino a che Kolo Moser nel 1901 le portò alle ultime conseguenze e introdusse nelle incorniciature di poesie il quadrato puro come elemento decorativo.[4]

Per quanto riguarda l'arte grafica intorno al 1900 la V «Mostra della Secessione» è dedicata esclusivamente al «disegno a mano e stampato» (autunno 1899) e ha una grande importanza storica. Per il grado di sviluppo del momento è sorprendente come la partecipazione degli artisti austriaci fosse numericamente molto scarsa. Fra gli artisti stranieri dominavano i francesi.

Nella mostra di Engelhart a Parigi il contrasto all'interno dei secessionisti divenne manifesto, tanto che nel 1905 avrebbe dato luogo all'uscita del «gruppo di Klimt» (chiamato anche gruppo degli «stilisti«): questi non si potevano più identificare con i «naturalisti» capeggiati da Engelhart.

Engelhart nella mostra del 1899 aveva dato particolare rilievo ai lavori di rappresentanti (oggi praticamente dimenticati) di un «naturalismo senza poesia»

F. Andri, *Manifesto per la X Mostra della Secessione*, 1901. (Hist. Mus., Vienna).

[1] Wilhelm Bode (pittore e acquafortista berlinese), Max Klinger, Ernst-Moritz Geyger, Stauffer-Bern, in «Die Graphischen Künste», XIII, 1890, p. 45.
[2] Karl Masner, *Die Ausstellung graphischer Original-Arbeiten der Gegenwart im Jahre 1895*, in «Die Graphischen Künste», XX, 1897, p. 5.
[3] Hans H. Hofstätter, *Jugendstil Druckkunst*, Baden-Baden, 1973, p. 16.
[4] «Ver Sacrum», IV, 1901, fasc. 18-19, pp. 297-330.

1. *Decorazione giapponese*, in «Ver Sacrum», settembre 1899.

2. E. Schiele, *Donna accovacciata di spalle*. (Lds. Mus. Joan., Graz).

[5] Gustav Glück, *Die fünfte Ausstellung der Secession* (1899), Atti della Gesellschaft für Vervielfältigende Kunst, 1900, p. 16.
[6] *Katalog der fünften Ausstellung der Secession*, 1899, pp. 5, 7.
[7] Emil Rudolf Weiss, *Wilhelm Laage*, in «Ver Sacrum», IV, 1901, pp. 259-273.
[8] Marian Bisanz-Prakken, *The Beethoven Exhibition of the Secession and the Younger Viennese Tradition of the «Gesamtkunstwerk»*, in *Phocus on Vienna 1900*, a cura di Erica Nielsen, München, 1982, pp. 140-149.

(citazione da una conferenza di G. Glück durante l'esposizione),[5] mal rappresentando invece artisti come Vallotton, Toulouse-Lautrec ecc. G. Glück richiamò l'attenzione sulla contraddizione fra questa mostra e l'introduzione programmatica al catalogo della stessa, nel quale si metteva in guardia a non «andare contro lo spirito del materiale». Più avanti si dice: «Soprattutto le grafiche a colori, conformemente alla tecnica, non devono mai avere il carattere di un quadro.» E ancora: «Specifica dei disegni a colori è la decorazione piana» (mentre la grafica in bianco e nero è adatta a dare espressione al fantastico e al surreale, come in Goya, Rops o Klinger).[6]

La crescente tendenza al decorativo piano si può bene osservare in «Ver Sacrum». Nelle copertine, nelle illustrazioni e nelle cornici decorative dei testi dal 1899 è evidente come nuovo elemento il frequente uso di sagome; un intero fascicolo fu dedicato al taglio delle sagome in Giappone. Per il «manifesto di fondazione» del 1899 König, Roller e Moser fecero dei bozzetti di copertine servendosi di questa tecnica; poco dopo l'utilizzazione delle sagome divenne il metodo di insegnamento preferito alla Kunstgewerbeschule nelle classi di Roller e Moser e anche di Boehm nella sua scuola privata per signore e signorine.

L'aspetto di «Ver Sacrum» mutò nel 1900; il formato divenne approssimativamente quadrato, i contributi grafici occupavano spesso tutta la pagina, in due colori, procurando soprattutto un effetto decorativo, come nei fogli del calendario del 1901-1902, stampati in oro e nero. Il numero dei contributi grafici originali inseriti aumentò gradualmente, nella litografia a colori (Andri, C. Andri-Hampel, List Orlik), e ora anche nella xilografia (König, Orlik).

L'incipiente interesse per la xilografia moderna, basata su forti contrasti (al contrario della xilografia praticata per decenni fino ad allora che tendeva a ottenere effetti pittorici), è dimostrato dallo studio riccamente illustrato di E.R. Weiss sul suo collega di Karlsruhe, W. Laage [7] (tutt'e due gli artisti avevano prodotto lavori per il «manifesto di fondazione» e per i «fascicoli annuali» della Gesellschaft für Vervielfältigende Kunst) così come dall'attività di propaganda di Emil Orlik per la xilografia a colori giapponese, la cui tecnica aveva appreso durante il suo viaggio in Giappone (1900). In seguito a questi cauti esordi esplose l'attività che i secessionisti svilupparono nelle cornici della loro sensazionale «Mostra di Beethoven» (inizio 1902) con la xilografia.

In questa consapevole dimostrazione delle loro comuni aspirazioni i secessionisti portarono all'apice il loro ideale della interdisciplinarità dell'arte.[8] In una nuova epoca dell'arte, l'architettura, la pittura, la scultura e le altre arti decorative dovevano servire un'idea fondamentale, incarnata dalla statua di *Beethoven* di Max Klinger, situata come monumento di culto nel mezzo della mostra; Josef Hoffmann era il responsabile dell'allestimento, Gustav Klimt creò per questa occasione il suo famoso *Fregio di Beethoven*. La mostra era nello stesso tempo una dimostrazione idealistica di un sincero uso del materiale, così si potevano vedere dei rilievi tagliati nel marmo e nel legno, piatti, di rame sbalzato, con collages di pietre artificiali, pietre semilavorate ecc. C'erano anche sculture in legno isolate. Che questa euforica atmosfera di sperimentazione abbia prodotto un terreno fertile per gli ulteriori sviluppi della stampa grafica è dimostrato dal catalogo della mostra che, più che in ogni altra occasione, fu sentito come parte integrante delle «opere d'arte». Le xilografie originali prodotte da dodici artisti (in nero o nero e arancio) furono incorniciate da quadrati, monogrammi artistici stilizzati integrati nel testo; così il catalogo offrì una nuova concezione dell'arte libraria non solo dal punto di vista della tecnica ma anche da quello del layout. L'improvviso e generale entusiasmo per la xilografia può essere spiegato solo tramite l'effetto stimolante di lavorare insieme a un progetto che non doveva sottostare a nessuna costrizione e per il piacere che procurava il fatto di lavorare nella dimensione tridimensionale, specifica della xilografia. Il significato di questo fenomeno sta anche nella particolare qualità presentata da alcuni contributi artistici: le xilografie di Kolo Moser mostrano una creatività e un'espressività mai raggiunte neanche in seguito. La scoperta della xilografia come strumento artistico diede luogo a una vera ondata di creatività nell'ambito di questa tecnica non solo tra i secessionisti ma anche tra la generazione dei discepoli di Myrbach, Roller, Moser e Boehm. Il catalogo della mostra autunnale del 1902 presentava ancora una volta xilografie di numerosi secessionisti, questa volta solo in bianco e nero, e così pure l'ultima annata di «Ver Sacrum» (1903) consisteva in massima parte di xilografie originali mono o policrome su grandi piani, per lo più incorniciate da precisi quadrati, mentre l'acquaforte e la litografia erano relegate quasi completamente in secondo piano. Vicino ad artisti già famosi emerse un'intera schiera di nuovi nomi: fra questi, Hilde e Nora Exner e Franz Fiebinger (con il loro ABC degli animali), Milena Stoisalevic, Fanny Zackucka, Victor Schufinski, Leopold Blauensteiner, Leopold Forstner e molti altri. Non vanno inoltre dimenticate le famose xilografie a colori di Carl Moll uscite nel 1903, *Winter — Hohe Warte in Wien* (Inverno — Grande attesa a Vienna), e *Der Polster* (Il cuscino) di Maximilian Kurzweil.

Gli ideali di una cooperazione armonica tra testo e «aspetto esteriore del libro», rappresentati in modo così impegnato su «Ver Sacrum», furono abbandonati negli ultimi anni a favore della succitata arte della presentazione. Una delle poche eccezioni è costituita dal saggio di A. Symons su Beardsley con le illustrazioni svagate e piene di fantasia di Josef Hoffmann. Con questo e poi con lo scioglimento della rivista si chiuse la prima fase programmatica della fusione: due anni dopo l'avanguardia, con Gustav Klimt, abbandonò la Secessione. Ma le tendenze e le aspirazioni fuse insieme nei primi anni ebbero sviluppi variamente ramificati e fruttuosi. Per quanto riguarda l'arte grafica, fu soprattutto la stampa commerciale ad avvantaggiarsi ampiamente e in modo evidente dei contributi pionieristici compiuti nel campo della stampa e dell'arte libraria, che avevano raggiunto un livello particolarmente elevato. Questo vale sia per le edizioni speciali di libri e almanacchi della Wiener Werkstätte (che pubblicò anche il libro di Kokoschka, *I ragazzi sognanti*), sia per le pubblicazioni destinate a un pubblico più vasto, come la serie di volumetti della «Biblioteca per giovani di Gerlachs» o

le pubblicazioni di libri tascabili della Wiener Verlags. Molti artisti formatisi alla Kunstgewerbeschule o colà impiegati come insegnanti vennero interpellati come consulenti e contribuirono notevolmente a rendere popolari le nuove concezioni artistiche. In particolare si distinsero in questo campo Bertold Löffler e Carl Otto Czeschka.

Lo sviluppo ulteriore della grafica libera, non soggetta a regole, procedeva in modo meno spettacolare. La Secessione pubblicò per alcuni anni a partire dal 1906 i «Förderermappen», con acqueforti, litografie e xilografie, senza però toccare i livelli precedenti; lo stesso vale per i quaderni della Gesellschaft für Vervielfältigende Kunst. È da notare che i contributi più importanti poterono realizzarsi solo in un contesto decorativo, fosse quello della stampa commerciale, o dell'arte libraria, o nel quadro di un progetto come la «Mostra di Beethoven». Tuttavia ci furono due artisti, indipendentemente uno dall'altro per quanto riguarda il loro lavoro, che raggiunsero risultati artistici estremamente personali e originali al di fuori dell'euforia sperimentale della precedente Secessione, uniti però da un'innata sensibilità per la decorazione piana: Franz von Zülow con la sua vetrata medioevale e le xilografie spesso ai confini dell'oggettività, e Ludwig Heinrich Jungnickel, il cui meditato senso della forma è messo in luce soprattutto nelle xilografie a colori e nelle raffigurazioni di animali realizzate con la tecnica delle sagome verniciate a spruzzo.[9]

Va notato soprattutto come gli artisti viennesi poco tempo dopo la fase di entusiasmo generale per la xilografia, originata dalla «Mostra di Beethoven», siano ritornati alla stampa piana e come stilisticamente si siano sempre riferiti a questo sistema nelle loro litografie, con sagome ritagliate di netto, pesanti linee nere e piani cromatici contrastati. Con la nuova generazione artistica che salì alla ribalta dopo il 1910 la stampa grafica svolse un ruolo ben preciso, se paragonato al suo alto significato per l'espressionismo tedesco. La «Mostra internazionale del bianco e nero», organizzata dall'Akademischen Verband für Literatur und Musik e dedicata ai recenti disegni e alla grafica nazionali ed esteri,

1. L.H. Jungnickel, *Foglio illustrato*. (Hist. Mus., Vienna).

2. O. Laske, *Verso l'arca di Noè*. (Neue Gal., Linz).

3. D. Moser, *Calendario*. (Coll. privata, Vienna).

[9] *Oskar Laske, Ludwig Heinrich Jungnickel und Franz v. Zülow*, cat. mostra, Graphische Sammlung Albertina, Wien 1978-79 (a cura di Marian Bisanz-Prakken e Fritz Koreny).

1. J. Klinger, *Copertina per libro*, 1907.

2. J. Diveky, *Frontespizio*, 1912.

3. M. Benirschke, *Decorazione per libro*, in «Die Quelle». (Hist. Mus., Vienna).

4. L. Forstner, *Decorazione*, in «Die Fläche», 1909. (Hist. Mus., Vienna).

non offre nessuna sorpresa per quel che riguarda la grafica austriaca. L'opera grafica a stampa di Egon Schiele è scadente rispetto alla qualità superiore dei suoi contributi nel campo del disegno; Oscar Kokoschka realizzò le sue serie di litografie per lo più non direttamente sulla pietra ma su fogli autografi, non dando particolare peso all'uso del materiale.

Uno sguardo d'insieme alla grafica viennese intorno al 1900 mostra comunque anche nomi diversi da quelli dei principali rappresentanti dell'arte figurativa. Come si è già detto, Klimt e Schiele si sono interessati poco alle tecniche della grafica a stampa. Senza dubbio le opere viennesi non raggiungono né il fantastico delle acqueforti di Klinger, Rops o Ensor, né possono concorrere con le lito-grafie di Vuillard e Bonnard nella resa di atmosfera e di intimità; i loro ritratti e le loro caricature non mostrano mai l'incisività ironica di un Toulouse-Lautrec; i loro paesaggi, per quanto ricchi di atmosfera, non sono paragonabili alla forza simbolica dei fogli di Edvard Munch o alla tensione elettrica dei paesaggi visionari degli espressionisti tedeschi. Ciò nonostante bisogna ammirare le opere degli artisti viennesi soprattutto in considerazione del ritardo, difficile da recuperare, di cui si è parlato all'inizio.

I secessionisti diedero pur sempre alla stampa grafica nel loro movimento un ruolo consistente che non si può ignorare. Rimangono ineguagliate, se considerate in campo internazionale, le loro qualità formali che raggiunsero dei livelli altissimi nell'arte libraria.

F. von Zülow, *Campo arato*, 1904-05 (Neue Gal., Linz).

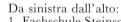

Da sinistra dall'alto:
1. Fachschule Steinschönau, *Bicchiere per birra*, 1900 c. (Mus. f. angew. Kunst, Vienna).
□ 2. M. Weltmann, *Coppa in vetro con sottopiatto*, prod. Loetz. (Mus. f. angew. Kunst, Vienna). □ 3. Fachschule Haida, *Vaso*. (Mus. f. angew. Kunst, Vienna). □ 4. Fachschule Haida, *Vaso*. (Mus. f. angew. Kunst, Vienna).

A pagina precedente, da sinistra dall'alto:
1. *Coppa per le dita e bicchiere*, prod. Lobmeyr, 1895 c. (Lobmeyr, Vienna). □ 2. J. Hoffmann, *Bottiglia e bicchiere da vino*, 1910-11. (Coll. privata, Vienna). □ 3. K. Moser, *Bicchieri*. (Coll. privata, Vienna).

Da sinistra dall'alto:
1. L. Bauer, *Vaso*. (Coll. privata, Vienna). □ 2. K. Moser, *Vaso*, 1902-04 c., prod. Loetz. (Coll. privata Vienna). □ 3. M. Powolny, *Vaso da frutta*, 1915, prod. Lobmeyr. (Lobmeyr, Vienna). □ 4. *Vasi*. (Coll. privata, Vienna). □ 5. D. Peche, *Boccale*. (Coll. privata, Vienna).

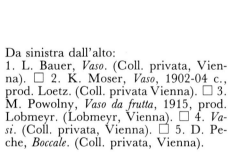

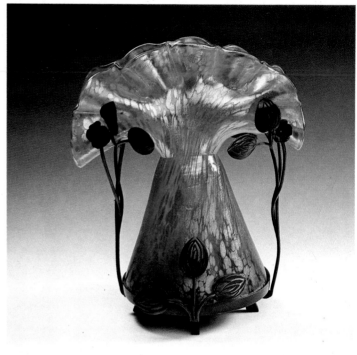

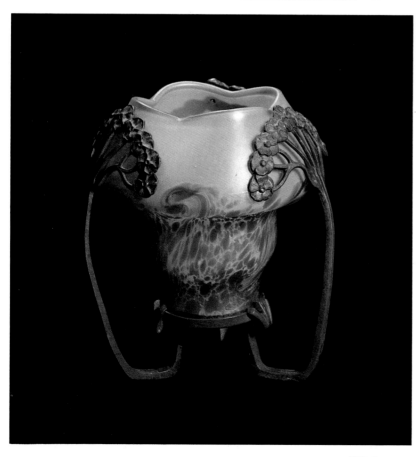

Da sinistra dall'alto:
1. *Coppa*, 1900 c., prod. Loetz. (Coll. privata, Vienna). □ 2. *Vaso a ventaglio*, prod. Loetz. (Coll. privata Vienna). □ 3. *Vaso*, prod. Loetz. (Coll. privata, Vienna). □ 4. *Portaghiaccio*, prod. Loetz. (Coll. privata, Vienna).

Da sinistra dall'alto:
1. J. Hoffmann, *Coppa di vetro*, prod. Loetz. (Coll. privata, Vienna). □ 2. J. Hoffmann, *Vaso*, prod. Loetz. (Coll. privata, Vienna). □ 3. Kunstgewerbeschule, *Vaso*, 1902-04. (Coll. privata, Vienna). □ 4. K. Moser, *Vaso*, 1900 c. (Coll. privata, Vienna). □ 5. K. Moser, *Vaso*, 1900 c. (Coll. privata, Vienna). □ 6. Scuola di K. Moser, *Vaso*, 1902. (Coll. privata, Vienna).

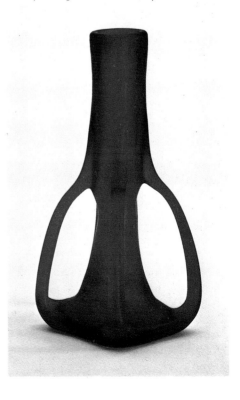

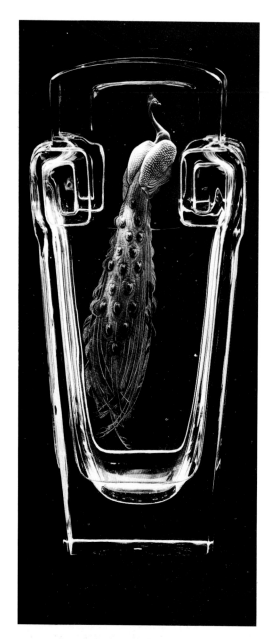

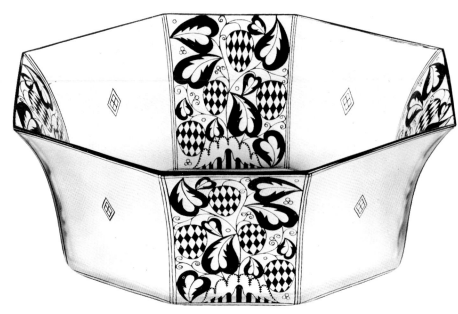

Da sinistra dall'alto:
1. S. Rath (?), *Vaso con pavone*, 1910 c., prod. Lobmeyr. (Lobmeyr, Vienna). □ 2. J. Hoffmann, *Vasi*, 1913, prod. Lobmeyr. (Lobmeyr, Vienna). □ 3. O. Hoffner, *Vaso con fregio di cavalli*, 1910 c., prod. Lobmeyr. (Lobmeyr, Vienna). □ 4. S. Rath, *Vasi*, 1904 c., prod. Lobmeyr. (Lobmeyr, Vienna). □ 5. M. Powolny, *Grande coppa*, prod. Lobmeyr.

Da sinistra dall'alto:
1. M. Powolny, *Vaso per violette*, 1906 c., prod. Wiener Keramik. (Coll. privata, Vienna). □ 2. K. Klaus, *Vaso*. □ 3. D. Peche, *Boccale*. (Coll. privata, Vienna). □ 4. C. Witzmann, *Vaso*. (Coll. privata, Vienna).

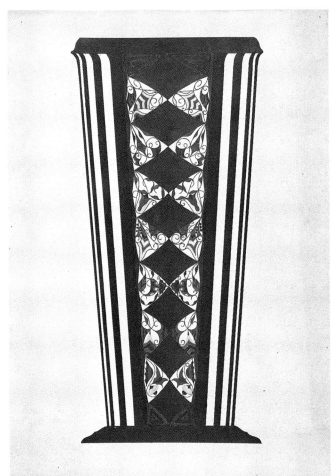

1. Scuola di K. Moser (?), *Vasi*, 1902-04. (Coll. privata, Vienna).

2. *Bicchiere e coppa di vetro*, prod. Lobmeyr. (Lobmeyr, Vienna). □ 3. *Bicchieri*, prod. Lobmeyr. (Lobmeyr, Vienna).

K. Moser: 1. *Scrigno decorato*, 1909. (Mus. f. angew. Kunst, Vienna).

2. *Vaso di vetro*, 1900 c., prod. Loetz. (Coll. privata, Vienna). □ 3. *Vaso di vetro*, 1902 c., prod. Loetz. (Coll. privata, Vienna).

273

Da sinistra dall'alto:
1. B. Löffler, *Coppa*, 1906 c., prod. Wiener Keramik. (Coll. privata, Vienna). ☐ 2. D. Peche, *Coppa*, 1915 c. (Coll. privata, Vienna). ☐ 3. M. Powolny, *Ciotola per fiori*, 1903. ☐ 4. M. Powolny, *Portafrutta*, 1908-09, prod. Wiener Keramik. (Coll. privata, Vienna). ☐ 5. D. Peche, *Vaso con coperchio*, 1913-14 c. (Coll. privata, Vienna).

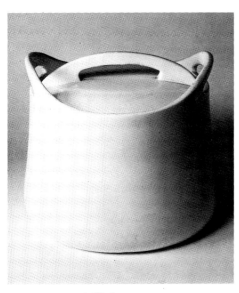

Da sinistra dall'alto:
1. T. Trethan, *Vaso con coperchio*, 1902-04, (Coll. privata, Vienna). ☐ 2. L. Bauer, *Tazza con piattino*, 1902 c. (Coll. privata, Vienna). ☐ 3. T. Trethan, *Teiera*, 1902-04. (Coll. privata, Vienna). ☐ 4. J. Sika, *Servizio da caffè*, 1900-05. (Coll. privata, Vienna).

Da sinistra dall'alto:
1. K. Moser, *Rilievo in rame*, 1900 c. (Coll. privata, Vienna). □ 2. K. Moser, *Vaso*, prod. Loetz. □ 3. J. Hoffmann, *Alzata in ottone*, 1922 c. □ 4. J. Hoffmann, *Servizio in ottone di portacenere e portasigarette*, 1922 c. (Coll. privata, Vienna). □ 5. J. Hoffmann, *Calamaio con tampone per carta asciugante*. (Coll. privata, Vienna).

Da sinistra dall'alto:
G. Gürschner: 1. *Vaso in bronzo*, 1900 c. (Coll. privata, Vienna). □ 2. *Vaso in bronzo*, 1900 c. (Coll. privata, Vienna). □ 3. *Vaso in bronzo*, 1900 c. (Coll. privata, Vienna).

K. Moser, *Lampada*, 1902. (Coll. privata, Vienna).

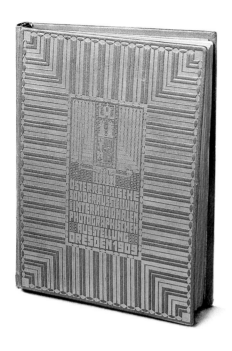

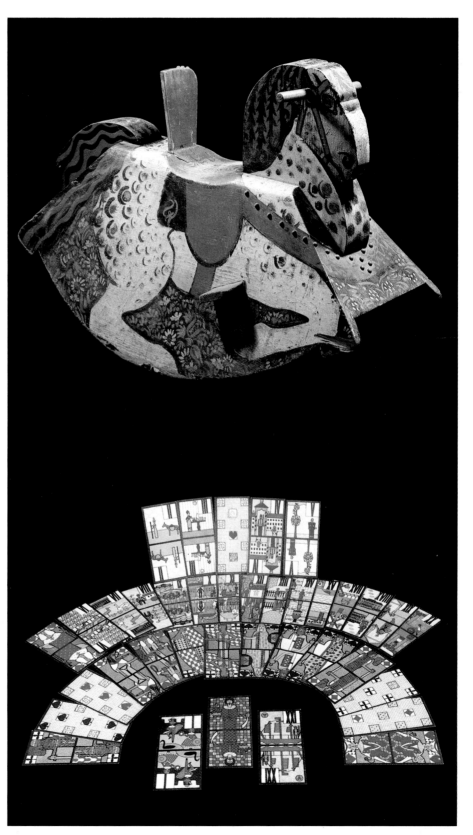

A pagina precedente:
J. Hoffmann, *Alzata*. (Coll. privata, Vienna).

Da sinistra dall'alto:
1. O. Prutscher, *Copertina in metallo*. (Coll. privata, Milano). □ 2. A. Roller, *Cavallo a dondolo*. (Coll. privata, Vienna). □ 3-4. D. Moser, *Carte da gioco*. (Coll. privata, Vienna).

1. Scuola di Wagner, *Servizio da scrivania*, 1905 c. (Coll. privata, Vienna).

A pagina seguente, da sinistra dall'alto:
1. Scuola di Wagner, *Lampada*. (Coll. privata, Vienna). □ 2. G. Gürschner, *Lampada*, 1900 c. (Coll. privata, Vienna). □ 3. K. Moser, *Lampada*, 1903, prod. Wiener Werkstätte. (Coll. privata, Vienna).

2. J. Hoffmann, *Scatola per biscotti*, prod. Wiener Werkstätte. (Coll. privata, Vienna).

3. J. Hoffmann, *Scatola per sigari*, prod. Wiener Werkstätte. (Coll. privata, Vienna).

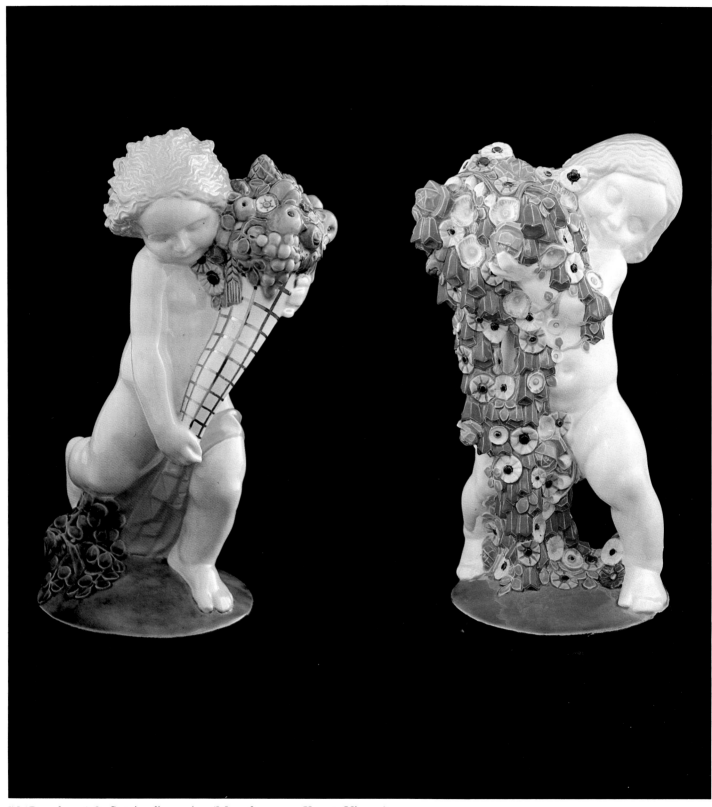

M. Powolny: 1-2. *Statuine di ceramica*. (Mus. f. angew. Kunst, Vienna).

Da sinistra dall'alto:
1-2. *Ceramiche dipinte*. (Mus. f. angew. Kunst, Vienna). ☐ 3. E. Klablena, *Donna seduta su una sedia*. (Coll. privata, Vienna). ☐ 4. E. Klablena, *Ragazza con fiori*, 1911. (Coll. privata, Vienna).

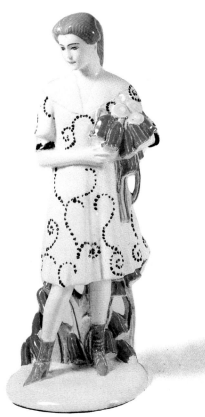

Da sinistra dall'alto:
1. K. Moser (?), *Scatola con coperchio*, 1905 c. (Coll. privata, Vienna). □ 2. J. Hoffmann, *Cestino in lamiera fustellata*, 1905 c. (Coll. privata, Vienna). □ 3. K. Moser, *Calamaio*, 1903. (Coll. privata, Vienna). □ 4. K. Moser (?), *Cestino in lamiera fustellata su base di legno*, 1904 c. (Coll: privata, Vienna). □ 5. K. Moser - J. Hoffmann, *Colonna portafiori in lamiera fustellata*, 1905, prod. Wiener Werkstätte. (Coll. privata, Vienna).

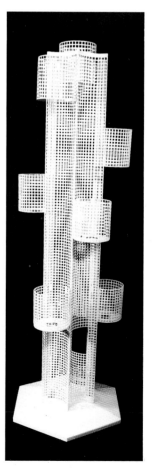

286

Da sinistra dall'alto:
1. B. Löffler, *Giullare*. (Coll. privata, Vienna). □ 2. G. Gürschner, *Ceramica*. (Coll. privata, Vienna). □ 3. E. Klablena, *Donna con cappello colorato e vestito nero*, 1915. (Coll. privata, Vienna).

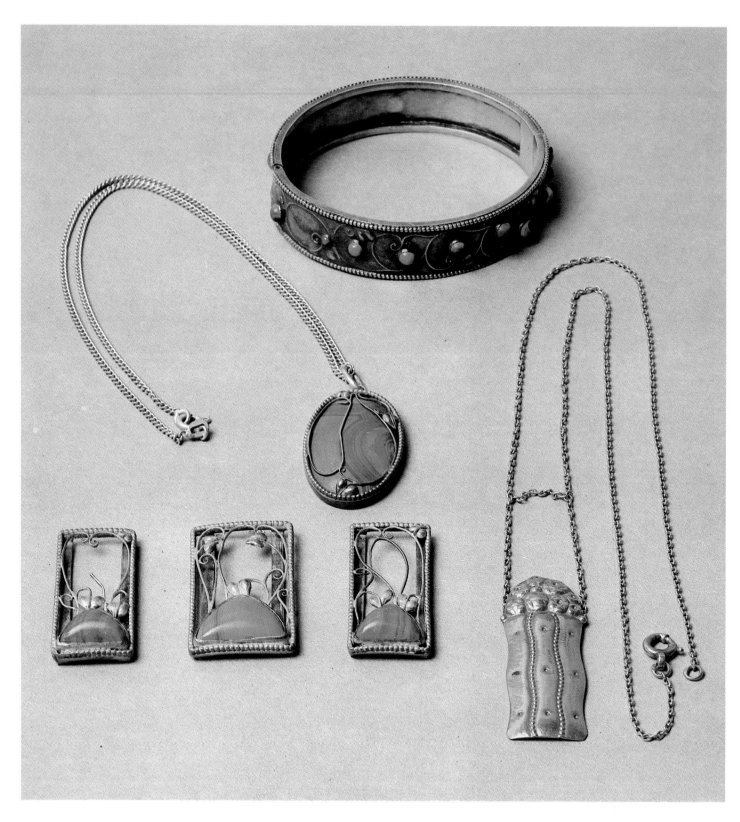

O. Prutscher, *Gioielli*. (Coll. privata, Milano).

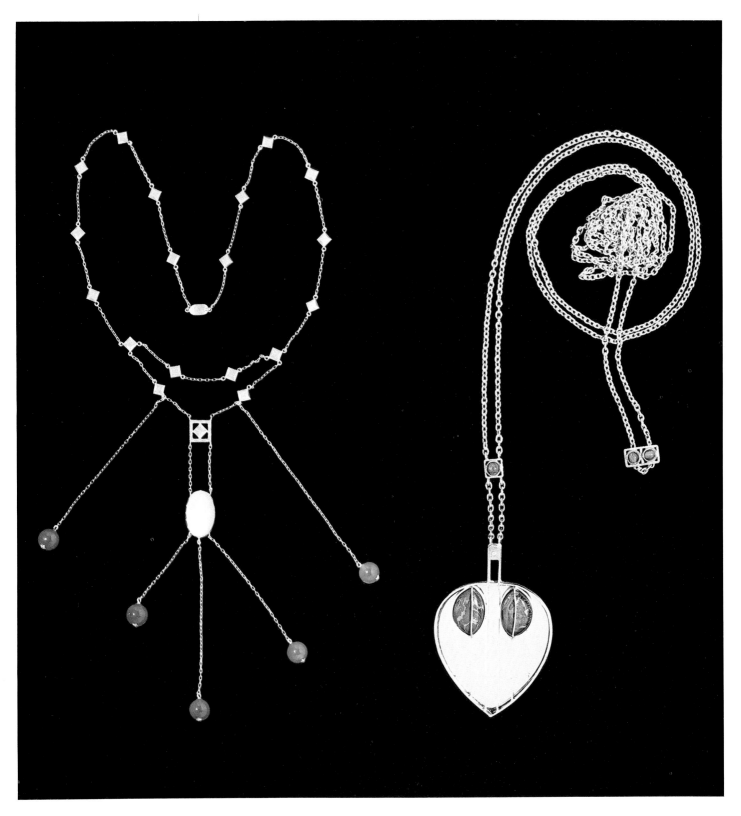

K. Moser: 1. *Collier*, 1905 c. (Coll. privata, Londra). □ 2. *Catena con ciondolo*, 1905 c. (Coll. privata, Londra).

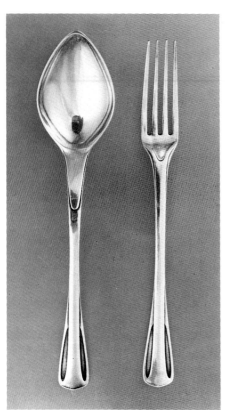

Da sinistra dall'alto:
1. J.M. Olbrich, *Posate*, 1900 c. (Mus. f. angew. Kunst, Vienna). □ 2. J. Hoffmann, *Serratura e chiave con il simbolo della rosa*. □ 3. J. Hoffmann, *Posate*. □ 4. O. Prutscher, *Posate*. (Coll. privata, Milano).

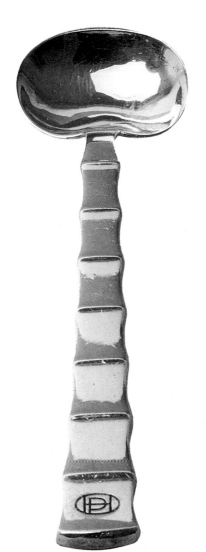

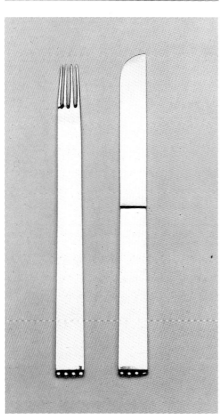

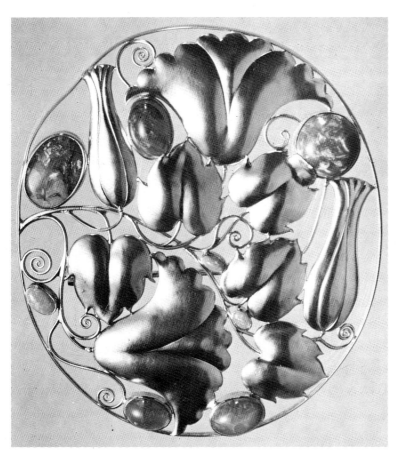

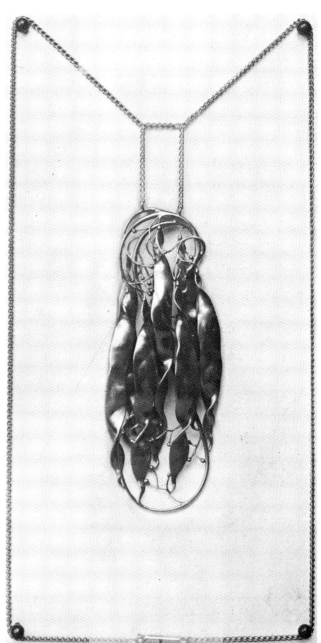

Da sinistra dall'alto:
1. C.O. Czeschka, *Spilla*, 1905. □ 2. K. Moser, *Ciondolo*, 1906. □ 3.
Anello. (Mus. f. angew. Kunst, Vienna). □ 4. D. Peche, *Spilla*, 1917 c.

1. J. Hoffmann, *Ciondolo*, 1905 c. (Mus. f. angew. Kunst, Vienna).

2. C.O. Czeschka, *Collier e spilla*, 1905. (Mus. f. angew. Kunst, Vienna).

J. Hoffmann: 3. *Spilla*, 1912. □ 4. *Ciondolo*, 1910. □ 5. *Anello*, 1910 c.

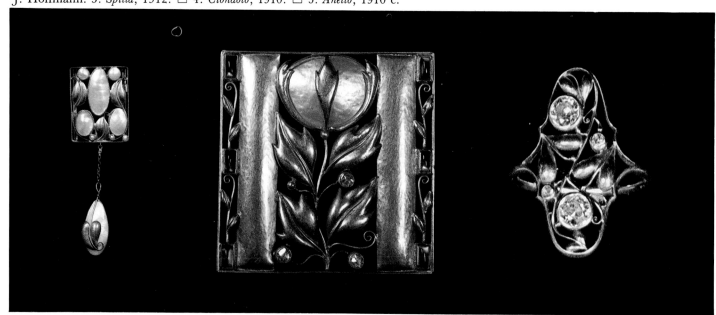

Da sinistra dall'alto:
1. B. von Falke, *Piastrella*, 1901 c. (Coll. privata, Vienna). □ 2. B. von Falke, *Piastrella*, 1901 c. (Coll. privata, Vienna). □ 3. K. Moser, *Studio per stoffa «Palermo»*, 1899. (Firma Backhausen, Vienna). □ 4. M. Benirschke, *Studio per stoffa*, 1902. (Firma Backhausen, Vienna).

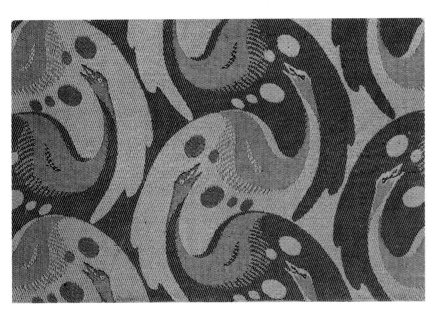

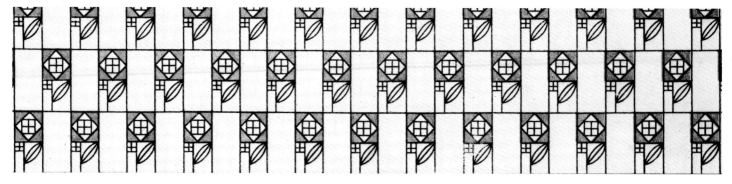

1. J. Hoffmann - K. Moser, *Carta da pacchi della Wiener Werkstätte*. ☐ 2. U. Zovetti, *Stoffa per la camicia di A. Hanak*, prod. Wiener Werkstätte. ☐ 3. O. Sikanz, *Stoffa*. (Mus. f. angew. Kunst, Vienna).

Da sinistra dall'alto:
K. Moser, 1. *Poltrona*,
1903. (Coll. privata,
Vienna). □ 2. J. Hoff-
mann, *Sedia per il sanatorio Purkersdorf*, 1903 c.
(Coll. privata, Vienna).
□ 3. K. Moser, *Poltro-
na*, 1902. □ 4. K. Mo-
ser, *Sedia*, 1903 c. (Coll.
privata, Vienna).

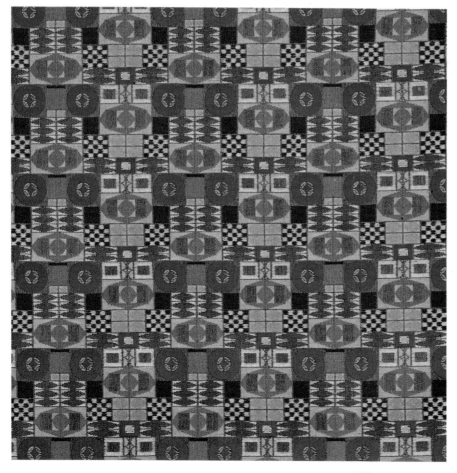

Da sinistra dall'alto:
1. F. von Zülow, *Carta da parati*. (Coll. privata, Vienna). □ 2. B. Löffler, *Carta da parati*, 1912 c. (Coll. privata, Vienna). □ 3. J. Hoffmann, *Studio per stoffa «Florida»*, 1908. (Firma Backhausen, Vienna).

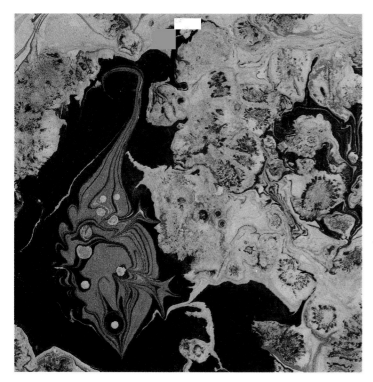

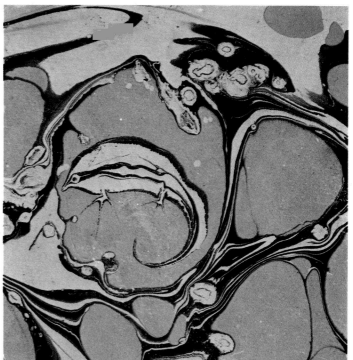

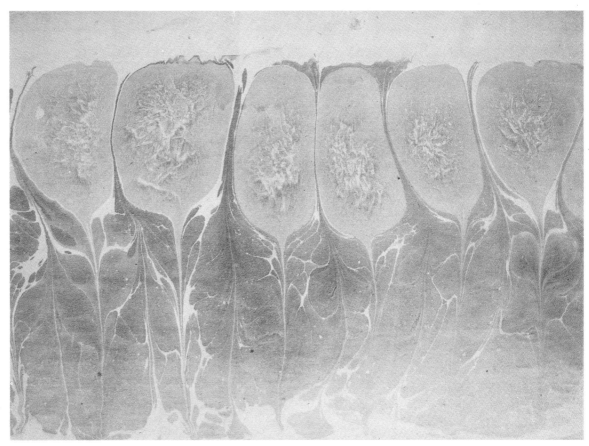

K. Moser: 1-2-3. *Carte marmorizzate*. (Coll. privata, Vienna).

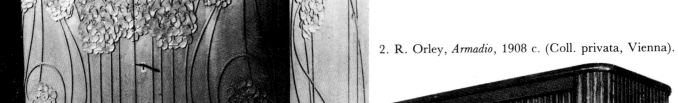

1. E. Unger, *Secrétaire*, 1900 c. (Coll. privata, Vienna).

2. R. Orley, *Armadio*, 1908 c. (Coll. privata, Vienna).

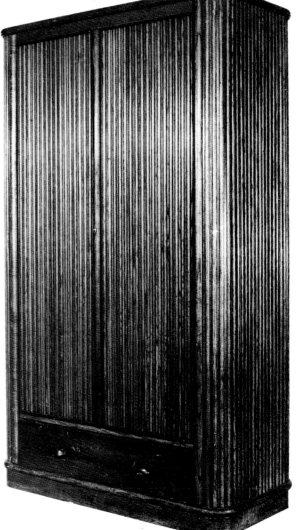

Da sinistra dall'alto:
J. Hoffmann: 1. *Tavolo di casa Koller*, 1904. (Coll. privata, Vienna). □ 2. *Tavolino multiplo di casa Waerndorfer*, 1904. (Coll. privata, Vienna). □ 3. *Tavolino*. (Coll. privata, Vienna). □ 4. *Cassettiera per l'atelier di G. Klimt*, 1904. (Coll. privata, Vienna).

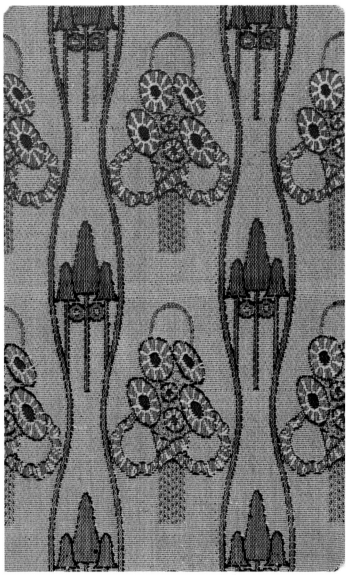

Da sinistra dall'alto:
1. E. Unger, *Studio per stoffa «Pfauenfeder»*, 1900. (Firma Backhausen, Vienna). □ 2. E. Hoppe, *Studio per stoffa*, 1907. (Firma Backhausen, Vienna). □ 3. Lichtblau, *Studio per stoffa «Florida»*, 1908. (Firma Backhausen, Vienna). □ 4. R. Orley, *Studio per stoffa «Vineta»*, 1902. (Firma Backhausen, Vienna).

1. K. Moser, *Armadio*, 1903. (Coll. privata, Vienna).

2. K. Moser, *Portafiori*, 1903-04. (Coll. privata, Vienna). □ 3. K. Moser, *Armadio* (Coll. privata, Vienna).

1. J. Hoffmann, *Armadio*, 1904. (Coll. privata, Vienna).

2. J. Hoffmann, *Tavolo rettangolare*, 1905. (Hsch. f. angew. Kunst, Vienna).

3. K. Moser, *Cassettone*, 1903 c. (Coll. privata, Vienna).

J. Hoffmann: 1. *Sedia per l'atelier di G. Klimt*, 1904. (Coll. privata, Vienna). □ 2. *Sedia con braccioli*, 1900. (Hsch. f. angew. Kunst, Vienna). □ 3. *Poltrona*, 1902 c. (Coll. privata, Vienna).

Da sinistra dall'alto:
1. K. Moser, *Poltrona intarsiata.* (Coll. privata, Vienna). □ 2. K. Moser, *Sedia «La ricca pesca».* (Coll. privata, Vienna). □ 3. K. Moser, *Buffet*, 1900. (Coll. privata, Vienna). □ 4. *Armadio con decorazioni e rilievi in metallo di Georg Klimt*, 1900 c. (Coll. privata, Vienna).

304

Da sinistra dall'alto:
J. Hoffmann: 1. *Sedia ad angolo*, 1905.
(Coll. privata, Vienna). □ 2. *Sedia*. (Coll.
privata, Vienna). □ 3. *Sedia*, 1905 c. (Coll.
privata, Vienna).

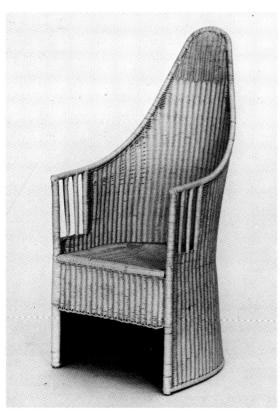

Da sinistra dall'alto:
1. F.lli Thonet, *Sedia*, 1900 c. (Coll. privata, Vienna). □ 2. C. Witzmann, *Sedia*, 1900 c. (Coll. privata, Vienna). □ 3. Scuola di Wagner, *Sedia*. □ 4. F.lli Thonet, *Sedia*, 1850 c. (Coll. privata, Vienna).

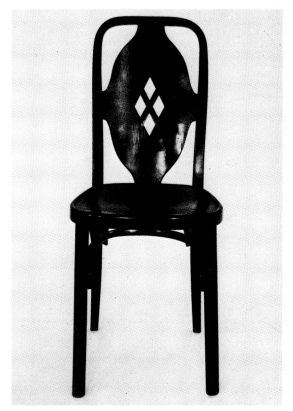

Da sinistra:
1. L. Forstner, *Mosaico*, 1906 c. (Coll. privata, Vienna). □ 2-3. A. Böhm, *Vetrate*, 1900 c. (Coll. privata, Vienna).

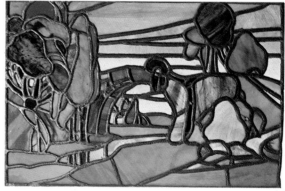

1. J. Hoffmann, *Porta a vetri*, 1902. (Coll. privata, Vienna).

2. K. Moser, *Vetrata*, 1905. (Coll. privata, Vienna).

Da sinistra dall'alto:
A. Loos: 1. *Tavolo del Café Museum di Vienna*, 1899. (Coll. privata, Vienna). □ 2. *Sgabello*, 1899. (Coll. privata, Vienna). □ 3. *Sedia per il Café Museum di Vienna*, 1899. (Coll. privata, Vienna). □ 4. *Sedia per ufficio*, 1899. (Coll. privata, Vienna).

O. Wagner: 1. *Sedia con braccioli*, 1898-99. (Coll. privata, Vienna). ☐ 2. *Sedia con braccioli*, 1900. (Coll. privata, Vienna). ☐ 3. *Sedia*, 1912. (Coll. privata, Vienna). ☐ 4. *Tavolo*, 1912. (Coll. privata, Vienna).

L. Forstner, *Mosaico (La nuotatrice).* (Coll. privata, Wels).

Da sinistra dall'alto:
1. R. Teschner, *Copertina*. (Coll. privata, Vienna). □ 2. B. Löffler, *Copertina*. (Coll. privata, Vienna). □ 3. L. Forstner, *Copertina*, (Coll. privata, Vienna). □ 4. C.O. Czeschka, *Illustrazione per «I Nibelunghi»*, 1908. (Coll. privata, Monaco).

Dall'alto:
1. O. Prutscher, *Copertina in metallo*. (Coll. privata, Milano). □ 2. K. Moser, *Illustrazione per «Die Quelle»*. (Coll. privata, Vienna).
□ 3. C.O. Czeschka, *Copertina per «I Nibelunghi»*, 1908. (Coll. privata, Vienna).

H.C. ANDERSEN

DIE·PRINZESSIN·VND DER·SCHWEINEHIRT.

Illustrirt·von Heinrich Lefler.

Gesellschaft·für·ver vielfälligende·Kunst

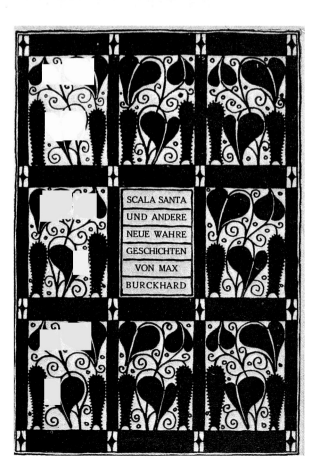

SCALA SANTA UND ANDERE NEUE WAHRE GESCHICHTEN VON MAX BURCKHARD

Sieben Billionen Jahre vor meiner Geburt war ich eine Schwertlilie.

Unter meinen schimmernden Wurzeln drehte sich ein andrer Stern.

Auf seinem dunklen Wasser schwamm meine blaue Riesenblüte.

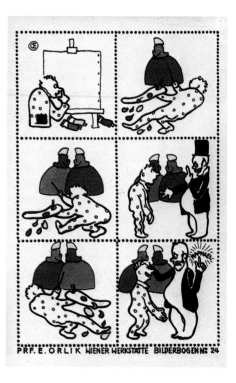

Da sinistra dall'alto:
Fogli illustrati della Wiener Werkstätte di O. Kokoschka, F. Delavilla (n. 16), E. Orlik (n. 24), M. Jung (n. 25), U. Janke (n. 26), F. Zeymer (n. 29). (Mus. f. angew. Kunst, Vienna).

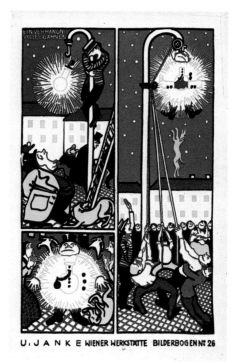

Da sinistra dall'alto:
Fogli illustrati della Wiener Werkstätte di M. Köhler (n. 21), R. Kalvach (nn. 22, 23, 28). (Mus. f. angew. Kunst, Vienna).

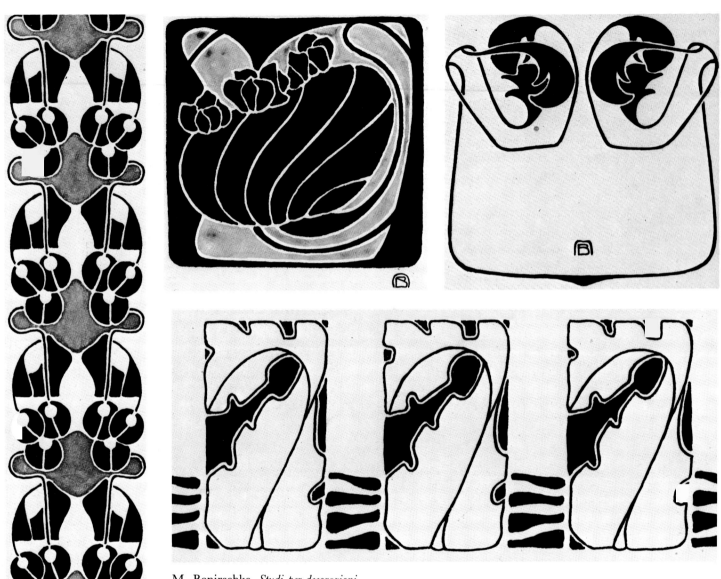

M. Benirschke, *Studi per decorazioni.*

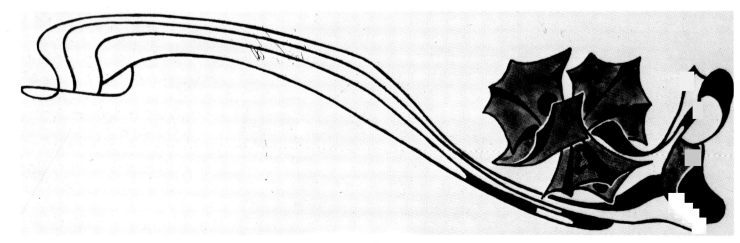

Dall'alto:
1. F. von Zülow, *Fascicoli mensili.* (N.Ö. Lds. Mus., Vienna).
☐ 2. K. Moser, *Calendario.* (Mus. f. angew. Kunst, Vienna).
☐ 3. D. Moser, *Calendario*, 1908. (Coll. privata, Monaco).

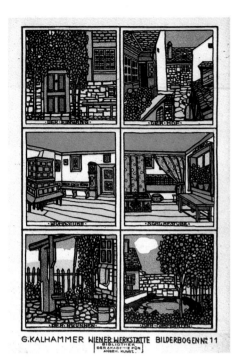

Da sinistra dall'alto:
Fogli illustrati della Wiener Werkstätte di G. Kalhammer (nn. 11, 12), U. Zovetti (n. 13), L. Kolbe (n. 14), E. Orlik (n. 19), H. Kalmsteiner (n. 20). (Mus. f. angew. Kunst, Vienna).

Da sinistra dall'alto:
Cartoline della Wiener Werkstätte di
E. Schmal (n. 237, 229), L.E.
Jungnickel (n. 380), O. Lendecke
(n. 853), C.O. Czeschka (n. 252),
O. Lendecke (n. 848), R. Geyling
(n. 177), L. Kolbe (n. 36), C.
Krenek (n. 256). (Mus. f. angew.
Kunst, Vienna)

Da sinistra dall'alto:
B. Löffler: 1. *Ex libris*, 1902. (Hsch. f. angew. Kunst, Vienna). □ 2. *«Die Quelle»*. (Hsch. f. angew. Kunst, Vienna). □ 3. *Invito per una festa di carnevale*, 1904. □ 4. *«Quer Sacrum»*, 1889.

Da sinistra dall'alto:
1. F. von Zülow, *Foresta*, 1903. (Neue Galerie, Linz). ☐ 2. Uchatius, *Studi*, 1902 c. (Coll. privata, Vienna). ☐ 3. J. Klinger, *Illustrazione*. (Coll. privata, Milano).

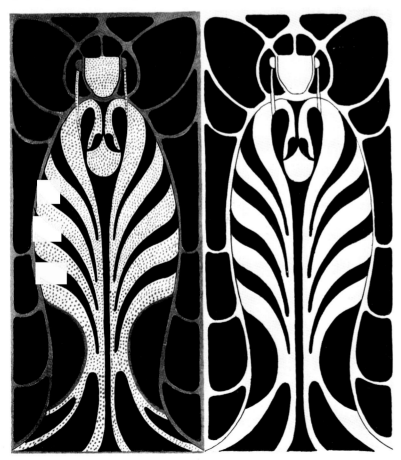

Da sinistra dall'alto:
Cartoline della Wiener Werkstätte di E. Hoppe (nn. 4, 1, Kunstschau 1908), E. Luksch (n. 395), M. Jung (n. 93), R. Kalvach (nn. 49, 15), O. Kokoschka (nn. 72, 80, 79). (Mus. f. angew. Kunst, Vienna).

A pagina precedente, da sinistra dall'alto:
Cartoline della Wiener Werkstätte di O. Kokoschka (nn. 117, 152), E. Hoppe (nn. 2, 3, Kunstschau 1908), J. Hoffmann (n. 67, Cabaret Fledermaus). (Mus. f. angew. Kunst, Vienna).

Da sinistra dall'alto:
K. Moser: 1. *Studio per decorazione dell'altare della Steinhof Kirche*, 1904. (Coll. privata, Vienna). □ 2. *Collage con foglia d'acero*. (Hsch. f. angew. Kunst, Vienna). □ 3-4. *Bozzetti per decorazioni a sbalzo su metallo*, 1903-04. (Coll. privata, Vienna).

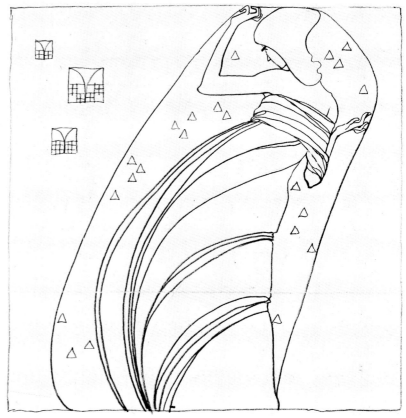

1-2-3. *Manifesti della Wiener Werkstätte per uso interno.* (Mus. f. angew. Kunst, Vienna).

1-2-3-4. *Etichette delle Kunstgewerbeschulen.*

A fronte:
M. Jung, *Alfabeto degli animali.*

CHAMAELEON

H A H N

D A C H S

I G E L

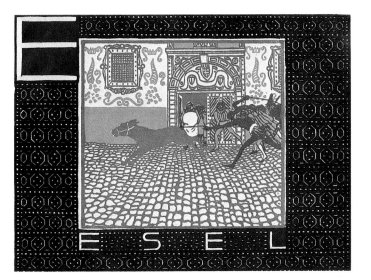

E S E L

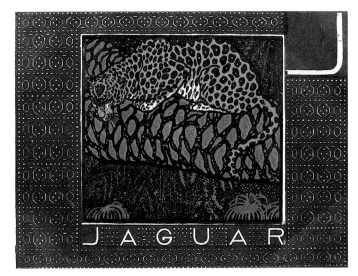

J A G U A R

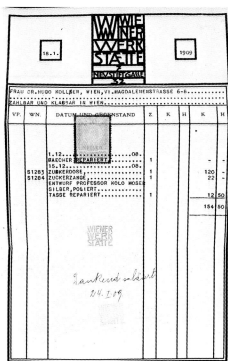

J. Hoffmann - K. Moser, *Busta, carte da pacchi e fattura della Wiener Werkstätte*, 1903-10. (Mus. f. angew. Kunst, Vienna).

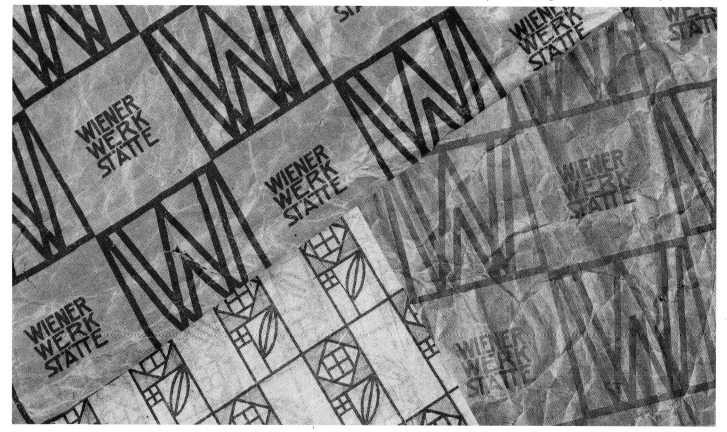

K. Moser, *Testa di donna con marchio della Secessione*, 1900-03. (Coll. privata, Vienna).

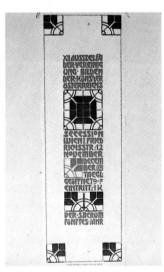

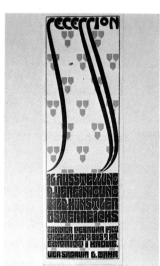

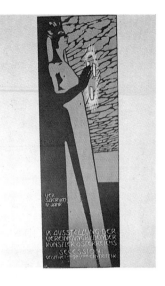

Da sinistra dall'alto:
Manifesti per le mostre della Secessione di J. M. Auchenthaller, M. Kurzweil, J.M. Olbrich, A. Roller, A. Roller, A. Böhm, A. Böhm, L. Stolba, K. Moser, L. Forstner. (Mus. f. angew. Kunst, Vienna).

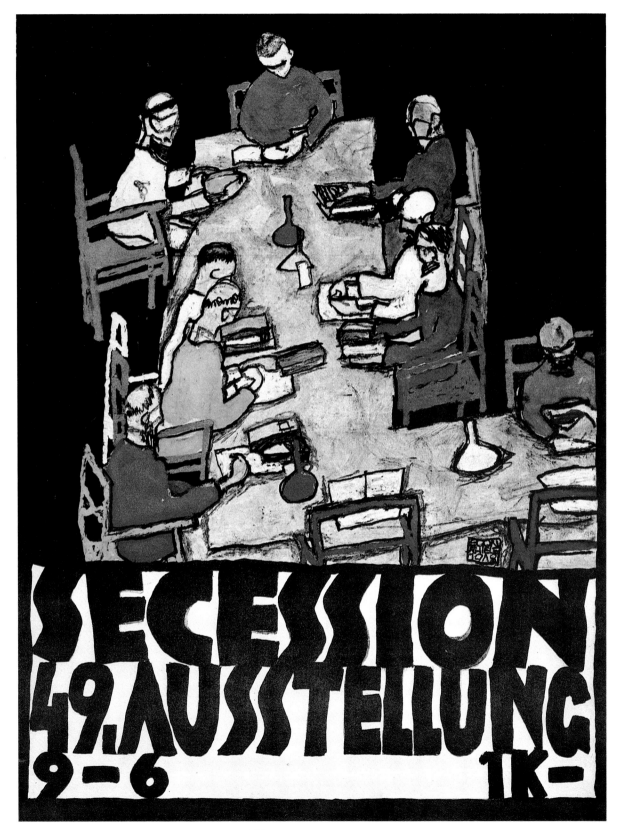

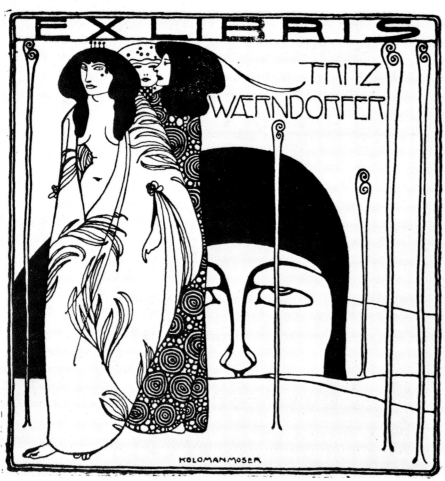

Da sinistra dall'alto:
K. Moser: 1. *Copertina del libro su Giovanni Segantini*, 1902. (Coll. privata, Vienna). □ 2. *La corsa dei salmoni* (fregio decorativo), 1900. (Coll. privata, Vienna). □ 3. *Ex-libris*, 1903. (Coll. privata, Vienna).

1. E. Lang, *Grete Wiesenthal*, 1909. (Coll. privata, Monaco).

2-3. L.E. Jungnickel, *Xilografie di animali*, 1909. (Coll. privata, Monaco).

Da sinistra dall'alto:
1. F.K. Delavilla, *Manifesto*, 1907. (Hist. Mus., Vienna). ☐ 2. R. Teschner, *Manifesto*. (Theaterslg. ÖNB, Vienna). ☐ 3. B. Löffler, *Manifesto per il Cabaret Fledermaus*, 1907. (Hist. Mus., Vienna). ☐ 4. O. Kokoschka, *Manifesto per «Assassino, speranza delle donne»*, 1909.

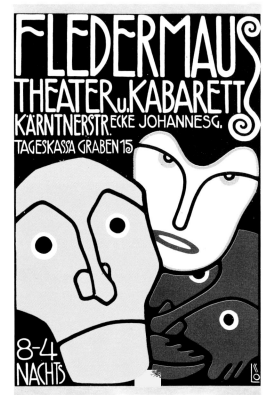

A pagina precedente:
1. O. Kokoschka, *Manifesto per la Kunstschau 1908*. (Mus. f. angew. Kunst, Vienna).
2. R. Kalvach, *Manifesto per la Kunstschau 1908*. (Mus. f. angew. Kunst, Vienna).

Da sinistra dall'alto:
1-2-3-4. J. Hoffmann, *Ingresso e interno del negozio della Wiener Werkstätte sul Graben*, 1908.

1-2-3-4. *Uffici e sale di esposizione della Wiener Werkstätte nella Neustift-gasse.*

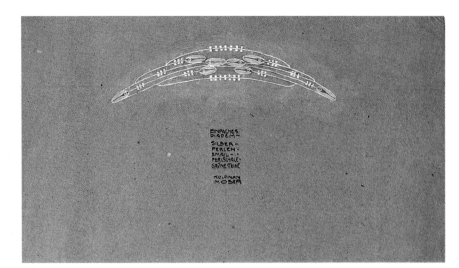

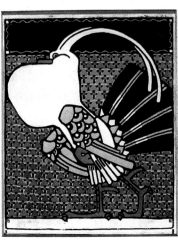

A pagina seguente:
1-2-3. F.K. Delavilla, *Illustrazioni per «Trauriges Stücklein»*.

Da sinistra dall'alto:
1. K. Moser, *Calendario*. (Coll. privata, Vienna). □ 2. K. Moser, *Studio per diadema*, 1902. (Coll. privata, Vienna). □ 3. M. Benirschke, *Studio per «Die Quelle»*, 1901 c. (Coll. privata, Monaco). □ 4. B. Löffler, *Uccello*, 1903 c. (Coll. privata, Monaco). □ 5. Eichinger, *Giullare*. (Hsch. f. angew. Kunst, Vienna).

DA KAM DAS OECHSLEIN UND TRANK DAS WAESSERLEIN DA KAM DAS METZGERLEIN UND SCHLACHTET DAS OECHSLEIN

DA KAM DAS HUENDLEIN UND BISS DAS FUECHSLEIN DA KAM DAS STOECKLEIN UND SCHLUG DAS HUENDLEIN

DA KAM DAS FEUERLEIN UND VERBRANNTE DAS STOECKLEIN DA KAM DAS WAESSERLEIN UND VERLOESCHT DAS FEUERLEIN

Da sinistra:
1. B. Löffler, *Manifesto*, 1905. (Hsch. f. angew. Kunst, Vienna). ☐ 2. L. For-stner, *Copertina di catalogo*, 1909. (Hsch. f. angew. Kunst, Vienna). ☐ 3. J. Dive-ky, *Studio per copertina*. (Hsch. f. angew. Kunst, Vienna).

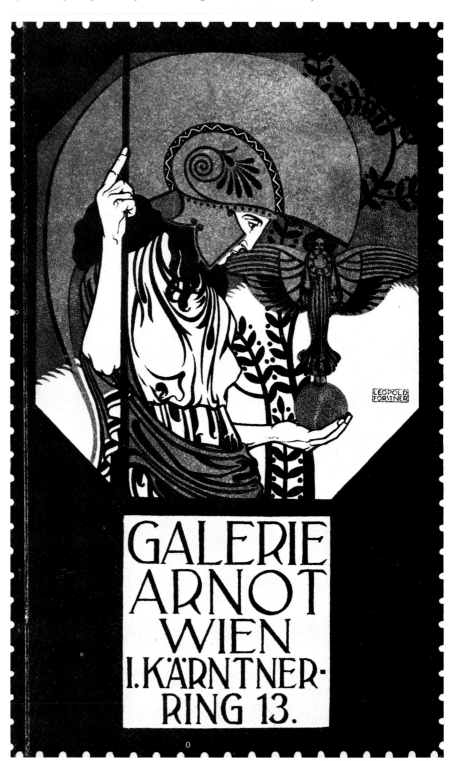

Da sinistra dall'alto:
1. C. Krenek, *Manifesto*. (Mus. f. angew. Kunst, Vienna). □ 2. K. Moser, *Manifesto*. (Mus. f. angew. Kunst, Vienna) □ 3. O. Kokoschka, *Manifesto*. (Mus. f. angew. Kunst, Vienna).

2. H. Kühn, *Natura morta*, 1910-12.

1. H. Kühn, *Miss Mary*, 1910 c.

LA FOTOGRAFIA A VIENNA DAL 1890 AL 1920

Monica Faber

Sopra:
1. J.M. Olbrich, *Decorazione per libro*, in «Ver Sacrum», gennaio 1898.

2. Hugo Henneberg, foto di L. David, 1901.

[1] «Ver Sacrum», fasc. 4, 1898, p. 26.
[2] Ludwig Hevesi, *Österreichische Kunst im 19. Jahrhundert, 1848-1900*, Leipzig, 1903, p. 232.
[3] «Photographische Correspondenz», 1887, p. 226.
[4] Il «Photographische Rundschau» apparve a Vienna nel 1887-88; dal 1888 passò a Halle sulla Saale. Solo dal 1894 la casa editrice si trasferì in Germania. Dal 1894 al 1898 uscirono, stampati in proprio dal Cameraklub, i «Wiener Photographische Blätter», che erano ancora più raffinati.

Come l'arte figurativa, l'architettura e l'artigianato artistico, pure la fotografia si trovava, durante l'ultimo decennio dello scorso secolo, nel segno di un'innovazione che toccava sia lo sviluppo dei media sia l'integrazione delle singole categorie in una coscienza culturale collettiva. Nel 1898 «Ver Sacrum» scriveva: «La fotografia amatoriale diverrà da ora in poi un'alleata da non sottovalutare per la propaganda di una concezione di vita artistica, al cui servizio noi ci poniamo.»[1]

La limitazione alla fotografia amatoriale è importante, e la si trova anche in Ludwig Hevesi, che nel 1902 annotava nel suo libro *Österreichische Kunst im 19. Jahrhundert*: «Anche il Cameraklub gioca un ruolo importante nel mondo artistico viennese...»[2] Questa valorizzazione di una certa direzione della fotografia da parte di artisti e critici d'arte progressisti era preceduta da un'attività più che decennale condotta con grande impegno personale da alcuni entusiasti, che molto presto si organizzarono in associazioni.

Il Cameraklub fu fondato nel 1887 come «appendice» della Photographischen Gesellschaft, che dal 1861 rappresentava gli interessi dei fotografi professionisti, dell'industria fotografica e del commercio. Il club, che originariamente si chiamava Club der Amateur-Photographen in Wien, rifiutava gli interessi commerciali per la fotografia ed era «la prima associazione di questo tipo sul continente che si era assegnata lo scopo di risveglia-

re la sensibiltà per la fotografia "come immagine" in vasti circoli».[3] Questa «fotografia artistica» mirava alla parità con la pittura e la grafica. Così già nel 1891 fu organizzata a Vienna una «Esposizione internazionale di fotografie artistiche» la cui giuria era composta — contrariamente alla prassi abituale — esclusivamente da pittori e grafici. Il club organizzò regolarmente, negli anni seguenti, esposizioni e i suoi membri parteciparono a varie iniziative all'estero che, seguendo l'esempio dell'esposizione viennese, presto ebbero luogo a Londra, Amburgo e Berlino. L'organo di stampa dell'associazione, nel quale venivano discusse innovazioni tecniche ed estetiche, era il «Photographische Rundschau».[4] Fu una delle riviste che si distinsero per la stampa accurata e l'impostazione artistica; rese possibile, affiancando un'attività esposizionistica vivace, uno scambio di idee rapido nell'ambito della fotografia internazionale di quei tempi.

Nel Cameraklub s'incontrarono nel 1894 i tre più noti fotografi austriaci di fine secolo: Heinrich Kühn, Hans Watzek e Hugo Henneberg. Anche se altri membri del club, quali Friedrich Spitzer, Paul Pichier, Albert e Nathaniel Rothschild o Ludwig David, crearono opere interessanti artisticamente e parteciparono a mostre internazionali, furono soprattutto i primi tre, con le loro immagini innovative e i loro contatti personali, a contribuire al prestigio internazionale della fotografia austriaca dell'epo-

345

ca. Hugo Henneberg, che come grafico era anche membro della Secessione viennese, si fece tramite per importanti stimoli dall'America e Inghilterra, destinati a diventare determinanti in Austria. Nel 1894 fu eletto nel Linked Ring londinese e già nel 1890 corrispondeva con Alfred Stieglitz, che più tardi ebbe anche stretti rapporti con Heinrich Kühn. In seguito Alfred Stieglitz visitò Vienna e ne ricevette importanti influssi: rappresentò poi la fotografia artistica austriaca a New York.

Hans Watzek fece esperimenti sulla camera oscura con lenti comuni per occhiali e, sotto l'influsso del francese Robert Demachy, con la stampa offset, che contribuì a sviluppare ulteriormente con gli amici Kühn e Henneberg.[5] Questi esperimenti servirono ad ampliare le possibilità della fotografia favorendo un maggiore intervento soggettivo necessario all'artista per esprimere le proprie concezioni: «Una delle caratteristiche essenziali dell'arte moderna è la fedeltà alla natura e questa si lascia riprodurre fino a livelli notevoli nell'immagine fotografica. Se la fotografia sia in grado di sviluppare anche quelle qualità necessarie all'espressione artistica, oltre che la fedeltà alla natura, questo ce lo devono insegnare le nostre esposizioni.» Questo pretendeva Hans Watzek, che inoltre argomentava: «La verità alla quale aspira l'artista non è la rappresentazione esatta di oggetti esterni ma la riproduzione dell'immagine visiva elaborata in modo soggettivo dall'artista... Nella rappresentazione figurativa di una tale immagine le qualità spaziali dell'oggetto raffigurato non si ritrovano accostate con lo stesso valore, bensì, seguendo la predisposizione soggettiva dell'artista, alcuni dettagli vengono sottolineati, altri soppressi o rimossi...»[6]

In contrasto con molti fotografi stranieri importanti dell'epoca — in particolare Robert Demachy, J. Craig Annan o Edward Steichen — questo «sottolineare» o «sopprimere» e lo sfocamento necessario, più corrispondente all'impressione soggettiva che alla messa a fuoco prescritta, venivano ottenuti con l'applicazione di innovazioni tecniche più che con interventi manuali diretti, come pennellate o la copertura di parti dell'immagine. Un mezzo importante usato per questo scopo era la stampa offset, che tramite ripetute stampe sovrapposte riusciva a fornire gradazioni di tono brillanti, oppure effetti policromi. Soprattutto Heinrich Kühn lavorò per decenni al perfezionamento delle possibilità di riproduzione di svariate gradazioni di luce: «Senza di queste infatti non otterremmo mai immagini che descrivano convincentemente gli umori e che dicano qualcosa alla sfera interiore dell'uomo. Questa consapevolezza è importante per la posizione della fotografia artistica in contrapposi-

2. H. Watzek, 1891.

3. H.C. Kosel, foto di H. Lang, 1911.

1. Mostra itinerante di fotografia artistica, Vienna, 1899.

[5] Heinrich Kühn, Hugo Henneberg e Hans Watzek lavorarono e viaggiarono molto assieme. Si denominavano «Trifolium» e firmavano spesso i loro lavori con il simbolo del trifoglio.
[6] Hans Watzek, *Über das Künstlerische in der Photographie*, in «Wiener Photographische Blätter», agosto 1895. Cfr. Otto Hochreitner, *Über Photographie*, in *Geschichte der Photographie in Österreich*, cat. mostra, Bad Ischl, 1983, vol. II, p. 87.

1. Hans Watzek, foto di L.David, 1899.

2. Heinrich Kühn, foto di R. Dühr-kopp, 1903.

[7] Heinrich Kühn, *Die photographische Bewältingung grosser Helligkeitsgegensätze*, in *Das deutsche Lichtbild*, Berlin, 1932, p. 24.
[8] Herm. Cl. Kosel, *Die Moderne in Photo und die Technik*, in «Photosport», dicembre 1927, p. 2.
[9] Dr. H. Bachmann, *Über die Bedingungen der künstlerischen Photographie*, in «Deutscher Kamera Almanach», anno 1905, p. 149.
[10] H. Kühn, *op. cit.*, p. 25.

zione alla fotografia meccanica.»[7]

Accanto al patrimonio immaginativo impressionistico riscontrabile in Watzek e nei rappresentanti della Secessione viennese, si possono ritrovare in molti paesaggi dei fotografi artistici anche riferimenti al simbolismo, come in Arnold Böcklin, ma molto raramente sono contenuti letterari o simbolici a dominare la descrizione naturalistica. Più tardi si ritrovano spesso influssi delle rappresentazioni paesaggistiche di Gustav Klimt: piattezza, orizzonti alti, crescente astrazione di dettagli singoli della natura, come tronchi, rami, onde ecc. Anche il tema della rappresentazione umana, che a poco a poco aumenta d'importanza, mostra la tendenza alla stilizzazione: i ritratti, più che rappresentazioni di determinate persone, sono mezzi per una composizione dettata dall'animo: «L'apparecchio fotografico è il nostro utensile, come lo fu per i nostri predecessori. Con esso dobbiamo strappare gli oggetti alla natura e dar loro un'anima tramite i valori del gusto. Ma non deve essere soltanto un utensile, altrimenti ogni innovazione sarebbe un regresso.»[8] Premessa per la possibilità di rappresentare l'anima coll'immagine era, assieme alla conoscenza approfondita dell'oggetto o delle persone rappresentate — i fotografi artistici riprendevano quasi esclusivamente familiari o amici intimi — la concentrazione sul risultato finale, sulla cui composizione armonica venne scritto molto: «Dovremmo ritrovare la massima luce e ombre profondissime nell'immagine, non in grandi quantità, ma al contrario dovrebbero apparire entrambe dosate con economia. Il nostro motivo deve risaltare con forza dall'immagine, simmetrica deve essere la struttura lineare, armonicamente dosata la tonalità.»[9] Quando le riflessioni si concentrano così fortemente sul formale ed al tema stesso viene data un'importanza minore, appare naturale come Heinrich Kühn desse anche a rappresentazioni umane il titolo di «studio di tonalità».

La scelta del motivo, la concezione dell'immagine e gli obiettivi degli amatori citati si distinguevano nettamente da quelli dei fotografi commerciali del XIX secolo, che invece erano totalmente dipendenti dai gusti convenzionali dei loro clienti e che producevano immagini come pura merce. Dal punto di vista dei fotografi artistici, che riscoprirono l'alta qualità dei primi anni dell'arte fotografica, la situazione era vista nella seguente maniera: «Poco dopo Hill venne la prima grande catastrofe per la fotografia, un regresso di tali dimensioni che non sarà mai superato totalmente. Una massa artisticamente incapace, interiormente impreparata, si buttò, cercando affari, sulla ''povera fotografia''.»[10]
Un uso non commerciale della fotografia fu possibile solo dopo un'importante innovazione tecnica: nell'anno 1879 fu introdotta in Austria la lastra secca preparata industrialmente, la cui manipolazione e conservazione era molto più semplice che con quella al collodio. Un ulteriore miglioramento e l'abbassamento dei costi del materiale negativo prodotto industrialmente alla svolta del secolo resero possibile a una cerchia più ampia di persone praticare il «photosport», non riservandolo solo ai molto abbienti che si erano riuniti nel Cameraklub, che peraltro ora perse d'importanza con la morte o il ritiro dei membri più importanti. Numerose altre associazioni amatoriali furono fondate a Vienna e in tutte le regioni della monarchia asburgica e rimasero fedeli agli obiettivi estetici di fine secolo fino negli anni '30.
Il periodo più importante della «fotografia artistica» a Vienna era finito già nel 1905, nonostante singoli fotografi, come Heinrich Kühn, continuassero ancora per alcuni decenni a produrre fotografie di qualità immutata, raggiungendo alte vette soprattutto nel campo della fotografia a colori su piastre Lumière. La tecnica della stampa offset fu sostituita quasi completamente da una nuova tecnica, che era più semplice ma dava risultati meno brillanti: la stampa al bromuro, divulgata da Emil Mayer.

Mentre le prestazioni artistiche della fotografia amatoriale subirono un calo, la grande popolarità e la stima duratura per la fotografia da parte di cerchie artisticamente interessate provocarono una svolta di gusto anche nei clienti di atelier commerciali. Così poté svilupparsi, in alcuni atelier fondati agli inizi del secolo, una nuova cultura del ritratto. Hermann Clemens Kosel, che aveva lavorato per il fotografo Albert von Rothschild, prese come modello per i suoi ritratti di nobildonne e uomini soprattutto la pittura ritrattistica del XVIII secolo. Dora Kallmus creò invece nel suo atelier «d'Ora» ritratti di scrittori e artisti dapprima seguendo stilisticamente le orme di Nicola Perscheid, col quale aveva studiato a Berlino, e più tardi ponendosi in direzione delle composizioni Jugendstil. Il suo grande successo commerciale è provato dalle numerose pubblicazioni sulle riviste, ora corredate di fotografie, e anche in giornali d'oltre frontiera. Il fatto che fotografie di Kosel e d'Ora venissero esposte anche in gallerie d'arte comprova il nuovo ruolo ricoperto dalla fotografia d'atelier. I clienti di questi atelier erano soprattutto artisti o esponenti dell'alta società, mentre la gran parte dei ritratti veniva ancora prodotta seguendo la tradizione del XIX secolo.

La collaborazione stretta e fertile tra artisti figurativi — soprattutto della Secessione o della Wiener Werkstätte — con i fotografi si può documentare con molti esempi. Da un lato la somiglianza fra la «concezione artistica e la vita»[11] ebbe come conseguenza che fotografie amatoriali furono riprodotte sia su «Ver Sacrum» sia in mostre della Secessione, dall'altro che alcuni di questi amatori (Henneberg, Spitzer e Kühn) si fecero progettare le loro case da Josef Hoffmann.

Ma anche fotografi professionisti svolsero un ruolo importante nell'ambito delle ambizioni artistiche del periodo. Moriz Nähr, amico di Gustav Klimt e pittore esperto, creò, accanto ad artistiche stampe offset, quasi tutte le riproduzioni per i cataloghi della Secessione, conquistandosi una stima internazionale.[12] Martin Gerlach, nella cui casa editrice apparirono sia libri fotografici che pubblicazioni sull'artigianato artistico, stampò anche numerosi volumi dedicati a materiale fotografico che dovevano servire da spunto ad artisti figurativi. Con le proprie riprese fotografiche per il suo volume *Formenwelt aus dem Naturreiche*, egli mostra ritagli di ingrandimenti mi-

croscopici, influenzando profondamente gli ornamenti Jugendstil.[13] Mentre si trovano esempi, anche in Austria, già nel XIX secolo, di artisti, come Hans Makart, Friedrich Amerling o Gustav Klimt, che disegnano direttamente sulla base di fotografie, Egon Schiele fu il primo che influenzò direttamente la fotografia stessa: si fece ritrarre in pose inconsuete dai suoi amici Johannes Fischer e Josef Anton Trcka (soprannominato Antios), che fino alla seconda guerra mondiale tenne un atelier commerciale. Spesso rafforzava l'effetto di posa del corpo e delle mani, come negli autoritratti dipinti o disegnati, elaborando pittoricamente le fotografie. I lavori di Trcka furono dunque influenzati dalle opere di Schiele, come del resto alcuni paesaggi di Rudolf Koppitz, che sarebbe diventato il maggior esponente della fotografia austriaca nel periodo tra le due guerre. Egli introdusse, come assistente e più tardi come insegnante, l'idea della fotografia come arte nella Graphische Lehr- und Versuchsanstalt di Vienna, che deteneva fin dalla sua fondazione il monopolio per la formazione dei fotografi professionisti.

Sia nei lavori degli amatori interessati artisticamente sia nei lavori fotografici per e con artisti, l'immagine singola, possibilmente completa costituiva l'inizio e la fine di tutte le riflessioni. Anche per i ritratti commerciali l'impegno principale dell'artista doveva consistere in una raffigurazione rappresentativa.

Molto meno conosciuto di queste prestazioni artistiche è il fatto che, alla fine dell'800, in Austria fu raggiunta una qualità notevole anche nel campo della fotografia documentaria.

Nella tradizione, così popolare nel XIX secolo, dei paesaggi urbani, Karl Schuster creò una serie sulla Freihausgründe, una zona povera dei sobborghi di Vienna. In contrasto con le tecniche di ripresa precedenti, che davano una visuale più ampia di una strada o di certi edifici, Schuster preferiva ritagli stretti, accentuati da parti architettoniche sovrapposte. Solo apparentemente queste foto somigliano agli squarci paesaggistici dei fotografi artistici: tramite il carattere seriale del lavoro l'impressione di tristez-

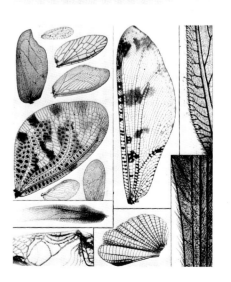

H. Drawe: 1. *Guardiani sul Wienerkanal*. □ 2. *Giaciglio notturno alla fornace di mattoni*, da «Durch die Wiener Quartiere des Elends und Verbrechens».

A pagina precedente:
1. Rudolf Koppitz, foto di Ernst.

2. Martin Gerlach, *Formenwelt aus dem Naturreiche*, in «Die Quelle».

3. Martin Gerlach, *Formenwelt aus dem Naturreiche*.

[11] «Ver Sacrum», fasc. 4, 1898.
[12] Esposizione internazionale fotografica di Dresda, 1909, catalogo.
[13] Martin Gerlach, *Formenwelt aus dem Naturreiche* (fotografie naturalistiche di Martin Gerlach, ingrandimenti microscopici del professore universitario Hugo Hinterberger), Wien-Leipzig, 1901.
[14] Felix Salten, *Würstelprater*, Wien-Leipzig, 1911; nuova edizione, Wien, 1973.
[15] Michael Mauracher, *Bildfolgen und Serien*.

za, solitudine e abbandono che risulta dalle singole immagini viene rimossa dall'ambito di un'esperienza soggettiva visiva per assurgere a documentazione oggettiva.

Un carattere più da reportage hanno le riprese del fotografo amatore viennese Emil Mayer per il libro di Felix Salten *Der Würstelprater*.[14] Con 75 riprese spontanee egli cercò di fissare «persone in situazioni di vita quotidiana facendole emergere dalla folla. Nascevano così riprese momentanee con una dinamica fino ad allora sconosciuta».[15] Qui l'interesse per l'uomo viene chiaramente in primo piano, prima di qualunque riflessione compositoria, contraddicendo l'estetica da atelier del XIX secolo e anche i severi criteri formali della «fotografia artistica», indicando la strada verso la tecnica da reportage dei fotografi giornalisti dopo la prima guerra mondiale.

Mentre Emil Mayer, con le sue foto inu-

suali, creava illustrazioni per un libro di diletto, il giudice Hermann Drawe cercava di denunciare in un reportage la miseria dei quartieri poveri. Sia nelle intenzioni che nell'alta qualità delle immagini le sue fotografie possono essere paragonate ai noti lavori di Lewis Hine o Jakob Riis. Drawe e lo scrittore Emil Kläger volevano attirare l'attenzione sui «quartieri viennesi della miseria e della delinquenza».[16] Tramite alcune conferenze e un libro di elevata tiratura il pubblico borghese fu messo a confronto con la povertà di grandi strati della popolazione. «Con la guida di un ''Kiebitz'', un uomo di fiducia, perlustrarono notte-tempo, durante i mesi estivi del 1904, i quartieri dei senzatetto, le fornaci, le fognature, le zone paludose e ricoperte di cespugli del Prater, le sale pubbliche riscaldate e i quartieri proletari.»[17] La situazione di miseria risalta drasticamente nelle riprese istantanee che Drawe fece con l'aiuto di un lampo al magnesio nei quartieri bui: «Una luce abbagliante acuta che illuminava come per miracolo tutto l'antro con la velocità del pensiero e rivelava ogni crepa nel muro e tutta la spazzatura negli angoli.»[18] Non solo il tema e il metodo di lavoro differenziano totalmente l'amatore Hermann Drawe dai fotografi artistici, ma molto più forte è la differenza nella convinzione sulle possibilità del mezzo: mentre i fotografi d'arte aspiravano alla riproduzione di un'impressione soggettiva da raggiungersi attraverso la «soppressione» e la «rimozione» di dettagli,[19] Hermann Drawe cercava di attirare l'attenzione tramite le possibilità della fotografia, rendendo visibili con incisività e chiarezza dettagli finora ignorati su una situazione sociale non ritenuta degna di essere riprodotta. La fotografia come mezzo artistico di elaborazione figurativa si contrappone qui alla fotografia come documento della realtà.

A fronte:
H. Drawe, *Alloggio popolare*, da «Durch die Wiener Quartiere des Elends und Verbrechens».

in *Geschichte der Photographie in Osterreich*, cat. mostra, Bad Ischl, 1983, p. 329.
[16] Emil Kläger, *Durch die Wiener Quartiere des Elends und Verbrechens — Ein Wanderbuch aus dem Jenseits*, Wien, 1908.
[17] M. Mauracher, *op. cit.*, p. 327.
[18] E. Kläger, *op. cit.*, p. 48.
[19] H. Watzek, *op. cit.*

Anna Pawlowa, foto D'Ora.

Da sinistra dall'alto:
1. M. Nähr, *Gustav Klimt*.
□ 2. H. Kühn, *Alfred Stieglitz*, 1904. □ 3. E. Mayer, *Ritratto di signora*. (Coll. privata, Vienna). □ 4. E. Mayer, *Fontana Donnerbrunnen*. (Coll. privata, Vienna).

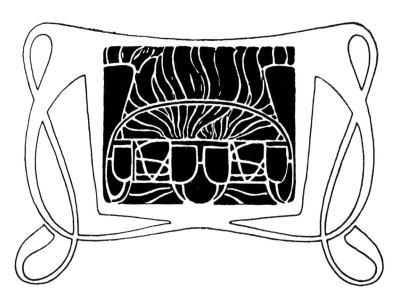

OTTO WAGNER, ADOLF LOOS E LO STORICISMO VIENNESE
«La città di Potemkin» e l'«Architettura moderna»

Peter Haiko

«Quando me ne vado a spasso lungo il Ring ho sempre l'impressione che un moderno Potemkin si sia assunto il compito di far credere a tutti di essere stati trasferiti in una città per soli nobili. Tutto quello che l'Italia [rinascimentale] ha saputo creare in fatto di palazzi signorili è stato saccheggiato per... costruire l'illusione di una Nuova Vienna che... potesse essere abitata da gente in grado di possedere... un intero palazzo.»[1] Adolf Loos, in «Ver Sacrum», la rivista della Secessione viennese, sotto il titolo *La città di Potemkin*, usa polemicamente queste parole per descrivere l'architettura dello storicismo viennese. Tre anni prima Otto Wagner aveva usato quasi le medesime parole per criticare questa architettura della Vienna della seconda metà del XIX secolo: «Non c'è biasimo sufficiente... per la cialtroneria traboccante di falsità che richiama alla memoria i villaggi di Potemkin. Nella storia dell'arte non c'è un altro periodo che possa esibire tali mostruosità...»[2] I due architetti, il quasi sessantenne Wagner e il non ancora trentenne Loos, si contrappongono allo storicismo e al suo costante ricorrere agli stili del passato e professano una diversa idea dell'arte: «L'arte moderna deve rappresentare noi moderni, ciò che siamo in grado di fare, ciò che facciamo, ciò che non facciamo.»[3] Essi esigono che l'«architettura moderna» (questo è anche il titolo programmatico di un saggio teorico di Loos) «si adegui alle correnti dominanti dell'epoca».[4]

Adolf Loos parte dal presupposto — da un punto di vista idealistico — che l'architetto abbia tra le sue possibilità quella di «dare un'impronta diversa a determinate abitudini ed espressioni culturali con la progettazione di un disegno in scala e attraverso l'ideazione degli oggetti di uso comune».[5] A questo presupposto corrisponde l'idea di Wagner dell'«incredibile, smisurata forza esercitata sull'umanità dalle opere dell'arte di costruire», anzi dalle opere dell'architettura in sé, la quale come arte di costruire è «la più alta espressione delle capacità umane, attingente quasi al divino».[6] Entrambi gli architetti tentano di essere all'altezza delle esigenze derivanti da tali presupposti, soprattutto con l'«onestà» della loro arte, qualità questa che a loro sembra essere del tutto assente nello storicismo. La casa d'abitazione, loro impegno costruttivo più importante intorno al 1900, costituisce il terreno su cui sia Loos sia Wagner concentrano le loro critiche allo storicismo. La mania dei viennesi per «lo sfarzo e la grandiosità da signori feudali»[7] è responsabile, secondo Loos, del fatto che il capitalista e lo speculatore immobiliare sono costretti, per seguire il mercato delle locazioni, a fare «inchiodare sulla facciata» fregi e ornamenti decorativi. Dice Loos: «Certo, inchiodare! Perché questi palazzi barocchi e rinascimentali non sono certo del materiale di cui sembrano costruiti... I dettagli ornamentali, le ghirlande di frutta, le mensole, i cartigli e i dentelli non sono

[1] Adolf Loos, *Die Potemkin'sche Stadt — Verschollene Schriften 1897-1933*, a cura di Adolf Opel, Wien, 1983, p. 55 sgg.
[2] Otto Wagner, *Moderne Architektur*, Wien, 1896, p. 81.
[3] *Ibidem*, p. 31
[4] Adolf Loos, *Die alte und die neue Richtung in der Baukunst - Eine Parallele mit besonderer Rücksicht auf die Wiener Kunstverhältnisse*, in *Potemkin'sche Stadt*, cìt., p. 62.
[5] *Ibidem*, p. 66.
[6] Wagner, *op. cit.*, p. 13.
[7] Loos, *Potemkin'sche Stadt*, cit., p. 56.

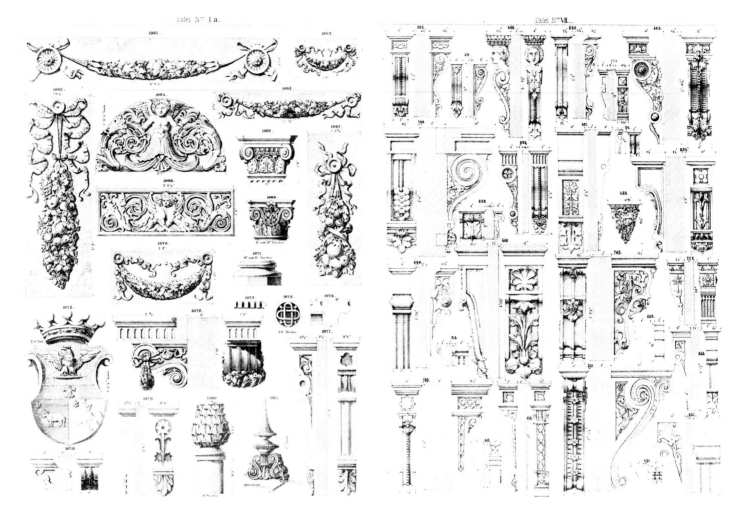

altro che colate di cemento inchiodate.»[8]
Certo al viennese piace «poter imitare
con mezzi così poveri il costoso materiale
che forniva il modello al quale ispirarsi;
da vero parvenu crede che nessuno si ac-
corga del trucco».[9]
Loos nobiliterà la *propria* architettura, e
con essa anche i *propri* committenti, sostituendo la falsa nobiltà da parvenu delle decorazioni «inchiodate» con una onesta e schietta assenza di decorazioni. Come mezzo per dare dignità alle sue costruzioni utilizzerà la preziosità naturale
del materiale impiegato e la migliore lavorazione artigianale. L'uso di materiali
preziosi e ben lavorati esclude, secondo
Loos, la necessità di ricorrere alle decorazioni, perché «...oggi anche la persona
più grossolana non oserebbe intarsiare la
superficie di un legno prezioso o incidere
lo straordinario gioco di natura che mostra una lastra di marmo oppure tagliare

a quadretti una splendida pelle di volpe
argentata per farne, unendola ad altre
pellicce, un campione a scacchi».[10]
Loos attribuisce al lavoro «naturale»,
«manuale» un'aura caratteristica. Proprio nel XIX secolo il valore artistico era
entrato in crisi per l'introduzione delle
tecniche di riproduzione; ora esso riceve
un nuovo impulso, quello del lavoro manuale, grazie all'esclusione da parte di
Loos dei metodi di riproduzione mecca-
nici.
Le opinioni di Otto Wagner per quanto
riguarda la concezione della «moderna
casa d'affitto» coincidono ampiamente
con quelle di Adolf Loos. Già nel 1895-
96 Wagner postulava che «le abitudini di
vita degli uomini si uniformano ogni
giorno di più... rendendo sempre più
inutile la casa d'abitazione unifamiliare»
e che da ciò derivava necessariamente
l'«uniformità delle case d'affitto» come

1-2. *Elementi decorativi prefabbricati*, dal
catalogo della ditta Wienerberger.
(Mus. f. angew. Kunst, Vienna).

A fronte dall'alto:
1. O. Wagner, *Casa d'abitazione in Linke
Wienzeile 38*, Vienna, 1898-99.

2. O. Wagner, *Casa d'abitazione in Linke
Wienzeile 40*, Vienna, 1898-99.

3. F. Neumann, *Palazzo di Leon Ritter
von Wienburg, Linke Wienzeile 36*, 1896-
97.

[8] *Ibidem*, p. 56 sgg.
[9] *Ibidem*, p. 57.
[10] Adolf Loos, *Hands off!*, in *Sämtliche Schriften*, Wien-München, 1962, vol. I, p. 346.

conglomerati cellulari.[11]

Loos, facendo anch'egli appello al valore etico dell'onestà, parafrasa due anni dopo questa dichiarazione di Wagner nel modo seguente: «Essere poveri non è vergognoso. Non tutti hanno avuto la possibilità di nascere in una residenza signorile, ma è ridicolo e anche immorale cercare di darlo a intendere al prossimo. Non vergogniamoci quindi di abitare in una casa d'affitto insieme con tante altre persone del nostro stesso livello sociale.»[12]

Otto Wagner nel 1898-99 costruisce le sue case d'abitazione nella Linke Wienzeile ai numeri 38 e 40 nella piena consapevolezza del rifiuto dei principi informatori dello storicismo. Partendo dal presupposto che «le elaborazioni architettoniche che cercano di ispirarsi all'architettura dei palazzi sono da considerare completamente fallite, proprio perché contraddicono la struttura intima della costruzione»,[13] arriva a concepire una struttura «democratica» della facciata, in netta contrapposizione con le case adiacenti ai numeri 36 e 42 della Linke Wienzeile, costruite nel medesimo periodo. Questi due edifici per abitazione possono essere considerati esemplificativi dei principi informatori del tardo storicismo viennese. Gli architetti autori del progetto, seguendo uno schema tipico, hanno cercato in questo caso di rendere visibile dall'esterno una sottile struttura gerarchica dei singoli piani. In questo modo hanno ripreso la tradizione, in auge nella Vienna degli anni '60 del secolo XIX, del cosiddetto palazzo del censo, ma portando nel contempo all'esasperazione anche il suo ruolo di differenziare lo status sociale.

Il loro obiettivo è quello di ottenere un'abitazione «elegante» da una costruzione che si distingue in generale per l'ipertrofia dei dettagli caratteristici. L'architetto della Linke Wienzeile 42 cita inoltre una delle forme di nobiltà in assoluto, cioè a dire la loggia della benedizione, per mostrare in pubblico la dignità della casa e dei singoli inquilini. Di certo la pratica dell'horror vacui, generalmente diffusa nel tardo storicismo, portava ad allineare uno accanto all'altro o anche a sovrapporre uno all'altro i vari attributi nobiliari, determinando necessariamente uno svuotamento di si-

gnificato della forma tradizionale.

Ora Wagner contrappone all'accumulo di singoli elementi di nobiltà una facciata perfettamente liscia; risponde al particolare evidenziamento di alcuni piani, di determinate file di finestre e di settori della facciata con un allineamento stereotipato delle aperture sia in senso verticale, sia in senso orizzontale. Inoltre sostituisce la decorazione delle facciate tradizionali con una di nuovo tipo: la casa n. 40 della Linke Wienzeile è «rivestita» di piastrelle di maiolica con una decorazione floreale Jugendstil che copre l'intera facciata; medaglioni e stucchi dorati conferiscono «preziosità» alla casa n. 38 della Linke Wienzeile. In questo modo l'osservatore non vede nell'architettura che gli viene proposta l'allineamento seriale di «conglomerato cellulare» a «conglomerato cellulare» teorizzato da Wagner, ma al contrario gli si offre l'individualità artistica di ogni singola casa inconfondibile e impreziosita anche nei materiali. Queste facciate artisticamente ricercate «mascherano» tutta la struttura intima delle costruzioni di Wagner, nascondendo così anche la loro funzione, ivi compresa quella di essere oggetto di speculazione, nello stesso modo delle case adiacenti.

Otto Wagner, a differenza dello storicismo, non dà più risalto al piano nobile, il cosiddetto belétage, conferisce invece nobiltà all'intera casa attraverso la sua originale strutturazione della facciata. In questo modo ogni piano, ogni singola abitazione è partecipe, nella stessa misura, del decoro generale di tutta la facciata. Quindi, mentre nello storicismo veniva «individualizzata» una determinata abitazione rispetto all'esterno, cioè quella del padrone di casa, nel caso di Wagner ogni singola abitazione da un lato viene massificata per quanto riguarda la definizione di rango, dall'altro lato si presenta al pubblico come fosse unica, esclusiva.

Secondo Wagner l'installazione di un ascensore conferisce a tutte le abitazioni lo stesso rango; esso infatti garantisce a ogni appartamento il medesimo valore abitativo. In questo caso l'ascensore, concepito con grande raffinatezza estetica, viene ad assumere il ruolo svolto nel palazzo del censo dallo scalone che conduceva esclusivamente al piano nobile

[11] Wagner, *op. cit.*, p. 81. Il concetto di conglomerato cellulare come sinonimo di casa d'affitto viene introdotto da Wagner a partire dalla terza edizione, del 1902.
[12] Loos, *Potemkin'sche Stadt*, cit., p. 57.
[13] Wagner, *op. cit.*, p. 82.

del padrone di casa. Ecco che in questo modo ciascuna abitazione viene parificata al piano nobile, grazie al fatto di essere raggiunta dal proprio «scalone» meccanizzato. L'ascensore, che conferisce a tutto e a tutti la medesima dignità, sostituisce così secondo Wagner lo scalone concepito per uno solo degli inquilini.

In conformità ai mutamenti socio-culturali intervenuti alla fine del XIX secolo, il singolo viene «deindividualizzato» nella facciata e scompare del tutto dietro la maschera esclusiva della massa (della facciata); dietro di essa egli può e deve ritirarsi nella propria intimità, nella propria abitazione. Secondo quanto Adolf Loos affermerà più tardi, questo è il vero obiettivo: «L'uomo moderno intelligente deve portare una maschera di fronte agli altri uomini... Solo coloro che sono spiritualmente limitati hanno bisogno di gridare a tutto il mondo cosa e come essi realmente sono.»[14]

Coerentemente con questi principi Loos concepisce nel 1910 la sua casa in Michaelerplatz. Priva di ogni tipo di decorazione, la parte della casa destinata ad abitazione si presenta del tutto «senza volto». Essa è semplicemente intonacata, mentre la parte inferiore, quella dei negozi, è decorata da un rivestimento di marmo particolare.

In un mondo di rapido sviluppo capitalistico lo spazio dello scambio commerciale viene «materialmente» arredato con la maggiore raffinatezza artistica possibile. In un mondo nel quale viene progressivamente meno il ruolo pubblico della borghesia, lo spazio del borghese viene concepito «dematerializzato», apparentemente, con la maggiore coerenza artistica possibile. Alle qualità estetiche dell'architettura della zona commerciale, apprezzabili senza bisogno di mediazioni, corrisponde nella zona abitativa una bellezza «godibile» soltanto con la mediazione di una forma sublimata e intellettualizzata. La nudità della facciata «verginale», considerata dai contemporanei particolarmente provocante, poteva venire rifiutata come un'offesa al «buon gusto» solo paragonando la casa di Loos — la «casa senza sopracciglia» — a una cassa di letame oppure a una griglia di canale.

Entrambi gli architetti, Wagner e Loos, respingono quell'atteggiamento di fondo dello storicismo secondo il quale le novità della tecnica venivano utilizzate esclusivamente al fine di una sfrenata riproduzione del passato, creando in questo modo per lo più dei surrogati. In un'epoca viva dal punto di vista artistico, e nella quale la riproducibilità tecnica ormai inarrestabile si appresta a dare il colpo di grazia al mito dell'opera d'arte, la loro esigenza è quella di una diversa scelta di campo rispetto allo storicismo nel rapporto tra artista e tecnica. Se la tecnica viene assunta dallo storicismo per riuscire, per così dire, a perfezionare la storia, è giunto il momento di avere di fronte a essa un atteggiamento artisticamente creativo: «Ora deve diventare compito dell'artista... trovare un nuovo linguaggio formale per il nuovo materiale. Tutto il resto è imitazione.»[15] Al nuovo materiale — secondo il loro postulato — deve corrispondere un nuovo stile: «Quando il campo delle costruzioni viene investito da tante e tali novità, ne devono scaturire nuovi modelli formali e progressivamente un nuovo stile.»[16]

Nella costruzione della Cassa di risparmio postale del 1904-07 Otto Wagner realizza la sua idea di una architettura nuova e adeguata alla sua epoca. Al contrario di tutti gli altri progettisti non cerca il carattere monumentale per l'edificio in recuperi stilistici realizzati sulle opere del passato. L'architetto raggiunge invece la monumentalità del suo progetto, e pure quella qualità della «durata eterna» sempre pretesa per un edificio pubblico, per mezzo di un rivestimento di lastre «garantito contro le riparazioni». Wagner rende visibile in maniera «simbolica» la caratteristica particolare della facciata, il rivestimento appunto: il suo funzionalismo metaforico ed estetizzante mostra a ogni osservatore l'ancoraggio delle lastre in modo più evidente del necessario. I chiodi — in sé inutili da un punto di vista strettamente funzionale — diventano *il* nuovo ornamento, l'ornamento che, apparentemente, trova la propria legittimazione nelle esigenze costruttive. I critici osservano a questo proposito: mentre prima si dava «agli elementi della costruzione un carattere ornamentale... ora invece si cerca al contrario... di attribuire al "decoro" l'apparenza di componenti costruttive».[17] Con questo suo funzionalismo me-

1. *Casa d'abitazione in Linke Wienzeile 42*, 1896-97.

2. A. Loos, *Il negozio d'abbigliamento Goldman & Salatsch in Michaelerplatz*, 1909-11.

[14] Adolf Loos, *Von der Sparsamkeit*, in *Potemkin'sche Stadt*, cit., p. 206.
[15] Loos, *Potemkin'sche Stadt*, cit., p. 57.
[16] Wagner, *op. cit.*, p. 57.
[17] *Die neue Postsparkasse*, in «Neue Freie Presse», 1 marzo 1907, feuilleton.

1. A. Loos, *Progetto per il Ministero della Guerra*, 1908.

2. O. Wagner, *Progetto per il Ministero della Guerra*, 1908.

taforico Wagner trasferisce nella prassi il suo motto-guida, e cioè che «ogni forma architettonica... nata dal processo di costruzione si è successivamente evoluta in forma artistica».[18]

Dopo il 1900 le divergenze di opinione a proposito del rapporto tra architettura e architettura-passato, emerse tra gli esponenti del tardo storicismo da una parte e quelli dell'«arte moderna» dall'altra, acquistano tale virulenza da manifestarsi in occasione di tutti i concorsi banditi in quel periodo: un esempio particolare è rappresentato dal concorso indetto per la costruzione del Kaiser Franz Josef-Stadtmuseum in Karlsplatz, accanto al «gioiello barocco» di Vienna, la Karl-skirche di Fischer von Erlach. Il progetto di Friedrich Schachner, completamente permeato dallo «spirito» dello storicismo, si rifà tramite l'assunzione di singoli motivi e stilemi dell'architettura barocca su un'adesione stilistica — destinata al fallimento — al modello, cioè all'architettura sacra che domina la piazza. Una proposta del genere appare in realtà come un sacrilegio ai rappresentanti e ai seguaci dell'«arte moderna», favorevoli a Otto Wagner: «Il modo migliore per dimostrare il massimo rispetto per il documento artistico lasciatoci da Fischer von Erlach sarebbe quello di "lasciare in pace" il più possibile la Karlskirche, sottomettendosi completamente al suo influs-

[18] Wagner, *op. cit.*, p. 56.

„Vulcan"
für Cabinets,
kleine Comptoirs,
Glasverschläge etc.

so.»[19] La parola d'ordine per l'«arte moderna» è quella di una sottile subordinazione piuttosto che di un palese conformismo, in compenso però di totale rispetto per la funzione dell'edificio, poiché «non si tratta tanto di stile architettonico quanto di arte di costruire».[20]

L'obiettivo che in generale si prefiggevano i tardo-storicisti, ricorrendo alle citazioni dall'architettura storica — quella dell'epoca barocca oppure dell'imperatrice Maria Teresa —, era quello di far risorgere ancora una volta la storia gloriosa dell'Austria durante il declino della monarchia asburgica, almeno nel campo dell'architettura. Con lo «stile imperiale» neobarocco del tardo storicismo si voleva far di nuovo rifulgere il passato «barocco» carico di gloria evocandone il fantasma e negando la realtà.

Wagner e Loos respingono lo storicismo e il suo esorcizzante ricorso al passato e vedono la loro arte inserita anche in un contesto storico. Si ritrovano pertanto, allo stesso modo dell'«arte moderna» viennese in generale allo scorcio del secolo, a fare i conti con l'epoca intorno al 1800, ricollegandosi così al punto nel quale — come afferma lo stesso Loos — «venne spezzata la catena dell'evoluzione».[21]

All'«arte moderna» non interessa tanto assumere per citazioni la singola espressione formale, quanto piuttosto comprendere e rivitalizzare quelle intuizioni,

riconosciute come positive, che globalmente costituivano i fondamenti di quell'epoca. Lo stile Biedermeier viene vissuto come «educatore». Gli artisti che vogliono trovare l'origine del proprio «sapere e cercare, combattere e lottare» si vedono «rimandare a quel tempo spiritualmente vigoroso all'inizio del XIX secolo».[22]

Intorno al 1800 si realizzano per la prima volta anticipazioni di quella trasformazione estetico-formale che verrà perseguita intorno al 1900: «Venne a cadere quella dipendenza subalterna da un apparato formale che conduceva soltanto una vita apparente... La moderazione nell'uso della decorazione ornamentale divenne fonte di nuove idee.»[23] Nel saggio *Biedermeier als Erzieher* la tendenza a recepire il periodo intorno al 1800 nell'arte «attuale» intorno al 1900 viene rispecchiata in questo modo: «Noi ci ricolleghiamo a quell'epoca per fortificarci attraverso il modello, in modo da pervenire a forme nelle quali far vivere il nostro popolo e il nostro tempo...»[24]

Le tendenze artistico-formali che Wagner e Loos trovano prefigurate nell'arte affermatasi intorno al 1800 sono rappresentate dal ridotto uso dell'ornato, da un maggiore rilievo dato alla superficie piana e anche da una lavorazione tecnicamente adeguata del materiale impiegato. Non a caso i critici considerano il cosiddetto «nuovo stile» di Wagner una stori-

[19] Josef Sturm, *Schachner oder Wagner — Zum Wettbewerbe um den Bau des Kaiser Franz Josef-Stadtmuseum*, p. 10.
[20] *Ibidem.*
[21] Adolf Loos, *Architektur*, in *Sämtliche Schriften*, cit., p. 312.
[22] Eduard Leisching, *Die geistligen Strömungen zu Beginn des neunzehnten Jahrhunderts*, in *Der Wiener Congress — Culturgeschichte — Die bildenden Künste und das Kunstgewerbe — Theater — Musik in der Zeit von 1800 bis 1825*, Wien, 1898, p. 17.
[23] Hartwig Fischel, *Möbelentwürfe der Empire-

L. Baumann, *Ministero della Guerra*, 1908-13. (ÖNB, Vienna).

A pagina precedente da sinistra:
1. L. Bauer, *Progetto per il Ministero della Guerra*, 1908.

2. *Stufa*, prod. Grohmann & Co., 1900 c.

3. T. Hensen, *Stufa Palais Todesco*, 1870 c.

und Biedermeierzeit, in «Kunst und Kunst-handwerk», XXIII, 1920, p. 103.
[24] J.A. Lux, *Biedermeier als Erzieher*, ristampato in *Moderne Vergangenheit 1800-1900*, cat. mostra, Wien, 1981, p. 86.
[25] Wagner, *op. cit.*, p. 27. A questo proposito cfr. Peter Haiko, *Die Interieurs von Otto Wagner — Vom Glanz der französischen Könige zur Ostentation der «modernen Zwecknässigkeit»*, in Paul Asenbaum, Peter Haiko e altri, *Otto Wagner — Möbel und Innenräume*, Salzburg-Wien, 1984.
[26] Adolf Loos, *Das Prinzip der Bekleidung*, in *Ins Leere gesprochen 1897-1900*, a cura di Adolf Opel, Wien, 1981, p. 140; trad. it., *Parole nel vuoto*, Milano, Adelphi, 1972.
[27] Otto Wagner, *Entwurf für ein Amtsgebäude des Kriegsministeriums in Wien*, Kennwort, Pallas.

cizzazione dello «stile impero».[25]
Fondamentali differenze artistiche si riscontrano tra il «vecchio» e il «nuovo» orientamento dell'architettura, ma anche tra l'architettura di Otto Wagner e quella di Adolf Loos. Può essere citato a esempio della loro diversa concezione della funzione e del ruolo dell'architettura il bando indetto nel 1907 per un «concorso per raccogliere progetti per un edificio pubblico dell'imperial-regio ministero della Guerra del Reich a Vienna».
Loos elabora per il nuovo ministero della Guerra un progetto di architettura di tipo neoclassico per eccellenza, assolutamente nello spirito dell'«architecture parlante» di un Ledoux o di un Boullée. La facciata decorata con i colori della monarchia, a strisce nere e gialle, sottolinea il carattere dell'edificio. In questa occasione Loos tenta di realizzare univocamente i principi esposti nel suo scritto *Prinzip der Bekleidung*: «L'artista, però, l'architetto ha in primo luogo la percezione dell'effetto che pensa di provocare... L'effetto che egli vuole produrre sull'osservatore, sia esso di angoscia e di terrore come in carcere, di timore divino come in chiesa, di reverenza al potere statale come nel palazzo del governo... questo effetto viene suscitato per mezzo del materiale e per mezzo della forma.»[26]
A una simile iperidentificazione dell'architettura con il potere dello stato Wagner replica con una raffigurazione ipere-

stetica della burocrazia dello stato. Mentre Loos rende percepibile visivamente la volontà di dominio del potere statale, Wagner vi contrappone un'aura elevata che sublima l'architettura ufficiale in arte del costruire: gli elementi decorativi sono dorati e l'edificio viene nobilitato dal «motivo di un arco di trionfo realizzato in marmo e bronzo... con dietro il corridoio di comunicazione pensile e luccicante d'oro», e inoltre con un «cortile d'onore riccamente decorato». Infine alla facciata vengono anteposte «quattro possenti colonne».[27]
Tutti gli altri progetti — escluso quello di Loos — risultano molto più tradizionali se paragonati a quello di Wagner. Per esempio, il suo allievo Leopold Bauer ha l'idea di un castello sovradimensionato; altri, dal canto loro, tentano di essere «all'altezza» del compito assegnato con un'architettura (d'insieme) baroccheggiante, oppure con singoli particolari sempre baroccheggianti.
Tuttavia non fu il progetto di Wagner a essere realizzato, ma quello di Ludwig Baumann, cementando in questo modo alla Ringstrasse di Vienna ancora una volta lo stile imperiale tardo-asburgico. Come fiduciario «artistico» dell'erede al trono, l'arciduca Francesco Ferdinando, competente per tutte le questioni artistiche della monarchia, e come direttore del cantiere dell'Hofburg, Baumann rappresenta il gusto artistico «di corte»

riconosciuto ufficialmente dalla tarda monarchia asburgica.

Prescindendo dalla divergenza dei loro punti di vista a proposito dell'ornato — Loos lo respinge tassativamente, mentre Wagner lo accetta se ha una base «funzionale» — la differenza delle posizioni teoriche dei due artisti risalta in modo più evidente nel loro atteggiamento nei confronti dell'opera d'arte totale; vale a dire nei confronti di quella questione che comincia ad avere un ruolo determinante per alcuni artisti dello storicismo viennese, per esempio Theophil Hansen, e che è destinata a diventare intorno al 1900 per Josef Hoffmann, J. M. Olbrich, come pure per Kolo Moser, la missione artistica per eccellenza. Nel periodo intorno allo scorcio del secolo l'opera d'arte totale dello storicismo si viene a incontrare con l'«iperopera d'arte totale» dello Jugendstil e della Secessione viennese. Mentre nello storicismo era la storia che assumeva una funzione estetica, ora è la vita, persino la vita quotidiana, ad assumere questa funzione.

Adolf Loos si ribella con grande impeto a questa idea dell'opera d'arte totale: «Io sono un avversario di quella opinione che considera particolarmente vantaggioso che un edificio esca dalla mano di un architetto progettato fino alla pala per il carbone.»[28] Insiste nel riconoscere il suo ideale nel periodo intorno al 1800, quando non esisteva la preoccupazione di una struttura totale realizzata fin nel più minuto dettaglio e per così dire «benedetta» dalla mano dell'architetto. «Allora i mobili si andavano a comperare dal falegname, la tappezzeria dal tappezziere, il fonditore vendeva i corpi di bronzo per le lampade, e così via.»[29] In quei tempi la casa riceveva la sua impronta stilistica non dall'architetto ma dai suoi abitanti. Così Loos esprime la

sua nostalgia: «Allora la casa aveva uno stile, lo stile dei suoi abitanti, lo stile della famiglia.»[30]

Insomma l'opera d'arte totale viene realizzata quando un artista — l'architetto — progetta tutti gli oggetti. Nello stesso tempo questo significa che l'artigiano viene relegato esclusivamente al compito di trasformare in modo tecnicamente perfetto i progetti ideati dall'artista. Mentre Loos combatte contro il declassamento dell'artigiano implicito nella concezione dell'opera d'arte totale, Wagner dall'altro lato lo sostiene apertamente. Così scrive: «Le moderne condizioni sociali hanno fatto scomparire del tutto la specie dell'"artigiano applicato all'arte", trasformando questo lavoratore in una vera e propria macchina. Conseguenza naturale di tutto ciò deve essere che questo enorme campo di applicazione dell'arte deve competere all'architetto.»[31] Da tutto ciò Wagner tira questa conclusione: «Si può quindi senz'altro affermare che nel campo dell'arte applicata oggi solo gli artisti possono creare qualcosa di veramente buono e nuovo.»[32] Con una concezione di questo tipo Otto Wagner si legava però completamente alla autocoscienza degli artisti del XIX secolo.

Wagner e Loos sono fondamentalmente concordi su una delle questioni centrali a proposito dell'arte applicata, e cioè quella del rapporto tra funzione e forma. Al detto di Otto Wagner: «Una cosa che non è pratica non potrà mai essere bella»,[33] risponde Adolf Loos: «Con il concetto di bellezza esprimiamo la massima perfezione. È quindi da escludere assolutamente che qualcosa che non sia pratico possa essere bello. Un oggetto che abbia l'ambizione di fregiarsi del titolo di "bello" deve sottostare alla prima condizione di base che è quella di non contravvenire alla praticità.»[34]

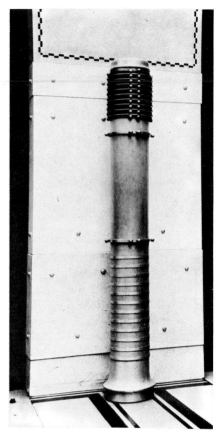

O. Wagner, *Colonna di ventilazione ad aria calda, Postsparkasse*, 1904-07.

[28] Adolf Loos, *Die Interieurs in der Rotunde*, in *Ins Leere gesprochen*, cit., p. 81.
[29] Adolf Loos, *Die Interieurs*, in *Ins Leere gesprochen*, cit., p. 68.
[30] Loos, *Interieurs in der Rotunde*, cit., p. 77.
[31] Wagner, *op. cit.*, p. 26.
[32] *Ibidem*, p. 96.
[33] *Ibidem*, p. 41.
[34] Adolf Loos, *Das Sitzmöbel*, in *Ins Leere gesprochen*, cit., p. 82.

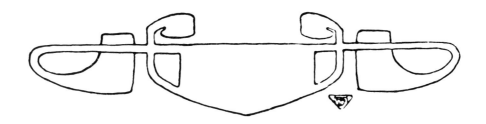

KARL KÖNIG E GLI ARCHITETTI DEL POLITECNICO

Marco Pozzetto

Sopra:
J. Hoffmann, *Decorazione per libro*, in «Ver Sacrum», aprile 1898.

Da sinistra: Max Fabiani e Karl König, 1902.

Un esame dell'architettura di Vienna al tempo della Secessione non si dovrebbe più limitare alle opere e alle proposte di Otto Wagner e della sua cerchia, anche per una questione statistica: i *non* wagneriani costruirono nell'epoca la maggior parte degli edifici, un cospicuo numero dei quali non ha certamente nulla a che vedere con il «mare di case cartacee d'affitto» teorizzato da Peter Altenberg in uno dei suoi voli poetici.

Inoltre, il movimento capeggiato da Wagner fu essenzialmente propositivo, basato sul pragmatismo di una ricerca continua, per cui venne contestato dagli oppositori e talvolta dagli stessi protagonisti: per tali ragioni poté essere compreso e accettato solo da un ristretto gruppo di illuminati committenti. La sua carica formativa e propagandistica obbligò quasi Wagner a riconoscere due fondamentali verità già nel 1895, quando scrisse nella prefazione alla prima edizione della *Moderne Architektur*: «... Numerosi sono i seguaci, ma anche gli oppositori delle idee di cui io sembro essere divenuto il vessillifero ...»

Occorre dunque ammettere che l'«arte nuova» — la Neukunst — fu dall'inizio pronta allo scontro o, forse, alla «rivoluzione», valutando a posteriori il fluire complessivo delle vicende. Di conseguenza la Altkunst — l'arte tradizionale — doveva contrapporle un proprio alfiere nella persona dell'architetto Karl König, professore di composizione architettonica alla Bauschule — facoltà di architettura — del Politecnico e per un certo periodo anche rettore di questa prestigiosa «Prima Scuola dell'Impero».

La ragione fondamentale dello scontro — normalmente interpretato come conseguenza delle differenti concezioni dell'architettura dal punto di vista formale — fu in realtà di carattere concettuale e, se mi è permesso il bisticcio, direi che dura tuttora.

Per Wagner la nuova architettura doveva essere fondata sull'uso delle scienze e delle tecnologie e condizionata dalla crescente importanza dei problemi sociali connessi con l'industrializzazione, l'inurbamento, l'emancipazione, la scomparsa degli antichi modi di vita ecc. Ma queste nuove istanze, interpretate con la *sensibilità personale* dagli architetti, avrebbero dovuto contribuire alla formazione di un'estetica diversa che, in quanto sommatoria delle sensibilità personali, avrebbe abbandonato gli «eterni» canoni architettonici. Sotto questo profilo è estremamente significativa la violenta sterzata verso il classicismo tecnologico che Wagner impresse alla sua scuola nel 1907, quasi si trattasse di uno scambio delle idee con il Politecnico!

Karl König invece voleva salvare le antiche basi su cui poggiava l'idea dell'architettura, basi che erano state scosse dagli ingegneri dell'800 con la rivoluzione tecnologica: i loro edifici infatti non furono considerati come architettura fino agli anni '30 del nostro secolo. A questi fini, e pur tenendo conto delle istanze dei tempi che, tra l'altro, da rettore era obbligato a discutere con i colleghi, König insistette sulla necessità dello studio della storia. Credo che in nessun altro politecnico o accademia europei il programma degli studi per gli architetti contemplasse ben 420 ore di insegnamento di storia dell'architettura e di storia delle tecniche architettoniche, distribuite in quattro dei cinque anni di corso. Nell'ambito di queste materie gli allievi dedicavano un semestre alla costruzione dei modelli, in prevalenza dei templi antichi, consuetudine questa passata in disuso solo dopo la fine della seconda guerra mondiale.

È pertanto chiaro che per gli ingegneri-architetti del Politecnico viennese — salvo poche eccezioni — rimanevano scarse possibilità di interpretazione personale degli edifici storici e dei loro elementi costruttivi e strutturali, che invece era richiesta agli allievi di Wagner e anche teorizzata nella *Moderne Architektur*. D'altro canto credo sia altrettanto chiaro che sono stati proprio questi ingegneri-architetti a lasciarci le più accettabili architetture «razionaliste», dal momento in cui decisero di abbandonare parzialmente o del tutto gli elementi e le forme antiche, spinti a ciò probabilmente dalla rivoluzione wagneriana. La padronanza di quel gruppo di famiglie di proporzioni di cui l'architettura si era servita da tempi immemorabili e che sono in parte insite nell'umana natura e in parte accettate dall'uomo — forse perché derivanti dalle stesse matrici geometriche delle prime — permise loro di «sbagliare» meno. E poiché il problema delle proporzioni non riguarda solo gli esterni degli edifici, ma incide anche in misura notevole sugli interni, le architetture degli allievi di König — in debita prospettiva storica — sembrano acquisire una crescente importanza.

Oltre che a Vienna, le opere degli architetti del Politecnico sono sparse sui vastissimi territori dell'ex impero, ma anche nella California, dove operavano Richard Neutra e Rudolf Schindler. A Vienna rimasero più o meno a lungo Max Fabiani che poi preferì spostarsi a Gorizia, Josef Frank che emigrò in Svezia, Oskar Strnad, Oskar Wlach, Hartwig Fischl, Oskar Sobotka che dopo il 1934 visse a Philadelphia, Oskar Laske che si diede alla pittura, Emil Pirchan che ritornò a Vienna dopo essere vissuto a lungo a Monaco, Berlino e Praga, Max Fellerer e molti altri. Alcuni degli architetti citati vollero «perfezionarsi» da Wagner dopo la laurea al Politecnico: segnatamente Schindler, Laske, Pirchan, Fellerer, quasi per assommare nella loro formazione il meglio dei due indirizzi. Fellerer addirittura amava proclamarsi «allievo di Loos», benché conoscesse il latino meglio del suo presunto maestro; fu infatti Loos a coniare lo slogan secondo cui l'architetto è un muratore che ha imparato il latino.

Vorrei concludere con un'*ipotesi di lavoro*, tutta da verificare.

La rivoluzione architettonica viennese provocata da Wagner fu, per concordi testimonianze dell'epoca, «storicamente la prima, la più concreta, la prima ad essere ideologicamente organizzata; in Europa le spetta il ruolo di guida» (Pavel Janák, 1910). La sua debolezza stava verosimilmente nell'errata interpretazione delle costanti storiche — con altre parole, nel rifiuto dei «canoni» — per dare libero sfogo alla creatività personale, un processo, questo, ostacolato dal particolare tipo della prevalente cultura conservatrice delle arti visive della capitale dell'impero, da considerarsi forse come un modo — giusto o errato — di difesa dello status quo politico contro le tendenze centrifughe nazionalistiche. Non a caso i potenti stimoli innovativi forniti per un ventennio da Wagner vennero ripresi, parzialmente trasformati e brillantemente sviluppati, soprattutto negli stati costituitisi dopo il 1918.

Ma prima del crollo, nell'ultimo trentennio dell'esistenza dell'Austria-Ungheria, l'architettura dell'immenso impero doveva in qualche modo qualificare l'idea dello *stato moderno*: a Vienna doveva portare a compimento la strutturazione dei vertici di tutte le «prime istituzioni dello stato», sistemate attorno al Ring come espressione tangibile dell'organizzazione piramidale dei singoli aspetti della vita politica, economica, culturale, amministrativa. La vertiginosa crescita della Reichshaupt- und Residenzstadt, «città capitale e di residenza», poneva a sua volta una pressoché infinita serie di temi e compiti.

Alla maggior parte di queste necessità provvide la corrente capeggiata da Karl König che doveva e voleva rappresentare la continuità. I risultati viennesi sono in parte noti, ma dovranno, quanto meno, essere reinterpretati. Per ciò che riguarda i territori dell'ex monarchia ritengo di poter dire che König abbia raggiunto lo scopo. Ho scritto altrove che l'architettura sostanzialmente unitaria di quella parte dell'Europa — probabilmente per la prima volta dall'epoca di Giuseppe II — ha contribuito a forgiare la mentalità che ancor oggi si oppone alla divisione dei territori in due mondi divisi tra loro da una cortina di incomunicabilità.

OTTO WAGNER A VIENNA
L'insolita consuetudine della storia

Otto Antonia Graf

Sopra:
1. O. Wagner, *Progetto per la Casa dell'arte*. (Mus. Mod. Kunst, Vienna).

2. *Otto Wagner*, cartolina della Wiener Werkstätte n. 251.

«...È piuttosto attraverso il demonico che gli dei intrattengono ogni dialogo e comunicazione con gli uomini, sia nella veglia che nel sonno. E chi è esperto in tali argomenti è un uomo demonico; chi invece è esperto in altro, nelle arti o nel lavoro manuale, è un uomo volgare. E poiché Eros è figlio di Poros e di Penia, a lui è toccata questa sorte. Egli è innanzitutto sempre povero, ben lungi dall'essere morbido e bello, come crede il volgo; egli è invece ruvido e irsuto, scalzo e senza ricovero, e giace sempre per terra, senza coperte, e dorme all'aperto davanti alle porte e sulle strade e, secondo la natura della madre, sempre è compagno dell'indigenza. Secondo la natura del padre, d'altro canto, insidia le cose belle e buone, è coraggioso, si getta a precipizio ed è veemente, è un cacciatore mirabile che intreccia sempre qualche astuzia, desidera la saggezza ed è dotato di risorse, trascorre la vita nell'amore per il sapere, è un mago terribile e uno stregone e un sofista. La sua natura non è immortale, né mortale, ma, in una stessa giornata, fiorisce e vive, qualora tutto ben proceda, e poi muore e rinasce, grazie alla natura del padre. Ciò che si è procurato sempre sfugge via, cosicché Eros non è mai né povero né ricco.» (*Simposion*, 203 a-e.)

L'eros di Platone definisce in maniera mirabile e precisa l'operare della storia che prorompe imprevedibile, eruttivo, difficilmente configurabile, si oppone con forza al desiderio umano e fin troppo ovvio di situazioni chiare e sicure e continuamente le affossa. Non era previsto né prevedibile che un architetto — il quale per di più sin dall'inizio si trovò coinvolto in essa e nelle sue violente operazioni commerciali — avrebbe turbato, anzi distrutto, i circoli ben strutturati della cultura del Ring, per portare la dinamica del suo eros storico negli eccentrici ed egocentrici gironi infernali borghesi. Così fece Otto Wagner, al quale la battaglia contro l'ordine stabilito o, a seconda dei casi, contro il disordine stesso costò sforzi violenti e immani. Il complesso problema storiografico legato al nome dell'artista è di difficile soluzione, non solo perché caratterizza la lotta esistenziale di primaria importanza in un individuo e nel suo orizzonte culturale, di gran lunga più ampio di quello dei suoi attuali estimatori, ma anche perché esso rappresenta ancor oggi quell'esigenza e quella condizione di civiltà alle quali Wagner lavorò indefessamente. La sua esperienza fu in questo ricca e proiettata verso il futuro; in più di settanta opere egli parlò apertamente della sua battaglia contro lo spirito e la follia (Geist und Ungeist) del tempo, ponendo così da solo la sua arte nella luce migliore. In verità si parla spesso di Otto Wagner, ma la sua opera è in gran parte ancora sconosciuta e ignorata,[1] poiché ridotta a pochi, direi quasi troppo pochi, topoi che pertanto degenerano completamente in luoghi comuni: né le farse viennesi, di cui egli del resto ben si intendeva, né un globale pessimismo culturale (a chi sfugge la derivazione di quelle da quest'ultimo?) corrispondono al suo agire. La Vienna di Wagner era una metropoli animata da pressanti esigenze di sviluppo intellettuale, ragion per cui sia la città che l'artista si sono fino a oggi sottratti a un'analisi approfondita.

L'ultraviennese Wagner[2] aveva sette anni quando fallì la rivoluzione del '48 e morì settantasettenne nel 1918. In questo lasso di tempo si colloca la nascita tumultuosa di una cultura planetaria a cui contribuì con zelo missionario: questa è la ragione dei contrasti tra Wagner e i suoi coevi. La seconda metà del secolo scorso vide dovunque la dissoluzione del mondo neolitico e della sua cultura, unitamente al declino delle loro concezioni artistiche codificate per l'ultima volta dall'assolutismo, esemplarmente condotto alla tomba a Vienna nel 1916, e dalla controriforma.

Wagner comprese ciò chiaramente e agì di conseguenza, non volendo ostacolare la storia nel tentativo di fermarne il corso con ridicole magie estetizzanti. Sarebbe sbagliato affermare che solo in pochi, quasi un'avanguardia, riconobbero quest'esigenza: piuttosto la maggior parte degli uomini del XIX e del XX secolo agì diversamente da Wagner, uomo demonico, e dai suoi pari, che ne ebbero una visione più profonda, così come veniva richiesto da questo compito in verità evitabile ma pur sempre inesorabile. «Artis sola domina necessitas»... Wagner era solito citare il rivoluzionario Semper: i bisogni e le esigenze culturali del processo storico sono i presupposti della forma e della funzione dell'arte e, per dimostrare a qual fine la prassi debba servirla, egli aggiunge subito che l'arte esiste per l'uomo e non viceversa. Il suo interesse per la rappresentazione del contingente era immediato: gli storici delle idee credono sempre di trovarsi sulla sponda del fiume della storia e di contemplare con signorile sufficienza il suo procedere, eraclitianamente elevandosi al di sopra della possibilità di venirne travolti.

Non era indiscutibile che l'arte dell'era del Ring esistesse per l'uomo: la sua emancipazione dal servizio dei signori e della chiesa, troppo precipitosamente salutata come liberazione creativa, la sottomise al giogo della più inaudita alienazione della sua storia e della conseguente (poiché da essa derivata) dittatura del discorso storico-artistico, la quale, prescrivendole leggi di sviluppo scientifiche, danneggia l'arte molto più dell'antica schiavitù che esigeva semplicemente risultati formalmente compiuti. Dovette quindi essere intrapresa anche la lotta contro la grande macchina della fabbricazione della storia, la «scienza dell'arte» — la quale era ben poco più di una conoscenza artistico-professionale industrializzata e concretamente applicata — per trovare un sostegno nella guerra contro l'architettura antierotica del tempo che contava al suo servizio migliaia di artisti e artigiani della forma e della parola. Da più di un feuilleton della «Neue Presse»[3] si rileva che, con acutezza, i migliori esponenti universitari e conservatori dei monumenti di quest'architettura avevano chiaramente individuato in Wagner un nemico. Loos, dandy estremamente reazionario, che lo ammirò pieno di bruciante invidia, non lo turbò: una storia dell'arte di Otto Wagner è una parte dell'emozionante storia di quella guerra civile che coinvolse tutto il mondo, chiamata XIX secolo. Dalle esigenze e dalla materia offertagli dalla storia egli riuscì a produrre la sua arte: essa si spinge molto al di là di quanto tutto il mondo della Vienna «intorno al 1900» si aspetta e si preoccupa di conservare con l'astuzia di un illusorio disimpegno.

Alla ricerca della verità architettonica

Sin dall'inizio della nuova era architettonica Wagner fu presente con veemenza: l'allievo di Busse, un assistente di Schinkel a Berlino, e di Sicard e van der Nüll alla Wiener Akademie, costruttori del «miglior edificio d'opera del mondo» (Viollet-le-Duc),[4] si segnalò per la prima volta nel 1863 con due progetti per il Kursalon e per la Borsa. L'anno successivo diventò membro, insieme ad Hansen, Schmidt, Ferstel e altri, dell'«Ingenieur- und Architektenverein» (Associazione degli ingegneri e degli architetti) austriaca che, quarant'anni più tardi, lo avrebbe combattuto energicamente. Costruisce dodici case nella Harmoniegasse e

1. O. Wagner, *Sistemazione dei «quais» dei canali del Danubio*, 1897. (Hist. Mus., Vienna).

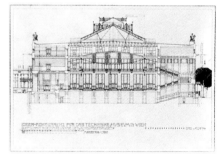

2. O. Wagner, *Progetto per il Museo della tecnica a Vienna*. (Hist. Mus., Vienna).

[1] Cfr. l'elenco delle opere nella nota biografica in appendice.
[2] Hans Tietze, *Otto Wagner*, Wien, 1922, p. 1.
[3] Max Dvorak, *Die Karlsplatzfrage*, 21.12. 1909. Josef Strzygowski, avversario di Dvorak, scrive su «Zeit» del 12.1.1910 a favore di Wagner dicendo che «fino a oggi l'architetto si trova ad affrontare i contrasti delle diverse parti presenti nella scuola viennese di storia dell'arte».
[4] *Entretiens*, 1875, vol. II.

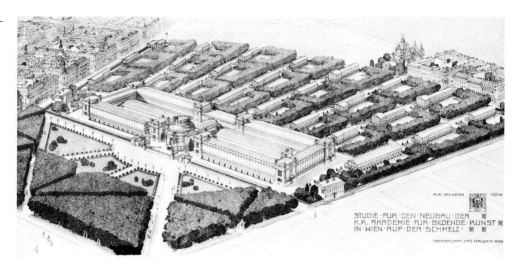

nel 1868 propone la grandiosa sistemazione di alcune zone di Budapest e un palazzo per sette ministeri, concepito nello stile delle Tuileries. All'Esposizione mondiale del 1873 propone a un consorzio di capitalisti, aristocratici e banchieri la deviazione del corso del Danubio e la trasformazione dell'alveo in un maestoso boulevard fino a Schönbrunn, nonché un vasto sistema tranviario che prevede gran parte delle linee che verranno costruite successivamente. È membro della direzione della Komische Oper, più tardi tanto criticata, e collabora all'Esposizione mondiale. Nel 1876, in occasione del concorso per il Municipio di Amburgo, Schmidt gli esprime ammirazione per il grandioso carattere della sua arte. Tra il 1879 e il 1881 meravigliose decorazioni costituiscono la cornice del corteo di Makart, una festa popolare per il genetliaco dell'imperatore Francesco Giuseppe e per l'ingresso solenne della principessa Stephanie; nel 1880 propone ampie modifiche del Foro imperiale della Burg di Semper per eliminare alcuni fatali difetti di realizzazione. Il progetto, denominato «Artibus», è altamente significativo per la Wagnerschule fino al 1912 e, così affermano i contemporanei, gli vale il conferimento della cattedra universitaria. Nel 1893 vince il primo premio al concorso per il piano regolatore generale. Nel 1885 Wurzbach lo definisce «uno dei migliori architetti della nuova era viennese» e nel 1886 la «Allgemeine Kunstchronik» lo indica come «il nostro miglior costruttore di case d'affitto». Nel 1894 la Künstlerhaus, in una riunione generale straordinaria, lo propone all'unanimità come architetto della metropolitana: tra i 40 e i 53 anni Wagner, divenuto il principale architetto della Mitteleuropa, riceve l'eredità dei quattro baroni dell'architettura e di Semper.

Egli non avrebbe dovuto porsi, come i suoi predecessori e contemporanei, la spinosa questione della verità dell'architettura che lo avrebbe condotto all'attacco frontale del mondo che lo aveva così trionfalmente celebrato. Il problema trova una risposta, con le conseguenze che ne derivano, già nel 1882, come dimostrano le note esplicative al progetto per il Reichstag tedesco e la forma della Länderbank. La questione della verità non doveva né essere posta né trovare risposta all'interno di quest'arte che era divenuta terreno di micidiali campagne di stampa degli architetti contro gli architetti, qualora intervenissero interessi commerciali: chi la poneva si spingeva oltre i limiti del consentito ed era costretto, se non voleva darsi la morte, a rifugiarsi nella gioventù e nel regno dell'architettura. Wagner aveva costantemente presente l'esempio dei suoi maestri all'Accademia.

Sul frontone dell'edificio della Germania guglielmina Wagner colloca il motto altamente impopolare «Res publica res populi» e nelle note esplicative non fa alcun riferimento alla scelta stilistica, limitandosi solo a semplici considerazioni di carattere tecnico-funzionale sull'organizzazione di un grande edificio monumentale per un parlamento. Le osservazioni dovrebbero essere valutate alla luce della contemporanea Länderbank, a proposito della quale un amico di Wagner, Julius Deininger, avrebbe ben compreso cosa esprimesse la «rovinosa costruzione» del progetto del Reichstag, che anche a Berlino originò perplessità per l'uso di colonne libere.

Per quanto riguarda la «disposizione principale», nota l'architetto, «i risultati degli studi e delle esperienze che nel nostro tempo sono stati condotti in relazione alle grandi sale» culminano nel considerare l'emiciclo la forma migliore per la pianta: la sala, essendo il centro dell'edificio, deve mantenere la struttura migliore e più semplice, come stabilisce Wagner già nel 1863. L'illuminazione mediante un lucernario è la più appropriata. Si introducono così in maniera semplice e rapida la chiarezza e la disposizione pratica. L'afflusso e lo svuotamento della sala in tempi minimi, la visibilità e l'acustica migliori, e non considerazioni di carattere storico-stilistico di una pretestuosa ideologia sono i presupposti di qualsiasi forma della pianta o configurazione spaziale. Unitamente alla premessa della comodità, che determina l'altezza della sala al di sopra del terreno, «la qui progettata soluzione della pianta risulta quasi da sola», afferma Wagner sorprendendosi egli stesso. «Esattamente nella facciata» egli ha espresso le disposizioni relative alle esigenze pratiche e soprattutto la forma della sala, «evitando ogni menzogna architettonica mediante la sovrapposizione di una cupola su una sala dalla forma emiciclica». Wagner sapeva di cosa stava parlando: più tardi Guglielmo II intervenne pesantemente sulla forma della costruzione di Wallot dichiarando inammissibile, per motivi politici e dinastici, la disposizione della cupola sulla sala delle sedute, così come previsto dall'architetto, spostandola sopra il salone centrale. La ricerca della verità richiede una risposta funzionale, non una metafora immaginosa come nella goticizzante cattedrale di San Paolo a Londra, concepita come atrio, che Gilbert Scott aveva presentato dieci anni prima in occasione del primo concorso. La «rovinosa costruzione» — soluzione che prevedeva l'elimi-

nazione del tetto e a cui Wagner ricorse spesso per spiegare e trasfigurare la struttura interna dei suoi edifici[5] — scopre un nuovo modo di interpretare la costruzione aperta, al fine di creare una corrispondenza fra pianta e volumi. All'idea della disposizione appropriata fanno seguito le riflessioni sui metodi costruttivi, sul riscaldamento e sull'illuminazione: l'essenza interna di questa architettura è la soddisfazione dei bisogni pratici e fisici e acquista nel corso del tempo un crescente rigore formale, rifiutando sempre più reminiscenze storiche. L'esterno della Länderbank è una «rovina» ancor più grande che si innalza dal terreno, una rovina delle immagini architettoniche dei dintorni, che nota chiunque inaspettatamente si trovi sul retro della banca.[6] Nasce il funzionalismo, che Wagner sei anni più tardi definirà come «Nutzstil» (stile utile) del futuro. Da questo fatto consegue la «migliore» disposizione pratica delle esigenze funzionali esaminate acutamente all'interno del sistema così adattabile dell'«architettura del rinascimento», sul cui futuro nel 1889 e soprattutto nel 1896 Wagner espresse un giudizio completamente diverso da quello di Semper, il quale aveva creduto che essa si trovasse a metà del suo processo di sviluppo, opinione questa che ha un rigurgito nelle scempiaggini del postmoderno. Dobbiamo trovare l'arte, la più adeguata e quindi la più bella — questa è la forma più poetica — e né la sola logica né il passato possono venire in aiuto: «al nostro tempo» è dato di trovare la verità di ciò che si esige, ma che artisticamente ancora non esiste, la giusta forma dell'edificio. La migliore disposizione costruttiva è conseguenza dell'analisi dei bisogni, non dei motivi predisposti e teoricamente prescritti dalla scienza dell'arte. Il fondatore dell'Österreichisches Museum, lo storico d'arte Eitelberger, aveva stabilito a Vienna princìpi molto chiari e severi per l'applicazione concreta degli stili storici. Con spirito analitico Wagner progetta nel 1882 due banche su lotti molto irregolari (la quasi impossibile situazione del Giroverein gli suggerisce il topos del Banco di Santo Spirito a San Gallo, dalla cui facciata vengono sviluppate sequenze interne non ispirate assolutamente all'arte romana), un parlamento

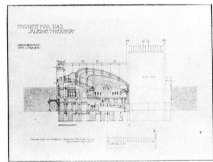

1. O. Wagner, *Progetto per la Karlplatz a Vienna*, 1909. (Hist. Mus., Vienna).

2. O. Wagner, *Progetto per il Kleine Theater*.

[5] Si veda Stadtmuseum, 1903-1910.
[6] *Die Wiener Ringstrasse — Das Kunstwerk im Bild*, Wien, 1969, tav. 192b.

O. Wagner, *Progetto per la Casa dell'arte MCM-MM*. (Mus. Mod. Kunst, Vienna).

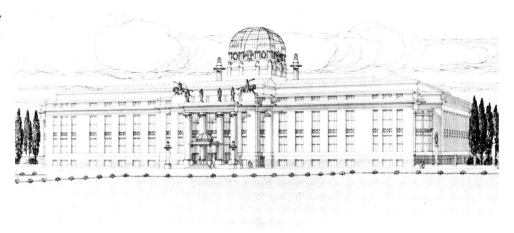

con un'aula e uno per un sistema bicamerale, caratterizzati da immediata unità e vicinanza artistica e funzionale. Ognuno dei quattro progetti, così diversi, scaturisce dagli altri grazie a limitate trasformazioni funzionali ed è conseguenza di una comune disposizione formale e ornamentale, fatto che manca per definizione allo storicismo.[7] Questa è una innovazione di portata così vasta che fino a oggi non è divenuta patrimonio della storia dell'arte di derivazione storicista... Wagner comprese cioè quanto i suoi contemporanei — in balìa della falsa coscienza che l'altrettanto falsa coscienza della storia dell'arte di oggi chiama storicismo, per condurre apparenti battaglie teoriche, che oggi come allora servono solo all'industria edilizia — non videro, e cioè il nuovo mondo al quale egli si abbandonò con la passione di un uomo demoniaco.

Nascita del Nutzstil: 1889

La conseguenza radicale derivante dall'ingenuo canone didattico secondo cui la pianta più semplice è sempre la migliore, principio a cui nessun architetto di Vienna si atteneva, dà a Wagner la possibilità di liberare il passato dall'alienazione accademica nota come storicismo, fondendo cioè la tradizione storica con il futuro dell'architettura. Il ricondurre l'architettura alla definizione di scopi, materiali e metodi costruttivi moderni (la Sgraffito-Wagner-Haus del 1875 nella Brandstätte, demolita nel 1956, mostrò la massima semplicità della

pianta e uno stupefacente cambiamento del fronte dei negozi, grazie all'ossatura in traverse e vetrate e fu superata dallo stesso Wagner solo diciotto anni più tardi) costituisce «in sé» lo stile del futuro, cioè quello della civiltà del «secolo traboccante d'ingegno» nato dal 1789. Nel 1889 Wagner presentò il primo volume delle sue opere e, contemporaneamente all'anniversario della rivoluzione francese, alla torre Eiffel e ai padiglioni delle macchine all'Esposizione mondiale, espose chiaramente in quale situazione versasse l'architettura, l'arte dell'edificare e del costruire, quando una nuova forma di produzione esigeva che l'arte le desse forma ed espressione poetica e non alienante.

La generale alienazione dell'architettura è già evidente anche in un semplice fatto, contro cui Wagner vorrebbe scontrarsi con un'opera gigantesca: «il mercato editoriale nel settore dell'architettura è saturo.» La lotta concorrenziale tra architetti — si tratta sempre di un «premio» o di un «incarico» — e le esigenze dell'industria edilizia conducono all'inflazione dello stampato, all'eccesso di riflessione teorica che ostacola e paralizza la prassi. Perché con ciò, prosegue Wagner, si giunge all'espressione di quelli che egli definisce «esperimenti sui diversi stili tentati in questi ultimi vent'anni dagli architetti che hanno usato e più o meno stravolto i sistemi costruttivi di millenni con la frenesia del nostro modo di vivere». Egli vede che nell'avanzato e inevitabile processo di disgregazione della storia, dal quale solo Semper si attende un futuro, si dovrà giungere al termi-

[7] Länderbank, Giroverein (1880), Reichstag e Parlamento.

367

ne dell'opera di contraffazione operata sulla «storia» stessa. Il declino è tanto inevitabile quanto necessario, poiché l'era agitata dei nuovi rapporti di produzione e lo smisurato accrescimento delle metropoli — causa di uno spaventoso aumento del travaglio interiore — nell'attuale stato di frenesia non possono trovare il necessario numero di architetti creativi né interessarsi a un lavoro paziente.

Il risultato di questa caccia fu l'annientamento della storia che si chiamò storicismo o industria edilizia. Il patrimonio e le esperienze di secoli (Viollet-le-Duc scrisse un libro sui templi del Centro-America che ebbe ripercussioni nell'opera presentata da un francese nel 1905 al concorso per il Palazzo della Pace, una torre azteca alta 140 metri) furono distrutti e sfigurati proprio in questo ultimo decennio: la distruzione ambientale operata dalla società dei consumi e l'inospitalità delle città compaiono, come Wagner ben comprende, nelle distorte caricature create dalla macchina del tempo dell'industria edilizia fondata scientificamente, dalla quale, per ogni fine ideologico o anche meno significativo, scaturisce il surrogato iconografico, utilmente rappresentativo e più o meno adatto a scopi propagandistici. Il processo di sfruttamento annienta la storia dell'arte — l'arte è distrutta, come nel caso della vecchia Vienna o di Parigi, e ricostruita su basi scientifiche (Friedrich Schmidt era solito dire, e a ragione, che il medioevo non conosceva il «gotico», poiché gotico è neogotico...) — e ne minaccia il futuro. L'architetto riflessivo dovrà quindi staccarsi da queste esperienze disgregatrici e volgersi veramente al presente e al futuro, che in architettura sarà il «Nutzstil», fatto di cui Wagner è convinto.

Il suo fondamento forma il «rinascimento libero» (gewisse freie Renaissance), inesattamente chiamato palladianesimo, sistema estremamente adeguabile a ogni scopo, sopravvissuto per più di tre secoli e che si trovava ora davanti al compito di annullarsi, poiché era necessario guardare il più possibile alle nuove situazioni e accogliere i nuovi materiali e le nuove tecniche edilizie per aiutare l'umanità del tardo XIX secolo a ottenere ciò che le precedenti civiltà avevano avuto così

copiosamente: un'architettura che innanzitutto non sia falsa coscienza ma vera arte che non opprime la cultura né fa affermazioni menzognere, poiché null'altro è se non linguaggio. La teoria artistica complessiva dello storicismo appare all'improvviso come un autoinganno infantile che verrà rimosso dagli sforzi del lavoro futuro: «Fra le grandi aspirazioni concrete del nostro tempo, e all'interno della battaglia per l'esistenza in cui le forze dell'individuo sono impegnate all'estremo, questo Nutzstil sarà perfettamente legittimo. Se gli attribuiamo come ideale l'aspirazione alla verità interiore, esso avrà anche la sua legittimazione artistica.» Ai più importanti fattori, e cioè i mezzi di produzione «che influiscono sul nostro modo di costruire e sono il presupposto del più grezzo realismo», appartiene anche «la quasi totale incomprensione dell'architettura da parte del pubblico»: ciò è la base della battaglia che il moderno dovrebbe condurre. I fronti erano definiti, non c'era da aspettarsi aiuto da nessuno. Dall'apparire del primo volume di *Einige Skizzen, Projekte und ausgeführten Bauwerke* Wagner datò più tardi i tre lustri durante i quali egli fu dapprima tacciato di «imbecillità», poi dovette farsi strada e infine risultò vincitore negli anni tra il 1898 e il 1903. Forse i rappresentanti più superficiali, come di essi superficialmente si disse, della «gioiosa Apocalisse» (Broch) non considerarono seriamente le premesse del 1889: Wagner aveva deciso, sette anni più tardi, di realizzare lo stile futuro con un'operazione terapeutica delle più dure.

Lo smantellamento dell'edificio della follia: 1896

L'amministrazione statale austriaca non indietreggiò di fronte alla questione artistica delle grandi opere. Il ministro del Commercio Wurmbrand rifiutò un progetto «gotico» per la metropolitana; il ministro dell'Istruzione vide in Wagner, nonostante egli avesse superato l'età, l'uomo adatto alla successione di Hasenauer come professore all'Accademia. Nei grandi lavori per la megastruttura di 45 chilometri della metropolitana, caratterizzata da una concezione artistica unitaria, e per le chiuse del Donaukanal si ridestò l'eros pedagogico dell'artista, che

1. O. Wagner, *Progetto per la House of Glory*. (Hist. Mus., Vienna).

2. O. Wagner, *Progetto per la chiesa di Währing*. (Hist. Mus., Vienna).

1. O. Wagner, *Chiesa di Steinhof.* (ÖNB, Vienna).

2. O. Wagner, *Progetto per il Kaiser Franz Josef Stadtmuseum.* (Hist. Mus., Vienna).

[8] *Moderne Architektur*, III ediz., p. 14.
[9] *Ibidem*, p. 20.
[10] *Ibidem*, p. 47.
[11] *Ibidem*, p. 59.

risvegliò Wagner a una terza giovinezza, fatto che non era stato possibile tra il 1860 e il 1870. L'architetto aderì quasi sessantenne alla Secessione, votandosi a quella che Karl Kraus, classicista filisteo non solo sul piano delle arti figurative, doveva chiamare «l'art juif», in bell'accordo con la definizione «stile idiota assiro-babilonese» di altri contemporanei, nel tentativo di dare espressione all'intento denigratorio. Un anonimo scritto infamante, che riportava in modo inequivocabile numerose stelle di David sul frontespizio, metteva in guardia dal traviatore della gioventù, al quale veniva preannunciata una rapida fine. Wagner aveva fatto il possibile per portare all'aperto la latente guerra civile delle idee, quando nel 1896 pubblicò la sua *Moderne Architektur*, sintesi di tutte le sue teorie, delle quali possiamo esaminare le più importanti a partire dal 1863. Del libro apparvero in rapida successione tre edizioni (1896, 1898, 1902); nel 1913 Wagner, divenuto uno dei più apprezzati architetti del mondo, ne curò una nuova edizione, pubblicata con il titolo *Die Baukunst unserer Zeit*, nella quale si considerava possibile la soluzione del problema formale del grattacielo e l'architettura del Ring veniva relegata completamente negli inferi dell'inautenticità.

Nel 1895 gli fu chiaro che la strada battuta per lungo tempo dal mondo dell'architettura era sbagliata. «Un'idea pervade tutto lo scritto, ed è quella che devono essere rifiutate le concezioni architettoniche che oggi imperanti, poiché l'unico fondamento della creazione artistica deve essere la vita moderna.»[8]

L'ideologia del Rinascimento, creata da italiani sdegnati che credevano o volevano credere appassionatamente alla liberazione dell'Italia dal barbaro potere dei nativi e degli stranieri, era spezzata. (La tortuosa verità ivi latente potrebbe certamente essere il motivo per cui da decenni il viennese Wagner e Sant'Elia trovano estimatori solo tra gli italiani, ragion per cui si può avere l'impressione che essi li annoverino tra i loro.) Il predominio del passato crollò rovinosamente su se stesso dal momento in cui l'architetto fu travolto dalla gioia originaria del costruttore, dell'edificatore, così come esso viene rappresentato dalla Bibbia (nella quale Dio creatore ordina tutto secondo misura, numero e peso, quindi architettonicamente) e da Platone (il cui demiurgo è artista: «Non può perciò meravigliarci il sentire che nell'architettura può essere scorta l'espressione più alta del potere umano che sfiora quello divino»).[9]

La fine storica dell'architettura, di cui Conrad Fiedler parlò con raccapriccio, poteva essere evitata grazie allo stile del futuro o alla poesia del mondo moderno. È ovvio che una simile idea — da cima a fondo erotico-demonica — infiammò i giovani inorriditi dai canoni accademici, come è facile scorgere nell'esempio di Olbrich e Hoffmann, allievi di Hasenaucr. La gioventù europea attendeva allora che fosse accantonato questo sistema estetico ordinatissimo e prolisso, decaduto però internamente a un illusionismo fantasmagorico, che più della calunniata vecchia Austria può essere a ragione chiamato «carcere dei popoli».

Wagner non attese soltanto, ma agì. Il capitolo sullo «stile» contiene un'affermazione decisiva, del tutto paragonabile alle concezioni diagnostiche e terapeutiche della medicina e della psicologia della Vienna del tempo. «Fra gli specialisti è purtroppo diffusa un'opinione, che ha quasi il valore di un dogma, secondo la quale l'architetto deve conferire a ogni sua composizione il supporto di uno stile, imponendo poi, una volta operata la scelta, di seguire sempre quella corrente stilistica per cui egli dimostra predilezione… L'architetto riflessivo è messo ora nel più grande imbarazzo quando si trova a dover agire per abbattere un simile edificio della follia.»[10] A Wagner, seguace di Vitruvio, si mostra la faccia distruttiva dell'architettura, altrimenti riservata a strumenti di guerra e a catapulte, come arma essenziale nella lotta per il futuro. Non gli sfugge naturalmente che anche la falsa coscienza del «rincorrere le tendenze stilistiche» ha le sue origini; esse hanno tuttavia una connotazione assolutamente negativa e da superarsi, anche quando la «delusione artistica», come dopo ogni ebbrezza spirituale, ci risulta particolarmente pesante: «È piaciuto agli artisti sezionare i morti con lente e bisturi, invece di afferrare il polso dei vivi e lenire i loro dolori»,[11] afferma l'architetto rimproverando in questo modo al mondo architettonico una necrofilia patologica.

La sua opera successiva è costituita quasi esclusivamente da ospedali (fra cui uno per la ricerca sul cancro) e da musei e chiese, tutti edifici di «interesse terapeutico»: «Tutto ciò che è creato con criteri moderni deve corrispondere ai nuovi materiali e alle esigenze del presente, se vuole adattarsi all'umanità moderna; deve illustrare la parte migliore di noi, la nostra indole democratica, pensante, consapevole del proprio valore, e tenere conto delle colossali conquiste tecniche e scientifiche nonché dell'ininterrotta tradizione della cultura pratica che attraversa la storia umana — mi sembra ovvio! Quale immenso lavoro è riservato all'arte moderna e con quale entusiamo noi artisti dobbiamo intraprenderlo per mostrare al mondo che ne siamo all'altezza!»[12]

La storia delle lotte delle idee si incentra sempre intorno alle evidenze che gli interessati non vogliono comprendere; nella Wagnerschule troviamo progetti per aeroporti e grattacieli in cemento, città sul canale del Nicaragua, impianti sportivi ed esperimenti formali di fronte ai quali Wagner può proclamare la fine dei modi costruttivi dell'uomo europeo: «La rivoluzione sarà così violenta che non si potrà parlare di rinascita del rinascimento. Si tratta di una nascita completamente nuova, di una vera naissance scaturita da questo movimento. A differenza di coloro che ci hanno preceduto, ai quali erano state tramandate poche forme ed erano state date poche possibilità di scambio con i popoli vicini, grazie ai nuovi rapporti sociali e alle conquiste raggiunte noi possiamo usufruire di ogni scienza e potere umano. Questo nuovo stile, il moderno, per rappresentare noi e il nostro tempo dovrà esprimere con chiarezza il mutamento della sensibilità tradizionale, il declino pressoché completo del romanticismo e la comprensione totale delle opere prodotte.»[13]

Wagner compie questo salto con una delle esperienze più stupefacenti dell'architettura del XIX secolo; dal 1875 al 1918 progettò ed edificò diciassette case d'affitto e ville per se stesso, poiché non trovò nessun committente idoneo, case adatte a compiere quel portentoso salto nel futuro, il presente nel futuro, che viene proclamato alla fine del capitolo: «Se si esamina spassionatamente ciò che accade in giro per esprimere nuovi ideali di bellezza e se si considera quanto è stato fatto finora, ci si convincerà che tra il moderno e il rinascimento esiste già oggi un abisso maggiore di quello esistente tra il rinascimento e l'antichità.»[14]

Otto Wagner non temeva il futuro. Questa paura, o la terribile mancanza di fantasia di cui parla Kafka, proprio esse avevano causato la guerra mondiale che coprì il globo di una rete di edifici che da Tokio a San Francisco negarono la dinamica storica e allo stesso tempo evidenziarono, accentuandola, quale fosse l'essenza intima dell'edificio della follia da distruggersi, poiché eventi magici come l'annullamento del tempo nella Votivkirche (edificata nel 1853 sul Ring a ricordo di un attentato all'imperatore Francesco Giuseppe) non davano alcun frutto. L'arte non riusciva a calmare il travaglio esistenziale dell'«eterno divenire»; è facile capire Wagner a Vienna se si comprende che la volontà di sperimentare di questo uomo demoniaco rappresenta la normalità nel processo storico. Dagli sforzi umani compare sempre il nuovo: «Necesse est ut scandala eveniant» (San Gerolamo). Per realizzare la normalità, lo sviluppo creativo della civiltà, ci fu bisogno di una forza al di sopra della normalità: la sperimentazione di Wagner con il Nutzstil del futuro è l'unico fenomeno veramente importante sul piano della storia del mondo dell'architettura al quale egli appartenne e non appartenne, avendolo trasceso. Gli riuscì ciò che non era un'invenzione della scienza dell'arte rivolta a ritroso, quanto piuttosto dell'arte protesa al futuro: l'eros vissuto.

E. Schiele, *Ritratto di Otto Wagner*, 1910.

[12] *Ibidem*, p. 62.
[13] *Ibidem*, pp. 64-65.
[14] *Ibidem*, p. 67.

LA SCUOLA E LA CERCHIA DI OTTO WAGNER

Marco Pozzetto

Sopra:

1. O. Wagner, *Progetto per l'ampliamento dell'Hofburg*, 1895.

2. W. Deininger, *Casa d'abitazione*, 1900.

La quasi tricentenaria Accademia delle belle arti di Vienna istituì già nel 1726 una Scuola di architettura che acquisì sotto la lunga direzione di Pietro Nobile (1818-49) la struttura che la regge ancora, malgrado le modifiche degli ordinamenti imposte dai tempi. Persiste ad esempio la divisione della scuola in due «Meisterklassen» che potrebbero anche essere definite come «scuole-bottega», sia per l'esiguo numero degli allievi — otto per anno accademico per ciascuna delle due — sia perché i titolari pro tempore potevano e possono imprimere all'insegnamento l'indirizzo culturale che preferiscono.

Molti dei massimi architetti viennesi della seconda metà dell'800 ressero per periodi più o meno lunghi le due scuole: ciò spiega perché queste furono spesso chiamate con i nomi dei titolari. Ma fu solo nel periodo wagneriano (1894-1913) che l'identificazione della scuola con il nome del titolare venne universalmente accettata dagli architetti, sia per la personalità del docente, sia per il tipo di insegnamento e la sua propagazione a vasto raggio.

Wagner limitò al massimo la pura trasmissione del sapere o, per meglio dire, egli usò il proprio carismatico sapere quasi esclusivamente per la critica degli elaborati. In compenso pretese la sperimentazione delle concezioni e delle forme che, come ebbe a scrivere con notevole coraggio già nel 1895, «rappresenteranno la nostra epoca». Gli allievi dovevano proporre, sia nei temi scolastici che nei concorsi, delle soluzioni libere, spesso anticanoniche dal punto di vista concettuale e organizzativo, oltre che da quello tecnico, formale e cromatico. Credo che questo lavoro fu fatto in una sorta di simbiosi operativa, vista la frequenza rigidamente obbligatoria e il controllo quotidiano dello stato dei progetti che, evidentemente, partivano dall'ultima conquista del maestro, gli elaborati degli studenti spesso superarono quelli del docente, in particolare nei dettagli.

Il confronto tra i progetti di Wagner e dei suoi allievi, pubblicati nell'epoca, evidenzia chiaramente questo processo. Non vedo come si possa negare che la splendida copertura vitrea della sala degli sportelli della Cassa di risparmio postale di Wagner derivi dalla proposta di copertura del grande magazzino — tema scolastico 1901-02 — dell'allievo ungherese István Benkó-Medgyaszay. Lo stesso vale per il trattamento cromatico delle facciate dell'edificio della chiusa sul canale del Danubio, in cui Wagner aveva «razionalizzato» una proposta di Wunibald Deininger e Hans Mayr, presentata al concorso per i bagni di Baden nel 1902.

Potrei naturalmente continuare, ma vorrei invece sottolineare che le proposte «eccellenti» degli allievi, quelle per intendersi che superarono la critica spietata del maestro, vennero da questi usate quasi a guisa di avallo del lavoro degli allievi stessi.

Credo che occorra anche tenere a mente l'«intenzionalità storica» delle proposte della scuola di Wagner, che non si è più verificata in seguito, né a Vienna né altrove.

Ove inoltre si considerino gli aspetti psicologici dell'insegnamento, come l'interesse manifestato continuamente per i destini e per l'opera degli ex allievi, culminato con la consegna della corona d'alloro a Olbrich durante il viaggio di studio della scuola in Germania, sarà facile comprendere che gli allievi e gli ex allievi divennero presto una specie di esclusivo clan i cui legami cessarono soltanto con il decesso dei protagonisti.

È piuttosto difficile considerare le proposte della Wagnerschule come appartenenti alla Secessione. La sperimentazione della scuola comprende un ampio arco di soluzioni formali che va dallo storicismo romantico, da cui si differenziano soprattutto per l'organizzazione generale dei progetti, a un periodo di purifica-

zione. È questo il passaggio che per alcuni anni vide l'uso del linguaggio Jugend. Già nei temi obbligati del 1901-02 invece prevalse un geometrismo spinto, sostituito — soprattutto dagli ex allievi — con il neo-Biedermeier. Un gelido classicismo tecnologico sembra dominare i «grandi temi» dell'ultimo quinquennio, in cui peraltro i temi minori appaiono rigidamente razionalisti, con alcuni accenni al «postmodernismo».

La divisione evidentemente non rende giustizia a nessuno dei wagneriani, ma serve solo a dare un'approssimata idea dell'ampiezza delle ricerche i cui prodotti — in particolare alcuni temi come «casa di abitazione», «albergo» ecc. — rappresentano dei veri e propri anelli mancanti nel passaggio dalla cultura architettonica ottocentesca a quella del '900.

Il movimento wagneriano esercitò una notevole influenza su tre livelli distinti: indubbiamente esso contribuì alla formazione del cosiddetto «gusto viennese»

Otto Wagner e i suoi collaboratori.

1. J. Urban, *Progetto per la funicolare di Radstadt*, 1897. (Hist. Mus., Vienna).

2. O. Wagner, *Hofpavillon*, in «Ver Sacrum», agosto 1899.

e, probabilmente, agì anche sugli indirizzi delle arti visive; a livello architettonico riuscì a coinvolgere nelle ricerche similari altri prestigiosi istituti, come il Politecnico, mentre gli edifici costruiti fino al 1914 sono compresi nelle varie guide di Vienna come quelli più degni di essere visti; l'importanza delle proposte risulta determinante negli stati eredi della monarchia danubiana: basterebbe citare la Cecoslovacchia, dove Kotera, Janák, Chochol, Hübschmann e Kick esercitarono una specie di monopolio sull'architettura fino al 1930 circa.

Non sono ancora stati dimostrati i collegamenti tra le pubblicazioni della scuola e le varie componenti architettoniche tedesche e italiane, a cui accennano esplicitamente Taut e Pölzig. Neppure sono state precisate le origini del moderno in Bulgaria, dove Karassimeonoff invitava i colleghi viennesi e praghesi a partecipare ai pubblici concorsi. Forse rimarrebbero da precisare anche i rapporti della scuola con gli «allievi esterni» come Antonio Sant'Elia, A. Rigotti, R. D'Aronco, Puig y Cadafalch, I.A. Fomin e molti altri.

Considerevole è infine l'opera del vasto gruppo degli architetti wagneriani che si dedicò allo studio e all'approfondimento del genius loci, da cui le architetture regionali che, in almeno due se non in tre casi, avrebbero voluto essere nazionali: mi riferisco all'opera postbellica di Plecnik in Slovenia, a quella di Kovacič e Bastl in Croazia e alle ricerche di tecnologia architettonica di Benkó-Medgyaszay in Ungheria.

L'opera di questi architetti, a cui naturalmente bisognerebbe aggiungere tutti coloro che operarono nei Länder austriaci, è stata minimizzata fino ai tempi recenti, quando i vari «razionalismi» hanno mostrato i propri limiti di accettabilità. D'altra parte, i mutamenti di carattere nazionale, politico e amministrativo avvenuti dopo la «finis Austriae» fecero passare in secondo piano, fino all'oblio, quella sperimentazione che nella Wagnerschule fu un dogma e che, in piccola scala, precorse la maggior parte delle esperienze presenti nella cultura architettonica del successivo mezzo secolo.

Di conseguenza rimarrebbe qualche dubbio che la più nota, copiosa e fulgida attività promozionale e culturale dei wagneriani rimasti a Vienna rappresenti il vertice del movimento e non soltanto il suo aspetto più appariscente. Mi riferisco al doveroso confronto tra le realizzazioni dei wagneriani operanti fuori Vienna e in Vienna stessa con l'opera di promozione culturale di Wagner, Bauer, Benirschke, Hoffmann, Olbrich nelle vicende della rivista «Ver Sacrum». A queste aggiungerei la funzione degli stessi personaggi assieme a Plecnik nell'ambito delle mostre della «Secessione» e quella di Deininger, Felgel, Laske, Polzer, Oerley e Urban (gli ultimi due fedeli fiancheggiatori del clan wagneriano) nell'organizzazione della politica delle mostre d'arte dello «Hagenbund».

Infine si dovrebbe considerare anche il più tardo contributo di Aichinger, F. Gessner, Hetmanek, A. Chalusch, Hoppe, Pirchan, Kammerer, Schönthal e Krasny all'attività dell'aulico e prestigioso «Künstlerhaus».

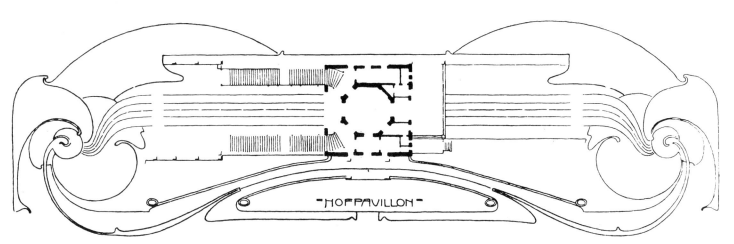

-HOFPAVILLON-

WOHNHAVS · D· HERRN · D· STOHR

IMMER · TREV · UND · REDLICHKEIT   FLEISS · IN

ZIMMER · D· FRAV · MAX · FRIEDMANN.

Sopra:
1. J.M. Olbrich, *Fregio*, in «Ver Sacrum», gennaio 1899.

2. Joseph Maria Olbrich.

I rapporti di J.M. Olbrich con l'art nouveau vengono citati, e solo di sfuggita, in pochi saggi solamente, poiché mancano documenti scritti che, direttamente o indirettamente, vi facciano riferimento. Nel 1895, durante il secondo viaggio con la sua borsa di studio romana, J.M.Olbrich visitò Parigi, l'Inghilterra, la Germania e probabilmente anche il Belgio. È rimasta una sua lettera da Parigi a Josef Hoffmann: in essa Olbrich non accenna praticamente a nulla che possa alludere a una nuova architettura; certamente non aveva visitato la prima esposizione dell'art nouveau allestita da Bing. È probabile che i primi contatti con le espressioni inglesi dell'art nouveau di Ruskin e Morris, e successivamente con il movimento Arts and Crafts, Olbrich li abbia avuti nello studio di Otto Wagner, dove iniziò a lavorare a partire dal 1893, e frequentando nel medesimo periodo il Siebenerklub (Club dei sette), formato da Josef Hoffmann, Kolo Moser e altri pittori che si ritrovavano abitualmente al Café Sperl. Nel corso dei dieci anni che Olbrich trascorse a Vienna l'evoluzione dell'architettura e dell'arte in genere aveva subìto una trasformazione radicale. E per portare a compimento — ammesso che in questo caso si possa parlare di compimento — l'opera di tutta una vita Olbrich aveva a disposizione soltanto dieci anni di tempo. Se si accetta l'affermazione di Otto Wagner secondo la quale si diventa architetti solamente a qua-

rant'anni, si concede a Olbrich di superare solo di pochissimo quella soglia: a quell'età infatti non poté vedere terminate le sue maggiori costruzioni, l'Emporio Tietz e la Villa Feinhals.

Olbrich risulta tanto più interessante per noi in quanto nella sua opera si è fatto sempre guidare da considerazioni di carattere esclusivamente estetico e non teorico. Artista estremamente dotato per il disegno e la decorazione, Olbrich aveva grande facilità nel lavoro di progettazione e una grande ricchezza di idee per ogni tipo di struttura formale. Sulla sua formazione deve aver avuto una grande influenza il fatto di aver trascorso una gioventù serena e senza problemi a Troppau, una cittadina di provincia della Slesia austriaca, nella quale sopravviveva una sorta di stile Biedermeier: un caso analogo a quello di Josef Hoffmann. E forse proprio la pasticceria paterna fu il primo terreno sul quale esercitò l'arte della decorazione.

Quando nel 1890 entrò all'Accademia delle arti figurative per studiare sotto la direzione di Carl Hasenauer, l'ultimo degli architetti del Ring, Olbrich aveva una conoscenza dell'architettura già molto avanzata. Carl Hasenauer veniva chiamato, non a torto, il «Makart dell'architettura». Aveva in effetti un grande talento decorativo, ed era quindi meno dotato per l'architettura, come dimostra peraltro la sua collaborazione con Gottfried Semper.

L'influsso esercitato su Olbrich da Carl

Hasenauer e reminiscenze barocche dell'ala di San Michele di Fischer von Erlach risaltano nei lavori accademici e nel progetto per un teatro del 1893. Proprio questo grande lavoro e la sua forma espressiva impressionarono Otto Wagner al punto di invitare Olbrich a entrare nel suo studio come collaboratore. Si sviluppò un'influenza reciproca, dal momento che Wagner apprezzava molto il talento, l'impegno e l'incondizionata volontà di Olbrich di ricercare nuove soluzioni artistiche. Questo periodo gettò le basi per la successiva attività di Olbrich che rimane comunque profondamente segnata dalle esperienze viennesi.

Certo non a caso nella Vienna intorno al 1900 si andavano affermando in campi diversi le punte di un movimento che avrebbe portato a una rottura, spesso radicale, con lo storicismo del XIX secolo (Manès Sperber affermava, per esempio, che il periodo fino alla prima guerra mondiale era da considerare solo come la fase preparatoria per le effettive punte del movimento artistico che sarebbero maturate dopo).

Significativa per l'evoluzione dell'architettura viennese fu la comparsa nel 1893 della rivista «The Studio» e nel 1896 della «Architectural Revue». Ma fu soprattutto il Belgio, prima con Horta e Hankar, poi con Van de Velde, a esercitare influssi determinanti e grandi ripercussioni sui viennesi.

Un analogo movimento per il rinnovo dell'arte applicata in Germania aveva anticipato quello austriaco. In Francia, invece, nei confronti dell'art nouveau vi era stata un'iniziale ostilità e si inclinava piuttosto a uno stile decorativo che nel 1897 trovava la sua espressione nella rivista «L'Art Décoratif». Una delle originarie fonti di ispirazione dell'art nouveau belga è riconducibile a Morris e Ruskin, ma è importante precisare che i lavori di Mackintosh furono pubblicati nel 1897 sulla rivista «The Studio». Van de Velde, come altri architetti dell'epoca, fu prima pittore, poi si dedicò all'architettura e all'arte applicata, valorizzando così il suo talento per quelle linee e quelle forme curve che presupponevano grandi capacità nell'arte figurativa. Van de Velde caratterizza i suoi primi lavori con l'uso di «Bretteln» (tavolette) nella costruzione dei mobili e degli arredi di interni e, in contrapposizione con Olbrich e Hoffmann, rende dinamica la linea, dandole maggior volume e astrazione; la strutturazione dello spazio interno, viceversa, era essenzialmente analoga: ristrutturazione delle pareti fino all'altezza della porta, mobili murati, con sopra una pittura ornamentale o una ricca tappezzeria come decorazione

1. O. Wagner, *Progetto per l'Accademia; l'ingresso principale è di J.M. Olbrich*, 1898.

Da sinistra:

2. J.M. Olbrich, *Palazzo della Secessione*.

3. J.M. Olbrich, *Progetto per il Palazzo della Secessione*, 1897.

1. J.M. Olbrich, *Palazzo Ernst Ludwig*, Darmstadt.

2. J.M. Olbrich, *Decorazione*, in «Ver Sacrum», luglio 1898.

3. J.M. Olbrich, *Camera da letto, Villa Friedmann; pareti dipinte da A. Böhm*, 1898.

(Van de Velde a Parigi nel 1895; Esposizione d'arte applicata, Dresda, 1897; Compagnia dell'Avana, Berlino, 1897). Certo non per caso, oltre che per il fatto di essere entrambi originari della stessa regione, Olbrich e Hoffmann divennero amici seguendo il corso di Carl Hasenauer. Nonostante una differenza d'età di tre anni, avevano ben presto messo in comune i rispettivi talenti. Molto tempo dopo Hoffmann dirà di Olbrich: «Troppo romanticismo, ma idee scintillanti... Amavamo la sua grande abilità e godevamo della sua vicinanza... La sua influenza era assoluta..., anche se già allora ciascuno di noi tendeva a qualcosa di diverso.»

Secondo J.A. Lux, Olbrich aveva il «dono di un entusiasmo coinvolgente» e lo descriveva con «uno slancio leggero, delicato, un ritmo melodico con in sé qualcosa del modo di essere di Makart: Olbrich, un idolo adorato dai viennesi. Hoffmann era meno affabile, troppa virtù; Olbrich ha raggiunto un effetto coloristico».

In un altro passo, a proposito della «santa primavera» di Vienna («Ver Sacrum»), Lux dice: «Tra tutte le città tedesche Vienna godeva di una condizione particolare: aveva una grande sensibilità per i fenomeni artistici provenienti dall'estero, rielaborava tutte le influenze modellando su di esse la propria fisionomia. Stile viennese. Gli artisti che vanno all'estero riescono quasi sempre ad affermarsi. L'indolenza è il veleno più forte contro la vitalità. Il movimento viennese si orienta verso l'arte totale, e Olbrich è il sale di tutto il movimento viennese, dopo essersi conquistato il diritto alla cittadinanza come disegnatore nella Secessione.»

In Germania lo «stile viennese» di Olbrich venne brutalmente respinto e considerato estraneo, mentre la sua fantasia spumeggiante e variopinta veniva paragonata al walzer viennese. La sua influenza era comunque maggiore in Germania che a Vienna, dove Otto Wagner e Josef Hoffmann avevano fatto un passo avanti dotando l'architettura di una nuova espressione, un cubo piuttosto liscio. Olbrich e Hoffmann percorsero un tratto di strada comune in un breve periodo a cavallo della fondazione della Secessione: il suo interno è riccamente decorato con fiori stilizzati alle pareti, rivestimenti, mobili e tessuti; il motivo dell'elianto, caratteristico di Olbrich, viene mantenuto anche nel periodo di Darmstadt. In questo periodo (a ridosso del 1900) Olbrich sottolinea con il trattamento a mordente dei mobili l'uso sovraccarico di colori intensi per determinare l'atmosfera cromatica nello spazio. Si ha l'impressione che ci sia una inconsapevole fusione di elementi dello storicismo di Hasenauer, inteso non in senso formale, e di elementi dell'architettura di Otto Wagner con l'esperienza dell'art nouveau. Olbrich fu sottoposto nel periodo di Darmstadt a richieste estremamente onerose, a differenza del periodo di Vienna. Ma, nonostante i suoi sforzi disumani, le costruzioni sulla Mathildenhöhe mostrano un carattere di casualità; l'Ernst Ludwig-Haus è preceduta dal progetto di Wagner del 1900 per una moderna galleria. Il lato bizantino di Olbrich lo indusse a dotare questa costruzione di una facciata simile a quella di una moschea orientale, strutturata soltanto per linee orizzontali con un'apertura posteriore rotonda a mo' di portone con una decorazione di piastrelle dorate. Viceversa le partiture delle finestre sono inglesi, mentre gli altri particolari sono desunti dal vocabolario architettonico di Wagner. Infine il motivo della balaustra ad aste sottili riconduce allo stile espresso da Voysey nella sua propria casa. La «Haus eines Kunstfreundes» (Casa di un mecenate) di Baillie Scott (1901) ha esercitato, grazie alla particolare forma dei timpani e alla policromia degli interni, un'influenza duratura su Olbrich (Hotel Königswart, 1902). Naturalmente risulta difficile stabilire con precisione le influenze utilizzate da Olbrich, perché il suo talento gli consentiva di trasformare molti degli influssi che subiva. D'altro canto il suo obiettivo era la realizzazione dell'«opera d'arte totale», anche se l'«eccesso d'arte» ne pregiudicava l'utilizzazione pratica, oppure qualche dettaglio otteneva consapevolmente un effetto contrario.

Ma la critica più tagliente è quella esercitata da Adolf Loos, che nel 1898 scrive: «Insomma, chi ha visto i locali del mobilificio Liberty a Londra, l'art nouveau di Bing nella rue de Provence a Parigi, l'esposizione di Dresda dell'anno scorso e quella di Monaco di quest'anno, deve ammetterlo: i vecchi stili sono morti, viva il nuovo stile! Ma tuttavia la cosa non ci fa piacere. Non è il nostro stile.»

A proposito della stanza da letto di Villa Friedmann, le cui pareti vennero decorate come boschi di betulle, Adolf Loos fa questa osservazione su «Trotzdem»: «Fuori le penne, o voi che descrivete gli uomini e le anime! Provate a descrivere come si svolgono e che aspetto hanno in una stanza da letto di Olbrich la nascita e la morte, le grida di dolore d'un figlio ferito, il rantolo d'una madre agonizzante, gli ultimi pensieri d'una figlia che sta per suicidarsi.»

Nel 1913, nel corso delle sue passeggiate cittadine, Loos ebbe occasione, a proposito di certi fregi, di accusare Olbrich di plagio dalla rivista inglese «The Studio». Nel 1930 Loos visitò con Claire la famosa colonia di artisti di Darmstadt: «Oggi c'è già gente che ride con me di questa colonia di artisti, un paio d'anni fa io ero l'unico! Ma non durerà a lungo…»

Le Corbusier invece affermò, in contrapposizione a Loos: «… Olbrich ha rivoluzionato la Germania con la sua opera secessionista. A Vienna il movimento moderno ha ricevuto impulso da altre forze e perciò s'è diretto in un'altra direzione. Il nome di Van de Velde si stagliava fiammeggiante sull'orizzonte artistico. Sotto l'azione di questa mente artistica, nei primi anni del giovane movimento, gli architetti che ne facevano parte hanno costruito archi di legno, mentre i progetti di mobili dei primi anni e i fregi dei libri rendevano omaggio alla linea di Van de Velde, ''interessante et nouvelle''. Le nuove rivelazioni provenienti dall'Inghilterra, dalla Scozia e dall'America furono accolte dagli artisti viennesi con il più grande fervore…»

A. Deutsch-German, nel suo saggio *Wiener Portraits* (Ritratti viennesi), descrive così la sua visita a Hermann Bahr: «Nella Villa Bahr ho rovinato del tutto la mia reputazione perché ho chiuso gli occhi mentre passavamo su di un tappeto blu elettrico; questa non può essere l'interpretazione dell'arte di Olbrich. Tornando a casa la natura mi apparve favolosamente falsa: l'albicocco, orgoglio di Bahr, era di colore violetto, la sua casa era immersa in un rosso acceso, i suoi cani abbaiavano blu.»

2. J.M. Olbrich, *Villa Bahr*, Ober St. Veit, Vienna, 1899.

3. J.M. Olbrich davanti alla sua villa a Darmstadt, 1901.

1. J.M. Olbrich, *Muro di cinta di un giardino*, in «Ver Sacrum», luglio 1898.

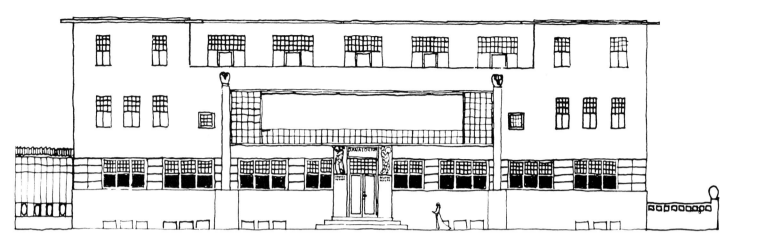

JOSEF HOFFMANN, ARTISTA TRA PASSATO E FUTURO

Maria Marchetti

Sopra:

1. J. Hoffmann, *Studio per la casa di cura di Purkersdorf*.

2. Josef Hoffmann, 1903. (Mus. f. angew. Kunst, Vienna).

Hoffmann è uomo gioioso e di una fantasia che sembra senza limiti. Nasce il 15.12.1870 a Pirnitz, una minuscola cittadina della Moravia, situata nei pressi di Iglau, centro di una zona dove esiste un'importante isola di lingua tedesca. Nasce non solo a pochi chilometri ma anche a pochissimi giorni di distanza da colui che per tutta la vita sarà il suo maggiore antagonista: Adolf Loos, un altro dei grandi protagonisti dell'architettura moderna. Due delle qualità più caratteristiche di Hoffmann come uomo e come artista sembrano insite nella storia della sua famiglia, in quella del padre, borghesi facoltosi e tranquilli legati alla loro terra e alle loro tradizioni, in quella della madre, parente di Franz Schubert, forse il più austriaco dei geni della musica. Mentre di quest'ultimo condivide l'eccezionale ricchezza di idee, la straordinaria facilità di produrre, dagli avi paterni mutua una profonda sensibilità per i valori della tradizione, per la vasta gamma di motivi ornamentali della cultura popolare morava. Nel 1942 dirà di se stesso: «Ci sono due tipi di artisti, gli uni costruiscono un oggetto razionalmente e lo sviluppano sistematicamente, gli altri hanno idee. Io sto più dalla parte di quelli che hanno idee.»

All'epoca degli studi risalgono la sua amicizia con Joseph Maria Olbrich, più anziano di lui di tre anni e già allora collaboratore di Otto Wagner, e le fertili discussioni con Kolo Moser e gli altri membri del Siebenerclub. Si discuteva su tutte le questioni dell'arte, tra cui anche le teorie sociali e artistiche di William Morris e John Ruskin che costituiscono in un certo qual modo le radici di quella che diventerà la Secessione.

Questa è un'epoca piena di fermenti. Hermann Bahr, il più importante teorico e cronista della Secessione, postulerà uno stile prettamente austriaco: oggi si direbbe uno stile legato al genius loci. Assieme a coloro che diventeranno gli uomini di punta del socialismo austriaco, come Engelbert Pernerstorfer e Viktor Adler, fa parte del movimento nazionalista tedesco: essi considerano Richard Wagner dio e profeta, fatto questo non privo d'importanza, dato che è stato proprio Wagner a creare la «tipologia dell'opera d'arte totale», anticipando non solo la concezione di vita del suo tempo ma anche la linea di sviluppo delle arti figurative.

Hoffmann, Olbrich e Moser vengono considerati rivoluzionari a favore di uno stile moderno, in quanto oppositori netti della riutilizzazione delle forme del passato, abituale nello «Historismus», lo storicismo. Questa situazione può essere illustrata forse meglio dalle parole di Loos scritte nel 1898: «Mi riesce difficile scrivere di Hoffmann. Infatti mi trovo in netta opposizione contro quella linea che viene sostenuta non soltanto a Vienna dai giovani artisti. Per me la tradizione è tutto, per me il libero sfogo della fantasia è soltanto una cosa di secondaria importanza. Ma qui abbiamo a che fare con un artista che, con l'aiuto della sua fantasia che sgorga copiosamente, affronta con successo le vecchie tradizioni: e anch'io devo riconoscere che vi si trovano idoli polverosi.»

Il rapporto tra l'operare di Hoffmann e i fatti della storia è invece sempre presente e sentito, per lo meno per quanto riguarda le sue architetture, anche se a prima vista questa affermazione può sembrare paradossale proprio in quanto Hoffmann viene considerato come uno dei padri dell'architettura moderna. Sicuramente lo è, anche se in senso più lato e forse più vicino a questa nostra epoca attuale che torna a comprendere il valore dell'ambiente e della storia. Questa sembra proprio una delle ragioni della sua «attualità». Attualità che condivide, del resto, con il suo acerrimo nemico Loos. È l'eterna antitesi tra chi affronta il progettare o il creare, ma anche i fatti della vita stessa, con disposizione d'animo ludica e intuitiva e chi li affronta con maggiore sforzo e da un punto di vista essenzialmente intellettuale: dunque, l'antitesi tra fantasia e rigore, se vogliamo di Dioniso e Apollo, per adoperare termini nietzschiani propri del tempo. Ci sembra proprio una questione esistenziale e di temperamento. Il suo senso dell'attualità diventa platealmente evidente quando si considera il suo modo di usare la «citazione». Infatti nelle sue opere si tratta di «citazioni» e non degli ultimi sprazzi dello storicismo: basta ricordare il progetto per il ministero della Guerra oppure quello della colonna isolata trasformata in edificio della «Chicago Tribune», motivo non a caso ricitato a sua volta da Hollein nella sua facciata della Via Novissima (mostra tenutasi a Venezia nel 1980). La differenza sostanziale tra Hoffmann e Loos sta nel fatto che Hoffmann trae ispirazione dal passato senza copiarne le forme, mentre per Loos non è più né lecito né possibile inventare forme nuove o addirittura nuovi ornamenti in architettura: Loos è del parere che solo l'artista può inventare, ma ritiene che l'architetto faccia parte degli artigiani e non degli artisti, e questo anche in conseguenza del suo modo di operare. Loos è animato da un senso di profonda sfiducia nel mondo, nel presente e in fondo anche in se stesso, atteggiamento comune anche agli altri profeti dell'Apocalisse, fra cui il suo amico Karl Kraus, profeti che in parte dovevano avere ragione. Dopo il suo viaggio di studi in Italia, dove Olbrich lo aveva preceduto di poco — e la corrispondenza tra i due risulta di grande interesse (cfr. Eduard Sekler, *Zu den italienischen Reiseskizzen von Josef Hoffmann und Joseph Maria Olbrich*, Wien, 1972) — Hoffmann scrive riferendosi a Capri: «L'esempio di un'arte popolare come quella che sussiste realmente qui, in queste semplici case di campagna, è di grande effetto su ogni anima spassionata e semplice e ci fa sentire sempre di più di quanta penuria si soffra da noi... Ma l'esempio di Capri e di qualche altro luogo... non ci deve indurre a imitare questo modo di costruire; deve avere piuttosto lo scopo di risvegliare dentro di noi il concetto di un abitare intimo e accogliente... deve stimolarci a ricercare una distribuzione semplice, piena di comprensione e di un'atmosfera adatta all'individuo...» Infatti le geometrie semplici delle prime ville urbane — del resto una tipologia, per così dire, inventata da Hoffmann — e anche i loro interni sereni e accoglienti sembrano sposare il ricordo delle architetture meridionali con quelle della tradizione borghese austriaca, che era quella dei suoi avi, con lo stile che ne è la quintessenza, il Biedermeier (1818-48 circa). Nel 1901, la Zuckerkandl scrive: «Il nesso con lo stile Biedermeier sembrava... agli artisti austriaci uno sviluppo logico del moderno... Armonia ritmica delle proporzioni, grande semplicità dei profili, individuazione logica della funzione d'uso erano le sue caratteristiche principali...» Questo rapporto con il passato non viene individuato soltanto dai critici, ma anche dagli stessi artisti; nel 1899, descrivendo le tappe dell'ideazione della sede della Secessione, Olbrich scrive: «Dovevano esserci muri bianchi e lucenti, sacri e casti. Dovevano comunicare dignità pura, come l'avevo sentita... con un fremito quando mi trovai da solo davanti al... tempio di Segesta.»

Mentre in tutta Europa, con l'eccezione della Scozia e dell'Inghilterra, imperano le tematiche floreali più organiche e violente, Hoffmann, dopo un brevissimo periodo di elaborazione delle stesse tematiche, che tuttavia vengono fin dall'inizio semplificate e rese più austere

1. K. Moser, *Ritratto di Josef Hoffmann.* (Hsch. f. angew. Kunst, Vienna).

2. J. Hoffmann, *Studio architettonico*, in «Ver Sacrum», luglio 1898.

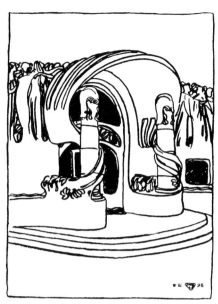

1. J. Hoffmann, *Studio per l'ingresso di un'abitazione*, in «Ver Sacrum», luglio 1898.

2. J. Hoffmann, *Studio per una villa.* (Mus. f. angew. Kunst, Vienna).

(«stilizzate», per adoperare un termine tipico dell'epoca), Hoffmann dunque entra in una fase creativa di massima geometrizzazione e stilizzazione. Parlando del suo arredamento della «Ver Sacrumzimmer», che appartiene a questo primo periodo (siamo nel 1898), Hevesi adopera il termine «Brettlstil», stile delle assi di legno. Uno dei lavori più significativi e anticipatori di questo periodo creativo è senza dubbio l'allestimento della XIV Esposizione della Secessione, creato per fare da cornice al *Beethoven*, il monumento scultoreo di Klinger. La mostra, che ha luogo nel 1902, viene progettata e in parte realizzata con notevole anticipo.

Questo tentativo di fondere pittura, architettura, scultura e musica ci fa venire in mente «l'eco delicata ma limpida di una grande musica svanita» che ripercorre uno spazio esoterico. Gustav Mahler elabora appositamente una trascrizione per tromboni dei motivi della *Nona sinfonia* di Beethoven per dare il benvenuto all'autore del monumento, Max Klinger. Klimt, invece, crea il suo fregio interpretando l'*Inno alla gioia* come una ricerca traviata della felicità da parte dell'uomo nel suo rapporto con il mondo, che per Klimt, fatto forse autobiografico, diventa sostanzialmente il rapporto con l'altro sesso, espresso ispirandosi a temi mitologici dell'antichità e ai versi di Schiller che avevano ispirato a sua volta Beethoven: ricerca coronata da successo, infatti termina con il tema «Dieser Kuss der ganzen Welt», bacio piuttosto concreto ed erotico, niente affatto metafisico, dato a un mondo che è altrettanto concreto e terreno, cioè alla donna. Lo spazio inventato da Hoffmann, o meglio il percorso iniziatico, prepara il visitatore al grande avvenimento facendolo salire, facendogli attraversare delle strette porte in modo che intraveda da lontano l'opera posta al centro del vano principale. Ma prima di poterla avvicinare, immersa nel candore di un bianco puro — anche qui siamo di fronte a un crescendo di sensazioni, un avanzare verso la purezza e la sacralità, infatti l'intonaco degli ambienti circostanti è leggermente giallognolo — deve scendere nuovamente, passando attraverso porte strette, per un breve corridoio oscuro, finché arriva finalmente all'ambiente

centrale. Tutta la struttura spaziale, spesso paragonata a una «chiesa dell'arte», a tre navate, ricorda nel suo procedere piuttosto la struttura di un labirinto. Infatti vi troviamo tutti gli elementi caratteristici e significativi del labirinto, anche se per quanto riguarda lo svolgimento spaziale vengono sintetizzati simbolicamente. Si avanza dall'ingresso stretto fino al fregio, che con le sue immagini ripercorre le tappe dell'iniziazione. Al centro del labirinto troviamo sia il principio divino, la scultura policroma di Klinger, sia due dipinti, quello di Roller intitolato *Sinkende Nacht* (Notte che scende) e quello di Böhm intitolato *Werdender Tag* (giorno che sorge) che, come indicano i titoli, simboleggiano morte e rinascita. Hoffmann mette nella zona centrale sia il fulcro concreto della celebrazione sia la sua tesi cosmica dell'esistenza: quindi sia il punto di riferimento spaziale sia il punto di riferimento metafisico. Il percorso prosegue simmetricamente: anche l'altra sala laterale è decorata con un fregio, o meglio con due, ma artisticamente molto meno interessanti di quello di Klimt.

Il concetto ordinatore della mostra viene descritto da Stöhr con le seguenti parole: «Come prima cosa doveva venire creato uno spazio unitario, poi, in funzione dell'idea spaziale, dovevano adornarlo pittura e scultura.» Lo spazio viene infatti delimitato da «pareti», superfici semplici e piane coperte con intonaco grezzo, in cui sono intagliate, a guisa di finestre — finestre sull'arte forse? — delle aperture nelle quali stanno incastrati pannelli decorativi. Pannelli per così dire secondari rispetto allo spazio che è teso e vive a sua volta soltanto in funzione del monumento a Beethoven. Tutto l'organismo spaziale viene articolato da tozzi pilastri ornati, come coronamento, da un fregio di quadrati intagliati nell'intonaco, sottolineando così la qualità tettonica della struttura. I pannelli che si trovano al di sopra dei due accessi al vano principale, punto simbolico, Hoffmann li ha voluti plasmare personalmente, creando due rilievi che egli stesso definisce «cristallizzazioni d'intonaco», con forme geometriche sorprendenti che sembrano un'anticipazione dell'arte astratta. Bisogna però ricordare che secondo le concezioni dell'epoca costituiscono qualcosa di completamente diverso e separato da quello che è per esempio il fregio di Klimt, in quanto vengono considerati «Flächenkunst» (arte della superficie) e quindi arte decorativa, una specie di arte di serie B rispetto alla «Bildkunst». Però immagini lontane sorgono davanti agli occhi anche in questo che può essere considerato, assieme al Sanatorio Purkersdorf e al Palazzo Stoclet di Bruxelles di poco posteriori, uno dei capolavori del periodo «purista» di Hoffmann e quindi di tutta la sua opera. Hevesi dice: «Se si guarda dal parapetto verso il centro della sala, le bianche forme rettangolari della parete d'ingresso ci ricordano le case a forma di cubo e i tetti piani di un paese lungo il Nilo»; e anche di quelli dell'Italia meridionale, ci viene da aggiungere. I critici sembrano apprezzare l'aspetto sacrale di questa sistemazione, come del resto era accaduto per un precedente allestimento della Secessione, sempre realizzato da Hoffmann, quello della III Mostra del gennaio del 1899 (anche in questo caso l'opera centrale era un lavoro di Klinger, il *Cristo nell'Olimpo*), con una presentazione già allora definita da «tempio profano». È stato detto: «Questa è una chiesa dell'arte, nella quale si entra per edificarsi e che si lascia credendo.» E ancora: «Uno spazio pieno di solennità, con un'atmosfera da tempio per colui che è diventato dio.» Infatti l'epoca, o per lo meno una certa élite culturale, ha sostituito l'arte alla religione elevando l'artista a dio.

Degli uomini di quest'epoca Hofmannsthal dice: «Essi cercano continuamente qualcosa che congiunga la loro vita con le arterie della grande vita in una miracolosa trasfusione di sangue vivo. Cercano nei libri (o nell'arte) ciò che un tempo avevano cercato davanti ad altari fumanti, un tempo in chiese crepuscolari lanciate in alto dallo struggimento.»

Il capolavoro maggiore di Hoffmann, il Palazzo Stoclet, nasce anch'esso, in un certo senso, da questo sentimento di sacralità dell'arte. Infatti l'edificio pare costruito per durare in eterno, con i suoi rivestimenti di marmo e con spigoli e congiunzioni marcati, ma anche protetti da pesanti profili metallici lavorati a sbalzo e dorati, profili messi come cornice dei piani che compongono il corpo di fabbrica in un sapiente gioco di composizione e

di scomposizione: nasce per ospitare borghesi colti e facoltosi, primi sacerdoti del culto dell'arte e della cultura, intenzionati a vivere in un bagno di estetismo, in un prezioso quanto sofisticato tempio che sorga attorno alla loro vita e alla loro raffinata collezione di arte orientale e antica. Questo edificio, se in un simile contesto è lecito adoperare un tale termine, costituisce quanto c'è di più vicino al concetto di opera d'arte totale, in quanto viene progettato e realizzato per intero, dall'articolazione spaziale ai minimi dettagli, agli arredi e alle suppellettili, al trattamento delle volumetrie, alle strutture organico-architettoniche del giardino, da Hoffmann e dagli artisti della Wiener Werkstätte, ai quali per l'occasione si aggiunge Gustav Klimt con i suoi celeberrimi mosaici della sala da pranzo.

Nel programma della Wiener Werkstätte, contenuto nel primo catalogo del 1905, Moser e Hoffmann scrivono: «Cento anni fa si spendevano già somme enormi di denaro per piccole stanze in castelli sontuosi; e oggi si è inclini a rinfacciare allo stile moderno mancanza di eleganza e povertà, mentre potrebbe forse raggiungere l'effetto più inatteso se ci fosse l'incarico necessario. I surrogati di imitazioni eclettiche possono bastare al parvenu. Sia il borghese di oggi sia l'operaio debbono avere l'orgoglio di essere pienamente coscienti del proprio valore e non debbono voler rivaleggiare con gli altri ceti, i cui compiti culturali sono già stati assolti e che rivolgono lo sguardo a pieno diritto verso un passato glorioso per quanto riguarda l'arte. La nostra borghesia è ancora ben lontana dall'aver soddisfatto i suoi compiti in campo artistico. Adesso è il suo turno di mostrarsi pienamente all'altezza dello sviluppo storico.» Queste parole sembrano chiamare come una formula magica dei committenti come gli Stoclet.

L'integrazione tra oggetto d'arte e architettura è il segno che l'obiettivo di far compenetrare idea e materia è raggiunto. «Dicono che gli ''stilisti'' sostengano una penetrazione dell'arte in tutta la vita, un ''allestimento'' ornamentale di tutta la nostra esistenza, nel quale un ruolo importante compete all'arte applicata», afferma Hevesi nel 1905, quando la Secessione si sfalda. Infatti sembra

1. J. Hoffmann, *Studio di interno*. (Mus. f. angew. Kunst, Vienna).

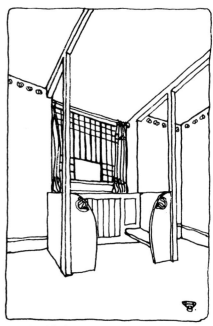

2. J. Hoffmann, *Studio di interno*. (Mus. f. angew. Kunst, Vienna).

J. Hoffmann, *Segreteria del Palazzo della Secessione*. (ÖNB, Vienna).

che la «stilizzazione», distaccata ma allo stesso stempo viva e pulsante, dei ritratti di Klimt, la stessa degli arredamenti raffinati di Hoffmann, si ritrovi anche nel vivere, nell'esistere di questa borghesia sofisticata.

È un momento in cui tutte le manifestazioni della vita subiscono una stilizzazione, anche feste e incontri vengono trasformati in eventi artistici, in riti da compiere, per queste occasioni vengono elaborate vesti sacrali apposite (vedi il saggio sulla moda). Hoffmann crea quindi oggetti, arredi, spazi cui i fruitori sono costretti ad adattarsi assumendo il dovuto contegno. Risulta che, entrando in un ambiente che aveva egli stesso disposto, se trovava un oggetto spostato lo rimetteva nella posizione originale. Loos dice: «La differenza tra me e gli altri è la seguente: io affermo che l'uso crea la forma culturale, la forma degli oggetti; gli altri, che la forma creata ex novo può influenzare la forma culturale (sedere, abitare, mangiare ecc.).» Effettivamente sembra esserci in Hoffmann e nei suoi adepti la fede nel potere per così dire redentore della forma, dell'arte: fede che la forma, il comportamento formale possono opporsi allo sfaldarsi del loro mondo.

Nel suo *Doktor Faustus* Thomas Mann dice: «Era, per dirla in breve, il contrasto tra estetica e morale che dominava infatti in buona parte la dialettica di quell'epoca e si impersonava in un certo senso in questi giovani…» Parole che ci fanno pensare al rapporto dialettico tra tecnologia e ornamento che caratterizza lo stile della maturità di Otto Wagner. Nel caso di Wagner, però, non c'è contrapposizione tra i due elementi: essa nasce ed esplode soltanto nell'antitesi che si determina nella polemica tra Hoffmann e Loos e risulta nel confronto fra le loro opere.

Vorremmo chiudere con le parole di Robert Musil: «Quell'affinamento… era evidente nelle abitazioni cittadine, che, secondo il gusto del tempo, erano arredate nello stile impersonale e fastoso dei transatlantici, ma in quel paese di raffinate ambizioni sociali conservavano — grazie a una patina inimitabile, all'opportuno isolamento dei mobili o alla posizione dominante di un quadro su una parete — l'eco delicata ma chiara di una grande musica svanita.» Quali interrelazioni ci fossero in quel mondo tra i vari artisti e perfino tra le varie discipline ce lo fa capire il fatto che il salotto al quale Musil si ispira per descriverci quello di Diotima ne *L'uomo senza qualità* è in realtà quello di Eugenie Schwarzwald arredato da Adolf Loos. Ed è proprio nella scuola sperimentale di Eugenie Schwarzwald e di suo marito che insegna il giovane Kokoschka, il quale scandalizza il pubblico benpensante con le sue opere esposte in occasione della Kunstschau del 1908 e del 1909 proprio perché apre una finestra su aspetti della vita ignorati da questa borghesia isolata nella propria torre d'avorio comodamente arredata. Infatti il suo espressionismo violento rende esplicito il finire di un'epoca.

1. J. Hoffmann, *Studio per mobile.* (Mus. f. angew. Kunst, Vienna).

2. J. Hoffmann, *Decorazione per libro*, in «Ver Sacrum», gennaio 1898.

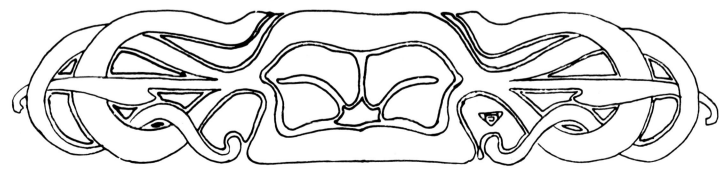

O. Wagner, *Progetto per la chiesa di Steinhof*, 1906. (Hist. Mus., Vienna).

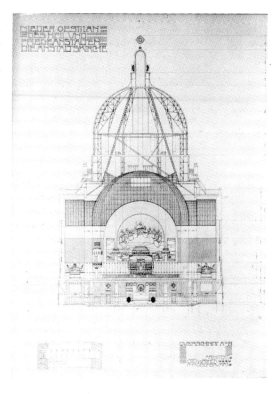

Da sinistra dall'alto:
O. Wagner: 1. *Progetto per l'edificio Der Anker*, 1894. ☐ 2-3. *Progetto per la chiesa di Steinhof*, 1906. (Hist. Mus., Vienna). ☐ 4. *Progetto per il Palazzo della Pace*, Vienna, 1906. (Hist. Mus., Vienna).

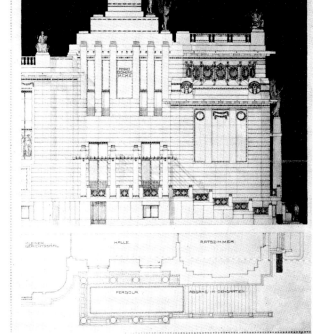

PROJEKT·ZUM·KAISER·FRANZ·JOSEF·STADTMUSEUM·

O. Wagner: 1. *Progetto per il Kaiser Franz Josef Stadtmuseum*, 1900-12. (Hist. Mus., Vienna). □ 2. *Progetto per il monumento di fronte al K.F.J. Stadtmuseum*, 1909. (Coll. privata, Monaco). □ 3. *Progetto per il K.F.J. Stadtmuseum*, 1900-12 (Hist. Mus., Vienna).

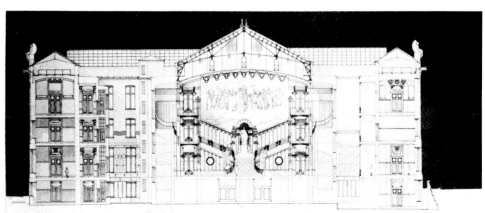

Da sinistra dall'alto:
O. Wagner: 1. *Progetto per la facciata della Postsparkasse (particolare)*, 1905. (Hist. Mus., Vienna). □ 2. *Progetto per l'Accademia di belle arti*, 1898. (Hist. Mus., Vienna). □ 3. *Progetto per il Kaiser Franz Josef Stadtmuseum (lato di Canovagasse)*, 1900-12. (Hist. Mus., Vienna).

Da sinistra dall'alto:
1. D. Prutscher, *Spazi espositivi per la mostra di Dresda*, in «Der Architekt», 1909.
□ 2. R. Tropsch, *Azienda commerciale di Milano*, in «Der Architekt», 1900. □
3. O. Laske, *L'Engelsapotheke di Vienna*, in «Der Architek», 1903. □ 4. J. Urban, *Bozzetto per l'edificio dello Hagenbund*, in «Der Architekt», 1902.

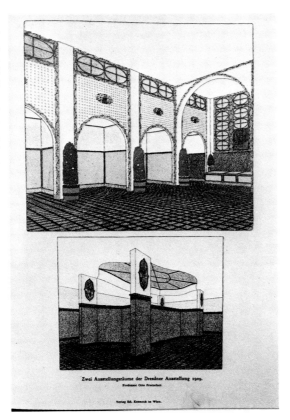

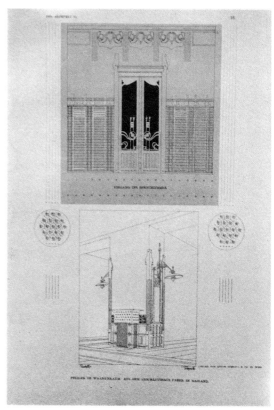

O. Wagner: 1. *Prima Villa Wagner*, 1886-88. □ 2. *Palazzo a Vienna*, 1890. □ 3. *Progetto per la seconda Villa Wagner*, 1912-13. (Hist. Mus., Vienna).

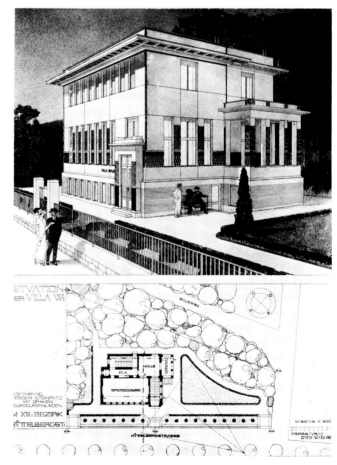

1. O. Wagner, *La Postsparkasse*, 1905.
2. O. Wagner, *Il ponte di Wiental*, 1892.

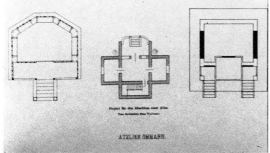

Da sinistra dall'alto:
1. H. Vollmer, *Progetto per la chiusura di un viale*, in «Der Architekt», 1901. □ 2. C.J. Benirschke, *Villa sul lago*, in «Der Architekt», 1902. □ 3. E. Lichtblau, *Villa a Vienna*, in «Der Architekt», 1908. □ 4. W. Deininger, *Villa Loser*, in «Der Architekt», 1903.

1. R. Tropsch, *Ingresso del giardino incantato Harun al Raschid*, in «Der Architekt», 1905.
2. J. Plecnik, *Studio per la facciata della Zacherlhaus*, in «Der Architekt», 1906. □

3. K. Witzmann, *Prova d'esame, II premio*, in «Der Architekt», 1903.

O. Wagner: 1. *Ospedale per i malati di lupus*, 1910-13. □ 2. *Sala d'aspetto della stazione della metropolitana*, 1898-99.

1. E. Hoppe, *Progetto per il palazzo destinato ai reali stranieri a Schönbrunn, Fasangarten*, 1900 c. (Coll. privata, Londra).

2. E. Hoppe, *Studio per abitazione (facciata)*, 1907 c. (Coll. privata, Londra).

3. E. Hoppe, *Studio per la chiesa di un convento (facciata)*, 1904 c. (Coll. privata, Londra).

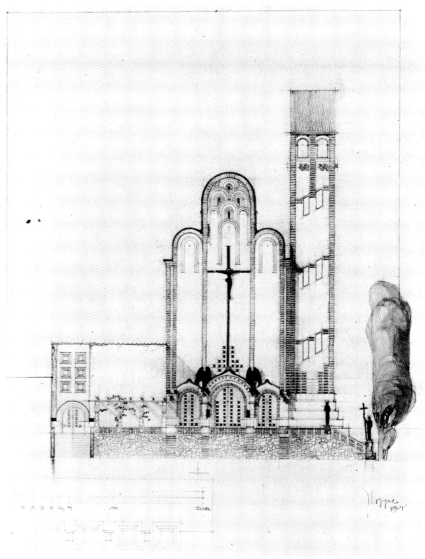

E. Hoppe: 1-2-3-4. *Studi di architettura*, 1904-05. (Coll. privata, Vienna).

1. F. Ohmann-J. Hackhofer, *Costruzione sovrastante il Wienfluss,* (Hist. Mus., Vienna).

2. F. Ohmann, *Progetto per lo Stadtmuseum*, 1903. (Coll. privata, Monaco).

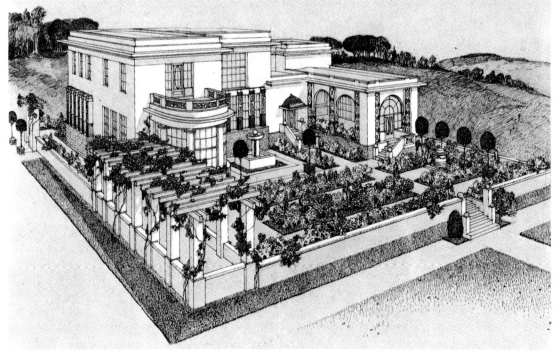

Da sinistra dall'alto:
M. Kammerer: 1. *Studio per la villa di un pittore,* 1899. (Coll. privata, Londra). □ 2. *Studio per il salone dei ricevimenti del Grand Hotel Wiesler di Graz,* 1909 c. (Coll. privata, Londra). □ 3. *Studio per una villa di campagna,* 1910 c. (Coll. privata, Londra).

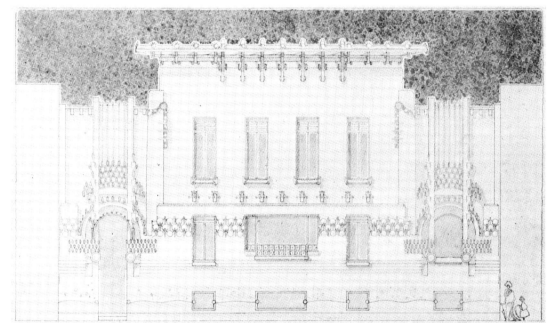

Dall'alto:
D. Schönthal: 1. *Progetto per il palazzo degli uffici amministrativi del XX Distretto (lato di Brigittaplatz)*, 1902-03. (Coll. privata, Londra). □ 2. *Progetto per la casa Wojcsika (facciata)*, Vienna, 1900-01. (Coll. privata, Londra). □ 3. *Studio per la Cafehaus della mostra del gruppo di Klimt alla Kunstschau del 1908*. (Coll. privata, Londra).

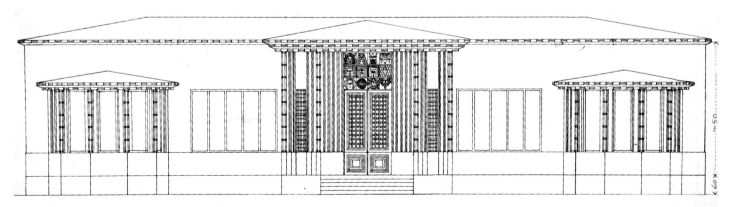

OLBRICH · 97

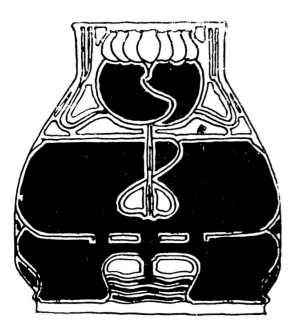

Da sinistra dall'alto:
J.M. Olbrich: 1. *Studio decorativo di vaso*, in «Ver Sacrum», 1898. ☐ 2. *Studio per spogliatoio*, in «Ver Sacrum», 1898. ☐ 3. *Lampadario a forma di polpo*, 1900 c. (Coll. privata, Vienna). ☐ 4. *Vaso di fiori con supporto*, in «Ver Sacrum», 1898. ☐ 5. *Studio per mobili*, in «Ver Sacrum», 1898.

EINFACHE MÖBEL

EINFACHE·MÖBEL

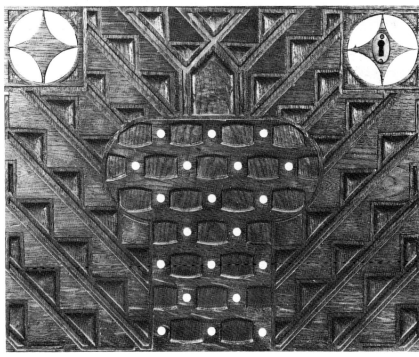

1. J.M. Olbrich, *Scrivania*, 1898-99. (Coll. privata, Vienna).

A pagina precedente, da sinistra:
J.M. Olbrich: 1-2. *Buffet e dettaglio dell'anta*, 1900 c. (Coll. privata, Vienna). □ 3. *Sedia con braccioli*, 1898-99. (Coll. privata, Vienna). □ 4. *Tavolino*, 1898-99. (Coll. privata, Vienna).

2. J.M. Olbrich, *Vetrina*, 1898-99. (Coll. privata, Vienna).

Da sinistra dall'alto:
J.M. Olbrich: 1. *Sedia*. (Coll. privata, Vienna). □ 2. *Sedia per la camera degli ospiti di Villa Friedmann*. (Coll. privata, Vienna). □ 3. *Sedia*, 1900 c. (Coll. privata, Vienna). □ 4. *Tavolo con due sedie*, 1903. (Hsch. f. angew. Kunst, Vienna).

Da sinistra dall'alto:
J. Hoffmann: 1. *Lettino*, 1908 c. (Coll. privata, Vienna). □ 2. *Poltrona*, 1901-02 c. (Coll. privata, Vienna). □ 3. *Sedia per la casa di cura Purkersdorf*, 1905. □ 4. *Sedia con braccioli*, 1904-06. (Coll. privata, Vienna). □ 5. *Samovar*, 1904. (Mus. f. angew. Kunst, Vienna). □ 6. *Oliera*, 1904. (Coll. privata, Vienna).

Da sinistra dall'alto:
J. Hoffmann: 1. *Progetto per l'esposizione del giubileo dell'imperatore del 1908, 1907.* □ 2. *Progetto per la Villa Hochstätter, 1907.* □ 3. *Progetto per l'esposizione del giubileo 1908, 1907.* □ 4. *Studio per il padiglione austriaco per l'esposizione del Werkbund a Colonia, 1914.*

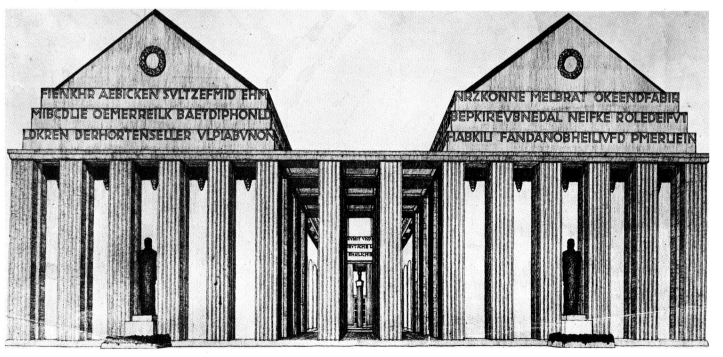

J. Hoffmann: 1-2-3-4-5. *Facciata, sala da pranzo, ingresso e atrio della casa di cura Purkersdorf*, 1905.

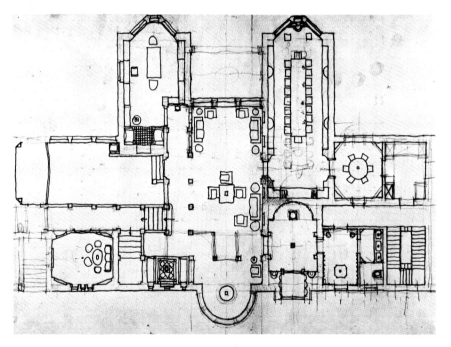

Da sinistra dall'alto:
J. Hoffmann, *Palazzo Stoclet*, 1905-11: □ 1. *Studio della facciata*. (Mus. Mod. Kunst, Vienna). □ 2. *Studio dal lato del giardino*. (Mus. Mod. Kunst, Vienna). □ 3. *Pianta*. (Mus. Mod. Kunst, Vienna). □ 4. *Sala del teatro*. (Mus. Mod. Kunst, Vienna). □ 5. *Interno*. (Mus. Mod. Kunst, Vienna).

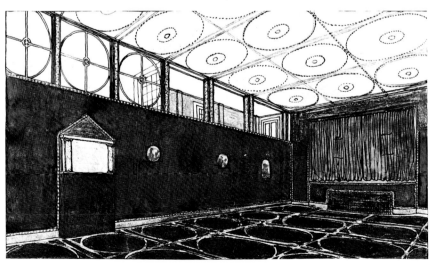

J. Hoffmann, *Atrio del Palazzo Stoclet*, Bruxelles, 1905-11.

Da sinistra dall'alto:
J. Hoffmann: 1. *Ingresso al bar del Cabaret Fledermaus.* ☐ 2. *Il reparto stoffe della Wiener Werkstätte.* ☐ 3. *Servizio di posate per il Cabaret Fledermaus.* ☐ 4. *Casino di caccia a Hochreith.*

Da sinistra dall'alto:
A. Loos: 1. *Interno del negozio Knize a Vienna*. □ 2. *Il Café Capua a Vienna*, 1903. □ 3. *Il Café Museum a Vienna*, 1899. □ 4. *Interno*.

Da sinistra dall'alto:
A. Loos: 1. *Casa a schiera*, 1930. □ 2. *Casa Hugo e Lilly Steiner*, 1910. □ 3. *Casa Helene Horner*, 1912.

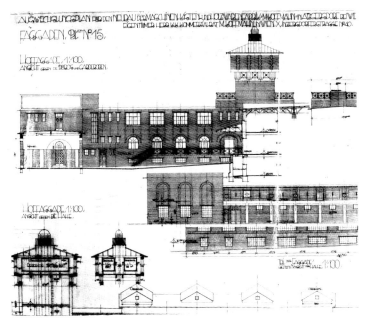

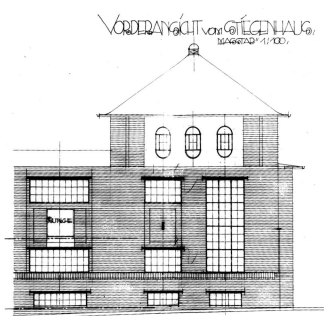

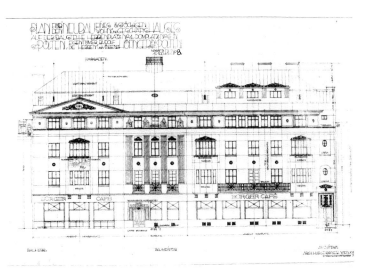

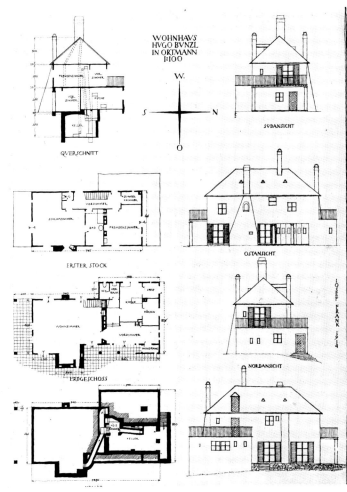

Da sinistra dall'alto:
1. H. Gessner, *Progetto per una fabbrica.* □ 2. H. Gessner, *Progetto per una casa.* □ 3. H. Gessner, *Progetto per un complesso abitativo.* □ 4. J. Frank, *Progetto per una casa a Ortmann*, 1914. (Coll. privata, Monaco).

M. Balzarek: 1. *Progetto per un impianto sportivo a Frendenau*, 1902. (Stadtmus., Linz). □ 2. *Studio per gli uffici del governatore a Linz*, 1906. (Stadtmus., Linz). □ 3. *Villa di campagna di Bad Hall (facciata)*, 1912. (Stadtmus., Linz).

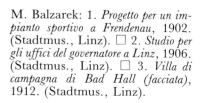

F. Schwarz: 4. *Progetto per la casa di un architetto a Hütteldorf*, 1911. (Coll. privata, Monaco). □ 5. *Studio per l'aula della Kunsthochschule di Vienna*, 1910 c. (Coll. privata, Monaco).

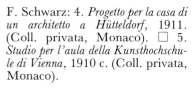

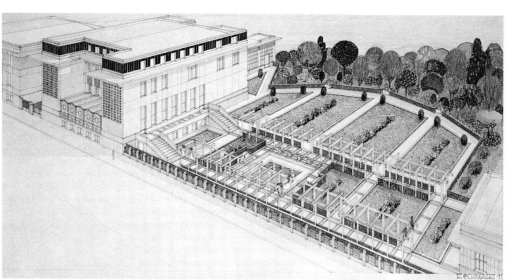

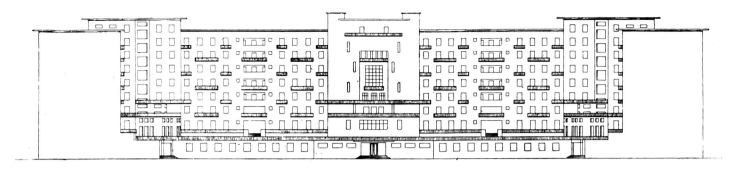

ADOLF LOOS - CONTRADDIZIONI E ATTUALITÀ

Hermann Czech

Sopra:
A. Loos, *Grand Hotel a Semmering (facciata)*, 1913.

M. Oppenheimer, *Ritratto di Adolf Loos*. (Hist. Mus., Vienna).

L'eliminazione dell'ornamento effettuata da Adolf Loos fa parte delle basi dell'autocapirsi dell'architettura moderna. Come per Karl Kraus e per Wittgenstein anche per Loos è possibile farsi un quadro semplice e facilmente concepibile della sua opera sulla base di conoscenze superficiali.

Le difficoltà sono sorte solo dopo un esame più attento della sua opera. In un progetto come quello per la «Chicago Tribune» la classica architettura moderna non poteva che vedere una digressione o uno scherzo. Ancora negli anni '60 Nikolaus Pevsner inizia e termina un suo saggio con l'affermazione: «Adolf Loos rimane un mistero.»

Nel corso di una semplice critica del funzionalismo anche Loos naturalmente è stato rovesciato. E ciò soprattutto da quei pensatori che volevano trovare una soluzione ai nostri problemi reintroducendo l'ornamento. Un esame differenziato e critico rivela però quelle forze di cui Loos fece senz'altro parte e che dalla corrente principale furono spinte verso i margini. E ora il postmoderno può valersi di lui che fu uno dei padri dell'architettura moderna.

Infatti, partendo dall'opera di Loos, è possibile illustrare i dieci criteri del postmoderno stabiliti da Charles Jencks (come, per esempio, forme folkloristiche e locali, ricordi storici, nesso urbanistico, rappresentazione, metafore, pluralismo, eclettismo). Visto però che anche l'equazione Loos = postmoderno non

quadra, c'è da supporre che l'opera di Loos avrà il suo peso ancora in tempi futuri.

Alla base dell'opera di Loos si trovano pensieri e concetti che comunque corrispondono a un sistema aperto. Ma come in Kraus, la precisione risiede nel concreto e non nell'astratto. Si creano sempre contraddizioni laddove le interpretazioni apportate vogliono farne un sistema chiuso.

Loos ha combattuto l'ornamento. «Lo sviluppo della cultura è parallelo alla eliminazione dell'ornamento.» Loos però non si è rivoltato contro l'ornamento in sé ma contro la creazione di nuovi ornamenti. Tale attività, secondo lui, era «indegna di un uomo moderno». Egli riteneva ammissibili le copie di antichi ornamenti, purché però fossero precise. Ma anche questo non è esatto, visto che Loos stesso ha inventato un ornamento. Quasi sempre, per terminare in alto un rivestimento di legno, si trova una determinata cornice che a volte consente di attribuire un arredamento a Loos: consiste in listelli profilati fresati, allora in commercio, tagliati in pezzi e allineati alternativamente uno orizzontale e uno verticale, a suggerire l'impressione di una cornice ornamentale classica.

Che significa quindi «lotta contro l'ornamento»? Quale sarebbe l'ideale che deve sorgere purificato?

Non è la costruzione. Chi volesse dedur-

re lo schema costruttivo dalla «casa di Loos» sulla Michaelerplatz di Vienna dovrebbe recarsi nel cortile. Là si trova — un anno prima dell'Officina Fagus di Gropius — uno scheletro, un vano scale vetrato e un vano ascensore che corrisponderebbero al nuovo realismo, dovuti però a riflessioni puramente materiali, senza pretese patetiche. Del cortile, del resto, non si sono mai fatte riproduzioni. Sulla facciata principale invece si nasconde una cornice in cemento armato su cinque piani e su tutta la larghezza di 16 metri. Questa avrebbe reso possibile un ordine di finestre orizzontale, mentre invece attraverso la divisione delle finestre è diventata del tutto indecifrabile. Del resto serve unicamente a scaricare il peso dalle grandi colonne del pianterreno. Queste dovevano essere realizzate con materiali autentici e costosi, non adatti però a sopportare il peso di sei piani. Accanto a queste colonne non portanti vengono accettati senza problemi, all'interno dei locali dei negozi, i piloni portanti quadrati in cemento armato dello scheletro. Lo storicismo avrebbe conformato detti piloni in colonne. Ma Loos era ben lontano dalla verità costruttiva espressa nelle parole di Auguste Perret: «Chi nasconde un pilone commette un errore; chi mette un pilone finto commette un crimine.»
Non è poi nemmeno la funzione. La Casa di Loos non deve essere intesa partendo dalla tradizione del «magazzino» ma da tradizioni più antiche della casa commerciale di grande città adatta in pari modo per negozi, uffici e abitazioni. Considerati da un rigoroso punto di vista funzionale, i piani non si distinguono tra di loro: lo scheletro e la generosità della costruzione interna sono quasi identici in tutti i piani. Su che cosa si basa quindi la differenza marcata tra la parte inferiore e quella superiore? I negozi nella parte bassa aprono direttamente sulla strada, mentre i locali della parte superiore non possono essere raggiunti che «privatamente», passando per la scala interna.

L'etica progettistica di Loos — i concetti di «veridicità» e di «crimine» — non è radicata nelle idee costruttive o funzionali bensì in quelle culturali. Egli aveva un'idea ben chiara (quindi precisa nel concreto e non nell'astratto) della vita moderna, dell'uomo moderno. Nel suo concetto della vita commerciale, per esempio, si univano le impressioni dell'America degli anni '90 con quelle della società viennese. Tale immagine della vita moderna contiene sia l'elemento del confort sia quello rappresentativo; è una cultura cosmopolita, democratica e commerciale, portata da commercianti e artigiani, già esistente in America e che avrebbe fatto strada, nobilitata dagli ideali delle forme dell'antichità. Tale atteggiamento antiformale orientato verso la «base» si opponeva non solo allo storicismo ma anche in maggior modo alla Secessione che, come più tardi intesero il Werkbund e la Bauhaus, volevano *schizzare* la nuova cultura passando dall'alto.
Da tale posizione Loos era in grado di analizzare la forma, di distinguere nell'offerta del suo tempo il puro dall'impuro. Tale atteggiamento critico, non un dono formale, lo rese capace di creare nuove forme. Le invenzioni formali di Loos corrispondono tutte — anche se ripetibili — a soluzioni di determinati problemi costruttivi e spaziali. Alla base di tutto, indifferentemente che si tratti di urbanismo o del rivestimento di una stanza, sta un'idea: «La buona architettura si può descrivere, non è necessario disegnarla. Il Partenone si può descrivere. Le costruzioni della Secessione no.»
In tal senso bisogna intendere la lotta contro l'ornamento, non quale lotta per la superficie liscia bensì contro qualsiasi forma che non sia pensiero, anche se si tratta di una superficie liscia. L'arte di Loos è sentimentale nel senso di Schiller, cioè riflette: non è ingenuamente lineare come quella di Otto Wagner. È questa la ragione per cui una decorazione nello stile liberty austriaco può con lui rapidamente comparire e altrettanto rapidamente scomparire per essere in seguito combattuta radicalmente come idea falsa. Anche Wagner nelle sue opere tarde arrivò alle superfici lisce, non disfacendosi dell'ornamento ma riducendolo lentamente. Il rapporto di Wagner coll'antichità, o meglio con la colonna, è stato diverso: egli era stato l'architetto dello storicismo e se ne era liberato; egli non

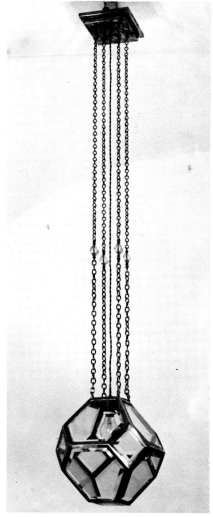

1. A. Loos, *Lampadario*, 1900-10. (Coll. privata, Vienna).

2. A. Loos, *Casa Schen*, 1912. (Mus. Mod. Kunst, Vienna).

1. A. Loos, *Interno del negozio Knize*, 1910-13.

2. La rivista «Das Andere», diretta da A. Loos.

poteva ancora servirsi della colonna quale citazione.

D'altro canto Loos crede al nesso culturale, alla radice tipologica dell'architettura. «L'uomo singolo è incapace di creare una forma e perciò anche l'architetto. L'architetto però tenta sempre e di nuovo questa cosa impossibile e sempre con esito negativo. La forma o l'ornamento sono il risultato di un lavoro complessivo inconscio degli uomini di tutta una sfera culturale. Tutto il resto è arte. L'arte è la volontà propria del genio. L'incarico gli è stato dato da Dio.» Se Loos deve arredare un salone di moda per uomo, oppure un caffè, non si pone il problema di come tale locale potrebbe essere in un'altra cultura ancora da crearsi, che aspetto potrebbe avere in passato o in avvenire. Non sta ideando ogni dettaglio completamente nuovo. Chi vuole comunicare nuove idee non può servirsi allo stesso tempo anche di una lingua nuova. La sua impostazione riformatrice della vita non consiste nel creare una cultura marginale parallela, ma nel filtrare dalla cultura esistente tutto ciò che sembra adoperabile per uno sviluppo culturale. Egli prende il seguito nell'artigianato, là dove l'architetto non si è ancora intromesso.

L'architetto è il «muratore che ha imparato il latino». Le sue impostazioni, il fondamento ideale e spirituale e la fede nella già esistente cultura moderna, sono dirette contro lo stile liberty austriaco, contro la Secessione e contro Josef Hoffmann. Per rendere fruttuosa questa polemica per la nostra epoca si rendono necessarie due indicazioni:

1) Le posizioni opposte di Loos e Hoffmann nel formulare impostazioni «intellettuali» e «decorative» oggi sono cancellate dal fatto che i contenuti intellettuali tematici sono diventati nell'architettura essi stessi elementi decorativi.

2) Loos poteva partire dal fatto che l'esecutore della costruzione, l'artigiano, poteva lavorare indipendentemente entro una tradizione assicurata. Ciò che oggi non è più.

Josef Frank porta avanti il pensiero di Loos salvandolo dal pericolo di diventare dottrinario. Il suo punto di vista non è più quello del pioniere ma quello dello scettico. Otto Kapfinger paragona il suo messaggio nei confronti di quello di Loos come il Nuovo Testamento nei confronti del Vecchio. Frank può essere più tollerante per quanto concerne l'esterno; egli del resto è «convinto che sia possibile trasformare il disegno di un fabbricato moderno, presentatoci quale esempio modello del nuovo razionalismo, in qualsiasi stile storico senza che per questo il suo scopo pratico ne sia minimamente ridotto». Si può dire, con Friedrich Kurrent e Johannes Spalt, che «la strada di Frank rappresenta una sintesi fra quelle di Adolf Loos e Josef Hoffmann, che alla loro epoca sembravano incompatibili». La visione di Frank è quella di un'architettura comprendente «tutto lo spirito dell'epoca con tutti i suoi sentimentalismi e le sue esagerazioni e con le sue mancanze di gusto» (1930). Ancora nel 1958 egli chiede che «conformiamo il nostro ambiente in maniera che possa sembrare creato per caso».

In questa mediazione di Frank l'arco del pensiero di Loos si estende fino alle possibili basi dell'architettura attuale. C'è in primo luogo la base intellettuale, un atteggiamento cosciente, non però per l'esecuzione di programmi di riforma ma per meglio recepire il concreto. E, in secondo luogo, la tolleranza estetica che non ha per meta la pacificazione mediante graziosi motivi architettonici, bensì di usufruire di quanto esiste là dove è vivente e vissuto. Vorrei chiamarlo il vero manierismo, che per una cultura di partecipazione non rappresenta un ostacolo ma anzi è l'unico possibile.

1. H. Gessner, *Casa per operai a Favoriten (facciata)*, Vienna, 1901-02.

2. J. Plecnik, *Chiesa Hl-Geist (facciata)*, Vienna, 1910-11.

3. M. Fabiani, *Urania*, Vienna, 1905-09.

Evoluzione

Con la salita al trono dell'ancor troppo giovane Francesco Giuseppe I, dopo un burrascoso periodo di brutale violenza, si instaura una nuova epoca di illuminismo culturale.

In questi anni viene proposto per la prima volta un concetto dell'istruzione capace di abbracciare contemporaneamente tutti gli strati sociali. E proprio a Vienna è possibile identificare, malgrado la varietà dei modi di concepire l'istruzione e la diversità delle correnti politiche, un carattere chiaramente comune. Qui è in primo piano l'azione concreta, il fatto, in antitesi con la disputa sfibrante tra teoria e prassi, tra l'educazione popolare estensiva e il «Bildungskellner» (servitore della cultura)[1] in Germania. Per quando riguarda l'architettura è possibile individuare tre direzioni fondamentali:

1) Il «chiarimento tettonico» della scuola wagneriana verso il 1900, coincidente con gli inizi dello Jugendstil, fino all'espressionismo monumentale proletario, rappresentati entrambi dalle opere di Hubert Gessner e in particolare dall'Arbeiterheim Favoriten, la prima «maison du peuple» viennese (1901-02).

2) Un'«architettura del consenso» costituita dalla connessione degli elementi architettonici dei canoni classici, prevalentemente baroccheggianti, intesa nel senso di una comprensione generale fra tutti gli strati sociali, pur con una moderna disposizione interiore di avanguardia.

Ciò vale soprattutto per l'«Urania» di Max Fabiani (1905-09) e i progetti successivi ispirati a questo modello.

3) Il classicismo purificatore antisecessionista di impronta beuroniana, evidente nel tardo periodo viennese di Joze Plecnik, con particolare riferimento alla sua ultima opera parzialmente realizzata a Vienna, il Centro parrocchiale comunitario «Hl. Geist» (1910-11).

Precedenti

A determinare il sorgere del bisogno di accedere alla cultura anche fra i meno abbienti e quindi anche dei centri di istruzione popolare è il liberalismo emergente, che ancora non ha nulla in comune con una coerente e lineare cultura proletaria. È dunque soprattutto opera della borghesia illuminata, che in seguito all'entrata in vigore della nuova Costituzione del 1867 aveva preso piena coscienza del suo status politico, nel pieno sviluppo dell'era industriale.

Sul problema dell'istruzione popolare si registrano una polarizzazione comune a tutti gli strati sociali e il pieno consenso fra i socialcristiani e i socialdemocratici. La città era ormai diventata una metropoli, già verso il 1850 erano stati incorporati nel comune 33 sobborghi situati all'interno della cintura protettiva, il IX Distretto e la proletaria Leopoldstadt con il suo ghetto. La Ringstrasse viene così a rappresentare il punto di fusione di questa nuova configurazione urbana, diventa simbolo del pluralismo stilistico

Sopra:
J. Hoffmann, *Decorazione per libro*, in «Ver Sacrum», gennaio 1898.

[1] Jürgen Henningsen, *Zur Theorie der Volksbildung — Historischkritische Studien zur Weimarer Zeit*, p. 7.

borghese e particolarmente del «Rund-bogenstil» (arco a tutto sesto) di stampo semperiano. Una vittoria dei rinascimentalisti, dai quali discenderà poi anche Otto Wagner, la cui scuola formerà in seguito gli architetti della Vienna rossa. È in questo periodo che vengono sviluppati i primi abbozzi di progetti comunitari con strutture educative integrate, come quello di O. Thiemann, che si può considerare l'antesignano dei «Wiener Höfe», per la costruzione di case popolari e sedi di enti assistenziali della «Jubileumsstiftung» del 1896. Ma anche in Heinrich von Ferstel, uno degli architetti di maggior successo della Ringstrasse, costruttore dell'Università e della Votivkirche, troviamo presenti modelli di sviluppo per un programma edilizio con strutture comunitarie ed educative basati su princìpi sociali.

Già in questa generazione di architetti, come poi d'altronde in tutti gli uomini di pensiero progressisti legati al tardo liberalismo, accanto agli allori della cultura registriamo anche il tema della «colpa sociale», come la definiva Ernst Mach; i concetti di centro popolare, palazzo del popolo, università popolare assumono un ruolo di primo piano. La costruzione a fine educativo per i ceti poveri sorge a Vienna senza una ben definita tipologia iniziale, è più che altro un'organizzazione di cicli di conferenze, di centri per il prestito di libri senza sede fissa, in una continua condizione di provvisorietà che genera man mano una organicità pratica nella singola costruzione.

Lo sviluppo è frenetico. E. Leisching, la guida dell'Associazione per l'istruzione popolare, scrive: «Il Vortragswerk (Centro conferenze) si unì organicamente alla nostra istituzione bibliotecaria nel 1887-88; questa era stata iniziata da noi nel 1887 con le librerie di Simmering e di Währing prima, di Favoriten poi, seguite ben presto da quelle di Nussdorf, Ottakring, Margareten, Fünfhaus ecc., da biblioteche militari, ospedaliere, di scuole professionali e di carceri: dappertutto sorsero biblioteche...»[2]

Concetto di centro comunitario

Caratteristica della concezione progressista dell'istruzione e della sede culturale nell'ambito della borghesia liberale è la frequenza con cui tali istituzioni venivano scambiate per associazioni assistenziali o di mera carità culturale.

Ciò che la costruzione deve esprimere è la conciliazione delle classi,[3] la conciliazione delle differenze sociali, come le definisce Ludo Hartmann, il capo spirituale del «Volksheim», oppure la conciliazione dei ceti, secondo Emil Reich. Il liberale illuminato non si ritiene affatto il nemico simbolico dei movimenti di massa, bensì il loro fautore e promotore, l'antesignano della conciliazione e del consenso. Attraverso l'impegno di educazione popolare si vuole perseguire più una pacificazione degli opposti fronti, esacerbati dalla propaganda socialista, che porre freno alla disgregazione della classe dominante. Con la costruzione di questi centri si vuole recuperare la gente dalle strade, portarla nello «Heim», nella «casa del popolo», perché vi diventi attiva ed efficace.

Così l'espressione dell'universalità di questi concetti non sarà la leggerezza esoterica della curvilineità secessionista, espressa nel primo «Arbeiterheim» di Gessner, bensì il profilo del meandro classico che cinge le facciate dei primi centri di istruzione popolare e collega le origini stesse della cultura all'opera di emancipazione sociale. Parafrasando tutto ciò, si arriva alla battuta di Loos quando affermava che preferiva «aristocratizzare» il povero, anziché trasformarlo in bolscevico o modernista. In tale ottica sia lo splendore che la razionalità dell'«Urania» di Max Fabiani vanno intesi come una colta sintesi dell'architettura del consenso. Lo stesso si può affermare della mediterraneità classica del centro parrocchiale comunitario «Hl. Geist» di Plecnik.

Caratteristiche

I fattori essenziali del programma di istruzione popolare e di costruzione dei centri comunitari sono rappresentati da un cosmopolitismo tipicamente viennese e dal concetto di neutralità. Più che alla via di mezzo («das Dazwischen»), si tende al «di più» («das Über»); l'istruzione popolare non è un vago campo di beneficenza che il partito lascia in mano altrui. Educazione comunitaria, che deve essere espressa dalla costruzione, è nell'otti-

H. Gessner, *Casa per operai a Favoriten (sala delle assemblee)*, Vienna, 1901-02.

[2] Eduard Leisching, *1858-1938: Erinnerungen*, Wien, 1978.
[3] Gerhardt Kapner, *Die Erwachsenenbildung um die Jahrhundertwende*, Wien, 1961, p. 6.

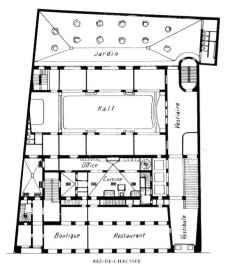

REZ-DE-CHAUSSÉE

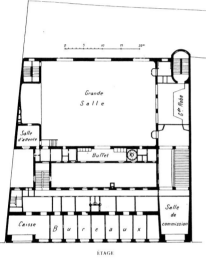

ÉTAGE

H. Gessner, *Casa per operai a Favoriten (piante)*, Vienna, 1901-02.

[4] Hubert Gessner, *Bauten und Entwürfe*, Wien-Leipzig, 1932.

ca di un atteggiamento riformatore «la cultura attiva dell'individuo».

Nella globalità e generalità di questo concetto di cultura, in cui il nuovo si fonde al tradizionale, i lavoratori, gli artigiani, i funzionari e gli esponenti delle carriere accademiche si trovarono a Vienna fin dai primissimi inizi uniti nell'identificarsi in questo tipo di idea progressista, indipendentemente dalla loro provenienza liberale o socialista. Rapidamente, senza convenzionalismi, iniziarono i corsi delle università popolari. Ciò sarà per decenni ancora inattuabile in Germania, donde d'altra parte veniva rivolta un'aspra critica con l'obiezione che non può essere convincente ciò che è giusto, se si parla soltanto di ciò che è stato ieri.

Sul piano della capacità di compenetrazione, così tipicamente viennese, si pone più tardi lo stupore di Mies van der Rohe nella sua «Werkbundsiedlung» di Stoccarda, alla vista di tappeti persiani e mobili di legno nella casa costruita da Josef Frank. Frank, partendo dalle «origini della cultura», gli risponderà indirettamente: «Il dio che volle far crescere il ferro non volle mobili di legno...»

Un fenomeno importante è rappresentato dal fatto che il pensiero positivista si sostituisce attraverso la costruzione dei centri comunitari alla cultura idealista. La totalità dei pensatori di questa scuola filosofica è legata inscindibilmente, sia come docenti che come stimolatori, alle università popolari. L'aspetto scientifico, il laboratorio, il dimostrabile sono l'elemento essenziale dell'organizzazione di queste realizzazioni. Questo «nuovo senso» si contrappone al clericalismo sclerotico e all'invisibile degli scolastici. È questo il punto d'incontro fra il movimento operaio socialista, il pensiero scientifico liberale e la tendenza purificatrice protocristiana.

Di fronte al Volksheim del 1905 il poeta A. Betzold usa l'espressione «casa dalle cento finestre»; un posto in cui il popolo attraverso cento finestre doveva essere introdotto alla luce del libero pensiero. Come creazione di professori liberali la prima Università popolare del continente europeo sorse, lontana dall'Università sul Ring, nel quartiere operaio di Ottakring, lo stesso in cui, quasi a evidenziare le due tendenze, fu costruito cinque anni

dopo il Centro parrocchiale comunitario «Hl. Geist», espressione del pensiero riformatore protocristiano di Plecnik.

Casa dell'operaio di Favoriten (1901-02)

Viktor Adler, il capo del movimento operaio socialista, riconosce e porta avanti l'idea che il centro vitale di un'organizzazione non può essere che una sede comunitaria. Il movimento operaio di Favoriten, nella zona sud di Vienna, decide la costruzione di una propria sede e bandisce il relativo concorso per un volume di 20.000 metri cubi. Hubert Gessner,[4] allievo di Otto Wagner e aderente fin dall'inizio al Partito socialista, che più tardi sarà ampiamente patrocinato dallo stesso Adler e fonderà in seguito i princìpi espressivi monumentali dell'alloggio popolare socialdemocratico viennese, vince il primo premio. Anche gli altri premi vengono assegnati ad allievi di Otto Wagner. Il programma complessivo di questa casa si orienta verso una chiara disposizione simmetrica, secondo la tipologia, allora particolarmente diffusa a Vienna, delle sedi associative di artisti, medici, commercianti ecc. In essa si fusero l'idillio di un repertorio funzionale e altamente rappresentativo e la «dignità» del pluralismo stilistico. L'aspetto formale di questa prima opera di Gessner, non esistendo ancora un modello di architettura comunitaria popolare a cui rifarsi, si orienta sulla Gestalt della casa d'affitto wagneriana. L'intreccio dei risalti centrali con quelli laterali, il ritmo assiale delle aperture, il «suono» della costruzione, il coronamento delle modanature, l'architrave in profilato di ferro, il complessivo equilibrio fra decorazione e tecnologia rappresentano temi tipicamente wagneriani e contributi evolutivi agli stessi. Solo in superficie, sul ferro e su qualche maiolica, fa capolino il «rosso» proletario, come mera applicazione. Ma già nel 1907, nella costruzione della casa editrice Vorwärts (Avanti), il rosso di Gessner si estende all'intero zoccolo del pianterreno, per invadere più tardi quasi totalmente il «Karl Marx-Hof» di K. Ehn. Nel 1912 lo stesso Gessner amplierà questa sua prima «Casa del lavoro» di un volume pressoché eguale a quello originario nel suo successivo stile espressivo monumentale.

La Casa del lavoro di Favoriten contiene sostanzialmente la grande sala delle assemblee che, secondo Josef Lux, poteva ospitare tremila persone ed era dotata di una galleria circostante, con un solaio di cemento armato a tensione libera di ben 17 metri e un guscio, anch'esso in cemento armato, dello spessore di 20 centimetri. In esso sono incorporate travi in ferro dipinte di rosso. Sale-giardino nel mezzanino e al primo piano, una palestra negli scantinati, il ristorante al pianterreno e inoltre locali per il sindacato e per la cassa di assistenza malattia costituivano, con i due piani di appartamenti, i punti essenziali del programma di distribuzione spaziale.

Josef Lux descrive, non senza una certa indulgente ironia, la «Kommodität» di questa casa: «Con tutta la coscienza di classe, con tutto lo spirito di partito, non si può fare a meno degli dei della comodità e dell'accoglienza in una casa, quindi neanche nella Casa del lavoro... Notevoli sono i fluttuanti bandieroni rossi con la scritta ''Arbeiterheim'', caratterizzandosi così come manifesti, per non irritare quelli che non sopportano il drappo rosso...»[5] E sono stati in molti a non sopportarli, i drappi rossi: nel 1942 la Casa del lavoro di Favoriten, danneggiata dalla guerra, viene trasformata «populisticamente» in centro di convegno nazista...

Urania (1905-09)

L'«Urania» viennese, costituita nel 1897, si ispira come tipo di centro di istruzione popolare al modello berlinese di Mayer und Förster. Il suo iniziatore e primo presidente Ludwig Koessler la definisce «casa dei viennesi desiderosi di istruirsi».[6] Man mano però che il progetto progredisce Urania diventa per lui «palazzo di istruzione popolare», «luogo di elevazione spirituale». Questa associazione, iniziata anch'essa dalla borghesia illuminata e dalla nobiltà più aperta, con personalità del livello di un Rothschild, di una Windisch-Graetz, di un Montecuccoli, dell'arciduca Federico, è stata certamente il movimento orientato più scientificamente. Fin dall'inizio Urania venne condotta secondo criteri strettamente imprenditoriali, tanto che si trovò ben presto ad avere diverse filiali. Dato il

grande successo ottenuto, venne bandito nel 1912 un concorso per la costruzione di un'altra Urania sul Margareten Gürtel, secondo il modello di Fabiani. Famose divennero le conferenze a carattere dimostrativo e soprattutto il cosiddetto «teatro scientifico» con cui si illustravano conoscenze e fenomeni scientifici attraverso vere e proprie commedie. Il proiettore, la pellicola cinematografica vennero per la prima volta utilizzati come mezzi di istruzione popolare. Al Congresso mondiale per la ricreazione e il tempo libero del 1936, tenuto ad Amburgo, si constatò con orgoglio che Urania era l'unico teatro del mondo a presentare giornalmente interi cicli di documentari a fini educativi. Non tanto l'opera di istruzione popolare inglese, quanto quella della Danimarca, con la sua educazione scientifica formale, fu presa a modello. Accanto al comune «Herrenklub» si fondò addirittura un «Damenklub», in cui era assolutamente vietato l'accesso agli uomini: rappresenta una delle prime esperienze del movimento di emancipazione femminile.

Urania con la sua stessa posizione esprime come nessun altro centro di istruzione popolare l'abbraccio fra la borghesia illuminata e il proletariato a Vienna. Posta sulla confluenza di due fiumi urbani, sul punto di congiunzione del Ring, la via bene, con la Leopoldstadt, il distretto più povero, un vero e proprio ghetto che si estende sull'altra sponda del fiume, Urania si presenta come una fortezza-cattedrale, una porta della città, un punto di riferimento visuale e di articolazione stradale.

La costruzione dell'Urania rappresenta per la scuola wagneriana una rottura col moderno, con il secessionismo. Schönthal si rifiuta di commentare questo lavoro su «Architekt», ma lo scandalo scoppia anche nella cerchia dei conservatori del Politecnico, in cui l'uso libero e non dottrinario degli elementi classici si manifesta quasi a beffa di canoni e princìpi ormai irrigiditi.

Il vibrante manto «storico» di questa cattedrale dell'istruzione, in cui, a differenza di Berlino e Zurigo,[7] è per la prima volta integrato il campanile-osservatorio di 32 metri d'altezza, cela veramente il più esteso piano spaziale a più strati, quasi un gigantesco «Raumplan» loosia-

1. M. Fabiani, *Urania (spaccato assonometrico)*, Vienna, 1905-09.

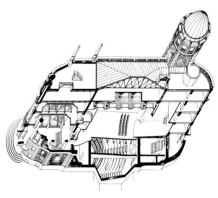

2. M. Fabiani, *Urania (prospetto facciata fiume)*, Vienna, 1905-09.

[5] Josef August Lux, *Das Arbeiterheim*, in «Der Architekt», anno IX, 1903, p. 14.
[6] «Urania», n. 19, 1909, p. 290.
[7] Dr. H. Jaschke, *Die Urania-Sternwarte*, 1910, p. 375.

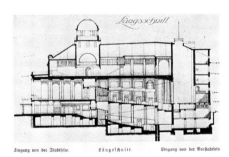

L'*Urania del Margaretengürtel* (*sezione trasversale*), 1912. (Coll. Alverà, Vienna).

no, con volumi comunitari di altezza e profilo diversi. È contemporaneamente un montaggio stilistico di «significati» diversi che deve condurre alla comprensione univoca e generale del quadro d'insieme di una casa della scienza e della cultura.

La rinuncia alle basi delle colonne corinzie dell'Urania, dato che il loro basamento è già costituito dal grande zoccolo a bugnato degli ingressi, o l'introduzione del «pratico» bow-window metallico sulla facciata rivolta verso il fiume, quasi a metaforizzare le grosse imbarcazioni del Danubio, sono anch'esse elementi di rottura, una rottura però che avviene nell'ambito di questa architettura del consenso, del «baroccus fabianensis», che resisterà ben più a lungo del suo entusiasmo giovanile per il moderno e che si era espresso attraverso geniali realizzazioni come il «Portois & Fix» e l'«Artaria» di impronta wagneriana.

È proprio verso la rocca della professionalità erudita del Politecnico antiwagneriano e antisecessionista, verso il König, il Mayder e il Lunz che Fabiani fa vedere la sua libera «virtuosità» nel ricomporre la storia. Non a caso i primi progetti per Urania sono del 1905, tre anni appena dopo il conseguimento del primo dottorato di scienze tecniche e nel momento in cui Fabiani, certamente bisognoso d'appoggio, organizza la sua carriera di professore straordinario al Politecnico di Vienna. A differenza della classicità di Plecnik, nella quale troviamo, anche se i suoi modelli sono ben reperibili, un'esistenza autentica della forma e una sofferta crisi del reale, scaturisce dal «barocchetto» di Fabiani più una trasfigurazione, quasi un'inautenticità della forma. Questa non passa più per la strada della trasfigurazione secessionista dell'ornato, della gioia e del tortuoso. È piuttosto un sapere di più di tutta la storia che genera l'ambiguo e l'artificioso dell'architettura di Fabiani. Ma questa storia viene appena sovrapposta a un impeccabile senso dell'uso e delle tecniche che «tiene» il tempo e funziona come sottofondo, ricongiungendosi proprio qui al nuovo dell'epoca.

L'essenza del grande e complesso organismo spaziale dell'Urania, la strumentazione dell'osservatorio nella torre-campanile funzionano da ricongiunzione scientifica della condizione presente e per una sua probabile storia. Così, sia le alterazioni sia i vari «significati» non rappresentano una totalità organica, né *una* forma da ricostruire come nel caso di Plecnik, ma si trasformano e si aggiustano su un itinerario mutevole che va via via ricomponendosi come invenzione di ipotesi e di molteplicità. Una necessità del probabile, ma a livello del dotto che si contrappone nella Vienna di fine secolo a una necessità esistenziale assoluta e a una totalità organica degli stilemi secessionisti.

Centro parrocchiale comunitario «Hl. Geist» (1910-11)

Contrariamente alla vertigine secessionista e al fluttuare del «barocchetto» di Fabiani l'epica Halle della chiesa di Plecnik vuole sottrarsi ai rituali e alle regole del tempo. Questo architetto sloveno giunge dopo strade «casualmente» tortuose alla scuola-officina di Wagner dalla bottega del padre falegname. Già dopo le prime esperienze con il maestro sarà latente in Plecnik il distacco dal progressismo e tecnicismo wagneriano. Annoterà più tardi su uno schizzo, quasi ironicamente alla maniera del pensiero scientifico semperiano-wagneriano: «Nécessité est mère d'industrie», e disegnerà un po' più sotto un'architettura muta e senza «scopo», monolitica, a cupola, solo architettura, e con accanto un pastore classico con l'agnello sacrificale tra le braccia.

Plecnik cercherà una risonanza più ampia e profonda nel costruire, là dove la compenetrazione del nuovo parte da *tutta* la grammaticità della Baukunst e dalla testimonianza dell'«essere-stato». Ma a differenza della narratività di Fabiani la «misura» di Plecnik è il silenzio. La sua adesione alla Secessione sarà in fondo una partecipazione fuori dalle mura. Il mero secessionismo esprimerà per lui la miseria del presente, la crisi di un soggetto al quale manca ormai un principio ordinatore, una primitiva naturalezza. Alla ricchezza contrappuntistica del decoro e dell'uso wagneriano opporrà Plecnik la castità e nudità di una forma «prima». Già nella corposità monolitica della sua «Zacherlhaus» sarà presente questa mediazione tra classico e contemporaneo; ma con un assaporamento più denso della Gestalt storica, la vera dimora dell'architettura per Plecnik. E solamente attraverso quella si può conferire un senso al presente.

È dunque comprensibile l'entusiamo con cui incontrerà nella cerchia del suo mecenate Zacherl, un circolo di riformismo paleocristiano, i princìpi purificatori della scuola di Beuron. Quando Plecnik allestirà nel 1905, nell'ambito della XXIV Esposizione della Secessione, la mostra d'arte sacra, sarà proprio l'arte di Beuron, la semplicità archetipica e il senso di un ritorno all'origine di questi monaci benedettini, a scuotere la Vienna secessionista. Hevesi vi dedicherà, una rarità, due articoli di commento. E sarà poi l'aura del candido e del «rischiaramento» di Desiderius Lenz,[8] capo spirituale del movimento, che ritroveremo nel bianco della chiesa di Steinhof di Wagner, ma anche in molte opere di Andri e Engelhart, con la loro iconografia statuaria, illustrativa e priva di drammaticità. Nella scuola di Beuron predominerà l'architettura come espressione complessiva dell'arte, come nel romanico. L'emblematicità di questa tendenza sarà interamente contenuta nella «Mauruskapelle» di Desiderius Lenz. Ritroveremo l'atteggiamento ieratico di quest'opera più tardi in molti progetti di culto di Plecnik. Vi verrà evitata generalmente la tensione polifonica a favore di un'unità omofona con l'accento sulla linea e su una silhouette complessiva, con un proprio silenzio che sarà poi lo stesso dell'«Hallenbau» di Plecnik. Un silenzio a proposito del quale annoterà Emil Ritter: «L'arte religiosa parla, quella del culto tace.» È questa l'eloquenza che Plecnik riassume nella sua critica allo «Steinhof» di Wagner: la non verità della cupola e le attrezzature mancanti per una vera liturgia, tipica dei «modernisti che costruiscono senza coscienza». Si risveglierà qui in Plecnik la frustrazione che lo accompagnò nell'ambito del «Rom-Preis» durante il viaggio di studio in Italia, quando Wagner gli assegnò un compito «insolubile» e di cui avrebbe dovuto riportare la soluzione: il conflitto concettuale della sovrapposizione della cupola allo spazio liturgico basilicale in longitudine.

Questo stesso dilemma anticiperà di un decennio lo stesso conflitto della chiesa wagneriana, dove la cupola a due strati trattiene appena la direzionalità longitudinale al pavimento teatralmente inclinato. Un conflitto che Wagner, anche se «rappresentandolo», riesce a eludere attraverso la sua capacità inventiva di sovrapposizione formale su concetti di base.

È questo concetto di base che Plecnik memorizza attraverso la sua «Halle» dal culto comunitario e purificato. Il suo centro parrocchiale, del quale costruí la chiesa e la cripta, è una controcostruzione della Steinhof wagneriana, una resa dei conti con l'edonismo secessionista. Forse per la prima volta in Mitteleuropa si manifesta un senso di introversione. Se la Postparkasse di Wagner, con il suo vetro e ferro, rappresenta l'apologia del moderno sulla Ringstrasse, il malinconico e duro spazio della Hl. Geist è il primo spazio di «dignità» per la popolazione del quartiere proletario di Ottakring a Vienna. La forza di questa costruzione, che racchiude in sé quasi una «terribilità» michelangiolesca, non si abbassa mai al livello del fare architettura dei monaci beuroniani, dove proprio la soppressione dell'elemento personale genera in contrapposizione alla meta prefissa un non poter dire fino in fondo. L'architettura di Plecnik, nonostante il riflesso beuroniano, non viene appesantita dai contenuti cripto-pragmatici, non si lascia trascinare sulla scia di una troppo facile umiltà. La sua purificazione non genera il maccheronico del progetto beuroniano della chiesa Herz-Jesu per il primo distretto viennese,[9] mero bricolage di motivi assiri, egizi e greci antichi. Le colonnette di cemento armato della cripta di Plecnik rimemorano il loro passato, forse ravennate, ma sono nel contempo condizionate da una logica razionale dove il passato viene disincantato a favore di un protocubismo dell'espressione d'insieme. Così come nel grande spazio sovrastante, di ricordo basilicale, mancano le colonne delle navi, quasi a esprimere un luogo più comunitario dove viene abolita la stretta gerarchia perturbatrice della storia.

Con la prima guerra mondiale si chiude a Vienna la dinamica disputa tra la legittimità della seduzione secessionista e la sua enfasi purificatrice.

1. J. Plecnik, *Chiesa Hl-Geist (cripta)*, Vienna, 1910-11.

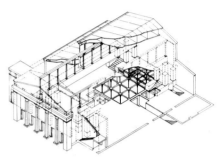

2. J. Plecnik, *Chiesa Hl-Geist (spaccato assonometrico)*, Vienna, 1910-11.

[8] P. Desiderius Lenz, *Zur Ästhetik der Beuroner Schule*, III ediz., Wien, 1912.
[9] Josef S. J. Kreitmaier, *Beuroner Kunst*, Freiburg, 1914, pp. 30-31.

TEATRO NATURA
La costruzione dei giardini negli anni della Secessione

Maria Auböck

Sopra:
1. T. Wotzy, *Giardino a Rodi.*

2. J. Hoffmann, *Villa Primavesi (veduta dal giardino)*, 1908.

«La natura è materia prima. Diventa forma ed esperienza tramite l'arte. I bei giardini sono espressione dell'esperienza poetica nella natura.» (Joseph August Lux, *Gartenarchitektur*, in «Hohe Warte», 1905-06)

1. C'era una volta

Il giardino della mia infanzia confinava con un territorio incantato: putti di marmo custodivano una terrazza deserta, pesanti inferriate nere tenevano segregato un palazzo e solo raramente vi si vedevano figure umane. Dalla finestra del solaio riuscivo a vedere un tempietto bianco per il tè che riposava nel verde del giardino, quasi fosse una moderna dimora delle ninfe. Era tutto talmente diverso.
Solo molto tempo dopo venni a sapere che si trattava del giardino di Villa Primavesi, progettato da Josef Hoffmann.

2. Il giardino come punto di incontro, luogo e spazio

«Nei miei sogni vedo un giardino che sposa due contrasti di colore: l'alloro scuro e il verde più chiaro col rosso sgargiante dei roseti.» (Joseph August Lux, *Ein Garten aus Rosen und Lorbeer*, in «Hohe Warte», 1905-06)
Gli anni che vedono la nascita della Secessione viennese sono caratterizzati dal-

la fase finale di una cultura del passato. Tutto lascia intendere che si stia operando l'ultimo tentativo per giungere, al di là del mutare delle forme, a un nuovo contenuto. La reciprocità che si instaura tra forma e contenuto, tra Gestalt e idea, risulta visibile anche nei compiti che si dà l'architettura paesaggistica. Si tratta dell'arte di concepire il giardino, cioè la creazione di luoghi esterni in rapporto a edifici e paesaggio motivata spiritualmente e artisticamente. A quel tempo si è ancora legati a motivi e funzioni paesaggistiche del Gründerzeit, l'epoca dei fondatori, e dello storicismo ottocentesco; spesso si incontrerà anche un'interpretazione formale nuova, come in Franz Lebisch, ma nuovi contenuti saranno espressi soltanto in seguito. I giardini viennesi al tempo della Secessione seguiranno un'evoluzione particolare. Marie Luise Gothein scrive nel 1912: «Il trionfo del giardino architettonico non prende le mosse dai parchi pubblici come neppure dai giardini principeschi privati... La riforma inizia nei piccoli giardini delle abitazioni, nei giardini borghesi, per poi diffondersi altrove. Ancora una volta la conquista di un nuovo stile paesaggistico avviene dall'esterno, da parte di artisti che non erano invischiati nelle consuetudini della prassi o di una scuola: ora sono gli architetti, da tempo esclusi, che diventano coscienti del loro antico patrimonio.»
Tutto ciò significherà, per il paesaggismo, una definizione del giardino come

spazio, come luogo, come punto di incontro. Vengono ripresi antichissimi motivi con una simultaneità spesso sconvolgente: rispunta l'idea del giardino paradisiaco come un mondo creato dall'uomo stesso, che è anche natura creata dall'uomo. La cosa non potrà che contrastare apertamente con l'idea del sacro boschetto, col mito della natura quale madre originaria che, salvifica e totalizzante, è anche promessa di un mondo perfetto. Böcklin sarà un punto di riferimento; le immagini di Bernatzik, Kolo Moser e Carl Moll indicheranno la via programmatica.

È l'amore-odio per la natura che improntà di sé la cultura borghese fin de siècle. La frase di Arthur Schnitzler sul suo soggiorno al Talhof è tipica di quegli anni: «Il Rax, la montagna coperta di neve, i sentieri nei boschi, i prati e il cielo sopra ogni cosa: tutto ciò non mi sembrava semplicemente un paesaggio, erano le quinte di un teatro, erano sfondi, sì...»

Il neonato turismo, lo sfruttamento senza scrupoli delle materie prime, i giardini borghesi di rappresentanza testimoniano che la natura era ormai materiale grezzo che diventava significante soltanto se plasmato da mano umana, quasi fosse un podio al servizio della Zivilisation. L'amore-odio, che si manifesterà come adorazione mistica della natura o come paura urbana dell'elemento naturale, è rintracciabile sia nella fuga nell'ornamento geometrizzante sia nelle strutture murarie palesemente ostentate dai nuovi giardini. La stessa posizione delle ville all'interno del paesaggio rivela le tendenze dominanti del tempo, come ad esempio la residenza di caccia dell'industriale dell'acciaio Karl Wittgenstein sullo Hochreith oppure la prima villa di Wagner (costruita nel 1886-88), dove l'edificio che sovrasta il terreno circostante sembra presentarsi su un vassoio. Se negli anni precedenti gli spazi esterni fungevano da puri dintorni, da ambiente circostante, quasi un semplice contorno, nell'ultimo decennio dell'800 e negli anni seguenti nascono diversi progetti di spazi organizzati a giardino; il miglior esempio di questa evoluzione è la seconda villa di Wagner (costruita nel 1912-13).

Sentieri che dirigono a luoghi precisi,

parti del giardino suddivise logicamente secondo le loro funzioni, l'utilizzabilità di infrastrutture quali pergolati, panchine e spalliere sono tutti elementi di un'arte paesaggistica che ora ingloba nel suo dominio tutti gli spazi disponibili. Uno dei risultati più estremi in questo senso è senz'altro il Palazzo Stoclet a Bruxelles, progettato da Josef Hoffmann nel 1911 con la collaborazione di diversi artisti viennesi. In questo caso l'asse centrale della parte abitabile viene prolungato, passando per una costruzione isolata, fino al giardino; si sviluppa poi un profondo spazio a giardino circondato da alte siepi. Lateralmente si trovano pergolati con rampicanti, piccoli alberi modellati e alloggiati in mastelli circondano le terrazze e lo spiazzo della villa. Le attrezzature secondarie, ad esempio il campo da tennis, sono inglobate in spazi appositi a giardino. In quest'opera d'arte totale si mostra in maniera evidente la concezione propria alla Secessione viennese di uno sfruttamento totale degli spazi.

3. Verso la natura

«Sette bilioni di anni prima che nascessi ero un giaggiuolo.» (A. Holz)
E il giardino diventa luogo di ispirazione. Ci si imbatterà continuamente in motivi o citazioni che, dalla pittura alla letteratura, percorrendo le arti trasversalmente, testimoniano come la libera natura o il giardino strutturato diventino luoghi stimolanti per l'operare artistico. E sono molteplici tali motivi: da un lato l'eterna ricerca dell'infinito in un mondo di transitorietà, come si può intravedere in Schnitzler o in Klimt; dall'altro la ricerca del mito natura e il dissolversi in un eterno senza limiti.
Il giardino viene pensato, nei giardini si lavorerà, il giardino diventa simbolo. Conosciamo l'amore di Klimt per i suoi gatti, per i suoi giardini (il giardino in cui lo fotografò nel 1910 Moritz Nähr è, a differenza dei suoi quadri, ben poco curato). Spesso lo sfondo dei suoi quadri dà l'idea di una rete scintillante che cattura i personaggi e non lascia scampo. Il *Giardino di Schloss Kammer* si trasforma sulla tela in un fitto arazzo in cui la fisionomia delle singole piante o addirittura

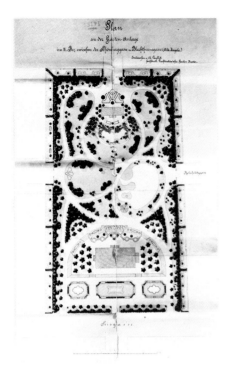

1. A. Czullik, *Il Draschepark (pianta)*, 1895.

A pagina precedente, dall'alto:

1. Gustav Klimt nel suo giardino, fotografia di M. Nähr, 1910.

2. J. Auchenthaller, *Decorazione per libro*, in «Ver Sacrum», luglio 1898.

3. La casa in cui Mahler componeva sull'Attersee.

2. Da sinistra: M. Reinhardt, G. Mahler, K. Moll, H. Pfitzner e di spalle J. Hoffmann nel giardino di Villa Moll, 1905.

la forma delle parti del giardino è a stento riconoscibile.

L'opera di Gustav Mahler è nata in gran parte dal contatto con la libera natura, nella sua «casetta per composizione» sull'Attersee. Là, come un eremita, riusciva a creare in un'ermetica furia compositiva, e in sintonia con la natura.

L'esempio che segue ci sembra far riflettere. Chi parlerebbe ancora oggi della «Strudlhofstiege» di Vienna se Heimito von Doderer non avesse dedicato a quella scalinata un romanzo? Lo scrittore definì l'esecutore del progetto un «maestro delle scalinate». Si trattava del consigliere del Senato cittadino Johann Theodor Jäger, che in qualità di assessore all'edilizia della città di Vienna creò nel 1910 questo lavoro unico nel suo genere. La Strudlhofstiege rimarrà il suo «unico grande progetto», come scrive Gunther Martin. E Doderer gli ha comunque dedicato la sua grande opera.

È arduo stabilire se Adolf Loos si sia mai occupato di paesaggismo, e in che modo, se è vero, o per quale ragione non l'abbia fatto. Nella sua opera si ritrovano in ogni caso soltanto pochi accenni a tale attività, e per di più contraddittori, quasi a indicare un contrasto (analogamente alla sua posizione rispetto alla Secessione viennese).

Per Karl Kraus, al contrario, il parco di Janowitz sembra diventare un'utopia estetica, un luogo di libertà, come scrive Nike Wagner. Janowitz è la proprietà in cui vive Sidonie von Nadherny von Borutin. Il giardino e la permanenza in esso sembrano attestare il possesso della donna; in ogni caso Kraus parla di un particolare legame simbolico tra la donna e il giardino. Nike Wagner scrive che Kraus amasse firmare «Karl von Janowitz», che sublimasse quel luogo come «un'isola nell'oceano della follia» e che volesse essere sepolto a Janowitz.

Il prologo dell'*Anatol* di Arthur Schnitzler, scritto dal giovane Hofmannsthal nel 1892 con lo pseudonimo di «Loris», rappresenta nel modo migliore lo spirito del tempo. Il titolo, *Teatro natura*, allude a quel senso di teatralità così sentito allora, e se il testo descrive un giardino ai tempi del Canaletto, i volti graziosi di cui si parla potrebbero benissimo appartenere alle dame di società che anni dopo avrebbero affollato quel teatro-natura

che sarà la Kunstschau. Nelle parole di Hofmannsthal si rispecchia il credo esistenziale di un'epoca. La natura diventa teatro e luogo di una regìa collettiva: «e tra i rami si rincorrono luci / scintillanti sui biondi capelli / luci limpide sui colori dei manti erbosi / scivolando su ghiaia e prati / scivolando sui nostri palchi transitori. / La vite e il vento rampicando / fasciano i pali luminosi / ... / una pergola per teatro / al posto di lampade il sole / è l'ora, recitiamo / recitiamo i nostri pezzi soltanto / dolci, tristi, prematuri.»

Carl E. Schorske scrive a questo proposito: «L'immagine del giardino fungeva allora da recinto artificiale nel quale persone estraniate e uomini di cultura potessero vivere ai margini di un mondo che non volevano né modificare né conoscere.» Individua poi un conflitto tra la generazione dei fondatori (Gründer) che avevano creato il nuovo mondo e i loro figli che avevano cercato la fuga in una sorta di emigrazione interna fatta di sublimazione culturale.

4. Giardinieri e installazioni decorative — Stagnazione di un ceto professionale

«Un giorno, mentre dipingevo di verde un'inferriata, un signore mi minacciò puntandomi il dito: ''Lei non faccia mica della Secessione!'' Proprio una parola azzeccata, e la cosa si ripete spesso...» (Friedrich Ohmann a Richard Teschner, 20 novembre 1914)

Il giardinaggio del tardo XIX secolo era giunto a una situazione di stallo carica di novità. Era ancora il tempo dei giardinieri sotto padrone che avrebbero dovuto mutarsi progressivamente in liberi giardinieri, come dimostra la storia della Baumschule di Konrad Rosenthal. Si era però ormai giunti agli anni dei parchi pubblici e della pianificazione urbanistica delle aree verdi. Benché le nuove esigenze imponessero forme nuove, si continuò a copiare fino alla nausea i modelli precedenti, come Loudon e Repton, e anche sui più piccoli appezzamenti si cercava di ricavare sentieri tortuosi e aiuole decorative. Molte citazioni storicizzanti sono disseminate nei giardini del tempo, come mostra il progetto per il Draschepark del 1895 ad opera di August Czullik, direttore del giardino prin-

cipesco del Liechtenstein e autore del libro *Wiener Gärten* (Wien, 1891). L'ideale del progettista sembra legato al massimo decorativismo possibile, con uso anche del colore.

Tipico di questa concezione è il disegno di un'aiuola decorativa tutta intorno alla statua di *Marco Aurelio* di Arthur Strasser (1899), che si trova tra i progetti di Otto Wagner nel gabinetto di calcografia dell'Akademie der bildende Künste di Vienna. Un'aiuola coperta di cespugli viene cinta da una siepe in fusione di ferro e la sovraccarica disposizione delle piante fa sembrare il *Marco Aurelio* un pudding untuoso che naviga su un buffet freddo.

Tra i lavori commissionati in quegli anni si annoverano statue, monumenti, progetti urbani, aree a verde pubblico, parchi pubblici, installazioni per esposizioni, giardini privati, giardini per complessi edilizi e monumenti funebri. Per l'architettura paesaggistica la Secessione rappresenterà un centro di influenza e una fase di passaggio. Il nuovo stile però non raccoglie il favore dell'opinione pubblica e dei suoi rappresentanti; solo

pochi degli esempi realizzati in ambito pubblico saranno conservati. Nel 1904, per fare un esempio, le relazioni dei responsabili dell'amministrazione pubblica registrano «con un certo disagio» il fatto che i primi cestini portarifiuti dei parchi viennesi hanno la forma e il colore di tronchi di betulla!

In quegli anni si consolidano tre direzioni fondamentali nell'arte paesaggistica che saranno decisive per il XX secolo:

a) *le collezioni botaniche*, dall'Arboretum all'Alpinum, per esempio le realizzazioni di Camillo Schneider, arrestato durante una spedizione in Cina al tempo della guerra mondiale;

b) *i giardini di pubblica utilità*, di grande portata riformatrice assieme alle aree verdi per complessi edilizi, come i primi giardini-orti del 1912 a Purkersdorf;

c) *i giardini privati* di nuova concezione, sequenza di spazi geometrizzanti con forti caratteri architetturali individuabili nei lavori di Hoffmann, Örley, Wotzy, Lebisch, Esch e altri ancora.

Ovviamente tra queste tipologie si troveranno contaminazioni reciproche e, del resto, solo dopo il 1918 sarà evidente il

1. Mostra dei giardini a Darmstadt, 1905.

A fronte:
1. Il giardino rosso progettato da J.M. Olbrich per la Mostra dei giardini a Darmstadt, 1905.

2. J. Auchenthaller, *Decorazione per libro*, in «Ver Sacrum», luglio 1898.

carattere di novità di queste tre tendenze.

5. Giardini con strutture in muratura, spazi esterni abitabili

Molti architetti progettano ora da soli la
disposizione dei giardini. Già nel Biedermeier si era sviluppato a Vienna uno stile personalissimo per giardini abitabili; a
fine secolo ritroveremo i pergolati, i
gruppi di panchine, le nicchie di siepi e
fogliame. Questi elementi incontreranno
subito il favore degli utenti, come sta a
dimostrare l'allegra compagnia che si ri-
trovava sulla terrazza di Villa Moll. Carl
Moll ha dipinto proprio da quel punto il
quadro *Hausgarten* che mostra il vivace
cromatismo delle attrezzature e l'atmosfera abitabile di quel giardino.
Un committente disse un giorno a Robert Örley che gli aveva proposto un
progetto alternativo di un giardino: «Ma
questo è proprio diverso dal giardino a
forma di otto!», quando sembrava che
quest'ultimo tipo si stesse affermando.
La rivista «Die Woche» organizzò nel
1908 un concorso sul tema «Il giardino di
casa»; il successo fu impressionante;
Hermann Muthesius ne scrisse recensioni entusiastiche. Altri concorsi ed esposizioni stanno a dimostrare però che la categoria professionale era divisa e che non
tutti erano soddisfatti dei nuovi sviluppi.
La Società viennese dei giardini (Gartenbaugesellschaft) aveva organizzato
nel 1907 a Vienna un concorso sul tema
«Un progetto moderno per il giardino di
una villa». Nella giuria c'erano esperti
famosi, tra cui il direttore dei giardini
comunali Wenzel Hybler, il professor
Friedrich Henne, il professor Josef Hoffmann e il pittore Carl Moll. Furono con-
segnati 39 progetti e 7 furono premiati,
tra i quali al primo posto quello di J.O.
Molnar col titolo «Al nostro tempo la sua
arte»; al terzo posto arrivò Titus Wotzy,
al sesto J. Kumpan e al settimo Franz
Lebisch. La «Österreichische Gartenzeitung» scrisse: «Vogliamo soltanto aggiungere che gli esperti hanno potuto di-
chiararsi soddisfatti di un minimo numero di progetti presentati dalla Wiener
Werkstätte. L'applicazione della Secessione al paesaggismo potrà avere ben po-

co successo nella maniera che abbiamo visto e sarebbe del resto arduo definire bello quel tipo di giardini...»

6. Le esposizioni favoriscono l'avvio di un'epoca nuova

Il pubblico, al contrario, era interessato ai nuovi giardini. Intorno alla fine del secolo hanno luogo significative esposizioni di architettura dei giardini che avrebbero diffuso le nuove idee. A Düsseldorf nel 1904, a Darmstadt nel 1905 e a Mannheim nel 1907 vengono presentati giardini architettonici che, dopo un iniziale rifiuto, trovano ben presto la calorosa approvazione del pubblico e della stampa. Per l'esposizione di Darmstadt J.M. Olbrich aveva progettato non solo tutta la superficie espositiva ma anche i cosiddetti «giardini colorati». Si trattava di tre giardini infossati, ognuno dei quali aveva differenti tipi di piante e ogni tipo una determinata tonalità di colore. Per la concezione di quel progetto Olbrich si era servito di un modello in creta sul quale studiare le linee direttrici e la visione d'insieme. A quell'esposizione vennero presentate anche le realizzazioni delle aziende e delle associazioni per il giardinaggio.

I collezionisti di piante del XIX secolo avevano sentito la necessità di costruzioni in vetro per le raccolte botaniche. Il giardino nelle costruzioni in vetro e l'interesse botanico per l'esotico diventarono parte dell'economia domestica borghese. La più bella costruzione in vetro di fine secolo è senz'altro quella di Friedrich Ohmann nel Burggarten. In questo caso l'idea progettuale della collezione si collega in maniera strettissima alla funzione decorativa delle piante, arrivando a dare l'impressione che l'insieme floreale si sia impadronito dell'edificio.

La Società viennese dei giardini avrà un ruolo decisivo per le nuove tendenze. Nei suoi locali per manifestazioni sono passati i grandi eventi sociali fin dal tempo del Biedermeier: tra l'altro vi ebbe luogo nel 1898 anche la prima esposizione della giovane Secessione viennese! Questa società imperial-regia era composta da specialisti, da semplici interessati e dai diplomati dell'imperial-regia Scuola d'arte dei giardini (Gartenbau-

schule) di Eisgrub. All'inizio regnava una profonda diffidenza rispetto ai «giardini di nuova concezione». Se altri mestieri si erano evoluti dalla pura attività produttiva verso forme influenzate da una creatività artigianale e artistica, i giardinieri-decoratori erano rimasti semplici decoratori. Anche all'Esposizione del giardino del 1907 sembrava che l'interesse fosse focalizzato sulla quantità e sull'abbondanza decorativa più che sulla disposizione degli spazi. Bertha Zuckerkandl scrive in «Erdgeist»: «Il giardiniere pensa solo a quanto più si possa ammassare per raggiungere l'effetto più vistoso possibile. Ma nonostante la sovrabbondanza del materiale offerto è raro trovare eccezioni alla banalità imperante... Tutta la falsa cultura di intrecciare per secoli cornucopie ecc. continua a prosperare. Il nuovo si fa strada appena si entra nel vicino locale connesso alla Wiener Werkstätte, di una sublime e aristocratica semplicità...»

Anche la Kunstschau che ebbe luogo a Vienna nel 1908 e 1909 era stata dotata di nuovi spazi a giardino. In questo caso l'esecuzione dei lavori venne affidata all'ufficio comunale dei giardini sotto la direzione di Wenzel Hybler; per le attrezzature esterne venne incaricato di volta in volta un architetto progettista: per l'Hofgarten Paul Roller, per il Gartentheater Franz Lebisch, per le decorazioni floreali J.O. Molnar. A questa esposizione saranno presentati anche i vasi di Max Länger, le panchine di Josef Hoffmann e i portafiori di Otto Schönthal. Lo stile delle installazioni per giardini colpì soprattutto per la sua coerenza. Dato che la Kunstschau era un'esposizione e in quanto tale doveva dare risultati a breve scadenza, non si poté puntare tanto sull'effetto decorativo delle piante. Molta ghiaia, molta muratura: e l'immagine della manifestazione venne affidata ai vasi, ai mosaici, alle decorazioni.

Nell'Esposizione della caccia del 1910 le installazioni esterne vengono raccolte attorno alla cappella di Titus Wotzy. Diplomato alla Gartenbauschule di Eisgrub nell'anno 1901, dirigeva uno studio di successo. Scrive nel 1915 al giornale «Wiener Gärten»: «I miei sono giardini veri e sono contento se i miei committenti ne sono contenti e si sentono fe-

1. Kunstschau.

2. A. Roller, *Decorazione per libro*, in «Ver Sacrum», marzo 1899.

3. T. Wotzy, *Mostra di giardinaggio*, Vienna, 1914.

1. A. Nechansky, *Tema: il sole*, 1908.

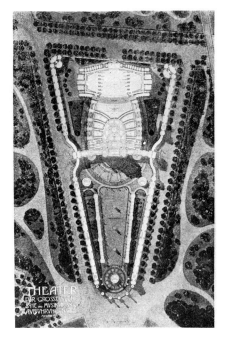

2. R. Svoboda, *Studio per un Giardino delle meraviglie*.

3. M. Läuger, *Giardino a Baden Baden*.

lici... E non credo affatto necessario indossare i panni della tradizione per considerare ogni giardino come un pezzo di natura al superlativo. Il giardino è una conformazione di spazi nei quali deve svilupparsi liberamente la vita delle piante.» Così riassunse Wotzy le concezioni allora contrapposte. Nel 1913, all'Esposizione di primavera, e nel 1914, all'Esposizione delle rose e delle siepi della Società imperial-regia dei giardini di Vienna, si assumerà la direzione artistica delle manifestazioni svolgendo in tal modo un compito di importanza straordinaria: tramite il suo lavoro può affermarsi la nuova forma-giardino. Reinhold Hömann scrive nel 1913: «Alla testa dei buoni mi sembrò stare Titus Wotzy...» La forma-giardino poté affermarsi proprio nel momento in cui, con lo scoppio della guerra mondiale, tale sviluppo avrebbe dovuto giocoforza interrompersi. Non si poteva certo sperare in una ripresa a posteriori e l'urgenza dei problemi sociali avrebbe infatti impedito ogni continuità.

7. Sogni urbanistici

Con la copertura del Glacis e l'edificazione della Ringstrasse, con i lavori di regolazione del Danubio e la costruzione dei Rasterviertel si era consolidato un nuovo tipo di borghesia che voleva costruzioni niente affatto austere, palazzi in vetro e una ristrutturazione della città in grande stile. E fino allo scoppio della prima guerra mondiale sarà questo il clima dominante a Vienna.
Nel frattempo nelle periferie si era ormai giunti a una situazione di emergenza urbanistica. I quartieri operai stanno a dimostrare ancor oggi la misera situazione in cui si trovava il proletariato, situazione alla quale fino al 1918 non verrà trovato rimedio.
Marie Luise Gothein sosteneva nel 1912 che il movimento della città-giardino «Secessione delle città» sarebbe stato un'adeguata soluzione. Ma a Vienna non ci si sarebbe arrivati. Dice la Gothein: «I compiti più urgenti consistono nella diffusione estensiva dei parchi pubblici.» Né le ipotesi del movimento né l'estensione dei parchi furono accettate. Fin dal 1873 era stato costruito un unico

quartiere periferico a giardino, il «Cottage», e progetti quali «la città giardino per bambini» dell'architetto Rudolf Wels (1918) rimasero sulla carta. Anche il salvataggio della foresta viennese e, tempo dopo, la creazione della cintura verde sono da ascrivere agli sforzi di un singolo: il deputato al Landtag Josef Schöffel che lottò incessantemente anche dopo che il governo, sottoscritto il contratto col commerciante di legnami Moriz Hirschl, aveva già dato il permesso per l'abbattimento della foresta. I progetti di Fassbends per la città di Vienna, gli scritti di Camillo Sitte e i progetti di Ludwig Baumann per la pianificazione urbanistica sono esempi pregnanti di lavori non eseguiti e di proposte inascoltate.
Esiste un progetto di Friedrich Ohmann per la sistemazione della piazza antistante la Votivkirche (1918), nel quale l'autore sembra ricollegarsi alle idee di Sitte, ma anche questo non fu mai realizzato. L'ufficio comunale dei giardini in quegli anni era diretto da Wenzel Hybler (nel periodo 1887-1918). I progetti per i parchi non mostrano alcuna novità. Si cercò soprattutto di aprire alla collettività vecchi giardini come il Wertheimspark (1907) e l'Arenbergpark (1900). È vero che sono rintracciabili influssi del Jugendstil in alcuni particolari, ad esempio nelle cancellate di Popovitz al Türkenschanzpark o nelle grate standardizzate per proteggere gli alberi, su un'idea di Max Mossbäck, ma sono poche le installazioni esterne di moderna concezione a essere costruite in quegli anni. Tra queste ricordiamo la fontana di Mozart ad opera di Otto Schönthal e Carl Wollek (1900) e le infrastrutture a copertura del Wienfluss di Friedrich Ohmann e Joseph Hackhofer (1899-1907). In questo caso un'opera architettonica con spazi a giardino doveva collegare lo Stadtpark e il Kinderpark facendoli diventare un'unità organica; le sponde del Wienfluss sarebbero diventate zona a passeggio. Qui l'idea progettuale prende già in considerazione l'allestimento del verde e lungo il fiume vengono disposti i contenitori per rose: sarà raggiunta una fusione armonica di elementi naturali e architettonici usando la vite del Canada, coltivando le aiuole e inserendo i pavillons. Nei disegni sono presenti anche eleganti fontane con elefanti che dirigono nel fiu-

me i getti d'acqua, ma nella realizzazione non ci saranno: sarebbe stato veramente troppo!

Rendere agibili le sponde del Wienfluss non fu l'unico progetto di quel genere a Vienna: Arnold Nechansky presentò a un concorso nel 1908 il progetto «Sole» che, in una mistica quasi alla Böcklin, dispone il parco lungo le sponde del Donaukanal e lo fornisce di pavillons.

Otto Wagner riuscirà a progettare, a presentare e in parte a far realizzare i suoi progetti urbani. Dovrà scrivere diversi interventi per far progredire la sistemazione di Karlsplatz. Wagner segna il passaggio dal Gründerzeit alla modernità. Quando Werner Hofmann definisce originalmente il nuovo corso come «il passaggio dall'imitazione all'invenzione della realtà», ciò vale senz'altro per l'opera matura di Wagner. Nelle sue lettere si può leggere la sacrosanta indignazione contro i rinunciatari, gli ipocriti e i criticoni. Inveisce soprattutto contro i sovrintendenti ai monumenti e si batte decisamente «per l'architettura del nostro tempo». È diventata famosa la sua disputa con l'erede al trono Francesco Ferdinando riguardo alla chiesa di Steinhof che, secondo il principe, non era sufficientemente barocca. Wagner era ambivalente: per il Luftzentrum della XXII Zona progetta spazi aperti ben ventilati e illuminati attorno a gruppi di alberi potati. Il piano di coltivazione però è ancora legato al modello dei vecchi Rasterviertel, e ci sono ancora i «Beserlparks» dell'epoca dei fondatori, benché ridisegnati in maniera più compatta e ridotti geometricamente. I primi sogni urbanistici di Wagner, come il progetto «Artibus» del 1880, svelano ancora il legame con la tradizione barocca. Tale progetto potrebbe addirittura essere paragonato alla Wilhelmshöhe di Kassel.

Il piano di ubicazione dell'ospedale psichiatrico regionale a Steinhof, formulato da Wagner e poi eseguito dalla ditta König, riprende gli ultimi motivi delle tendenze giovanili. C'è un asse centrale simmetrico che funge da linea direttrice, ma non è più transitabile; le strade di accesso si incrociano simmetricamente sui lati del pendio, con un'idea quasi manieristica! Molte di queste caratteristiche saranno presenti nei progetti degli allievi di Wagner.

8. Gli allievi di Wagner disegnano

Gli interessanti sviluppi dell'attività di un maestro come Otto Wagner sono rintracciabili anche nell'architettura dei giardini. Alcuni progetti mostrano una decisa compenetrazione tra spazi interni ed esterni con l'aiuto di arcate, logge e spazi aperti, come ad esempio il progetto per un teatro di scena di Roderich Svoboda. In altri è presente una tendenza al formalismo e alla geometrizzazione degli spazi esterni, come è visibile soprattutto nei grandi progetti utopici. Ne sono testimonianza il «Complesso per principi stranieri» di Emil Hoppe, oppure il «Progetto ideale per il trasferimento a Gerusalemme della sede pontificia» presentato da Josef Heinisch nel 1911. La città di pietra, in quest'ultimo progetto, posta al centro di un paesaggio deserto, richiama alla mente utopie barocche. L'enorme complesso del palazzo termina in un boschetto che assicura, come guardando da feritoie, una vista lunghissima.

Negli anni della maturità gli spazi esterni diventano sempre più astratti. La casa per abitazione di Rudolf Weiss e il Padiglione per le mostre d'arte di Gottlieb Michael del 1912 potrebbero benissimo stare in un mondo di solo vetro e acciaio.

9. L'idea fa ulteriori progressi

«L'elemento primo è il fiore a cui segue l'aiuola, quindi le linee di confine...» (J.M. Olbrich, 1905)

Molti allievi di Wagner sarebbero da menzionare, dato che in quegli anni vennero realizzati molti progetti. Poche però sono le opere pervenuteci.

Un architetto che riuscì a formarsi in maniera compiuta solo dopo la sua partenza da Vienna fu Joseph Maria Olbrich. Nella sua opera si può studiare tra l'altro anche la metamorfosi della pianta da elemento naturale a ornamento, partendo dalle sue prime realizzazioni, come il palazzo della Secessione, fino alle ultime dove gli edifici assumono un'impronta sempre più classicista, come la Villa Feinhals per la quale progettò il giardino assieme a Max Länger. Länger era diventato famoso a Baden Baden per la «Gönner Anlage», progettata nel 1909-

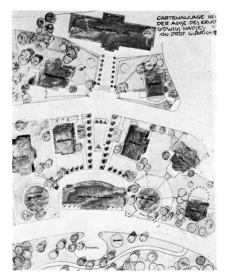

1. J.M. Olbrich, *Sistemazione del giardino di casa Ernst Ludwig*, Darmstadt.

2. A. Esch, *Studio per il giardino di una casa d'abitazione a Vienna*.

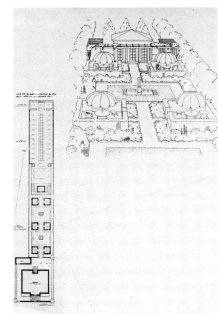

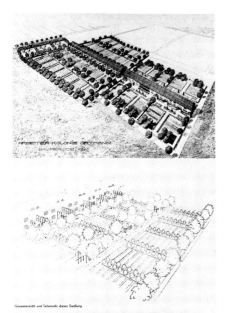

1. A. Esch - J.Frank, *Studi per giardini di case popolari*.

2. Pianta del giardino della nonna di M. Auböck.

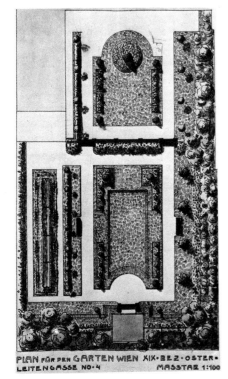

12 per l'industriale della cioccolata Sielcken. Quella rigorosa concezione del giardino su piani diversi, racchiuso da siepi di vari colori e da pergole in muratura, era dominata al centro da un gioco di fontane e aiuole di fiori. Anche altri lavori di Länger sono degni di nota, come i suoi progetti per il parco di Amburgo-Winterhude e per il giardino di Villa Albert a Wiesbaden.

La fortuna di Olbrich fu quella di incontrare il granduca Ernst Ludwig, un prozio della regina Vittoria, colto e artisticamente sensibile, che Golo Mann definì significativamente «l'ultimo granduca». Quest'uomo voleva fare di Darmstadt un grande centro artistico, ed era personalmente molto interessato ai giardini, come stanno a dimostrare i suoi roseti. Il 26 luglio 1911 si assunse il protettorato della Società tedesca del giardino dopo essere stato «con grande gioia» invitato a farlo. La cosa avvenne dopo la morte prematura di Olbrich nel 1908.

I giardini multicolori erano stati indubbiamente la più sorprendente creazione di Olbrich. Altrettanto significativi sono senz'altro i complessi della Mathildenhöhe e della Hochzeitturm, attorniata da pergole e rampicanti. Gli spiazzi trapezoidali ad angoli obliqui delle strade di accesso fanno apparire le costruzioni da angoli di visuale sempre nuovi: una soluzione originale, ben diversa dai soliti Rasterviertel del tempo.

Il passaggio a uno stile monumentale è rintracciabile anche in altri, ad esempio in Friedrich Ohmann. Il monumento a Elisabetta nel Volksgarten di Vienna (1907) è formato da una zona priva di vegetazione su cui si innalza l'imperatrice adagiata sopra un piedistallo di pietra con pareti di marmo. La statua si trova in posizione simmetrica rispetto ai visitatori che entrano nella zona del monumento attraverso passaggi ricavati da pergolati di rampicanti; l'atmosfera del luogo ispira profondo rispetto, la statua di Hans Bitterlich rispecchia l'immagine di Elisabetta corrispondente all'opinione comune: esistono cinque altre versioni del progetto presentate al concorso in cui la statua ha diverse espressioni, da un'allure di vicinanza al popolo fino a una divina maestà. Ohmann progettò per Budapest nel 1916 un altro monumento a Elisabetta, con una zona centra-le a giardino che fa pensare a un sacrario.

10. Wotzy, Lebisch, Esch e il giardino di mia nonna

«È ben vero che un animo gradevole faccia nascere luoghi gradevoli. In senso contrario, un luogo spiritualmente accogliente crea pace nello spirito. Il giardino può essere la salvezza del nostro tempo.» (Paul Schultze-Naumburg)

Di Wotzy si è già accennato. Era un progettista di giardini formatosi alla scuola tradizionale, provvisto di vaste conoscenze di botanica e che avrebbe seguito una strada personale. Descrivendo il progetto di giardino che presentò al concorso del 1907 col motto «Tutto compreso» disse: «Il giardino architettonico non mi è del tutto simpatico, inoltre la prassi mi offre criteri sicuri per giudicare inadatta alle nostre condizioni climatiche l'architettura vegetale, dato che gran parte delle piante che si vorrebbe costringere entro forme artificiose andrebbero distrutte. Entrambe queste considerazioni mi inducono a pianificare un giardino con una struttura regolare e al posto di forme artificiali e rigide mi servo della libera vitalità delle piante, della crescita dei fiori, dei colori.»

Franz Lebisch era completamente diverso. Lebisch (1881-1965) aveva studiato all'Istituto di agronomia di Mödling passando poi alla Kunstgewerbeschule col professor Josef Hoffmann e, ancora studente, si era fatto conoscere per le sue rappresentazioni grafiche di giardini. Bertha Zuckerkandl, entusiasta del suo lavoro, scriveva nel 1907: «Servendosi di prati, alberi e cespugli egli crea dei luoghi per unirsi collettivamente… plasma con la natura attimi ideali di gioia suprema di esistere.» La «Österreichische Gartenzeitung» scriveva di Lebisch sempre nel 1907: «Il progetto dell'architetto Franz Lebisch mostrava diversi vantaggi, ad esempio la disposizione degli assi era proprio da definirsi favorevole. Che però un giardino fatto esclusivamente di siepi tagliate e di superfici nude sia bello o magari pratico è del tutto discutibile.» Lebisch tenne nel 1908 all'Ansorgeverein una conferenza su «La progettazione dei giardini a Vienna» in cui propose un «nuovo tipo di giardino» che, fin dal suo nascere e per tutte le fasi di sviluppo, mostrasse un'immagine sempre coerente. Nella conferenza criticò poi aspramente l'abbondanza decorativa dei parchi viennesi e cercò di dimostrare come il giardino architettonico potesse essere l'unico tipo di giardino moderno. Lubisch lavorò in Germania dopo aver combattuto nel IV Reggimento imperial-regio di fanteria durante la guerra mondiale, come scrive la «Deutsche Gartenkunst».

Albert Esch seguì un'altra strada. Questo artista del paesaggismo, nato nel 1883 da un direttore del giardino di Eisgrub, dovette apprendere le conoscenze del mestiere lavorando all'estero, in Inghilterra, e al ritorno entrò nello studio di Titus Wotzy. Esch fu il primo a capire che il giardino di siepi era adatto al nostro clima e cercò di svilupparlo nel suo lavoro. Ovviamente fu influenzato dall'ambiente inglese: chi conosce l'attività di Gertrud Jeckyll vi troverà sicuramente diverse analogie.

Alla fine devo menzionare il giardino di mia nonna. Rappresenta infatti un esempio dei tanti piccoli giardini monofamiliari costruiti in quegli anni. Eseguito nel 1912 per la signora Ottilie Bärenfeld e poi preso in consegna dai miei nonni, rimase sempre qual era. Le siepi di Bux, le aiuole di rose e gli alberi da frutto erano le installazioni principali. Rimarranno per me un perenne ricordo la casa dei bambini, la rosa Mareshall Neill in mezzo agli ortaggi e gli alberi di prugne sui bordi.

11. Tombe di soldati e monumenti di guerra

«Le tombe ricordano gli uomini, i monumenti ricordano le idee...» (Josef Hoffmann, 1915)

La prima guerra mondiale segnò la fine. Una giovane generazione culturale venne distrutta dalla guerra e anche gli sviluppi dell'arte paesaggistica rimasero bloccati per anni. Per ironia della sorte quegli avvenimenti tragici offriranno tuttavia ai progettisti di giardini e agli architetti compiti nuovi. Mentre, ad esempio, Albert Esch si sposterà verso la produzione di verdure secche, altri inizieranno a progettare monumenti di guerra.

Già prima c'erano stati significativi interventi nel campo dei monumenti funebri: basti ricordare le costruzioni per il cimitero centrale di Vienna, dove Max Hegele aveva realizzato la zona d'accesso. Là si ritrovano pure i mausolei di von Fellner e di Hellmer, assieme alle tombe di Max Fleischer che in una recensione era stato definito «l'artefice un po' noioso di sinagoghe gotiche». Ma anche in altri cimiteri si trovano buoni esempi di arte funeraria ispirata alla Secessione e negli archivi sono rimasti schizzi di Hoffmann, Wimmer, Plecnik e altri. Alcuni famosi architetti furono invitati a progettare sepolcri militari. Nel 1915 l'editore A. Schroll di Vienna pubblica un testo su «tombe di soldati e monumenti di guerra» nel quale vengono raccolti lavori di Hoffmann, Strnad, Hanak e dei loro allievi. Nel 1917 Gustav Ludwig, fratello di un allievo di Wagner, Alois Ludwig, vinse il primo premio a un concorso per un «mausoleo degli eroi» a Gorlice. Subito dopo avrà il compito di progettare monumenti in Galizia, tra cui quello a Kasina Wielka.

Il giardino con strutture murarie aveva trovato il suo compimento nell'eterno riposo sepolcrale.

Bibliografia: Der Architekt (a cura di F. Fellmer v. Feldegg), Wien, 1901. Maria Auböck, *Der Natur entgegen-Gartenkunst im Jugendstil*, in «Steine Sprechen», n. 68-69, Wien, giugno 1982. Hans Dieter Eisterer, *Geschichte des Wiener Stadtgartenamtes*, manoscritto non pubblicato, Wien, 1982. Heinz Geretsegger — Max Peinter, *Otto Wagner 1841-1918, Unbegrenzte Grosstadt — Beginn der modernen Architektur*, 2ª ediz., München, 1980. Marie Luise Gothein, *Geschichte der Gartenkunst*, Jena, 1914. Werner Hofmann, *Von der Nachahmung zur Erfindung der Wirklichkeit, die schöpferische Befreiung der Kunst*, Köln, 1970. *Katalog der Kunstschau*, 1908. *Katalog der Kunstschau*, 1909. Bernd Krimmel — Sabine Michaelis, *Joseph M. Olbrich 1867-1908, Mathildenhöhe Darmstadt*, Darmstadt, 1983. *Kultusgemeinde Wien, der neue israelitische Friedhof in Wien*, 1926. Gunther Martin, *Von der Würde einer Böschung*, in «Steine Sprechen», n. 54, Wien, giugno 1977. J.M. Olbrich, *Neue Gärten von J.M. Olbrich*, Darmstadt, 1905. Arthur Rössler, *Von Wien und seinen Gärten*, Wien, 1909. Carl E. Schorske, *Fin de siècle Vienna*, New York, 1908. Werner J. Schweiger, *Wiener Jugendstilgärten*, Wien, 1979. Eduard F. Sekler, *Das Palais Stoclet in Brüssel*, in «Alte und Moderne Kunst», n. 113, Wien, 1970. Nike Wagner, *Geist und Geschlecht, Karl Kraus und die Erotik der Wiener Moderne*, Frankfurt/M., 1982. «Wiener Illustrierte Gartenbauzeitung», Organ der K.u.K. Gartenbaugesellschaft, annate 1900-1917 e sgg. Bertha Zuckerkandl, *Die Blumenausstellung 1907*, «Erdgeist», Wien, 1907.

1. G. Ludwig, *Studio premiato per il monumento a Guglielmo II a Gorlice*, 1917.

2. G. Ludwig, *Cimitero di guerra a Kasina Wielka in Galizia*, 1917.

L'ARTE SCENICA

Wolfgang Greissenegger

Sopra:
1. J. Engelhart, *Fregio*, in «Ver Sacrum», febbraio 1898.

2. Arthur Schnitzler. (ÖNB, Vienna).

Nella tragicommedia *Das Wort* (La parola) di Arthur Schnitzler l'azione si sviluppa tutta in un succinto dialogo: le parole non sono nulla, le parole sono tutto, non abbiamo altro.

Gli interlocutori del contraddittorio carico di emozioni sono un poeta famoso e quindi non vincolato a convenzioni sociali e un tipico funzionario in pensione della vecchia Austria. Il poeta, resosi conto che una sua parola sbagliata detta in un momento critico può aver contribuito a provocare la morte di un giovane artista, cerca di sottrarsi alla propria responsabilità e si rifugia nel disimpegno verbale. Ma il servitore dello stato glielo impedisce prendendo le sue parole «in parola» con esistenziale serietà. Le due posizioni, quella dell'intellettuale e quella del consigliere di corte, sono il polo e l'antipolo della cultura borghese in una precisa costellazione storica e geografica. La commedia è frammentaria, sebbene dai diari di Schnitzler risulti come l'autore abbia condotto le ricerche ambientali fino a pochi mesi prima di morire. Già nel 1907 Schnitzler riflette sui motivi della sua lunga lotta con il soggetto che ha in mente, come anche della sua rilutanza a concludere l'opera per declinarne quindi ogni ulteriore responsabilità; nel suo diario annota: «Sospetto che l'opera mi sia riuscita male a causa della mia simpatia per P.A.» Effettivamente è un'opera in chiave, il personaggio del poeta Treuenhof ricalca Peter Altenberg, mentre Schnitzler stesso è il consigliere di corte. Inoltre in quasi tutte le parti, più di una dozzina, è facile riconoscere i personaggi veri cui sono ispirate, per esempio Alfred Polgar, Lina Loos e Alfred Kerr. L'opera è rimasta frammentaria per troppa fedeltà dei ritratti ai modelli e perché la simpatia per Altenberg ha impedito a Schnitzler di caratterizzare il protagonista col rigore drammatico che il testo esigeva. Infatti Altenberg — il medico Schnitzler lo sapeva bene — camuffava la propria vulnerabilità con la frivolezza dell'intellettuale da caffè che in una lettera scrive: «Non so mai in anticipo di che cosa scriverò, non ci penso nemmeno. Prendo la carta e mi metto a scrivere.» Tuttavia poco dopo aggiunge: «Occorre essere sicuri di sé, non sforzarsi, lasciarsi andare fino in fondo, come se si volesse liberi. Il risultato corrisponderà a ciò che si cela realmente nel mio intimo... Perciò non sono né sarò mai altro che un compilatore di campioni senza valore che non fornirà la merce vera e propria. Sono uno specchietto da toeletta, non certo lo specchio del mondo.»

Molti si sentivano spontanei in uguale maniera degli ormai attempati precursori e seguaci della «giovane Vienna»; speravano di liberarsi così dal dolce ma fatale abbraccio della decadenza. La spontaneità è in gran parte la verità del poeta, come la definirà dieci anni dopo l'attore, scrittore e storico dell'arte Egon Friedell. In fin dei conti la spontaneità e l'improvvisazione costituiscono anche il fascino dell'esperimento «Fledermaus».

Schnitzler dunque conosceva bene Altenberg, la sua fragilità e tenerezza, il suo amore ingenuo per le creature tormentate; perciò non si sarà deciso ad affrontare l'argomento della sua opera con le armi, pur tanto di moda, della satira. È sintomatico, a questo proposito, come Karl Kraus nella sua *Die demolierte Literatur* (Letteratura demolita), la cui pubblicazione precede di cinque anni i primi abbozzi di *Das Wort*, sottoponga la sincerità di autori quali Bahr, Hofmannsthal, Schnitzler, Andrian, Beer-Hofmann e Salten a uno spietato esame, mentre non include affatto Altenberg in questo caffè della vanità e della presunzione.

Dunque il protagonista di *Das Wort* sfoggia un falso nome; ma ciò non toglie nulla al fascino del soggetto. Quale cronista della società al volgere del secolo non avrebbe trovato affascinanti, come indice di una mentalità, gli abili giochi di parole di questi acrobati linguistici che per una battuta felice avrebbero rinunciato al vero potere della lingua? Pressappoco nello stesso periodo, cioè nei primissimi anni del nuovo secolo, quando Hofmannsthal è ormai «uscito dal vicolo cieco dell'estetismo», viene scritta quella lunga lettera, protetta dalla distanza storica, che testimonia un profondo scetticismo linguistico e denuncia lo sfacelo dei concetti e della comunicazione, presagendo nel contempo che vi debbano essere vie di comunicazione al di fuori della lingua. La tensione tra gli estremi, il cui significato sfugge almeno in parte ai contemporanei, è un grande potenziale di energie di quell'epoca tanto produttiva.

Queste energie scaturite dalla contraddizione raggiungono le arti sceniche in ritardo. La pigrizia delle compagnie amalgamate da decennale collaborazione, la loro stretta interazione con il pubblico e la struttura gerarchica delle istituzioni amministrative, caratteristiche tipiche soprattutto del teatro viennese, si oppongono a una trasformazione radicale rapida ed efficace. Qualsiasi esperimento viene spinto come da forze centrifughe al margine dell'azione; la grande eccezione, Mahler, dimostra semmai come la deviazione dalla norma venga pagata con gravi perdite per attrito.

La farsa *Zum grosse Würstel* (Al gran pagliaccio), nata due anni dopo *Das Wort* e una delle opere più sperimentali di Schnitzler, segnala la ricerca della via d'uscita dal vicolo cieco in cui il naturalismo ha spinto il teatro. È emblematica la reazione dell'ambiente teatrale, restio ad accettare le novità, che liquida l'atto unico come un lavoro puramente occasionale e successivamente lo ignora con pertinacia. A torto, poiché il gioco ingenuamente complesso tra finzione e realtà, con attori che mimano pupazzi e altri nella parte di spettatori, banalizza, canzona e stigmatizza il cosmo dei personaggi teatrali dell'epoca. I finti spettatori e la loro reazione all'azione scenica sono un quadro malinconico-satirico del pubblico viennese e dell'ambiente teatrale e letterario degli anni a cavallo del secolo. Schnitzler, anziché limitarsi come in *Das Wort* alla descrizione dei fatti, schiude qui discretamente la vista su orizzonti minacciosi che incombono anche sul teatro dell'assurdo. Solamente ai giorni nostri Schnitzler verrà rivalutato come critico del suo tempo al di là del mero cronista sociale per il quale passava allora. È lui infatti l'unico, fatta eccezione per Karl Kraus con *Letzten Tagen der Menschheit* (Gli ultimi giorni dell'umanità), quel monumentale funerale della vecchia Europa accompagnato da un'ecatombe di carta da rotativa, a distanziarsi dal suo mondo attraverso il teatro, pur senza impegnarsi politicamente. Non a caso sceglie la metropoli danubiana per ambientarvi il fallimento del teatro e a teatro. Effettivamente i drammaturghi viennesi hanno con la loro città un rapporto da tossicodipendenti; sanno che gli fa male ma non riescono a staccarsene. Per la prima delle loro opere Schnitzler e Hofmannsthal, come pure Bahr e Salten, devono scegliere l'esilio di Berlino, Dresda, addirittura Breslavia.

Vienna invece era la città dei teatri di prestigio, tutti rispettosi dei concetti architettonici conservatori nello stile della Ringstrasse, dove gli attori onorevolmente invecchiati nella metropoli non avevano nessun potere decisionale eppure decidevano su parecchie cose, per esempio quali scelte fossero in linea con il teatro ma più ancora quali non lo fossero. Non che ci si opponesse alla «giovane Vienna», ma si era ben certi che le

K. Moser, *Illustrazione per il carnevale*, in «Ver Sacrum», febbraio 1898.

1. C. O. Czeschka, *Copertina del programma del Cabaret Fledermaus*, 1907. (Hist. Mus., Vienna).

2. B. Löffler, *Manifesto per il Cabaret Fledermaus (Miss Macara)*, 1908. (Hist. Mus., Vienna).

sue opere non fossero proprio adatte a un palcoscenico eretto sulle travi della tradizione e decorato con gli stucchi della storia. Quelle volte in cui, sia pure rimanendo per precauzione un passo dietro a Berlino, ci si era spinti un tantino avanti, per esempio nel caso della prima di *Liebelei* di Schnitzler al Burgtheater, la gente di teatro aveva accolto l'esperimento con riserbo e il pubblico aveva reagito con freddezza. *Der Abenteurer und die Sängerin* (L'avventuriero e la cantante) e *Die Hochzeit der Sobeide* (Il matrimonio di Sobeide) di Hofmannsthal nel 1899 avevano tenuto il cartellone per appena otto recite. Dopo le prime al Burgtheater di *Der grüne Kakadu* (Il pappagallo verde), *Paracelsus* e *Die Gefährtin* (La compagna), Schnitzler e il teatro si separarono con rancore. La censura, unita al servilismo del nuovo direttore Paul Schlenther, uno dei tanti personaggi chiamati a Vienna fuori tempo, provocò uno scandalo tipicamente viennese; *Der grüne Kakadu*, virtuoso finale in un gioco di apparire ed essere, di mascheramento e rivelazione, di una realtà resa grottesca dai fatti storici, venne ritirato dal repertorio per intervento della corte, mentre i due atti unici rimasero ma senza più essere messi in scena.

Questo cinque anni dopo che *Märchen* (Fiaba) dello stesso Schnitzler, protagonista Adele Sandrock, era stata «derisa, beffeggiata, insultata, fatta a pezzi» al Deutsches Volkstheater. A *Das Vermächtnis* (Il testamento), dato nel 1898 al Burgtheater, si era reagito con distaccato rispetto. Il successo del più rappresentato autore della giovane Vienna era dunque assai limitato, tanto più che ci si rifiutava anche di riconoscere la popolarità di cui godeva all'estero.

Un fronte secondario nella lotta per l'affermazione di una scrittura scenica diversa diventò il Theater in der Josefstadt quando nel 1899 ne assunse la direzione l'attore e regista Josef Jarno. Questo uomo di teatro, dedito al palcoscenico con una passione che rasentava il fanatismo, caratterista di levatura internazionale, mise in scena delle pochades francesi per finanziare con gli introiti le rappresentazioni di opere di Strindberg e Wedekind; come attore ebbe un successo personale con la prima interpretazione del marchese di Keith nell'opera omonima. Una

delle sue prime messe in scena fu *Abschiedssouper* (Il pranzo d'addio) di Schnitzler, seguito presto da *Liebelei* e, nel 1906, da *Zum grosse Würstel*. Fu lui, molto prima ancora del Burgtheater, a «osare» Maeterlinck, ma veramente esemplari furono le sue messe in scena dell'Ibsen ultima maniera. La sua versione di *Il costruttore Solness* del maggio 1907, con la scenografia di Eduard Wimmer-Wisgrill, venne acclamata come «lo stile ibseniano da tanto tempo atteso», ottenuto dallo spessore emotivo degli effetti cromatici insieme alla riduzione degli elementi decorativi.

Il fronte principale dei tentativi riformisti concentrati sull'arte scenica si costituì invece in zone periferiche, lontane dai teatri tradizionali schiacciati sotto il peso dell'arte con l'A maiuscola; era volutamente staccato dalla seriosità del teatro educativo e delle istituzioni di rappresentanza legate alla corte. Il cabaret, la mostra, la festa vennero scelti come cornice, erano l'*ambiente* che non avrebbe soltanto ammesso ma addirittura provocato la varietà, la poliedricità, l'improvvisazione. Consci dell'esigenza di imporre il nuovo, i riformisti difesero il loro concetto dell'opera d'arte universale, tuttavia senza accanimento missionario ma, anzi, con autoironia. Nel programma pubblicato per presentare l'impresa Fledermaus (Pipistrello) e i suoi creatori, un opuscolo marrone con vignette stampate in oro che nella sua modestia è un capolavoro dell'arte libraria, si legge che ci si era prefissi di creare un luogo atto a suscitare una sensazione di vita elevata, a dare l'avvio a un'autentica cultura del divertimento. Tutti i sensi vi dovevano essere stimolati e possibilmente anche appagati, non si escludeva nessuna forma di arte, ciascuna con i suoi mezzi espressivi specifici era invitata a dare il proprio apporto all'auspicato effetto totale. Il teatrino, che fu sistemato nel seminterrato di una nuova costruzione, era in un certo senso il prologo all'impresa Stoclet; fu l'espressione emblematica del desiderio, prima di allora irrealizzato, degli artisti viennesi di costruire e allestire il teatro del futuro.

Questo teatro-cantina fu una tipica creatura del secessionismo nella sua fase conclusiva, rigoroso nelle linee, elegante, ardito, spiritoso nelle decorazioni; fu co-

M. Jung, *Manifesto per il Cabaret Fledermaus*, 1907. (Hist. Mus., Vienna).

struito su progetto di Josef Hoffmann che aveva concepito il piccolo teatro intimo come un organismo diversificato dove ogni ambiente, ogni dettaglio esprimesse una precisa volontà stilistica, denotando al tempo stesso la funzione specifica. Le pareti della scala che dal piccolo ingresso conduceva nel teatro vero e proprio erano semplici, inconfondibilmente «hoffmanniane», suddivise da larghe bande verticali in marmo bianco e nero. I critici descrissero in ogni dettaglio specialmente il bar prospiciente la platea, chiamandolo «introduzione geniale, stravagante prologo decorativo, animatore raffinatissimo».

La sala rettangolare, più larga che lunga, offriva posto a circa trecento spettatori raccolti attorno a dei tavolini. A differenza dell'atrio di tono burlesco nel suo multicromatismo, i colori sofisticati e i materiali preziosi impiegati per la sala comunicavano un'elegante gaiezza. Il palcoscenico, proiettato nella platea, era largo appena cinque metri e profondo tre e mezzo. La sua sistemazione su uno dei lati più larghi della sala doveva dare agli spettatori «la sensazione che si trovasse in mezzo alla platea, in mezzo alla vita stessa». Sotto il palcoscenico, piuttosto sollevato sulla platea, si celava l'orchestra, con un accorgimento grazie al qua-

le si superava il fossato che altrove divideva gli attori dal pubblico. Questa costruzione che portava avanti l'idea del teatro stilistico richiese una scenografia completamente diversa da quelle tradizionali, il cui pieno effetto era ottenibile soltanto con un'illuminazione differenziata.

I progettisti lo avevano previsto: «Per la scenografia rinunciamo a qualsiasi effetto naturalistico; vogliamo portare sul palcoscenico non già la realtà ma il suo profumo e tra il pubblico non vogliamo ricreare l'illusione della natura ma la vasta gamma di sensazioni che suscita. Vogliamo occupare l'occhio con il gioco di luci e colori per rallegrarlo dopo il grigiore della vita quotidiana.»

Dunque non si continuò con piena coerenza l'esperimento del primo teatro stilistico viennese intrapreso nel 1901 dal pittore Kolo Moser e dal poeta Felix Salten con il loro «Jung-Wiener Theather zum lieben Augustin». A loro era bastato uno sfondo circolare di tendaggi diviso soltanto da ornamenti geometrici; altri tendaggi simili coprivano anche le pareti della sala. Lo stesso coraggio dell'astrazione mancò invece mezzo decennio più tardi.

Che il Cabaret Fledermaus abbia calamitato le forze creative della metropoli

1. *Cartolina della Wiener Werkstätte, Cabaret Fledermaus.* (Mus. f. angew. Kunst, Vienna).

2. J. Hoffmann, *Cartolina della Wiener Werkstätte, Cabaret Fledermaus,* 1908. (Hist. Mus., Vienna).

danubiana, tanto da ottenere la collaborazione della Wiener Werkstätte, di docenti e allievi della Scuola di arti decorative, di personaggi della cerchia di Klimt e degli architetti attorno a Hoffmann, come pure di molti poeti della «demolierte Literatur», è dimostrato anche dalla struttura e dal programma di questo teatrino, insolitamente coerenti in una città come Vienna. Tutti coloro che di pomeriggio erano soliti incontrarsi al caffè si raccoglievano ora qui per condividere il rischio dell'esperimento oppure per accettarne la sfida. Effettivamente la sala con i tavolini e le nicchie aveva l'atmosfera di un caffè di riformisti.

Il prologo che Altenberg aveva scritto per la prima d'apertura fu pronunciato da Lina Vetter, Lisa in *Das Wort* di Schnitzler; fu la dichiarazione programmatica per un palcoscenico che non voleva essere un teatro: «Sogno uno spazio non troppo grande ma comodo dove regni la libertà, dove si trovi la cultura insieme all'aria fresca ristoratrice dei nostri poveri polmoni, poiché solo l'ossigeno ci dà la leggerezza dello spirito. In un simile ambiente vorrei intrattenermi con degli sconosciuti che come me non desiderino altro che riposare liberi da qualsiasi costrizione... Sogno dunque uno spazio ove regni la libertà, dove l'accoglienza si sposi con l'arte e la cultura! Esisterà? Nei miei sogni è realta!» Anche il testo di un capitolo del programma, sulle «maschere», era di Altenberg, mentre in un altro punto ancora si leggeva: «Musica di Hannes Ruch, costumi e adattamento scenico di C.O. Czeschka. Realizzazione dei costumi, Wiener Werkstätte.» Il programma stesso, in preziosa quadricromia e illustrato da Bertold Löffler, Fritz Zeymer e Oskar Kokoschka, era stato concepito da Czeschka e stampato dalla Wiener Werkstätte. I più noti collaboratori della Wiener Werkstätte composero anche il programma inaugurale. Oltre a una parodia di Masterlink, Zeymer allestì la tragedia *Pyramus und Thisbe* di C. Schloss, per la quale aveva creato anche le figure grottesche; disegnò i costumi e le scene del balletto *Morgenstimmung*, mentre di Löffler erano i costumi e le scene per l'attrice e cantante Marya Delvards. Hoffmann creò un costume, Czeschka disegnò la scena per un poema di Guido

Cavalcanti e Karl Hollitzer cantò in un costume di propria ideazione.

Sebbene tra i collaboratori ai testi, oltre ad Altenberg, ci fossero Hermann Bahr, Richard Dehmel, Robert Musil e Detlev Liliencron, questo esperimento fu importante non tanto per la poesia quanto per le arti visive che ispirarono infatti il «Pipistrello» moscovita fondato nel 1908 da Nikita Baliev, Leon Bakst, Aleksandr Benois e altri. I «Pipistrelli» si distinguono dagli altri cabaret artistici proprio per questa caratteristica; il berlinese «Überbrettl» di Wolzogen era teatro di parole come lo era «Elf Scharfrichter» (Undici giustizieri), famosi entrambi per la loro aggressività corrosiva. Nel Fledermaus invece era protagonista l'allestimento: i costumi, le decorazioni, la regia, spesso anche il contesto generale, creati da artisti il cui eclettismo era stato forgiato dalla Secessione e dalla Wiener Werkstätte, quelle associazioni di rottura con la piattezza così austriaca nell'arte e nell'artigianato artistico, con «il bizantinismo fossilizzato e tutto il non-gusto».

Sin dalla prima ora il teatrino sfoderò, sia pure in sordina, un coraggio e un'abnegazione a stento frenati da considerazioni economiche. Offrì un campo d'azione pressoché illimitato a giovani artisti dotati di null'altro che del loro talento, come il ventenne Kokoschka.

Kokoschka, come tanti altri artisti attivi allora a Vienna, era un talento poliedrico. Nella pittura era ancora vincolato alle linee e ai piani dei suoi insegnanti; all'inaugurazione del Fledermaus, invece, poté recitare una «fiaba indiana» di sua composizione, una storia volutamente naïve dal titolo bambinesco, *L'uovo a pallini*. Le sue diapositive mobili possono essere interpretate come l'animazione delle sue cartoline e delle sue illustrazioni per *Träumende Knaben* (Ragazzi sognanti) e fanno presumere che Kokoschka, già allora frequentatore assiduo del Museo etnologico, si sia ispirato alle «ombre» asiatiche.

La recita pare sia stata un fiasco, anche per motivi tecnici. Ma il fallimento pochi giorni dopo l'inaugurazione del teatrino non impedì ai responsabili di mettere anche in seguito questa tribuna a disposizione del giovane pittore e poeta ossessionato da visioni e sogni. La sua «revisione delle impressioni d'infanzia intra-

O. Kokoschka, *Studio per due scenografie simultanee*, 1909.

presa dal poeta», come definì la sua recita di *Träumende Knaben*, ebbe luogo in un ambiente creato da lui stesso, e finalmente il piccolo palcoscenico tenne a battesimo un'opera destinata a entrare nella storia del teatro, ancorché allora rimanesse trascurata.

Sphinx und Strohmann (La sfinge e l'uomo di paglia), un'opera poetica d'avanguardia quanto ai suoi elementi espressionistici e surrealisti, oltre a confermare il talento linguistico e immaginativo di Kokoschka e la sua arte della concentrazione simbolica, testimonia della sua ricerca per abbandonare il piano a favore della corporalità. Anche in seguito i giochi di Kokoschka ricorderanno fortemente il teatro delle maschere e dei pupazzi al quale egli indubbiamente si è ispirato; tipicizzano invece di individualizzare, ingrandiscono dei dettagli fino al grottesco riducendone altri per ridicolizzarli. Sono una protesta contro lo psicologismo teatrale, contro il naturalismo dello svisceramento clinico dell'anima. Perciò si inseriscono perfettamente nella concezione del Fledermaus che lascia correre libera l'improvvisazione e concede ampio spazio a maschere e pupazzi. Citiamo ad esempio la recita del Teatro delle mario-

K. Moser: 1-2-3-4. *Scene da «Der Verschwender» (studi per le illustrazioni di un calendario).* (Theaterslg. ÖNB, Vienna).

nette di Monaco che fece conoscere al pubblico viennese *Der tapfere Cassian* (Il prode Cassian) di Schnitzler.

Il fatto di rifiutare la consueta divisione dei compiti del teatro contemporaneo fu insieme la forza e il punto debole del Fledermaus. La notevole spontaneità e spregiudicatezza andava di pari passo con un'innegabile mancanza di professionalità, palese in più di una recita.

Lo stesso temerario dilettantismo, al quale Friedell erige un monumento nella prefazione alla sua storia culturale dell'età moderna, distingue anche la festa in giardino che la Scuola di arti decoratie organizza nel giugno 1907 e che è una specie di prova generale sia per il Fledermaus sia per il teatro in giardino della Kunstschau. Su un palcoscenico stilizzato al massimo, allestito da E.J. Wimmer «con tendaggi di tessuto bianco che spiccano stupendamente luminosi sul verde scuro degli alberi», si svolge la pantomima *Die Tänzerin und die Marionette* (La ballerina e la marionetta) di Max Mell, in cui le sorelle Wiesenthal si esibiscono per la prima volta da quando hanno lasciato la Hofoper. Tra gli altri attori troviamo parecchi di coloro che intendono riformare il teatro con l'apporto delle arti figurative e lo vedono come un'estensione spaziale della pittura, oppure cercano nel ballo nuove forme espressive non romantiche. Vi recitano Anton Kling e Fritz Zeymer, Franz Dellavilla, Moritz Jung, i baroni Wieser, la baronessa Engerth e le due sorelle minori delle Wiesenthal. L'entusiasmo, l'atmosfera, lo spirito giovane contano assai più della perfezione: ne parla Grete Wiesenthal nelle sue memorie del 1919 dal titolo *Der Aufstieg* (L'ascesa): «Gli allievi della Scuola di arti decorative recitarono nella pantomima e per merito di tutte queste persone entusiaste la rappresentazione raggiunse un raro livello di bellezza e grazia, tanto da fare di questa festa una vera apoteosi dell'arte, della natura e della giovinezza.» J.A. Lux rintraccia analoghi pregi nella Kunstschau dell'anno successivo, parla di «volontà unitaria», che «non è la volontà di un individuo solo, bensì di un insieme di persone che agiscono serene in comunione di idee». Questo ottimismo muove anche la serie di manifestazioni del teatro in giardino, «Fledermaus» trasferito all'aperto.

Il teatro sperimentale inteso come nucleo centrale della Kunstschau apre con la pagliacciata stilizzata di Max Mell; l'anno dopo, quando ormai la Kunstschau è diventata una mostra internazionale, il teatro all'aperto viene ancora usato per balletti e spettacoli musicali, per vivere infine uno degli scandali teatrali, peraltro rarissimi a Vienna. Lo suscita *Mörder, Hoffnung der Frauen* (Assassino, speranza delle donne) di Kokoschka, un'anticipazione del teatro espressionista ricca di violenze cromatiche e ombre tremolanti, di suggestivi linguaggi immaginativi e grida di estasi. L'irritazione del pubblico per il manifesto che reclamizzava lo spettacolo con una parafrasi della Pietà, per i nuovi mezzi stilistici che si prendevano gioco dei classici concetti decorativi e per l'intrusione di spettatori abusivi incompetenti, provocò tumulti che richiesero l'intervento massiccio della polizia.

Per contro il radicale esperimento riformista del teatro musicale, intrapreso alla Hofoper da Gustav Mahler e Alfred Roller, sembra l'antitesi dei tentativi spesso troppo superficiali dei pittori e artigiani teatranti. Infatti sia Mahler che Roller erano addirittura ossessionati dall'esigenza di professionalità scenica. Alla ricerca del massimo livello di perfezione, Mahler nominò Roller responsabile dell'adattamento scenico, con competenze anche nella scelta dei costumi e delle luci. Furono questi poteri quasi dittatoriali a facilitare in fin dei conti il radicalismo, sino allora sconosciuto sul grande palcoscenico, nella rottura con quella tradizione che aveva sempre tratto la propria energia dalla fedeltà all'esecuzione originale. La prima cooperazione tra il direttore e il pittore, con la messinscena nel 1903 di *Tristan und Isolde*, fu già significativa. La suggestione delle grandi superfici a colori animate dal gioco delle luci di un ben calcolato effetto psicologico, l'audacia della riduzione fino al simbolo della realtà storica, unite all'assoluta essenzialità con cui Mahler dirigeva gli interpreti ponendo l'accento sulla compagnia piuttosto che sul divo, fecero per circa cinque anni della Hofoper viennese uno dei più importanti teatri lirici d'Europa. Il suono, le immagini, le parole e lo spazio scenico si fondevano in una perfezio-

C.O. Czeschka, *Bozzetto per il costume di Tristano.* (Mus. f. angew. Kunst, Vienna).

C.O. Czeschka *Bozzetto per il costume di Wotan*. (Mus. f. angew. Kunst, Vienna).

J. Hoffmann, *Decorazione*, in «Ver Sacrum», gennaio 1898.

ne mai vista prima. Ciò che Adolphe Appia e Gordon Craig avevano teorizzato per il teatro si realizzò qui grazie all'impegno e al rigore con cui Mahler e Roller cercarono di realizzare l'ideale dell'opera d'arte universale. Il «loro» palcoscenico fu liberato dal peso del realismo; quanto vi si svolgeva non doveva «essere» ma «significare» qualcosa, scaturire dalla struttura intima dell'opera stessa. Ma venne anche liberato da tutto il ciarpame dello spettacolo «piacevole». Tuttavia, diversamente dagli esperimenti del Fledermaus e della Kunstschau, qui non si tolse nulla al predominio della musica. Il grande pregio di Roller, allora e in seguito, con Mahler prima e con Max Reinhardt e qualche altro grande uomo di teatro poi, fu la sua immersione nel concetto dell'opera d'arte universale senza che per questo egli vi si assoggettasse. Dalla sua collaborazione con Mahler a Vienna e con Reinhardt a Berlino e più tardi ancora a Salisburgo nacquero così allestimenti di imperituro valore. L'esemplare *Don Giovanni* che nel dicembre 1905 coronò l'unione artistica tra Mahler e Roller, il *Fidelio* alla cui regia Roller contribuì in maniera determinante, *Il ratto dal serraglio* e *Lohengrin* offrirono agli artisti moderni di spicco patiti di teatro soltanto occasioni relativamente limitate di accesso al grande palcoscenico, sia perché gli addetti alla scenografia adottavano soltanto con estrema cautela i nuovi mezzi stilistici, sia perché esistevano abbastanza artisti di secondo piano disposti a fare concessioni ai teatri tradizionali.

Del primo gruppo faceva parte Heinrich Lefler, il capo dello Hagenbund, riva-

leggiante con la Secessione. Alla Hofoper Lefler aveva spianato la strada a Roller prima che, soppiantato da questi, passasse al Burgtheater; una sua realizzazione importante fu *Renaissance* di Gobineau, che mise in scena nel 1904 in un piccolo teatro con la regia di Ferdinand Gregori. Sul palcoscenico, circoscritto da semplici tende grigie, pochi scenari mobili creavano i diversi ambienti. Al secondo gruppo invece apparteneva indubbiamente Remigius Geyling che curò la scenografia del pretenzioso Neue Wiener Bühne dal 1910 e del Burgtheater dal 1914.

I grandiosi progetti di Kolo Moser, che solamente nel 1910-11 ebbe occasione di creare l'allestimento scenico di *Der Musikant* e *Der Bergsee* (Il lago di montagna) per la Hofoper, senza peraltro realizzare nulla di artisticamente esaltante, come anche i bozzetti di Czeschka per *Die Nibelungen* di Hebbel, erano destinati invece a restare soltanto preziosi oggetti da esposizione.

Vale dunque per tutta la cerchia viennese, a eccezione di Alfred Roller, quanto Hermann Bahr annotò a proposito di Kolo Moser e compagni: «Molto noto, apprezzatissimo, grande carriera, titolo di professore, insignito con l'ordine di Francesco Giuseppe... Al confronto, tutto quanto all'estero si dipinge oggi per il teatro sembra povero e insignificante. Abbiamo praticamente tutto per realizzare il migliore teatro del mondo, manca soltanto chi lo raccolga. Non occorre neppure che sia un capo, basterebbe qualcuno tanto intelligente da farsi guidare dai pittori.»

Da sinistra dall'alto:
1-2. R. Geyling, *Costumi di scena per «Die Nibelungen»*, 1913. (Theaterslg. ÖNB, Vienna).
3. C.O. Czeschka, *Studio scenografico per «Macbeth»*, 1906 c. (Theaterslg. ÖNB, Vienna).

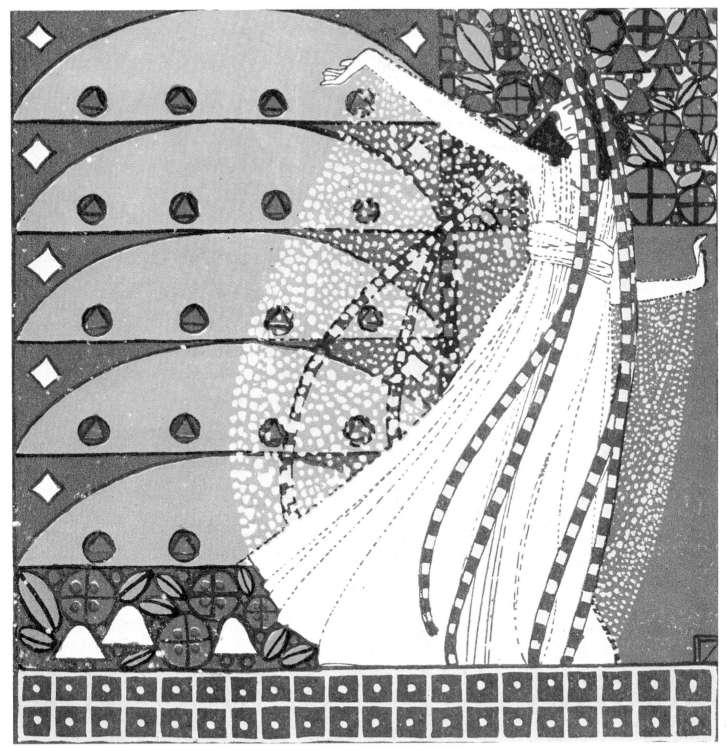

F. Zeymer, *La danzatrice Gertrude Barrison*, programma n. 1 del Cabaret Fledermaus, 1907.

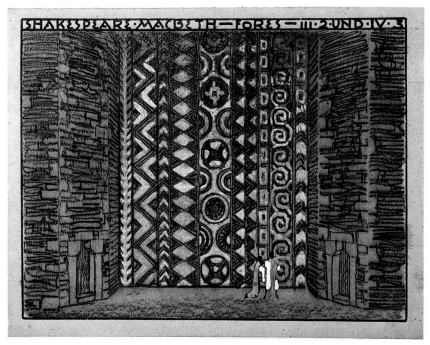

1. A. Roller, *Studio scenografico per «Macbeth»*, 1919. (Coll. privata, Vienna).

2. A. Roller, *Costumi di scena per Elettra nell'«Elektra» di Hofmannsthal/Strauss*, 1909. (Coll. privata, Vienna).

3. F.K. Delavilla, *Studio scenografico per «Manfred und Beatrice»*, 1918. (Theaterslg. ÖNB, Vienna).

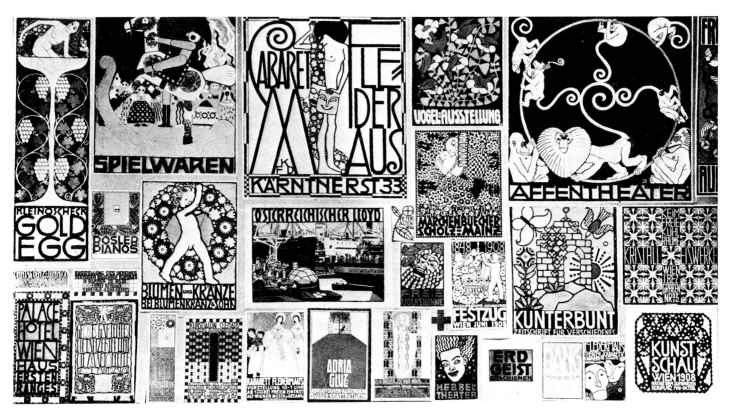

1. Parete di manifesti alla Kunstschau del 1908 con manifesti dedicati alla Kunstschau, alla celebrazione del giubileo dell'imperatore e al Cabaret Fledermaus.
2. B. Löffler, *Busta del Cabaret Fledermaus*, 1907.

B. Löffler, *La «diseuse» Marya Delvard*, programma n. 1 del Cabaret Fledermaus, 1907.

Da sinistra dall'alto:
R. Teschner: 1-3. *Figurini per «Prinzessin und Wassermann».* (Theaterslg. ÖNB, Vienna). □ 2. *Giardino a Praga*, studio per una scenografia. (Theaterslg. ÖNB, Vienna). □ 4. *Evolution*. (Theaterslg. ÖNB, Vienna).

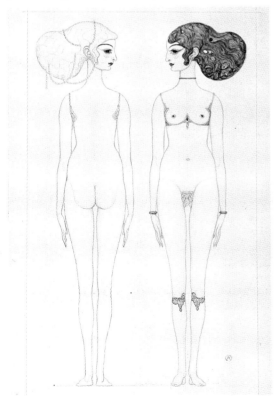

K. Moser: 1-2. *Studi sceno-grafici per «Das Prinzip» di H. Bahr.* (Theaterslg. ÖNB, Vienna).

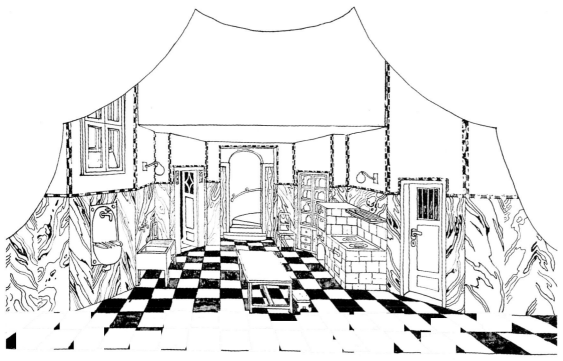

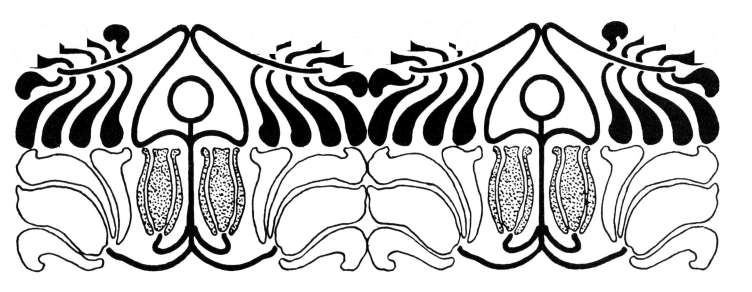

LA LETTERATURA

Nike Wagner

Sopra:

1. A. Böhm, *Decorazione per libro*, in «Ver Sacrum», luglio 1898.

2. Invito per il Concordia-Ball con le caricature degli scrittori Dörmann, Altenberg, Bahr, Ebermann, Schnitzler, 1899.

Dörmann, Altenberg, Bahr, Ebermann, Schnitzler.

«Si deve nascondere la profondità. Dove? Nella superficie», dice una breve annotazione di Hugo von Hofmannsthal nel *Libro degli amici*, riflessioni degli anni giovanili, del tipo diaristico, da lui stesso raccolte e pubblicate nel 1906, quando aveva oltrepassato i trent'anni.

La massima da una parte dimostra la lucida forza aforistica dello scrittore, dall'altra è un indovinato esempio della tecnica artistica da lui raccomandata. Un pensiero opera come un'arguzia, un bon mot fa pensare — profondità superficiale, invettive e abissi. Così, la massima potrebbe apparirci una espressione molto viennese, prestandosi di conseguenza a essere analizzata sotto questo aspetto: in quale reciproco rapporto stanno «superficie» e «profondità» nella Vienna di Hofmannsthal?

Di «superficie» non c'è scarsità nella Vienna della Secessione, ne viene esibita molta e palesemente. Ma la «profondità»? La «profondità» che si deve nascondere? Per tradizione la profondità viene attribuita ai tedeschi, donde la loro superiorità sullo spirito mediterraneo, disinvolto e leggero. D'altra parte il sarcasmo di Nietzsche ha prodotto i suoi effetti e la profondità dei tedeschi ha assunto gli aspetti negativi del caos, dell'oscurantismo e della confusione. A ciò allude Hofmannsthal quando, un paio di pagine più avanti nel *Libro degli amici*, assesta un colpo ai fianchi ai tedeschi. La loro «profondità» non sarebbe altro che «forma non realizzata». E continua: «Secondo loro la natura ci farebbe girare intorno, senza epidermide, quali vaganti abissi e vortici.» La stessa entità angoscia-immagine dell'uomo troviamo anche come angoscia-immagine della lingua; dei loro «vortici», che trascinano nel vuoto, Hofmannsthal parla già nel celebre documento sulla crisi della lingua, cioè della coscienza, intorno all'anno 1900, nella lettera di Lord Chandos. Abisso, profondità, vortice — e in contrapposizione la salvifica forma.

Verso la svolta del secolo l'estetismo è molto di moda. Suo luogo di nascita: il circolo degli Jung-Wiener, diretto e organizzato da Hermann Bahr. Bahr, nato a Linz, autore di una copiosa produzione letteraria che non gli è sopravvissuta, esercitò agli inizi degli anni '90 un ruolo importante quale programmatore e mediatore dei «moderni». Era stato a Parigi alla ricerca di tartufi letterari e ne aveva riportato un variopinto bottino in una Vienna ancora incline all'imitazione delle novità francesi: l'impressionismo, il simbolismo, il neoromanticismo, in altre parole tutte le sfumature del decadentismo. Il suo obiettivo principale consisteva nel trovare il più rapido aggancio all'avanguardia straniera e poi capitalizzare in proprio la merce di importazione. Questo aggancio estetico, per così dire, gli riuscì in un batter d'occhio e poté far sorgere dal nulla una modernità viennese, però la causa di questi successi va cercata in altri fattori piuttosto che nei richiami retoricamente allettanti di quest'uomo. La situazione storico-spirituale aveva dissodato e preparato il terreno, qua e là paludoso, tanto che i fiori di una sensibilità decadente vi potevano germogliare senza difficoltà. Nei figli dei promotori delle circonvallazioni era cresciuta una generazione attenta ai valori estetici, la quale, mentre voleva sentirsi soggettivamente «vecchia» in una Vienna sovraccarica di cultura e di tradizione, era in realtà composta di giovani che avevano tempo a disposizione, e nella maggior parte dei casi anche i mezzi materiali, per l'ozio e per la noia, ma che nello stesso tempo (avevano ancora nel sangue l'ordine dei padri di operare e produrre) erano ambiziosi e volevano diventare «celebri». E l'arte, divenuta già dalla metà del secolo articolo di fede, si offriva come unico campo possibile per raggiungere lo scopo. Il fatto che Bahr abbia trovato un senso della vita e una mentalità adatti ad accogliere i suoi programmi parigini aveva parecchi rapporti con il dramma in molti atti che si trascinava sullo sfondo senza arrivare mai alla fine; il dramma cioè nel quale, con il ricorso ai compromessi, alle manovre di adattamento e alla cialtroneria, si riusciva sempre a ottenere un rinvio del crollo della monarchia dei molti popoli. La situazione generale si rifletteva nell'individuo nella forma di un diffuso malessere, di una calamità privata.

Questo sentimento si esprimeva a sua volta sul piano popolare con il famigerato brontolio dei viennesi, sempre pronti a tutto censurare, nella sfera culturale con il lamento oppure con l'accusa, eteroaggressiva in Karl Kraus, ma generalmente nelle varie forme dell'introversione: nell'ipocondria (Altenberg), nel narcisismo (Andrian, Beer-Hofmann), oppure nell'introspezione, che poteva essere analitica (Schnitzler) o tenera (Hofmannsthal). Sentimenti di decadenza e di alienazione caratterizzavano questa gioventù. «Non possediamo nient'altro che una memoria sentimentale, una volontà anchilosata e un inquietante dono dell'autosdoppiamento. Noi stiamo a guardare la nostra vita...», scriveva Hofmannsthal quando si chiamava ancora «Loris».

Questa tendenza schizofrenica della psiche degli artisti si rivela molto utile per l'allora assolutamente sano Hermann

Bahr nelle sue funzioni di levatrice letteraria. Il geniale liceale Hofmannsthal dovette rappresentare la vivente realizzazione di un desiderio. Intorno a lui e a Bahr si formò poi anche il nucleo compatto della cerchia del Caffè Griensteidl, con il più anziano Schnitzler che faceva ancora il medico ma aveva già pubblicato qualcosa (tra l'altro *Anatol*), con il rampollo aristocratico Leopold von Andrian, con l'ex studente in legge ed elegante Richard Beer-Hofmann e il giornalista Felix Salten che presto, nella veste di critico d'arte e teatrale, eserciterà una sorta di nepotismo letterario. Peter Altenberg e Karl Kraus compaiono un poco più tardi e marginalmente; in senso stretto non appartennero mai al gruppo e Kraus, dopo una brillante e mordace satira sugli Jung-Wiener, se ne allontanò completamente.

Nel caffè, l'ormai scomparso locus amoenus dell'intellettualità fin de siècle, cambiano continuamente le persone intorno al tavolo, e così intorno a quello del genio, Hermann Bahr, fluttuano molti talenti che oggi sono dimenticati. Un breve scalpore come talento poetico provocò in quel tempo il ventenne Felix Dörmann; delle sue successive commedie di costume e dei libretti d'opera non è rimasto nulla. Richard Schaukal, che aveva imparato molto traducendo i simbolisti francesi e che poi entrò nel servizio di stato, nelle sue poesie, novelle e saggi inserì molto materiale tipicamente decadente; nella cerchia dei «moderni» la qualità della sua opera è di seconda scelta. Gustav Schwarzkopf, coetaneo e amico di Schnitzler, fu un buon autore di novelle con talento per la satira. C'erano anche Leo Ebermann, che fu trionfalmente celebrato dalla stampa per un suo dramma ma poi si dette al giornalismo; i fratelli Hirschfeld, uno dei quali, Viktor Léon, gode ancora di una certa notorietà per i suoi testi di operette; Richard Specht, giornalista dalla morbida vena poetica, divenuto in seguito recensore musicale; uomini come C. Karlwaeis divennero i ritrattisti della «viennesità» e altri come il versatile Rudolf Strauss o Rudolf Lothar furono attivi sia come fondatori di riviste sia come critici e letterati.

In questa compagine di giovani veniva reclutato il tipico collaboratore del feuil-

1. Karl Kraus, (ÖNB, Vienna).

2. Richard Beer-Hofmann. (ÖNB, Vienna).

1. Il Café Griensteidl di Vienna, l'angolo degli artisti.

2. A. Schnitzler, *Manoscritto per la poesia «Liebelei»*. (W. Stadtbibl., Vienna).

leton. Era questi uno che non poteva liberarsi delle proprie ambizioni letterarie ma neppure voleva diventare un imparziale cronista attento alle cose e ai fatti, perché nei suoi inizi, ispirati dalla ricerca del bello, aveva imparato a disdegnare il reale. Egli partorì quella miscela, odiata da Kraus, di letteratura e informazione, traditrice di entrambe, appunto il feuilleton. Il quale elargì a coloro che, scrivendo all'unisono con l'orientamento (mai contro l'orientamento!) dei giornali, si creavano uno spazio, almeno l'«immortalità di un giorno», come si espresse il gran maestro Ludwig Speidel. Nella Vienna delle circonvallazioni e della Secessione, questo tipo di letteratura conseguì successo, diffusione e potere che toccarono livelli senz'altro inauditi. Grazie a una mentalità liberale manifestantesi con toni sfumati esso superò in importanza assai presto l'editoriale politico; alla sua autorità erano sottoposti gli

avvenimenti del teatro, della letteratura, della musica e dell'arte: si pensi ai corifei Ludwig Speidel, Ludwig Hevesi, Max Nordau, Theodor Herzl, Felix Salten. In tutti i giovani letterati ardeva lo struggente desiderio di vedervi pubblicati i propri lavori, bozzetti, ritratti a effetto, brevi prose; diversamente non era possibile farsi un nome. Quando Stefan Zweig osò entrare per la prima volta nelle stanze della «Neue Freie Presse» e il suo manoscritto fu accettato dal redattore capo del feuilleton Theodor Herzl, si sentì «come se Napoleone sul campo di battaglia avesse appuntato sul petto di un giovane sergente la croce di cavaliere della Legion d'Onore». E il giovane Anton Wildgans confessava: «Tutta la mia ambizione ha per meta il feuilleton.»
Per la sua struttura, il suo carattere e la sua influenza il feuilleton costituisce *il* fenomeno di superficie della letteratura del suo tempo. Il pericolo, che forse sfuggiva

totalmente alla percezione degli stessi letterati, era nel legame che insorgeva tra loro e il mezzo di cui profittavano. I giornali sono condizionati dalla attualità, dalla rapidità della produzione e della distribuzione. Spiritualmente affaticante, la «profondità» deve essere evitata se si mira a un vasto pubblico. Poiché inoltre il feuilleton concedeva lo stesso spazio sia alla letteratura dozzinale che alla breve prosa magistralmente levigata, finì col cancellarne il confine. Si può essere certi che ai contemporanei era impossibile distinguere tra uno Schnitzler e un Auernheimer. Qui gli «abissi» e i «vortici» della profondità non hanno a disposizione neppure un angolino. Gli stessi «vortici» formano una superficie piana roteante, ampia e viscosa, velata da ornamenti linguistici. Nel feuilleton regna la lingua della «linea», come dice Kraus, non quella dello scandaglio. Non c'è niente da scandagliare e niente da cercare. Il feuilleton è identico a se stesso, tutto decorazione e atteggiamento; pur presentandosi sempre così innocuo, esso tuttavia si delinea come una specie di precursore della teoria che il «medium» sarebbe già il «messaggio».

Hermann Bahr non avrebbe voluto che la modernità nata nel Caffè Griensteidl si sviluppasse in quella direzione. Egli l'aveva intesa di una natura più profonda; aveva personalmente sperimentato le più diverse fasi delle trasformazioni concettuali, fino a quando, a partire dal 1890, poté annunciare sulla scorta di quali ricette dovesse procedere la modernità. Avendo imparato a sospettare della «comune chiarezza delle cose», che il naturalismo aveva portato alla luce, ora predica un nuovo concetto di verità. La parola d'ordine è ora: «Nerven, Nerven — und Kostüm.» Ed egli sapeva anche cosa dovesse essere conciliato al di sopra dei nervi e cosa doveva essere nascosto in un «costume» o «abito». Nel saggio intitolato (giustamente!) *Verità, verità* egli consigliava ai poeti: «Essi hanno bisogno di entrare fiduciosamente nello spazio dei nervi, con coraggio verso l'arrendevole sponda, e allorché esitanti si libreranno lievemente là sopra, subito da quello spazio saranno spinti ondeggiando nel sogno, giù profondamente nella sfera del divino e beato sogno, dove non importa più nulla della verità, ma tutto è

soltanto bellezza.» E in un altro punto, quando scrive di Maeterlinck: la «vecchia lingua» non basterebbe più quando si tratta di esprimere a parole «tutto ciò, così strano e straordinario, che si cela sotto la soglia della coscienza e che noi riusciamo a percepire soltanto come un sordo gemito proveniente dal più remoto baratro della natura, dove lo spirito non penetra».

L'arsenale concettuale della modernità è così discretamente abbozzato. La poesia deve divenire immediata espressione dell'inconscio, del fantastico, dell'irrazionale, ciò che sta prima della parola deve trovare un linguaggio, divenire manifesto, mostrarsi. La «profondità» deve apparire sulla «superficie», ma non per divenire conoscenza («verità»), bensì per figurarvi in un suggestivo alone di mistero e di bellezza come immagine, allegoria e simbolo. I nervi, gli «ambasciatori dall'esterno», sono i centri che mediano e conciliano; essi registrano i segnali e gli stimoli che si irradiano dall'esterno per inoltrarli nella forma di «sensazioni» nella psiche dell'artista. La realtà è ancora soltanto il mezzo per il fine dell'autopercezione: la percezione di ciò che scorre liberamente, senza forma, delle sensazioni momentanee, degli umori. Sembra che la lingua si debba introdurre nei settori che hanno un linguaggio non verbale, qui nella musica, là nella pittura, Debussy e Puvis de Chavannes... Bahr ammette volentieri la sua volontà di leggere «colori e suoni»: nessuna meraviglia che venga subito annoverato tra gli araldi della Secessione viennese e che divenga condirettore della rivista «Ver Sacrum». Ma con le moderne esigenze la lingua, il medium più razionale, approda ai suoi stessi confini: comincia il problema della comprensibilità. La letteratura viennese del decadentismo aveva appena diffuso i propri enunciati, aveva appena iniziato a produrre le prime opere che già veniva attaccata e parodiata. È il momento dell'invettiva: con la satira distruttiva della *Letteratura demolita* di Kraus, con il ricorso all'umorismo nel *Libro di cucina per scrittori e artisti* di Gustav Schwarz-kopf, entrambi del 1896: «Condizione fondamentale: l'opera deve essere assolutamente incomprensibile... Si eviti soprattutto di usare una parola nel suo vero significato. Esempi: il suono delle

1. Il Café Griensteidl di Vienna, 1895.

2. Hermann Broch. (ÖNB, Vienna).

1. Arthur Schnitzler, fotografia di D'Ora, 1908.

2. O. Kokoschka, *Ritratto di Peter Altenberg*, 1909. (ÖNB, Vienna).

campane era di un grigio dal respiro affannoso che lievemente strascicando si trasformò in un timido, trepidante violetto. Oppure: il colore del suo vestito era un'unica, stridula dissonanza che derideva se stessa... Nella descrizione di una stanza l'attenzione deve essere diretta innanzitutto al sofà, al lampadario (che deve diffondere un chiarore vivacemente smorto, piacevolmente tenebroso) e al sinistramente dolce, assordante profumo.» Di un tono non molto diverso sono le poesie intitolate *Neurotica* e *Sensazioni* di Felix Dörmann, le *Tuberose* di Karl Rosner, compagno di scuola di Kraus, e anche molte delle *Tristia* di Richard Schaukal. Il *Canto della vita* di Hofmannsthal, pure apparso nel 1896 ma di ben altro calibro, doveva divenire il bersaglio di un disprezzo più maligno e di uno scherno, che testimoniano il rapido passaggio dall'invettiva al pericoloso odio dei viennesi per tutto ciò che era «nuovo».

Tuttavia la realtà che Hofmannsthal era un ragazzo prodigio si impose malgrado tutto. E resta sorprendente la misura in cui egli era in grado di tradurre in poesia le teorie del simbolismo e dell'impressionismo. Quasi certamente anche senza Hermann Bahr, che talvolta presentava la sua lirica come «maneggevoli esempi di scuola». «Superficie» per lui è forma. Nella prima lirica compaiono principalmente le forme rigide delle terzine, del ghazal (forma metrica persiana) e dei sonetti, ancorati ai suoi temi «correnti»: fugacità, sogno, magia delle affinità. Ma ben presto la lirica di Hofmannsthal cerca uno sbocco laddove è possibile, ancora una volta, un maggiore simbolismo: il teatro. I drammi lirici in versi sono una voluta rinuncia alla sua lirica, conquista di «superfici». Alla sfera del teatro appartiene il «costume» tanto raccomandato da Bahr. Il costume è in realtà sempre presente nell'opera di Hofmannsthal, non soltanto nelle figure non usuali della lirica, ma anche come esotismo dei luoghi (Oriente, Italia, Grecia) ed esotismo, cioè lontananza, delle epoche (barocco, rinascimento). Il costume è anche la forma nella quale il sogno ci parla, esso parla sempre «travestito». Il teatro, che è notturno e che gestisce il sogno, stende tuttavia questi costumi sopra oggetti tratti in pegno dalla vita.

La vita un sogno e il sogno una vita: con la mediazione di Calderón e di Grillparzer, il tema di questo gioco di scambi è dominante non soltanto nell'opera di Hofmannsthal ma anche in tutta la letteratura viennese fin de siècle. La notte e il giorno non vengono mai vissuti come piani separati, confluiscono costantemente l'uno nell'altro, la vita possiede la dilatata irrealtà del sogno, e il sogno, quale porta d'ingresso allo sconosciuto sé, quale «vero» sogno, entra con pari diritto nella realtà. Hofmannsthal ha rappresentato tutto questo nel racconto simbolico del 1894 *Favola della 672ª notte*. È una storia orientale in due parti: il figlio di un mercante trascorre una vita di sogno, nel culto della bellezza, in un ambiente paradisiaco e incantato, circondato da squisite cose; ma poi ne esce, prende la strada verso la città e si incammina nella realtà. Ma a questo punto, come in un cattivo sogno, viene perseguitato da misteriose avventure, dense di spettrali minacce, che infine lo portano alla morte. La metafora del «sogno di vita» del racconto *Il folle e la morte*, scritto poco prima, diviene realtà narrativa. La vita è incubo, una fantasia punitrice dalla quale non esiste risveglio. Il «folle» Claudio capisce nel momento della morte che, vivendo da esteta, ha soltanto sfiorato la vita, il suo fratello orientale muore con «una strana e malvagia espressione» sul volto.

Hermann Broch pose una volta il problema del motivo per cui Hofmannsthal aveva così presto trasferito la sua genuina vena lirica nelle assai diverse forme espressive della scena e della prosa, e spiegò questo percorso come una scelta di natura morale, un atto di autocritica a quell'isolamento dell'io, isolamento insieme estetico ed esoterico, verso il quale il precoce poeta aveva una naturale predisposizione. La sola lirica l'avrebbe tenuto rinchiuso nella torre d'avorio della bella forma: *La torre*, il suo ultimo dramma, racconta l'evasione nel sociale di un principe reale tenuto prigioniero... Questo modo di intendere l'«arte come rituale della moralità» non fu sicuramente cosa dei bas décadents, dei molti altri esteti che frequentavano il caffè. Aveva inoltre bisogno non solo delle più sensibili capacità di percezione per il nuovo romanticismo, ma anche di una egualmente sen-

sibile autocritica; aveva bisogno di una intelligenza verificante. Hofmannsthal aveva questa intelligenza. In caso contrario c'era la minaccia del dilettantismo. Come per esempio quando uno, per essere più precisi Felix Dörmann, prende Bahr alla lettera e si getta a descrivere il suo «sordo gemito proveniente dal più remoto baratro della natura». Malgrado una certa poetica da *Fleurs du mal*, restano comiche convulsioni di un io che non interessa. Troppa non celata «profondità», troppo poca «superficie», e invece di un «nascondiglio», esibizioni. In una formula di Bahr, quella che doveva introdurre la poesia nel «tempio del sogno», naufraga *La morte di Giorgio* di Richard Beer-Hofmann, salutata alla sua apparizione, nell'anno 1900, come il «libro dei sogni degli esteti» (Flösser). Qui abbiamo un racconto povero di azione ma sovraccarico di sontuosità stilistica, dove il gioco di specchi tra sogno, morte e vita svuota di realtà il tutto in misura tale che resta soltanto l'atmosfera, un'atmosfera soffocante e incerta, «profondità» decorata. Il *Giardino della conoscenza* (1895) di Andrian lascia una più nitida impronta; qui una superficie trattata impressionisticamente fa da contrappeso al simbolismo della vicenda: un efebo viennese cerca la verità al di là del reale e così facendo muore «senza aver conosciuto».
Tuttavia Beer-Hofmann e Andrian sono almeno relativamente vicini a Hofmannsthal. Beer-Hofmann per la sua sensibilità orientata verso gli aspetti mistico-magici, Andrian per il suo talento nel produrre un tenero simbolismo dell'atmosfera e in una certa ricercatezza, sotto il falso aspetto di semplicità, nel tono del racconto. Dallo stesso fascino della psiche e del sogno scaturiscono tuttavia effetti completamente diversi nella cerchia degli amici; da coloro che, in parole povere, prendono le mosse dalla «vita». A questa schiera appartengono Schnitzler, Altenberg e un disertore da una generazione più anziana e da un altro mondo, lo scienziato naturalista e sociologo Joseph Popper-Lynkeus. La vita per essi non è quella cosa estranea, suscitatrice di angoscia, che ci sta di fronte e dalla quale fuggiamo nell'arte; invece è il viennese «qui e ora» che fornisce la prospettiva. Questo positivo riferimento alla

«superficie» si ripercuote sulla configurazione della «profondità».
Il libro di Popper-Lynkeus *Fantasie di un realista*, pubblicato nel 1889, contiene brevi storie, piccole favole, in parte inventate liberamente, in parte trascritte dai sogni. Troviamo anche qui il tradizionale, leggendario «costume» per la «superficie», che viene però squarciata da azioni nello stesso tempo impressionanti e poco motivate. Celando con il tacere si gioca già a «nascondersi». Freud ha individuato nelle *Fantasie* le tecniche della censura onirica, e il libro fu sequestrato dallo stato. Nel 1901, in una recensione della «Wiener Rundschau», venne spiegato il perché: «Un Gil Blas delle anime toglie qui il coperchio alla città con il fine di offrire scene attraverso le quali sembra di guardare nella profondità più remota della natura umana... Per scrutare l'odio mortale dei sessi, che divampa nell'amore, troviamo qui occhi terribili e freddi, quelli di Lynkeus.» In Altenberg il celare tacendo dell'essenziale dà la forma. La sua è una prosa in «stile telegrafico» che riduce la «superficie» in ogni senso al minimo. Nei suoi testi i moti dell'animo sono tanto trasparenti e il discorso tanto accentuato da una eccessiva abbondanza di segni di interpunzione che non è quasi più il caso di parlare di un «nascondiglio». La «profondità» occupa qui la «superficie». Ma ciò d'altra parte accresce l'effetto decorativo dei simboli che sono rimasti. Per i suoi temi — la donna, la natura — Altenberg è anche l'unico secessionista letterario e Klimt è un suo (più vitale) affine. Ciò è testimoniato anche dalle «recensioni» ai quadri del pittore, nelle quali egli parla soltanto di sé e tuttavia descrive Klimt. Schnitzler mostra la lingua come viene parlata e, alla prima impressione, sembra che mostri soltanto questo, il futile modo di parlare (viennese) frammisto di piccole riflessioni. Lo scrittore è stato da sempre — il primo fu Karl Kraus — accusato di «superficialità»; i rimproveri al suo immutabile repertorio di storie di amore e di morte appartengono a questa categoria. «Solo la forma ha senso; lo spirito vive con il minimo di parole», osserva il maturo Schnitzler del 1915 dopo una nuova lettura di Popper-Lynkeus. In Schnitzler la «profondità» non è incalzante. Tuttavia l'idea del monologo in-

1. B. Löffler, *Illustrazione per il biglietto del Cabaret Fledermaus in occasione del cinquantesimo compleanno di Peter Altenberg*, 1909. (Hsch. f. angew. Kunst, Vienna).

2. Peter Altenberg.

1. Frontespizio del libro di H. Bahr, *Buck der Jugend*, 1908.

teriore è spinta ai confini della convenienza. Egli rompe continuamente il discreto *parlando* dei suoi racconti o dialoghi con la scossa della rivelazione, gettando improvvisamente luce su angoli sino ad allora nascosti. Un gesto tradisce il consueto omicidio, che avviene senza che noi «vediamo luccicare un pugnale». E l'improvviso irrompere dell'azione, l'omicidio o il suicidio, tratteggia i contorni del «profondo» nascondiglio. Naturalmente questo modo di procedere lo ha spinto nelle vicinanze di Freud. Ma Schnitzler non interpreta, e nemmeno parla, la lingua poetica delle estrapolazioni partorite dal sogno. Egli è lo specchio di quello che Broch definì «vuoto di valori» di quel tempo, un «imbroglione della superficie», per parafrasare una battuta di Kraus contro gli psicanalisti, gli «imbroglioni del profondo»…

Vediamo ora lo stesso Kraus nella sua veste di esponente letterario di quei «manifestanti» (Loos, Schönberg) che combattono a oltranza contro lo spirito decorativo della loro epoca, inteso come frase, menzogna, ornamento, abito, enfasi. I suoi scritti su «Die Fackel» sono diretti contro il linguaggio tentacolare della stampa, ossia del suo cuore decorato e agghindato, il feuilleton. Quando però si vuole andare al «prosciugamento dell'ampio acquitrino delle frasi», come egli annuncia già nel primo numero di «Die Fackel», bisogna partire dalla certezza di un terreno stabile e sicuro: da una «profondità» che qui è identica ai concetti (intonati al classicismo e al romanticismo) di autenticità, verità, originalità e «origine»; da un disegno spirituale, non psichico. Con il «profondo» senso della lingua, orientato su Shakespeare e Goethe, Kraus sarchia ora i fiori linguistici e stilistici del feuilleton e dell'estetismo nel giardino culturale viennese; innanzitutto quanto di «non tedesco» era in Hermann Bahr, più tardi l'ornamentazione di Maximilian Harden. È divertente come abbia condensato in un aforisma la sua avversione per l'avversario del regime guglielmino e lo Jugendstil: «Egli voleva ripulire a nuovo la facciata dell'impero. Ma il suo camice da lavoro è un abito ondeggiante ideato da van de Velde, la scopa di Olbrich e le mani hanno gioielli di Lalique.» È difficile trovare un altro scrittore del XX secolo che abbia scritto tanto e che abbia

2. Oskar Kokoschka (primo a sinistra) e Peter Altenberg (ultimo a destra), 1912.

influenzato un'area così vasta della intelligentsia. In quanto tale «Die Fackel» non delinea soltanto gli altri, delinea soprattutto se stessa. Diversamente da Schnitzler, in cui l'invenzione poetica diviene documento del tempo, qui si ammassano documenti del tempo come invenzione poetica. Risultato in entrambi i casi: un immenso ritratto dell'epoca. Anche qui la «profondità» sarebbe tutta sulla «superficie»?

Ma c'è anche l'altro Kraus, quello che insulta la psicanalisi per la sua indiscrezione, quello cui sta tanto a cuore la tutela della sfera privata quasi che da essa dipendesse la sopravvivenza della cultura. L'ideale di un rifugio non contaminato dal mondo e dalla sua sporcizia, di un legittimo nascondiglio, compensa sul piano psichico la fatica del suo satirico lavoro nelle stalle di Augia. In questo nascondiglio deve stare la sessualità, nella quale il mondo esterno non deve intromettersi, in rapporto con esso è la bella realtà di un parco di castello lontano da Vienna. Ma a esso appartiene anche l'eros della stessa lingua, «la felicità nel nascondiglio della parola», come avviene nella poesia e nel gioco delle parole, nel quale egli è un maestro. Infine Kraus è di rado realmente «poeta», ma il suo ardente e felice senso della parola (l'uomo «creante» e l'uomo «amante» sono per lui delle figure) compenetra ogni polemica e ogni satira. Nella lingua come medium è contenuta la «profondità» della lingua stessa. Pensare nella lingua, dice, cioè «come quando si rientra nel sogno della notte precedente se si tocca di nuovo il lenzuolo».

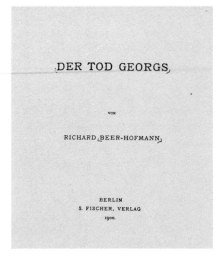

1. Frontespizio del libro di R. Beer-Hofmann, *Der Tod Georgs*, 1900.

2. K. Moser, *Studio per copertina*, in «Ver Sacrum», febbraio 1898.

Sopra:
1. J. Hoffmann, *Fregio*, in «Ver Sacrum», settembre 1898.

2. Busto di Johannes Brahms.

In tutta la storia musicale austriaca probabilmente non esiste un'altra epoca, come quella degli anni a cavallo del 1900, nella quale dominassero la scena contemporaneamente e uno a fianco all'altro protagonisti così numerosi. Bruckner e Brahms, Johann Strauss e Hugo Wolf, Mahler e Schönberg, Zemlinsky e Berg, Kienzl e Webern, Franz Schmidt e Josef Schrammel, i principi dell'operetta Franz von Suppé, Carl Millöcker, Carl Michael Ziehrer e inoltre Franz Lehar, Franz Schrecker, Karl Goldmark e Josef Hellmesberger esercitarono tutti la loro attività contemporaneamente e nel medesimo luogo.

Ma questa contiguità già si riduce se si considera il rispettivo campo di applicazione e viene del tutto meno per quanto riguarda gli obiettivi artistici. Questi infatti avrebbero portato i musicisti a esiti diversi e in parte diametralmente opposti.

In singoli casi era ancora possibile individuare obiettivi omogenei: in vecchi eroi della razza di Hellmesberger o Heuberger; tra gli importanti funzionari musicali dell'epoca, indipendentemente dal fatto che fossero manager o critici; ma non nel ricco potenziale creativo, il quale, nonostante una educazione musicale spesso comune, dette quasi sempre origine a percorsi separati nella via della formazione e della produzione artistica personale.

Uno di quegli eminenti maestri fu Robert Fuchs (1847-1927). Egli contribuì alla formazione di Hugo Wolf, Gustav Mahler, Franz Schmidt, Franz Schrecker, Alexander von Zemlinsky, Leo Fall, Richard Heuberger e Edmund Eysler, mentre l'insegnamento di Simon Sechter e di Johann Evangelist Habert fu trasmesso a Schönberg e a Wittgenstein da Josef Labor, organista cieco impegnato nella riedizione della musica antica.

I segnali di una rottura imminente erano già evidenti a partire dal 1880, quando vennero alla luce gli elementi che rendevano ancora possibile la coesistenza ma impossibile il lavoro comune. Per esempio, si dissolse rapidamente la speranza di poter interpretare la musica seria e quella d'intrattenimento come forme musicali alle quali potersi dedicare con pari dignità.

Nel 1897, anno di fondazione della Secessione, con la morte di Brahms a Vienna ha fine la concezione romantica della musica come unica forma contenente tutti i generi di espressione musicale. Segue una fase nella quale emergono gli specialisti: questi si conquistano sale d'ascolto specifiche per le loro opere e rendono ormai impossibile un'integrazione onnicomprensiva. Bruckner è un «sinfonico» e viene giudicato esclusivamente come tale; Hugo Wolf è il «liederista» più importante dopo Schubert; Johann Strauss il «re del walzer»; Carl Millöcker è un autore di operette «classico»; Carl Michael Ziehrer uno specialista di marce; Gustav Mahler è il «riformatore dell'opera», mentre Arnold

2. Hugo Wolf.

1. Palazzo dell'Associazione degli amici della musica.

A fronte:
1. Gustav Mahler. Fotografia di A. Roller, 1907. (ÖNB, Vienna).
2. Copertina della rivista musicale «Das Podium», 1915.
3. Arnold Schönberg. (ÖNB, Vienna).

3. Spartito del Lied del ciclo «Michelangelo» di H. Wolf. (ÖNB, Vienna).

Schönberg rappresenta la futura avanguardia. Rimane in ombra e non viene citato da nessuno il fatto che quasi tutti i musicisti dell'epoca si dedicavano a una produzione quotidiana di musica corrente o, come Schönberg, si esercitavano nell'arrangiamento di centinaia di motivi popolari.

L'affermarsi della specializzazione rende possibile l'ingresso nella Vienna musicale che conta: chi impegnato nell'opera, chi nelle sale da concerto; colloca i compositori alla testa di diverse associazioni, ognuna delle quali persegue finalità proprie. Dall'altro lato questa specializzazione porta a riformare i luoghi della rappresentazione (nel 1897 Mahler diventa direttore dell'Opera di corte), ad allargare il numero delle associazioni tradizionali (dopo il 1889 vennero tenuti concerti popolari della Società di canto della Associazione amici della musica), a fondare nuove forme organizzative (il primo Quartetto popolare viennese per la musica classica; a partire dal 1900 la nuova Società viennese del concerto, con una propria orchestra professionale; l'Orchestra dei musicisti di Vienna, diretta dal 1907 al 1919 da Oskar Nedbal come primo direttore; infine il 1905 è l'anno di fondazione dei Concerti sinfonici per i lavoratori viennesi inaugurati da David Josef Bach).

Il «Musikbuch aus Österreich» (il repertorio musicale austriaco) riporta, per la stagione 1907-08, 329 concerti eseguiti — in dieci cosiddette istituzioni concertistiche — da tre orchestre professionali e ventun orchestre dilettantistiche. A due società corali femminili corrispondono 239 società vocali maschili; 45 società di musica sacra sono sostenute dalle parrocchie; ci sono poi 7 apprezzate società di musica da camera e infine 22 società di citaristi. A quei tempi in Austria operavano inoltre 216 cappelle musicali civili e 13 militari (di cui 9 a Vienna).

L'Opera di corte, sotto la direzione di Gustav Mahler, Felix von Weingartner e Hans Gregor, esegue opere dei contemporanei Bittner, Korngold, Oberleitner, Franz Schmidt, Schrecker, Weingartner e Zemlinsky. L'Opera nazionale si dedica esclusivamente all'operetta. Il Conservatorio, fondato nel 1817 dall'Associazione amici della musica e rilevato dallo stato nel 1908, prosegue la sua attività come Imperial-regia Accademia per la musica e l'arte drammatica. L'Università inaugura nel 1898 addirittura

l'Istituto di storia musicale, mentre sui giornali scrivono gli stessi compositori o persone di loro fiducia: Richard Heuberger, Julius Korngold, Ludwig Karpath, Robert Hirschfeld, Max Kalbeck, Paul Stephan, Max Graf, David Bach, Hugo Wolf.

E tuttavia, in tutto questo fervore, una cosa risalta: l'isolamento. Il fatto che Johannes Brahms e Anton Bruckner, benché membri dello stesso istituto, la Sala d'oro della Società musicale di Vienna, siano comparsi ufficialmente insieme soltanto in una occasione artistica (l'inaugurazione dell'organo) e che anche in privato si siano incontrati probabilmente un'unica volta (nella locanda «Al Riccio Rosso»), è sintomatico di un distacco totale. Solo ai funzionari, come Johann Nepomuk Fuchs, vicemaestro di cappella, direttore del Conservatorio e direttore d'orchestra all'Opera di corte, come Hermann Grädener, con la sua Accademica società orchestrale e la Società orchestrale per la musica classica, e come Karl Goldmark, cofondatore della Accademica società wagneriana, risultò possibile colmare questo distacco. Viceversa i compositori destinati a lasciare un'impronta nel futuro rimangono nell'isolamento.

La coesistenza, con o senza spiegazioni, non era più possibile per motivi di forma interni alla produzione musicale. La frattura anche interpersonale era approfondita da concezioni estetiche differenti e, conseguentemente, anche da obiettivi politici così diversi che ormai erano possibili soltanto rapporti basati su una solidarietà molto superficiale. In realtà la disputa tra seguaci di Brahms e seguaci di Wagner — che diffuse allora nel mondo il cliché di una Vienna lacerata — aveva come presupposto l'esistenza di diverse valutazioni formali. Venne però ben presto assunta dalle correnti politiche e sviluppata con tale successo che ancor oggi si può parlare di una sopravvivenza di entrambe le posizioni.

Intorno al partito di Wagner si andarono così raccogliendo quelle forze nazionalistiche che intendevano conservare il retaggio culturale tedesco — cioè a dire: tonalità, facile comprensibilità, la bella immagine dell'atto edificante, la maestosità delle grandi circonvallazioni, l'importanza illusoria della mondanità, la storia nazionale e la sua collaudata interpretazione — rifiutandosi di accettare qualunque apertura, attraverso influssi o scambi culturali, su una scena internazionale che andava acquistando sempre maggior peso.

L'altra linea, sotto l'egida della declinante stella liberale, attraversata dal pensiero ebraico progressista, si atteneva alla materialità della musica, rifiutando di asservirla a qualunque obiettivo extramusicale e insistendo nell'analisi del materiale musicale che Schönberg, Berg e Webern avevano elaborato come pensiero innovatore della seconda scuola di Vienna. La grande varietà delle formulazioni estetiche proposte e la necessità economica di un loro coordinamento portarono ciascuno dei protagonisti a fare comunque una scelta di campo. Una scelta che, come possono testimoniare gli esempi, veniva decisa anche per i motivi più disparati.

Quando gli scontri tra i due fronti arrivarono sulle pagine di riviste e giornali, numerosi nella Vienna purtuttavia imperiale, i nomi familiari andarono per così dire in prima linea, perdendo in questo modo il senso della relatività delle loro dichiarazioni; si deve tener presente che nelle retrovie i grandi musicisti tollerarono questa scaramuccia, anzi probabilmente la appoggiarono per favorire l'affermarsi di interessi personali e della propria opera. Su tutto questo agì in senso rafforzativo il fatto che, tenendosi fermi a convenzioni consolidate, o anche attraverso un serio confronto con lo spirito del passato (Bach, Mozart, Beethoven), i compositori venivano circondati già in vita dall'aura di una dimensione storica, esaltata fanaticamente da parte dei loro seguaci e solo di rado (come nel caso di Hanns Eisler nei confronti di Schönberg) osservata con occhio critico. Questo culto del genio — interpretato a Vienna come «tutela dell'eredità classica» — era destinato a far pesare sulla produzione musicale contemporanea, soprattutto nel corso del suo successivo sviluppo, ma in modo già allora percepibile, l'onere concorrenziale «da peso massimo dell'eredità storica».

La famosa definizione di «rivoluzionario conservatore» che Hanns Eisler dette di Arnold Schönberg non poteva essere presa alla lettera per quanto riguarda il

periodo che va dalla fine del secolo alla caduta della monarchia. Viceversa l'esigenza di universalità nel processo creativo manteneva la sua efficacia. Universalità che, sempre per quanto riguarda la musica, conservò un ruolo determinante nell'opera dei compositori austriaci. Essa consisteva non soltanto nella convivenza di concezioni estetiche totalmente diverse e antagonistiche, ma anche in un legame senza strappi del sapere con la tradizione e con i suoi capolavori, fino al punto di un loro adattamento per una nuova veste musicale.

I riferimenti di Schönberg a Brahms, Mozart e Bach devono essere considerati seriamente anche per quanto riguarda la creazione di quel nuovo assoluto che gli si può attribuire almeno a partire dal 1909. Le tendenze di fondo non si erano essenzialmente modificate; secondo la tesi formulata da Anton Webern, allievo di Schönberg, la composizione nel corso dei secoli non aveva mai perso di vista due ordini di problemi: l'esigenza di rappresentare la teoria musicale in forma comprensibile intensificando il nesso compositivo, e quella di conquistare il campo della tonalità esaltando le differenze dei rapporti tonali. Se si analizzano rigorosamente le tendenze dei com-

positori viventi o operanti a Vienna alla fine del secolo, si vede che tutti hanno pagato il proprio tributo a questa idea, pur oscillando in un dualismo che, analizzato nel profondo, risulta riconducibile ai fondamenti del pensiero umano e all'atteggiamento dell'uomo nei confronti della società: alle questioni, per esempio, dell'arte nazionale o sovranazionale; dell'arte intesa come mestiere o come missione etico-ideologica; dell'educazione estetica per intenditori o per spettatori; dell'interpretazione dell'arte come ornamento della vita o come forza plasmante emanata dall'impulso spirituale; alla questione infine della concezione di una musica soddisfatta delle conquiste del passato oppure portata a ogni costo a ulteriori sviluppi. Questi due poli, spesso in netta contrapposizione, potevano essere ricondotti a unità nella persona di pochi — visti con gli occhi di oggi — significativi compositori (mentre gli interpreti si sottomettevano a questa complessità solo in modo pedissequo): il loro valore assiomatico ha compresso la richiesta di rivolgersi a nuovi strati sociali, per esempio alle forze emergenti del movimento operaio e alla nuova estetica che ne sarebbe nata (si pensi a Eisler), oppure all'assunzione di

1. Tomba di Gustav Mahler nel cimitero di Grinzing. Progetto di J. Hoffmann. (ÖNB, Vienna).

2. Alma Mahler-Werfel, foto D'Ora.

3. A. Rodin, *Profilo di Gustav Mahler*. (Hist. Mus., Vienna).

determinate componenti metafisiche che, senza un intervento cosciente, era destinata a evolvere verso un dogmatismo di accento religioso.

Tuttavia il pensiero dogmatico — qualunque sia il fondamento su cui si basa — ha frantumato la scena musicale di Vienna intorno al 1900 in quegli «ismi» i cui influssi si possono definire storicamente rilevanti fino ai nostri giorni.

Bibliografia essenziale: Theodor W. Adorno, *Philosophie der neuen Musik*, Frankfurt/M., 1958. Siegfried Borris, *Einführung in die moderne Musik, 1900-1950*, Wilhelmshaven, 1975. Wolfgang Burde (a cura di), *Aspekte der neuen Musik*, Kassel, 1968. Ulrich Dibelius (a cura di), *Herausforderung Schönberg* — *Was die Musik des Jahrhunderts veränderte* (appendice), München, 1975. Antoine Goléa, *Musik unserer Zeit*, München, 1955. Peter Gradenwitz, *Wege zur Musik der Zeit*, Stuttgart, 1963 (nuova edizione ampliata, Urban-Bücher, TB). Josef Häusler, *Musik im 20. Jahrhundert. Von Schönberg zu Penderecki*, Bremen, 1969. Ernst Krenek, *Über neue Musik*, Wien, 1937. Hans Rosaleen Moldenhauer, *Anton von Webern*, Zürich, 1980. Willi Reich, *Alban Berg* — *Leben und Werk*, Zürich, 1963. Luigi Rognoni, *La scuola musicale di Vienna*, Torino, 1966. Paul Stefan, *Neue Musik in Wien*, Wien, 1921. Rudolf Stephan, *Neue Musik*, Göttingen, 1958 (ristampa). Rudolf Stephan, *Arnold Schönberg*, Wien, 1974. Hans Heinz Stuckenschmidt, *Schöpfer der neuen Musik*, Frankfurt/M., 1958 (nuova edizione, München, 1962). Hans Heinz Stuckenschmidt, *Schönberg, Leben — Umwelt — Werk*, Zürich, 1974.

Arnold Schönberg

La rottura viene favorita dallo sviluppo estetico non perché questo racchiuda in sé l'esigenza di un nuovo stile, bensì perché deve confrontarsi con il materiale storicamente disponibile in un processo di continua verifica.

Arnold Schönberg (1874-1951) impersonò questa tesi in modo corretto sia come compositore sia come importante caposcuola. I suoi allievi, il cui nome è legato indissolubilmente all'immagine della seconda scuola di Vienna, erano da lui consigliati a non scrivere come il maestro, ma a seguire i dettami del proprio stadio di evoluzione e del proprio temperamento. Questa concezione dinamica rappresenta il contributo anticonvenzionale, per quanto riguarda i fondamenti teorici, dato dalla scuola di Vienna alla storia della musica.

In realtà Schönberg fino al 1909 aveva scritto musica nello stesso modo di ogni altro compositore. Il suo linguaggio tonale, per quanto impetuosamente rivolto all'espressività — cioè a dire all'espressionismo — rimaneva nella sua essenza in tutto e per tutto aderente alla contemporaneità. Questa fase del suo sviluppo si concluse nel 1909, dopo la composizione del monodramma *Erwartung* (Attesa). A essa subentrò una sorta di pausa creativa che, oltre a offrire a Schönberg l'occasione di un confronto serrato con la pittura, sfociò probabilmente in una nuova consapevolezza di sé che avrebbe portato direttamente alla *Harmonielehre* (Lezione d'armonia). (Purtroppo un manuale del contrappunto progettato nello stesso periodo non venne portato a termine.)

La causa di questa crisi si può ricondurre alla ricerca di una definizione di principio di cosa sia l'arte per chi crea, una sorta di congedo in fondo dall'habitus convenzionale assunto dall'evoluzione musicale. Una crisi quindi probabilmente analoga a quella attraversata da altri compositori, come Debussy, Richard Strauss, Igor Stravinsky e Béla Bartók. Questa pausa creativa avrà come conseguenza finale l'approdo a quel *Methode der Komposition mit 12 nur aufeinander bezogenen Tönen* (Metodo per comporre con 12 suoni che non stanno in relazione che tra loro), così come verrà sistematicamente realizzato da Schönberg e dai suoi allievi negli anni '20.

Il ruolo di Schönberg non viene pregiudicato dal fatto che già nel 1908 Josef Mathias Hauer avesse pubblicato opere composte con il sistema dodecafonico, perché Schönberg e la sua scuola mettono in risalto ideologia e originalità del sistema con un linguaggio tonale universalmente comprensibile. In seguito Schönberg scrisse numerosi saggi (*Darstellung des Gedandens*, 1925; *Probleme der Harmonie*, 1927; *Neue und veraltete Musik oder Stil und Gedanke*, 1933; *Style and Idea*, 1951) sulla teoria musicale, così descritta

Arnold Schönberg, 1935.

da Ernst Krenek (nato nel 1900): «Il contenuto materiale dell'opera linguistica deve essere rigorosamente separato dal contenuto ideale, il quale solamente determina la forma linguistica, frutto della eleborazione della materia lessicale.»

Abbiamo qui la definizione dello spostamento del pensiero estetico nel campo dell'etica che Schönberg voleva mantenere come unica condizione alla creazione artistica. Ma poiché le relazioni tra i suoni erano ormai da considerare consumate dalle convenzioni musicali, Schönberg non vide altra via d'uscita che la ricerca del nuovo.

È rimarchevole il fatto che nel corso delle sue riflessioni Schönberg si sia liberato di quella concezione che considerava l'arte o l'opera d'arte alla stregua di un organismo. Lo sviluppo della variazione nel campo dell'omofonia e il legame contrappuntistico vennero intesi però più come rappresentazione di una diversa combinazione di elementi che come trasformazione degli elementi musicali. Questo a causa dell'agitarsi della questione della libertà del compositore e per il mancato consolidamento delle possibilità offerte dal sistema.

Proprio in questa struttura teorica, di per sé di facile comprensione, sta forse l'origine della effettiva difficoltà di esecuzione incontrata dalla produzione musicale. «Alla musica di Schönberg manca la piacevolezza nella sua accezione più estesa e non è cosa da tutti accettarne la perdita in cambio di una maggiore spiritualità» (Hans Swarowsky).

Tutto sommato, le attività significative intraprese da Schönberg a partire dal l'epoca della crisi del 1909 sono tutte interpretabili alla luce del suo impegno nella teoria musicale: la fondazione del Verein für musikalische Privataufführungen (Vienna 1918), la cui attività si basava sull'acquisizione di nuove composizioni provenienti da tutto il mondo; l'istituzione di un corso all'Accademia d'arte di Berlino (1925); infine l'attività didattica nel periodo dell'emigrazione.

Fino all'opera *Moses und Aaron* (prima esecuzione in concerto nel 1954) la produzione di Schönberg è caratterizzata senza riserve da questo impegno, a tal punto che il termine «unkulinarisch» (inappetibile) è diventato sinonimo delle sue opere.

Da allora la storiografia critica ha seguito le consuete oscillazioni tra l'entusiastica identificazione (anni '50) e lo scetticismo critico, fino alla liquidazione con il giubilamento dell'opera o della vita. In ogni caso rimane fermo il ruolo avuto da Schönberg come profeta di una nuova era musicale: quella dell'abolizione della grammatica tradizionale (l'armonia funzionale) e di un «sì» incondizionato all'emancipazione della dissonanza. I compositori contemporanei reagiscono ancora con passione a questa innovazione. Ascoltare per credere.

Bibliografia essenziale: Josef Rufer, *Das Werk Arnold Schönbergs*, Kassel-Basel-London-New York, 1959. René Leibowitz, *Schönberg et son école*, Paris, 1947. Willi Reich, *Schönberg oder der konservative Revolutionär*, Wien-Frankfurt-Zürich, 1968. Paul Stefan, *Arnold Schönberg*, Wien-Berlin-Leipzig, 1924. Heinz Stuckenschmidt, *Arnold Schönberg*, Zürich-Freiburg, 1951. Eberhard Freitag, *Arnold Schönberg*, Reinbek, 1973.

2. K. Moser, *Fregio*, in «Ver Sacrum», maggio 1898.

1. J.M. Olbrich, *Decorazione per lo spartito di un Lied di J. Reiter*, in «Ver Sacrum», luglio 1898.

TRA ROKITANSKY E MACH, ANALOGIE CON IL SEZESSIONSSTIL

Mariano Apa

Sopra:
1. H. Schwaiger, *I medici e la morte*, in «Ver Sacrum», febbraio 1898.

2. J. Hoffmann, *Decorazione*, in «Ver Sacrum», giugno 1899.

I rimandi, le equivalenze, le analogie costituiscono una fitta trama per disegnare il «paradigma storico» e l'identità di una civiltà nel suo complesso. Le costruzioni artistiche della Vienna in Sezessionsstil si dispiegano attraverso rimandi critico-teorici che oltre il lavoro degli Hevesi, Bahr e Zuckerkandl possono inoltrarsi nel campo degli specialismi tecnico-scientifici e nell'humus scientifico-filosofico.

Dalla fondazione, ad opera principalmente di Rokitansky, della cosiddetta seconda scuola viennese di medicina, alle teorie di Mach, ai medici-psicologi alla Schnitzler, alle ricerche di Stefan e Loschmidt, fino a Boltzmann, le vicende interne alla storia delle discipline medico-fisiche costituiscono una non trascurabile situazione per lo sguardo che vuole cogliere la cultura del Sezessionsstil in una completa visione.

Rokitansky può essere considerato il portabandiera («il Klimt») della nuova scuola medica viennese. Professore di anatomia patologica alla Università, e presidente della Accademia di scienze, Rokitansky organizza una serie di ricerche che lo condurranno, tra l'altro, allo studio sull'anatomia del gozzo, alle malattie delle arterie, ai difetti delle pareti divisorie del cuore: una serie di esperienze che gli suggeriscono di teorizzare una diagnosi clinica fondata su reperti patologici. L'anatomia patologica è vista come parte essenziale della fisiologia patologica, quindi approfondita nella istolo-

gia patologica. Lo studio dell'alterazione dell'organo conduceva a comprendere la alterazione funzionale. Le ricerche pratiche e teoriche furono riassunte nei tre tomi della *Handbuch der pathologischen Anatomie*, in cui è evidente il risvolto di medicina «umorale» a cui Rokitansky si rifece, di contro a un certo meccanicismo neopositivista imperante in quei decenni anche a Vienna. La medicina umorale rielaborava la teoria della crasi, ovvero, riprendendo Ippocrate, concepiva il corpo umano come armonia di entità: umori, quali la bile gialla, nera, il sangue e la flegma. Tali umori erano unificati e alimentati dal pneuma. Tale impostazione neoorganicista rilevava nelle alterazioni anatomiche e fisiologiche le discrasie, ovvero stato di disarmonia che si traduceva in stato patologico.

Da Schoenlein a Virchow, invece, si propugnava una diversa linea di ricerca. Schoenlein era direttore della clinica medica a Würzburg, ricercatore di indagine semiotica e microscopica (sua è la scoperta del fungo agente eziologico della tigna favosa, e la descrizione della peliosi reumatica); a lui si rifece Virchow, assertore accanito della patologia cellulare, vedendo nella cellula la composizione basilare del corpo, per cui è dalle loro alterazioni interne che deve muovere la ricerca sulle motivazioni delle alterazioni patologiche che si riscontrano; muoveva accuse a ricerche scientifiche in odore di narcisismo neometafisico, e riassunse le proprie ricerche e teorie nel *Die Cellular-*

pathologie. Le ricerche della immunità e della endocrinologia, dei fenomeni di infiammazione, ricevettero impulso dalle nuove impostazioni scientifiche, in linea con il Virchow; da Dutrochet — che osservò la fuoriuscita dei globuli bianchi dai vasi — a Addison che spiegò la genesi dell'essudato. Dove si trovò in difficoltà, tale impostazione di patologia cellulare, fu nella pretesa di risolvere i tumori morbosi tramite analisi localistica e, altresì, si scontrò nella incapacità di accettare le indicazioni neoempiriche del Semmelweis, quando questi propugnò la antisepsi nella ostetricia, che gli costò, dopo la comunicazione fatta alla Società medica viennese, l'ostracismo della società medica. Tra i suoi sostenitori, comunque, si trova il Rokitansky, attento a quanto conduceva comunque alla soluzione di casi clinici, più che sostenitore a tutti i costi di posizioni teoriche.

Tra i numerosi personaggi della scuola viennese spiccano Josef Skoda e Hebra. L'uno fu ricercatore di tecniche semiotiche di auscultazione e di percussione (skodismo è detto il suono plessico che si ha percuotendo le zone sottoclaveari del torace, in caso di versamento pleurico), riunite nel fondamentale *Abhandlung über Percussion und Auscultation* che organizza la sistematica fondata su leggi fisiche, là dove i fenomeni fisicamente percettibili acquistano decisiva importanza nella diagnosi della malattia. L'altro, il dermatologo Hebra, per primo riuscì a stabilire l'origine parassitaria di molte malattie cutanee (stabilì la patologia dello eczema populoso, dell'eritema multiforme, dell'impetigine ecc.) fondando la dermatologia sulla anatomia patologica, da cui mossero i suoi allievi, Pick, Kaposi, Neumann. Nella Vienna fine secolo fu rinomato medico Johan Oppolzer che per la polipragmasia sostenne la terapia basata su esperienza chimico-fisiologica, in particolare per la patologia gastroenterica. Richard Heschl scrisse un manuale di tecnica settoria, particolarmente si interessò alla circonvoluzione temporale traversa; il professor Meynert dette impulso agli studi di anatomia e fisiologia del cervello e Krafft-Ebing fu celebre per gli studi di psicopatia sessuale. I nomi di Dlauhy, Engel, Lorenz, Albert, Schuh, Kundrat, Chiari appartengono alla cultura di questa «scuola vien-

nese» di medicina, così come il fisiologo Brucke e l'oculista Arlt, che riprendendo quanto aveva teorizzato ed esperito il grande Helmholtz, indagarono le tematiche dell'ottica fisiologica. L'insieme di una rinomata società medica, piena di fermenti e di rimandi culturali, sullo sfondo della crisi dei fondamenti scientifici di fine secolo, nonché l'emergere di grandi personalità di medici scienziati, possono spiegare il fervore di discussione, ad esempio, che divampò contro il ministro von Hartel, quando dopo la *Filosofia* Klimt presentò la *Medicina*. Questa, assieme alla *Giurisprudenza*, gli era stata commissionata, come si sa, per la decorazione dell'aula magna della Università. A parte le specifiche polemiche di politica culturale, o le rivalità e le gelosie della società artistica viennese, è indicativo che quando un artista volle affrontare il tema della medicina non come descrizione oleografica, ma proprio come allegoria del senso «filosofico» della pratica medica, le forze avverse furono, attraverso le persone di Friedrich Jodl, von Neumann e Karl Kraus, pronte a sottolineare la non «scientificità» dell'immagine klimtiana.

La *Hygieia* di Klimt si pone come metafora della multivalenza, offre la coppa di Lete al serpente dissolutore di precostituiti spazi perimetrati e chiusi. Hygieia offre la coppa con il fluido primordiale, così ricostruendo il senso unitario di una umanità fluida dentro il vuoto di una placenta cosmica. Morte e vita, senso e non senso del patire e del vivere sono gli estremi di una riflessione che è la radice della pratica medica, a cui Klimt volle rifarsi, scartando quanto indicava la *Medizinische Wochenschrift*, ovvero di attenersi alle «funzioni sociali» della medicina: il prevenire e il curare. Klimt evidentemente voleva invece giungere al centro della tematica: la ricostrusione della unità degli «umori», il cogliere la pratica medica come esperienza di crasi, di armonia. Il rischio della confusione («Verschwommene Gedanken durch verschwommene Formen») era l'intuizione di una scienza come intuizione delle essenze della vita, che l'arte faceva sue ed elaborava linguisticamente. Così infatti sostenevano i fautori dell'opera: Franz Wickhoff, Riegl, Bahr. La riflessione sulla crisi epistemologica delle discipline

1. G. Klimt, *La Medicina*, 1901.

2. Ernst Mach.

1. G. Klimt, *La Filosofia*, 1900.

2. G. Klimt, *Decorazione*, in «Ver Sacrum», febbraio 1898.

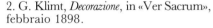

scientifiche si accompagnava alla rielaborazione delle nuove teorie estetiche. Ernst Mach è tra coloro che contribuirono a tale impostazione di tematiche. Egli indagava la realtà rilevandone i «nessi funzionali», tralasciando le motivazioni causali dei fenomeni, che la scienza doveva svelare secondo il positivismo meccanicista. Divaricando la «spiegazione scientifica» (ovvero la descrizione dei nessi funzionali) dalla «spiegazione meccanica» (ovvero la esperienza colta esclusivamente tramite il meccanicismo e i relativi nessi tecnico-scientifici), Mach sottrasse alla sclerosi della visione meccanicista la crisi e i rivolgimenti — altrimenti inspiegabili — della scienza sul finire del secolo.

Da Joseph Stefan, che rilevò la proporzionalità fra radiazione integrale emessa da un corpo (in riferimento al «corpo nero» di Planck); a Joseph Laschmidt, il professore al Politecnico viennese che studiò la teoria cinetica dei gas; dal genio di Boltzmann al genio di Mach: una serie di studiosi si ripromise di dare risposte al senso di una crisi che rischiava di gettare tutto il conoscere nello scetticismo pieno. Mach, con Avenarius e Petzoldt, fu tra coloro che in seguito, da Carnap e Neurath, furono presi come basilari per la fondazione della Wiener Kreis, ovvero la Verein Ernst Mach. I testi *Die Analyse der Empfindungen* e *Popularwissenschaftliche Vorlesungen* mettono in rilievo come Mach sia proprio partito dalle riflessioni sulla fisiologia della percezione per giungere alla visualizzazione dei processi ideativi. Cogliere i «dati dei nessi funzionali» è come dire cogliere il reale in «vedere puro», immediato e privo di schemi intellettualistici. Hermann Bahr in *Zur Überwindung des Naturalismus* e negli *Studien zur Kritik der Moderne* aveva teorizzato la crisi della narrazione certa e realistica, esplicabile e didattica del naturalismo — diretta equivalenza del meccanicismo e della ideologia positivista — per una visione «sensista» del reale, anche a costo di pagare il prezzo della «indicibilità» e del «caotico» del reale così percepito. Bahr nel suo *Dialog vom Tragischen* elogia Mach e lo usa per impostare una teoria della *impressione neutrale*, riprendendo soprattutto l'introduzione alle *Analisi delle sensazioni* e le *Osservazioni preliminari antimetafisiche*, che sono le pagine tra le più poetiche, mistiche quasi, di Mach: dove il concetto di «io» (e di unità del reale) è visto come labile connessione di sovrapersonali elementi, e dove è evidente l'indeterminismo sensista. Gli impressionisti avevano già usato questa modalità del conoscere, facendo loro la «impressione» sensitiva; l'io era in un flusso di sensazioni, secondo una sintassi della percezione proposta almeno un decennio prima del testo *Analisi delle sensazioni*, e certo Mach doveva conoscere quelle opere, anche per gli studi sulla percezione che in quegli anni andava svolgendo. «Filosofia dell'impressione», così Bahr definisce quanto letto di Mach. La concezione di un mondo che scorre in sensazioni di elementi in flusso temporale e spaziale, dove solo per comodità — per «economicità», direbbe Mach — si isolano alcuni «elementi» e li si affronta con parvenze di definizioni; ed è una concezione che rimanda all'accusa di «confusione» che era stata fatta a proposito delle «allegorie» della *Filosofia* e della *Medicina* di Klimt. Mach veniva a rendere «scientifico», a fondare epistemologicamente quanto il movimento dei pittori impressionisti e i letterati della Nervenkunst andavano intuendo e svolgendo nella loro pratica artistica.

Le decorazioni parietali di Klimt e dei suoi amici della Secessione, l'uso di riferimenti organici-naturalistici, le citazioni di simbologie e allegorie classiche dentro una costruzione formale edonistica ed esuberante dove lo sguardo sembra naufragare; l'intero stile della Secessione riposa dentro una cultura che chiede anche alla scienza l'avallo a quanto va praticando. L'esperienza del vivere è colta dentro un contatto precategoriale, di là della griglia intellettuale, senza mediazioni, a diretto contatto tra l'io profondo dell'artista e l'io esposto della realtà; in un chaos magmatico, un fluire eracliteo (che può diventare metafora, anche, della «finis Austriae»).

E. Stöhr, *Illustrazione*, in «Ver Sacrum», dicembre 1899.

LA FILOSOFIA, 1895-1918

Kurt Fischer

Sopra:

1. Da «Ver Sacrum», gennaio 1898.

2. Ludwig Wittgenstein. (ÖNB, Vienna).

La riflessione filosofica in questo periodo comincia e si conclude con importanti avvenimenti. All'inizio, l'incarico universitario di Ernst Mach a Vienna; in chiusura, la definitiva redazione della *Logisch-philosophischen Abhandlung*. Abbiamo qui a che fare, da una parte, con un avvenimento molto ufficiale, quasi accademico, dall'altra con un fatto prima di tutto privato, quasi esoterico; tra i due estremi ci sono i gradi intermedi e varianti. Un indice generale del complesso delle durevoli tendenze filosofiche che dominano, nel loro settore specialistico, la scena internazionale e che agiscono, oggi come ieri, in relazione e in contrasto tra loro deve essere tentato con le seguenti suddivisioni così definite: Franz Brentano e il suo seguito; per la fisica e la filosofia, da una parte Mach e il positivismo, dall'altra Boltzmann e il realismo, e il loro rapporto con la teoria evoluzionistica della conoscenza; il primo circolo di Vienna con Neurath, Philipp Frank e Hahn; e infine il giovane Wittgenstein.

Dopo il crollo dell'idealismo tedesco in Europa verso la fine del primo terzo del secolo XIX , crollo nel senso di un forte calo della vitalità di questo movimento spirituale, che sopravvive nel ruolo di filosofia universitaria in Germania e in Inghilterra, acquisendo anzi una posizione di privilegio, si può parlare della formazione di tre gruppi di concezioni filosofiche. Accanto alla già citata filosofia degli specialisti e dei cattedratici, determinata in molteplici modi da Kant ed Hegel, abbiamo una serie di pensatori solitari, in contrasto con il primo gruppo e senza alcuna considerazione fino a quel momento, come Schopenhauer, Kierkegaard, Nietzsche e quel Marx che in seguito doveva primeggiare anzitutto filosoficamente, influendo tuttavia, come nessun altro, anche politicamente con i suoi scritti sulle generazioni successive. (Per il nostro tempo, e per la situazione viennese in particolare, le conseguenze del patrimonio filosofico di Marx sono di grande importanza e vengono quindi specificamente esaminate in un contributo di Norbert Leser.) L'ultimo gruppo, che è il tema della nostra esposizione, può essere designato come un gruppo di filosofi in appoggio (come Brentano) o in connessione (come Mach e Boltzmann) con le scienze naturali. Questi pensatori e ricercatori impegnati nel campo scientifico si contrapponevano alla filosofia cattedratica delle università, in Austria come in Germania. Occorre tuttavia precisare che in Austria, a differenza che in Germania, la filosofia aveva sempre avuto un ruolo subordinato. Ciò significa tra l'altro che Kant e l'idealismo tedesco, un tipo di filosofia che si attribuiva la totale supremazia su scienza e vita, non poterono mai compiere in Austria grandi passi. Già la chiesa, dall'alto della sua influenza, si era espressa contro gli insegnamenti di Kant, in quanto avrebbero messo in discussione la realtà del mondo, creazione di Dio (secondo Kant, infatti, noi osserviamo solo dei fenomeni e non dei noumena), e spinto l'uomo a definire da sé la propria natura e le proprie leggi. Ma anche la corte non era molto favorevole alla filosofia, né d'altro canto erano stimate granché le scienze moderne. Francesco I, ad esempio, era famoso, tristemente famoso se si vuole, per aver affermato di non provare alcun interesse per gli eruditi, ma solo per i buoni funzionari.

Ed è quindi il breve prevalere in Austria del liberalismo a fare da sfondo storico, politico e sociale. Per quanto riguarda la filosofia, l'anno 1874 si rivelò decisivo, perché è l'anno in cui Karl Steymayr chiamò Brentano da Würzburg per rianimare la facoltà di filosofia dell'università. Il ministro creava in questo modo i presupposti necessari per il sorgere in Austria di una filosofia della scienza e forse persino della filosofia austriaca della scienza.

L'ex prelato ed ex professore di teologia Franz Brentano univa a un pensiero d'impianto realista, e quindi in direzione antidealistica, che si poneva aspramente contro Kant e i suoi seguaci, l'esigenza di rivendicare l'indipendenza della filosofia nei confronti della tecnologia, proclamando d'altro canto la dipendenza di essa, o almeno del suo metodo, dalla scienza. La famosa quarta tesi, che Brentano aveva difeso nella sua conferenza di abilitazione alla libera docenza, affermava: «Vera philosophiae methodes nulla alia nisi scientiae naturalis est.» Purtroppo Brentano dovette abbandonare dopo breve tempo la cattedra di ordinario e in questa sede possiamo soltanto accennare velocemente al fatto che vi fu costretto da una serie di intrighi. Continuò a insegnare come semplice libero docente, caso unico di rovesciamento di una carriera universitaria, fino alla morte della moglie, poi si trasferì a Firenze. Era il 1896 e quindi l'inizio del nostro periodo. Nondimeno Brentano doveva avere un'importanza enorme sulla filosofia moderna. Attraverso Edmund Husserl, che fu suo allievo, e Martin Heidegger (a sua volta allievo di Husserl), Brentano sarà considerato il primo iniziatore della fenomenologia. Heidegger, già molto tempo prima dei suoi contatti con Husserl, aveva fatto conoscenza di Brentano grazie a una lettura dello scritto *Von der mannigfaltigen Bedeutung des Seienden nach Aristoteles* (Freiburg im Breisgau, 1862) che, secondo quanto ammette lo stesso Heidegger, lo avvicinò alla filosofia e all'impegno filosofico. La fenomenologia poi, uno dei più importanti raggruppamenti all'interno dell'attuale situazione filosofica, la cui rilevanza è superata solo dalla filosofia analitica, può essere considerata come un'estensione della «psicologia descrittiva» di Brentano. L'influenza esercitata da Brentano a livello accademico sulla politica dell'università restò ancora decisiva e in ogni caso diretta; molti dei suoi allievi, ed allievi di questi, occupavano il maggior numero di cattedre di filosofia nella monarchia asburgica. Attraverso conferenze e scritti, molti dei quali pubblicati postumi, con la riflessione degli ultimi suoi anni, in contrasto con quello che era stato il precedente orientamento, verso il «reismo» (ossia la teoria che esistono soltanto «cose»), Brentano ha posto le basi tanto per la fusione quanto per la separazione delle tendenze della filosofia analitica.

Rudolf Haller ha coniato e difeso il concetto di una «filosofia austriaca» i cui elementi distintivi sarebbero: critica del linguaggio, scientificità ed empiria (intendendo l'esperienza come base della conoscenza). Tutte e tre queste caratteristiche sono presenti in Brentano, così come caratterizzano i lavori dei suoi allievi più stretti e successivamente quelli dei loro allievi, finanche nel primo Husserl. Nel difendere la teoria degli ultimi anni, secondo cui esistono solo «cose», Brentano ha infatti istituito una forma di critica del linguaggio. Rovesciando la frase si potrebbe dire: attraverso la messa in opera di una critica del linguaggio tutti i termini che non sono veri nomi, perché non connotano *alcuna* cosa, all'incirca come «essere» o «non essere», «possibilità» o «impossibilità», vengono smascherati come inesistenti.

La corrente dell'empirismo poggia sullo scritto di Brentano *Psychologie vom Empirischen Standpunkt*. Viene qui fondata una psicologia *descrittiva* di cui si afferma la priorità di fronte alla psicologia sperimentale (Wundt), che mira alla chiarificazione delle cause prendendo come modello la fisica sperimentale. Nella psico-

Tractatus
Logico-Philosophicus

By
LUDWIG WITTGENSTEIN

With an Introduction by
BERTRAND RUSSELL, F.R.S.

LONDON
ROUTLEDGE & KEGAN PAUL LTD
BROADWAY HOUSE: 68-74 CARTER LANE, E.C.4

888945 -B.

Copertina del *Tractatus* di L. Wittgenstein. (ÖNB, Vienna).

K. Moser, *Decorazione*, in «Ver Sacrum», aprile 1898.

logia descrittiva viene infatti designata, come elemento basilare dell'assimilazione dei dati da parte della coscienza e del suo differenziarsi dal fenomeno fisico, l'intenzionalità, ovvero l'essere diretto a qualcosa. Più avanti i seguaci di Brentano, in particolare del ramo fenomenologico, indagheranno in dettaglio il fattore psichico. Si prenda anche nota del fatto che il fondatore della psicanalisi, Sigmund Freud, frequentò per quattro semestri le lezioni di Brentano, e forse storicamente la psicanalisi clinica di Freud è scaturita dalla psicologia descrittiva di Brentano.

Allontanandosi dall'esigenza della scienza, di basarsi su concetti fondamentalmente chiari e rigorosamente ben definiti, Freud scrive che consiste invece nella «descrizione dei fenomeni… il giusto inizio dell'attività scientifica». «La determinazione dei caratteri distintivi comuni a tutti i fenomeni psichici» è uno dei compiti della psicologia anche secondo Brentano, al quale Freud parimenti si accosta per il suo distacco dalla contemporanea psicologia accademica: «con l'ammissione di questi (due o tre) sistemi psichici la psicanalisi ha compiuto un passo più in là della psicologia descrittiva della coscienza…» La psicanalisi stessa possiede significativi aspetti che la rendono «filosofia» nell'accezione più vasta del termine. (Della sua importanza per il periodo in questione e per il XX secolo terrà conto in particolare Josef Dvorak nel suo saggio per il presente volume.)

È una delle tesi capitali del realismo (di quella tendenza che sempre, e quindi anche alla fine del secolo, si contrappone in modo speciale, nel suo ruolo di «loyal opposition», alla direzione fondamentale e principale della filosofia occidentale), che le nostre idee e convinzioni, ossia la nostra conoscenza, si dirigano sempre a oggetti esterni alla mente, e quindi «reali», anche quando si tratti di oggetti *puramente* psichici, come ad esempio nel caso di quelli che sono l'obiettivo dell'attività fantastica. Su questo tipo di realismo Meinong e Ehrenfels, allievi di Brentano, fondano appunto la teoria degli oggetti e quella dei valori. La prima prende le mosse da un punto critico cui era approdato Brentano: se l'oggetto delle nostre idee o delle nostre convinzioni viene rifiutato, se ad esempio respingiamo l'affermazione che esistano quadrati rotondi, in questo caso — così appare ora — deve essere riconosciuta *anche* l'esistenza di ciò che io voglio negare nella mia elaborazione mentale. La differenziazione tra oggetto e contenuto (elaborata globalmente da Twardowsky, un altro discepolo di Brentano) ha permesso la soluzione della difficoltà: la teoria degli oggetti di Meinong può attenersi a tutti gli oggetti, che esistano o no, anche a quelli che sono impossibili, perché l'«essere così e così» è indipendente dall'*essere*. Per quanto rilevante o irrilevante possa essere questa teoria, essa divenne importante se non altro per il rifiuto oppostole da Bertrand Russell, che venne spinto proprio da queste conclusioni a sviluppare la propria celebre «theory of descriptions». Secondo quanto vi è affermato, la teoria di Meinong non è di nessuna utilità per la risoluzione della difficoltà di Brentano. L'apparato strumentale logico di Russell, ossia la «theory of descriptions», impedisce l'allargamento e l'accrescimento del campo oggettuale di Meinong. Grazie al «morbo» di Meinong, come è stato definito, i filosofi (analitici) Brentano, Russell, Wittgenstein sono stati vaccinati contro questo tipo di conclusioni (Ryle): bisogna di conseguenza riconoscere a Meinong per lo meno una forma di «secondaria immortalità», secondo l'espressione coniata da Haller. La teoria dei valori che risale a Brentano — si parla infatti di una «austrian school of values» (Howard Eaton) — nasce dal dibattito tra Meinong e Ehrenfels durante gli ultimi anni del secolo scorso e i primi due decenni di questo. Tra l'altro a essa spetta la fondazione della disciplina praticata in America di una «general theory of values» (si veda l'omonima opera di R.B. Perry del 1926).

È necessario menzionare ancora, per l'ulteriore sviluppo della teoria analitica, l'importante scuola polacca di logica di Lemberg-Warschau. Il suo fondatore, Kasimir Twardowsky, nato a Vienna, allievo di Brentano — come libero docente tenne lezioni anche a Vienna — prese la psicologia di Brentano come punto di partenza delle proprie ricerche, compiendo una fruttuosa distinzione nel suo scritto *Zur Lehre vom Inhalt und Gegenstand der Vorstellungen* (1894) tra contenuto e oggetto. Nel 1895 divenne professore a Lemberg. Oltre a Kotarbinky, noto per la sua versione del reismo come «pansomatico» (esistono solo corpi), bisogna citare in particolare Alfred Tarski. Partendo da basi realistiche, almeno agli inizi, egli formulò un proprio «concetto semantico di verità» conforme all'esigenza e all'opinione sia dell'uomo comune sia di Aristotele che la vera verità consista nella coincidenza tra quanto si afferma e quanto accade. *Der Wahrheitsbegriff in den formalisierten Sprachen* (1936) — uscito nel 1933 nell'edizione originale in polacco e nel 1944 in una abbreviata edizione americana, *The Semantic Concept of Truth* — ha fondato la semantica (nel significato più rigorosamente specialistico della disciplina). Questa concezione si mostrò decisiva per Rudolf Carnap, nella cui opera la semantica è strettamente annodata alla filosofia analitica. La semantica consentì a Carnap di non servirsi di innaturali proposizioni alle quali era costretto dalla sua decisione di eliminare la metafisica e di giungere così a una espressività non metafisica e naturale. Ma questa tematica è molto specialistica, come generalmente lo divenne in grado estremo la filosofia con l'opera dei filosofi qui esaminati, anche se qualcosa che è vicino al quotidiano e alla scienza, ossia al linguaggio quotidiano e a quello scientifico, si colloca non sopra di essi bensì piuttosto sotto o sullo stesso piano. Al tempo della partenza di Brentano da Vienna per Firenze il ministro dell'Istruzione chiamò il fisico di tendenze liberali Ernst Mach. Poiché il professore di fisica all'Università Josef Stefan aveva negato l'ingresso nel suo istituto a qualsiasi scienziato che negasse l'esistenza dell'atomo, venne appositamente istituita la cattedra di «storia e teoria delle scienze induttive». Questo conflitto di carattere teoretico all'interno della fisica sull'esistenza dell'atomo, conflitto tanto teoretico da essere filosofico, doveva diventare importante per la storia della filosofia austriaca e per la politica universitaria di Vienna in quanto questa cattedra fu la cattedra, per così dire, del circolo di Vienna. Da questo corso ha preso in seguito l'avvio la nuova filosofia del «positivismo logico». Giovani filosofi stranieri giunsero appositamente a Vienna per studio o ricerca, ad esempio Ayer e Qui-

ne.
Ernst Mach possedeva una solida preparazione teoretica ed era anche molto incline al dibattito specificamente filosofico. Nella prefazione alla prima edizione del suo *Mechanik in ihrer Entwicklung* (1901) scrive infatti che questo trattato non è stato destinato alle «esercitazioni sui postulati della meccanica», ma che ha piuttosto una funzione filosofica, «illuminante», una funzione, «per dirla ancor più chiaramente, antimetafisica». L'antimetafisico e positivista Ernst Mach prepara in questo modo lo sfondo storico e intellettuale del circolo di Vienna.
Ludwig Boltzmann intanto era successo a Stefan sulla cattedra di fisica. Abbandonò Vienna dopo che Mach era divenuto professore e vi ritornò nel 1902, quando questi nel frattempo aveva dovuto mettersi a riposo per motivi di salute. Nel 1903 Boltzmann prese l'incarico anche per la filosofia delle scienze naturali, il cui insegnamento era stato proprio un compito di Mach, divenendone in tal modo il successore. Ma, per non dover menzionare nel discorso inaugurale l'odiato predecessore, egli pretese che la cattedra cambiasse nome in quello di cattedra «per il metodo e la teoria generale delle scienze naturali». Tuttavia il realista Boltzmann era tanto avverso alla filosofia tradizionale quanto lo era stato il positivista Mach. Nel discorso inaugurale del corso per l'anno 1903 Boltzmann riferisce che, nel tentativo di addentrarsi nell'ambito filosofico e di istruirsi sui suoi «princìpi fondamentali», si era sviluppata in lui «un'avversione, anzi un odio contro la filosofia». «Questa avversione verso la filosofia — continua Boltzmann — era allora del resto condivisa da quasi tutti i naturalisti.» Tanto il primo circolo di Vienna quanto Wittgenstein si sono in egual misura ribellati alla tradizione filosofica, o per lo meno l'hanno ignorata, volgendosi alle scienze naturali e alla matematica.
Ma prima di passare al circolo di Vienna e a Wittgenstein vorremmo aggiungere ancora un'osservazione su un'altra disciplina filosofica strettamente legata alla scienza (più precisamente alla biologia), che attualmente gode di molto credito e le cui origini storiche possono essere fatte risalire a Mach e Boltzmann: la

K. Müller, *Decorazione per libro*, in «Ver Sacrum», aprile 1898.

teoria evoluzionistica della conoscenza. Attualmente i contributi più rilevanti sono i lavori di Konrad Lorenz e Karl Popper. All'università di Vienna questo settore è rappresentato e curato da Rupert Riedl per la biologia e da Erhard Oeser per la filosofia. Mach e Boltzmann erano stati entrambi profondamente influenzati da Darwin. Non erano fisici nel senso meramente specialistico della parola, come già è stato notato; Mach si occupa della *conformità* dei pensieri ai fatti, scrivendo *Erkenntnis und Irrtum* (un'opera che ha conosciuto molte edizioni dal 1905, data della prima pubblicazione), per esaminare il problema di «conoscenza ed errore». Ugualmente Boltzmann interpreta le «leggi del pensiero» come «disposizioni mentali ereditarie nel senso che Darwin ha dato al termine». La teoria evoluzionistica della conoscenza è formulata su basi empiriche e naturalistiche, non critico-linguistiche, e non si attiene in questo senso ai criteri fissati da Haller per una «filosofia austriaca». Nondimeno troviamo delle disposizioni verso una *critica linguistica* tanto in Mach quanto in Boltzmann. Il contributo di Mach venne poi elaborato da Fritz Mauthner. Da Boltzmann invece si ricava un quadro preciso che fa presente la sua idea sui «compiti principali della filosofia» espressa nel 1904 in un congresso tenutosi a Saint Louis: la filosofia dovrebbe «rappresentare chiaramente l'impossibilità delle nostre disposizioni mentali a oltrepassare un certo limite, e ricercare unicamente, nella scelta e nel collegamento di concetti e parole, l'espressione più adeguata al dato indipendentemente dagli usi acquisiti ereditariamente».

Rudolf Haller ha dimostrato che all'incirca già dal 1908 era presente un «primo circolo di Vienna, di cui siamo debitori ad Hans Hahn, Philipp Frank e Neurath». Frank riferisce sugli incontri del giovedì sera in un caffè, alla base dei quali stava l'esigenza di elaborare un'interpretazione scientifica del mondo che evitasse le oscurità e le imprecisioni delle tradizionali concezioni filosofiche. L'impegno filosofico si concentrava in particolare sulla definizione del ruolo della logica e della matematica nella struttura della scienza moderna, mentre l'impegno più propriamente «analitico» di critica linguistica venne intrapreso soltanto più tardi.

Si deve anche all'iniziativa di questo gruppo se il fisico Moritz Schlick venne chiamato alla cattedra occupata prima da Mach e poi da Boltzmann. Schlick — questo è un altro esempio del collegamento di tale indirizzo filosofico con la scienza moderna — aveva per primo, già dal 1915, riconosciuto con la pubblicazione di un suo lavoro «il significato filosofico del principio di relatività» (dal titolo dell'opera: *Die philosophische Bedeutung des Relativitätsprinzips*). Ed è intorno a Schlick che si formò il circolo di Vienna. Otto Neurath trovò il nome che, ricordando il Wiener Wald e il valzer viennese, doveva evocare piacevoli associazioni. Quando si cercò il titolo per un manifesto di ringraziamento indirizzato a Schlick, per la sua decisione di restare a Vienna, nonostante l'offerta di un incarico all'estero, venne proposto: *Interpretazione scientifica del mondo: il circolo di Vienna*.

Otto Neurath, l'autore principale del manifesto, sottoscritto anche da Hahn e Carnap, e una delle figure più importanti insieme a Wittgenstein e Carnap della filosofia analitica, era in un certo modo il grande avversario di Schlick, cui si contrapponeva diametralmente per personalità e Weltanschauung. Da una parte c'era un lottatore forte e risoluto, volto politicamente a sinistra, dall'altra un distinto alto-borghese di tendenze liberali ma sostanzialmente estraneo alla politica, uomo di scienza. Neurath era storico, scienziato, iniziatore di una fondazione per la sociologia e l'economia, pubblico amministratore, curatore di un'enciclopedia, inventore, economista nazionale, sociologo e infine ponte tra la filosofia analitica e l'austromarxismo. Questo indirizzo di impegno politico e sociale è andato perso nel successivo sviluppo e ampliamento a livello mondiale della filosofia analitica. A maggior ragione stupisce che il più importante filosofo di questa tendenza negli ultimi decenni, l'americano Willard van Orman Quine, si riferisca ripetutamente a Neurath, prendendo anzi come intestazione per la sua opera maggiore, *World and Object*, una frase di Neurath sulla situazione dell'uomo di fronte alle proprie facoltà conoscitive: «Noi siamo come naviganti che devono riparare la loro barca in mare aperto, senza poter mai raggiungere un cantiere per smontarla o disporre dei migliori pezzi di ricambio per rimontarla.»

Si può solo brevemente prendere nota della molteplicità degli interessi e degli impegni di Neurath già prima del 1918; egli poi visse e lavorò fino al termine della seconda guerra mondiale. Dopo la laurea nel 1906 a Berlino, con una tesi sulla storia della scienza, dieci anni più tardi prese l'abilitazione a Heidelberg. Gli spetta il merito di aver fondato la «dottrina dell'economia di guerra», una disciplina alla quale dedicò dal 1909 in poi circa quarantacinque articoli. Nel campo filosofico egli si occupa soprattutto di logica matematica e di filosofia sociologica, di cui indaga il concetto di lustmaximus e la posizione dei giudizi morali nell'economia di una nazione, e si impegna su aspetti di storia della scienza precorrendo i tempi in una certa misura. Infatti la teoria analitica della scienza soltanto molto più tardi doveva sopravanzare nella comprensione degli avvenimenti e dei meccanismi scientifici due discipline come la storia e la logica della scienza. Questo è avvenuto solamente con Karl Popper e con i lavori di Paul Feyerabend e Thomas Kuhn, il cui *The Structure of Scientific Revolutions* è stato del resto pubblicato come secondo numero del secondo volume della *International Encyclopedia of Unified Science* curata da Neurath. E in ultimo citiamo l'opera *Resignation auf dem Gebiet des praktischen Tuns*, con cui Neurath, ponendo sotto esame critico il metodo cartesiano di acquisizione del sapere e della certezza, si rivela anche in questo caso un precursore, specificamente di alcune correnti naturalistiche predominanti all'interno della filosofia contemporanea.

In questo periodo si situano anche la figura di Ludwig Wittgenstein e il compimento della prima tra le sue opere maggiori. La vita e il pensiero di Wittgenstein sono circondati da un tale alone che dei semplici ragguagli sulla sua persona fanno già parte della filosofia alla pari dei suoi scritti, dei quali pochi furono pubblicati in vita e molti postumi.

Nel suo modo di vivere Wittgenstein ricorda più i filosofi antichi e gli appassionati pensatori dell'esistenzialismo che uno specialista e un professore. Di famiglia alto-borghese, proveniente dalla fascia dei magnati austriaci della monarchia (suo padre, elemento di particolare interesse in questo ambito, aiutò i giovani artisti delle avanguardie e finanziò la costruzione di una parte rilevante degli edifici della Secessione), Ludwig Wittgenstein mise piede in una scuola soltanto a quattordici anni, perché fino a quel momento aveva studiato privatamente. Una curiosità: l'imperial-regia Staatsoberrealschule di Linz, al momento del suo ingresso, era stata appena lasciata da Adolf Hitler, al pari di Wittgenstein pessimo studente. Dopo gli studi alla Technische Hochschule di Berlino-Charlottenburg partecipò a esperimenti di aeronautica in Inghilterra e proseguì lo studio nell'Università di Manchester. Nel 1911 arrivò a Cambridge da Bertrand Russell su raccomandazione di Gottlob Frege, matematico tedesco fondatore della logica moderna. Ci si può fare un'idea della personalità dominante e carismatica di Wittgenstein ricordando che dettava i suoi pensieri a Russell e Moore, più giovani rispettivamente di sedici e diciassette anni. Allo scoppio della guerra, nel 1914, si arruolò come volontario nell'esercito austriaco, combattendo dapprima sul fronte orientale e poi in Italia, dove nel 1918 venne fatto prigioniero. Nello zaino aveva il manoscritto della *Logisch-Philosophischen Abhandlung* (Moore successivamente proporrà il nome *Tractatus logico-philosophicus*, con cui l'opera diventerà famosa). L'aveva terminata nel 1916, durante una licenza, e nell'inverno del '18 la spedì a Russell. L'importanza del *Tractatus* per il XX secolo è stata giustamente paragonata a quella di Cartesio per il XVII. Come il francese si contrappose alla fisica matematica, a Copernico e Galileo, così Wittgenstein si contrappose alla logica matematica, a Frege e a Russell. L'apporto della nuova logica nel nostro secolo non è stato determinante solo nel mutamento della teoria ma anche in quello della tecnologia: con essa sono stati costruiti computer e robot. Sulla logica matematica erano state riposte grandi speranze: si pensava che avrebbe costituito l'ulteriore sviluppo della filosofia e che soprattutto avrebbe permesso la soluzione o la definitiva eliminazione dei suoi proble-

Otto Weininger.

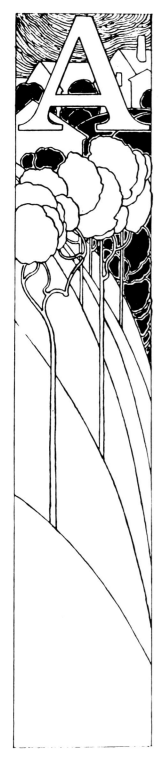

A. Böhm, *Decorazione*, in «Ver Sacrum», luglio 1898.

mi. Riguardo a queste speranze la logica matematica è del tutto irrilevante, mentre gioca ancora un ruolo determinante nella trasformazione del mondo attuale. Wittgenstein si è confrontato con questa logica, per lo più teoreticamente, in quanto gli indicava dei problemi (filosofici) che era convinto di poter risolvere e di avere in effetti risolto. Al suo sviluppo Wittgenstein non ha contribuito molto, se si eccettuano le sue *Wahrheitstafeln*, perché, secondo Janik e Toulmin, di fronte alla problematica della logica moderna se ne ergeva un'altra, etica. I due autori ritengono infatti che Wittgenstein fosse motivato nella sua ricerca filosofica a delimitare la dimensione logica per avvicinare lo spazio della dimensione etica. La logica fonda, per così dire, la mistica, ponendo dei confini al discorso predicativo. Per sostenere questa azzardata linea interpretativa gli autori si richiamano allo sfondo spirituale e culturale di Wittgenstein *prima* dell'incontro con Russell e Frege e con la nuova logica (matematica). Schopenhauer, Kierkegaard e Tolstoj erano stati fondamentali per Wittgenstein, la cui etica doveva risultare dall'accostamento alla fisica di Herz (immagine-concetto) e Boltzmann (spazio di possibilità teoretiche), le cui lezioni Wittgenstein aveva in mente di seguire nel 1906, l'anno del suicidio di Boltzmann. Wittgenstein voleva fare tutto ciò con l'aiuto della critica linguistica: «Tutta la filosofia è ''critica del linguaggio''.» Questa conclusione era già stata affermata a Vienna, ad esempio, da Mauthner; il paragrafo 4.0031 del *Tractatus* prosegue però con queste parole: «(Ma non nel senso di Mauthner.) Merito di Russell è aver mostrato che la forma logica apparente della proposizione non ne è necessariamente la forma reale» (Ludwig Wittgenstein, *Tractatus logico-philosophicus* e *Quaderni 1914-1916*, trad. it. di Amedeo G. Conte, Torino, 1983, p. 21).

Come esempio di questa essenziale differenziazione da Russell, estremamente importante per la filosofia analitica e il suo sviluppo e anche per lo stesso Wittgenstein, che per lo meno vi si riferisce, si può richiamare un caso discusso nella *Theory of Description*. Si consideri la frase: «l'attuale sovrano di Francia è calvo.» Per una descrizione del mondo questa frase non sarà classificabile né tra le affermazioni vere né tra quellle false. La proposizione di Russell, motivata da un «robusto senso della realtà» e resa possibile dall'apparato della nuova logica che non si attiene alla forma soggetto-predicato, simulata dalla lingua parlata e dalla logica tradizionale, afferma: esiste per lo meno una cosa che è identica all'attuale sovrano di Francia ed esiste al massimo una cosa che è identica all'attuale sovrano di Francia e questa cosa è calva. Già il primo enunciato della proposizione è una frase falsa, quindi anche la somma degli enunciati è falsa. Il problema è risolto senza dover supporre una sfera dell'essere non-esistente o una sfera del non-essere, per tacere di ogni altra sfera, come Meinong aveva creduto necessario. Wittgenstein nel *Tractatus* ha accordato al linguaggio l'unico significativo compito di raffigurare il mondo, e la logica, la critica del linguaggio, doveva aiutarlo nell'impresa.

Con ciò questo schizzo della filosofia viennese degli anni 1915-18 può dirsi concluso. Sono stati presi in considerazione soltanto quei filosofi che hanno contato a livello specialistico in questo secolo. La motivazione dell'inclusione di alcuni e dell'esclusione di altri è consistita nella concordanza di giudizio da parte degli specialisti sull'importanza degli uni anziché degli altri. Una controprova è naturalmente possibile, ma deve anche essere prodotta. Per questa ragione sono stati discussi fin qui Boltzmann e Mach, Neurath e Wittgenstein, e non Weininger e Jerusalem o Höfler e Stöhr.

Come si è giunti a questa importante realizzazione sul terreno della filosofia, a questa fioritura culturale, di cui la filosofia rappresenta un aspetto? Si possono addurre due ipotesi globali. Schorske ne ha attribuito il merito alla mancanza di un'effettiva possibilità di partecipazione del cittadino alla vita politica, anche durante il predominio dei liberali. La sua creatività, secondo Schorske, si sarebbe sublimata, per così dire, nelle sfere superiori della cultura. La tesi è seducente e si adatta ai filosofi qui considerati, in particolare a Wittgenstein.

L'interpretazione di Johnstons e la sua descrizione della vita spirituale e scientifica di Vienna sono invece contrassegnate dal cosiddetto «nichilismo terapeutico» (concetto delle scuola medica viennese) e forniscono un altro fruttuoso punto di vista, utilizzabile anche dalla filosofia, che, non più messa all'asta su affermazioni speculative indimostrabili (all'incirca come accadeva alla medicina quando si applicavano ai malati le sanguisughe perché si *credeva* nella loro efficacia), lascia ora in pace l'uomo nella vita spirituale di tutti i giorni e si sostiene al sapere consolidato dall'esperienza, alla scienza. Alla soluzione di un problema filosofico precede ora, come nel caso della terapia di una malattia, la sua diagnosi logica, in cui «for better or for worse» di quando in quando si esaurisce. Ma quest'ultima non arreca nuovi danni, non peggiora e non uccide, e non appunta nulla alla vita o alla scienza, come invece aveva fatto la vecchia filosofia tradizionale. La nuova filosofia analitica è oggi diventata l'indirizzo dominante nel mondo occidentale.

Nota bibliografica

Per alcuni degli autori presi in considerazione sono già state pubblicate le edizioni complete delle loro opere o sono in preparazione.
Ludwig Boltzmann, *Gesamtausgabe*, Roman und Sexl (a cura di), Braunschweig-Wiesbaden; Alexius von Meinong, *Gesamtausgabe*, a cura di Roderick M. Chisolm, Graz; Otto Neurath, *Gesammelte philosophische und methodische Schriften*, a cura di Rudolf Haller e Heiner Rutte, Wien; Ludwig Wittgenstein, *Schriften*, Frankfurt.
Accenniamo ai lavori di Rudolf Haller come importante base generale di studio citando in particolare: *Studien zur Österreichischen Philosophie*, Amsterdam, 1979; il saggio *New Light on the Vienna Circle*, in «Monist», vol. 65/1, 1982; *Franz Kreuzer im Gespräch mit Rudolf Haller, Grenzen der Sprache -Grenzen der Welt, Wittgenstein, der Wiener Kreis und die Folgen*, Wien, 1982.
Riguardo alla filosofia si veda anche: William M. Johnstons, *The Austrian Mind*, Berkeley-Los Angeles, 1972.
Basilare per l'accesso allo studio della cultura politica, spirituale, artistica di questo periodo è Carl Schorske, *Fin-de-Siècle-Vienna*, New York, 1980.
Su Boltzmann: Engelbert Broda, *Ludwig Boltzmann*, Wien, 1955; e *Ich bin - Also denke ich. Die Evolutionäre Erkenntnistheorie - Franz Kreuzer im Gespräch mit Engelbert Broda, Rupert Riedl*, Wien, 1981.
Si veda anche il vol. VIII della *Gesamtausgabe-Boltzmann, Ausgewählte Abhandlungen der Internationalen Tagung*, Wien, 1981
Su Mach: Friedrich Stadler, *Vom Positivismus zur «Wissenschaftlichen Weltanschauung»*, Wien-München, 1982.
Su Meinung: David F. Lindenfeld, *The Transformation of Positivism*, Berkeley-Los Angeles-London, 1980; Rudolf Haller (a cura di), *Jenseits von Sein und Nichtsein*, Graz, 1972; «Revue Internationale de Philosophie», *Meinung*, n. 27, 1973.
Su Neurath e il primo circolo di Vienna: Philipp Frank, *Modern Science and Its Philosophie*, Cambridge, Mass., 1941; Rainer Hegselmann, *Otto Neurath Empirischer Aufklärer und Sozialreformer*, nel volume da lui pubblicato, *Otto Neurath*, Frankfurt, 1979: Elisabeth Nemeth, *Otto Neurath und der Wiener Kreis*, Frankfurt-New York, 1981; Friedrich Stadler (a cura di), *Arbeiterbildung in der Zwischenkriegszeit, Otto Neurath - Gerd Arntz*, Wien-München, 1982.
Su Wittgenstein: William W. Bartley, *Wittgenstein - Ein Leben*, München, 1983: Allan Janik-Stephen Toulmin, *Wittgensteins Vienna*, New York, 1983; François H. Lepointe, *Ludwig Wittgenstein: A Comprensive Bibliography*, Westport, 1980; Kurt Wuchterl-Adolf Hübner, *Ludwig Wittgenstein in Selbstzeugnissen und Bilddokumente dargestellt*, Reineck bei Hamburg, 1979.
Per una informazione storica generale si vedano gli *Akten* del simposio che annualmente si tiene dal 1976, *Internationales Wittgenstein Symposis*, in Kirchberg am Wechsel, e *Grazer Philosophischen Studien*, a cura di Rudolf Haller.

2. K. Moser, *Decorazione per libro*, in «Ver Sacrum», febbraio 1898.

1. J. Hoffmann, *Decorazione per libro*, in «Ver Sacrum», gennaio 1898.

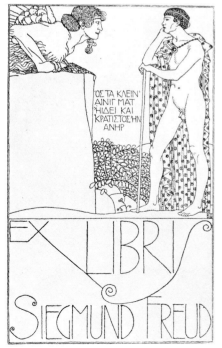

LA RIVOLUZIONE SUL DIVANO
Psicanalisi e Jugendstil

Josef Dvorak

Sopra:
1. J.M. Olbrich, *Decorazione per libro*, in «Ver Sacrum», luglio 1898.

2. B. Löffler, *Ex libris di Siegmund Freud.* (Hsch. f. angew. Kunst, Vienna).

«Il retroterra culturale della vita e dell'opera di Freud era Vienna — dichiarava Hermann Broch nel 1945 — e gli anni decisivi per lui furono quelli a cavallo del secolo. Fu in quest'atmosfera austriaca, o meglio contro quest'atmosfera, che nacque l'idea della psicanalisi.»

È vero, l'operato di Sigmund Freud, giunto nel frattempo a fama universale, parte da presupposti legati a un certo ambiente, a una certa epoca: con il crollo del liberalismo austriaco, la crisi delle strutture patriarcali e familiari, dei ruoli sociali, professionali e sessuali, della definizione stessa di realtà, dei valori etici e, non da ultimo, dell'Io borghese in avanzata fase di «spersonalizzazione».

Il diffuso pessimismo sulle possibilità di mutamenti politici, economici e sociali comportò il ripiegamento sulla cultura e sull'introversione. Il narcisismo, l'ipersensibilità, l'interesse per la patologia mentale, gli stati psichici «altri», gli affetti e le pulsioni sono fenomeni tipici della Vienna fin de siècle e dei primi anni del '900. La «giovane Vienna» godeva nell'abbandonarsi all'inconscio, nel crogiolarsi in fantasie di euforia patricida e incestuosa e nel concedersi a un mondo onirico in raffinata sinestesi.

Questo mondo interiore, stando al programma di rivoluzionamento culturale dello Jugendstil, avrebbe dovuto creare una realtà nuova, nelle forme del Gesamtkunstwerk, l'opera d'arte totale. L'artista doveva modellarla liberamente (senza rispecchiare la realtà empirica in chiave naturalista), legato unicamente alla «funzionalità materiale», alle leggi proprie del processo creativo, alla «logica della forma». L'arte, «autonoma e in quanto fait social», «fedele all'immanen-za formale dell'opera», secondo Theodor W. Adorno, cercava di «stabilire da sé, per mezzo di una sintesi della forma, il ''senso'' ormai scomparso dall'ambito sociale».

Adolf Loos, il gentleman divenuto «cittadino del mondo» soggiornando negli Stati Uniti, colui che aveva costruito una casa proprio in Michaelerplatz accanto alla Hofburg, una casa «non su scala provinciale», a suo dire, ma immaginabile « solo in una metropoli», dichiarò guerra allo Jugendstil nell'interesse della «civiltà occidentale». Lo «stile del nostro tempo» voluto dai secessionisti, secondo Loos, era già presente un po' ovunque, cioè «ovunque l'artista non fosse andato a ficcare il naso». Questo suo attacco vagamente paranoide all'«epidemia ornamentale» (e Karl Kraus lo assecondava coniando l'insulto «porcheria mentale») culminò in un'accusa violentissima: «Ma l'uomo del nostro tempo, che in preda a pulsioni interiori imbratta i muri di simboli erotici, o è un delinquente o un degenerato... Possiamo misurare il grado di civiltà di un paese dalle scritte che insudiciano i muri delle latrine.» Ecco un ragionamento psicanalitico. Dobbiamo la nostra civiltà alla sublimazione di pulsioni parziali naturalmente perverse, e in primo luogo di quella della sfera anale (educazione all'igiene). La libido, quando si libera del primato della sfera genitale e regredisce in una sfera polimorfa, mette in forse l'equilibrio della civiltà.

L'ornamento è ambivalente, come ha fatto giustamente notare Nike Wagner. E in generale possiamo dire che le tecniche formali dell'arte secessionista producono un mondo di apparente bellezza dietro al quale è in agguato un minaccioso mondo nascosto (l'«altra parte», secondo Alfred Kubin). La psicanalisi affronta quest'ambivalenza, cerca di darle una dignità, di farla sua dialetticamente. Così ci appare anche più comprensibile la fatica di Sisifo che Freud affrontò per tutta la sua vita, cioè quella di sostenere con sempre nuove teorie il dualismo istintuale pur di non cadere nell'asserzione del monismo libidico (come era accaduto a Jung, che in seguito dovette desessualizzare il concetto, vale a dire rimuovere le sue implicazioni più pericolose). Con l'introduzione teorica del «narcisismo» (la figura di Narciso ha un ruolo notevole nell'arte Jugendstil) Freud si era avvicinato sensibilmente a tale pericolo, e cercò di sfuggirvi con l'ultima sua teoria delle pulsioni, che trattava dell'eros e della pulsione di morte. Ma non vi riuscì completamente: la pulsione di morte pare si stia imponendo come pulsione primigenia.

In nuce il concetto della pulsione di morte è contenuto già del suo *Progetto di una psicologia scientifica* del 1895, uno scritto inedito riscoperto solo nel 1950. In questa teoria meccanica della psiche Freud postula tre sistemi neuronici diversi e collegati tra loro (la «topica» freudiana è sempre triadica: per esempio inconscio-preconscio-cosciente o Es-Io-Superio), attraversati, tramite «barriere di contatto», dai fasci nervosi. Il nucleo dell'intero sistema, il «sistema Phi» primario, ha la «tendenza all'inerzia, ossia al livello zero», ed è occupato dunque a «scaricare» il più rapidamente possibile gli stati di tensione in arrivo. Ecco il punto fondamentale in cui le teorie di Freud e quelle di Josef Breuer (l'effettivo iniziatore della psicanalisi) si contraddicono. Breuer, specializzato nello studio dei circuiti di regolazione fisiologica, negli *Studi sull'isteria* scritti insieme a Freud osservava che l'organismo tende a mantenere l'energia psichica a un livello ottimale (principio che da Cannon in poi si usa definire di omeostasi).

Tra il 1894 e il 1902 Freud fu afflitto da una profonda crisi intellettuale, una «malattia creativa» di cui la psicanalisi può essere parzialmente intesa come un superamento. Tra il 1894 e il 1901 Otto Wagner costruì la metropolitana di Vienna. Otto Graf, lo scopritore della «dimenticata scuola di Wagner», caratterizza così il progetto dell'architetto: «Non c'è niente da fare, ancora una volta si cerca di interpretare la metropolitana dal punto di vista della bellezza delle stazioni. Ma l'architettura di questa grande rete di trasporti giunge a reale espressione soltanto nel movimento delle macchine e delle masse. *L'intero progetto è ispirato al proposito di costruire qualcosa che viene abbandonato. La forma è aperta, ovunque, e compresa in un costante processo di differenziazione*. Più veloce è il movimento delle macchine, più semplice sarà la forma.» La somiglianza con i progetti di sistema di Freud, a partire dal *Progetto di una psicologia scientifica*, è sconcertante. Il «consigliere ai lavori pubblici» Wagner, strettamente legato allo Jugendstil, era accettato anche dagli avversari della Secessione perché nelle sue costruzioni tecniche dava eccezionale risalto al materiale e alla funzione, teso a ricercare un'unità di verità e bellezza. Anzi, non solo per questo. «Nel progetto per la metropolitana di Otto Wagner la forma funzionale si trasferisce in una formula di dignità», scrisse Werner Hofmann. E lo stesso Adolf Loos, «davanti al genio di Otto Wagner», dovette gettare le armi. Si potrebbe essere tentati di considerare la psicanalisi di Freud come una «formazione reattiva». In quanto teoria universale la teoria freudiana si basa su un processo di sintesi, e da questo punto di vista richiama le intenzioni dello Jugendstil, che più tardi si evolveranno da un lato verso il dadaismo-surrealismo, dall'altro verso l'astrattismo-costruttivismo (e De Stijl). In Freud tuttavia questo processo è finalizzato alla ricostruzione della smarrita razionalità borghese attraverso un attento esame degli errori e dei meccanismi che hanno portato e possono continuamente riportare a questa sciagura. A tale scopo Freud utilizzò tutto il sapere che gli era accessibile. Sono pochissimi gli elementi originali della psicanalisi scoperti da Freud personalmente. Freud va piuttosto valutato nel bel mezzo del discorso scientifico del suo tempo. Il suo geniale contributo sta nell'aver reso praticabili all'autoriflessione i suoi teoremi. A esclusivo vantaggio del terzo termine: l'«inconscio» dev'essere portato al livello di «coscienza» (sempre che sia veramente possibi-

1. Siegmund Freud. (ÖNB, Vienna).

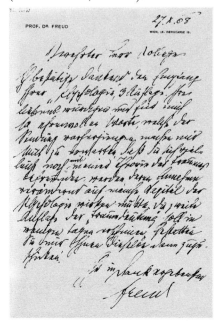

2. Lettera manoscritta di S. Freud. (W. Stadtbibl., Vienna).

1. Siegmund Freud.

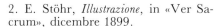

2. E. Stöhr, *Illustrazione*, in «Ver Sacrum», dicembre 1899.

le), l'«Es» deve diventare «Io», l'«esile voce della ragione» imporsi all'irrazionale. Ben lontana dall'organizzare la fuga dalla realtà in un mondo di sogno, la psicanalisi deve scoprire i desideri irrealizzabili secondo le leggi della natura umana e gli inevitabili condizionamenti della nostra civiltà; deve elaborarli verbalmente, operare nel senso di una disillusione per ritrasformare «la miseria dell'isteria in sciagura comune».

In questo punto le opinioni di Karl Kraus e Sigmund Freud divergevano. Kraus si proclamava favorevole alla «dichiarazione d'indipendenza dell'impero dei sensi»; Freud, invece, durante un incontro della sua «Società del mercoledì», postulò, espressamente contro Kraus, che il passo successivo alla «liberazione sessuale» tramite l'analisi dovesse essere il «rigetto delle pulsioni sessuali dal punto di vista di un'istanza superiore».

Secondo Hugo von Hofmannsthal, invece, il controllo sulle pulsioni è di fatto impossibile. Esse sono il nostro destino e la loro affermazione dionisiaca eleva l'uomo al di sopra degli dei: «Siamo più degli dei, noi, siamo sacerdoti e vittime sacrificali, le nostre mani consacrano ogni cosa, noi soli siamo il mondo», esclama la Giocasta di Hofmannsthal nella prima versione di *Edipo e la Sfinge*. La Sfinge — secondo Johann Jakob Bachofen, un simbolo materno con una connotazione minacciosa — amò carnalmente Edipo (stando a un'annotazione dell'autore), ma Edipo non la uccise. Anzi, la Sfinge lo guardò, racconta Edipo, con «terribile tenerezza» prima di gettarsi nell'abisso con un grido «in cui il trionfo sposava l'agonia». Anche in una novella di Arthur Schnitzler, *Frau Beate und ihr Sohn* (La signora Beate e suo figlio) è abbattuto il tabù dell'incesto. Hugo e sua madre annegano insieme nelle acque del lago (motivo di Tristano): «Beate strinse al seno l'amato, il figlio, il morituro. Egli comprese, perdonò e, liberato, chiuse gli occhi.»

Hofmannsthal, più volte ispirato dalla psicanalisi (per esempio, nell'*Elettra*, dal caso di isteria studiato da Breuer, Anna O. = Berta von Pappenheim), e che aveva concepito il suo *Edipo e la Sfinge* anche come risposta critica all'*Interpretazione dei sogni*, diede su Freud un giudizio assai amaro: «A parte la sua acribia scientifica (da sagace medico ebreo), ritengo Freud, di cui conosco tutti gli scritti, un uomo assolutamente mediocre, pieno di ottusa e provinciale presunzione.»

Arthur Schnitzler, tra le altre cose medico praticante l'ipnosi e come Freud studioso delle nevrosi, nonché da questi accettato — non senza invidia — come Doppelgänger, Schnitzler dunque, che intratteneva contatti col mondo della psicanalisi tramite Theodor Reik, criticava in Freud l'aspetto «monomaniaco», la «cavillosità degli ultimi suoi scritti», la «sopravvalutazione del complesso di Edipo» (che Schnitzler non valutava a livello universale e metaculturale, ma come «fenomeno degenerativo»), e infine le sue «generalizzazioni». Schnitzler interpretava queste ultime come una fuga «verso l'illusoria regolarità dei sistemi delle scienze naturali», verso «la fallace consolazione di un mondo dall'ordine arbitrario», e controbatteva: «Certamente noi cerchiamo, per quanto ci è possibile, di creare ordine dentro di noi, ma quest'ordine è soltanto qualcosa di artificiale. Ciò che è naturale è il caos. L'anima è una terra lontana... I cammini che portano all'oscura regione dell'anima sono ben più numerosi di quanto si sognino (e interpretino) gli psicanalisti; ne sono sempre più convinto.»

Nella prima fase (dal 1893) del suo studio delle nevrosi Freud riteneva di avere identificato la loro origine nella morale sociale. Il «maltusianismo», favorito dalle precarie condizioni socio-economiche (e della medicina sessuale), invitava a rinunciare alla soddisfazione sessuale completa, favorendo — tramite la masturbazione e il coitus interruptus — l'insorgere di «nevrosi attuali». Inoltre il conflitto tra un modello educativo ispirato all'ideale igienista e una dipendenza traumatizzante (anche sessuale) dei figli dai loro genitori o da chi per loro appariva responsabile — attraverso la rimozione di fantasie incompatibili e del conflitto medesimo — del diffondersi delle «psiconevrosi di difesa» quali l'isteria e la nevrosi d'angoscia. Freud quindi postulava non solo una liberalizzazione dei comportamenti sessuali (che presupponeva la diffusione di mezzi anticoncezionali), ma anche dell'educazione, del linguaggio e del pensiero. A queste idee si sarebbe riallacciato più tardi Wilhelm Reich.

Dopo il 1895 Freud cominciò a nutrire dubbi sempre maggiori circa la sua teoria delle psiconevrosi, finché nell'autunno 1897 la dichiarò definitivamente superata. Nella notte tra il 23 e il 24 luglio 1895 Freud aveva avuto il «sogno dell'iniezione di Irma», che analizzò con il metodo associativo e poté così rendere più completo; quell'esperienza lo persuase del fatto che il sogno è «soddisfazione dei desideri». Tale convinzione si ricollegava ancora alla teoria della «scarica» (processi primari) nel *Progetto di una psicologia scientifica*.

In quell'opera Freud non era riuscito a spiegare il meccanismo della rimozione: «In profondi enigmi psicologici ci conduce ora l'indagare donde abbia origine il dispiacere, che riteniamo sia causato da prematura stimolazione sessuale, senza la quale difatti non sapremmo come spiegare i fenomeni di rimozione.» Ora, invece, Freud argomentava così: «L'esperienza quotidiana insegna che, a un livello libidico sufficientemente elevato, il soggetto non prova alcun disgusto, e il problema morale è superato.» Ne risultava che doveva esserci «una fonte di dispiacere nella sfera sessuale», indipendentemente dall'ambito sociale. In altre parole: non la morale né l'educazione repressiva disturbano la sessualità, ma la sessualità stessa è perturbatrice e richiede l'intervento della sfera morale, anche a costo di scatenare la nevrosi. Dietro il dispiacere si nascondono desideri sessuali perversi di origine infantile; anche gli incubi in fondo soddisfano desideri, quindi la teoria impopolare della seduzione da parte di soggetti maschili può essere accantonata: il malato tende a fantasticare. Dopo il 1897 Freud completa questa struttura circolare chiamando in causa il mito: la conquista della «posizione eretta» avrebbe snaturato l'uomo (e ne fanno le spese, in particolare, oralità, analità e «pulsione olfattiva»); contro queste «pulsioni parziali» deviate dall'ordine istintuale si sarebbero schierate, nell'interesse dell'autoconservazione, le «pulsioni dell'Io». Queste costringono dunque le «pulsioni parziali» entro binari socialmente produttivi (sublimazione). Il rovesciamento della teoria da lui sostenuta fino allora

ebbe per Freud un vantaggio personale, quello di poter liberare di qualche responsabilità morale suo padre, morto nel 1896. In pratica, non suo padre, ma la natura umana era stata responsabile della nevrosi di Sigmund durante la «crisi spirituale». Ma anche altri padri ne approfittarono: nel trattare il «caso di Dora» (la sorella diciottenne di Otto Bauer), nell'anno 1900, Freud interpretò i sintomi di una seduzione (alla fellatio) da parte del padre e altri tentativi di seduzione a opera di un amico di famiglia come desideri infantili rimossi. Nella sua patografia sul «caso Schreber», pubblicata nel 1911 (l'ex presidente del Senato di Sassonia Daniel Paul Schreber aveva pubblicato nel 1903 le sue memorie di nevropatico), Freud poté analizzare i meccanismi della paranoia. Il malato si sentiva perseguitato dal padre e da altre figure paterne, come il proprio medico, ritenendo che questi lo trattassero «come una donna». Secondo la teoria psicanalitica si trattava, in realtà, di una «proiezione» di desideri omosessuali rimossi. In verità il dottor Schreber era stato spinto alla malattia dall'educazione paterna, che non disdegnava pratiche decisamente sadiche. Stando al complesso di Edipo, nell'accezione freudiana, le aggressioni partono sempre dal bambino.

Anche nell'*Interpretazione dei sogni*, datata programmaticamente 1900, Freud proseguiva nel suo processo di riabilitazione della sfera sociale. Diede un'interpretazione edipica al suo «sogno rivoluzionario», in cui si era opposto a un uomo politico della reazione. La «realtà psichica», scriveva Freud, non va confusa con quella «materiale»: «Ad ogni modo aveva torto quell'imperatore romano che fece giustiziare un suddito perché questi aveva sognato di assassinarlo. L'imperatore avrebbe dovuto anzitutto preoccuparsi del significato di quel sogno; è assai probabile che non fosse quello che ostentava.»

Sintomi nevrotici, contenuti onirici manifesti, motti di spirito (giochi di parole), lapsus quotidiani: tutto ciò si spiega tramite impulsi, idee, fantasie rimosse, o meglio desideri inconsci. L'istanza responsabile della rimozione fu chiamata da Freud «censura» (in analogia all'allora assai diffusa «censura russa» sulla

1. Joseph Breuer.

2. Frontespizio dei *Tre saggi sulla sessualità* di S. Freud.

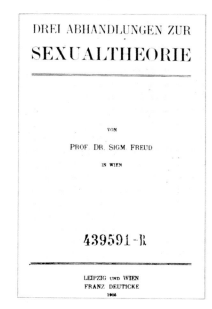

DREI ABHANDLUNGEN ZUR

SEXUALTHEORIE

VON

PROF. DR. SIGM. FREUD

IN WIEN

439591-R

LEIPZIG UND WIEN
FRANZ DEUTICKE
1905

1. Sandor Ferenczi.

2. E. Stöhr, *Illustrazione*, in «Ver Sacrum», dicembre 1899.

stampa). Del resto Freud, nell'illustrare i meccanismi psichici, si serve volentieri di metafore tratte dalla sfera della politica e dell'economia: la libido corrisponde al «capitale», gli spostamenti della somma degli eccitamenti alle possibilità d'investimento, l'Io agisce come un «monarca costituzionale», i tre topoi psichici Es, Io, Superio non sono rigidamente distinti, ma si sovrappongono in parte, come le regioni e le nazionalità della monarchia danubiana. Karl Kraus aveva ragione quando asseriva: «A Freud va il merito di aver introdotto una costituzione nell'anarchia del sogno. Soltanto che da quello che vi succede sembra di essere in Austria.»

Freud però non si lasciò abbindolare: scegliendo certi termini egli rifletteva senza alcun imbarazzo il background politico-sociale della sfera psichica, soddisfacendo in questo modo ogni sua velleità di ribellione. Ma Freud insisteva sull'introversione. La «rivoluzione» doveva avvenire sul divano dell'analista.

Le «sublimazioni» e le «formazioni reattive» alle pulsioni parziali perverse dell'infanzia, nel soggetto infantile «civilizzato», avvengono durante un cosiddetto «periodo di latenza» (un'idea ispirata a Freud dal suo amico berlinese Wilhelm Fliess), vale a dire tra il quinto anno di vita e la pubertà. In questo periodo le «convulsioni» dell'Es ribelle si manifestano solo di tanto in tanto. Nei *Tre saggi sulla teoria sessuale* (1905) Freud riferisce di avere l'impressione che il «costruire queste dighe» sia forse davvero «opera dell'educazione», ma poco più avanti si tranquillizza. «In verità questa evoluzione origina da premesse organiche, fissazioni ereditarie, e all'occasione può avvenire senza alcuna complicità dell'educazione.»

Ma questo convincimento non ebbe vita lunga. Il sospetto che nella repressione delle pulsioni l'ambito sociale giocasse un ruolo determinante non era facile da accantonare. Così Freud, nel 1912, si vide costretto a partorire un'altra teoria mitica della civiltà, questa volta ispirata a Jung, vale a dire *Totem e tabù*. Ora la repressione sessuale da parte del padre (donde il desiderio patricida) è ammessa come un fatto reale, seppure risalente alla preistoria dell'umanità. L'orda dei figli divorava il padre per assimilare la sua

forza e in tal modo «identificarsi» con lui. Inoltre il divieto dell'incesto garantiva che tale situazione non avesse a ripetersi. Questi fatti preistorici, com'erano stati descritti da Lamarck, si tramandarono nelle forme del «complesso di Edipo». In modo analogo alla messa cattolica il sacrificio è ripetuto simbolicamente, senza spargimento di sangue, nella fantasia. Anche il superamento del complesso di Edipo è programmato secondo una struttura ereditaria: rinuncia all'incesto e al patricidio (e alla rivoluzione), nonché rispetto di altri tabù. Il soggetto malato è colui che non riesce a rispettare tali regole. E quanto fosse ritenuta importante la «fissazione organica» del periodo di latenza è dimostrato dal fatto che l'allievo di Freud, Sandor Ferenczi, si sentì in dovere di soccorrere il maestro con una propria teoria. Ferenczi postulò la presenza di cinque grandi catastrofi nel corso dell'evoluzione (sessuale) dell'umanità. L'ultima in ordine di tempo, e la più grande, fu l'era glaciale. Secondo Ferenczi, l'umanità, per sopravvivere, fu obbligata a moderarsi sessualmente. E proprio questo è il dato ereditario. Nel periodo di latenza, inevitabilmente, ritorna la «miseria dell'era glaciale». Con la pubertà ha inizio una fase nuova dell'evoluzione, quella della sessualità «civilizzata». Ora non è più possibile realizzare appieno la propria soddisfazione sessuale. Tuttavia l'uomo continua a desiderare l'impossibile. Nel suo *Saggio sulla teoria genitale* (1924) Ferenczi parla di un «tratto regressivo talassale», il che equivale, durante il coito, alla massima: ritorno nel ventre materno, ritorno alle acque da cui è nata ogni forma di vita. Anche qui, fascinazione acquatica, le ondine dello Jugendstil?

Il 14 maggio 1922, in una lettera di auguri per il compleanno di Arthur Schnitzler, Freud elencava i punti che i due avevano in comune, tra i quali l'idea della polarità di amore e morte (compresso un accenno al proprio scritto sulla pulsione di morte, *Aldilà del principio di piacere*, 1920). Per Freud eros e thanatos sono «le forze primordiali il cui conflitto domina ogni mistero del mondo». Che fosse una capitolazione davanti allo spirito di fine secolo? In effetti una nuova teoria delle pulsioni appariva necessaria perché due delle più importanti asserzioni di Freud erano state nel frattempo messe in dubbio. Per sostenere la sua tesi della motivazione sociale della nevrosi e della traumatizzazione sessuale Freud aveva ricondotto il dispiacere a una rimozione organica, ereditata nel corso dell'evoluzione, di desideri perversi congeniti. Allo stesso modo si chiariva il fatto che *tutti* i sogni significano soddisfazione di desideri. Ma forse Freud aveva addirittura voluto strafare. Perché a differenza della teoria psicanalitica, secondo la quale le fasi superate dello sviluppo sessuale avrebbero dovuto essere automaticamente abbandonate, la libido aveva una connotazione «viscida», comprensiva di evidenti tendenze regressive. Inoltre le nevrosi indotte dalla guerra, assai frequenti durante il primo conflitto mondiale, avevano dimostrato che anche i traumi collegati a un estremo dispiacere vengono trasformati in sintomi per poi riaffiorare nei sogni. Freud ne concluse che l'aspetto essenziale della vita pulsionale è la «coazione a ripetersi», e che non tutto è sottomesso al principio di piacere (o meglio, al principio di piacere modificato in principio di realtà). Freud, dunque, presentò un'ulteriore teoria mitica, secondo la quale l'ente primigenio in senso platonico, o eros, frantumato in tanti singoli enti, tende a ricercare la perduta unità; la sostanza vivente invece non ha altra meta che la quiete, la scarica degli stati di tensione, il raggiungimento del «livello zero» (vedi il «processo primario» del *Progetto di una psicologia scientifica*).

Diversamente da Freud lo psicanalista stiriano Otto Gross (1877-1920) non ritenne mai che il conflitto nevrotico fosse radicato nell'essenza stessa della sessualità, «bensì nel fatto che il campo della sessualità è stato trasformato da fattori esterni nel teatro di una disperata lotta interiore». Otto Gross era un «rivoluzionario della sessualità» già molto tempo prima di Wilhelm Reich, fu membro di spicco del «movimento erotico» di Monaco-Schwabing, guru dell'entourage femminile di Max Weber a Heidelberg, anarchico sul Monte Verità nei pressi di Ascona, amico di Franz Werfel, Anton Kuh, Franz Kafka, Erich Mühsam e Franz Jung; al primo congresso psicanalitico di Salisburgo (1908) Gross pretese da Freud che la psicanalisi si orientasse «verso i problemi complessivi della civiltà e l'imperativo del futuro». Questa la replica di Freud: «Noi siamo medici, e medici vogliamo restare» (ma anni dopo avrebbe ammesso di non aver mai provato la vocazione del medico). Fonte di ogni male psichico era per Gross un conflitto tra ciò che è «proprio» (le tendenze connaturate dell'individuo) e ciò che è «estraneo» (imposto da un'educazione repressiva) e «trasferito nel mondo interiore». Tutto questo comporterebbe disturbi dell'armonia psichica, anzi addirittura fenomeni di «autodisgregazione». Compito della psicanalisi sarebbe quello di aiutare l'individuo a «liberarsi delle ragioni a lui estranee». Ovvero «l'annullamento dei frutti dell'educazione a vantaggio dell'autoregolazione».

Secondo Otto Gross ogni disgrazia è cominciata con l'imporsi del patriarcato. Gross invece chiedeva che fossero reintrodotti il matriarcato, la libera educazione dei figli e la libera sessualità di gruppo, comprensiva dell'incesto madre-figlio. Nelle sue analisi cercava di distruggere il «transfert» (che intendeva come esercitazione finalizzata a una relazione a due) con l'approccio sessuale nei confronti delle sue pazienti. I nevrotici dovevano diventare degli «immoralisti sessuali». Inoltre organizzava orge «terapeutiche» a base di sesso e di droga (lui stesso era cocainomane e morfinomane abituale), e vagheggiava di reintrodurre il culto di Astarte dell'antica Babilonia. Otto Gross, insomma, era uno di quelli che erano andati in cerca del paradiso: all'inizio del secolo intraprese viaggi nella giungla sudamericana, vaneggiando sulla morte per droga, e allucinato dalla fine comune insieme all'immagine di sua madre. Anni dopo, come riferì Wilhelm Stekel, suo analista per qualche tempo, parlava di fondare, in Nuova Zelanda, una colonia di persone che condividessero le sue idee, rigorosamente separata dal resto del mondo.

Alla fine della prima guerra mondiale, a Vienna, Otto Gross apparteneva a quel gruppo di letterari di sinistra e rivoluzionari di professione che si battevano per la repubblica dei consigli. Per sé Gross rivendicava la carica di «ministro per la liquidazione della famiglia e della sessualità borghese». Poi, mancata l'occasione della rivoluzione, Gross si trasferì

Wilhelm Reich.

1. E. Stöhr, *Illustrazione*, in «Ver Sacrum», dicembre 1899.

2. E. Stöhr, *Illustrazione*, in «Ver Sacrum», dicembre 1899.

a Berlino, dove morì di totale sfinimento (dopo aver passato una notte lungo disteso su una strada ghiacciata). Il suo piano, «il rovesciamento di ogni ordine esistente, contro la volontà del mondo intero», l'eliminazione della «volontà di potenza» (adleriana) e la creazione del «diritto individuale alla propria natura e alla libertà dei propri rapporti con gli altri», era miseramente fallito. Aveva vinto il mondo dei padri, della generazione che aveva sostenuto la rivoluzione industriale, primo tra tutti suo padre Hans Gross, criminologo di Graz, che l'aveva fatto ripetutamente ricoverare e mettere sotto tutela in ospedali psichiatrici.

Gross fu un ardente ammiratore della Secessione viennese. Nell'ostico linguaggio del trattato scientifico cercò anche di fornire una teoria psicologica al nuovo movimento culturale: è un'opera del 1902, dal titolo *Die zerebrale Sekundärfunktion* (La funzione cerebrale secondaria). Si tratta di un abbozzo di teoria neurofisiologica che si proponeva di risolvere il problema posto da Hume: la questione del «bound of union» che, nell'imagination, collega tra di loro le associazioni. Partendo da questo problema Gross spiegava il formarsi di diversi tipi caratteriali e manifestazioni patologiche della psiche. Verso la fine, in pochi tratti, Gross traccia una sorta di teoria della civiltà. Il tema dell'opera è l'armonia mentale e culturale.

Otto Gross ipotizza che ogni «elemento nervoso», cessato lo stato di tensione primario (fase immaginativa), durante la fase di rigenerazione della cosiddetta «sostanza nutritiva» permane in uno stato di eccitazione («funzione secondaria») che agisce a livello sotterraneo su altri «elementi» in modo tale da produrre una sequenza immaginativa. Il disaccordo con il *Progetto di una psicologia scientifica* di Freud (che Gross non poteva conoscere) è evidente: per Freud i processi primari e secondari si svolgono in due diversi sistemi neuronici. Nel caso della mania, sostiene Gross, la funzione primaria è semplificata e quella secondaria più breve; nel caso della melanconia invece accade il contrario. L'indebolimento della funzione secondaria causa sintomi di schizofrenia. Se la durata e l'intensità della funzione secondaria sono in diminuzione ne consegue un «appiattimento e allargamento» della coscienza; se invece è in aumento, «restrizione e approfondimento». La «vita pulsionale dell'eros», nella sua accezione «ristretta e approfondita», a causa dell'«energia contrattiva» è collegata «inseparabilmente» e «fittamente intrecciata» a «elevati complessi immaginativi di contenuto estetico, etico e sociale»; all'erotismo ciò conferisce dignità, e agli altri «complessi» bellezza e forza. Al contrario il carattere dell'individuo «appiattito e allargato» si avvicina al «tipo animalesco». In epoche «selvagge, turbolente, oscure» gli individui «appiattiti e allargati» (vedi i pionieri della rivoluzione industriale) hanno il sopravvento; sono loro che creano la Zivilisation. Gli individui sensitivi, «ristretti e approfonditi» (vedi la generazione di Otto Gross) riescono invece a imporsi allorché «gli ideali semplici perdono valore mentre sorge la necessità di sviluppare in senso darwinista, da mille forme individuali di Weltanschauung, alcuni ideali universali». Costoro creano la Kultur, sono i simbolisti, gli allegorici, i fautori della consonanza e dell'astrazione, ma anche, in ultima analisi, di idee sopravvalutate. Si caratterizzano per il loro «abbandono a sequenze immaginative approfondite» e reagiscono a «valori umorali». (Ricordiamo che Freud si era sempre rifiutato di distinguere tra Zivilisation e Kultur).

L'«arte contemporanea», sostiene Otto Gross, disapprova «l'organizzazione complicata della superficie». «Un buon esempio di ciò è l'architettura, in particolare la decorazione d'interni. Il dettaglio si modifica continuamente, nello stile degli antichi maestri. I pezzi simmetrici in genere si somigliano nei contorni, mentre nei dettagli possono essere completamente diversi e variabili. Ma queste cose noi non le possiamo né creare né apprezzare. Sì, noi vediamo un nuovo valore estetico proprio nella ripetizione dell'eguale. Questo aspetto è sottolineato, per esempio, dalla Secessione viennese. Ricordo un'allegoria della scala musicale: venti volte la stessa figura in diversi movimenti. È senz'altro salutare legarsi a un'unica immagine formale, e da essa, con un processo associativo, sviluppare l'essenziale, l'ideale. In tal modo abbiamo anche scoperto la bellezza delle linee semplici e ripetute... Noi gioiamo dell'ideale, del profondo, del simbolico. Dalla semplicità all'armonia — ecco l'arte della civiltà fiorente. In virtù della funzione secondaria matura.» Carl Gustav Jung, che nel corso di una psicanalisi incrociata aveva fatto sue alcune idee di Otto Gross, definiva gli stessi tipi in maniera assai più semplice: «estroverso» e «introverso». Jung paragonava l'«estroversione» e l'«introversione» a due concetti analoghi proposti da Wilhelm Worringer: «immedesimazione» e «astrazione»...

Quella che Gross chiama «funzione secondaria matura» è essenzialmente identica al principio ordinatore del «parallelismo» sostenuto da Ferdinand Hodler nel 1904, in occasione dell'esposizione delle proprie opere nell'ambito della Secessione viennese. Hodler lodò gli affreschi di Gustav Klimt: «In essi ogni cosa è quieta e fluida, e anch'egli volentieri indulge alla ripetizione che sortisce poi quegli effetti superbamente decorativi. Spesso egli se ne serve per dare maggior risalto a un gruppo di figure disposto altrimenti, quasi come uno sfondo. Per esempio, in quel dipinto in cui alcune fanciulle stilizzate sono ritratte su un prato dove fioriscono tanti fiori identici. Proprio accanto a loro un uomo sta avvinghiando una donna; e gli arti delle due figure sono tra loro paralleli.»

Ecco la definizione di Hodler: «Per parallelismo intendo ogni forma di ripetizione. Ogniqualvolta in natura io percepisco più vivamente la sostanza delle cose è perché avverto un'impressione di unità. Il parallelismo è una legge che trascende i confini dell'arte, poiché la vita umana è governata da... una legge universale valida ovunque,... il turbamento, l'infinito, il grande stile,... la costanza, l'estensione temporale della ripetizione.»

Nel 1931 lo psicanalista Behn-Eschenburg, analizzando, sulla rivista «Psychoanalytische Bewegung», il concetto di parallelismo proposto da Hodler, lo definiva «uno strumento per la riproduzione di oggetti perduti e della sensazione che ad essi si accompagna». Hodler, scrive Behn-Eschenburg, intendeva «salvare, con la ripetizione, qualcosa che stava rischiando di perdere». Sarebbe stato un modo di dar forma al desiderio che l'artista provava nei confronti della propria madre.

Nell'arte e nella psicologia degli anni a cavallo del secolo, una volta acquisito il fallimento dei padri, è emerso in tutta la sua ampiezza l'archetipo del «grande femminino» (madre — puttana — femme fatale — femme fragile). La psicanalisi di Freud ne ha però tenuto conto in misura assai modesta. Per Freud la libido è sempre stata di sesso maschile. Nell'opera di Schnitzler (vedi l'atto unico *Anatol*) l'uomo scopre che «non c'è alcuna possibilità di sentirsi sicuri» di fronte alla donna. E Karl Kraus celebrava masochisticamente la donna quale «creatura menzognera, fondamentalmente sessuale e antisociale», la cui testa serviva soltanto a far da guanciale a quella dell'uomo. Se Otto Gross vagheggiava il passaggio della rivoluzione dal divano alla strada, una rivoluzione per un sistema educativo matriarcale, Otto Weininger pretendeva di inculcare alla donna un Superio di tipo maschile e di privarla della tutela dei figli: «Bisogna sottrarre l'educazione della donna alla donna stessa e quella dell'umanità alla figura della madre.» Theodor Reik, invece, allievo di Freud, era convinto del ruolo «umanizzante» della donna nel corso della storia. Ma le sue fantasie sull'epoca del matriarcato, quando «donne gigantesche, simili nell'aspetto ad amazzoni, donne di grande promiscuità e istinto materno governavano la società primitiva», indussero anche Reik a rendersi conto che l'uomo «doveva ribellarsi» e «sottomettere infine la donna al proprio dominio». Georg Groddeck, psicanalista selvaggio, amante del pathos vitale e uomo di straordinarie capacità intuitive, nonché inventore del concetto di «Es» poi adottato da Freud, si aspettava dal nuovo sesso «in ascesa» un'«arte nuova e più profonda: l'arte di essere donna».

In realtà l'arte dalle valenze femminili della Secessione viennese, dopo la prima guerra mondiale, si trasferì — mutata — in un'altra metropoli. Questo spostamento fu provocato dalle idee di Otto Gross propagate nella collana di scritti «Freie Strasse» (Libera strada) e dal suo allievo Raoul Hausmann che nei suoi articoli tentò di concretizzare i progetti rivoluzionari dell'amico. Erano gli anni del dadaismo a Berlino.

Sopra:

1. Kunsthistorisches Museum. (ÖNB, Vienna).

EMPIRIA/SPECULAZIONE
Alois Riegl e la scuola viennese di storia dell'arte

Dieter Bogner

2. Ornato della zona superiore di un lekythos attico. Da *Problemi di stile* di A. Riegl.

[1] *The Crisis in the Discipline*, in «Art Journal», 1982; Hans Belting, *Das Ende der Kunstgeschichte?*, München, 1983.
[2] Julius von Schlosser, *Die Wiener Schule der Kunstgeschichte*, Innsbruck, 1934.

1.

La storia della «scuola di Vienna» e il grande contributo che essa ha dato all'affermazione della storia dell'arte come scienza fondata su sicure basi teoriche e su una metodologia precisa sono un insieme inscindibile. In questo contesto un primo momento culminante è costituito dalle opere di Alois Riegl (1858-1905) e Franz Wickhoff (1853-1909), nate al volgere del secolo, contemporaneamente ai massimi capolavori dell'arte viennese che questa mostra espone. Dal pensiero di questi due studiosi la storia dell'arte ha ricevuto alcuni impulsi essenziali, come ad esempio il superamento di concetti teorici divenuti insostenibili: l'estetica normativa, l'interpretazione materialistica dell'arte. Ma — quel che conta più di tutto — essi hanno schiuso nuove vie per l'interpretazione del materiale storico, grazie a delle metodologie fondamentali messe al servizio di una concezione rigorosamente formalista, ispirata alla psicologia percettiva, sulla quale soprattutto Riegl costruisce la sua sintesi storico-universale oggettiva.

Sono passati quasi cent'anni da quella fase iniziale. Una retrospettiva cade oggi in un periodo in cui la questione della «fine della storia dell'arte» è tornata, prima sottovoce e poi anche in forma di libro,[1] a essere il soggetto di saggi critici teorico-scientifici e di accese discussioni a livello istituzionale. Una materia che si sottopone a questo genere di dispute ha buone possibilità di sopravvivere per un altro secolo ancora, come hanno dimostrato i suoi «padri» sopra citati, mentre in mancanza di riflessioni sulle sue condizioni e legittimazioni esistenziali rischierebbe prima o poi l'oblio. Questo vale soprattutto laddove lo studio pratico parte da una base teorica riconfermata da metodologie più volte riconosciute idonee e da risultati pubblicamente apprezzati. Una simile tradizione, mentre da un lato offre indirizzi ideali — gli orientamenti metodologici adottati e tramandati come deontologia, se non codificati, della scuola di Vienna ne sono un esempio —, dall'altro lato è spesso una limitazione, con le sue norme consce e, più ancora, inconsce, che impedisce a lungo le trasformazioni necessarie o per lo meno le frena sensibilmente. La teoria e il lavoro concreto di Riegl hanno agito in entrambi i sensi e fanno sentire la loro influenza ancora adesso.

Il termine «scuola di Vienna» (Wiener Schule) venne coniato da Julius von Schlosser, uno tra i più importanti allievi di Riegl e Wickhoff, in uno dei primi riassunti della storia dell'arte viennese che abbracciava il periodo dalla metà dell'800 agli anni '20 del nostro secolo.[2] Oggi usiamo questo termine non tanto per distinguere una istituzione accademica quanto per indicare una successione sorprendentemente ricca di personaggi eminenti che, portando avanti, correggendo o anche contraddicendo clamorosamente le basi gettate dai loro maestri, hanno contribuito sostanzialmente allo studio della storia dell'arte. Ai già menzionati «padri» Riegl e Wickhoff succede alla cattedra di storia dell'arte dell'Università di Vienna la seconda generazione con Max Dvorak (1874-1921), Josef Strzygoroski (1862-1941), Julius von Schlosser (1866-1938), Hans Sedlmayr (1896), Otto Pächt (1902) e Otto Demus (1902), ma potremmo aggiungere i nomi di tanti altri studiosi non meno importanti che operarono in altre branche della storia dell'arte.[3]

L'impulso decisivo per la nascita della scuola di Vienna come branca scientifica venne dal disagio provato da alcuni storici dell'arte di fronte alla situazione esistente nella seconda metà del secolo scorso:[4] da una parte questa disciplina, dopo gli esordi senz'altro positivi alla metà dell'800, era finita nelle mani di letterati di bello spirito che esprimevano giudizi soggettivi ispirati a estetismi preconcetti e che spesso tendevano a considerazioni puramente artistiche; dall'altra, a causa della predominante specializzazione storico-filologica, rischiava di perdere di vista l'aspetto visuale dell'oggetto d'arte concreto nonché la storia dell'arte come complesso di concetti oggettivi. Così sia l'interpretazione dilettantistica sia l'ottusa ricerca a tavolino trovavano porte spalancate. Alois Riegl, in una retrospettiva della situazione nella seconda metà dell'800, scrive: «Il mezzo cominciava a far dimenticare il fine.»[5] E contro il diffusissimo «culto dei dati isolati» chiese l'«osservazione storico-universale» che gli sembrava «il vero coronamento dello studio della storia dell'arte».[6]

Nel 1873 Moriz Thausing (1838-1884), insegnante di Riegl e Wickhoff, coglie l'occasione del suo discorso inaugurale come professore di storia dell'arte per compiere la prima distinzione programmatica e il primo consolidamento teorico-scientifico dell'ancora giovane materia. Nella sua relazione fondamentale su «la collocazione della storia dell'arte tra le scienze» egli esprime alcune delle tesi che in seguito diverranno i pilastri della storia dell'arte viennese applicata, ponendo così la prima pietra di

questa materia come disciplina autonoma.[7] Rivendica cioè la netta separazione tra storia dell'arte ed estetica, ne stabilisce i compiti rispetto all'archeologia e alla storia, respinge fermamente il giudizio artistico dell'arte e insiste sulla preminenza dell'osservazione formale sull'interpretazione contenutistica dell'arte.

Questa definizione della storia dell'arte e della sua funzione, indubbiamente efficace nel contesto di cent'anni fa, comportava però delle limitazioni, del resto inevitabili, che riscontriamo ancora oggi; così come attraverso tutte le dispute si è conservato il sogno della libertà da preconcetti e dell'obiettività extratemporale dei giudizi a cui la storia dell'arte giunge con metodologia scientifica. Riegl rincorre questo ideale nei suoi studi storico-universali che lo condurranno a una teoria storica «positivista», priva di speculazioni metafisiche e fondata su sicure indagini dettagliate. Dalla realizzazione di questa visione egli si aspetta un contributo alla «soluzione del grande enigma mondiale», per derivare da questo obiettivo — una circostanza spesso trascurata — la finalità di ogni attività veramente significativa nell'ambito della storia dell'arte.[8] Ben presto si riveleranno il carattere temporale di questa teoria e l'insostenibilità della posizione gnoseologica con cui era strettamente collegata; tuttavia l'etica scientifica idealista su cui si basa influenza tuttora la storia dell'arte, benché in questa forma non basti più a sviluppare il lavoro concreto.

Il concetto strettamente deterministico della storia universale esercita un grande fascino che emana anche dal modello dell'opera d'arte totale e universale ideato dagli aderenti alla Secessione. Non è perciò un caso che proprio oggi, in piena nostalgia dello Jugendstil, a Vienna si delinei la tendenza, sorretta dalla struttura celebrativa delle mostre sulla Secessione, a commemorare eventi storici ed epoche artistiche del passato con grandiosi apparati estetizzanti di sicuro effetto sul pubblico. In simili imprese si dimentica che questa forzata armonia artistica e la quasi sacrale alienazione dell'oggetto contraddicono pesantemente tutti gli sforzi volti a rivedere il materiale storico-artistico al fine di una sua valorizzazione realistica. La priorità che così si concede alla «bella apparenza» è

Ornato di un soffitto scolpito di Orchomenos. Da *Problemi di stile* di A. Riegl.

[3] Jan Bialostocki, *Museum Work and History in the Development of the Vienna School*, relazione tenuta al XXV Congresso internazionale di storia dell'arte, Wien, 1983.
[4] Alois Riegl, *Kunstgeschichte und Universalgeschichte* (1897), in *Gesammelte Aufsätze*, Wien, 1929, p. 3 sgg.
[5] *Ibidem*, p. 8
[6] *Ibidem*, p. 7. Riegl era allievo del docente tedesco di storia universale Bündinger che insegnava a Vienna.
[7] L'importanza di questo testo nello sviluppo della scuola di Vienna è stata sottolineata recentemente da Arthur Rosenauer. Cfr. in proposito la sua analisi e la ristampo del testo in *Wiener Jahrbuch für Kunstgeschichte*, vol. XXXVI, 1983, p. 136 sgg.
[8] Riegl, *op. cit.*, p. 9. Alois Riegl, *Naturwerk und Kunstwerk*, I-II (1901), in *Gesammelte Aufsätze*, cit., p. 51 sgg. e pp. 60-64.

1. Esempio di soffitto egizio dipinto. Da *Problemi di stile* di A. Riegl.

2. J. Hoffmann, *Studio per la Wiener Werkstätte*. (Mus. f. angew. Kunst, Vienna).

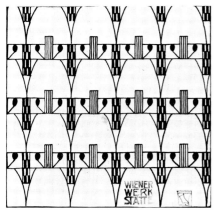

sintomatica del valore spesso attribuito oggi alla storia dell'arte come istituzione e alla sua funzione. Fin dove raggiunge il pubblico, il suo compito, di solito assegnatole tacitamente, vuol essere quello di creare nicchie armoniose e prive di contraddizioni nelle quali il pubblico, ben protetto dall'aspro vento del quotidiano, possa godere un mondo di piacere puro, di distensione e di felicità senza problemi. Qualsiasi confronto del fatto storico con le problematiche attuali è considerato un elemento di disturbo, non è desiderato, e infatti solo raramente lo si cerca. Di conseguenza anche il peso della storia dell'arte nell'istruzione pubblica si riduce costantemente e l'intervento dello storico dell'arte non è richiesto né in problematiche inerenti all'indirizzo e alla gestione della cultura in generale né dai mezzi di informazione. La visione idealistica del tardo '800 sopravvive indefessa nonostante che le sue premesse nel frattempo siano radicalmente cambiate. Fintanto che la confessione di essere «storico dell'arte» suscita un piccolo sorriso beato spesso accompagnato da un enfatico sospiro: «oh che meraviglia!»; fintanto che l'occuparsi di questa materia viene considerato più che altro un gradevole passatempo e non viene rivalutato e recepito come un apporto culturale alla soluzione di precisi problemi di fondo, la storia dell'arte manca della giusta motivazione nella vita odierna, motivazione che Riegl all'inizio del secolo vide nella soluzione degli enigmi mondiali.

Indicativo del distacco tra storia dell'arte e vita reale è il rifiuto, dominante salvo poche eccezioni nella scuola di Vienna, di accogliere l'arte contemporanea come oggetto di studio. Questa tendenza si delineava già verso la fine del secolo scorso. Infatti lo storicismo viennese e l'arte della Secessione, cioè le due correnti che accompagnarono la nascita della scuola di Vienna, furono presi in considerazione dalla storia dell'arte con sessant'anni di ritardo e anche allora più per motivi di moda che di metodologia oggettiva. Ciò è tanto più sorprendente se si ricorda che uno degli atti rivoluzionari di Wickhoff e Riegl fu proprio la rottura con l'allora imperante estetismo normativo e con il decadentismo a esso legato. Intere epoche artistiche, come il tardo-

antico e il manierismo, vengono respinte fino alla fine del XIX secolo per la loro tendenza anticlassica giudicata decadente e non-artistica («barbara»). Nell'ambito della sua critica radicale del concetto di stile «cattivo», cui contrappone la convinzione che ogni fase artistica racchiude una componente estetica positiva, Riegl, d'accordo con Wickhoff, indica allo storico dell'arte le qualità dell'arte tardo-antica. Ma se con ciò viene finalmente infranto un tabù durato per secoli, allo stesso tempo sorge però una barriera, mai del tutto superata, contro l'arte storicista di allora, una barriera che in seguito si riproporrà anche contro l'arte moderna. Adottando e portando avanti brillantemente la teoria e la metodologia di Riegl, Hans Sedlmayr, uno dei più fertili ma anche più discussi esponenti della rinnovata scuola viennese, pochi decenni dopo la negazione del decadentismo ad opera di Riegl, riprende la stessa teoria storica apparentemente superata: in *Verlust der Mitte* (La perdita del centro), del 1948, caratterizza l'evoluzione artistica dal '700 al nostro tempo come un processo di decadimento progressivo attraverso il quale l'arte inevitabilmente si disintegra da sé. Solo per inciso va ricordato che allo stesso Sedlmayr, nella sua argomentazione negativa, è riuscita un'eccellente caratterizzazione della produzione artistica contemporanea.

Fino a oggi la storia dell'arte viennese si è occupata solo in casi eccezionali dell'attività artistica moderna in Austria, lasciando questo compito quasi esclusivamente ad artisti e critici d'arte e a una pubblicistica per lo più non qualificata; sia detto tuttavia che ciò nonostante si sono avuti alcuni — pochi — risultati eccellenti che farebbero onore a qualsiasi storico dell'arte. La situazione della storia dell'arte odierna non ricorda forse le condizioni che Riegl voleva superare? Forse che i «padri» che allora insorsero violentemente contro l'imperante storia dell'arte ascientifica non respingerebbero oggi i vari atteggiamenti degli studiosi loro «figli»? L'attualità dell'insegnamento di Riegl sta proprio nella sua posizione critica verso il modo in cui la storia dell'arte era gestita ai suoi tempi e veniva istituzionalizzata, incurante sia del mezzo che del fine; sta nella non meno importante sua consapevolezza, assunta in quelle circostanze, della necessità di creare nuovi indirizzi e nuove concezioni in cui si compia la sintesi tra mezzi pragmatici e fini idealistici.

2.

La prima cattedra di storia dell'arte all'Università di Vienna fu creata nel 1852 e assegnata a Rudolf Eitelberger (1819-1885). Quell'atto gettò subito alcune basi per lo sviluppo della scuola di Vienna: il suo stretto legame con l'attività museale, il rapporto che aveva con le arti decorative, con la ricerca e l'insegnamento dell'Istituto austriaco di storia. Eitelberger è il fondatore, nel 1864, del Museo austriaco di arte e industria, che avrà una notevole importanza non soltanto per la storia dell'arte ma anche per l'arte viennese di fine secolo, attraverso l'associata scuola di arti decorative. Ed è sempre lui a introdurre nell'insegnamento l'occupazione intensiva con l'opera originale, un postulato ripreso anche dai suoi successori ma allora tutt'altro che ovvio, intendendo con ciò di porre un freno al teorizzare dilagante. In seguito anche Franz Wickhoff e Alois Riegl lavorarono al Museo di arti decorative, entrambi nella sezione dei tessuti, considerata oggi tra le più importanti collezioni del mondo. Non a caso il loro interesse professionale per le arti decorative era per entrambi il fondamento dei loro studi e delle loro teorie rivoluzionarie. Vi operarono in un momento in cui era in pieno svolgimento la discussione circa la rivalutazione delle arti decorative e quindi dell'ornamento quale impegno artistico completo. La creazione ornamentale astratta, slegata da contenuti illustrativi, affascinava i giovani artisti alla ricerca dell'affrancamento dalle norme estetiche tradizionali, mentre era oggetto di vivaci dispute tra i teorici dell'arte di entrambe le fazioni. Riegl e Wickhoff hanno dovuto affrontare queste teorie, adombrate sin dalla metà del secolo,[9] che avranno certamente confermato se non ispirato il loro impegno scientifico nelle materie affini. Simile ai grandi processi artistici di ristrutturazione che in passato avevano avuto luogo inizialmente in zone periferiche, meno soggette dei più vistosi avveni-

menti artistici alla curiosità e alla regolamentazione, anche la nuova metodologia della storia dell'arte viennese si manifestò in un settore poco appariscente. Riegl stesso ha sottolineato che la portata delle sue nuove concezioni dello sviluppo storico formulate nel 1893 in *Stilfragen* (Questioni di stile), inizialmente era stata ignorata, perché non vi era nessuno disposto a prendere seriamente in considerazione l'applicabilità di queste tesi, strettamente legate all'arte decorativa, anche alle arti figurative e all'architettura.[10] Solamente nel 1901, in *Spätrömische Kunstindustrie* (Industria dell'arte tardo-romana), espone ampiamente le sue idee estendendole a tutte le arti creative, e infatti questa opera è tuttora il testo classico a cui si rifà ogni discussione metodologica, nonostante i suoi ovvi errori oggettivi e la insostenibile pretesa teorico-conoscitiva che accampa.

Non meno carica di conseguenze era l'unione che esisteva sin dagli esordi tra la scuola di Vienna e l'Istituto di storia austriaco, la stessa istituzione dalla quale nella seconda metà dell'800 si enucleerà come materia autonoma la storia dell'arte viennese. L'influenza esercitata dalla metodologia rigorosamente critico-storica delle analisi delle documentazioni, propugnata soprattutto da Theodor von Sickel (1826-1908), per la quale la forma del documento storico interessava di più, come oggetto di studio, che non il suo contenuto, diventa una delle basi su cui si costruisce la storia dell'arte viennese. Oltre a Rudolf Eitelberger, anche Moriz Thausing, Franz Wickhoff e quasi tutti i loro successori di qualche rinomanza sono stati allievi e docenti di questo istituto. Lo studio storico formale adottato dalla storia dell'arte rendeva indispensabile l'elaborazione di metodologie che si adeguassero al carattere visivo dell'opera figurativa e fornissero risultati empiricamente verificabili. Grande successo, specialmente presso Wickhoff e allievi, ma anche fuori Vienna, presso Heinrich Wölfflin e altri studiosi, ottiene quindi in un primo momento, grazie al suo carattere apparentemente obiettivo, il metodo attributivo del medico e studioso d'arte italiano Giovanni Morelli (1826-1891). Questo metodo, già adottato a Vienna da Thausing, si fonda sull'osservazione, accettabile in concreto

Albero a palmette egizio. Da *Problemi di stile* di A. Riegl.

[9] Cfr. Werner Hofmann, *Gustav Klimt und die Wiener Jahrhundertwende*, Salzburg, 1970, p. 40.

[10] Alois Riegl, *Spätrömische Kunstindustrie* (1901), Wien, 1926, p. 9. Un progresso essenziale è in questo contesto, secondo lo stesso Riegl, la pubblicazione, a opera di Franz Wickhoff, della *Wiener Genesis* (cit. nel testo).

Ornamento dipinto di un vaso. Da *Problemi di stile* di A. Riegl.

[11] Alois Riegl, *Über antike und moderne Kunstfreunde*, pubbl. postuma, 1907, in *Gesammelte Aufsätze*, cit., p. 201 sgg.
[12] Riegl, *op. cit.* nota 10, p. 3.
[13] Werner Hofmann, *Fragen der Strukturanalyse*, in «Zeitscchrift für Ästhetik und Allgemeine Kunstwissenschaft», vol. XVII/2, 1974, p. 143.
[14] Hans Tietze, *Verlebendigung der Kunstgeschichte* (1925), in *Wiener Jahrbuch für Kunstgeschichte*, vol. XXXIII, 1980, p. 8.
[15] Su questo tema hanno scritto, tra gli altri, Hofmann, *op. cit.* nota 9; Willibald Sauerländer, *Alois Riegl und die Entstehung der autonomen Kunstgeschichte am Fin-de-siècle*, in Ro. Rauer, E. Heftrich (a cura di), *Fin-de-siècle — Zu Literatur und Kunst der Jahrhundertwende*, 1977.
[16] A. Riegl, *op. cit.* nota 10, p. 19.

soltanto con notevoli riserve e in certi casi, che gli artisti usano dettagli formali individuali inconfondibili di cui spesso essi stessi non si rendono conto ma che ricompaiono simili a sigle in tutte le loro opere (per esempio, la forma del naso e delle mani o la disposizione delle pieghe dei tessuti).

Mentre con questo metodo apparentemente «anatomico-scientifico» si riusciva più che altro a coordinare le opere di singoli artisti, di botteghe d'arte, forse anche di gruppi regionali, vi era un'altra metodologia, basata su dei princìpi teorico-percettivi, con cui si potevano ricostruire le grandi correnti stilistiche in senso sia temporale che ambientale. Questo tipo di ricerca, che ha influenzato assai persistentemente il corso della storia dell'arte in generale e la scuola di Vienna in particolare, classifica l'opera d'arte attenendosi esclusivamente a dati formali e cromatici. Questa definizione stilistica psicologica si ricollega alla discussione che è in atto dovunque in Europa sull'arte impressionista e la sua teoria «scientifica» della percezione di luci e colori. Wickhoff, come lo stesso Riegl, si richiama concretamente a questo dibattito sull'impressionismo per far vedere e capire la bellezza delle forme tardo-antiche; la pubblicazione nel 1895 di un famoso manoscritto precristiano, la *Wiener Genesis*, gli serve da pretesto per esaltare come sua qualità artistica precipua l'«illusionismo» impressionistico di quell'epoca fino allora sottovalutata.

Gli esempi citati dimostrano come il crescente interesse per le arti decorative, per lo studio dei fenomeni della percezione ottica e per la loro elaborazione da parte del fruitore (ricordiamo a questo proposito oltre all'impressionismo la *Gestalttheorie*, teoria della forma, sostenuta allora a Vienna da Christian von Ehrenfels)[11] indirizzi l'attenzione dello storico dell'arte su fenomeni che prima passavano inosservati. Una volta Riegl, intendendo esprimere un giudizio negativo, ha detto che «perfino la scienza, nonostante la sua apparente indipendenza e obiettività, segue alla fin fine le tendenze intellettuali del momento e anche lo storico dell'arte non riesce a staccarsi considerevolmente dalla particolare esigenza artistica del suo tempo».[12]

Usando quel «non... considerevolmente» Riegl si considera però un'eccezione, è convinto di sfuggire a questo determinismo, di poter assumere una posizione privilegiata dalla quale cambiare la situazione, secondo lui stagnante, della scienza. Più tardi si vedrà invece quanto anche le sue nuove idee fossero condizionate dal suo tempo, quanto fossero legate a loro volta alle nuove dottrine di altre discipline e alle nuove tendenze artistiche. Lo mette bene in evidenza Werner Hofmann quando afferma che «i movimenti programmatici del pensiero e le pretese interpretative della più recente storia dell'arte [cioè dopo Wickhoff e Riegl] trovano numerose corrispondenze strutturali nelle conquiste creative e nei problemi dell'arte del momento...».[13] Ancora negli anni '20 Hans Tietze, rappresentante fin troppo trascurato della scuola di Vienna, attraverso analoghe constatazioni giungeva a sostenere che la chiave dell'arte «morta» non poteva trovarsi che nel presente «vivo».[14] Sebbene la sua esattezza si fosse dimostrata nelle più svariate ricerche storico-scientifiche, questa tesi non ha mai veramente influenzato le dottrine della storia dell'arte. Oltre ai rapporti con la teoria percettiva dell'impressionismo sono sempre esistiti molteplici collegamenti trasversali della scuola di Vienna, specialmente del pensiero di Riegl, con il movimento dello Jugendstil di fine secolo e con lo storicismo.[15] La tesi di Riegl sulla equivalente validità di tutti i periodi artistici, nettamente in contrasto con l'estetica normativa di allora, si riflette nel trattamento paritario degli stili del passato da parte della storia dell'arte teorica e pratica. L'insistenza sulla parità tra le opere delle arti decorative e dell'arte figurativa è a sua volta in sintonia con gli ideali secessionisti. Anzi, Riegl attribuisce addirittura alle arti decorative una potenzialità espressiva tutta speciale. Per lo storico dell'arte, egli sostiene, il vero estro artistico si trova «matematicamente quasi puro» nelle arti decorative e nell'architettura, mentre «questa regolarità non emerge con uguale perfetta chiarezza e originalità nella scultura e nella pittura; ciò non dipende però affatto dalla figura umana come tale..., bensì dal ''contenuto'', cioè dalle idee poetiche, religiose, didattiche, patriottiche ecc...».[16] Analoghe perorazioni a favore dell'abbandono del contenuto narrativo e dell'oggettività nella creazione artistica provengono in quegli anni dagli stessi artisti e critici d'arte; a Vienna, per esempio, ne sono fautori Hermann Bahr e Arthur Roessler. Riegl, compiendo un'astrazione radicale dalla molteplicità individuale-formale dell'opera d'arte, sostiene che l'essenza dell'arte possa definirsi esclusivamente nell'«apparenza delle cose come forma o colore sul piano o nello spazio».[17] «Soltanto nella creazione anorganica — scrive in un altro punto — l'uomo appare del tutto alla pari con la natura e crea per puro impulso interiore, senza alcun modello esterno.»[18] Riegl esalta questa forma «cristallina» come ideale artistico più specificamente umano negli stessi anni in cui Josef Hoffmann e Kolo Moser esasperano l'astrazione geometrica fino ai limiti dell'allora possibile. I due rilievi geometrici che Hoffmann crea tra il 1901 e il 1902 per la XIV «Mostra della Secessione» (la «Beethovenausstellung») possono considerarsi l'equivalente in campo visivo della posizione che Riegl assume nei confronti dell'opera d'arte.[19]

Le discussioni teoriche e artistiche sulla forma sono assai diffuse nell'Europa del tardo '800 e nei primi anni del nuovo secolo, ma a Vienna hanno una impostazione particolarmente rigorosa, probabilmente a causa della tradizione di questa città in materia di estetica formale. Primi accenni se ne hanno già all'inizio dell'800 nella discussione sulla filosofia di Gottfried Wilhelm Leibniz e sull'estetica formalista di Johann Friedrich Herbart. Su quelle basi il musicologo Eduard Hauslick formula la tesi, violentemente dibattuta e degenerata poi a mero slogan, ma forse proprio per questo più efficace, che il contenuto e il soggetto della musica non sono altro che forme messe in movimento dal suono.[20] Una tesi che influenzerà anche la nuova estetica di Robert Zimmermann, l'insegnante di filosofia di Riegl.

Anche in un altro punto importante le tesi di Riegl concordano con le idee della Secessione. Nella stessa misura in cui egli cerca di interpretare sia l'essenza dei diversi stili sia le loro trasformazioni come riconducili a un unico principio universalmente valido, nell'arte si fa più insistente l'invito a creare uno «stile» uni-

tario e attuale. Ciò avviene effettivamente — nessuno sa come — verso la fine del secolo. Quando nel 1901 esce *Spätrömische Kunstindustrie*, lo stile secessionista a Vienna è giunto all'apice. La visione dell'opera d'arte universale, realizzata con la collaborazione di tutte le arti a pari merito e le cui singole componenti ispirate a un'idea guida si fondono in un insieme superiore, corrisponde al concetto di storia universale di Riegl che vede un unico principio base di tutti i fenomeni artistici, dall'antico Egitto all'Europa dell'età moderna. Entrambi dimenticano che le differenze tra le opere singole sono spesso assai maggiori e più significative che i loro tratti in comune, individuati attraverso un filtro astratto delle loro molteplici caratteristiche. Al sogno dell'armonia «secessionista» totale che permei tutti gli ambiti vitali corrisponde l'ideale di Riegl dell'armonizzazione di tutto il materiale storico, armonizzazione che vuole realizzare con l'aiuto di un rigoroso sistema di coordinamento. Al posto di una concezione ermetica e insostenibilmente soggettivista del mondo egli postula una legge universale garante di ordine e comprensibilità. Per contro l'espressionismo difende una concezione prevalentemente individualista che insiste sull'importanza del fenomeno artistico isolato. Tutte e due le correnti in continua interazione influiscono sul pensiero e sulla creatività di questo secolo. Julius von Schlosser, per esempio, contro l'interpretazione storica radicalmente disoggettivata di Riegl, sostiene l'opera isolata del genio, unica nel suo genere, che si sottrae a qualsiasi classificazione storica. Questa tesi, ispirata alla filosofia di Benedetto Croce, relativizzando l'influenza di Riegl, ha improntato ogni volta in modo diverso e con diversi risultati la concezione scientifica dei suoi allievi, soprattutto di Ernst H. Gombrich (1909) e Hans Sedlmayr.

3.

Nella dottrina storico-artistica di Riegl gioca un ruolo decisivo il concetto tuttora molto controverso della «volontà artistica» o «volontà d'arte». Riegl la vede come una forza sovraindividuale che, come un «impulso estetico» collettivo, forma il nucleo artistico di tutte le epoche e

1. Il cosiddetto albero sacro assiro, scultura in pietra da Nimrud. Da *Problemi di stile* di A. Riegl.

[17] *Ibidem,* p. 19.
[18] Alois Riegl, *Historische Grammatik der bildenden Künste,* Wien, 1966, p. 76.
[19] Hofmann, *op. cit.* nota 9, p. 40 sgg.; Dieter Bogner, *Die geometrischen Reliefs von Josef Hofmann,* in *Alte und moderne Kunst,* 1982, vol. 184-185, p. 24 sgg.
[20] Carl Dahlhaus, *Musikästhetik,* Köln, 1967, p. 79 sgg.

1. C.O. Czeschka, *Studio per orologio*, 1912. (Mus. f. angew. Kunst, Vienna).

2. C.O. Czeschka, *Studio per boccale con coperchio*. (Mus. f. angew. Kunst, Vienna).

[21] Riegl, *op. cit.* nota 8, 1901, p. 63.
[22] *Ibidem*, p. 64.
[23] L'ispirazione per la contrapposizione «aptico-ottico» viene dal libro, allora assai controverso, dello scultore tedesco Adolf Hildebrand, *Das Problem der Form in der bildenden Kunst*, Strasburg, 1893.
[24] Hofmann, *op. cit.* nota 9.
[25] Riegl, *op. cit.* nota 8, 1901, p. 63 sgg.

racchiude allo stesso tempo quel fattore dinamico che scatena la trasformazione storica. La sua volontà artistica somiglia a un «giunto» che collega la concezione storica orizzontale con quella verticale. Si manifesta in tutte le espressioni artistiche, indipendentemente dal genere e dalla qualità, ed è rintracciabile empiricamente, secondo Riegl, con la sola analisi dei rapporti concreti e percettibili tra forme e colori. Ma più in là della constatazione della volontà artistica e della sua mutazione nel corso del tempo questo processo conoscitivo non va; tant'è che lo stesso Riegl scrive: «Riguardo alla causa di questo impulso estetico si possono fare soltanto ipotesi metafisiche che lo storico dell'arte respinge per principio.»[21] Il tentativo di dare a una legge evolutiva storico-universale un solido supporto di materiale storico-artistico è il nucleo su cui si imperniano le argomentazioni teoriche di Riegl. Ma l'omogeneizzazione dei fatti individuali, indispensabile per una simile visione universale della storia, e il conseguente alto grado di generalizzazione dei risultati riducono l'aggancio con l'oggetto d'arte concreto a un punto tale che alla fine la speculazione prevale sull'empiria.

Con la sua interpretazione stilistica immanente all'arte, da lui stesso chiamata «teoria positivista della volontà artistica»,[22] Riegl intende superare la concezione meccanicista dell'evoluzione dell'arte adottata dai seguaci di Gottfried Semper: l'arte come fenomeno determinato da fattori esterni, più precisamente come prodotto della cooperazione tra materiale, tecnica e finalità d'uso. Di fronte a questo modello storico discontinuo la volontà artistica, nella storia universale di Riegl, si muove ininterrottamente e con inesorabile coerenza tra due poli estremi: in un processo che dura millenni passa dalla creatività egizia aptica (tattile) obiettiva all'esatto contrario, e cioè alla forma ottica soggettiva dell'arte tardo-antica e moderna. Simile al profilo delle polarità usato in psicologia, questa contrapposizione concettuale permette di definire con precisione la collocazione storica di tutte le opere d'arte cronologicamente parallele o in successione.[23]

Riegl fonda la propria sintesi storico-universale sull'osservazione che nella forma artistica del mondo antico avviene una trasformazione radicale del rapporto tra la figura e lo sfondo, trasformazione attraverso la quale si esprime, secondo lui, il conflitto specifico di ogni epoca tra l'uomo e il mondo. Il grande peso che, nella spiegazione dell'evoluzione storica, Riegl attribuisce a questo fenomeno psicologico-percettivo corrisponde all'interesse mostrato allora per simili effetti ottici dai secessionisti. Prevale, specialmente nelle arti decorative, il gusto del carattere ambivalente e dinamico degli effetti di capovolgimento; Werner Hofmann addirittura eleva questa valorizzazione dei rapporti transitori a principio strutturale della vita intellettuale e formale di Vienna al volgere del secolo.[24] Ma di questo ci occuperemo più avanti. Partendo dal rapporto specifico tra figura e sfondo nelle arti decorative, Riegl traccia dei paralleli tra l'arte figurativa e l'architettura e in *Spätrömische Kunstindustrie* riunisce, sulla base di questa semplice contrapposizione psicologica, l'intero materiale storico-artistico in un unico sistema compiuto. Egli ritiene possibile estendere la sua concezione onnicomprensiva ad altri ambiti culturali — lo stato, la religione, le scienze — ma rimanda questo compito a una futura scienza della cultura. Resta tuttavia il fatto che la teoria di Riegl non fornisce una motivazione «estrema» al genere e alla mutazione della volontà artistica.[25] Mentre egli nega così ogni possibilità di una interpretazione stilistica economico-sociale o meccanica, slegata cioè da concetti artistici, Wickhoff assume una posizione più aperta postulando l'inclusione dei fatti storici delle diverse epoche nell'analisi dei rispettivi fenomeni artistici.

La visione universale della storia dell'arte di Riegl non ha soltanto affascinato molti studiosi ma ha ispirato, unita alla tesi wickhoffiana delle condizioni storiche, anche i più svariati tentativi di rivedere le grandi epoche della storia della cultura secondo la sua teoria evoluzionistica. Troviamo tra questi Max Dvořák con *Idealismus und Naturalismus in der gotischen Skulptur und Malerei* (Idealismo e naturalismo nella scultura e pittura gotica) del 1918, ma anche *Verlust der Mitte* di Hans Sedlmayr. Le pubblicazioni molto ampie di questi due autori suscitarono consensi entusiastici presso alcuni e rifiuti categorici presso altri; resta comunque valido il loro tentativo, notevole sia allora che oggi, di portare avanti il pensiero «intero» di Riegl, la sua metodologia empirico-oggettiva non meno della sua idea dell'interpretazione storico-universale che ne risulta e che egli, come si è già detto, considera la più importante ed estrema finalità di ogni ricerca storico-artistica, il vero coronamento di questa disciplina. La critica nei confronti della sostanza chiaramente speculativa di una simile concezione della storia è però sfociata in misura crescente, e non soltanto nella più recente scuola viennese, nella rielaborazione puramente storica del materiale di studio. In questa ottica riduttiva si perfezionano al massimo gli strumenti metodologici di Riegl, mentre si trascurano i suoi studi volti ad ampliare la concezione pragmatista di Moriz Thausing con una finalità idealistica. La vana ricerca di princìpi creativi e di leggi evolutive extratemporali e obiettive, determinanti la struttura dei fatti storici, convalida il rifiuto di simili concetti.

4.

Werner Hofmann (1928) ha cercato recentemente di dare una risposta alla questione del principio causale «estremo» della trasformazione storica[26] trasponendo il fattore dinamico della volontà artistica (per Riegl, un impulso collettivo) nell'ambito della psicologia comportamentale individuale esplorabile con mezzi empirici. In questa «teoria dialettica dell'opera d'arte e dei fatti storici» la creazione artistica e le trasformazioni stilistiche nascono dal «conflitto elementare e antichissimo ma allo stesso tempo soggettivo tra l'accettazione della legge e il desiderio di abolirla».[27] Una condizione si trasforma continuamente nel suo opposto, tendenze costruttive si alternano con altre distruttive. Hofmann paragona questa legge storica «obiettiva» alle figure ottiche ribaltabili della psicologia. Seguendo questo «principio di ambivalenza» lo storico dell'arte deve sempre badare a «scoprire la contraddizione di ogni affermazione» e a «cogliere nell'affermazione la negazione e viceversa».[28] L'effetto ottico del capovolgimento che Riegl trova nel rapporto tra figura e sfondo del tardo-antico (e che è una pietra miliare della sua storia evolutiva) e il lento trasformarsi, da lui supposto, della creatività artistica da obiettiva in soggettiva assumono con Hofmann il valore di principio strutturale assoluto. Il suo relativismo psicologico riceve impulsi decisivi dall'arte e dalle discussioni storico-artistiche degli anni '50 e '60: la sua problematica e la direzione dei suoi tentativi di risolverla sono strettamente collegati con l'interesse artistico di quegli anni rivolto agli effetti ottici e alla loro correlazione con l'osservatore, ma anche con la teoria di Umberto Eco dell'«opera aperta»[29] e con il dibattito sullo strutturalismo allora in auge. Vista con questa ottica, la concezione della storia psicologico-stilistica che Riegl proponeva alla fine del secolo scorso offre ottimi spunti per nuovi concetti metodologici. Attraverso l'analisi strutturale delle opere di Gustav Klimt, Hofmann scopre una «formula elementare preesistente» che percorre come una costante l'intera attività creativa di questo artista.[30] La sua qualità principale sta nella sua ambivalenza, che le permette di essere sia figura che sfondo. Dall'effetto ottico del capovolgimento di una forma ornamentale Hofmann traccia il legame con composizioni figurali e con fenomeni contenutistici di analoga strutturazione nelle opere del pittore dello Jugendstil. Questa ambivalenza nell'immaginare e creare si rivelerà poi il tratto fondamentale del carattere indefinito, tipico della cultura viennese di fine secolo; allo stesso tempo però essa si rivela anche come la caratteristica essenziale della storia dell'arte di quel periodo. La forma stessa della costruzione storica tanto sfaccettata compiuta da Hofmann è ambivalente: gli anelli di congiunzione astratti che riuniscono un materiale così disparato fanno apparire il quadro complesso ora come una forma solida e omogenea, ora come tanti dettagli individuali messi uno accanto all'altro senza nesso alcuno.

Come Riegl anche Hofmann arriva a formulare la sua «teoria dialettica» mediante l'analisi retrospettiva dei propri studi di storia dell'arte. In questo modo il «principio di ambivalenza» risulta una costante da lui interpretata come l'agire di un principio assoluto che egli è in grado di riconoscere grazie a una «disposi-

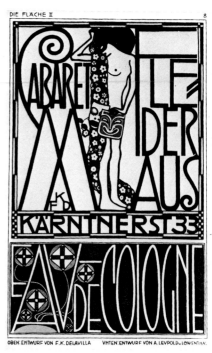

F.K. Delavilla, *Studio per un manifesto del Cabaret Fledermaus.* (Mus. f. angew. Kunst, Vienna).

[26] Werner Hofmann, *Bruchlinien*, München, 1979, p. 7 sgg.
[27] *Ibidem*, p. 7 sgg.
[28] *Ibidem*, p. 8 sgg.
[29] Umberto Eco, *L'opera aperta*, Milano, Bompiani, 1962.
[30] Hofmann, *op. cit.* nota 9, p. 35.
[31] Hofmann, *op. cit.* nota 26, p. 7.

H. Böckl, *Ritratto di Grimschitz*, 1915. (Öst. Gal., Vienna).

zione costituzionale».[31] Resta da stabilire se questa «costante» non sia un riflesso della metodologia (psicologico-percettiva) applicata, piuttosto che di una legge extratemporale. Tale ipotesi è infatti confortata dal fatto che un elemento simile alla forma elementare klimtiana e ugualmente ambivalente Hofmann lo rintraccia come principio strutturale nell'opera dell'espressionista austriaco Herbert Boeckl[32] e in certi particolari significativi delle opere di Arnulf Rainer.[33] Un analogo «principio dialettico» impronta infine anche gli aspetti formali delle opere di Walter Pichler e viene indicato da Hofmann come una loro impostazione metodologica. Tra il principio creativo e la comprensione scientifica dell'arte esiste una interazione ambivalente: ogni oggetto racchiude il suo contrario.[34] Gli effetti ottici di capovolgimento posseggono un carattere dinamico che non conduce tuttavia oltre la portata del proprio movimento ma è neutrale ed equilibrato, per cui la sua struttura non risponde alle esigenze di un principio che possa spiegare il corso della storia. Per superare questo ostacolo e adattare il principio di ambivalenza anche all'interpretazione della storia Hofmann rompe con l'equivalenza dei due fattori onde introdurre una valutazione individuale, attribuendo alle forze distruttive (neganti, disintegrative) della storia quel «di più» produttivo e creativo capace di superare di volta in volta le tendenze costruttive (affermative, stabilizzanti). Questa valutazione parziale conferisce alla sua teoria la dinamica che libera il corso della storia dal suo eterno moto pendolare e lo fa andare avanti, ma a scapito dell'obiettività inizialmente cercata da Hofmann. Così la sua ricerca di un principio dell'avvicendarsi storico basato sulla psicologia comportamentale si conclude con un'interpretazione ideologico-speculativa della storia.
Dopo quasi cento anni di ricerca volta a dare una base solida al futuro sistema storico-universale, Hofmann, con la sua «teoria dialettica», ha sostituito il relativismo metodologico all'obiettivismo deterministico di Riegl e della scuola di Vienna. Ma solo apparentemente, in quanto il suo concetto relativistico ispirato al comportamento umano non è coerente fino in fondo. Infatti, invece di applicarlo alla propria teoria, Hofmann, non meno dei suoi predecessori, dichiara questa ultima obiettivamente valida ed extratemporale. Questa pretesa assoluta finora ha fatto naufragare tutte le ricerche interpretative; tant'è che già Hans Tietze suggeriva di rinunciarvi: «Qualsiasi interesse fattivo per l'arte — scriveva nel 1925 — sia quello cognitivo dell'esteta o dello storico, sia quello sistematico e conservativo del curatore di musei o monumenti, è soggetto alla volontà artistica del proprio tempo, è una funzione della stessa forza che si esprime ancora più chiaramente nell'attività artistica vera e propria.»[35] La consapevolezza di questo carattere, necessariamente vincolato al tempo della «forma» che avvolge la scienza dell'arte e le condizioni in cui nasce, non può che condurre al riconoscimento del «principio di relatività» quale base per la classifica storica del materiale artistico. Indice del senso e dello scopo di simili costruzioni storiche e della loro esattezza non può dunque essere la tradizionale pretesa di obiettività; la loro motivazione anzi è da ricercare unicamente nella loro chiara correlazione con le condizioni e i problemi del loro tempo, e il significato deriva loro dalle conclusioni tratte da questa correlazione e dagli effetti che esse hanno a loro volta sul tessuto culturale. Vista così, la posizione dello storico dell'arte non è diversa da quella dell'artista. Parafrasando un'affermazione di Hofmann a proposito degli avvenimenti artistici, sin dal 1800 si può dire quindi che «la storia dell'arte brancola nell'incertezza, ha bisogno degli alibi e delle motivazioni più disparati».[36] Insomma, superando l'estetica normativa del XIX secolo, Riegl ha anche sottratto la base a qualsiasi storia dell'arte «normativa», costruita su princìpi assoluti.

[32] Werner Hofmann, Herbert Boeckl, *Kataloge des Museums des 20. Jahrhunderts*, Wien, 1965, p. 29.
[33] Werner Hofmann, *Fragmentarisches über Rainer* (1968), in *Gegenstimmen*, Frankfurt, 1979, p. 224.
[34] *Ibìdem*, p. 218.
[35] Hans Tietze, *Verlebendigung der Kunstgeschichte*, cit.
[36] Werner Hofmann, *Bruchlinien*, cit., risvolto.

O. Kokoschka, *Karl Kraus,* dalla serie «Menschenköpfe», 1910.

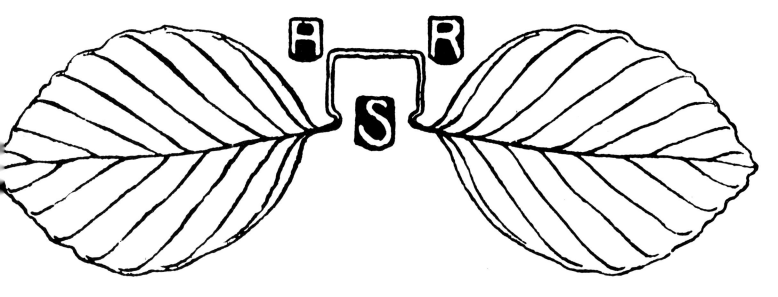

LA PUBBLICISTICA, 1895-1918[1]

Murray G. Hall

Sopra:
K. Moser, *Decorazione per libro*, in «Ver Sacrum», settembre 1898.

1. Lettera di Herwarth Walden a Karl Kraus, 6.1.1910.

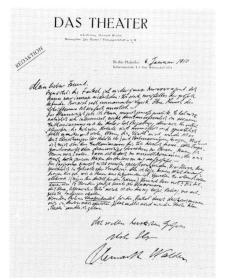

Sul finire dell'800 si instaurò a Vienna un rapporto molto stretto — e vantaggioso per entrambe — fra l'arte e la pubblicistica. Le case editrici dirette da persone esperte e lungimiranti contribuirono notevolmente a far conoscere e apprezzare una nuova generazione di artisti. Oltre a presentare e divulgare le opere di tanti artisti austriaci, consolidarono nel contempo la propria fama internazionale come editori d'arte, un fatto tanto più importante se si considerano le limitate possibilità che offriva allora il mercato nazionale. Da tempo ormai molte delle edizioni uscite in quegli anni sono preziose rarità per bibliofili.

Diversa è invece, per lo stesso periodo, la sorte dell'editoria letteraria che si dibatte in condizioni assai meno vantaggiose, non da ultimo a causa del monopolio detenuto in Austria dalle case editrici tedesche. Qui di seguito parleremo delle influenze storiche e di altro genere a cui la pubblicistica rimase soggetta e presenteremo alcune delle case editrici più significative nonché una selezione dei più importanti periodici dell'epoca.

Lo sviluppo dell'editoria letteraria, in particolare, e la fondazione e diffusione dei periodici di letteratura e d'arte nell'Austria-Ungheria di allora erano ostacolati, diversamente da quanto succedeva in Germania, da una serie di fattori negativi. Leggendo le analisi e i commenti contemporanei o retrospettivi della situazione editoriale austriaca ci si imbatte ripetutamente nell'osservazione che in Austria non è mai esistita una casa editrice letteraria di fama e che l'«industria editoriale» vi aveva, «diversamente che in Germania, un ruolo molto miserevole». Sembra pertanto paradossale che negli anni a cavallo del secolo l'editoria libraria tedesca si alimentasse in gran parte con le opere di autori austriaci, che perfino i classici austriaci, da Stifter a Grillparzer a Nestroy a Raimund e tanti altri, anziché in patria uscissero all'estero. Ma era la realtà: la letteratura austriaca, trovando scarse o nulle possibilità di affermarsi in casa propria, scelse l'emigrazione. Basti ricordare i tanti autori austriaci di successo, Peter Rosegger, Rudolf Hans Bartsch, K.H. Strobl, Robert Hohlbaum, che pubblicavano presso l'editore L. Stackmann di Lipsia, o il fatto che la casa editrice berlinese S. Fischer prima del 1918 avesse sotto contratto non meno di trentacinque autori austriaci, tra cui Arthur Schnitzler, Hugo von Hofmannsthal e Peter Altenberg. Queste due case riuscivano ad offrire ai loro autori qualcosa che nemmeno quelle austriache fondate più tardi, al tempo della prima repubblica, potevano dare: una patria spirituale.

L'esatto contrario di questo «bilancio d'esportazione» era attorno al 1900 il quadro dell'importazione libraria in Austria, alla quale la Germania partecipava con una bella media del 90%, in gran parte destinata alle aree di lingua tedesca della monarchia danubiana. Questa proporzione è rimasta grosso modo invariata fino ai giorni nostri: le librerie austriache acquistano la stragrande maggioranza delle loro opere in Germania; le opere degli autori austriaci più rinomati sono pubblicate da case editrici tedesche; gli editori austriaci dipendono dal mercato tedesco. Ancora negli anni '20 e '30 circa i nove decimi della «poesia austriaca» apparivano presso case editrici del Reich.

Il perché di questo squilibrio nel periodo che va dal 1895 al 1918 e anche dopo è da ricercarsi in una serie di ragioni tipicamente austriache e storiche che ebbero effetti nefasti proprio per le case editrici letterarie, mentre fioriva, per contro, l'editoria specializzata. Una ragione è costituita dalla problematica dei diritti d'autore in Austria-Ungheria. Per dirla con le parole di un testimone del primo '900 «non vi è alcuno pari d'importanza alla nostra monarchia austro-ungarica che tuteli meno i diritti dei propri lavoratori della mente all'estero». Senza entrare nei dettagli, va precisato questo: il governo, assorbito da questioni di politica interna (leggasi beghe e aspirazioni nazionalistiche), si disinteressava completamente degli accordi internazionali che regolavano i diritti d'autore (convenzione di Berna) e, come dice Robert Musil, «si limitava a esistere»; inoltre, anche in seguito, la neonata repubblica era tenuta soltanto dal trattato di Saint-Germain a rivedere la propria legislazione arretrata circa i diritti d'autore e ad aderire alla convenzione di Berna; pertanto, le case editrici nazionali, vista la scarsa difesa contro le pubblicazioni pirata, le traduzioni non autorizzate ecc., non erano in grado di attirare autori famosi, mentre gli autori austriaci preferivano pubblicare appunto laddove gli si garantiva tale protezione, cioè in Germania. E così, oltre agli autori, «emigrarono» anche le case editrici. Un ulteriore ostacolo era rappresentato dal nuovo regolamento del lavoro del 1859-60, che decretò che l'editoria libraria fosse da considerarsi un'attività soggetta a concessione e potesse essere esercitata soltanto secondo il «fabbisogno locale» e dietro presentazione di un «certificato di abilitazione». Soltanto per inciso va ricordato come le concessioni siano comunemente considerate un vero focolaio epidemico di corruzione...

Un altro fattore negativo che paventavano gli editori austriaci era la continua minaccia della censura e del sequestro, previsti dalla legge sulla stampa del 1862: per loro, diversamente che per i colleghi tedeschi, che nel caso di un divieto di diffusione avrebbero perduto tutt'al più una parte del mercato, l'applicazione di questa legge di sapore medievale avrebbe significato la rovina economica. Ma anche la generale mancanza d'interesse e l'abulia dei librai verso l'editoria nazionale non contribuivano di certo al consolidamento delle case editrici letterarie austriache.

Analoga era la situazione dei periodici illustrati. Anche qui le condizioni erano ben diverse da quelle tedesche dell'ultimo '800 e dei primi del '900; in Austria vigevano ancora le disposizioni contro la «vendita ambulante», abolite soltanto dalla «rivoluzionaria» legge sulla stampa del 1922. In breve queste erano le ragioni eterogenee che rendevano le condizioni esistenziali e di mercato poco invoglianti sia per le edizioni letterarie che per i periodici.

Non che in Austria-Ungheria mancassero le case editrici rinomate anche oltre frontiera: basti ricordare Manz per i testi di giurisprudenza, Urban & Schwarzenberg per la medicina, Carl Fromme per i calendari, Wilhelm Frick e Wilhelm Braumüller per una serie di riviste specializzate, poi Moritz Perles, Franz Deuticke, Carl Gerold, Hölz e tanti altri. Né va insinuato il dubbio che non si pubblicassero affatto opere letterarie. Mancavano semplicemente le case editrici che pubblicassero esclusivamente testi letterari, tant'è vero che le imprese editoriali sopra menzionate, a parte il fatto che i loro fondatori erano quasi tutti protestanti immigrati dalla vicina Germania, erano «anche» case editrici.

Facciamo ora un giro attraverso il paesaggio editoriale austriaco degli anni che vanno dal 1895 al 1918, ben inteso senza alcuna pretesa di completezza.

La casa di Anton Schroll & Co. viene fondata all'inizio del 1884 e in quello stesso anno pubblica alcune opere di architettura e arti decorative che incideranno sulla sua linea futura. Nei primi anni del '900 e all'inizio della «Wiener Moderne» architetti e artisti come Otto Wagner, Josef Hoffmann, Kolo Moser e

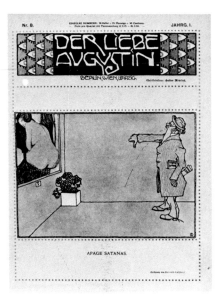

B. Löffler, *Copertina di «Die liebe Augustin».* (Hist. Mus., Vienna).

[1] A parte alcuni studi su pochi editori e librai del '700, non esistono ricerche sulla storia dell'editoria austriaca. La breve sintesi che segue è tratta da Murray G. Hall, *Österreichische Verlagsgeschichte 1918-1938*, che uscirà in tre volumi all'inizio del 1985.

1. Copertina della rivista «Hohe Warte».

2. Copertina della rivista «Erdgeist».

Joseph M Olbrich si raccolgono intorno alle riviste «Der Architekt» e «Das Interieur», lanciate da Anton Schroll (Galizia 1854 - Graz 1919), alle quali più tardi si aggiungeranno «Die Bildenden Künste» e pubblicazioni di storia dell'arte.

La casa editrice libraria e d'arte Gerlach & Wiedling nasce da una libreria editrice fondata nell'aprile 1872 a Berlino dal ventiseienne Martin Gerlach (Hanau/Germania 1846 - Vienna 1918). Nel 1873 il giovane, di mestiere disegnatore, incisore e cesellatore, trasferisce la sede della sua piccola casa editrice specializzata in arti decorative a Vienna, dove la «Martin Gerlach & Co.», nata dalla fusione con Ferdinand Schenk (morto nel 1916 a Dresda all'età di sessantotto anni) pubblicherà un'ampia serie di opere. Ribattezzata in «Gerlach & Schenk» e nel 1905 in «Gerlach & Wiedling», la casa editrice si fa presto un nome anche all'estero, grazie soprattutto all'insolita veste tipografica delle sue opere *Allegorien und Embleme*, *Die Quelle* (La sorgente), *Gewerbe-Monogramme* (Monogrammi dei mestieri), *Volksschmuck* (Ornamenti popolari) e di vari altri titoli. Lo scrittore d'arte Josef August Lux (Vienna 1871 - Anif/Salisburgo 1947) avvicinò alla casa editrice molti giovani di talento e quasi tutti gli artisti di grido. Nei primi anni del nuovo secolo la sua attività editoriale si estese a nuovi settori e nel 1901 iniziò la pubblicazione di una bellissima collana di libri per bambini, la «Gerlachs Jugendbücherei» (Biblioteca per i giovani), nella quale tra il 1901 e il 1922 apparvero trentaquattro volumi. La casa editrice è rimasta attiva fino ai nostri anni '70.

Tra le pubblicazioni per l'infanzia va citata anche la collana «Konegens Kinderbücherei» creata nel 1910, che offriva a illustratori più o meno noti l'occasione di cimentarsi ciascuno nel suo campo specifico. La casa editrice era stata fondata nel gennaio 1877 dal libraio Carl Konegen di Braunsberg (Prussia orientale), e alla sua morte, nel 1903, passò a Ernst Stülpnagel. Fino al 1917 questa casa pubblicò più di cinquecento testi, per la maggior parte di filosofia e filologia. Anche la rivista «Erdgeist» (Gnomo) uscì per qualche tempo da Konegen.

La casa editrice Robert Mohr, fondata nel 1899 a Vienna, era invece specializzata in libri umoristici. Oltre a lavorare come distributore di alcune grosse riviste tedesche, R. Mohr (Scholkingen/Germania 1856 - Vienna 1934) acquistò una casa editrice la cui produzione iniziò a Natale del 1892 con *Wiener Schattenbilder* (Silhouettes viennesi) di Hans Schliessmann. Nel 1893, con la pubblicazione di *Weltliches Kloster* (Convento, ma anche «gabinetto» profano) di Eduard Plötzl, prese l'avvio la popolare serie di «Mohrs Wiener Humoristika» alla quale collaborarono tra gli altri Chiavacci, Hirschfeld, Müller-Guttenbrunn e Stüber-Gunther. La casa editrice divenne famosa anche per l'edizione delle opere complete di Eduard Plötzl.

L'editoriale Halm & Goldmann invece risale alla libreria editrice e commissionaria che il ventiseienne Paul Halm (morto a cinquantun anni a Trieste nel 1873) apre nel 1848 a Würzburg, in Germania. Nel 1867 l'impresa, che oltre all'attività editoriale vera e propria comprende una libreria, un settore dedicato all'antiquariato e un altro al commercio di oggetti d'arte, si trasferisce a Vienna dove si occupa prevalentemente delle fiorenti arti decorative. Nel 1873 Sigmund Goldmann (Vienna 1833-1916), assunta la direzione della Halm & Goldmann, pubblica diverse importanti enciclopedie, per entrare nel primo decennio di questo secolo anche nel campo delle pubblicazioni umoristiche con le opere di Fritz Grünbaum. Una frettolosa «arianizzazione» della casa editrice avviene nel marzo 1938 in seguito a pesanti atti intimidatori.

Alle radici della ditta Brüder Rosenbaum, che per un breve periodo condusse l'omonima casa editrice, troviamo l'apertura di una cartoleria nel 1874 e di una legatoria nel 1880. Il responsabile dell'ingresso dell'azienda nell'industria cartaria e dei contatti e della collaborazione con le arti decorative austriache contemporanee (come la Wiener Werkstätte) era Sigmund Rosenbaum (nato in Boemia nel 1867 e morto nel 1945 al Cairo), di professione incisore. La F.lli Rosenbaum, che oltre all'almanacco della Wiener Werkstätte del 1911 pubblicò anche altre opere, per esempio la collana «Kunst und Natur in Bildern» (Arte e natura in immagini), cessò l'attività autonoma nel 1912-13, quando venne assorbita dalla Gesellschaft für Graphische Industrie; Sigmund Rosenbaum e il fratello minore Rudolf (che morirà a Vienna nel 1965) si renderanno nuovamente indipendenti soltanto nel 1927, allorché l'editrice, divenuta nel frattempo parte dell'impero editoriale e tipografico di Richard Kola, verrà scorporata dalle cartiere Elbmühl e dalla Graphische Industrie AG. Nel 1938 passa a un prestanome ariano del Reich germanico e nel 1939 la ragione sociale scompare per riapparire soltanto nel secondo dopoguerra.

Una delle più interessanti case editrici sorte nel periodo che qui ci interessa è senza dubbio la Universal-Edition. Fondata nel 1901 come prima vera società editoriale per azioni, questa impresa acquista meriti particolari con le pubblicazioni musicali. In una situazione in cui la «musica moderna», specialmente quella austriaca, viene pubblicata per la maggior parte oltre confine e le case editrici musicali di Berlino, Lipsia, Magonza ecc. se ne prendono la parte del leone, tanto che i classici viennesi vecchi e nuovi, Johann e Josef Strauss compresi, escono quasi sempre presso editori di Lipsia, la Universal riesce a imporsi come casa editrice nazionale di pari livello. Tra le poche editrici di narrativa fondate in quegli stessi anni figurano — a parte la Wiener Verlag che merita un discorso a sé — la Deutsch-Österreichischer Verlag e la Arthur Wolf Verlag. Ma nonostante tutti i migliori propositi nessuna riuscì a soppiantare i tedeschi che controllavano ancora il mercato. La Deutsch-Österreichische Verlag esordì nel 1911 come editoriale della impresa libraria e commissionaria Huber & Lahme, dedicandosi in un primo tempo alle «belle lettere», prevalentemente austriache. Gran parte della sua produzione è degli anni precedenti la prima guerra mondiale. Ogni tanto commissionava delle copertine a Josef Hoffmann e faceva rilegare dei volumi dalla Wiener Werkstätte. Dopo vari passaggi di proprietà e un prolungato periodo di inattività la casa editrice si sciolse nel 1927. La Arthur Wolf Verlag, fondata nel 1911, si dedicava invece interamente alle pubblicazioni d'arte, ossia al «bel libro»; cessò l'attività con la morte improvvisa, avvenuta nel 1932, del titolare. Il periodo

1895-1918 vide anche la nascita, nel 1901, della prima libreria editoriale nel rione operaio viennese Favoriten e, successivamente, dell'Anzengruber-Verlag Brüder Suschitzky, diretta dai fratelli Philipp (Vienna 1876 — Francia 1942) e Wilhelm Suschitzky (Vienna 1877-1934). La produzione, portata avanti fino al 1938, includeva soltanto pochissime opere letterarie, dando la preferenza a libri e periodici di critica sociale, soprattutto su argomenti come il monismo, il pacifismo, il socialismo.

Il primissimo esempio di casa editrice «soltanto» in Austria-Ungheria è senz'altro la Wiener Verlag,[2] che venne fondata nell'autunno 1899 da Oskar Friedmann (Vienna 1872-1929), fratello maggiore di Egon, come «appendice» della libreria Leopold Rosner.[3] Ma anche per diverse altre ragioni la Wiener Verlag occupa una posizione preminente nella storia dell'editoria austriaca: per la vastità e varietà delle pubblicazioni e per l'elevato ritmo produttivo, per la sua amministrazione spericolata se non criminale, per la coerenza con cui curava la veste artistica delle sue opere, per la forma e l'entusiasmo della sua pubblicità, infine per il gran numero di best sellers che pubblicava e, quel che più conta, perché rappresentò il primo e almeno in parte riuscito tentativo di imporsi contro l'egemonia dell'editoria letteraria tedesca, che le permise di «rimpatriare» la letteratura austriaca. Nel giro di circa nove mesi dalla sua apertura uscirono venti titoli tra saggistica, narrativa e testi teatrali. Il «Verlags-Katalog 1899-1904», con la copertina di Bertold Löffler, uscito nell'aprile 1904, già elencava centodieci titoli, con diciassette novità primaverili. E quando la casa editrice, che dal 1903 apparteneva al poeta lirico e neoeditore Fritz Freund (nato a Vienna nel 1879 e morto nel 1939 in esilio in Inghilterra), nel 1906 fu trasformata in società a responsabilità limitata, il registro notarile annoverava ben duecentodieci titoli. L'intera produzione fino al 1907, anno in cui cessò l'attività, comprendeva oltre duecentotrenta titoli.[4] Oltre che per le singole opere pubblicate, questa casa editrice si distingue per alcune collane di successo, come l'ampia serie «Bibliothek Berühmter Autoren» (Autori celebri), cinquanta volumi di scrittori scandinavi,

[2] Per informazioni più dettagliate sulla Wiener Verlag, cfr. Murray G. Hall, Der «Törless» — und «Reigen»-Verleger — Zum Wiener Verlag in Musil-Forum (in pubblicazione).
[3] Per la casa L. Rosner, l'editrice A. Bauer, l'editrice della libreria Richard Lànyi, la casa editrice che pubblicava i testi di Karl Kraus, la Jehoda & Siegel, Moriz Frisch ecc., cfr. Murray G. Hall, Verlage um Karl Kraus, in «Kraus-Hefte», vol. 26-27, luglio 1983, pp. 2-31.
[4] In un ampio saggio del 1906 sulla Wiener Verlag si legge: «La Wiener Verlag ha finora pubblicato oltre trecento opere...» In «Die Zeit», n. 1193, 21-1-1906, supplemento domenicale «Die Sonntags-Zeit», p. 6.

E. Schiele, *Copertina della rivista «Der Ruf»*, 1910.

[5] Particolari sulla storia di «Muskete» sono in Murray G. Hall, *Die Muskete — Kultur - und Sozialgeschichte im Spiegel einer satirisch-humoristischen Zeitschrift 1905-1941*, Wien, Edition Tusch, 1983, pp. 7-18.

francesi, polacchi, russi e inglesi pubblicati in tedesco dal maggio 1903 fino a metà giugno 1905. Freund commissionava le «brillanti copertine multicolori» ad artisti di altissimo livello, quindici a Bertold Löffler, sette a Leo Kober, sei a Leopold Forstner, tre a Fritz Schönpflug. Alla crescente richiesta dei lettori di «libri economici tedeschi» rispose la collana «Bibliothek Moderner Deutscher Autoren» (Autori tedeschi contemporanei), lanciata nell'ottobre 1904: i suoi venti titoli comprendevano tra l'altro opere di Arthur Schnitzler, Hugo von Hofmannsthal, Felix Salten, Felix Dörmann, Heinrich Mann. Come si vede, la Wiener Verlag curava in particolar modo la letteratura «moderna», spesso proposta da Hermann Bahr che scriveva per la stessa casa, e anche le opere di giovani autori austriaci, per esempio *Il giovane Törless* con cui esordì Robert Musil. Oltre ad alcuni titoli di grande successo, come *Girotondo* di Schnitzler, *Das Beichtsiegel* (Il sigillo della confessione) di Hans Kirchsteiger, *Aus einer kleinen Garnison* (Una piccola guarnigione) di Bilse, *Das Nixchen — Ein Beitrag zur Psychologie der höheren Töchter* (La ninfetta — Saggio sulla psicologia delle educande) di Hans von Kahlenberg, *Diario di una cameriera* di Octave Mirbeau e altri, la Wiener Verlag pubblicò anche molti fiaschi che finirono col provocare la sua paralisi economica e ne accelerarono la rovina.

La rassegna che segue, di riviste letterario-satiriche e umoristiche e di periodici d'arte, architettura e arti decorative, vuole documentare la vasta gamma di questo tipo di pubblicistica nell'Austria degli anni in esame. Volendo trovare un denominatore comune per tutte le pubblicazioni che elencheremo, col rischio di generalizzare grossolanamente potremmo dire che l'elemento che le accomunava era il loro sforzo di presentare artisti e scrittori *austriaci* e di farsi portavoce delle correnti contemporanee. Sotto questo aspetto più di una di queste riviste era all'avanguardia. Una vera classificazione tuttavia è piuttosto problematica, tanto più che molte pubblicazioni erano più che altro riviste dal contenuto miscellaneo; i periodici d'arte e di arti decorative, per esempio, pubblicavano anche testi letterari, e viceversa le «riviste letterarie» si occupavano anche di fatti artistici.

Apre la rassegna la stampa satirico-umorista. Una delle prime pubblicazioni di questo genere è «Figaro», che uscì dal 1857 al 1916, seguita nel 1869 dal settimanale satirico illustrato «Der Floh» (La pulce). Sempre della fine '800 sono «Kikeriki» del 1880, edita da O.F. Berg, la cui tendenza politica era cristiano-sociale e che nella questione ebraica avrebbe assunto un atteggiamento di estremo antisemitismo. Cessò le pubblicazioni il 16 luglio 1933.

Tra il 1870 e il 1880 uscirono due riviste vignettistiche di notevole durata, «Die Bombe» che visse dal 1871 al 1923 e «Humoristiche Blätter» del 1873 che cessò nel 1915. La prima rivista umoristica di impostazione socialdemocratica fu «Glühlichter« (Incandescenze) del 1889, che dal 1896 al 1911 si chiamò «Neue Glühlichter» (Nuove incandescenze), per riprendere la vecchia testata fino al 1916, quando scomparve.

Le riviste umoristiche fondate all'alba del '900 hanno una caratteristica in comune: uniscono l'attività di pittori e disegnatori alle opere di giovani scrittori, tutti austriaci, dando uguale peso alla veste artistica e tipografica e al contenuto «letterario».

«Lucifer» apparve a Vienna ai primi di marzo del 1903 come «settimanale satirico» e polemico illustrato. Si era prefisso di «spiegare liberamente e senza mezzi termini tutti i fatti della nostra vita sociale, economica, politica e culturale» e di denunciare gli abusi pubblici con le immagini e le parole. Ma nemmeno un collaboratore di grido come Bertold Löffler poté impedire la chiusura della rivista dopo appena tre anni di vita.

Intenzioni analoghe e ugualmente breve vita ebbe «Der Liebe Augustin» (Il caro Augustin) che debuttò nell'aprile 1904. Nonostante il proposito di «offrire il meglio della letteratura e dell'illustrazione» e il tentativo di diventare una via di mezzo tra le riviste tedesche «Jugend» e «Simplicissimus», il periodico si spense dopo ventiquattro numeri.

Relativamente lunga vita ebbe invece il settimanale umoristico «Die Muskete» (Il moschetto),[5] il cui primo numero ufficiale uscì nell'ottobre 1905. Come le due riviste già citate, «Die Muskete» teneva molto alle illustrazioni artistiche. Fino al primo dopoguerra furono nel suo mirino i militari, il clericalismo e la burocrazia. Nell'Austria postbellica invece naufragò il suo tentativo di crearsi una nuova identità e, pur conservando la stessa testata, da settimanale umoristico e «divertimento per soldati» si trasformò in «distinto periodico d'arte», per diventare poi, tra la fine degli anni '20 e la chiusura nel 1941, un noiosissimo precursore degli attuali periodici per soli uomini.

Nell'Austria degli anni 1895-1919 esistevano pochissimi periodici prettamente letterari, simili, per intenderci, alla berlinese «Neue Rundschau». Prevaleva il carattere di pubblicazione miscellanea, di cui è un buon esempio «Die Zeit» (Il tempo), il cui sottotitolo circoscriveva infatti così l'impostazione della rivista: «Settimanale viennese di politica, economia nazionale, scienza e arte.» Pubblicato da J. Singer, Hermann Bahr e Heinrich Kanner, «Die Zeit» usciva dal 1894 al 1904.

Non meno vario era il contenuto della «Neue Wiener Bücherzeitung» (Nuova gazzetta letteraria viennese), che a partire dalla seconda annata uscì come «Wiener Literaturzeitung» e dalla sesta annata si chiamò «Neue Revue», per cessare nel 1898. Presentava tra l'altro argomenti di politica, economia sociale, istruzione pubblica, psicologia, storia letteraria, critica, arte drammatica, narrativa, arti figurative.

«Erdgeist», che esordì nell'ottobre 1906 come «Moderne Revue — Halbmonatsschrift für Kunst und Literatur» (quindicinale di arte e letteratura) e cambiò testata con la terza annata (1908), era un periodico miscellaneo di livello notevole. Pur non aderendo ad alcuna corrente artistica, lanciava i giovani artisti e li faceva conoscere al vasto pubblico, dedicando uno speciale interesse alle mostre viennesi e ad alcuni artisti in particolare. Si valse anche della collaborazione dei (per autodefinizione) più grandi scrittori austriaci. Cessò le pubblicazioni nell'aprile 1909.

«Neue Bahnen — Zeitschrift für Kunst und Öffentliches Leben» (Vie nuove — periodico di arte e vita pubblica) è un quindicinale viennese creato nel 1901 e scomparso nel 1905. La sua linea era tedesco-nazionalista; pubblicava articoli d'arte, narrativa, critica teatrale e letteraria e recensioni di mostre.

Il 1903 vide l'esordio di «Kunst — Halbmonatsschrift für Kunst und Alles Andere» (Arte — quindicinale di arte e tutto il resto); ne era redattore Peter Altenberg. Riuscì a sopravvivere solo fino all'anno successivo. Pubblicava tra l'altro saggi di arte e letteratura, nonché poesie e disegni, quasi tutti di Altenberg.

Il quindicinale «Wiener Rundschau» (Rassegna viennese), apparso il 15 novembre 1896 e inizialmente redatto da Rudolf Strauss, era conservatore sia nella veste che nel contenuto. Accanto a recensioni teatrali e letterarie e saggi su argomenti filosofici offriva spazio anche ad autori contemporanei, spesso stranieri.

«Die Wage» (La bilancia) uscì a Vienna dal I gennaio 1898 fino al 1925; il sottotitolo la definiva «un settimanale viennese». Il suo contenuto, sempre fortemente social-critico, fu sin dall'inizio assai variopinto, comprendendo politica, scienze sociali, arte e teatro, economia, narrativa, saggi letterari, articoli sui movimenti femministi, sulle scienze naturali ecc. Stando a una nota redazionale del 1899, «Die Wage» voleva offrire ai lettori un'immagine fedele della vita politica, letteraria, artistica e scientifica del suo tempo e «commentare tutti i fatti pubblici dal punto di vista più avanzato e radicale».

Sul piano programmatico «Die Wage» si avvicinava a «Die Fackel» (La fiaccola), il periodico che dal I aprile 1899 pubblicò scritti di Karl Kraus, già collaboratore di «Die Wage». Della «Fackel» entro il febbraio del 1936 usciranno in totale 922 numeri; fino alla fine del 1911 vi collaborarono vari autori e redattori, in seguito Kraus curò la rivista da solo. «Die Fackel» si scostava come coraggiosa impresa individuale dalla pubblicistica di massa e cercava di fare un giornalismo indipendente di nuovo stampo; combatteva la corruzione nell'ambiente teatrale e nella stampa, in politica e nell'economia, si occupava di questioni politiche, di problemi sociali, di letteratura. Era, in breve, portavoce del suo editore, Karl Kraus.

Non stupisce che col tempo «Die Fackel» abbia trovato parecchi emuli e antagonisti nella forma di periodici e libelli, come «Die Geissel» del 1899, «Im Fackelschein/Im Feuerschein» del 1901, «Freie

1. Copertina della rivista «Kunst», diretta da Peter Altenberg, 1903.

2. Copertina della rivista «Die Fackel», diretta da Karl Kraus, 1899.

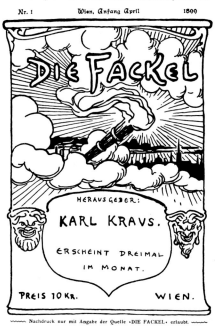

Blätter für Alle» del 1902, «Neue Freie Worte» del 1911, «Die Laterne» del 1913, «Der Knockabout» del 1914, «Der Pinsel» del 1899 e altri ancora.

La musica contemporanea è uno dei campi ai quali si dedicò «Der Merker» (L'osservatore), che uscì dal 1909 con il sottotitolo «Periodico austriaco di musica e arte drammatica». Cessò le pubblicazioni nel 1922.

Citiamo infine una serie di periodici d'arte, architettura e arti decorative.[6] Un posto di rilievo occupa in questo panorama «Kunst und Kunsthandwerk» (Arte e artigianato artistico). Le «informazioni dell'imperial-regio Museo austriaco di arte e industria» vennero redatte dalla fine del 1864 in un «mensile di arte e artigianato» che divenne il punto di riferimento per tutte le questioni inerenti alle arti applicate. Nel 1898 le «informazioni» ebbero una veste più aggiornata con il mensile «Kunst und Kunsthandwerk», che fino alla scomparsa, nel 1921, documentò l'artigianato artistico austriaco, occupandosi però anche di argomenti di carattere storico.

La pubblicazione dei «Wiener Monatshefte für Bauwesen und Dekorative Kunst» (Quaderni viennesi di architettura e arti decorative), che la casa editrice Anton Schroll & Co. intraprese nel 1895 con il periodico «Der Architekt», contribuì con efficacia alla formazione dell'arte austriaca moderna. Con il supplemento «Die Bildenden Künste» (Le arti figurative) del 1916-18, periodico autonomo dal 1919 al 1922, la rivista ospitava tutte le arti.

Sempre presso Schroll uscì dal 1900 al 1912 la rivista «Das Interieur» (L'interno), una voce importante per l'architettura specialmente negli anni a cavallo del secolo.

Cornelius Gurlitt e Josef Hoffmann erano gli editori di un «quindicinale dedicato alla formazione artistica e alla cultura urbana», «Hohe Warte» (L'osservatorio), che uscì dal 1904 al 1908 occupandosi di problemi d'arte e di preparazione artistica, architettura, urbanistica e arredamento.

Due numeri appena — gennaio e febbraio 1905 — uscirono della rivista di ar-

te e collezionismo «Die Kunstwelt» (Il mondo dell'arte), edita dalla Wiener Verlag a cura di Ludwig Abel. Un po' più fortunato fu il periodico «Bildende Künstler» (Artisti figurativi), curato da Arthur Rössler, che sopravvisse almeno per l'intero 1911. La ragione di questa vita effimera, come pure delle tirature spesso molto ridotte, va ricercata probabilmente nella mancanza, in Austria, di un sufficiente numero di lettori e abbonati. Neppure l'abbinamento di una pubblicazione a un'associazione artistica era una garanzia di lunga vita e larga diffusione.

Per finire ricordiamo «Ver Sacrum», senza dubbio il più rinomato periodico d'arte tra i due secoli in Austria. Edito dalla Secessione viennese fondata nel 1897, dal 1898 al 1903 «Ver Sacrum» apparve in sei annate come «portavoce dell'Associazione degli artisti figurativi d'Austria». Concepito chiaramente come «opera d'arte» e considerato il più elegante e originale periodico d'arte di lingua tedesca, «Ver Sacrum» non intese solamente farsi promotore della più attuale corrente artistica, ma si prefisse anche di «presentare per la prima volta l'Austria come un mondo artistico autonomo agli occhi degli altri paesi». Vi apparvero anche saggi letterari e articoli su argomenti musicali. Una nota curiosa: nel 1899 uscì una parodia di «Ver Sacrum» dal titolo «Quer Sacrum» (quer = attraverso, di sbieco, o anche contrario).[7]

Al di là della nostalgia che s'insinua nella nostra rievocazione ovviamente ridotta della Vienna di fine '800 e inizio '900, resta il fatto che in quel lasso di tempo relativamente breve la pubblicistica austriaca raggiunse un livello altissimo, unico nella sua storia. È il caso di parlare di una «emancipazione pubblicistica» nella quale predominavano le «cose austriache» e il «moderno» della letteratura e dell'arte. Fu esemplare la sintesi in cui si fusero la tecnica tipografica (la «composizione» delle singole pagine) e l'arte, la veste grafica e il contenuto. In un certo senso il «mezzo» divenne così anche il «messaggio»...

[6] Si veda l'esauriente bibliografia di Hans Ankwicz-Kleehoven, *Österreichische Kunstzeitschriften*, in «Das Antiquariat», anno VII, n. 21-24, Wien, 1951, pp. 28-36; e Maria Rennhofer, *Kunstzeitschriften und Jugendstil — Die Neuorientierung des Publikumsgeschmacks in Wiener Kunstleben um die Jahrhundertwende*, tesi di filologia, Wien, 1979. Non neghiamo alla Rennhofer il merito di aver raccolto molto materiale e di averlo per prima sottoposto a un'analisi approfondita. Tuttavia, l'obiettivo stesso della sua ricerca, implicitamente indicato dal titolo dell'opera, non consente di tralasciare poi, nello svolgimento, certi fattori essenziali concernenti il successo delle pubblicazioni in esame. Ammettiamo che è difficile se non impossibile documentare a posteriori la tiratura e la diffusione di una pubblicazione; ciò nonostante non è né indifferente né trascurabile, parlando delle «nuove preferenze dei lettori» formatesi appunto attraverso la pubblicazione di quelle riviste, se la loro tiratura si aggirava a qualche centinaio di copie e se il prezzo di copertina corrispondeva pressappoco a quanto un operaio guadagnava di media in un mese. Sono proprio gli svolgimenti puramente descrittivi «alla Rennhofer» a creare automaticamente l'impressione errata che quei «testimoni principi di un'epoca» avessero tirature massicce.

[7] Cfr. Hans E. Goldschmidt, *Quer Sacrum — Wiener Parodien und Karikaturen der Jahrhundertwende*, Wien-München, ed. Jugend und Volk, 1976.

Da sinistra dall'alto:
1-2. E.J. Wimmer-Wisgrill, *Abiti da casa*, 1919-21, foto
D'Ora. □ 3-4. O. Lendecke, *Bozzetti di moda*, (Mus. f.
angew. Kunst, Vienna).

MODA E SOCIETÀ INTORNO AL 1900
La moda a Vienna

Hanel Koeck

Sopra:
J. Hoffmann, K. Moser, *Decorazione*
«Ver Sacrum», febbraio 1898.

[1] Wolfgang Krabbe, *Gesellschaftsveraenderung durch Lebensreform. Merkmale einer sozialreformatorischen Bewegung im Deutschland der Industrialisierungsperiode*, Göttingen, 1974, p. 108 sgg.
[2] La sua storia, che inizia con il vestito Bloomer del 1850, con l'Aesthetic Movement del 1880 e la Rational Dress Association del 1881 in Inghilterra, con i tessuti liberty adatti al corpo, fino alla prima esposizione dell'Unione per il miglioramento dell'abbigliamento femminile a Berlino nel 1897, è stata illustrata da Brigitte Stamm in *Auf dem Weg zum Reformkleid — Die Kritik des Korsetts und der diktierenden Mode*, in *Kunst und Alltag um 1900, Drittes Jahrbuch des Werkbundarchivs*, a cura di Eckhard Siepmann, Giessen, 1978, pp. 117-178.
[3] *Ibidem*, p. 111.
[4] Cfr. *ibidem*, p. 162.

Le concezioni artistiche sulla moda dello Jugendstil internazionale intorno al 1900 affondano nel contesto storico che vede una tendenza generale alla riforma dell'abbigliamento e parallelamente dell'esistenza: grande importanza ricopre il movimento delle donne nella seconda metà dell'800 nelle sue tendenze borghesi e socialiste.[1] L'accesso graduale delle donne a professioni e ambiti produttivi tipicamente maschili e la crescente parità dei sessi all'interno di associazioni sportive e naturalistiche e di movimenti giovanili come quello dei «Wandervogel» avevano reso più accessibile la pretesa di una riforma dell'abbigliamento femminile. Artisti come Fidus e Diefenbach, medici e antropologi come C. Langer (*Leibesform und Gewandung*, 1878), Samuel Thomas von Soemmering (*Über die Schaedlichkeit der Schnürbrues*, 1888), Paul Schultze-Naumburg (*Die Kultur des weiblichen Körpers als Grundlage der Frauenkleidung*, 1901) e Carl Heinrich Straz (*Die Frauenkleidung*, 1900) si associarono al movimento sociale di protesta che, accanto a condizioni umane di lavoro per uomini e donne, esigeva un abbigliamento pratico, sano e in armonia con il corpo. Dapprima non si trattava di creare una moda nuova e di massa, democratica e proletaria; era alla moda tout-court che si dichiarava la guerra. Si nutrirono per la prima volta sospetti per una forma d'abbigliamento industriale, orientato al profitto, che abbassava il corpo femminile a oggetto inefficiente,

puramente estetico e erotico. La dittatura della moda, che da un lato rivalutava il corpo femminile estetizzandolo ed elevandolo a ideale di bellezza e dall'altro lo deformava e lo allontanava dalle funzioni biologiche, divenne un punto programmatico del movimento di riforma «per un migliore abbigliamento femminile» che prese piede dapprima in Gran Bretagna e negli Stati Uniti e poi in Germania «con più serietà e diffusione».[2] Così Schultze-Naumburg poté contare su un successo sicuro quando rifiutò la limitazione estetica della moda che portava all'uniformità, per mettere invece in risalto «un'estetica del futuro» che non poteva prescindere dalla conoscenza approfondita degli aspetti anatomici, biologici e motori del corpo. Solo questa era la base ragionevole per ottenere i modelli per un abbigliamento individuale. «Non bisogna creare delle uniformi, ma devono emergere le leggi secondo cui ciascuno inventa e decide il proprio abbigliamento.»[3] In questo veniva tenuto conto della funzionalità e della libertà di movimento del corpo, com'anche dell'autodeterminazione di chi il vestito lo indossava, aderendo pienamente al programma del movimento di riforma dell'abbigliamento femminile.[4]
Queste idee vennero fatte proprie dagli artisti, spettatori e in parte artefici della riforma dell'abbigliamento, e indirettamente quindi del movimento di emancipazione della donna; a essi si devono definizioni come «vestito artistico», «vestito

individuale», «antivestito» (Anna Muthesius). Fu chiaro fin dall'inizio che un vestito «rivoluzionato» sarebbe stato comunque inadeguato e che erano indispensabili l'iniziativa individuale della donna, la sua fantasia, nonché il consiglio dell'artista per non cadere nuovamente nello schema di abbigliamento uniformato.

Quanto il movimento di emancipazione della donna e quello dello Jugendstil coincidessero nella critica ai meccanismi di manipolazione dell'industria della moda lo dimostra la discussione promossa in Germania da artisti come Henry van de Velde (*Die künstlerische Hebung der Frauentracht*, 1900) e Alfred Mohrbutter (*Das künstlerische Kleid der Frau*, 1904). I teorici della «riforma del vestito» avevano ben chiaro in testa quello che di utopico conteneva il loro programma. La riforma dell'abbigliamento «non doveva essere solo un fatto igienico, ma anche estetico; non si sarebbe mai potuta imporre allo chic parigino o viennese senza offrire piacevolezza».[5]

Si trattava di strappare una maggioranza di donne alla sudditanza della moda e del gusto corrente e di dare forza alle potenziali capacità di autodeterminazione nel campo dell'estetica del corpo e dell'abbigliamento. Un'avanguardia di artisti progressisti e consapevoli e un movimento di industriali e artigiani dell'arte non sottomessi alla moda dovevano sostenere le legittime richieste della donna emancipata e affiancarla nelle sue esigenze estetiche soprattutto nell'arredamento e nell'abbigliamento da casa e da lavoro. «Dev'essere un onore per gli artisti aiutare le donne, rivalutare le attività che occupano gran parte della loro vita e che purtroppo oggi sono segnate dall'immoralità. L'ingerenza dell'artista sarà probabilmente provvisoria, perché la donna possiede sufficiente creatività per poter fare a meno di noi.»

Questa offerta di aiuto da parte di un artista del '900, come anche quella di van de Velde, si limita però — motivo principale del suo dilettantismo e del successivo fallimento — alla creazione decorativa, la decorazione cioè dell'abbigliamento. «Le donne dovrebbero mettere tutto il loro orgoglio nell'invenzione del taglio dell'abito. Solo quando la donna si assume la responsabilità e le conseguen-

ze di portare in e fuori casa vestiti di sua creazione, rivelando un'accurata scelta di forme e tessuti corrispondenti alla sua personalità e un'eccezionale abilità nel lavoro di confezione, il fatto stesso della sua convinzione sarà una rivoluzione nella sua esistenza, un'evoluzione verso migliori forme di vita. Si libererà allora dalla tirannia della moda che uccide lo spirito.»[6]

Gli sviluppi successivi mostrano però che van de Velde attribuiva al movimento di emancipazione finalità estetiche inesistenti; sottovalutava altresì l'enorme capacità di assorbimento da parte della dittatura della moda. Il «vestito riformato» riscosse successo, ma in modo nuovamente «amorale»: seguendo ancora una volta le leggi del profitto.[7] I momenti emancipatori del «vestito d'arte individuale» si logorarono ben presto nel continuo carosello delle innovazioni della moda. Artigiani artistici degradati, che una volta erano accesi nemici della moda[8] e dell'immoralità,[9] divennero fornitori della tanto odiata industria dell'abbigliamento. La teoria dell'antivesti-to, prodotto secondario nella critica sociale dello Jugendstil, mirava a una conciliazione tra vita e arte, alla larga da condizionamenti di vita egemonizzati dall'industria, senza vedere però che i presupposti sociali per un'emancipazione estetica dalla tirannia degli artefici della moda e per un ruolo creativo dell'artista non erano ancora maturi. «La tecnica del taglio si sarebbe dovuta insegnare a ogni donna a scuola; cosa senz'altro più giusta del lungo insegnamento del rammendo, del ricamo e della cucitura della biancheria.»[10]

Invano van de Velde e la sua cerchia avevano associato al loro modello di riforma i moniti dei medici di fronte ai danni provocati dalla disciplina della moda, la volontà di creare delle donne e l'ideale di qualche artista. Ciò malgrado, nel 1900, una prima esposizione di abiti artistici da donna svoltasi a Krefeld, nota città tessile, mostrò progetti di Peter Behrens, Margarethe von Brauchitsch, Alfred Mohrbutter, Richard Riemerschmied, Bernhard Pankok e van de Velde che ottennero successo, provocando vivaci discussioni e un incentivo per altre iniziative del genere, favorite da un ceto medio interessato alle cose

Ditha Moser con un vestito disegnato da Kolo Moser, 1905-06 c.

[5] Cfr. «Deutsche Kunst und Dekoration» («DKuD»), vol. XIII, 1904, p. 204, in risposta ad una recensione dei «costumi di Erma Sichart»; inoltre la critica di Anna Muthesius al «vestito della salute» che faceva parte di modelli presentati a Krefeld («DKuD», vol. XIV, 1904, pp. 441-442 sgg.); la critica di Bertha Zuckerkandl ai «sacchi di farina informi» nella cerchia di Berlino di Schultze-Naumburg e van de Velde nel giornale «Wiener Allgemeine Zeitung» del 15.3.1913.
[6] Henry van de Velde, *Die künstlerische Hebung der Frauentracht*, Krefeld, 1900, p. 32 sgg.
[7] *Ibidem*, p. 9.
[8] *Ibidem*.
[9] *Ibidem*, p. 27.
[10] Anna Muthesius, *Die Ausstellung künstlerischer Frauenkleider im Warenhaus Wertheim-Berlin* in «DKuD», vol. XIV, 1904, p. 442.
[11] Cfr. Ludwig Hevesi, *Acht Jahre Secession, Kritik-Polemik Chronik*, Wien, 1906, pp. 313-316.

O. Lendecke, *Manifesto per il Moden-schau*, 1916. (Mus. f. angew. Kunst, Vienna).

505

moderne e alla varietà nella moda. Van de Velde, propagandista del «Neue Stil» nel 1900, giunse, passando per i centri di moda di Dresda e Berlino, anche a Vienna. Qui i secessionisti avevano appena esposto alcuni lavori sull'«Allhandwcrk» (Hevesi) ed egli colse l'occasione per ripetere le sue tesi di Krefeld sull'elevazione artistica dell'abito femminile.[11] Sicuramente la presenza di alcuni collaboratori anonimi della rivista «Wiener Mode» a Krefeld fu lo stimolo per la conferenza di van de Velde alla Damenakademie di Vienna.[12]

Vienna, così conservatrice, offriva sotto molti aspetti un esempio istruttivo di un retrocedere pieno di compromessi di fronte agli estremismi del movimento di riforma. L'industria della moda viennese, come del resto si desume dal suo organo «Wiener Mode», si appropriò solo sporadicamente e a fatica dello stile della riforma. Ci si orientava, come anche a Parigi, capitale della moda di allora, verso gli ornamenti e i tagli proposti dagli artisti, senza però accogliere la lezione che vi sottostava: la liberazione del corpo anche attraverso l'eliminazione del corsetto. Le case di moda viennesi, come Drecoll, Francine, Flöge e altre applicarono quindi, con tecniche particolari, gli ornamenti Jugendstil su modelli parigini forniti di corsetto. Il salone di moda delle sorelle Flöge mostra nel 1906, relativamente tardi, cosa si intendesse per «abito riformato».[13] Da un lato troviamo abiti tradizionalmente divisi in due parti (sotto si portava ancora il corsetto) al posto di un vestito a sacco abbondante e cascante sulle spalle, nella tradizione del chitone di greca memoria o del vestito medievale o stile impero. Dall'altro, nello stesso salone, si potevano ammirare modelli privi di corsetto e corrispondenti alla conformazione del corpo. I materiali utilizzati venivano combinati con gusto e bellezza.[14]

L'industria della moda viennese e le sartorie artigianali erano immuni da qualunque indottrinamento teorico del movimento per la riforma dell'abbigliamento. L'influente studiosa d'arte e di moda Bertha Zuckerkandl si opponeva ai «sacchi informi» decorati da van de Velde accanendosi contro «la dittatura del vestito d'arte» — in realtà la protesta di una minoranza di artisti — e coniò uno slogan molto applaudito: «Fate prima gli apprendisti da un sarto. Con teorie sociali e ideologie artistiche non si ottiene nessun risultato concreto.»[15]

Van de Velde, che sperava di congiungere la praticità dell'«abito riformato» con le esigenze estetiche dell'arte, non ebbe successo a Vienna. Si lodò il «socialismo artistico» di chi non pensava solo ai privilegiati e trattava con eguale amore tutti gli uomini,[16] senza però che questo avesse qualche conseguenza pratica per lo sviluppo dell'abito d'arte nella cerchia dei secessionisti di Vienna né presso artisti isolati come Alfred Roller e Adolf Loos. Il primo difese drasticamente nel 1902 la funzionalità e l'uso di materiali naturali per l'abbigliamento femminile;[17] questo fatto venne poi usato da van de Velde per dimostrare il successo della sua campagna per «una toeletta ragionevole».[18] Il secondo, tutt'altro che simpatizzante dello stilismo belga, era tuttavia d'accordo con van de Velde nell'appello di «reprimere e affidare al silenzio quelle decorazioni e quei rudimenti di decorazioni che hanno origine e sviluppo nella storia».[19] Nel suo precedente trattato sulla «moda delle donne» del 1898 Loos esprimeva la speranza del movimento di riforma: l'emancipazione della donna dal ruolo tradizionale avrebbe scosso profondamente la dittatura della moda. «Non l'indipendenza scaturita dal richiamo alla sensualità, bensì quella dettata dall'autonomia economica porterà alla parità. Il valore di una donna non sarà misurato dal metro oscillante della sensualità. L'effetto di sete e velluti, fiori e nastri, piume e colori verrà meno. Spariranno.»[20] Loos pretendeva, come van de Velde, che «l'abbigliamento fosse in armonia con le condizioni di vita».[21] Ma non toccò mai gli estremi di van de Velde che vedeva in ogni decorazione sul vestito e nella lunghezza fino a terra il simbolo di una cultura femminile arretrata rispetto a quella maschile.[22] Alla svolta del secolo Loos fu a Vienna il rappresentante più radicale di un abbigliamento assolutamente pratico e schivo, senza pretese artistiche, ma contrariamente a van de Velde non diede contributi estetici per la riforma dell'abbigliamento. Le sue riflessioni teoriche rimasero senza seguito per la moda viennese, solo lievemente

Sonja Knips con un vestito della Wiener Werkstätte, 1911 c.

[12] Cfr. «Wiener Mode», anno XIV, quaderno 1, ottobre 1900.
[13] Raffigurato in «Hohe Warte», anno II, quaderno 5, 1906, p. 78.
[14] Qui si tenne conto anche del «vestito della riforma» come era inteso da Mohrbutter e van de Velde. Secondo Mohrbutter (*Das Kleid der Frau, Ein Beitrag zur künstlerischen Gestaltung des Frauenkleides*, Darmstadt-Leipzig, 1904), «la natura della stoffa sta nelle sue pieghe morbide ed eleganti» (p. 8). L'idea decorativa dell'artista starebbe quindi soprattutto nella scelta del tessuto che deve cadere bene; inoltre nella scelta accurata di un secondo tessuto che si accompagni al primo, formando accostamenti interessanti (pp. 5 e 11).
[15] Bertha Zuckerkandl, in «Wiener Allgemeine Zeitung», 15.3.1913.
[16] L. Hevesi, *op. cit.*, p. 314.
[17] Alfred Roller, *Dokumente der Frauen*, in «DKuD», vol. X, 1902, p. 370.
[18] H. van de Velde, *Das neue Kunst-Prinzip*, cit., p. 370.
[19] H. van de Velde, *Die künstlerische Hebung der Frauentracht*, cit., p. 19.
[20] Adolf Loos, *Sämtliche Schriften*, vol. I, Wien-München, 1962, p. 163 sgg.
[21] H. van de Velde, *Die künstlerische Hebung der Frauentracht*, cit., p. 22.
[22] A. Loos, *op. cit.*, p. 161.
[23] H. van de Velde, *Die künstlerische Hebung*, cit., p. 25.
[24] Vestito da giorno (vestito della riforma) del 1900-05, Historisches Museum der Stadt di Vienna, raccolta della moda, inventario 10118; vestito da società del 1905, inventario 10130.
[25] «DKuD», vol. XIX, 1906-07.
[26] Monika Faber, *Madame d'Ora, Wien-Paris — Portraits aus Kunst und Gesellschaft 1907-*

1957, Wien-München, 1983, p. 96.
[27] William Morris, *Die niederen Künste*, Leipzig, 1907, p. 43.
[28] Ad esempio «Hohe Warte», anno II, 1905-06, p. 78.
[29] Programma di lavoro della Wiener Werkstätte, in cat. Museum für Angewandte Kunst, Wiener Werkstätte, *Modernes Kunsthandwerk von 1903-1932*, Wien, 1967, p. 22.
[30] Josef Hoffmann, *Selbstbiographie* (1950), in *«Ver Sacrum», Neue Hefte für Kunst und Literatur*, a cura di Hilde Spiel, Otto Breicha, Georg Eisler, Wien-München, 1972, p. 114.
[31] Cfr. «Ver Sacrum», quaderno 2, 1898; Ute Vossloh, *Kostümentwürfe von Olbrich* in *Kunst in Hessen und am Mittelrhein*, Schriften der Hessischen Museen, 7, 1967, pp. 53-57.
Vanno ricordati i due esemplari di vestiti da ballo mascherato della famiglia Wittgenstein confezionati nel 1910 e ideati probabilmente da Hoffmann stesso; cfr. Angela Völker, *Die Mode der Wiener Werkstätte — Von den Anfängen bis zum ersten Weltkrieg*, in «Waffen und Kostümkunde», anno 1983, p.140, nota 62. «Quanto Hoffmann si fosse occupato di moda è ancora da chiarire» (p. 139).
Cinque costumi creati da Hoffmann per la commedia *Das Weib und der Humpekmann* vengono citati dal «Montagsblatt», anno VIII, vol. I, p. 190.
Nel catalogo della Kunstgewerbeschule, sotto la voce «giudizi degli studenti», si trovano per la classe di Hoffmann le seguenti annotazioni. Per Eduard Wimmer nell'anno scolastico 1906-07: creazione di cartelli pubblicitari, decorazioni per teatro, costumi e mobili, disegni di architettura e progettazione. Per Likarz nell'anno 1913-14: progetti per abiti e teatro, architettura d'interni, decorazione di stoffe, tappeti e illustrazioni. Per Löw: progetti per moda, cartelli, stoffe e illustrazioni. Per Likarz nell'anno 1914-1915: progetti di moda, incisioni in linoleum per rivista di moda, progetti di stoffe, lavorazione a sagoma. Per Löw: progetti di moda. Per Flöge nell'anno 1915-16: decorazioni per tessuto, vetro, incisioni in linoleum, progetti di moda. Per Likarz: decorazione di tessuti, progetti di vestiti, illustrazione di riviste di moda. Per Löw: ricami, progetti di moda, decorazioni per stoffe, lavori a smalto. Per Rix: decorazioni di tessuti, vetro, incisioni in linoleum, progetti di moda, perle, seta, ricami.

Non sappiamo quasi niente dell'influsso del nuovo stile viennese nel settore moda e abbigliamento dopo il 1900: né degli influssi artistici né di quelli economici e produttivi. Il contributo di Hoffmann alla Wiener Werkstätte e alla Kunstgewerbeschule per il design della moda, la progettazione di vestiti e accessori, costumi da scena e numerosi altri capi d'abbigliamento (scarpe, guanti, borse, cappelli) è completamente inesplorato. Conosciamo decorazioni di Hoffmann che vennero poi usate dalla

sfiorata dal vento innovatore, mentre van de Velde con il passaggio all'ornamento astratto riuscì a raccogliere qualche consenso da parte dei secessionisti di Vienna.[23]

A questo proposito va ricordato Kolo Moser che nel 1900, con alcuni vestiti per la sorella Leopoldine,[24] si mostrò influenzato dal movimento di riforma. Dal 1888 egli aveva lavorato provvisoriamente come grafico per la rivista «Wiener Mode»; successivamente rappresentò un'eccezione nello stile del secessionismo; questo gli risparmiò considerazioni ideologiche riguardo alle sue opere, poiché tutti nutrivano per Moser stima e riverenza.

Anche Gustav Klimt ricopre una posizione particolare. I modelli realizzati secondo i suoi schizzi mostrano una variante raffinata del vestito a sacco del movimento di riforma. I dieci vestiti fotografati da Klimt stesso e pubblicati su «Deutsche Kunst und Dekoration» mostrano sempre Emilie Flöge sullo sfondo di un paesaggio. I capi furono prodotti dalla sartoria delle sorelle Flöge e, per il contrasto fra spontaneità e posa, movimento e rigidità, si possono considerare tipici del secessionismo viennese.[25] Gli schizzi a noi noti delineano sempre lo stesso taglio, individuabile solamente grazie alla composizione delle stoffe usate. Lo sprone è liscio e tagliato basso dal collo a metà seno. Da qui parte una gonna più aderente oppure, secondo le varianti, una più morbida e cascante con pieghe che si allargano verso il basso.

Lo sprone è allungato fin sotto il mento, decorato con disegni geometrici quadrati o triangolari, e messo in risalto da grandi spille e fibbie. La stoffa avvolge strettamente il collo della donna che lo indossa, quasi strangolandola. Klimt sembra già qui alludere all'effetto erotico dello strangolamento, eloquente nel ritratto di Emilie Flöge del 1902. Tracce delle raffinate fantasie sadiche di Klimt si trovano sempre dove collo e seno sono rinchiusi in corazze di tessuto, mentre le maniche, con grande contrasto, sono fornite di ricchi e profumati volants che si riversano come cascate sulla parte inferiore del braccio e sono molto attillate. La contrapposizione di severità formale e dissolutezza materiale, di superfici astratte e volumi mossi caratterizza essenzialmen-

te lo stile di Klimt. Egli ha trovato, con le sue creazioni su misura per Emilie, una forma irripetibile, rimasta unica nel suo genere. È quindi erroneo parlare dei vestiti di Klimt come di progetti di moda. Anzi, in senso stretto, Klimt non fu né un riformatore dell'abbigliamento né un creatore di moda. Emilie Flöge ripresa nella toilette di Klimt, anche in due ritratti fotografici del 1909 di Dora Kallmus,[26] esprime il suo rapporto personale con l'artista e compagno. Non vi è traccia dello stile della Secessione nel programma commerciale della sartoria delle sorelle Flöge.

La discussione avviata da van de Velde e dai teorici tedeschi della riforma dell'abbigliamento non ebbe seguito a Vienna. Venne ripresa solamente più tardi nell'ambito dell'«elevazione estetica del lavoro quotidiano» nella tradizione di artisti legati all'artigianato e al laboratorio come Ruskin, Morris, Voysey e il movimento Arts and Crafts.[27] Dal 1905 cominciò a uscire la rivista «Hohe Warte» che propugnava tendenze social-riformiste nell'architettura e nella vita quotidiana. Accanto a scritti di Otto Wagner, Hoffmann, Olbrich e Moser vennero pubblicati anche interventi sulla riforma dell'abbigliamento di Schultze-Naumburg e Muthesius.[28] Contemporaneamente nel programma della Wiener Werkstätte dal 1903 al 1905 la riforma del vestiario veniva considerata un aspetto ovvio nell'ambito della riforma della vita quotidiana. Mentre negli anni della fondazione, con Hoffmann, Moser e Czeschka, ci si limitava a intervenire nella falegnameria, la legatoria, la pelletteria e i lavori in metallo, dal 1905 vennero inseriti nella lista degli oggetti bisognosi di rinnovamento «vestiti e gioielli».[29] Ma bisogna attendere fino al marzo 1911 per veder realizzato un laboratorio per «la stampa di stoffe di ogni genere, tende, tovaglie e tessuti di abbigliamento», onde illustrare alle città europee i propri modelli sorprendenti, originali e variegati.[30] Eduard Josef Wimmer, uscito dalla Kunstgewerbeschule di Hoffmann e architetto e progettista della Wiener Werkstätte, divenne il direttore del reparto moda.

Fin verso il 1900 e anche più tardi si ebbero isolate riflessioni nel campo del costume teatrale e da ballo[31] (vedi Roller,

Da sinistra dall'alto:
1. E. Flöge, *Gonna di seta*, 1910
c. (Lascito E. Flöge, coll. privata, Vienna/Londra). □ 2. Atelier Flöge, *Tunica «Klimt-Mantel»*. (Lascito E. Flöge, coll. privata, Vienna/Londra). □ 3. M. Löffler, *Cuscino*, 1912 c. (Lascito E. Flöge, coll. privata, Vienna/Londra). □ 4. Wiener Werkstätte, *Borsette da sera*, 1910-15. (Lascito E. Flöge, coll. privata, Vienna/Londra).

Dall'alto:
1-2. E.J. Wimmer-Wisgrill, *Figurini*, 1912-15. (Hsch. f. angew. Kunst, Vienna). □ 3. *Abito per signora*. (Hsch. f. angew. Kunst, Vienna).

Olbrich, Hoffmann), ma con la fondazione del reparto moda della WW si cercò di inserire l'aspetto abbigliamento nella rappresentazione dell'opera d'arte totale. I primi abiti da casa per Sonja Knips del 1911 e per Frederike Beer-Monti sempre del 1911 erano stati progettati da Hoffmann ed eseguiti dalla WW come completamento per l'arredo d'interni. L'abito da casa veniva portato morbidamente sopra il vestito da giorno normale, come si può vedere in una fotografia di Sonja Knips. Il tessuto «Ameise» venne inventato da Wimmer e usato dalla WW per anni anche come tessuto decorativo. Questo vestito a forma di kimono, largo e generosamente tagliato, rivela il carattere di vestito solamente nelle parti cucite, nella scollatura aderente e filettata di nero e nel corpetto leggermente modellato. I lati non sono cuciti e cadono insieme morbidamente, foderati in un leggero tessuto di seta e tenuti insieme da un'invisibile cintura in vita.

Gli esempi più eloquenti delle idee artistiche di Hoffmann sono il Palazzo Stoclet (1908-11) e la casa di campagna in Winkelsdorf, costruita fra il 1913 e il 1914 per un industriale e banchiere di Olmütz, Otto Primavesi. L'unità tanto agognata tra vita e arte dal «Gesamtkunstwerk» di fine secolo venne qui messa in pratica fin nel più piccolo dettaglio: nella decorazione d'interni, nel design di posate e biancheria per letti. Erano previsti anche ricorrenze e ricevimenti che richiedevano un abbigliamento particolare. La serietà con la quale l'architetto creava queste toilettes emerge dallo scambio epistolare con la padrona di casa Mäda Primavesi.[32]

Hedwig Steiner, nipote di Mäda, testimone dell'abbigliamento speciale in occasioni pomeridiane o serali di ospiti e padroni di casa, descrive dettagliatamente i loro vestiti «talari». Ricorda che agli ospiti venivano distribuiti dei «mantelli» da sera nei colori delle decorazioni delle singole stanze e che Hanak, Hoffmann e Klimt, assidui frequentatori della casa, possedevano dei propri talari che a nessun altro era permesso di portare e che forse esistevano nella mansarda i «modelli delle tre stanze d'arte» per un secondo abito.[33] Aggiunge Otto Primavesi: «Hoffmann aveva un talare bianco

e nero, Hanak, per quanto mi ricordi, blu scuro e nero, mio padre e io ne avevamo con dei disegni chiari di due tipi. Ce n'erano poi molti altri a disposizione degli ospiti.»[34] Hedwig Steiner ci ha anche lasciato una foto da lei scattata a Winkelsdorf nel 1918, in occasione di una festa; spiega in proposito: «Nella foto, accanto a Gustav Klimt, si vede un'ospite femminile, la signora Gmür, con un vestito da sera adatto a Winkelsdorf; anche mia zia e le cugine indossavano vestiti di seta leggera molto ampi e poco convenzionali. Il mio vestito da sera di Winkelsdorf era dello stesso materiale — se non sbaglio si chiamava «Arlecchino» —; completamente liscio e tagliato a kimono, era un poco più aderente dei talari da uomo, senza guarnizione al collo e con le maniche corte.»[35]

I diversi vestiti da casa, talari e vestiti d'arte, creati ad esempio da Klimt per Emilie Flöge e da Moser per la moglie Dita, erano prodotti individualmente per amici o per clienti del mondo industriale: i Wärndorfer, i Wittgenstein, gli Stoclet e i Primavesi. L'esigente concezione dell'opera d'arte totale (Gesamtkunstwerk) della Secessione viennese e del gruppo di Klimt, e in particolare l'abbigliamento come elemento di un insieme architettonico, non potevano quasi venire utilizzati per le toilettes e gli accessori della Wiener Werkstätte destinati prevalentemente al ceto medio della città. Ciò nonostante il tipico vestito della WW doveva il suo sorprendente fascino artistico, la sua fama di vestito d'arte antimoda, alla medesima riflessione creativa individuale che sottostava alle creazioni uniche ed elitarie dei secessionisti. La WW, intorno al 1905 un'industria artigianale «con oltre cento operai accuratamente selezionati»,[36] era un ibrido che rifiutava la concezione commerciale dell'industria della moda, approfittando però nel contempo dei suoi mercati di sbocco. I vestiti della WW erano, non solo per aspetto, ma anche per il prezzo, piccole opere d'arte: questo limitava ovviamente la loro diffusione. La WW attirò ben presto l'attenzione internazionale, cominciando a esportare in vari paesi: doveva tuttavia questo successo non tanto a una moda creativa quanto alle composizioni di colore delle stoffe, ai disegni e alla varietà di forme sui tessuti di

Wiener Werkstätte, ma fino a oggi non abbiamo un solo modello la cui provenienza sia sicuramente da attribuire a Hoffmann. I modelli che abbiamo sott'occhio sono di Wimmer e della sua cerchia di allievi, di Maria Likarz, Mathilde Flöge e Dagobert Peche: sempre che le informazioni raccolte presso collezionisti privati e presso il Kostümhistorisches Museum di Vienna siano complete.

Nel 1957 Wimmer ha attribuito, in una pubblicazione retrospettiva di fotografie della Wiener Werkstätte che contiene molte raffigurazioni di articoli di moda e che si trova oggi presso il Museum für Angewandte Kunst di Vienna, due vestiti a Hoffmann. Secondo noi, tenendo conto del giudizio datone anche da Angela Völker in *Die Mode der Wiener Werkstätte* (in «Waffen und Kostümkunde», anno 1983, p. 122), questa attribuzione è molto problematica: i vestiti sono da attribuire a Wimmer stesso. Fra l'altro una delle fotografie venne donata dal figlio di Wimmer, Gino, alla Hochschule für Angewandte Kunst di Vienna.

Anche il famoso abito «Domino» (collezione Salzer), attribuito a Hoffmann per le testimonianze orali della madre che aveva indossato il vestito a un ballo mascherato dei secessionisti, non pare attendibile. Lo stesso vale per i vestiti che la signora Stoclet attribuiva a Hoffmann oltre che a Poiret e per i fazzoletti del signor Stoclet. Anche i costumi di scena custoditi in una collezione privata svizzera necessitano di ulteriori verifiche.

[32] Una lettera di Hoffmann a Mäda Primavesi, da Vienna, del 19.10.1915, è all'Historisches Museum di Vienna, raccolta della moda, inventario 3891/1.

[33] Hanak portava due tipi di talari: uno con una decorazione di campanule di Zavetti (si trova oggi nelle raccolte della moda dell'Historisches Museum di Vienna); l'altro, con leggere strisce azzurro-lavanda, è documentato fotograficamente (Archivio dello Hanak-Museum in Langenzersdorf). Lettera di Hedwig Steiner a Lucie Hampel del 15.3.1968, raccolta della moda dell'Historisches Museum di Vienna, inventario 3891/1, vol. II.
Un abito di seta bianca decorato con crêpe di seta, su disegno di Otto Czeschka del 1914 (cfr. «Textile, Kunst und Industrie» anno 1914, vol. VII, p. 56), avrebbe potuto anch'esso essere un talare di Winkelsdorf. Si trova oggi al Badischen Landesmuseum di Karlsruhe. Nel catalogo dello Jugendstil, in una scelta di raccolte curata da Irmela Franzke, Karlsruhe, 1978, p. 251, sotto il numero 66 (vestaglia in stile kimono), viene attribuito a Klimt un progetto realizzato dalla Wiener Werkstätte nel 1910.

[34] Lettera di Otto Primavesi del 14.10.1980 al professore Peter Gorsen, Lehrkanzel für Kunstgeschichte an der Hochschule für Angewandte Kunst, Vienna.

[35] Lettera di Hedwig Steiner, *ibidem*.

[36] «Prager Tageblatt», 25.6.1905.

510

E.J. Wimmer-Wisgrill, *Roland*, bozzetto di moda, 1912 c.

[37] Lettere di madame Poiret-de Wilde del 18.2.1980 e del 2.4.1981 all'autrice e al professore Peter Gorsen. Le fonti per questo lavoro furono in realtà elaborate per un'esposizione sull'opera di Hoffmann che non ebbe luogo. Un ringraziamento al professore Peter Gorsen che ha messo gentilmente a disposizione il suo lavoro.

[38] Bertha Zuckerkandl, *Paul Poiret und die Klimt-Gruppe*, in «Neues Wiener Journal», 25.11.1923, p. 5.

[39] Cfr. «DKuD», vol. XXXIII, 1913-14.

rara efficacia. Spesso attingeva all'arte popolare boema, ungherese e morava. Conseguentemente l'abito della WW era dominato dall'idea del tessuto più che dall'intera costruzione. La stranezza dei modelli, la stravagante composizione dei vari tessuti, fra cui la seta leggera con bizzarri disegni stampati, facevano sentire la mancanza dell'eleganza e della raffinatezza del taglio parigino.

Le sete disegnate e stampate a mano divennero una specialità della WW e più tardi furono esportate anche a Parigi, la capitale della moda di allora. Qui sorprendeva molto la lavorazione originale e poco ortodossa. Persino il grande Paul Poiret si interessò molto alle sete austriache e ne acquistò notevoli quantità per le sue produzioni. La vedova di Poiret, madame Boulet, possiede l'unico vestito rimastoci con la fodera di seta Pongée della WW. Il modello «Diomede» creato da Dagobert Peche negli anni 1911-1913 — le forme di foglie e i rombi sono neri e turchesi — venne usato come fodera fortemente in contrasto con il mantello («Maroc») di lana bianca di tricotage di Rodier. Sarebbe uno dei primi modelli postbellici di Poiret dopo il suo viaggio in Marocco intorno al 1919.[37] Egli incontrò il gruppo di Klimt e la WW per la prima volta all'Esposizione internazionale d'arte di Roma nel 1911 e fu molto impressionato dalla complementarità di arte e decorazione presente nelle creazioni austriache del padiglione di Hoffmann. Poco dopo, nel 1911, si recò a Vienna e visitò la WW, il reparto di Eduard Wimmer e la scuola per l'artigianato, dove insegnavano quasi tutti gli iniziatori dello stile della Secessione. Fu in quell'occasione che portò con sé un suo «vestito da teatro» che suscitò tanto scalpore, una forma di presentazione di una moda multimedianica proiettata nel futuro: infatti solo due anni dopo venne ripresa dalla WW con molto successo per la prima sfilata all'estero, nella casa dell'artigianato dello Hohenzollern a Berlino. Fra Poiret e gli artisti austriaci si svilupparono amichevoli rapporti di lavoro; nel frattempo infatti Poiret, in stretto contatto con l'avanguardia del fauvismo, inseguiva anch'egli il concetto di opera d'arte totale. La collaborazione con gli austriaci fu interrotta dalla prima guerra mondiale, ma continuò poi negli anni '20, finché avvenne il collasso dell'impresa parigina. Bertha Zuckerkandl, che curava i rapporti con Vienna mettendo a disposizione le sue notevoli conoscenze artistiche, ebbe a scrivere: «Grazie a Poiret il gusto austriaco si è ricongiunto alla tradizione francese.»[38]

L'influenza che Poiret esercitò in tutto il mondo giunse quindi anche a Vienna: diffuse allora il vestito a camicia privo di corsetto (1905), il pantalone da odalisca (1909-10), suscitando enorme sorpresa con la gonna a pantalone. Le creazioni della WW di Wimmer, soprannominato «il Poiret viennese», erano il risultato di un confronto personale con il modello parigino, ma erano visibili dipendenze e limitazioni nell'ambito della WW.

Il modello «Lassitude», creato da Poiret e interpretato più tardi nel 1912 da Georges Lepape per la «Gazette du Bon Ton» come immagine di moda, derivava dalla serie «Robes Minaret», che venne assimilata con avidità, come anche quella «Abat-jour» che proponeva i cosiddetti «abiti a paralume», dall'industria della moda. Anche la WW, come mostrano i modelli di Wimmer, aveva fatto propria l'idea di fondo: cioè una tunica sopra un'altra tunica. Il taglio era assolutamente lo stesso. Allo stile impero si devono, come anche in Poiret, la parte del corpetto e l'arricciatura. La sopratunica ha la stessa lunghezza di quella sotto ed è abbellita con una rosa al posto di un orlo di pelliccia; il turbante venne trasformato in cappa, il fermaglio in piuma. Una variante realizzata dalla WW, il vestito da casa di Wimmer,[39] venne mostrato per la prima volta alla sfilata nel centro dell'artigianato dello Hohenzollern nel 1913. Si trattava di una tunica tagliata molto semplicemente, leggermente arricciata in vita da una cintura di nappa e drappeggiata nella parte anteriore. La sottotunica però, bianca, aderente e plissettata, sembrava uscire da una collezione di Poiret di alcuni anni prima. Anche la posa aveva qualcosa di già visto.

Ugualmente eccitante fu l'influenza di Poiret con l'introduzione di modelli liberamente elaborati e fissati nel linguaggio formale dell'avanguardia: affidò questo compito ad artisti come Leon Bakst, Paul Iribe, Raoul Dufy e Georges Lepape. Nell'immagine del vestito, qui nuovamente appetibile per l'industria, il

Da sinistra dall'alto:
1. *Vestito estivo*, 1910-14. (Hsch. f. angew. Kunst, Vienna). □ 2. Atelier Flöge, *Mantello da sera*, 1911-15. (Hsch. f. angew. Kunst, Vienna). □ 3. Salon Fimpel, *Abito da sera*, 1907-08. (Hsch. f. angew. Kunst, Vienna). □ 4. *Mantello da sera*, 1910-12. (Hsch. f. angew. Kunst, Vienna). □ 5. *Uniforme di R. von Larisch*, 1900 c. (Hsch. f. angew. Kunst, Vienna).

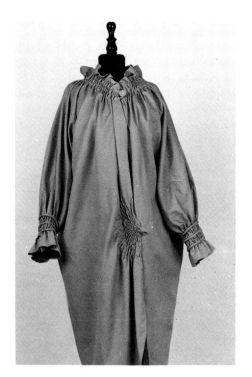

marchio del creatore diventava segno indelebile di una marca d'industria. Le cartoline postali della WW mostravano progetti di vestiti creati da artisti come Mela Köhler, Otto Lendecke, Fritzi Löw, Arnold Nechansky, Dagobert Peche e altri e senza dubbio assolvevano un compito di diffusione e pubblicità, seppure di qualità molto elevata. La creazione di moda era anche qui un fenomeno eccezionale e periferico, mentre l'immagine della moda divenne consumabile proprio nella riproduzione grafica.

Poiret comunque non era solo colui che dava ma anche colui che prendeva. Tornato dai suoi soggiorni dapprima a Berlino (nel 1909 presso Muthesius, Bruno Paul, van de Velde e Max Reinhard) e poi a Vienna (nel 1911), fondò l'École d'art décoratif Martine, tre mesi dopo lo Studio Martine (nel 1912) e in collaborazione con Raoul Dufy un laboratorio per tessuti stampati.[40] Mise in pratica le nozioni e le esperienze apprese costruendo un organismo che era una via di mezzo fra la Kunstgewerbeschule di Vienna e la WW. Qui erano a disposizione di vaste cerchie di clienti interi arredamenti per interni, collezioni di stoffe, i famosi «tissus artistiques». La collaborazione con l'industria Bianchini permise una produzione più vasta. Poiret aveva dunque imparato molto a Berlino e a Vienna: era diventato anche architetto e artista totale.[41]

Le collezioni di decorazioni per tessuti viste a Vienna non trovarono però il suo consenso incondizionato. Metteva in guardia «dalle ripetizioni monotone» di disegni geometrici e a strisce, dalla dissoluzione di motivi floreali e di bouquet in decorazioni sciolte di fiori, foglie e rombi; pensava infatti che si trattasse solo di una infelice sopravvivenza dello stile Biedermeier.[42] Osserva acutamente Peter Schupisser: «Le stoffe con disegni dalle forme rigide e in particolare quelle geometriche non corrispondevano sempre al suo gusto. Non erano destinate ad abiti, giacché questi richiedono altre decorazioni per un corpo che si muove e che provoca a sua volta vari disegni.»[43]

Poiret criticava anche la «criminale» disciplina accademica di chi usciva dalle scuole di Berlino e di Vienna,[44] contrapponendovi la freschezza e immediatezza dei disegni dei bambini. Uno dei compiti

dell'École d'art décoratif era anche di raccogliere questi talenti naturali, solitamente bambine proletarie intorno ai dodici anni, di condurle in bei paesaggi, in giardini di palme, far ritrarre loro la natura senza nessun tipo di controllo o censura.[45] Indubbiamente era stato influenzato dalla scuola per l'arte giovanile istituita da Franz Cizek a Vienna. Qui i bambini dai 6 ai 12 anni venivano sollecitati a disegnare liberamente, senza costrizione alcuna, seguendo l'istinto individuale.[46] Si imboccò così una strada decisamente opposta a quella della pedante riproduzione accademica della natura. Come altri pedagoghi del suo tempo Cizek era convinto dell'elemento «incontaminato e primitivo» dell'arte dei bambini, considerandoli un po' come una terra promessa;[47] era anche un momento storico particolare: l'arte popolare era in declino e l'arte contemporanea, piuttosto provata, dell'espressionismo e del postimpressionismo era alla ricerca di motivi esotici non ancora sfruttati.

Della stessa opinione era Poiret quando cominciò a impiegare giovani artisti privi di formazione come fonte inesauribile per disegni di stoffe, tappeti e tappezzerie; ben presto i suoi interni «botanici» mostrarono alberi e cespugli di grande ingenuità infantile, edere al naturale e senza artifici.[48] Poiret sceglieva i disegni più belli dei bambini non senza opportunismo, confrontandoli poi con quelli dell'arte naïve di Henri Rousseau.[49] Sicuramente lo stile di maniera dei professori della scuola viennese non si lasciò influenzare a tal punto dalla «naturale ispirazione» (Poiret) dell'arte giovanile coltivata da Cizek.

La prima uscita all'estero della moda della WW, nel 1913 a Berlino, sperimentò il metodo efficace di Poiret dell'uso di mannequins come «quadri viventi» che sfilavano su una passerella bianca e nera, stilizzata, quasi da catafalco, sopra la quale dominava il marchio della WW. La strategia era quella di diffondere il «vestito originale della donna viennese» legittimandone l'autonomia e l'indipendenza dalla moda parigina. La stampa dell'epoca si occupò parecchio dello stile della sfilata, si mostrò scettica però verso le pretese di Wimmer di una moda originale e concorrente con quella di Parigi. Nei fatti la WW si di-

[40] Paul Poiret, *En habillant l'époque* (1930), Paris, 1974, p. 122 sgg.
[41] Cfr. *Die neuen Räume Poirets in der Ausstellung bei Hermann Gerson in Berlin*, in «DKuD», vol. XXXIII, 1914, pp. 144-148.
[42] P. Poiret, *op. cit.*, p. 117 sgg.
[43] René König — Peter W. Schupisser, *Die Mode in der menschlichen Gesellschaft*, Zürich, 1958, p. 302.
[44] P. Poiret, *op. cit.*, pp. 117, 118.
[45] *Ibidem*.
[46] Cfr. Kunstgewerbeschule, *Ausstellung von Schülerarbeiten aus Anlass der Vollendung des 60. Bestandjahres der Anstalt*, Wien, 1929, p. 22 sgg.
Berta Zuckerkandl scrisse in *Österreich intim, Erinnerungen 1892-1942* (pubblicato da Reinhard Federmann, Frankfurt-Berlin-Wien, 1970, p. 103) su Poiret a Vienna: «Il sistema di studio della Kunstgewerbeschule gli fece molta impressione perché liberava la gioventù dalle catene dello studio accademico, ormai privo di vita. Fece molti complimenti e numerosi allievi dotati di talento furono chiamati a Parigi. Un giorno entrò in un'aula dove bambini dai cinque ai dodici anni facevano strane cose. Disegnavano, lavoravano la creta e il gesso, ritagliavano la carta e decoravano il legno. "È un asilo questo?", chiese Poiret stupito. "No — risposi io —, questa è la scuola di Cizek". Un sistema di apprendimento completamente nuovo, inventato dal professore, per insegnare ai bambini a osservare e a dare delle immagini alle loro infantili e ingenue impressioni. Qui non si tirano su degli artisti, ma una generazione che già dall'età più tenera è abituata all'arte e che deve imparare a sviluppare la predilezione e il gusto per oggetti belli. In questi bambini viennesi si cerca solamente di svegliare una passione istintiva, propria di ogni individuo, per la bellezza e per una visione armonica della vita. La Gran Bretagna ha già introdotto questo metodo e anche il Belgio. Adesso anche gli Stati Uniti vogliono importare queste teorie."»
[47] L.W. Rochowanski, *Die Wiener Jugendkunst, Franz Cizek und seine Pflegestätte*, Wien, 1946, p. 28 sgg.
[48] «DKuD», vol. XXXIII, cit.

stingueva tuttora per l'originalità delle stoffe e per gli accostamenti di colori: «La cosa più bella di queste composizioni, dove ricorrono colori forti, arancione, rosso ecc., sono le stoffe stampate a mano, seta o voile con ornamenti geometrici, fiori stilizzati ecc. C'è da dire però che questi vestiti emanano troppo l'atmosfera degli ateliers, appaiono troppo artificiali, non hanno ancora trovato un vero contatto con la vita, con la quotidianità. In questo sta il compito che i creatori di moda devono ancora assolvere.»[50]

Negli anni seguenti la WW cercò di uscire dalle strettoie del proprio stile. La bellezza delle stoffe e dei colori era diventata popolare sul mercato internazionale attraverso gli ateliers di Poiret, grazie però alla lavorazione e alla valorizzazione della WW. Per l'Austria questo successo era incoraggiante in un'ottica di ambizioni internazionali. Paradossalmente l'Austria riuscì vincente negli anni 1914-18: durante la guerra la moda parigina dovette correre ai ripari negli Stati Uniti, mentre Vienna primeggiava nei paesi risparmiati dal conflitto franco-tedesco: in Scandinavia, in Olanda e soprattutto nella Svizzera, così popolata da un mondano pubblico di emigrati. Nel 1917, sotto la direzione di Dagobert Peche, venne fondata una filiale della WW a Zurigo e ben presto furono organizzate sfilate a Berna e Zurigo.

Max Eisler su «Fremdes Blatt» e «Wiener Kunstmode» invocava grandi sforzi per sfruttare il momento storico favorevole: «Ora la concorrenza è fuori gioco; abbiamo più volte tentato di battere il nostro difficile avversario espellendolo dal mercato internazionale: sarebbe assolutamente irragionevole far passare il tempo adesso che la meta è vicina; non abbiamo nemmeno bisogno di combattere. Vienna deve assumere la guida, deve comprendere i tempi e sfruttarli, adesso, subito, senza indugio, prima che la fine della guerra permetta una ripresa dei nemici.»[51]

L'appello sciovinista voleva attirare l'attenzione degli artisti, degli artigiani della moda e soprattutto dell'industria sul mercato tedesco «liberato» dai francesi. Ebbe inizio un periodo che vide anche la WW compromettersi con obiettivi prevalentemente commerciali, «gli unici a

offrire occupazione».[52] Nella discreta esposizione di moda del 1915-16 al KK Österreichisches Museum für Kunst und Industrie la scena viennese si trovò unita in una «mostra di materiali» alla quale Josef Hoffmann e Dagobert Peche cercavano di dare un tono artistico. La nuova strategia si fondava su tre operazioni: la preparazione di una sfilata a Vienna con il compito di indirizzare, in autunno e primavera, le vendite a compratori stranieri e inoltre di attirare più pubblico straniero possibile; le iniziative dell'amministrazione regionale della Bassa Austria che avevano favorito l'unione di ditte viennesi in una società cooperativa; infine un'azione per provocare un maggiore contatto fra artisti e imprenditori.[53] Sicuramente la WW fu abile a sfruttare le possibilità di un mercato sempre più impoverito, quasi privo di tessuti necessari per la guerra, come lana e cotone. Propose infatti un vecchio cavallo di battaglia: la seta stampata. L'artista della WW Karolina Jacobsen posò in un abito di seta della WW. Pieno di nostalgia, il suo sguardo, nella foto di D'Ora, riposa su pigne di abiti e accessori di seta davanti a lei: naturalmente si trattava di favorirne il consumo.

La merce di seta austriaca conquistò negli anni della guerra, quando gioielli, lusso ed eleganza si escludevano da sé, l'intero mercato dell'Europa neutrale. Mancavano le stoffe, c'era il tabù della superbia: le sete leggere pongées, il taffetà, le crêpes assursero a materiali ideali per l'inverno e l'estate, per il giorno e la notte, per la casa e le feste. Furono confezionati anche abbigliamenti sportivi, da giardino e da bagno: portabili dunque in qualsiasi occasione.[54]

Il trionfo delle sete e del consapevole imperialismo della moda di alcuni componenti della WW portò a un graduale appiattimento e a un esaurimento del suo stile polimorfo, variegato e ricco di materiali. La sua forza era sempre stata la moltitudine delle decorazioni e delle combinazioni di colori. Alla lunga l'estetica triviale della moda, ridotta a tagli semplici, a vestiti poco appariscenti, grembiuloni lisci con scarni ricami e colori spenti come blu, grigio e nero, divenne insopportabile. Le bluse venivano portate nelle giuste combinazioni con le tipiche gonne tedesche a sbuffo che di

Decorazione per libro di J. Hoffmann, in «Ver Sacrum», gennaio 1898.

[50] «Berliner Lokal Anzeiger», 12.3.1913.
[51] «Fremden Blatt», 17.10.1914, p. 19. Più radicale la Zuckerkandl sulla «Wiener Allgemeine Zeitung» del 18.8.1914: «Ciò nonostante noi austriaci possiamo osare di far da guida per la moda europea. L'elevazione dello stile appartiene al popolo austriaco nel momento in cui si libera dalla dipendenza dall'estero. L'arte austriaca è un blocco omogeneo.»
[52] *Ibidem.*
[53] Catalogo della *Mode-Ausstellung 1915-16* al KK Museum, Wien, dicembre 1915-febbraio 1916, p. 6 sgg.
[54] Esaurientemente in *Moderne Stoffe* in «Chronik Wien» n. 21, 1917. Cfr. *Die Entwicklung der Mode von 1919-1930*, in *Metropolen machen Mode, Haute Couture der Zwanziger Jahre*, cat. mostra Kunstgewerbemuseum, Berlin 1977, p. 25 sgg; Völker, *op. cit.*, p. 130 sgg.

1. *Toga*, disegno del tessuto di C.O. Czeschka, 1914 c.

certo non facevano risaltare la figura. Lo iato tra creatore di moda ed esigenze della vita divenne incolmabile. Il narcisismo, un tempo importante stimolo psichico della moda decorativa della WW, si esaurì cedendo il passo a una moda senza pretese, pronta per tutti gli usi. La rinuncia alla fantasia e l'adattamento privo di illusioni al mercato della moda fecero superare alla WW anche gli anni del dopoguerra. Ma bisognò attendere ancora a lungo prima che la moda si adeguasse alle mutate condizioni della società e della donna.

2. *Abito da casa*, disegno del tessuto di E.J. Wimmer-Wisgrill, prod. Wiener Werkstätte, 1913.

Per le illustrazioni si ringraziano: il Badisches Landesmuseum di Karlsruhe, la Galerie Brandstätter di Vienna, l'Historisches Museum der Stadt Wien, la Hochschule für Angewandte Kunst di Vienna, l'Österreichisches Museum für Angewandte Kunst di Vienna, Madame Poiret-de Wilde di Parigi.

Da sinistra dall'alto:
1-2-3. E.J.Wimmer-Wisgrill, *Figurini*, 1912-13. (Hsch. f. angew. Kunst, Vienna). □ 4. B. Löffler, *Figurino*, 1910 c. (Hsch. f. angew. Kunst, Vienna).

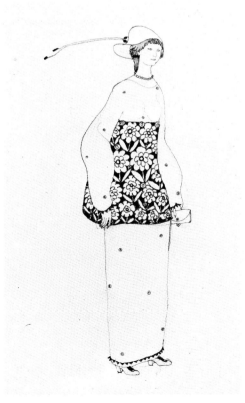

1-2-3-4-5. Emilie Flöge indossa alcuni abiti di sua produzione disegnati da Gustav Klimt; i gioielli sono di Kolo Moser. (Lascito E. Flöge, coll. privata, Vienna/Londra).

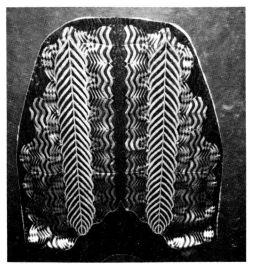

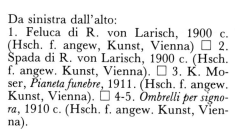

Da sinistra dall'alto:
1. Feluca di R. von Larisch, 1900 c. (Hsch. f. angew. Kunst, Vienna) □ 2. Spada di R. von Larisch, 1900 c. (Hsch. f. angew. Kunst, Vienna). □ 3. K. Moser, *Pianeta funebre*, 1911. (Hsch. f. angew. Kunst, Vienna). □ 4-5. *Ombrelli per signora*, 1910 c. (Hsch. f. angew. Kunst, Vienna).

A. Hofer, *Dalmatica*, 1911. (Museo del Convento, Kloster-neuburg).

Da sinistra dall'alto:
1. Café sul Ring, 1915. (ÖNB, Vienna). □ 2. Giardino del Café Sacher. (ÖNB, Vienna). □ 3. Una gara d'automobili all'ippodromo di Vienna. (ÖNB, Vienna). □ 4. Fotografia di H. Drawe, da «Durch die Wiener Quartiere des Elends und Verbrechens», 1904. □ 5. «Corteo dei fiori» nel Prater. (ÖNB, Vienna).

MISERIA E SPLENDORE
La società viennese intorno al 1900

Gabriele Koller

Sopra:
La «Festa di maggio» davanti al Parlamento. (ÖNB, Vienna).

[1] Paul Stefan, *Einiges zum Problem «Wien»*, in «Erdgeist», 17.3.1908, cit. in Walter Obermaier, *Dokumente aus Schönbergs Wiener Zeit*, in cat. *Arnold Schönberg Gedankenausstellung*, a cura di E. Hilmar, Wien, 1974.
[2] Relazione segreta di un rivoluzionario cinese su un suo viaggio in Austria, traduzione autorizzata di Paul Stefan, in «Der Ruf», n. 1, 1912, p. 66, cit. come nota 1.
[3] Gilles Deleuze, *Nietzsche und die Philosophie*, München, 1976, p. 17.

«Non vi è alcun dubbio: ci si occupa di Vienna... Sullo sfondo di questo fatto c'è un problema, un problema che non riguarda soltanto la cultura viennese ma quella tedesca, forse quella europea...»[1] «Ma Vienna è anche la capitale musicale del mondo. Il mio dotto austriaco mi fa da guida. Arrivammo al cimitero centrale, dove effettivamente sono sepolti i più grandi compositori di quella parte della terra che si chiama Austria e anche non pochi del resto dell'Europa. Quando dopo due giorni ritornammo da questa visita, mi condusse in alcune case allora disabitate. In una aveva vissuto il compositore Schönberg, nell'altra il direttore d'orchestra Zemlinsky, nella terza il direttore della cappella di corte Walter. Ma se n'erano andati... In un altro cimitero, molto bello, giaceva un grande musicista, nato in questa parte della terra al confine del deserto boemo ma che a Vienna aveva operato. Si raccoglievano allora i fondi per erigergli un monumento e venivano pure eseguite le sue opere. Ma che anche i viventi non vengono dimenticati, se sono appena discreti, potei constatarlo a un concerto pomeridiano dove i membri della migliore società consultavano ripetutamente l'orologio per controllare quanto mancava all'ora della cena. Alcuni si erano addormentati.»[2]

La grande città fu l'ossessione del XIX secolo. Ferrovie, inizio della produzione di massa, illuminazione. La velocità, l'ufficio e la notte occuparono il centro della città. Nacque l'uomo con il moderno sistema nervoso e nacque la capitale degli affanni. Vienna, sempre più distaccata dalle Alpi, capitale dell'impero e città residenziale, si apriva da secoli quali «porta orientis» agli immensi spazi dell'Est, mentre sul piano economico e umano, estetico e morale, le grandi correnti del pensiero europeo del XIX secolo operavano verso un sistema neutrale di equilibrio tra le culture e le religioni dei popoli. Ai margini estremi, nelle comunità greco-ortodosse ed ebraiche delle popolazioni slave dell'Oriente meridionale, erano ancora vivi i resti del matriarcato con la sua ininterrotta tradizione di arcaici ed erotici miti e favole. Ai confini ci sono i protestanti e l'islam, mentre il centro è cattolico e patriarcale. La vecchia cultura della nobiltà profondamente cattolica convive con l'allegoria sensuale e la plastica eleganza, il liberale borghese con la *Nascita della tragedia* di Nietzsche. «...La cultura tragica e i suoi moderni rappresentanti, Kant, Schopenhauer e Wagner, ''l'aspetto più importante del cui pensiero consiste nel fatto di avere indicato al posto della scienza, quale meta più alta, la saggezza, la quale, senza farsi ingannare dalle deviazioni delle scienze, si volge con sguardo fermo al quadro complessivo del mondo e in esso cerca, con partecipazione e sentimento di amore, di intendere l'eterno dolore come proprio dolore''.»[3]

Il Kärntnerring verso l'Opera, 1898 c. (ÖNB, Vienna).

Nel XIX secolo l'estetica delle arti applicate fu fondata da Gottfried Semper con *Lo stile nelle arti tecniche e tettoniche*, *L'arte tessile* e *La ceramica*. Nel 1892 seguì l'esposizione «Tappeti orientali» dell'imperial-regio Museo austriaco del commercio. La mostra, dopo Vienna, fu portata anche a Londra e a Parigi da Alois Riegl. L'interesse di Riegl non era motivato dallo scopo di offrire possibili modelli all'artigianato locale, bensì dalla convinzione che il tappeto orientale era un oggetto della storia dell'arte e che pertanto doveva essere esplorato nei suoi contenuti ideali e nelle sue capacità creative nel senso del Kunstwollen.[4] Nel 1908 il giovane Kokoschka riportò in disegni a grandezza naturale i «Traumträger» per la produzione di un arazzo, dove il ripiegamento dell'immagine esteriore nel sentimento interiore conferisce alla trasposizione su un tessuto morbido più significato di quanto potesse averne un arazzo il cui scopo era l'ornamento di un'abitazione.

Scopi e decorazione, desiderio e angoscia, memoria e piacere, ornamenti e verità permanevano come spirito del tempo e contraddizione di una generazione di figli, che avevano ritenuto possibile la vittoria delle idee sulla realtà e che volevano opporre l'arte alla negazione scientifica dell'incantesimo del mondo.

All'ambivalenza dei moti del sentimento corrisponde il paradigma degli orientamenti politici, orizzontale sul piano delle nazionalità, verticale rispetto agli strati sociali. Di fronte alla crescente influenza della borghesia liberale stava la potenza della nobiltà. Fra il 1904 e il 1918 la percentuale dei borghesi e della bassa nobiltà di servizio, dei baroni, dei cavalieri, in una parola della cosiddetta «seconda società», crebbe nell'amministrazione dello stato dal 9 al 43% e nei posti direttivi dallo 0 al 58%. Tre quarti dei generali e nove decimi dei deputati erano di origine borghese e spesso piccolo-borghese. L'allargamento della base democratica attuato con la nuova legislazione elettorale coincise però, sul fronte della classe dominante, con l'avvio di una organizzazione sistematica tendente a impedire che la tolleranza sul piano economico sfociasse in tolleranza su quello sociale. Il principe Schwarzenberg, per esempio, oltre a essere titolare di vari uffici e della gestione di franchigie, di 12 castelli, 95 fattorie, 12 fabbriche di birra, 2 raffinerie di zucchero, 22 segherie e alcune miniere di grafite, era signore di 73 parrocchie con 87 chiese e possedeva 90 chilometri quadrati di terra su cui erano occupate 5.000 famiglie di contadini.[5]

I membri della nobiltà di servizio non

[4] Alois Riegl, *Altorientalische Teppiche*, Mittenwald, 1979; introduzione bibliografica di Ulrike Besch, p. III.
[5] Nicolaus von Preradovich, *Die Führungsschichten in Oesterreich und Preussen*, Wiesbaden, 1955.

1. Cameriera con militari nel Prater. Fotografia di E. Mayer.

2. Casa di ringhiera con inquilini. Vienna

[6] Hermann Broch, *Hofmannsthal und seine Zeit*, Frankfurt/Main, 1974, p. 6.
[7] Felix Salten, *Wiener Adel*, Grosstadt-Dokumente, Berlin, s.d., vol. XIV, p. 8.
[8] *Ibidem*, p. 72.
[9] *Ibidem*, p. 71.
[10] *Ibidem*, p. 75.
[11] Felix Salten, *Wurstelprater*, Wien 1973 (ristampa), p. 92.
[12] Adolf Loos, *Heimatkunst* (1914), in *Trotzdem*, Innsbruck, 1931, p. 134.

erano ammessi alla corte dell'imperatore ed erano esclusi dalle sfarzose feste degli Schwarzenberg e dei Liechtenstein; invece gli ufficiali dell'esercito, quale che fosse la loro origine, erano privilegiati con l'ammissione a corte. I rapporti dell'alta nobiltà con la «seconda società», nonché quelli con la burocrazia di grado superiore e con la borghesia nobilitata, connessi con l'incremento dei capitali e dei tassi di interesse, costituivano il nucleo ufficiale della vita sociale della metropoli. Nei balli di beneficenza come nelle soirées, al Jockey Club come nei teatri e negli incontri all'Hotel Sacher, l'alta nobiltà sovrastava quasi ogni aspetto della vita pubblica. Era quella classe dominante che Hermann Broch definì *Dekoration einer Stil-Demokratie*; una democrazia nella quale i viennesi, dal vetturino al consigliere di corte, erano gli spettatori.

«Potremmo quasi chiamarla "Stil-Demokratie". Il fatto, per esempio, che le corse di cavalli organizzate in tutti i paesi europei da circoli tanto aristocratici ed esclusivi fossero aperte al pubblico senza distinzioni non ne fece senz'altro istituzioni troppo democratiche; a Longchamp erano una esposizione di moda, e a Grünewald... come ad Amburgo erano plebee centrali di scommesse, mentre invece a Epsom e nel viennese Freudenau avevano assunto il carattere di feste popolari alle quali tutte le classi, fino all'ambiente della corte, egualmente partecipavano conferendo loro, come a tutte le feste popolari, una colorazione democratica.»[6]

«Vienna ha sempre avuto almeno un paio di aristocratici che godevano di vasta popolarità, amati o odiati dal popolo, ammirati e scimmiottati dalla borghesia, da tutti viziati e giudicati con affettuosa indulgenza. Divenire popolari, ecco il sogno di tutti i conti, piccoli e grandi, di tutte le principesse, giovani e vecchie. A Vienna si può diventare popolari con una leggiadra idea per un ballo, con uno smagliante equipaggio, oppure con un gilet originale, cantando dei ritornelli e persino con una diligente applicazione alle passeggiate. I viennesi si sentono lusingati quando persone altolocate camminano a piedi per le strade esattamente come i comuni mortali...»[7]

«Ciò che un uomo rispettabile, con incli-

nazioni cittadine, vuole avere dalla primavera, lo trova qui.»[8]

Si allude al viale principale del Prater, la strada verso il luogo dei divertimenti. «Perché la grande strada ci offre un'autentica immagine del nostro pubblico elegante. È la strada del successo. Tutto ciò che sta in alto appare qui. Qui si mostrano i fortunati vincitori nella battaglia per l'esistenza... Qui regna il presente assoluto, allegro, incosciente... Chi non ci ritorna è perché non ci è mai stato.»[9]

Gli ospiti abituali del viale erano i conti e i principi, le ragazze del balletto e le attrici, le baronesse e gli ufficiali. Al lusso eccentrico delle carrozze a cavalli corrispondeva quello dell'abbligliamento. «Guanti color lilla, l'azzurro del fiordaliso per finanzieri e cravatte, che non sono più cravatte ma estasi, e la gente mormora: così vestito può andare soltanto un duca o un sarto.»[10]

Tutta l'allegra poltroneria che non trovava posto nella città si radunava nel Wurstelprater. Il grande mondo della piccola gente. Birrerie e sale da ballo, tiro a segno e gioco con gli anelli. Qui giovani bellezze festeggiavano i primi successi e ragazze di vita celebravano i primi trionfi. Servette e giovani dragoni si affrettavano all'appuntamento. Accanto a ladruncoli e ruffiani, famiglie, ragazze e ginnasiali. Il panottico e la macchina a vapore. La donna cannone e l'uomo serpente. I piaceri della vita: da «an'Durcheinand» biscotti zuccherati e una ciambella per 5 Kreuzer. Nei giardini delle osterie suonavano anche orchestre di donne e «ovunque troviamo un compromesso tra arguzia piccante e garbate maniere, tra libertà goderccia e morale borghese».[11]

«Quando aspetto davanti all'Opera e guardo giù, verso piazza Schwarzenberg, ho questa profonda sensazione: Vienna! Vienna! Città con milioni di persone, metropoli di un grande impero! Ma quando osservo le case d'affitto sullo Stubenring, ho soltanto un sensazione: Mährisch-Ostrau [nome tedesco di una città della Moravia al centro di un distretto minerario e industriale, *NdT*] di cinque piani.»[12]

Dopo la città vecchia, il quartiere Schwarzenberg mostrava la più interessante mescolanza. Nella città vecchia era andato perso il principio regolatore della suddivisione in quartieri, in ciascuno dei quali era concentrato un determinato mestiere o commercio, e il suo aspetto era mutato con la crescita dei consumi, le strade della moda e del divertimento, con tutte le loro manifestazioni collaterali. In Stephansplatz sorse, quale punto di incontro dell'aristocrazia internazionale, dei possessori di capitali e di rendite, dell'élite dell'alta borghesia, il «Café de l'Europe», con salotti separati per le signore, tavoli da biliardo ed eleganti sale per il gioco dei tarocchi e del domino; la lista delle bevande comprendeva cocktails e una raffinata selezione di marche di champagne. Lì accanto, i chioschi e la tenda delle limonate. Il viavai delle uniformi, interrotto da ambulanti turchi, da cechi che vendevano cani e da bambini che correvano di casa in casa a offrire la loro merce. La bella città. La moda di lasciar intravedere un corpo che non conosce mai la completa nudità. La moda del passeggio; lana merinos, crêpe de Chine, marezzo e piume. Nel mondo dell'uomo il velluto, i gilet di piqué o di filo ritorto e la cravatta lunga. L'abito sportivo elastico e impermeabile. Ha i suoi inizi la dottrina del far presto, il law-tennis e la strategia dei giochi d'amore.

La rapida formazione della city viene completata dalle sedi delle aziende nazionali e internazionali di importazione ed esportazione, dagli uffici delle società per azioni della grande industria, dalle prime compagnie di assicurazione e dagli istituti finanziari.

«Questo sentimento di sicurezza era l'ambìto possesso di milioni di persone, il comune ideale di vita,... il secolo della sicurezza divenne l'età d'oro delle assicurazioni. Si assicurava la propria casa contro i rischi di incendio e di crollo,... il proprio corpo contro i rischi di incidente e di malattia, si stipulavano contratti per rendite vitalizie e si metteva una polizza nella culla della neonata a copertura della futura dote. Infine anche i lavoratori si organizzarono, conquistarono una normativa salariale e la cassa malattic, mentre i domestici facevano economie per l'assicurazione sulla vecchiaia e versavano le quote a un'apposita cassa per la propria sepoltura.»[13]

Le officine scomparvero dagli edifici e dai cortili interni della città vecchia.

L'industria dello svago conquistò le notti con i cabaret come «Fledermaus», «Nachtlicht» o «American Bar» e diffuse il ballo in tutti i giorni della settimana.

La connessione, nata dalla struttura feudale, tra il centro e i margini della città resta invariata e si estende soltanto perifericamente. Le classi superiori si spostano dalla città vecchia nella zona delle strade di circonvallazione. La valorizzazione sociale dei quartieri periferici provoca, con la crescita numerica del ceto medio, il trasferimento del proletariato dalla periferia nei centri vicini (l'ultimo dei quali, Floridsdorf, è annesso a Vienna nel 1904) e conduce alla formazione di una cintura di distretti operai.[14]

Il quartiere Schwarzenberg divenne un significativo modello dell'espansione dell'alta borghesia. L'antica nobiltà vi aveva costruito i suoi palazzi, ma poi anche professionisti e commercianti vi avevano acquistato delle case. I due gruppi sociali dominanti, nobili e borghesi, avevano entrambi cura della decorazione delle facciate, spesso trovandosi sotto lo stesso tetto proprietari e affittuari. Il tradizionale artigianato viennese delle sartorie, della produzione di cappelli e guanti, di chincaglierie, si trasferì qui dalla città vecchia. Contemporaneamente la grande industria vi aprì i suoi uffici centrali. Situati tra l'Opera e il Palazzo dei concerti, organi della tradizione musicale di Vienna, comparvero qui anche i negozi di strumenti musicali e le gallerie d'arte.

La Galleria Miethke presentò Edvard Munch nel 1904, van Gogh nel 1906 e, nel Kunstssalon Heller, Thomas Mann lesse nel 1908 un brano del suo romanzo *Altezza reale*. I grandi alberghi di lusso con terrazze-bar, come pure l'imperial-regio Circolo degli ufficiali, indirizzavano al gusto internazionale della metropoli i loro illustri frequentatori. Il tono esclusivo fu rafforzato in quegli anni anche dai numerosi saloni per l'esposizione e la vendita di automobili.

La vistosa attività edilizia, con oltre 450.000 abitazioni costruite tra il 1840 e il 1918, trasformò sensibilmente l'aspetto di Vienna e identificò il liberalismo politico nel capitalismo poiché gli immobili facevano parte dei più redditizi, e nello stesso tempo dei più sicuri, investimenti. Alla speculazione del capitale pri-

1. B. Löffler, *Manifesto per il Cabaret Fledermaus*.

2. Due rabbini con ragazzino ebreo, 1915.

[13] Stefan Zweiger, *Die Welt von Gestern, Erinnerungen eines Europäers*, Frankfurt/Main, 1982, p. 122.
[14] Elisabeth Lichtenberger, *Wirtschaftsfunktion und Sozialstruktur der Wiener Ringstrasse*, in *Die Wiener Ringstrasse - Bild einer Epoche*, a cura di R. Wagner-Rieger, Wien, 1976, vol. VI, p. 52.

Victor Adler.

[15] Manes Sperber, *All das Vergangene*, Romantrilogie, München, 1976.
[16] Carl E. Schorske, *Wien, Geist und Gesellschaft im Fin de Siècle*, Frankfurt/Main, 1982, p. 122.
[17] Jacob Wassermann, *Mein Weg als Deutscher und Jude*, Berlin, 1922, cit. in J. Moser, *Die Leopoldstadt, Paradoxen des jüdischen Schicksals*, in K. Sotriffer, *Das grössere Österreich*, Wien, 1982, p. 214 sgg.
[18] Hugo Gold, *Geschichte der Juden in Wien*, Tel Aviv, 1966.
[19] Carl E. Schorske, *op. cit.*, p. 123.
[20] Victor Adler, *Die Lage der Ziegelarbeiter*, in «Die Gleichheit», n. 48, 1888, cit. in E. Geyer, *Untersuchung der Lebensverhältnisse der Wiener Arbeiter im Zeitraum von 1867-1914*, tesi di laurea, Wien, 1980.

vato fece eco la fluttuazione dell'espansione. La popolazione aumentò da 440.000 abitanti nel 1840 a 2.238.545 nel 1918. Nel 1890 il 65,5% della popolazione non era nata a Vienna e il 26% delle abitazioni, costituite da una stanza-cucina nei distretti operai, era occupato da 6-10 persone.

Il viennese della fin de siècle era una persona preparata e proveniva soprattutto dall'oriente della doppia monarchia, dalla zona dei Sudeti gli artigiani, dalla Boemia e dalla Moravia gli operai, le cuoche, le cameriere e molti artisti e architetti della nuova Vienna. Da tutte le parti dell'impero, principalmente dalla Galizia e dalla Bucovina, era arrivata una schiera aguerrita di medici, giornalisti, avvocati, agenti di borsa e di teatro, banchieri e commercianti di tessuti. Si formò lo spirito viennese dei feuilletons e il gusto della polemica. Dalle province tedesche, prima della unificazione di Bismarck, provenivano molte famiglie austriache della grande industria. Slovacchi, croati e ungheresi delle province occidentali gestivano il commercio dei principali generi alimentari e dei legumi, famiglie italiane quello degli agrumi.

«Gerusalemme a Vienna: nei sogni ad occhi aperti della mia prima fanciullezza queste due città si erano trasformate in una cosa lontana che per magia si è avvicinata… La città imperiale era stata nella lontananza, per il bambino, splendente e maestosa, la bellezza assoluta sulla terra.»[15]

Nel 1860 vivevano a Vienna 6.200 ebrei, 175.000 nel 1910, l'8,6% dell'intera popolazione. Come giustamente ha osservato Hannah Arendt, gli ebrei erano in Austria il popolo dello stato «par excellence»,[16] e Jacob Wassermann ha scritto: «Constatai presto che tutta la vita pubblica era dominata dagli ebrei. Le banche, la stampa, il teatro, la letteratura, le organizzazioni sociali… E fu grande il mio stupore anche per il numero di ebrei fra i medici, gli avvocati, i soci dei circoli, gli snob e i dandy, i proletari, gli attori, i giornalisti e i poeti.»[17]

Nel 1893 erano ebrei il 48% degli studenti di medicina, 394 su 681 avvocati e il 42% dei giornalisti; prima del 1914 circa il 60% dei commercianti era di origine ebrea.[18]

«Anche se si assimilarono completamente alla cultura della nazionalità in cui vivevano, rimasero nella condizione di convertiti a questa nazionalità. Né la fedeltà all'imperatore né la fedeltà al liberalismo come sistema politico offrivano uno status agli ebrei senza esigere una nazionalità; divennero un popolo sovra-nazionale dello stato dei molti popoli e in realtà divennero il popolo che camminava sulle orme dell'aristocrazia di un tempo. La loro fortuna resistette e cadde con quella dello stato liberale e cosmopolitico. Ancora più importante per noi è il fatto che il destino del credo liberale rimase legato a quello degli ebrei. Nella misura in cui i nazionalisti di ogni popolo cercavano nel proprio interesse di indebolire il potere centrale della monarchia, gli ebrei furono attaccati nel nome di ciascuna nazione.»[19]

Benché la monarchia austriaca avesse una legislazione sociale tra le più progredite, la miseria del proletariato era inimmaginabile. Verso la svolta del secolo il 14,3% della popolazione viennese abitava in subaffitto o disponeva appena di un ricovero ove pernottare. Victor Adler, un fondatore del Partito socialista, scrisse quanto segue, riferendosi principalmente ai ricoveri dati in affitto agli operai delle fabbriche di laterizi e di birra: «Gli operai delle fabbriche di mattoni vivono in case miserabili. In ogni locale, denominato stanza, di queste capanne dormono tre, quattro, fino a dieci famiglie, uomini, donne, bambini, in mucchio uno sull'altro, uno accanto all'altro… Eppure questi operai ammogliati costituiscono perfino un'aristocrazia nel loro ceto. Non godono infatti di tanto benessere gli operai scapoli: in 40, 50, fino a 70, dormono in un unico locale. Giacciono su tavolacci con vecchia paglia, uno accanto all'altro, senza lenzuola e senza coperte. Vecchi stracci fungono da materasso, i loro sporchi vestiti da coperte.»[20]

Il tasso di mortalità a Vienna è doppio rispetto ad altre capitali europee ed eguaglia approssimativamente soltanto quello di Pietroburgo. Un decimo del salario settimanale viene speso di norma per gli alcolici. L'alcolismo aumenta la brutalità, intesa come un diritto dell'uomo sulla donna. Per lo stesso lavoro le donne ricevono la metà del salario dell'uomo. La prostituzione organizzata e controllata, cioè quella delle case di tolleranza, demolisce la morale borghese. Ma parallelamente molte donne esercitano segretamente: al momento del crollo del 1918 sono 40.000 rispetto alle 1.500 delle case. Nel 1914 le donne soggette al controllo delle squadre del buon costume sono 1.879; il 40% sono affette da TBC, alcolizzate, oppure classificate come malate di mente. Il 70% sono già state affette in passato da malattie veneree. Il 40% proviene del ceto del personale di servizio, delle «schiave domestiche» occupate nelle case di «rispettabili» famiglie. Tra le vittime, anche i figli. «Tra le minorenni che si prostituiscono il 23% sono orfane di entrambi i genitori, il 31% di uno.»[21]

Più del 60% del salario di una famiglia del proletariato doveva essere speso per l'alimentazione. Nel 1906 la Galleria Miethke inaugurò una esposizione delle fabbriche viennesi, intitolata «La tavola imbandita»: «Per quanto ne so, nessuna istituzione ha intrapreso sinora il meritevole compito di predisporre una simile collezione di articoli, con prezzi modici, accessibili a tutti... Occorre in ogni caso molto tatto per trovare nella forma la giusta misura ed evitare il pericolo di un eccessivo estetismo... All'uomo civile non basta che il pasto sia appetitoso. Non si può fare a meno della bella forma. Essa costituisce la metà del pranzo. L'esigenza estetica si forma esattamente nel materiale.»[22]

Lo stato aumenta l'imposta di consumo sui generi alimentari, che i viennesi chiamano tassa sulla fame oppure moneta dello stomaco. La farina viene allungata con gesso e migliorata con allume e solfato di rame, lo zucchero adulterato con farina e destrina, il caffè in chicchi prodotto artificialmente; in un rapporto del 1896 è scritto testualmente quanto segue sul pane: «È spugnoso; un campione contiene il 53% di acqua, l'esame microscopico rivela notevoli quantità di segale cornuta... Un altro campione contiene molte particelle estranee, alquanta segale cornuta e fibra di legno.»[23]

I quartieri popolari, i quartieri della povertà segnavano il confine della crescita della «boriosa alta cultura della grande città».[24] La miseria della grande città si concentrava nei locali delle istituzioni che elargivano minestra, tè o un po' di caldo. Gente che pernottava in case semidiroccate, in quartieri promiscuamente affollati. «Fino a quattro giorni questi uomini debbono vagare per accumulare quella stanchezza che rende desiderabile un letto e loro stessi insensibili al tormento degli insetti e all'atmosfera irrespirabile.»[25]

La degradazione si nascondeva persino nei punti geograficamente più bassi della città: la rete delle fognature. I disoccupati diventavano proscritti. Si nascondevano negli angoli più appartati per non essere scovati dalla polizia. Quei giacigli nelle fogne principali venivano chiamati «cucina» e «hotel», espressioni dell'estremo bisogno e della fame.[26]

«Verso la svolta del secolo si ambiva essere artisti... Erano certamente molti coloro che preferivano essere infelici piuttosto di non essere dei geni.»[27]

Il caffè viennese è legato inscindibilmente al mito della «viennesità», la letteratura dei caffè è una delle molte lingue della vecchia Austria, inseparabile dalla sua mitopoiesi.

Dall'arte scaturisce il concetto dell'opera d'arte globale. «Questo compie il tentativo di rendere l'arte impermeabile allo sviluppo della tecnica. La solennità con la quale viene celebrata è il pendant della distrazione che trasfigura la merce... L'interiore è il rifugio dell'arte. Il collezionista è il vero abitante dell'interiore. Egli fa cosa sua la trasfigurazione delle cose. A lui compete la fatica di Sisifo di togliere, con il possesso, il loro carattere di merce alle cose. Ma egli conferisce loro soltanto il valore d'affezione invece di quello d'uso.»[28]

«E infatti non ci si limita soltanto a raccogliere queste opere, bensì si vede in esse qualcosa di vivo che conosce il nostro destino... Prima di uscire di casa le salutiamo e ci congediamo da esse, come ha scritto in gioventù Peter Altenberg.»[29]

L'artista è il complice del collezionista. Insieme allargano il fenomeno fino agli artigiani. «Come avviene la trasformazione di un listello di legno, come si piega e si contrae, come muta gradualmente il suo profilo e appare visibilmente sulla via verso la quarta dimensione; ciò tiene occupati i contemporanei anche contro la loro volontà.»[30]

Malgrado le contraddizioni tra intenzione, coscienza e risveglio, frutto di una

Il quartiere Freihausgründe. Fotografia di C. Schuster.

[21] Karl Kocmata, *Die Prostitution in Wien*, vol. I, *Grosstadt und Menschheitsdokumente*, Wien, 1925, p. 46.
[22] *Der gedeckte Tisch*, in «Hohe Warte», a. III, 1906-07, p. 28 sgg.
[23] Magdalene Popp, *Wiener Arbeiterhaushalte um 1900*, tesi di laurea, Wien, 1980, p. 148.
[24] Emil Kläger, *Durch die Quartiere des Elends und Verbrechens*, Wien, 1908, p. 5.
[25] Paul Stefan, *op. cit.*
[26] Max Winter, *Im unterirdischen Wien*, vol. XIII, *Grosstadt-Dokumente*, Berlin, 1905, p. 134.
[27] Rudolf Kassner, *Buch der Erinnerung*, Zürich, 1954, p. 123.
[28] Walter Benjamin, *Gesammelte Schriften*, vol. V/1, *Das Passegen-Werk*, Frankfurt/Main, 1982, pp. 53,56.
[29] Jost Hermand, *Der Schein des schönen Lebens, Studien zur Jahrhundertwende*, Frankfurt/Main, 1972, p. 189.
[30] Ludwig Hevesi, *Haus Wärndorfer*, in *Altkunst-Neukunst*, Wien, 1909, p. 222.

1. Gruppo di ebrei di fronte a un negozio di abbigliamento nella Judengasse.
2. Corteo per il giubileo dell'imperatore, tribuna d'onore, 1908.

tormentosa coscienza, sia i committenti che gli artisti, come «una élite, tale per autodecisione», si appartano «nel mondo splendido del bello, dove non è necessario disputare sui problemi, sempre più pressanti, della realtà tecnica, politica e sociale»[31] e per mezzo della «nuova estetica» spostano la frontiera soltanto all'interno delle conquiste, disgregatrici della realtà, di quest'epoca. L'essere dell'artista, «non protetto»[32] nel tempo e nella società, non è soltanto un problema dei «capolavori» di questo tempo. Dopo una visita a Fritz Wärndorfer, il collezionista, Ludwig Hevesi scrisse: «Si trovano qui interessanti cassetti pieni di disegni a mano, quaderni di schizzi, lettere, interi tesori di confessioni. A proposito di quaderni di schizzi: ne sfogliai alcuni di Georg Minne, questo romantico del macilento ed esaltatore dell'eterno dimagrire. Restai stupito. Questi quaderni erano pieni di studi, anche sul movimento, eseguiti sui modelli più muscolosi del mondo. Masse corporee in espansione, superpossenti, michelangiolesche. E da questa sontuosità di un sognante senso della forma Minne è dimagrito fino a così scheletriche realtà.»[33]

Le scheletriche realtà divennero con Minne la scultura *Adoloscente in ginocchio*, con Oskar Kokoschka gli schizzi *Figlia del giocoliere* del 1906 (ritratti dei figli di una famiglia di artisti di circo che, essendo rimasti in inverno senza lavoro, guadagnavano da vivere facendo i modelli), e *Ragazza magra nuda* nei *Ragazzi sognanti* (1907-08).

«Al contrario dello Jugendstil, che evoca

instancabilmente lo splendore della vita e ciò facendo si richiama all'immagine dell'eterna giovinezza,... in Georg Trakl ogni vita organica incorre necessariamente nella situazione in cui l'incremento si muta in una perdita, la crescita nella morte... Le sue poesie non sono affatto un preludio dell'espressionismo bensì una canzone di addio allo Jugendstil, una canzone che del resto è sviluppata con tale coerenza che delle fantasmagorie estetiche di questo movimento resta soltanto un pallido barlume. Così non meraviglia che proprio la figura del bel giovane... diviene in lui la figura di un morto. Così, mentre il profondamente privato va in rovina insieme a quanto è importante nello sviluppo storico, dall'opera di Trakl scaturisce proprio un paradigma storico. Poiché questo "ragazzo morto" è per la storia dello spirito la più pregnante metafora... che vede già come una illusione il sogno della bellezza della vita.»[34]

Mentre eseguiva disegni di animali, scriveva un «diario per cacciatori», realizzava un film-favola, componeva una poesia, *Il bianco uccisore di animali*, del 1908 («Da questo momento, in cui l'emozione che mi danno gli animali si dibatte in me, io sono già ammalato»),[35] Kokoschka si immerse nei miti del lupo mannaro, che evocano la rituale trasformazione dell'uomo in un animale, prese a comportarsi come un lupo, fondò un mondo tutto suo.

«L'origine di tutti questi miti, rituali, credenze e leggende si trova in una arcaica, remotissima visione magico-reli-

[31] Jost Hermand, *op. cit.*
[32] Rainer M. Rilke, *Ma non protetto, qui sulle cime del cuore...*
[33] Ludwig Hevesi, *op. cit.*, p. 225.
[34] Jost Hermand, *op. cit.*, pp. 272, 278.
[35] Oskar Kokoschka, *Dichtungen und Dramen - Das schriftliche Werk*, Hamburg, vol. I, 1973, p. 18.

1. Café Dobner.

giosa: è l'animale (cioè la potenza della religione, che esso personifica)... Ma essi vivono nelle sfere dell'immaginario: nei sogni, nelle fantasie, nelle creazioni artistiche e letterarie.»[36]

«Con altre parole, mentre persegue il modello mitologico, spera anche di poter iniziare un'esistenza paradigmatica e vuole liberarsi dalla condizione di impotenza e di infelicità della vita umana.»[37]

«...Mi piacerebbe essere felice e andarmene in un posto qualunque insieme a cento negri con tamburi e trombe... Bisogna esaurire tutta la propria energia solamente per sfuggire a questo capogiro.»[38]

L'esorcismo dello splendore della bellezza della vita — ma «splendore significa per l'artista non più la negazione del reale nel mondo, bensì questo castigo, la resa dei conti, questo raddoppio, questa accettazione. In ciò il termine "verità" può acquistare un nuovo significato. La verità è splendore».[39]

«Poiché "splendore" designa qui ancora una volta la realtà soltanto se intesa variandola, rafforzandola, correggendola,... l'artista tragico non è affatto un pessimista. Egli dice giusto "sì" a tutto ciò che è problematico e anche pauroso, egli è dionisiaco...»[40]

[36] Mircea Eliade, *Von Zalmoxis zu Dschingis-Khan*, Köln, 1982, p. 170.
[37] *Ibidem*, p. 28.
[38] Lettera di O. Kokoschka a Erwin Lang, cit. in Werner J. Schweiger, *Der junge Kokoschka*, cat. mostra, Wien, 1983, p. 32.
[39] Gilles Deleuze, *op. cit.*
[40] Friedrich Nietzsche, *Götzendämmerung, Die «Vernunft» in der Philosophie*, cit. in Gilles Deleuze, *op. cit.*, p. 228.

2. Foto di gruppo in un cortile viennese. Fotografia di K. Kommenda.

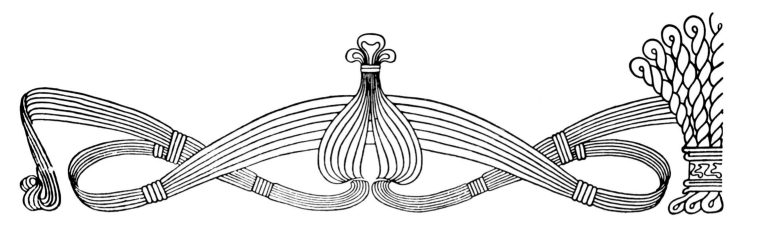

IL RETROTERRA STORICO DEL PERIODO 1895-1918

Norbert Leser

Sopra:
1. A. Roller, *Fregio*, in «Ver Sacrum», ottobre 1898.

L'imperatore Francesco Giuseppe. (ÖNB, Vienna).

Se cerchiamo una formula efficace per ridurre a un comune denominatore il mondo e il gusto di vivere della vecchia Austria prima che rovinasse nella guerra mondiale e nello sfacelo politico, la prima tentazione è quella di risalire a uno scrittore che molto attinse dai propri ricordi di quell'epoca; un autore che negli anni tra le due guerre fu tra i più letti e tradotti di lingua tedesca, e che proprio in Italia godette di grande popolarità: alludiamo a Stefan Zweig, che nelle sue memorie intitolate *Il mondo di ieri*, scritte negli ultimi anni della sua vita tragicamente rovinata, immortalò l'epoca della propria gioventù. Il primo capitolo di questo fedele ritratto di quel mondo oggi scomparso è intitolato *Il mondo della sicurezza*. È una diagnosi che a tutta prima sembra contraddire tutto ciò che la nostra esperienza storica, vista in retrospettiva, ci ha insegnato. Perché oggi noi siamo coscienti del fatto che la vecchia Austria intorno al 1900, all'epoca della leggendaria fin de siècle, avanzava a passi da gigante verso la propria rovina, e che la fin de siècle in generale, e non soltanto in Austria, era avvertita da parecchi contemporanei come un'epoca di decadenza; per citare Karl Kraus, una «stazione sperimentale della fine del mondo». Mentre un brano del *Ritratto di Dorian Gray* di Oscar Wilde, considerato un romanzo tipico dello spirito di quegli anni, assume valore paradigmatico: «''Fin de siècle'', mormorò Lord Henry. ''Fin du globe'', fece eco la padrona di casa. ''Magari fosse la fin du globe'', disse Dorian e sospirò. ''La vita è una grande delusione.''»

L'apparente contraddizione si risolve in parte se teniamo presente questo: la sensazione di sicurezza e spensieratezza trasmessaci da Stefan Zweig, che non era soltanto — anche se in parte lo era certamente — espressione di una nostalgia retrospettiva per sfuggire a un cupo presente, era realmente diffusa tra la gente di allora, in misura diversa a seconda del proprio status, e assumeva contenuti differenti per ogni categoria della società. Il modo in cui lo stesso Stefan Zweig, nell'opera citata, descrive questa sensazione di sicurezza, avvertita in forma diversa a seconda del proprio ambiente sociale, testimonia che questo gusto per la vita era ben lungi dall'essere condiviso in modo uniforme: «Tale sensazione di sicurezza era la proprietà di gran lunga più ambita di milioni di persone, l'ideale di vita comune. Solo in base a questa sicurezza la vita appariva degna di essere vissuta, e cerchie sempre più ampie di persone bramavano di assicurarsi la loro parte di quel bene tanto prezioso. Dapprima furono solo i ceti abbienti a godere di questo privilegio, ma a poco a poco si serrarono intorno a loro le grandi masse; il secolo della sicurezza divenne così l'età aurea delle compagnie di assicurazioni. Si prese ad assicurare la propria casa contro l'incendio e il furto, il proprio campo contro la grandine e i danni causati dalle intemperie, il proprio corpo contro gli incidenti e le malattie, si disponevano vitalizi per l'età avanzata e alle bimbe si infilava nella culla una polizza a garanzia di futura dote. Infine si organizzarono anche i lavoratori... I domestici risparmiavano per assicurarsi la vecchiaia e pagavano anticipi alla cassa d'assicurazione in caso di morte per coprire le spese del proprio funerale. Soltanto chi poteva guardare al futuro senza preoccupazioni si godeva il presente, certo del fatto suo.»

Questo ritratto evidenzia con sufficiente chiarezza che i bisogni e i concetti di sicurezza variavano sensibilmente da un gruppo sociale all'altro. Se alle classi abbienti premeva mettere al sicuro e difendere i propri diritti «onestamente acquisiti» nonché il proprio patrimonio, le categorie sottoprivilegiate erano prima di tutto occupate a farsi posto in una sfera di modesta sicurezza sociale, senza entrare neanche lontanamente in concorrenza con i «beati possidentes». Perché mentre le classi abbienti si preoccupavano di salvaguardare una situazione consolidata, e quindi un concetto di sicurezza naturalmente conservatore e difensivo, le pressioni della classe lavoratrice e delle altre categorie sottoprivilegiate erano orientate verso la conquista di una maggiore sicurezza, assumendo dunque un carattere offensivo e dinamico. Allo stesso tempo emerge chiaramente come i tentativi di mantenere o di acquistare sicurezza sociale contrastassero con una situazione reale di insicurezza: nelle classi abbienti la paura di perdere quanto era già stato raggiunto, e in quelle emergenti la preoccupazione di non riuscire a lasciarsi alle spalle la propria precarietà e a tentare l'arrampicata sociale con sufficiente rapidità e determinazione.

Se descriviamo dunque il mondo della vecchi Austria come il «mondo della sicurezza» — e con ciò non intendiamo unicamente il desiderio di mantenere o di raggiungere la sicurezza sociale, ma anche la naturalezza e spensieratezza di una gioia di vivere che non permetteva alla crisi strisciante del vecchio mondo e dei suoi valori di penetrare nella propria coscienza — è bene rendersi conto che ciò riguardava unicamente un piccolo gruppo di persone, piccolo ma culturalmente influente e produttivo. Di queste

persone, e non senza autocritica, Hugo von Hofmannsthal scriveva già nel 1893, in un articolo su Gabriele d'Annunzio: «Noi! Noi! Io so benissimo che non sto parlando dell'intera generazione. Sto parlando di un paio di migliaia di persone, sparse per le grandi città europee.» E lo stesso Stefan Zweig osservava nel *Mondo di ieri*, con una saggia disposizione all'autoanalisi: «Le masse insorgevano, e noi poetavamo e discutevamo di poesia. Non vedevamo i segni infuocati sui muri, ma banchettavamo spensierati, come già re Belsazar, con le preziose pietanze dell'arte, senza osare, per paura, guardare dinanzi a noi. E soltanto alcuni decenni più tardi, quando il tetto e le pareti ci crollarono addosso, ci rendemmo conto che le fondamenta erano state da lungo tempo scavate e che, insieme al nuovo secolo, era cominciato in Europa il tramonto della libertà individuale.»

All'interno di questi strati intellettuali, forti di una solida cultura, furono in pochi a riconoscere e a trarre le dovute conseguenze dai segni del tempo, benché essi fossero già evidentissimi e decisi ad attaccare l'equilibrio della vecchia Austria. Personalità come Karl Kraus e Robert Musil, coscienti dell'appr)ssimarsi degli «ultimi giorni dell'umanità», erano un'esigua minoranza, e i loro più spensierati contemporanei e colleghi li additavano come cassandre i cui messaggi d'allarme non andavano presi in considerazione. La solida comunità ebraica viennese, che rappresentava una base fondamentale della cultura e della vita intellettuale della vecchia Austria, benestante e impegnata com'era in un processo di assimilazione che produceva frutti tanto ricchi in campo culturale ed economico, non si lasciò fuorviare dagli ammonimenti e dalle visioni di Theodor Herzl, dalle sue utopie dello «stato ebraico» e dell'«Altneuland», l'«antica nuova terra» di biblica memoria. Anzi Karl Kraus, geniale polemista e scrittore satirico che altrimenti riconosceva e interpretava con grande acume i segnali della decadenza, non solo non gradiva il messaggio di Theodor Herzl, inquietante per l'esistenza e per l'identità ebraica, ma ne era addirittura respinto e provocato. Così impugnò la penna e nel suo scritto polemico *Eine Krone für Zion* (Una corona per Sion) riversò tutto il proprio

Theodor Herzl. (ÖNB, Vienna).

1. Karl Renner. (ÖNB, Vienna).

2. Frontespizio del libro *Der Judenstaat* di T. Herzl, 1896.

scherno sul contemporaneo Herzl, profeta come lui. Karl Kraus si mostrava cieco e sordo alle qualità e agli argomenti di quell'uomo che proveniva dal suo stesso ambiente culturale e col quale condivideva l'origine ebraica. E se già non si accordavano due nature profetiche come Kraus e Herzl — e pure avrebbero dovuto mostrarsi coscienti e degni di appartenere a quella fatale comunità assegnata loro dalle circostanze — come pretendere che andassero d'accordo le persone qualunque, inclini generalmente a vivere alla giornata? Questa amara constatazione ci pare confermata da quanto Stefan Zweig espresse in un altro passo del libro sopra citato: «È una legge immutabile della storia il negare proprio ai contemporanei di riconoscere dal principio i grandi movimenti che determinano la loro epoca.»

Non dobbiamo dunque stupirci se i responsabili, coloro che erano in grado di riconoscere i segni del tempo e creare gli antidoti ai mali che avevano attaccato la vecchia Austria, non vegliarono su questi sviluppi e si presero tanto tempo per risolvere i problemi più urgenti; così tanto tempo che la storia ignorò l'opportunità di risolverli all'interno della vecchia Austria, e decise di troncarle la vita. Eppure era possibile e auspicabile trovare una soluzione all'interno di quella vecchia Austria, e senza sacrificare la sostanza della sua civiltà. La storia ci ha insegnato che la creazione dei tanti piccoli stati nazionali in cui si disperse la vecchia Austria dopo il proprio crollo non portò libertà e sviluppo ai popoli che vivevano entro i suoi vecchi confini e più tardi divennero cittadini di quei piccoli stati; anzi li diede in pasto alle annessioni territoriali di altre grandi potenze mosse da ideali assai meno umanitari. Questo sviluppo è particolarmente evidente nel caso della Cecoslovacchia, che dopo essere uscita dal «carcere dei popoli» della vecchia Austria finì soggiogata da carcerieri ben peggiori, vittima di sistemi totalitari, prima dei tedeschi e poi dei sovietici.

Le alte sfere di governo in Austria non furono in grado di appianare la questione nazionale, né di comunicare alle minoranze slave dello stato plurinazionale asburgico il sentimento di appartenenza all'unità austriaca e la sicurezza da essa garantita. Permisero dunque alla demagogia nazionalista, che fioriva e si alimentava in seno alle rispettive popolazioni, di svilupparsi senza alcun freno, travolgendo ogni riserva di natura umanitaria e razionale e trascinando con sé chiunque ancora si mostrasse indeciso. Le potenze vincitrici della prima guerra mondiale fecero il resto nel dar libero corso all'ondata di nazionalismo sorta intorno alla fine del conflitto. Proclamarono il diritto di autodeterminazione dei popoli, dando carta bianca al nazionalismo ma in realtà applicando quel principio soltanto nei casi favorevoli a loro e ai loro interessi.

Da questo punto di vista la socialdemocrazia guidata da Victor Adler si mostrò più lungimirante e si rese presto conto che il vecchio stato era condannato al declino se non riusciva a risolvere la questione nazionale, considerata il problema centrale della vecchia Austria. Al congresso socialdemocratico del 1900 Victor Adler ebbe occasione di ammonire: «Se l'Austria va in rovina è per i peccati commessi dalle sue classi dominanti; i lavoratori da parte loro non hanno peccato, non hanno gustato i frutti dello sfruttamento, non hanno partecipato al contenimento dello sviluppo economico del paese, ed è per questo che non andranno in rovina insieme a esso.» Un altro leader socialdemocratico, Karl Renner, fedele alla vecchia Austria fin quasi oltre la sua definitiva sepoltura e destinato anni dopo a battezzare e guidare lo stato indipendente della Repubblica Austriaca, pochi mesi prima dello scoppio della grande guerra constatò con tragica lucidità: «...Quello che oggi le precauzioni dei governanti non realizzano all'interno dei nostri confini nazionali verrà realizzato domani da armi straniere puntate contro questo stesso stato.» Si trattava soprattutto della questione nazionale che, dinamica e tuttora irrisolta, con passo lento ma sicuro stava ormai sottraendosi al controllo del vecchio stato e a poco a poco, in seguito alla disfatta degli imperi centrali, s'impadronì del potere. Non si era riusciti in tempo a trasformare l'Austria nel senso voluto da Karl Renner e dal programma socialdemocratico, cioè in uno «stato federativo plurinazionale e democratico», in una «confederazione delle nazioni austria-

che» ispirata al modello svizzero. Eppure all'interno del vecchio stato, nel 1907, si era riusciti a imporre il suffragio universale e il voto segreto (seppure per la sola popolazione maschile) e a indirizzare la questione sociale verso una soluzione rispettosa degli interessi delle grandi masse; quella stessa questione sociale della quale un ministro austriaco intorno al 1860 aveva dichiarato che si esauriva «a Bodenbach» (ossia alla frontiera austriaca). Non nasceva dunque sotto cattivi auspici l'intenzione di canalizzare i principali problemi dell'epoca, democratizzazione, giustizia e sicurezza sociale, per non parlare della questione nazionale, in maniera tale da evitare il crollo della vecchia Austria; anzi le possibilità di successo ci sarebbero state realmente, se lo scoppio e poi l'esito della prima guerra mondiale non avessere reso vano ogni sforzo.

Nell'imminenza della guerra tutti gli strati della popolazione si abbandonarono a pie illusioni e i loro atteggiamenti in proposito parvero rendere relativi, anzi addirittura appianare, i divari intellettuali. Ciò che Stefan Zweig dichiara nel *Mondo di ieri* a proposito di questo argomento vale, a diversità di condizioni, più o meno per tutti gli strati sociali e le forze politiche di allora: «...I momenti di preoccupazione si dissolvevano come ragnatele nel vento. Certo, di tanto in tanto pensavamo alla guerra, ma non molto diversamente da come ci capita di pensare alla morte — a qualcosa che è possibile, ma probabilmente ancora ben lontano.» La borghesia era cosciente del potere del nazionalismo e del dinamismo economico, entrambi protesi verso la guerra; d'altra parte era talmente pervasa della fede nel progresso e nella crescita da non ritenere possibile un vero regresso o una ricaduta in un'informe barbarie. La classe lavoratrice, dal canto suo, indottrinata dai suoi capi e maestri, sottostava all'influsso della teoria marxista, mostrandosi piena di ottimismo e di fiducia nella vittoria, in forme non meno suggestive della fede borghese nel progresso. Anzi la dottrina marxista era storicamente più giovane, meno consunta e meno intaccata dall'incertezza infiltratasi nella borghesia sotto forma di presentimenti e di cattiva coscienza. Le due parti si fronteggiavano nella lotta di classe, forza dominante del processo storico secondo il marxismo, e sotto l'influsso di illusioni particolari dispiegate come un benefico velo sopra la cruda realtà dei fatti, finché la realtà medesima non

A. Roller, *Decorazione per libro*, in «Ver Sacrum», aprile 1898.

strappò questo velo illusorio costringendo ambo le parti a riconoscerla apertamente. Si rivelò così anche che era stato un amabile e patetico autoinganno, coltivato nei congressi socialisti internazionali, supporre che la classe operaia e i partiti che la rappresentavano potessero con le proprie forze impedire lo scoppio di un conflitto mondiale, ovvero, in caso di effettivo conflitto, fare alcunché di decisivo per combatterlo attivamente o limitarsi a tenerlo lontano dai meccanismi della solidarietà nazionale. Si era declamato e discusso in continuazione dello scoppio della guerra mondiale e dei modi di impedirla o di portarla a conclusione. Non però in base a idee concrete, all'eventualità reale e alle misure da prendersi in tal caso, ma impegnandosi in scongiuri ed esorcismi nella vaga speranza di vedersi risparmiato un caso di emergenza che avrebbe colto tutti impreparati. L'atteggiamento della classe lavoratrice e dei partiti socialdemocratici non fu di «tradimento», come molti pensavano, vittime della propria propaganda e di una artificiale euforia, ma semplicemente una vittoria della cruda realtà su quegli stessi sublimi ideali e sogni con i quali per troppo tempo la si era voluta rimpiazzare.

La sorprendente constatazione che la vecchia Austria, dalla fin de siècle, o da prima ancora, fino alla guerra e al suo definitivo declino, aveva vissuto un'epoca di sicurezza e insicurezza, di paura e fiducia insieme, carica di contraddizioni senza uguali, ci appare in una luce meno estranea e incomprensibile se prendiamo in considerazione un concetto chiave. È un termine che non a caso si diffuse proprio in quegli anni in Austria, prima di evolversi e di attraversare la teoria psicanalitica di Freud come un filo conduttore: il concetto dell'ambivalenza, coniato dallo psichiatra svizzero Ernst Bleuler già prima che scoppiasse la guerra, ma giunto a piena espressione solo nella teoria e nella pratica psicanalitica, anche se non sempre ufficialmente sotto questa etichetta. La psicanalisi freudiana, dunque, fu la prima a dimostrare ed evidenziare come fonte motoria, e non solo nei soggetti nevrotici, la presenza contemporanea, nella vita istintiva e interiore, di sentimenti e tendenze contrastanti, di conflitti e opposizioni. In particolare, la

contrapposizione tra energie vitali e istinto di morte, sviluppata e perfezionata più avanti da Freud nella sua teoria della civiltà, ci permette di illuminare ulteriori aspetti della vecchia Austria, nel cui grembo queste idee giunsero a maturazione. Nei confronti dell'Austria di allora ci si atteggiava come di fronte alla morte, che è teoricamente accettata e considerata ineluttabile ma in pratica è ignorata e rimossa. Non a caso questa terra e quest'epoca partorirono non solo l'opera di Freud ma anche quella del suo Doppelgänger letterario Arthur Schnitzler, che ne anticipò e condivise le idee dispiegando davanti al pubblico dell'epoca la «terra lontana» dell'anima. E non a caso anche Otto Weininger, con la sua teoria dei confini fluidi tra i sessi e i comportamenti emotivi, proprio a Vienna conobbe la fioritura e la morte, prima di far furore, a suicidio avvenuto, con il suo libro *Sesso e carattere*. Se possiamo ritenere insieme a Freud, il cui *Totem e tabù* a questo proposito contiene un'osservazione assai fruttuosa in termini di metodo, che gli organismi psichici come le entità collettive, popoli e stati siano governati da meccanismi analoghi a quelli della vita interiore individuale; se con Freud riteniamo che sia possibile registrare i fenomeni della «psiche collettiva» e applicare tali conoscenze alla vecchia Austria, appuriamo che questo stato, negli anni tra la sua fioritura e il suo declino, fu un terreno fertile per infantilismi psichici di ogni genere, come la regressione e la fissazione, e allo stesso tempo un esempio tipico, un modello didattico dell'effetto pratico di tali meccanismi.

Se non intendiamo il termine «Secessione» scelto per questa mostra nel suo senso più stretto, ossia come una specifica tendenza artistica che rappresenta una cesura nella storia dell'arte e della cultura austriaca, e anche al di là di questa; se insomma ci riferiamo e ci riallacciamo anche ad altri contenuti concettuali, possiamo utilizzarlo come uno schema interpretativo che trascenda i limiti delle categorie artistiche. «Secessione», infatti, significa anche partenza, sfogo, voluta evasione e intenzionale rottura con la tradizione. La «secessio plebis in montem sacrum» del 494 a.C. si concluse con l'acquietamento delle masse in tumulto ad opera di Menenio Agrippa. Con la sua parabola il patrizio romano illustrò al popolo la necessità della divisione del lavoro e della conseguente disuguaglianza, prendendo a paragone gli organi del corpo umano che hanno anch'essi funzioni diverse e perciò non possono mettersi in conflitto tra loro. Ora questa interpretazione politica non è applicabile solamente all'arte e alla cultura, ma a tutti i campi della vita umana. Si può dimostrare con innumerevoli esempi che il tentativo di rottura totale con la tradizione rappresenta certamente il momento necessario e la fase transitoria di un'evoluzione, ma che l'evoluzione medesima non si arresta a un livello di negazione, bensì la supera, finalizzata a una sintesi superiore. Proprio l'esperienza della vecchia Austria ci dimostra che ogni sforzo di superamento dell'equilibrio esistente sfociò nella sua conferma, e che per esempio la socialdemocrazia, malgrado si definisse politicamente all'opposizione, interpretò, in misura più o meno volontaria e cosciente, la parte di indiretta conservatrice dello stato. Mentre quelle forze politiche che, più dei socialdemocratici, avevano interesse a difendere i vecchi equilibri, nella prassi fecero poco o nulla per risanare o salvare davvero il salvabile. In arte come in politica vigeva un meccanismo contraddittorio: il voler conciliare l'inconciliabile. Nel suo ormai celebre libro *Il mito asburgico nella letteratura austriaca* il germanista triestino Claudio Magris descriveva il romanziere austriaco Joseph Roth come un precursore sia della «nuova oggettività» sia di un «neoromanticismo lirico». E quanto vale per Roth e per il mito asburgico tramandatosi nella letteratura austriaca, vale in certa misura anche per la storia e la politica austriaca in generale, e non solo fino al tramonto della vecchia Austria ma anche oltre. Si viveva muovendosi tra oggettività e romanticismo, pieni di contraddizioni e sentimenti contrastanti, e questi non agivano solo tra le diverse popolazioni e forze politiche ma spesso all'interno di uno stesso gruppo o addirittura a livello prettamente individuale. L'ambivalenza e il conflitto interiore, dunque, caratterizzano il dissidio tra la vecchia Austria e i suoi eredi; possiamo riscontrare questa volontà di ripiegamento totale e di evasione, insieme all'incapacità di pensare e vivere fino in fondo tali atteggiamenti di protesta, in ogni stadio del suo sviluppo.

Anzi è addirittura una caratteristica nazionale austriaca, maturata non certo alla fine della seconda guerra mondiale, ma molto prima, già durante le inquietudini indipendentiste risalenti all'inizio del secolo XIX, quella di non agire o di agire per metà sotto l'influsso paralizzante di tendenze e forze divergenti. Agire per metà, così come un classico austriaco, Franz Grillparzer, ha definito «la maledizione del nostro nobile casato», quella di «mirare titubanti per mezze vie e con mezze risorse e una mezza impresa». Questo mezzo agire, nel corso della storia austriaca, spesso impedì i processi di identificazione con particolari sentimenti e, di conseguenza, l'affermarsi di posizioni e soluzioni coerenti. La storia austriaca è ricca di esempi istruttivi di questa irresolutezza, che a livello politico si manifesta come meccanismo inibitorio e a livello artistico come tendenza armonizzatrice. Ma fortunatamente esistono anche esempi contrari, e proprio la storia più recente ha dimostrato che l'avere subìto un processo di apprendimento ha portato, tra l'altro, all'eliminazione di alcune fonti di errore.

In questo periodo, nel retroscena storico della Secessione, i momenti di ambivalenza e irresolutezza, ora innocui, ora forse vili, furono comunque dominanti; e se dal punto di vista culturale ebbero una funzione ispiratrice, da quello politico sortirono effetti piuttosto paralizzanti e repressivi. La massima fioritura culturale contrastava con la decadenza delle istituzioni, così come più tardi, negli anni tra le due guerre, la ricchezza intellettuale contrastava aspramente con la miseria materiale della cultura politica. La pienezza della vita spirituale e culturale pareva un risarcimento per il declino del mondo biologico e politico. Questo passato austriaco, che si estende poi fin dentro al nostro presente, non è affrontabile né con la semplice nostalgia né con una condanna o diffamazione a posteriori, ma solamente se si tenta di superare questa tensione e ambivalenza nella prospettiva di una superiore unità. Quanto sia difficile in una situazione del genere trovare una via di mezzo che non sia una formula di compromesso ma si avvicini a

L'imperatore Francesco Giuseppe, 1915 c. (ÖNB, Vienna).

una verità stratificata e multiforme, ce lo dimostra la discussione storica sul personaggio di Francesco Giuseppe. Gli uni lo consideravano una figura simbolica dell'immobilismo politico e della mancanza di fantasia, gli altri l'incarnazione stessa della fedeltà a una tradizione di grandezza ingiustamente sottovalutata dalla storia. «Confuso dagli odi e dai favori dei partiti, il suo è un carattere oscillante nell'equilibrio della storia»: sono parole di un poeta, e non valgono soltanto per il Kaiser Francesco Giuseppe ma per tutta la sua epoca, anzi per l'intera storia austriaca.

L'arte di quegli anni, in ogni caso, ci dimostra che quell'epoca, sebbene non si rendesse conto che stava morendo, in verità moriva in bellezza e, anche nella decadenza, serbava intatto il proprio fascino. La vecchia Austria era un patrimonio di cui non solo si nutrirono abbondantemente la prima repubblica e la vita culturale viennese tra le due guerre, ma che ancora oggi continua ad avere un effetto vitale. Quale che fosse la destinazione dei movimenti sorti in quegli anni, e tra i quali va annoverata effettivamente la Secessione, sono movimento che, anche solo per l'audacia delle proprie intenzioni e delle proprie radici, ci invogliano a un approfondimento a posteriori. Come figli postumi siamo in grado di scoprire, anche nelle debolezze messe a nudo dall'analisi storica, quei punti di forza che oggi possiamo fare nostri e trasmettere ad altri. In questo senso la discussione sulla cultura e sulla storia politica dell'Austria rappresenta un pezzo di riflessione sull'Europa; non a torto, infatti, un drammaturgo tedesco ma austriaco d'adozione, Friedrich Hebbel, ebbe a sostenere: «Quest'Austria è un piccolo mondo in cui il mondo grande prova i suoi drammi.» Senza voler sopravvalutare l'Austria, e senza presentarla come l'ombelico del mondo, possiamo affermare che i problemi e le tendenze principali del nostro secolo li ritroviamo tutti nel microcosmo Austria, sia come punto di partenza, sorgente originaria, sia come rispecchiamento in scala ridotta ma più compatta, sia, infine, come anticipazione di quanto sarebbe poi accaduto nel mondo grande. In ogni caso la storia austriaca non è la storia qualsiasi di un paese qualsiasi, ma un caso esemplare della nostra civiltà, che proprio in Austria si è creata un affascinante terreno di scontro.

Il Ring.

Schede a cura di Eva Badura-Triska (E.B.T.), Peter Baum (P.B.), Vera J. Behal (V.J.B.), Hans Bisanz (H.B.), Gerda Buxbaum (G.B.), Hermann Czech (H.C.), Irene Dittrich (I.D.), Gerbert Frodl (G.F.), Marianne Frodl (M.F.), Jörg Garms (J.G.), Herbert Giese (H.G.), Wolfgang Greissenegger (W.G.), Angelika Hager (A.H.), Géza Hajos (G.H.), Murray G. Hall (M.G.H.), Gabriele Koller (G.K.), Almut Krapf-Weiler (A.K.W.), Andreas Lehne (A.L.), Maria Marchetti (M.M.), Walter Methlagl (W.M.), Wilhelm Mrazek (W.Mr.), Ulrike Planner-Steiner (U.P.S.), Wilfried Posch (W.P.), Marco Pozzetto (M.P.), Cynthia Prossinger (C.P.), Sigurd Paul Scheichl (S.P.S.), Jarmila Weissenböck (J.We.), Patrick Werkner (P.W.), Johannes Wieninger (J.W.), Rudolf Wurzer (R.W.), Thomas Zaunschirm (T.Z.)
Le schede siglate T.B. sono desunte da Ulrich Thieme - Felix Becker, Österreichisches Künstlerlexikon, Leipzig, 1903

HERMANN AICHINGER

Architetto della scuola di Wagner. Nato a Vöcklabruck (Austria) il 14.5.1885, morto a Vienna il 28.6.1962.
Libero professionista associato con Heinrich Schmid attivo prevalentemente nel campo dell'architettura. Pregevoli il primo palazzo viennese con struttura in acciaio (Roterturmstrasse), la sede della Radio austriaca (in collaborazione con Holzmeister), l'edificio per l'ufficio viaggi di Vienna. Tra il 1925 e il 1931 Schmid e Aichinger hanno progettato otto complessi popolari (Hofe) per 4.337 alloggi: segnatamente, Rabenhof, Julius Popp Hof, Matteotti Hof, Herweg Hof, Fuchsenfeld Hof, Reismannhof, Somogyhof e Werndlgasse.

M.P.

RUDOLF VON ALT

Rudolf von Alt nacque nel 1812 a Vienna, figlio di un pittore di paesaggi e litografo di Francoforte sul Meno. Già all'età di tredici anni aiutava il padre nella colorazione a mano delle vedute litografiche. I primi acquarelli di paesaggi fatti da lui negli anni 1825-30 dimostrano già l'abilità di un maestro dell'acquarello, con una particolare atmosfera e raffinati contrasti chiaroscurali.
Per breve tempo frequentò corsi di pittura paesaggistica, fino al 1831, e ottenne diversi premi. Nel 1832 apparve una serie di litografie con vedute di Vienna di Jacob von Alt, per le quali Rudolf von Alt aveva fatto gli originali in acquarello. È di questo stesso periodo la famosa veduta del duomo di Santo Stefano a Vienna.
Negli anni successivi Rudolf von Alt lavora soprattutto a una serie di vedute, eseguite durante i viaggi in Italia e attraverso i paesi della monarchia asburgica. Un viaggio a Roma e Napoli, nel 1835, esercita un importante cambiamento nello stile di Alt. I suoi lavori non sono più dominati dal contrasto chiaroscuro, bensì dal passaggio scorrevole dalla luce

all'ombra e dalla trasparenza dello sfondo. Rudolf von Alt riproduce l'atmosfera di paesaggi e città con una pittura di maniera impressionistica. L'acquarello *L'eclisse solare su Vienna l'8 luglio 1842* rappresenta il culmine di questo sviluppo.
Oltre che alle vedute, Rudolf von Alt si dedicò anche a fare ritratti della società viennese. Nel 1861 partecipò alla fondazione della Künstlerhaus.
Compie ancora vari viaggi in Italia e nel 1867 partecipa alla esposizione di Parigi. Tuttavia non riesce a sfondare veramente a Vienna, e pertanto decide di soggiornare prevalentemente in Italia. Solo nel 1873, anno dell'esposizione mondiale di Vienna, lui e il fratello Franz ottengono l'atteso riconoscimento con il gruppo di vedute «Vienna nell'anno dell'esposizione mondiale». Nel 1874 Rudolf von Alt diventa presidente della Künstlerhaus.
Accanto ai lavori commissionatigli dal ministero dell'Istruzione — vedute d'Italia e Austria — Alt lavora, alla fine degli anni '70 per la famiglia Dumba, che lo incoraggia e che egli ritrae in vari acquarelli notevolmente impressionistici. (*Una gita in villeggiatura a Liezen*, 1879).
L'autoritratto del 1897 mostra l'artista già malato. Nel 1898 diventa presidente onorario della Secessione appena costituita, manifestando così la sua apertura verso i giovani e la nuova via presa dall'arte. Già molto malato e invalido, Alt ritrae ancora a lungo sulla tela le vedute dalla sua finestra. Muore l'11 marzo 1905 mentre ancora sta progettando nuovi viaggi.

J.W.

«DAS ANDERE»

Rivista di introduzione alla cultura occidentale in Austria di Adolf Loos, Vienna, 1903.
Di questa rivista rimangono solo due fascicoli di quattordici pagine ciascuno: il primo venne pubblicato il I ottobre 1903 come supplemento alla rivista di Peter Altenberg «Kunst» (con il

motto «Natura artis magistra»); il secondo, il 15 ottobre dello stesso anno quale pubblicazione indipendente. Il titolo del supplemento di Loos si rifaceva indubbiamente al sottotitolo della rivista di Altenberg, «Halbmonatsschrift für Kunst und alles Andere» (Bisettimanale d'arte e altro). Originariamente era stato programmato un terzo fascicolo e un'eventuale prosecuzione del progetto.
Sull'esempio di «Die Fackel» (La fiaccola) di Karl Kraus, Loos mirava a creare una propria piattaforma giornalistica indipendente. Uno scritto pubblicato sullo «Zukunft» berlinese di Maximilian Harden il 30 gennaio 1904 descriveva lo scopo primo perseguito dalla rivista: «Il fine è quello di contribuire alla mia attività professionale. Io arredo appartamenti. E lo posso fare solo per coloro che possiedono una cultura occidentale. Sono felice di aver passato tre anni della mia vita in America, dove ho avuto la possibilità di impossessarmi delle forme di cultura dell'Occidente. E poiché sono convinto della loro superiorità, ritengo sia puerile abbassarsi al livello austriaco. Certo questo significa aprire un conflitto. E in questo conflitto io sono solo. L'alta aristocrazia, unico importatore di cultura occidentale, oggi non è in grado di esercitare alcuna influenza, poiché lo stato e chi per esso sovraintende alla cultura e all'istruzione ha aderito alla generale tendenza artistica, che non crea modelli da forme vitali, ma produce forme vitali con l'aiuto di modelli. Si è via via reso sempre più difficile l'approccio della gente comune alla cultura dell'Occidente. Tra aristocrazia e popolo è stato innalzato un muro: il muro si chiama Secessione. Il mio compito è quello di aprire una breccia in questo muro.»
Fino ad allora la saggistica di Loos si era rivolta a particolari questioni di cultura generale, e specificamente alla funzione dell'arte applicata e dell'artigianato. Per la prima volta, dunque, la sua opera assume l'aspetto di una generale riforma sociale.
Il layout trova riscontro nella chiara economia della forma architettonica loosiana. Formato

quadrato, suddivisione della pagina in due colonne, disposizione degli scritti in blocchi, titoli e annunci in spazi grafici minuziosamente incorniciati. Gli annunci di quelle ditte che in una maniera o nell'altra aderivano agli obiettivi di Loos, e che pertanto «qualcosa avevano o dovevano ancora pagare», incorniciavano i testi in modo da attirare l'attenzione del lettore. Nel secondo numero il principio, da cui era stata derivata la struttura della rivista, pare solamente accennato. Solo con l'edizione completa della Brenner-Verlag — il cui secondo volume (*Trotzdem* del 1931) ripropone in modo del tutto sommario gli articoli pubblicati dalla rivista — si effettua la trasposizione del testo in caratteri minuscoli. Così viene stilisticamente realizzato ciò che in origine era stato idealmente concepito, e cioè «scrivere nello stesso modo in cui si parla e si pensa». Vicende vissute, storie, aneddoti riportano in maniera assolutamente innocua una realtà di fatto che sa di disincanto, di sdegno, di delusione, di ricreazione talvolta, ma che è sempre di risalto. Da qui ha origine il corrispondente effetto nell'applicazione pratica, spesso formulata in bizzarre affermazioni. «Ognuno vive nel suo appartamento secondo la sua individualità. Pur sempre mediata dai miei suggerimenti!» Nel primo numero il tema preliminare è il fine didattico. Nella *Einführung abendländischer Kultur in Österreich* (Introduzione alla cultura occidentale in Austria), così come nel successivo *Ornament und Verbrechen* (Ornamento e delitto), viene formulata in termini validi la teoria secondo la quale in Austria si sono affiancati livelli culturali storicamente differenziati, che pur dimostrandosi largamente fecondi si sono rivelati incapaci della benché minima forma di interrelazione o adattamento. «Una volta mi è stato detto che è più facile che giunga al potere colui che non riesce a cavarsi un paio di pantaloni in pelle piuttosto che quell'uomo che quegli stessi pantaloni in pelle riesce a scambiare con una giacca. Io lo nego.»
Nei suoi saggi Loos educa produttori e consumatori a un nuovo concetto di beni culturali: con accenti socratici egli fa appello all'emancipazione dell'inquilino, sollecita accanto alla consapevolezza dei costi una diversa coscienza della qualità, risveglia le celate aspirazioni al comfort quotidiano, privilegiando nella realizzazione di tali obiettivi l'attiva collaborazione del pubblico. Alla corrispondenza con i lettori e ai concorsi formativi egli affida infatti la bilateralità comunicativa della rivista. «Nel dubbio la gente si rivolge a me.» Il ragionamento culturale giunge così a forzare i confini della prassi.
Il secondo numero riportava una serie di reazioni al primo. L'articolo di fondo era una satira su Josef Hoffmann dal titolo *Der Sattlermeister* (Il maestro sellaio). In altri saggi l'intento educativo si estendeva a diverse sfere culturali, dalla critica teatrale al cibo vegetariano. Nello spazio riservato alla corrispondenza con i lettori erano illustrate quattordici risposte ordinate per argomento: questioni generali, forma, abbigliamento, abitazione. In una delle repliche Loos descrive il suo ruolo di autore ed editore: «Guida per stranieri alla cultura.» «Volente o nolente», la rivista «Das Andere» di Loos si impose come caparbia e originale alternativa alla Wiener Werkstätte fondata nel 1903 da Josef Hoffmann.

Bibliografia: Burkhard Rukschcio - Roland Schachel, *Adolf Loos - Leben und Werk*, Salzburg, 1982 (con bibliografia).

W.M.

FERDINAND ANDRI

Nato l'1.3.1871 a Waidhofen an der Ybbs (Bassa Austria), la famiglia era di origine italiana e il padre era doratore. Dal 1884 al 1886 lavorò come apprendista presso un intagliatore del legno e costruttore di altari in Alta Austria. Dal 1885 al 1887 frequentò la scuola professionale di Innsbruck, poi si trasferì all'Accademia di Vienna dove studiò con J.V. Berger, A. Eisenmenger e E. Peitner-Lichtenfels fino al 1891. Poi studiò fino al 1894 alla scuola d'arte di Karlsruhe. Nel 1896 Andri tornò a Vienna, divenne membro della Secessione e dal 1898 espose le sue opere in questo sodalizio artistico di cui fu anche presidente negli anni 1899-1900 e 1905-1906. Nel 1904 si recò a St. Louis (USA) per l'Esposizione mondiale, per decorare con pitture murali il padiglione austro-ungarico. Nel 1906 espose alcune sculture alla mostra d'arte cristiana della Secessione (una fonte battesimale con statua di San Giovanni Battista). Collaborò alla rivista «Ver Sacrum», fece illustrazioni per libri per bambini, disegnò lavagne per scuole e da muro ecc. Il suo monumentale plastico in rame *San Michele* (1911) suscitò grande scalpore in una mostra d'arte sacra a Roma. Fu poi installato a Vienna alla Zacherlhaus (architetto J. Plecnik).
Durante il primo conflitto mondiale lavorò volontariamente come pittore di guerra. Dal 1919 fu professore di pittura all'Accademia di Vienna e dal 1932 diresse il corso di perfezionamento di pittura murale. Fece creare un laboratorio per la realizzazione di lavori di artigianato artistico: il primo grande lavoro che eseguì con i suoi allievi fu la decorazione del Flieger-Kino a Vienna. Nella sua città natale Waidhofen impiantò una piccola industria di giocattoli per creare posti di lavoro e per questa eseguì una serie di modelli in legno. Nel 1938 andò in pensione, ma ebbe fino al 1945 un incarico di insegnamento.
Tra i soggetti che Andri prediligeva, al primo posto stanno i paesaggi (soprattutto le Alpi); dedicò però anche gran parte della sua opera alla rappresentazione della vita e del lavoro di contadini e vignaioli. Stilisticamente un solitario che solo verso il 1900 accettò di sottoporsi talvolta a uno schema decorativo.
Morì a Vienna il 19 maggio 1956.

M.F.

JOSEF MARIA AUCHENTHALLER

Nato a Vienna Penzing nel 1865, nel 1886 si iscrive al Politecnico di Vienna. Dopo il servizio militare decide però di frequentare le lezioni del professor Rumpler all'Accademia delle arti figurative di Vienna, dove riceve vari premi (nel 1886, 1888, 1889). Tra il 1893 e il 1895 è insegnante, dapprima a Monaco, poi a Vienna. Nel 1901 si trasferisce definitivamente a Grado, dove la moglie gestisce una pensione.
Contribuisce alla fondazione della Secessione viennese, restandone membro fino al 1905 e partecipando ripetutamente alle sue mostre. Negli anni 1900-01 è nella commissione direttiva della Secessione e sempre nel 1900 collabora alla decorazione della mostra della Secessione; lavora poi al manifesto e al catalogo della VII Esposizione, come pure al catalogo dell'VIII.
Esegue numerose illustrazioni per la rivista «Ver Sacrum». Per l'esposizione del 1902 della Secessione (quella della statua di *Beethoven* di Max Klinger) Auchenthaller dipinge il grande quadro *Freude der schöner Götterfunken*, che mostra l'impiego della doratura e dello stucco. Partecipa poi all'esposizione del 1909. Nella sua opera si contano anche numerosi manifesti per Grado.
Muore nel 1949 a Grado.

E.B.T.

KARL THEODOR BACH

Nato a Vienna il 17.11.1858, fu allievo di Ferstel, del consigliere per l'edilizia Theyer e del professor Karl König. Da ricordare numerose case d'abitazione e commerciali a Vienna (tra queste il complesso «Casa piccola»), a Salisburgo, Padova e Bucarest, e inoltre case popolari a Breitensee e case per lavoratori a Florisdorf (in collaborazione con Simony). Con l'architetto Schöne costruì la terza chiesa evangelica a Vienna e la chiesa evangelica a Währing.

RUDOLF BACHER

Nato a Vienna il 20.1.1862, morto a Vienna il 16.4.1945.
Tra il 1882 e il 1888 seguì il corso di Carl Müller all'Accademia di arti figurative di Vienna, sua città natale, vincendo nel 1886 l'Hofpreis. Nel 1890 venne a Roma, nel 1894 divenne membro della Künstlerhaus. Partecipò anche alla fondazione della Secessione viennese, di cui fu presidente negli anni 1904-05, 1912-14, restandone poi membro fino al 1939; entrò più volte nelle commissioni direttive e prese parte a numerose mostre della Secessione. Ricordiamo in particolare che per la XIV Esposizione del 1902 creò un gruppo statuario di quattro fanciulle con ghirlande. Insegnò per un trentennio all'Accademia (1903-1933) di cui fu più volte rettore e vicerettore. Nel 1933 divenne socio onorario dell'Accademia. Nel 1942 ricevette la Goethe-Medaille, l'anno successivo il premio Waldmüller.
L'opera molteplice di Bacher comprende tra l'altro quadri religiosi, ritratti (spesso a figura intera e a grandezza naturale), numerosi paesaggi, acquarelli, disegni umoristici, soffitti (come quello per il salone del Palazzo Waizer con la raffigurazione della *Musica*), plastica decorativa, busti e raffigurazioni di animali.

E.B.T.

E. BAKALOWITS & SÖHNE

Nel 1845 si apre a Vienna, sulla Hoher Markt

5, il negozio di articoli in vetro Bakalowits, tuttora esistente in Spiegelgasse. Bakalowits non produce in proprio ma si affida a diverse fabbriche alle quali commissiona oggetti spesso disegnati da Kolo Moser e dagli allievi del suo corso alla Kùnstgewerbeschule di Vienna: tra questi Therese Trethan, Jutta Sikka, Antoinette Krasnik, Rudolf Holubetz.

Nel 1899 partecipa per la prima volta a una mostra del Museo austriaco per l'arte e l'industria, presentando vetri tipo Tiffany e un lampadario in cristallo progettato da Joseph Maria Olbrich.

Presente alla maggior parte delle mostre nazionali e internazionali, all'Esposizione mondiale di Parigi del 1900 vince una medaglia di bronzo con vetri disegnati da Kolo Moser e da Olbrich.

E.B.T.

MAURITZ BALZAREK

Nato il 21.10.1872 a Türnau, in Moravia, dopo la scuola statale professionale a Brünn frequentò la classe di architettura di Otto Wagner all'Accademia delle arti figurative a Vienna (1899-1902). La formazione professionale fornitagli da Otto Wagner e anche una certa pratica come capocantiere della stazione Heiligenstadt della filovia viennese fornirono le migliori premesse per il suo sviluppo quale architetto e per la sua carriera d'insegnamento già intrapresa nel 1902 alla scuola statale professionale di Linz. Nel 1923 Balzarek, che lavorava a Linz da quasi mezzo secolo e aveva potuto erigere svariate costruzioni per questa città, divenne direttore della suddetta istituzione. Vi morì il 17 febbraio 1945.

L'opera intera di Balzarek va considerata soprattutto nell'ambito dello sviluppo architettonico e artistico a Vienna, più tardi però anche sotto l'influsso di Berlino e della Bauhaus con la sua tendenza al razionalismo e pragmatismo. «Nel suo primo periodo linzese, dal 1902 fino allo scoppio del 1° conflitto mondiale, dominano le forme della Secessione viennese» (A. Wied).

Balzarek, che per ragioni di studio viaggia ripetutamente in Germania, Italia e Svizzera, riceve dapprima incarichi minori (interni e tombe, poi alcune ville) e più tardi in misura crescente commissioni per impianti industriali e costruzioni tecniche.

Nel 1909 costruisce una piccola cappella per il cimitero di Bad Hall, un anno prima attira l'attenzione dei colleghi con la costruzione della centrale Steyr-Durchbruch. Nel 1914 viene eretto secondo i suoi piani il villaggio residenziale di Froschberg formato da case per una o due famiglie, «un miscuglio di eleganza Jugendstil con il criterio accogliente del medio evo tedesco».

Balzarek si rifà a numerosi schizzi per concorso e progetti del suo primo periodo (il teatro cittadino di Aussig, l'edificio per le esposizionei artistiche di Linz). Lo stesso vale per i padiglioni per esibizioni che risaltano per la loro analogia formale a Wagner e Hoffmann. Fra le più significative e più belle opere di Balzarek si può contare la «villa di campagna» di Bad Hall, ancor oggi meravigliosamente conservata: un edificio della fase tardiva dello Jugendstil e della Secessione, al quale non si può negare una certa vicinanza alla Matildenhöhe di Ólbrich, quanto l'uso dello spazio delle dimore campagnole inglesi ed il ripescaggio di «elementi nazionalromantici» tipico di Balzarek.

Balzarek non si dimostra influenzato che impercettibilmente dall'espressionismo. Anche la tendenza al nuovo pragmatismo riscontrabile nelle sue costruzioni degli anni '20 è piuttosto moderata. Con ragione A. Wied rileva la «preferenza per criteri architettonici a misura d'uomo» di Balzarek, e la sua avversione verso l'eccessiva monumentalità.

La retrospettiva del 1972 organizzata alla Neue Galerie di Linz comprendeva 261 piani, disegni e schizzi che documentavano in gran parte ciò che questo architetto poté realizzare nell'Austria settentrionale.

P.B.

FRANZ BARWIG

Nato a Schönau (Senov), Moravia, il 19. 4.1868, cominciò giovanissimo a intagliare il legno. Nel 1888 si trasferì a Vienna per frequentarvi la scuola di arte applicata; il suo maestro fu Hermann Klotz. Nel 1902 Barwig espose per la prima volta un suo lavoro, nel 1903 creò delle figure per la chiesa Canisius a Vienna. Nel 1904 fu chiamato a Villach (Carinzia) a insegnare in una scuola specializzata nella lavorazione del legno, ma rimase sempre in contatto con Vienna. Nello stesso anno espose per la prima volta nell'Hagenbund.

Fu subito accettato dalla critica e definito «una delle più gentili e mature apparizioni». Alla fine del 1906 ritornò a Vienna per occupare la cattedra di «piccolo plasticismo» alla Scuola d'arte applicata. Fino al 1908 usò esclusivamente il legno e dal 1906 aveva scelto quale modello gli animali. Egli lavorava i ceppi di tiglio direttamente davanti alle gabbie degli animali. Successivamente si specializzò nella creazione di pantere e orsi di bronzo.

Nel 1908 collaborò come consulente artistico alla organizzazione del corteo per il giubileo dell'imperatore a Vienna. Mentre nel modellare gli animali non aveva alcuna difficoltà, gli riusciva più difficile creare figure umane. A un certo momento della sua evoluzione artistica si dedicò alla ricerca di un ideale etico. Il primo nudo, da lui esposto all'Hagenbund nel 1909, fu un *Ragazzo*. In questa figura, come nella successiva, *Eva*, «c'è poca vita, essa guarda ed è rivolta in se stessa». Queste sue prime opere, che ricordano le sculture del belga Georges Minne, risentono anche delle tendenze dell'arte viennese a lui contemporanea.

La ricerca di un ideale di figura si espresse in Barwig negli anni 1913-14 in una serie di nudi a grandezza naturale. In questo periodo lo scultore inserì nelle sue opere alcuni elementi decorativi successivamente abbandonati per influsso dell'arte dell'intaglio tardo-gotico tedesco. Durante la guerra Barwig lavorò per la maggior parte nell'ambito della Scuola d'arte applicata. La sua opera fino al 1914 conservò una unità stilistica abbastanza omogenea.

Dopo il 1918 l'artista, ispirandosi alla nativa Moravia, scolpì principalmente figure di contadini e nudi affrontando i diversi temi con differenti mezzi stilistici. Unico legame con la sua produzione artistica precedente al 1914 rimasero le sculture di animali. La guerra sembra aver cancellato la sua sicurezza personale e artistica.

Nel 1922, per sua scelta, lasciò la Scuola d'arte applicata; dal 1925 al 1927 soggiornò negli Stati Uniti dove progettò e realizzò una grande villa con giardino in Florida.

Morì suicida a Vienna il 15 maggio 1931.
Bibliografia: G. Frodl, *Franz Barwig*, cat. mostra, Österreichische Galerie, Wien, 1969.

M.F.

VJEKOSLAV (ALOIS) BASTL

Architetto della scuola di Wagner. Nato a Pribram (Cecoslovacchia) il 13.8.1872, morto a Zagabria il 3.11.1947.

Dopo un breve periodo di apprendistato a Zagabria Bastl nel 1905 intraprende la libera professione. Partecipa a tutti gli importanti concorsi prebellici sul territorio dell'odierna Jugoslavia, vincendone alcuni. Dal 1919 fu professore di architettura all'Istituto tecnico superiore di Zagabria. Opere principali: Istituti di chimica e di fisica a Zagabria, Mercato di Dolac (Zagabria), Scuola superiore di economia e commercio (1928) a Zagabria, Cinovniska Banka a Belgrado, restauri vari, case di abitazione e ville.

Oggi pressoché sconosciuto, Bastl — che si era laureato tardi a 30 anni compiuti — appare come figura molto importante nell'ambito dell'architettura moderna croata. Fu infatti uno dei fondatori (con Kovacić e Sen) del Club degli architetti croati — un perfezionamento del wagneriano Architektenklub — che ha inciso profondamente sulla cultura architettonica di Zagabria. Le sue ville dell'inizio del secolo sotto alcuni profili superano quelle di Hoffmann sulla Hohe Warte. Il contributo di Bastl deve pertanto ancora essere precisato.

M.P.

LEOPOLD BAUER

Nato l'1.12.1872 a Jägerndorf in Slesia, si trasferì a Vienna nel 1890 iscrivendosi alla facoltà di architettura, dove conobbe Olbrich e Hoffmann. Ma il suo vero maestro fu Otto Wagner, al quale dedicò la sua prima pubblicazione, *Verschiedene Skizzen, Entwürfe und Studien* (Wien, 1898), un trattato filosofico-teorico sull'architettura moderna. Con questo scritto Bauer cercò di «indicare come i risultati delle nostre ricerche scientifiche, della nostra tecnica altamente sviluppata, della nostra civiltà moderna, tendano a riunirsi nuovamente con l'arte in un'unità armonica». In questo scritto Bauer sviluppò le idee di Wagner. Partendo da un concetto di bellezza strettamente legato al bisogno di «assoluta funzionalità», Bauer si dichiarò favorevole al lavoro meccanico, affinché «si abbia più forza e tempo da dedicare ai lavori degni dell'uomo e alle attività intellettuali», e ciò in un momento in cui si stava riportando a nuova vita il tradizionale artigianato artistico. Inoltre sostenne l'adozione delle nuove conquiste della tecnica per il trattamento dei materiali e i più recenti metodi di lavorazione.

Già nel 1901 sulla rivista «Das Interieur» Bauer era indicato come «nuovo espositore nella Secessione» e come «grande colorista» nell'arredamento di interni. Alcuni esempi della sua sensibilità per i colori e della sua profonda conoscenza dei materiali: furono pubblicati in questa edizione di «Das Interieur» un disegno a colori di un armadio di liquori, un tavolino impiallicciato, armadi a colonne e armadietti ornamentali (eseguiti da Portois e Fix).

Le sue idee sulla costruzione di case d'abitazione ebbero particolare risonanza e furono pubblicate in uno scritto di J.A. Lux («Deutsche Kunst und Dekoration», vol. XII, 1903). Secondo Bauer l'architetto avrebbe dovuto riunire i concetti di «igiene, comfort e bellezza» e inserire nell'«organismo della casa» tutte le attrezzature tecniche necessarie al comfort. Occorreva perciò tenere conto dei caratteri della zona in cui si costruiva la casa e del tipo di persone che vi avrebbero abitato: «La casa e la zona devono formare una unità. Il colore e i materiali di costruzione devono essere caratteristici per la casa e per la zona.» Compito principale dell'artista è quello di essere «educatore e etico»: «Egli deve rispettare i sentimenti personali del committente; risvegliare gioiosi ricordi d'infanzia... progettare non *una* casa ma *la sua* casa, in cui si senta al sicuro.» Leopold Bauer assegna all'architettura una funzione di rafforzamento dell'io, e all'architetto una funzione terapeutica. Idealmente l'architetto dovrebbe capire la personalità del committente, tanto da inserire le sue tendenze nella costruzione.

Bauer ottenne, con Baillie Scott e Mackintosh, il primo premio nel famoso concorso di Alexander Koch per la «casa di un amico dell'arte» (1900). Poco dopo arrivarono i primi lavori: una casa di campagna a Brünn per il barone Haupt; le residenze di campagna per il barone Spaun e per von Kralik. Bauer ebbe anche l'incarico di ristrutturare i castelli Klin, Knetzitz e Steinitz (Moravia) e di costruire un padiglione per tiratori a Jägerndorf. Questo ultimo progetto fu pubblicato nella rivista «Deutsche Kunst und Dekoration» (1904) insieme alle foto di un palazzo di appartamenti a Bielitz e di una casa di campagna di Brünn. Bauer fu membro della Secessione dal 1900 e per un anno (1902) fece parte del comitato artistico della rivista «Ver Sacrum». Tra il 1913 e il 1919 Bauer diresse la scuola di architettura presso l'Accademia di Vienna, succedendo a Otto Wagner. Un'opera importante di questo periodo fu la costruzione della Banca nazionale austriaca (1913). In quest'opera Bauer raggiunse una sorta di neoclassicismo, dando inizio allo stile «bancario» del secondo decennio. Fellner von Feldegg ha scritto una nota biografica sull'opera di Bauer (*Anschauung in Wort und Werk*, 1931).
Bauer morì nel 1938.

C.P.

LUDWIG BAUMANN
Architetto e consigliere per l'edilizia a Vienna. Nato nel 1854 a Schloss Seibersdorf (Slesia). Allievo del Polytechnikum di Zurigo (1870), dove studiò fino al 1874 sotto la guida di G. Semper, Lasius, Kinkel e J. Scherr, dal 1875 al 1877 lavorò sotto la guida di Ferstel a Vienna e progettò per lui le terracotte per il Chemisches Laboratorium, per la Kunstgewerbeschule, per l'Università e le mattonelle della Votivkirche. Dal 1877 al 1882, nell'Atelier Rumpelmayer, elabora un progetto degli interni dell'Ambasciata tedesca a Vienna, del Castello di Varna, della Residenza di Sofia, del Palazzo Arenberg ad Hacking, del Palazzo Dietrichstein, opere altamente significative in stile barocco. A quel periodo risalgono i suoi esemplari rilievi di monumenti barocchi (dettagli del Belvedere, dei conventi di Melk e Göttweih, dello Schloss Hof, e altri) che pubblicò a Vienna presso A. Schroll in collaborazione con Bressler. Dal 1882 al 1884 progettò come architetto privato gli edifici del Wiener Extrablatt, un palazzo e una bella casa per il banchiere Victor, la costruzione della linea Vienna-Mödling e la sezione austriaca dell'Esposizione mondiale di Amsterdam nel 1883. Il suo studio sul barocco è da annoverare tra le opere maggiori. Dal 1884 al 1894 fu architetto presso i Krupp a Berndorf, per i quali progettò opere di grande significato sul piano dell'artigianato artistico, due monumentali scudi in argento (proprietà del conte Kielmannsegg e del Kunsthistorisches Museum), un completo da scrittoio in stile barocco in oro (per il conte Beck). Tra gli edifici sono da ricordare villini, villaggi operai, ville, una piscina, complessi industriali, l'ospedale per le malattie infettive, la casa dei poveri e infine il monumentale Palazzo Krupp, una delle migliori costruzioni barocche moderne. Di questo periodo sono anche i suoi lavori per l'Esposizione del giubileo (1888) e l'edificio dell'Associazione pattinatori.
La sua prima opera di eccellente valore è la Casa Hiller in stile moderno classicheggiante. Seguono il Palazzo Ambruster, il Palazzo Bratmann e otto monumentali costruzioni per il giubileo al Prater nel 1889. Fra queste la modernissima Urania, la Jugendhalle di ispirazione gotica e il Padiglione dell'Istruzione di forme anticheggianti, che fecero molta impressione e gli diedero grande fama. Tra il 1898 e il 1901 costruì per l'Esposizione di Parigi la famosa Reichshaus barocca. Seguono in ordine cronologico: un ginnasio in stile inglese, una casa d'abitazione a Brno, il monumentale edificio della Industrie-Beamten-Verein a Brno, le case d'abitazione Lamatsch, Hatschek e Brünner a Vienna, gli edifici per la sezione austriaca alla Mostra gastronomica a Vienna (1898), alla Mostra dell'artigianato artistico a Londra (1901-02), all'Esposizione di Glasgow (1903-04), le installazioni e l'edificio del Palazzo del Governo austriaco a St. Louis. Tra il 1902 e il 1904 creò la sontuosa costruzione barocca della Konsularakademie regia-imperiale a Vienna, tra il 1905 e il 1906 il castello inglese Almàssy a Garàny in Ungheria. Quasi contemporanee sono le costruzioni per l'Esposizione mondiale di Torino e per un'Esposizione di Milano. Non vanno inoltre dimenticati il Mausoleo Berl e la costruzione della Maison St. Geneviève per la contessa Goluchowska. La sua opera di maggior prestigio è forse la Camera di commercio e industria di Vienna, con un notevole portale barocco e uno scalone sontuoso. Da ricordare ancora l'edificio del Museo austriaco dell'arte e dell'industria in stile rinascimentale italiano, il restauro del Palazzetto Venezia a Roma, il Ministero della Guerra, il progetto di un nuovo quartiere a Berndorf e infine una chiesa barocca ritenuta da alcuni la sua opera principale. Dal 1907 è direttore dei lavori della nuova Hofburg e si occupa sia degli interni che della progettazione di una piazza monumentale e di grandiosi colonnati.

T.B.

FRANZ BAYROS
Nato nel 1866 a Agram (Zagabria), era figlio di uno spagnolo e di una viennese. Lavorò dapprima come illustratore dedicandosi in prevalenza a temi di carattere erotico. Più tardi giunse a notorietà come grafico di ex libris (molte cartelle di ex libris apparvero a Vienna e Monaco di Baviera dal 1910 al 1916, e i suoi lavori furono pubblicati anche in riviste specializzate) e come illustratore di libri, tra cui la *Divina Commedia* di Dante (Wien, 1921). In questi anni Bayros, oltre a illustrare alcuni classici della letteratura erotica mondiale (*Il Decamerone* di Boccaccio, Berlin, 1910; *Storie da mille e una notte*, Berlin, 1913), fece anche dei disegni erotici che poterono essere pubblicati solo privatamente e che ebbero una diffusione assai limitata (*Die Bonbonniere*, Wien, 1906; *Quadri dalla stanza da bagno di Madame C.C.*, 1911, ecc). Dal punto di vista stilistico Bayros appare alquanto isolato nel suo tempo. Egli non solo si avvicina stilisticamente alla cerchia dei grafici inglesi raccolti attorno a Beardsley, ma rivela una forte affinità tematica con l'alta aristocrazia decadente del rococò. (È interessante notare il contrasto con la produzione erotica di artisti a lui contemporanei come Klimt e Schiele). Nei suoi ex libris è presente anche l'influenza di Alfons Mucha, che lavorò a Vienna fino al 1881.
Meno nota la sua attività di ritrattista, soprattutto di soggetti femminili, che sta tra l'arte di superficie viennese e la linea ornamentale di Mucha.
Franz Bayros morì il 3 aprile 1924 a Vienna.
Bibliografia: Wolmar Zacken, *Franz von Bayros - Aquarelle, Zeichnung Druckgraphik*, Wien, Die Sammlung Rainer, 1972.

J.W.

KARL JOHANN BENIRSCHKE
Architetto della scuola di Wagner. Nato a Schönberg (Cecoslovacchia) il 17.8.1875. Assieme al fratello Max, architetto specializzato nell'arredamento e nell'architettura degli interni, Benirschke operò fino al 1905 in Boemia per «emigrare» dopo tale anno a Düsseldorf, dove entrambi insegnavano alla Kunstgewerbeschule. L'attività dei due fratelli con studio unico è conosciuta solo fino al 1910.

M.P.

MAX BENIRSCHKE

Nato a Vienna il 7.5.1880, compì i primi studi in campo artistico alla scuola specializzata per tessitura di Märisch-Schönberg. Fu allievo di Roller e Hoffmann alla Scuola di arte applicata di Vienna, e successivamente frequentò l'Accademia di arte figurativa.

Nel 1902 la rivista «Das Interieur» pubblicò alcuni progetti di arredamento degli allievi della Scuola di arte applicata: Max Benirschke vi partecipò con due opere che furono premiate. Vinse il primo premio per il progetto di un salone di parrucchiere. Anche la sua idea-progetto per una stanza da bagno ebbe un riconoscimento: «Questa stanza da bagno ha la lodevole prerogativa di disporre in modo preciso lo spazio a disposizione. Il bagno di Benirschke è funzionale e rispetta egregiamente le esigenze degli abitanti.» Si faceva anche notare che Benirschke aveva l'intenzione di aprire un «suo studio di architettura per arredamenti interni». Nel 1904, a Düsseldorf, collaborò alla rivista «The Studio».

Nei diversi progetti a colori per arredamenti interni di Max Benirschke in questi anni colpisce la sua profonda conoscenza dell'uso dei vari materiali. Il suo stile di disegnatore appare oltremodo equilibrato nei colori. Sebbene gran parte di questi progetti non siano mai stati realizzati, essi restano tuttavia degli schizzi artisticamente affascinanti.

C.P.

ISTVAN BENKÒ-MEDGYASZAY

Architetto della scuola di Wagner. Nato a Budapest il 23.8.1877, ivi morto il 29.4.1959.

Fin dall'esemplare soluzione del tema scolastico «grande magazzino», Benkò-Medgyaszay si era dedicato in prevalenza allo studio del problema del cemento armato nell'architettura, proponendo soluzioni interessanti nel teatro di Veszprem (1908) e, addirittura, la copertura di un vano ottagonale con cupola (settore sferico) di 8 cm di spessore nella chiesa di Rarosmulyad (Slovacchia) nel 1910. Non molto apprezzato durante la vita, Medgyaszay è attualmente considerato come uno degli architetti ungheresi più validi del suo tempo.

M.P.

WILHELM BERNATZIK

Nato il 18.5.1853 a Mistlebach (Bassa Austria), morto il 25.11.1906 a Hinterbrühl presso Mödling.

Figlio di un avvocato, dovette studiare legge contro la sua volontà prima di iscriversi all'Accademia di arti figurative a Vienna, dove studiò dal 1873 al 1875 con il pittore paesaggista E. Peithner von Lichtenfels. Nel 1875, con il quadro *Caino uccide Abele*, ottenne la medaglia d'oro Füger. In seguito si recò a Düsseldorf dove continuò i suoi studi fino al 1878, dipingendo soprattutto paesaggi di boschi e paludi. Nel 1878 andò a Parigi e divenne allievo di Léon Bonnat, ritrattista e pittore di scene storiche. Dal 1880 fu membro della Künstlerhaus.

Considerato ai suoi tempi uno dei migliori pittori paesaggisti locali, fu chiamato a partecipare alla decorazione del Museo di storia naturale di Vienna, che comprendeva un vasto ciclo di quadri di paesaggio a sfondo didascalico. Il grande quadro del 1882, *La visione di San Bernardo*, segnò una svolta nella sua attività pittorica, da un paesaggio poetico alla rappresentazione di figure simboliche immerse nel paesaggio. Ritornato a Vienna, fu uno dei fondatori della Secession (1897), di cui fu presidente negli anni 1902-03. Nel 1903 organizzò nel Palazzo della Secession la grande esposizione impressionista che diede per la prima volta al pubblico viennese una visione generale di questo movimento che aveva rivoluzionato la pittura. Nel 1905 Bernatzik era in quel gruppo di artisti raccolti attorno a Klimt che abbandonò la Secession.

Il pittore e critico d'arte August Schäffer von Wienwald (direttore dal 1892 della Pinacoteca imperiale) definì Bernatzik una «pietra miliare» nella pittura paesaggistica viennese, accanto a E.J. Schindler, R. Russ e E. Jettel, aggiungendo che le sue opere respiravano poesia e testimoniavano uno spirito profondo. Appropriati effetti di luce conferiscono ai paesaggi di Bernatzik contenuti significativi che a partire dagli anni '80 divennero più intensi e chiari mediante la combinazione con composizioni figurali (come i quattro quadri delle stagioni: l'*Inverno* viene simboleggiato da un corteo funebre che si muove lungo la scalinata di una chiesa coperta di neve, 1888).

Nelle opere degli ultimi anni, come nel trittico *L'entrata in Paradiso* (1905-06 c.), diventa visibile l'influenza di Klimt e ancor più dell'arte decorativa della Wiener Werkstätte. Infine si dedicò a esperimenti di colore che fecero slittare la sua pittura nel mondo fantastico *(La fiamma)*. Bernatzik appartiene a quegli artisti viennesi del primo '900 la cui opera gettò un ponte dal vecchio al nuovo.

Bibliografia: *Hauptwerke des künstlerischen Nachlasses*, cat. mostra, Galerie H.O. Miethke, Wien, 1907.

M.F.

ILSE BERNHEIMER

Nata a Vienna nel 1892, il suo campo d'attività sono la pittura e la grafica.

Franz Cizek, direttore della Jugendkunstklasse, nota i suoi lavori e la raccomanda Hans Strohofer come insegnante. Giovanissima, prende parte nel 1908 a un'esposizione artistica con trenta acquerelli nella sezione dedicata all'«arte dei bambini». Dal 1911 al 1916 studia alla Kunstgewerbeschule di Vienna seguendo i corsi di Kolo Moser e Oskar Kokoschka (corso serale di nudo). Nel 1919 si impiega nell'officina litografica Wolfensberger di Zurigo. Nel 1922 è presente alla Biennale di Venezia con lavori di grafica. Trascorre gli anni dal 1922 al 1925 a Saint-Tropez, insieme a Henry Manguin, conosciuto a Parigi. In questo periodo i suoi schizzi per una serie di incisioni attirano l'attenzione di Picasso.

Nel 1925 è di nuovo a Vienna, dapprima insegna all'Accademia femminile, poi per un anno è assistente di Oskar Strnad alla Kunstgewerbeschule, dove nel 1930 cura un corso preparatorio per le allieve dell'atelier di moda di E.J. Wimmer-Wisgrill. Dal 1928 partecipa alle esposizioni dell'Hagenbund.

Dopo un breve soggiorno nel 1936 in Umbria e a Roma, dal 1938 si stabilisce definitivamente in Italia. Insegnante della scuola vetraria Zanetti di Murano, vive a Venezia dal 1950.

Bibliografia: Rudolf Schmidt, *Österreichisches Künstlerlexikon*, vol. I, Wien, 1980.

E.B.T.

TINA BLAU

Nata a Vienna il 15.11.1845, morta a Vienna il 31.10.1916.

Suo padre, un dentista di origine boema, incoraggiò la sua predisposizione alla pittura. Il paesaggista viennese August Schäffer (direttore dal 1892 della Pinacoteca imperiale), la incitò a lavorare all'aperto — cosa a quei tempi del tutto inconsueta. Dal 1869 al 1873 continuò la sua formazione a Monaco di Baviera, dove, più che a Vienna, poté venire a contatto con le conquiste della pittura paesaggistica francese e della scuola impressionistica di Barbizon. Alcuni viaggi in Italia, Olanda e a Parigi allargarono i suoi orizzonti artistici influenzandone tutta la successiva produzione. Nell'estate del 1873 e del 1874 Tina Blau soggiornò nella cittadina ungherese di Szolniok, dove fin dagli anni '50 era formata una colonia di pittori austro-ungarici. Nei mesi estivi del 1877 e del 1879 lavorò a Venezia. A Vienna si unì a Emil Jakob Schindler, a lei artisticamente affine e come lei entusiasta rappresentante della pittura all'aperto. La Blau fu colpita dal suo modo di vedere le cose e la natura, colte non in superficie ma con tutti i sensi. Più di Schindler, ella fu impressionata dalla pittura dell'Europa occidentale che accolse con apertura di vedute. Attenta osservatrice, rappresentò per lo più scorci di paesaggio, ma anche scene di vita urbana, strade delle città olandesi (Amsterdam, Dordrecht) o di periferie viennesi.

Tina Blau preferiva piccoli o piccolissimi quadri, ottenendo risultati magistrali dal punto di vista artistico, utilizzando il fondo naturale del legno di mogano come elemento di colore. Il Prater di Vienna divenne uno dei suoi temi preferiti, non solo per influsso di Schindler, ma anche perché si sentiva affascinata dal legame natura-città. Nel 1883 sposò il pittore di Monaco Heinrich Lang e si trasferì nella capitale bavarese. Conobbe il successo nel 1882 con la *Primavera al Prater*, un quadro di grandi dimensioni, che fu esposto anche a Parigi nel Salon del 1883. A Monaco di Baviera insegnò nell'Associazione delle artiste. Nel 1886 fece un viaggio a Roma. Tornata a Vienna nel 1893, due anni dopo la morte del marito, intraprese poi numerosi viaggi. Negli ultimi anni della sua vita Tina Blau rimase a Vienna. A partire dagli anni '90 la colorazione dei suoi quadri mutò grazie all'uso dei pastelli verso toni meno contrastanti, perdendo però quella grande libertà pittorica degli anni precedenti. Tina Blau rimase completamente estranea allo Jugendstil e alla pittura viennese, a lei contemporanea.

Bibliografia: *Tina Blau, 1845-1916 — Eine Wie-*

ner Malerin, cat. mostra, Österreichische Galerie, Wien, 1971.

G.F.

LEOPOLD BLAUENSTEINER

Nato a Vienna il 16.1.1881, ivi morto il 9.2.1947

Figlio di un falegname, mentre frequentava il ginnasio a Melk (Bassa Austria) lavorò come pittore al restauro della chiesa parrocchiale. Dal 1898 al 1903 studiò all'Accademia di arti figurative di Vienna con Griepenkerl e privatamente con Alfred Roller. Nel 1904 espose per la prima volta alla Secessione, di cui era membro; collaborò anche alla rivista «Ver Sacrum». Negli anni 1908 e 1909 partecipò alla Kunstschau ed ebbe così occasione di entrare nella cerchia di Klimt. Dal 1911 al 1920 fu membro dell'Hagenbund e a partire dal 1933 della Künstlerhaus, di cui fu anche presidente dal 1938 al 1941. Durante la prima guerra mondiale fu sotto le armi e, dopo un malattia, si stabilì a Melk dove visse fino al 1930. Nel 1921 furono esposte sue opere alla Secessione, nel 1930 alla Künstlerhaus; nel 1925 divenne conservatore dell'Ente federale per i monumenti del distretto di Melk. Dal 1937 Blauensteiner fu presente in diverse associazioni artistiche. Gli furono conferiti veri premi e medaglie, tra cui il premio dello stato nel 1927.

Blauensteiner, a differenza di molti suoi colleghi pittori, non amava viaggiare. Dimorò solo una volta in Italia, nel 1929-30, e si recò una volta a Dubrovnik.

I suoi temi preferiti erano paesaggi e ritratti e, spesso, una piacevole combinazione dei due. Viene considerato un continuatore dell'«impressionismo di stati d'animo» di Emil Jakob Schindler. I suoi quadri sono descrizioni poetiche degli stati d'animo che legano l'uomo alla natura. In lui il colore assume un'importanza maggiore che nei suoi predecessori viennesi che gli furono di esempio. Blauensteiner poneva i suoi soggetti in una luce iridescente e scintillante, che faceva risaltare con l'aiuto di macchie di colore accostate una all'altra, come in un tessuto. Si nota nelle sue opere l'influsso dei paesaggi dell'Attersee di Gustav Klimt. La composizione pittorica racchiusa in un'unità decorativa fa sentire la vicinanza della Secessione. Verso il 1920 incominciò ad usare, invece dei colori a olio, le tempere, che rendevano la superficie del quadro più liscia e piatta.

M.F.

HERBERT BOECKL

Nato a Klagenfurt il 3.6.1894, morto a Vienna il 20.1.1966.

Il padre, ingegnere meccanico e insegnante, avrebbe voluto che il figlio seguisse i suoi stessi studi. Herbert, invece, nel 1912, dopo aver cercato senza successo di entrare all'Accademia, si iscrisse alla facoltà di architettura del Politecnico di Vienna, dove fu in contatto con la cerchia di Loos.

A questi anni risalgono i suoi primi quadri, ma solo dalla fine della guerra si dedicò interamente alla pittura. Fu un puro autodidatta, influenzato dapprima da Schiele (come nel ritratto dello storico dell'arte Bruno Grimschitz, 1915), e poi dall'opera di Kokoschka.

Nel 1918 Boeckl ritornò a Klagenfurt (aveva abbandonato gli studi di architettura), soggiornando in seguito per breve tempo a Nötsch presso A. Kolig (un contatto che non fu poi ripreso da nessuno dei due). Nell'inverno 1921-22 lo vediamo a Berlino, nella primavera 1923 a Parigi e nella prima metà del 1924 a Palermo. Trascorse i mesi estivi degli anni 1921-24 in Carinzia, sul lago di Klopein. Presentò la sua prima grande mostra nella Secessione del 1927 e l'anno seguente aprì uno studio a Vienna che tenne fino alla sua morte. Nel 1934 riceve dallo stato austriaco un importante premio. Dal 1935 al 1939 fu professore alla Accademia di arti figurative, poi assunse la direzione del cosiddetto «Abendakt». Nel 1945-46 fu rettore dell'Accademia, e nel 1946 prese parte alla prima grande esposizione del dopoguerra. Nel 1950 partecipò come rappresentante dell'Austria alla Biennale di Venezia.

Negli anni '50 intraprese numerosi viaggi (Spagna, Egitto) che influenzarono visibilmente la sua pittura, e nel 1952 iniziò la sua opera più monumentale: dipinse la Cappella degli Angeli a Seckau, in Stiria. Dal 1962 al 1965 fu per la seconda volta rettore dell'Accademia.

Già nel 1920 Boeckl aveva creato una delle sue opere maggiori, il *Gruppo al limite del bosco*, uno dei vertici dell'espressionismo austriaco. L'influenza di Schiele e della Secessione ormai non si avverte più. Il colore diviene l'elemento costruttivo del quadro ed è parte integrante di una pittura vitale e intensa.

Non possiamo seguire oltre lo sviluppo della pittura di Boeckl. Possiamo tuttavia affermare che egli è stato una delle grandi personalità del '900 austriaco, influenzando profondamente molti giovani artisti sia con la sua pittura sia con la sua grande personalità.

Bibliografia: G.Frodl, *Herbert Boeckl — Mit einem Werkverzeichnis der Ölbilder von L. Boeckl*, Salzburg, 1976.

G.F.

HANS BÖHLER

Nato l'11.9.1884, figlio dell'industriale Otto Böhler, inizia a dipingere giovanissimo. A soli 17 anni partecipa a una mostra dell'Associazione viennese dell'acquarello. Compiuti gli studi alla Scuola d'arte Jaschke, frequenta, ma solo per un breve periodo, l'Accademia di Vienna.

Influenzato nel suo lavoro dalla Secessione, espone alla Kunstschau del 1908 e alla Mostra internazionale della caccia di Vienna. Nel 1910-11, su proposta del padre, intraprende un lungo viaggio in Asia, fermandosi in Cina per un anno. Durante questo soggiorno esegue numerosi disegni che verranno pubblicati sulla rivista «Deutsche Kunst und Dekoration». Continua poi a viaggiare visitando l'America del Sud e del Nord. Stringe amicizia con Ludwig Heinrich Jungnickel e con Egon Schiele, di cui acquista alcuni disegni e dal quale nel 1914 fa ritrarre la sua amica Friederike Beer-Monti (ritratta anche da Klimt).

Molti dei nudi di Böhler, alcuni dei quali fortemente erotici, lasciano vedere l'influenza di Schiele. I suoi dipinti dai colori molto intensi, con nature morte, scene urbane, paesaggi, ritratti e nudi, risentono ancora dell'esperienza impressionista, pur sviluppandosi verso forme più decisamente espressioniste. Più lucidi e con una maggior attenzione alla modellazione del colore i quadri successivi, che espone nel 1915 a Copenhagen e a Stoccolma.

Stabilitosi dopo la prima guerra mondiale nel Canton Ticino, partecipa tra il 1924 e il 1927 a mostre a Venezia e a Roma. Nel 1929 esce a cura di Arthur Rössler, amico e sostenitore di Schiele, un'ampia monografia su Hans Böhler. Nel 1930 espone al Thaulow Museum di Kiel. Fino al 1932 viaggia in Africa settentrionale e in Spagna. Nel 1936 emigra negli Stati Uniti e prende la cittadinanza americana. Nello stesso anno hanno luogo due sue personali all'Artist's Gallery di New York e al Bush-Reisinger Museum di Cambridge (Mass.); la repubblica austriaca gli conferisce una medaglia al merito per il suo lavoro.

Negli anni seguenti tiene numerose mostre personali negli Stati Uniti; partecipa con dei disegni alla Mostra sulla Secessione di Vienna (1950) e alla Biennale di San Paolo del Brasile. Nel 1954 riceve dalla città di Vienna il Kunstpreis. Muore a Vienna il 17.9.1961.

Nel 1968 gli verrà dedicata una mostra alla Marlborough Fine Arts di Londra e una alla Galerie Basilisk di Vienna.

Bibliografia: Arthur Röessler, *Der Maler Hans Böhler*, Wien-Leipzig-Zürich, 1929; *Hans Böhler 1884-1961*, cat. mostra, Marlborough Fine Arts, London, 1968; Otto Breicha, *Hans Böhler - Gemälde und Graphik*, Salzburg, 1981.

P.W.

ADOLF BÖHM

Nato a Vienna il 25 febbraio 1861, figlio di un pittore, Adolf Böhm frequentò dal 1876 l'Accademia di arti figurative sotto la guida di Wurzinger e Eisenmenger. Nel 1897 il suo nome appariva tra quelli dei fondatori della Secessione, alla cui rivista «Ver Sacrum» contribuì con numerose litografie.

La vetrata della villa di Otto Wagner a Vienna-Hütteldorf, che risale al 1899, è un tipico esempio della stile floreale decorativo di Böhm, nel quale la traduzione dell'effetto tridimensionale è affidata in modo decisamente efficace alla superficie stessa.

Böhm si cimentò in tutti i rami delle arti applicate: accanto a dipinti e opere decorative troviamo composizioni su vetro, ceramica, mobili ecc. La sua propensione per l'elemento decorativo astratto è da ricondursi però alle litografie pubblicate da «Ver Sacrum». Superfici si affiancano a superfici in un esiguo frazionamento spaziale, linearmente delimitato: così si presentano le sue composizioni che, quasi a voler esprimere una sorta di horror vacui, sono per la maggior parte circoscritte in superfici quadrate.

Nel 1909 Adolf Böhm iniziò la sua attività presso la Scuola femminile d'arte e dal 1910 al 1925 insegnò alla Scuola di arte decorativa e applicata. Morì il 20 febbraio 1927 a Klosterneuburg presso Vienna.

J.W.

HANS BOLEK

Nato il 13.11.1890 a Vienna, Hans Bolek entra nello studio di Otto Prutscher subito dopo le scuole primarie. Successivamente, tra il 1906 e il 1910, è allievo di Josef Hoffmann alla Kunstgewerbeschule di Vienna. Dopo aver combattuto nella prima guerra mondiale, inizia la professione di architetto. Tra le sue creazioni ci sono edifici comunali, costruzioni per fiere ed esposizioni, monumenti sepolcrali, portali ecc.

Il suo lavoro di maggiore impegno è stato il rinnovo della Sala Brahms per il Circolo musicale di Vienna. Tra il '39 e il '41 Bolek è collaboratore di Josef Hoffmann, mentre nei quattro anni successivi lavora con Alfred Kurz. Dal 1946 al 1962 insegna alla Scuola di moda di Vienna. Nel 1972 cessa l'impegno di architetto per dedicarsi alla pittura e alla grafica.

Accanto alla professione di architetto, Bolek si è interessato a vari settori dell'arte applicata. Ha disegnato mobili (per la ditta August Ungethüm), oggetti di ceramica (per le fabbriche Wahliss e Böck), tappeti (per la fabbrica Haas), argenti (per la ditta Oskar Dietrich) e gioielli.

Bibliografia: *Wien um 1900*, cat. mostra, Wien, 1964, R. Feuchtmüller-W. Mrazek, *Kunst in Österreich 1860-1918*, Wien, 1964; Heinrich Fuchs, *Die Österreichischen Maler der Geburtsjahrgänge 1881-1900*, Wien, 1976, vol. I; Vera Behal, *Möbel des Jugendstil*, München, 1981.

E.B.T.

LUIGI BONAZZA

Bonazza nasce ad Arco nel 1877 e, orfano di padre in tenera età, affida il suo destino di artista alla volontà della madre Luigia Saibanti, che gli consente di frequentare la Regia scuola imperiale di Rovereto. Qui incontra la fiducia e la stima dei suoi professori, primo fra tutti di Luigi Comel, titolare della cattedra di disegno. Nel 1897, conseguito il diploma, Bonazza passa all'Accademia di Vienna, dove ha come insegnanti Myrbach e il più celebre Franz Matsch. L'insegnamento di Matsch, cui Bonazza deve parte dell'esaltante ammirazione per Klimt, costituirà un prezioso contributo alla sua personale elaborazione poetica e pittorica fino agli anni della piena maturità artistica. Diplomatosi nel 1901, Bonazza preferisce all'insegnamento la dedizione totale alla pittura, che tra ritratti e illustrazioni per giornali e riviste già gli consente di vivere.

Espone per la prima volta nel 1903 alla Künstlerhaus di Vienna con l'opera *Veduta della piazza di S. Stefano* ammirata da pubblico e critica. In questi anni nascono anche le sue prime composizioni pienamente secessioniste, come il trittico *La leggenda d'Orfeo* (1905) e il ciclo di acqueforti «Jovis Amores», opere che gli aprono le porte delle più importanti esposizioni internazionali di Milano, Vienna, Monaco e Berlino.

Nel 1912 torna nel Trentino dove assume l'insegnamento presso l'Istituto tecnico reale statale di Trento. Nel 1914 si costruisce una casa in città, lasciandovi uno dei suoi più significativi cicli di affreschi, fedelmente ispirati alla lezione klimtiana. Dal 1915 al '18, espatriato in Italia, vive vicino a Varese, occupato come disegnatore nella fabbrica di aerei Caproni, e impegnato nello studio e nel perfezionamento della sua tecnica preferita, l'acquaforte su acciaio, in cui fu senza dubbio maestro. Alla fine della guerra, Bonazza riprende il suo posto di insegnante a Trento e porta a compimento (1924) la decorazione della sua villa, non abbandonando peraltro la realizzazione di numerose opere pittoriche, ritratti e paesaggi in particolare. Nel '30 decora il palazzo degli uffici postali di Trento con un affresco a tema intitolato *Ricevimento dei cardinali nel palazzo a Prato*.

Negli anni successivi Bonazza si dedica maggiormente alla pittura di paesaggi che tratta con una tecnica quasi divisionista, concedendosi peraltro lo spazio per nuove figurazioni allegoriche o mitologiche, risolte ancora entro lo spirito della Secessione.

Muore a Trento nel 1965.

CARL BRÄUER

Nato a Vienna nel 1881, morto nel 1972.

Allievo, tra il 1897 e il 1904, di Willibald Schulmeister e Josef Hoffmann alla Kunstgewerbeschule di Vienna, nel 1905 diventò collaboratore di Hoffmann, nel suo atelier alla Wiener Werkstätte, dove lavorò fino al 1920; dal 1913 fu anche assistente di Hoffmann alla Kunstgewerbeschule.

Oltre alla produzione di mobili, vanno ricordati i suoi progetti per il padiglione dell'esposizione romana del 1911 e quello per l'esposizione di Lipsia del '14. Progettò anche la casa di campagna Primavesi a Winkelsdorf (1913-14) e curò la ricostruzione della Casa Böhler a Monaco (attorno al 1915). Collaborò inoltre ai lavori di allestimento della grande esposizione a Vienna del 1908, anno in cui prese parte all'esposizione per il giubileo dell'imperatore. Nel 1920 iniziò la sua collaborazione con l'industria C. Geylings Erben, per la quale progettò finestre. In seguito Bräuer disegnò mobili per la ditta Staff, tessuti per Backhausen, tessuti e gioielli per la Wiener Werkstätte. Nel 1931 costruì una casa a Vienna (Schleimpflugegasse 3). Bräuer fu socio dell'Österreichischer Werkbund.

Bibliografia: Vera Behal, *Möbel des Jugendstils*, Wien-München, 1981; Werner J. Schweiger, *Wiener Werkstätte*, Wien, 1982.

E.B.T.

KLEMENS BROSCH

Artista riscoperto di recente, è una delle figure maggiori dell'arte austriaca dei primi anni del secolo. Come Egon Schiele e Richard Gerstl, anche Brosch ebbe una vita relativamente breve. Nato a Linz il 21.10.1894, figlio del direttore della scuola locale e storico, frequentò l'Accademia ferroviaria dal 1908 al 1910 e poi la scuola media conseguendo la maturità nel 1913. Il suo straordinario talento figurativo e il suo zelo attirarono l'attenzione dei professori. «La passione con la quale il quindicenne Brosch si dedica al disegno, l'impressionante controllo della tecnica che distingue già le sue prime opere, ma soprattutto l'originalità formale delle sue proposte visive non hanno niente in comune con il dilettantismo di uno studente semplicemente dotato. Si vede subito: costui mira al tutto» (W. Kirschl).

L'attento e ininterrotto studio della natura ebbe grande importanza nell'arte di Brosch. Paesaggi e oggetti furono occasione per cogliere, con puntuale osservazione, l'essenza nascosta della realtà rapportandola al variegato insieme dell'esperienza umana. Anche se possono essere rintracciate analogie con il simbolismo di Klinger e Thoma, con i secessionisti e anche con la xilografia giapponese, Brosch sviluppò uno stile del tutto ineguagliabile, molto intenso, i cui esiti migliori furono una convincente sintesi personale di tutte queste influenze, ma soprattutto il risultato della sua personalissima sensibilità ed esperienza del dolore. Klemens Brosch era un radiologo della realtà e della verità, e, come Kubin, svelava la psiche dell'uomo nei suoi punti più oscuri.

Nel 1913, con alcuni colleghi, Brosch fonda l'associazione di artisti Mearz a Linz, che è ancora oggi uno dei principali punti di incontro di pittori, grafici e scultori dell'Austria settentrionale. Nello stesso anno frequenta per un certo periodo i corsi di Rudolf Bacher all'Accademia di arti figurative di Vienna. Partito volontario per il fronte, nel 1914 si ritrova in Galizia dove, sconvolto dagli orrori della guerra, inizia a fare uso di oppio. Molto malato, torna a Linz nel 1915 portando con sé 115 disegni di grande interesse sugli avvenimenti di guerra. Dal 1915 al 1918 Brosch continua brillantemente gli studi a Vienna con Ferdinand Schmutzer. Nel 1919 disegna i cliché per la moneta provvisoria delle province dell'Austria settentrionale, disegni che restano fra gli esempi più convincenti di questo genere di grafica minore.

Negli anni '20, l'aggravarsi di una profonda crisi esistenziale e il ricorso sempre più frequente alla droga, cui cercò invano e a più riprese di sottrarsi, lo portarono in un vicolo cieco. Alla fine del 1926 Klemens Brosch si tolse la vita.

Grazie ad alcune mostre retrospettive, a partire dal 1979, dopo decenni di oblio, i disegni di Brosch, conservati in prevalenza a Linz, godono ora in Austria di una rinnovata fortuna.

P.B.

ALFONSO CANCIANI

Nato l'11.12.1863 a Brazzano. Studia all'Accademia di belle arti di Vienna con Hellmer e Kundmann. Dal 1900 al 1908 è membro della Secessione.

JOSEF CHOCHOL

Architetto della scuola di Wagner. Nato a Pisek (Cecoslovacchia) il 13.12.1880, morto a Karlovy Vary il 6.7.1956.

Come Janàk, Chochol frequentò per soli due anni la scuola di Wagner, intesa chiaramente come scuola postuniversitaria di perfezionamento. Al suo ritorno a Praga Chochol si unì al gruppo dei cubisti, Gocar, Vlastislav Hofman, Janàk, i fratelli Karel e Josef Capek e ne diventò il polemista più spinto; la sua opera tuttavia non fu soltanto teorica: gli edifici che costruì negli anni precedenti alla prima guerra sono certamente tra i più rappresentativi di quella corrente. Spesso, come nel caso dell'edificio in via Neklanova, si trattò di un «cubismo» strutturale, di un'«eccezione» quindi. Negli anni '20 partecipò a molti concorsi, spesso in gruppo con Engel e Roith, talvolta con Hübschmann. Le sue architetture in quel periodo oscillano formalmente tra un razionalismo molto avanzato e un misurato classicismo. Notevoli la sala del consiglio nel vecchio municipio di Praga (1910), alcune ville «cubiste» a Visehrad-Praga (1913), l'edificio della Camera degli ingegneri a Praga, il ponte di Praga-Troja.

Probabilmente non sarà più possibile ricostruire in modo attendibile i contributi di Chochol, visto che il suo archivio personale è andato distrutto. Le continue citazioni nelle riviste boeme (oltre trecento) peraltro testimoniano l'importanza della sua opera che ha contribuito a far emergere l'architettura boema negli ultimi anni dell'impero austro-ungarico.

M.P.

FRANZ CIZEK

Nato il 12.6.1865 a Leitmeritz in Boemia, dal 1885 al 1895 studia all'Accademia di Vienna con Franz Rumpler e Josef M. Trenkwald. Compiuti numerosi viaggi di studio a Monaco, in Italia, Svizzera, Francia e Inghilterra, si dedica all'insegnamento artistico.

Nel 1903 viene chiamato a dirigere la sezione di arte applicata al tessuto e a tenere un corso d'arte per insegnanti di disegno alla Kunstgewerbeschule, nei cui programmi, nello stesso anno, viene inserito un suo corso privato di disegno, per ragazzi. Nel 1906 Cizek diventa anche professore di estetica. I corsi d'arte per ragazzi organizzati da Cizek (suddivisi secondo tre livelli d'età: 5-8 anni, 8-10 anni e 10-14 anni) ottengono un riconoscimento internazionale, testimoniato da numerose mostre: nel 1920 in Austria e in Germania; nel 1920-23 in Inghilterra; nel 1924-28 negli Stati Uniti e in Africa, in India e in Australia. Nei suoi corsi di estetica ai quali partecipano giovani a partire dai 16 anni molto spazio è dedicato allo studio della decorazione secondo i moduli stilistici del '900, come era in uso presso la Wiener Werkstätte.

Nel corso degli anni le sue lezioni tendono sempre più a privilegiare l'aspetto sperimentale. Le sue ricerche sulla dinamica della decorazione in senso espressionista culminano, agli inizi degli anni '20, nello stile, che risente dell'influenza cubista e futurista, del Wiener Kinetismus, tendenza vicina alla Bauhaus tedesca, nella quale si distinguono alcuni suoi allievi come Erika Giovanna Klein e Paul Kirning.

Franz Cizek muore a Vienna il 17 dicembre 1946.

H.B.

CARL OTTO CZESCHKA

Nato a Vienna nel 1878, dal 1894 al '99 frequenta l'Akademie der bildenden Künste (C. Griepenkerl). Dal 1902 al 1907 insegna nella Kunstgewerbeschule di Vienna e dal 1907 al 1943 in quella di Amburgo. Dall'autunno 1905 collabora alla Wiener Werkstätte, per la quale continua a realizzare disegni anche durante il periodo amburghese. Nel 1902 viene pubblicato nella serie «Die Quelle» *Allerlei Gedanken in Vignettenform*. Correda di xilografie e zincografie il libro commemorativo per i cento anni della Tipografia di stato. Collabora alle riviste «Erdgeist» e «Die Kunstwelt», e, in una sola occasione, a «Moderne Stickereien». 1906: calendario per la Tipografia di stato; 1910 e 1912: calendario per la Norddeutsche Versicherungs-Gesellschaft (compagnia di assicurazioni). Allestimenti teatrali per Max Reinhardt (*King Lear*, 1907; *Die Nibelungen* di Hebbel, 1917) e per la Hamburger Lessing-Gesellschaft (1910 circa). Ad Amburgo crea una serie di vetrate (Kunstgewerbeschule, 1913; Handwerkskammer, 1915; Gnadenkirche, 1915) e per l'università sigillo e collari onorifici, 1920-21. Inoltre realizza arredamenti per appartamenti e negozi, e lavori di grafica commerciale. Esposizioni: Secessione, 1900, 1902, 1904; Esposizione di artigianato artistico, Torino, 1902; Esposizione grafica del Deutscher Künstlerbund, Lipsia, 1907; Kunstschau 1908 e 1909; Sonderbund Westdeutscher Künstler, Düsseldorf, 1910; mostra personale al Museum für Kunst und Gewerbe di Amburgo, 1911 e 1914 (insieme con Richard Luksch); Esposizione internazionale d'arte, Roma, 1911; Bund österreichischer Künstler, Budapest, 1913; Werkbundausstellung, Colonia, 1914; Bugra (Buch-und Graphik-Ausstellung), Internationale Ausstellung künstlerischer Schrift, 1926. Membro dell'Österreichischer Werkbund. Membro onorario del Bund Deutscher Gebrauchsgraphiker. Muore ad Amburgo il 10.7.1960.

Lavori d'arte libraria per case editrici: Janssen, Genzsch & Heyse, Insel, Jessen, Sittenfeld, Gerlach & Wiedling.

Lavori per altre ditte: Bahlsen e Angerer & Goeschl (pubblicità); Genzsch & Heyse (caratteri di stampa); Chwala, Reisser, Tipografia di stato, Gerlach & Schenk e Gerlach & Wiedling (manifesti, cartoline, stampe artistiche, calendari, grafica commerciale); Janssen e Enders (copertine di libri); Steingutfabrik Vordamm (terraglie).

Lavori per la Wiener Werkstätte: monili, grafica, cartoline, giocattoli e scatole di legno, pitture a smalto, lavori d'intaglio, tessuti, mobili, lavori in metallo d'ogni tipo, ventagli. Collabora ai lavori per il casino di caccia di Hochreith, il Cabaret Fledermaus, il Palazzo Stoclet e l'appartamento di Paul Wittgenstein.

JULIUS DEININGER

Architetto viennese, consigliere regio-imperiale per l'edilizia. Nato a Vienna il 23.5.1852, allievo della Technische Hochschule sotto la guida di Ferstel, poi all'Accademia di belle arti sotto la guida di Schmidt, lavorò inizialmente nell'ufficio edilizio del Wiener Cottage-Verein e nel 1876 entrò nell'atelier di Schmidt, dove si occupò della costruzione di un municipio e di un penitenziario. Libero professionista dal 1883, eresse l'altar maggiore della Minoritenkirche, la Casa d'Orsay (Vienna, Piaristengasse, 1885-86), numerose ville a Gutenstein e altri edifici. Tra il 1887 e il 1888 diresse i lavori di restauro della Künstlerhaus, nel 1895 costruì la Casa Jasper (Tongasse) e la casa Macht (Jacquing, 23); nel 1896 la vVn Swietenhof e un'altra casa d'affitto al n.23 della Rotenturmstrasse e si occupò della parte architettonica del monumento di Schmidt a Vienna. Tra gli edifici degli ultimi anni, costruiti con la collaborazione del figlio Wunibald, sono da ricordare: la casa d'abitazione Der Römerhof sull'Hoher Markt (1900-1901), la Banca del commercio e dell'industria a Mährisch-Ostrau (1905-1906), la Villa Ladewig a Gutenstein (1906), la nuova Handelsakademie nella Hamerlingplatz (1906-1907), lo stabilimento di cura per impiegati a Karlsbad (1907) e infine l'Istituto professionale chimicotecnico di stato nel XVII Distretto di Vienna. Attivo anche come saggista, Deininger collaborò a numerose riviste specialistiche.

T.B.

WUNIBALD DEININGER

Nato a Vienna il 5.3.1879, morto a Salisburgo il 28.8.1963.

Figlio del famoso architetto Julius Deininger, frequentò prima la Scuola professionale statale di Vienna, poi i corsi di architettura all'Accademia di arti figurative con V. Luntz, poi dal 1899 al 1902 con Otto Wagner. Nel 1902 ottenne dallo stato una borsa di studio all'estero. Tra le prime opere di Wunibald Deininger si segnala in modo particolare il Florahof (palazzo a Vienna V, Wiedner Hauptstrasse 88) del 1901. Si tratta di una grande casa d'angolo che riflette le tendenze stilistiche della scuola di Wagner subito dopo l'inizio del secolo: una architettura piatta, relativamente semplice, con qualche decoro a piastrelle molto originale. Un'altra costruzione importante del giovane Wunibald Deininger è l'Hotel National in Moravia-Ostrau del 1912-13. Insieme al padre progettò alcuni importanti edifici pubblici come la Nuova accademia per il commercio a Vienna con la sua ricca facciata (1909-10, Vienna VIII, Hamerlingplatz 5-6) e l'Istituto superiore magistrale e sperimentale per l'industria chimica (1909-10, Vienna XVII, Rosensteingasse 79), costruzioni in cui è difficile distinguere gli apporti artistici del padre da quelli del figlio.

Dopo la prima guerra mondiale Deininger lavorò soprattutto a Salisburgo dove insegnante. Qui cercò di conciliare il suo stile con le tradizioni dell'edilizia locale e di creare così «nel dialogo con l'edilizia della città» (Achleitner) uno stile di modernità locale. Le più importanti costruzioni di Deininger a Salisburgo sono la tipografia e casa editrice Kiesel (1926), la caserma di polizia (1930, oggi ristrutturata), e la grande casa per abitazioni Hirschenwiese (1919-20), che anticipa per certi versi la tipologia architettonica della leggendaria edilizia popolare viennese, progettata, negli anni tra le due guerre, dagli allievi di Wagner.

A.L.

FRANZ KARL DELAVILLA
Nato a Vienna nel 1884, morto nel 1967.
Dopo aver frequentato l'istituto tecnico per l'industria tessile, dal 1903 al 1908 si iscrive alla Kunstgewerbeschule: i suoi insegnanti sono C.O. Czeschka, R. von Larisch, B. Löffler. Nel 1908 partecipa all'Esposizione universale di Vienna. Inizia in quell'anno la sua attività d'insegnante, prima alla Kunstgewerbeschule di Magdeburgo (1908), poi in quelle di Amburgo (1909) e Francoforte (1913-1922), dove rimane fino alla morte insegnando in varie scuole d'arte come la Schule für freie und angewandte Kunst (1923-44) e la Scuola Städel (1946-50). È membro di varie associazioni come il Werkbund tedesco, il Bundes Deutsche Gebrauchsgraphiker e il Frankfurter Künstlerbund.
Delavilla ha al suo attivo opere come le serie di xilografie «Tierbilderbuch» e «Fabelbuch'Eintraurig Stücklein» (Vienna, 1906), il libro d'immagini *Der Königssohn* (1907-08) e le illustrazione per il testo di A. Tluchor *Der Bäckerfranzl* (Vienna, 1907). Oltre a questi lavori ha creato cartelloni, manifesti teatrali, cartoline d'auguri per la Wiener Werkstätte (tra il 1908 ed il 1910), gioielli, argenteria (per la ditta Oskar Dietrich di Vienna). Tra il 1917 e il 1933 Delavilla lavorò come scenografo alla Städtische Bühne di Francoforte e al Landestheater di Darmstadt.

E.B.T.

JOSEF VON DIVÉKY
Nato a Formos, in Ungheria, nel 1887, morto nel 1951.
Nel 1905 inizia a studiare all'Accademia di Vienna con Delug, dopo aver frequentato per un anno, alla fine del liceo, la scuola di pittura di Heinrich Strehblow. Dal 1907 al 1910 studia alla Kunstgewerbeschule sempre a Vienna e frequenta i corsi di R. von Larisch e B. Löffler.
Negli anni 1910-12 lavora a Zurigo, dapprima nella tipografia editrice Orell e Füssli, in seguito come grafico progettista nella casa editrice dei fratelli Rosenbaum. Nel 1914 è a Bruxelles per l'istituzione di una moderna scuola d'arte.
Durante la prima guerra mondiale, dopo un periodo al fronte, diventa disegnatore per il quartier generale. Dal 1919 vive a Bethis, in Svizzera, dove rimane sino al 1941 quando è chiamato a insegnare alla Kunstgewerbeschule di Budapest.
Collaboratore di numerose riviste («Der Ruf», «Die Muskete», «Figaro», «Donauland»), Josef von Divéky ha illustrato molti libri ed eseguito numerosi lavori tanto per l'industria vetraria Lobmeyr quanto per la Wiener Werkstätte (cartoline postali, etichette per bottiglie di vino, lavori di grafica in genere, illustrazioni per l'almanacco del 1911).

E.B.T.

ALBIN EGGER-LIENZ
Nato a Stribach nel 1868, morto a Bolzano nel 1926.
Dal 1884 al 1893 studiò all'Accademia delle arti figurative di Monaco con Karl Raupp (disegno dell'antichità), Gabriel von Hackl (disegno naturalistico) e Wilhelm von Lindenschmidt (classe di composizione). Nel 1892 ebbe il primo riconoscimento alla mostra d'arte internazionale nel Glaspalast di Monaco; dal 1893 lavorò come pittore libero professionista; nel 1894-95 dipinse *Avemaria dopo la battaglia* e nel 1897 *Benedizione dei campi*.
Egger-Lienz appartiene al gruppo fondato nel 1896 all'interno della comunità artistica di Monaco. Nel 1898 e 1899 soggiorna a Sarnthein. Dal 1899 risiede a Vienna. Nel 1900 diventa membro ordinario della comunità delle arti figurative di Vienna; membro fondatore dell'Hagenbund, negli anni successivi d'estate soggiorna a Ötztal, Passeiertal e Sarntal; nel 1909 diventa membro della Secessione di Vienna, nel 1909-10 lavora a *Ingresso del re Etzela Vienna*; nel 1911 si trasferisce a Hall in Tirolo. Nel 1912-13 insegna alla Hochschule für bildende Kunst a Weimar; partecipa alla mostra «Pittura monumentale e decorativa» di Dresda. Nel 1913 compie un viaggio in Olanda e si trasferisce a Santa Giustina, presso Bolzano.
Bibliografia: W. Kirschl, *Albin Egger-Lienz, das Gesamtwerk*, Wien, 1977.

ANTON EICHINGER
Nato l'8.1.1880 a Vienna, studia dal 1904 al 1908 alla Kunstgewerbeschule di Vienna con B. Löffler. Compagno di scuola di O. Kokoschka, esegue numerose cartoline per la Wiener Werkstätte.

E.B.T.

JOSEF ENGELHART
Nato a Vienna il 19.8.1864, ivi morto il 19.12.1941.
Frequentò il Politecnico di Vienna e contemporaneamente i corsi di pittura dell'Accademia. Nel 1883 si trasferì a Monaco di Baviera dove studiò con L. Löfftz e C. J. Herterich all'Accademia, ottenendo una medaglia di bronzo e un premio. Nel 1887 prestò il servizio militare e nel 1888 espose per la prima volta alla Künstlerhaus di Vienna alcuni quadri che già esprimevano quelli che sarebbero divenuti i suoi temi più tipici: figure della vita popolare viennese e costumi locali. Nello stesso anno entrò a far parte della Künstlerhaus. Nel 1890 e 1891-92 soggiornò a Parigi dove allacciò contatti con alcuni artisti austriaci ivi residenti, fra i quali E. Zettel. Si recò quindi in Spagna e in Italia. Rimase qualche tempo con Ludwig Sigmundt in Slovacchia, dove dipinse paesaggi e scene della vita popolare. Durante un soggiorno a Taormina fece — tra l'altro — il ritratto del pittore Theodor von Hörmann nell'atto di dipingere (1895). Il suo quadro *Raccoglitrice di ciliege*, dipinto nel 1894, fu rifiutato dalla Künstlerhaus: fu questa una delle cause per cui molti artisti lasciarono quella associazione e fondarono nel 1897 la Secessione. Engelhart fu tra i promotori più attivi di questo movimento e si recò subito in Francia, Belgio e Inghilterra per assicurare la presenza di alcuni importanti artisti di questi paesi alla I Esposizione della Secessione. Negli anni 1899-1900 e 1910-11 fu anche presidente della giovane associazione. Tra il 1909 e il 1913 intraprese viaggi di studio in Grecia, Egitto e Danimarca. Durante il conflitto mondiale fu pittore di guerra in Galizia e in Italia. Nel 1916 espose i suoi quadri sulla guerra nello studio che avevano costruito per lui nel 1901 i famosi architetti Fellner. Negli anni successivi, Engelhart prese parte a numerose esposizioni in Europa e oltre oceano.
All'interno del movimento della Secessione egli era — per quando riguarda la sua pittura — un conservatore, un naturalista, in contrapposizione agli «stilisti» e a Gustav Klimt. Si avvicinò allo Jugendstil solo in alcuni lavori di artigianato artistico, come per esempio gli intarsi di legno che raffigurano la saga di Merlino, presentati all'Esposizione mondiale di St. Louis nel 1904 (premiati con una medaglia d'oro). I suoi capolavori pittorici sono il «Ciclo di Oberon» del 1901 e gli affreschi della sala da pranzo di Palazzo Taussig a Vienna. Dal 1903 Engelhart iniziò a occuparsi di scultura: fece progetti per monumenti (monumento a Waldmüller, 1910) e una serie di busti come quello dell'architetto Josef Plecnik. Nel 1909 fece una prima grande mostra personale (218 opere) nel Palazzo della Secessione, e una seconda nel 1919. Mostre più recenti si sono tenute nella Galleria Würthle a Vienna nel 1964 e da Ch.Nebehay a Vienna nel 1979.
Bibliografia: *Ein Wiener Maler erzählt — Mein Leben und meine Modelle*, Wien, 1943.

M.F.

HILDE EXNER
Nata il 10.1.1880 a Vienna, morta nel 1922 a Vienna.
Dal 1902 al 1905 frequenta la Kunstgewerbeschule di Vienna con Kolo Moser e Friedrich Linke. Esegue degli studi per la Wiener Keramik. Insieme alla sorella Nora e al fratello Franz Fiebiger realizza delle xilografie a colori per un libro per bambini sugli animali, *ABC der Tiere*. Nel 1913 espone alcune sculture alla Galleria Goltz di Monaco. Nel 1923 la Galerie Würtle di Vienna organizza una mostra commemorativa sulla sua attività artistica.

E.B.T.

NORA EXNER VON ZUMBUSCH
Nata il 3.2.1879 a Vienna, morta il 18.2.1915. Dal 1902 al 1905 studia alla Kunstgewerbeschule di Vienna con Alfred Roller, Kolo Moser e Franz Metzner, poi a Monaco con Leopold Kalkreuth e a Roma. Insieme alla sorella Hilde e al fratello Franz Fiebiger esegue xilografie a colori per un libro per bambini sugli animali, *ABC der Tiere*. Nel 1908 partecipa con alcune sculture alla Kunstschau di Vienna. Dal 1909 al 1910 lavora per la Wiener Keramik. Nel 1913 espone alla Galleria Miethke di Vienna.

E.B.T.

MAX FABIANI
Nato il 29.4.1865 a Kbdil (Slovenia), Max Fa-

biani, dopo aver conseguito la maturità a Lubiana, si trasferì a Vienna per studiare architettura; terminò gli studi nel 1892 con il titolo di architetto diplomato. Dopo due anni di viaggi di studio e di soggiorni all'estero, nel 1894 iniziò a lavorare nello studio di Otto Wagner, dove rimase quattro anni.

Si dedicò all'insegnamento presso il Politecnico di Vienna: nel 1902 divenne professore straordinario, nel 1914 professore ordinario. Dal 1902 al 1914 fu consulente privato del successore al trono Francesco Ferdinando per le questioni artistiche, lavorando nello stesso tempo con grande successo come architetto.

Nelle sue opere Fabiani tiene conto della personalità del committente, il cui gusto viene espresso nella configurazione architettonica con più intensità del gusto dell'architetto. Il primo progetto di Fabiani, dopo aver lasciato lo studio di Otto Wagner, fu la sede della ditta per arredamento Portois & Fix nella Ungargasse a Vienna (1899-1900). Quasi contemporaneamente alla casa di maioliche di Otto Wagner sulla Linke Wienzeile, Fabiani progetta una casa la cui decorazione a ceramiche incastonate e in forme geometriche supera la conformazione floreale di Wagner, e che per quanto riguarda il rapporto tra portale e piani superiori può essere considerata l'anello di congiunzione con la casa in Michaelerplatz di Adolf Loos.

Molto diverso, quasi opposto anzi, fu invece il progetto per il Palazzo Artaria sul Kohlmarkt (1900-01), la cui facciata al di sopra degli spazi commerciali che si aprono sulla strada, risulta plasticamente articolata mediante i cornicioni orizzontali e il motivo verticale delle finestre.

Nel centro comunitario sloveno a Trieste (1902-05) vediamo ancora una volta il contrasto tra il grande portale (con lavori di Kolo Moser) e la decorazione in mattoni dei piani superiori, mentre nel Palazzo Urania sul canale del Danubio a Vienna (1909-10) Fabiani si avvicina al linguaggio architettonico del Ring.

Durante la prima guerra mondiale e soprattutto negli anni del dopoguerra Max Fabiani si occupò soprattutto di problemi di edilizia urbana nella sua patria italo-jugoslava (Gorizia, valle dell'Isonzo, Lubiana, Friuli ecc). Max Fabiani ebbe il titolo di ispettore onorario dell'Ente per la protezione dei monumenti. Morì nel 1962.

Bibliografia: Marco Pozzetto, *Max Fabiani — Ein Architekt der Monarchie*, Wien, 1983.

J.W.

K.K. FACHSCHULE FÜR GLASINDUSTRIE IN HAIDA

Scuola specializzata per la lavorazione industriale del vetro a Haida.

Nel 1869 si decide di fondare una «Scuola per disegno e modellismo» a Haida. Creata l'anno seguente, nel 1873 la scuola viene ampliata con una sezione per l'intaglio del legno e la scultura, nel 1875-76 con una sezione di falegnameria e tornitura, nel 1877 con dei corsi di disegno geometrico, pittura decorativa, arte vetraria ecc. Quest'ultimo settore del vetro viene ulteriormente sviluppato negli anni 1881-82.

Dal 1889 la scuola partecipa ripetutamente a mostre presso il Museo austriaco per l'arte e l'industria; nel 1904 partecipa alla Esposizione mondiale di St. Louis e nel 1914 alla mostra del Werkbund.

E.T.B.

K.K. FACHSCHULE FÜR GLASINDUSTRIE IN STEINSCHÖNAU

Scuola specializzata per la lavorazione del vetro a Steinschönau.

Fondata nel 1856, già nel 1859 il Museo austriaco per l'arte e l'industria cede in prestito alla scuola alcuni libri specialistici e oggetti di artigianato per scopi di studio. Nel 1880 la scuola partecipa per la prima volta a una mostra organizzata dal Museo per l'arte e l'industria. In seguito essa partecipa ripetutamente a queste mostre e il museo acquista vari prodotti della scuola. La scuola lavora anche per alcune industrie, come Lobmeyr e Bakalowits.

In occasione dell'Esposizione mondiale di St. Louis del 1904 la scuola di Steinschönau vince una medaglia d'oro; nel 1914 essa partecipa alla Esposizione mondiale di Colonia.

E.B.T.

FACHSCHULE FÜR HOLZBEARBEITUNG IN BOZEN

Scuola specializzata per la lavorazione del legno a Bolzano.

Fondata dal ministero dell'Istruzione dopo la riforma delle scuole professionali (1882), questa scuola ebbe fin dall'inizio uno scopo puramente formativo. Fu inaugurata nel 1884 sotto la direzione del maestro di disegno Leopold Theyer, con la collaborazione di Franz Haider, Johann Larch e del capo officina Kolitsch. Già nel secondo anno la scuola disponeva di un'aula per ogni materia e delle necessarie stanze accessorie e per l'amministrazione. Ogni maestro aveva a disposizione un proprio laboratorio.

Particolare cura veniva data alla scultura in legno. Nei laboratori di falegnameria gli allievi imparavano a costruire mobili nei diversi stili. Un'altra specialità della scuola era la tecnica dell'intarsio: già in occasione della mostra scolastica alla fine del secondo anno furono esposti mobili con pregevoli lavori di intarsio, eseguiti su disegno del direttore Theyer.

Il successo della scuola fu merito dei buoni maestri, tutti qualificati specialisti. Lo scultore in legno Franz Haider, che aveva studiato alla Scuola d'arte applicata di Vienna, insegnò qui fino al 1914. Il periodo attorno al 1900 fu il più ricco di successi. Il nuovo direttore Franz Paukert (nato nel 1858, entrato a far parte della scuola nel 1887, direttore dal 1896 al 1909) ampliò la scuola e chiamò nuovi docenti che svilupparono l'insegnamento: nel 1898 il maestro di disegno Anton Bayer, il pittore Josef Meier, e dall'1 gennaio 1899 lo scultore in legno Leopold Hafner; tutti rimasero fino ai primi anni della guerra. Prima della fine del secolo si aggiunse un reparto speciale dedicato all'arte sacra. Nel 1908, ancora sotto la direzione di Paukert, la scuola fu trasformata in una «Scuola di artigianato edile e artistico».

Dal 1909 al 1913 fu diretta dal pittore Anton Grubhofer, che negli anni 1913-14 fu sostituito da Karl Allitsch, uno specialista in materie tecniche. La scuola rinnovata fu innalzata al rango di scuola statale professionale.

Alla fine della guerra fu trasformata in Istituto di istruzione statale italiano, e dopo il 1928 divenne una scuola professionale puramente tecnica. Il merito della scuola fu soprattutto di aver elevato il livello specialistico dell'artigianato locale: grazie a essa crebbe la competitività economica della regione di Bolzano. Né va dimenticata la sua funzione di legame con Vienna, il centro culturale della monarchia austro-ungarica.

La scuola prese parte brillantemente nel 1898 alla esposizione del giubileo in occasione dei 50 anni di regno dell'imperatore Francesco Giuseppe, organizzata dalla Camera di commercio e artigianato di Bolzano. Nell'occasione presentò diversi piccoli oggetti in legno come cornici, consolles a muro, cassette, rilievi e statue in legno; Franz Haider espose anche dei busti-ritratti in legno. Alla Esposizione mondiale di Parigi del 1900 fece copia della camera del principe del castello di Velthur (Tirolo), un lavoro di intaglio molto ambizioso. Alla Esposizione di St. Louis (1904) la scuola presentò bei lavori di intarsio. A Vienna la scuola espose lavori di intaglio, intarsio e sculture in legno nel Museo austriaco per l'arte e l'industria negli anni 1901, 1905-06 e 1909-10.

Bibliografia: *Jahresberichte der k.k. Fachschule für Holzbearbeitung in Bozen; Jahrbücher des höheren Unterrichtswesens 1887-88 bis 1914, Staatliche gewerbliche Bildungsanstalten; Ausstellungskataloge des Österreichischen Museums für Kunst und Industrie; Vera J. Behal, Möbel des Jugendstils*, München, 1981.

V.J.B

FACHSCHULE FÜR HOLZBEARBEITUNG IN CORTINA D'AMPEZZO

Scuola specializzata per la lavorazione del legno di Cortina d'Ampezzo.

Fu creata nel 1874 come Scuola di disegno e modellismo e affiancata alla Scuola-laboratorio di intaglio e di lavori di filigrana in argento. Poco dopo vi si aggiunse l'insegnamento dell'intarsio. La scuola ebbe grande successo e già nel 1875 ospitava 92 allievi.

Il primo direttore fu il maestro d'intaglio Gianmaria Ghedini (nato nel 1835). Nel 1881 fu sostituito dall'ingegnere Jakob Tamanini, esperto di materie tecniche, che nel 1888 riuscì a sottoporre la scuola professionale alla competenza del ministero dell'Istruzione, dal quale avrebbe ottenuto i necessari sussidi senza dover più mantenersi con la sola vendita dei lavori eseguiti nel suo ambito. Per elevare il livello di specializzazione della scuola Tamanini fece venire nuovi insegnanti: il maestro di disegno Josef Fabrizzi (nato nel 1860), il maestro falegname e incisore Arcangelo Dandrea (nato nel 1862) e il tornitore e specialista per mosaici e intarsi Josef Lacedelli (nato nel 1856). Costoro insegnarono nella scuola fino allo scoppio della prima guerra mondiale. Anche il secondo maestro per falegnameria e mosaici in legno, Raphael Zardini, che insegnava fin dal 1886, rimase fino al 1914.

La buona tradizione della scuola era assicurata dall'elevato livello tecnico dell'insegnamento: oltre a sculture, torniture, tecnica a fuoco, intarsi e lavori di marqueterie, vi si insegnava soprattutto la tecnica dell'intarsio in metallo e altri pregiati materiali, il lavoro di boulle e tarkashi. Già nel 1898 era stata introdotta una sezione per i lavori manuali femminili. Ogni anno veniva organizzato un corso di disegno per gli allievi della scuola elementare.

Nel 1900 venne nominato direttore Anton Marchi (nato nel 1867), uno specialista per le materie tecniche che tuttavia non trascurò l'insegnamento di quelle artistiche. Dopo la riorganizzazione delle scuole professionali, nel 1908, la scuola fu trasformata in Scuola magistrale per falegnameria, mobili e carpenteria. Rimase in funzione la scuola di laboratorio per falegnameria e per tornitori.

La scuola ha reso un buon servizio all'industria ampezzana valorizzando la qualità artistica dell'artigianato e soprattutto organizzando un'esposizione permanente di lavori in legno. Nel 1888 questa esposizione passò alla nuova società «Consorzio produttivo artistico ampezzano» che ebbe sempre nella scuola un consulente per i vari problemi tecnici.

Già nel 1875 la scuola partecipò alla mostra delle scuole professionali al Museo austriaco per l'arte e l'industria con lavori di modellismo. Nel 1889 prese parte alla mostra specializzata di lavori d'intarsio. Nel 1898, alla esposizione del giubileo in occasione dei 50 anni di regno dell'imperatore Francesco Giuseppe a Bolzano con lavori in tecnica di boulle e «mosaici indiani». Nel 1901 espose al Museo per l'arte e l'industria a Vienna in occasione della mostra delle scuole professionali; nel 1902 fu a Londra e a Torino, nel 1904 alla Esposizione mondiale di St. Louis.

Bibliografia: Jahrbücher der k.k. Fachschule in Cortina d'Ampezzo; Jubiläumsausstellung anläßlich des fünfzigjährigen Regierungsjubiläums Sr. Majestät des Kaisers Franz Josef I, Bozen, 1898; Vera J. Behal, *Möbel des Jugendstils*, München, 1981.

V.J.B.

K.K. FACHSCHULE FÜR TONINDUSTRIE IN TEPLITZ
Scuola specializzata per l'industria dell'argilla a Teplitz

Nel 1874 viene fondata a Teplitz una «Scuola specializzata per disegnatori e modellatori». Nel 1899-1900 questa scuola partecipa per la prima volta a una mostra al Museo austriaco per l'arte e l'industria e in seguito è presente ad altre esposizioni sia in quello che in altri musei, che spesso ne acquistano dei prodotti. Il Museo per l'arte e l'industria e anche altre istituzioni e industrie mettono a disposizione della scuola libri e materiali di studio.

Per l'Esposizione mondiale di St. Louis, nel 1904, la scuola presenta, su commissione, alcuni grossi vasi, una grande composizione in piastrelle di ceramica e smalti colorati disegnata da Max von Jungwirth, e altre 25 ceramiche.

E.B.T.

«DIE FACKEL»
Nel 1899 il giovane giornalista Karl Kraus (1874-1936), fino a quell'anno collaboratore di giornali e riviste tedesche e austriache di tendenze liberali, fonda una nuova rivista, «Die Fackel» (La fiaccola), che ben presto, grazie alla sua indipendenza e spregiudicatezza, divenne una istituzione viennese. Oggi essa viene ammirata non tanto per i suoi attacchi senza riguardi nei confronti di un insieme di cose criticabili nell'Austria di quei tempi, quanto piuttosto perché rappresenta uno dei vertici della letteratura satirica di lingua tedesca.

Questa caratteristica però non era ancora prevedibile nella prima fase della rivista, nonostante le brillanti formule. «Die Fackel» si identifica all'inizio come rappresentante di un giornalismo veramente indipendente, in opposizione soprattutto al quasi-monopolio della stampa liberale, critica nei confronti della corruzione economica e strettamente legata al liberalismo più aperto nell'Austria di quei tempi.

Nel 1902 Kraus scopre un nuovo tema: la critica della giustizia, ostile soprattutto alle donne, e quindi la sessualità. Quest'ultimo elemento, che presto supererà la critica della giustizia, si sostituisce via via alla condanna della corruzione; rimane tuttavia il legame con la critica della stampa, poiché per Kraus gli eccessi moralistici sono da ricondurre soprattutto ai resoconti scandalistici della stampa.

Il tema «moralità e criminalità» — titolo del primo articolo di Kraus su questi problemi — perde di attualità dopo il 1905. La critica concreta della giustizia passa in secondo piano; i rapporti tra i sessi in generale assumono maggior peso. «Die Fackel» continua fino al 1914 in direzione di una generale critica della civiltà del tempo. Scompaiono le formule giornalistiche e vengono sostituite da nuove forme letterarie: una struttura linguistica sempre più precisa nelle polemiche, una glossa satirica in piccolo formato creata da Kraus, l'aforismo.

Fino al 1911-12 «Die Fackel», che allora prende le parti anche di Kokoschka, Loos e Schönberg, ospita testi di vari scrittori (Wedekind, Strindberg ecc.). Ma dal 1912 Kraus scrive da solo su «Die Fackel». Il suo tema principale nel periodo antecedente la prima guerra mondiale è una critica molto acuta e in fondo conservatrice della civiltà, una critica del «progresso» in tutte le sue forme, dell'economia capitalistica nella tecnica e nella vita culturale. Al centro di questi attacchi sta ora definitivamente la stampa, accusata di uccidere ogni fantasia e creatività. Il modello per la critica di Kraus è la lingua letteraria tedesca, che egli confronta con il modo di esprimersi della stampa. La sua tecnica è di usare le citazioni: nel contesto del linguaggio di Kraus ogni citazione presa da un giornale risulta falsa e banale.

In questi anni prima della guerra, oltre che «Die Fackel», Kraus si crea un secondo mezzo di comunicazione: le conferenze, prima sui propri scritti, poi anche su opere di altri (Goethe, Nestroy, Shakespeare). Allo scoppio della guerra Kraus reagisce prima col silenzio, poi, nel 1915, lascia prorompere la sua umana indignazione; la guerra viene intesa come la più grave conseguenza del «progresso» e per tre anni «Die Fackel» scrive — nell'Austria che sta conducendo il conflitto — satiricamente e pateticamente contro questa guerra. Molte cose già scritte su «Die Fackel» a quell'epoca verranno riprese da Kraus nel suo dramma di 800 pagine *Die letzten Tage der Menschheit* (Gli ultimi giorni dell'Umanità), del 1919, il cui tema è appunto la prima guerra mondiale.

Il comportamento di Kraus durante la guerra mondiale ne fece nel 1918 un'autorità morale. Fino al 1922 circa egli pose questa sua autorità ai servizi della nuova repubblica, senza riserve. In questo periodo di contrasti politici «Die Fackel», che solitamente si era tenuta fuori dalla politica corrente, diventa una rivista politica. Ma gli scandali della prima repubblica e la politica culturale della socialdemocrazia, pronta a molti compromessi con la borghesia, allontanarono poi «Die Fackel» dalla politica e la indussero a condannare globalmente il nuovo stato.

Gli avvenimenti del 1933 scossero profondamente Kraus. Di nuovo egli rimase a lungo in silenzio. Nella situazione di minaccia diretta alla vita rappresentata dal nazionalsocialismo si decise poi a un compromesso politico: appoggiò i governi Dollfuss e Schuschnigg contro Hitler perché gli sembravano una garanzia di protezione dell'Austria contro il nazismo. Che si trattasse di un errore egli non poté saperlo, perché morì il 12 giugno 1936.

Chi vuole conoscere Karl Kraus dovrebbe leggere tutta «Die Fackel»; essa è uno specchio del suo direttore. Ma è anche un quadro unico di una città — Vienna — e di una civiltà, caricaturale e non attuale ma tuttavia assolutamente vicino alla realtà; essa è una porta di accesso per la Vienna dell'inizio del secolo. Come critico dei mezzi di comunicazione Kraus ha precorso i tempi; e fino a oggi il suo stile satirico non ha perso nulla del suo valore.

S.P.S.

ANTON FAISTAUER
Nato il 14.2.1887 a St. Martin presso Lofer (Salisburgo), suo padre era contadino e dal 1890 sindaco del comune di Maishofen nel Salisburghese. Dopo il ginnasio tentò, senza riuscirci, di essere ammesso all'Accademia di arti figurative di Vienna. Fino al 1906 frequentò una scuola di pittura privata, poi riuscì a entrare all'Accademia, dove studiò con Griepenkerl e Delug fino al 1909. In quell'anno fondò, con Schiele, Wiegele e Gütersloh, il cosiddetto «Neukunstgruppe» che tenne la sua prima mostra nel 1909-10 al Kunstsalon Pisko e una seconda nel 1911 nell'Hagenbund. Nel 1912 Faistauer espose a Budapest, nel 1913 a Monaco di Baviera. In quello stesso anno partecipò a una mostra a Vienna presso H.O. Miethke; in quell'occasione alcune sue opere furono acquistate dalla Galleria di stato austriaca, il cui direttore, Dörnhöfer, lodò il giovane e promettente talento. Dal 1914 al 1916 Faistauer lavorò nella fattoria del padre; negli anni 1916-17 prestò servizio militare a Vienna. Nel 1919 fondò l'associazione di artisti Wassermann a Salisburgo, dove si trasferì l'anno successivo. Incominciò a occuparsi di pittura monumentale (grande altare votivo 1918-20;

ciclo di affreschi sulla «vita di Maria» nella chiesa parrocchiale di Morzg presso Salisburgo). Nel 1921 pubblicò un libro sulla «nuova pittura in Austria» e proseguì quella attiva partecipazione alle mostre che non era venuta meno neppure negli anni della guerra. Nel 1922 intraprese un viaggio in Svizzera; nel 1924-25, dopo una malattia polmonare, soggiornò a Bolzano e sul lago di Garda. Nel 1926 dipinse gli affreschi del foyer al Palazzo del Festival di Salisburgo e nel 1927 si trasferì a Vienna; nel 1929 si recò a Colonia, a Venezia e nell'Italia meridionale.

Dopo la sua improvvisa morte in seguito a una operazione allo stomaco (13 febbraio 1930), a Vienna e Salisburgo furono organizzate delle mostre alla sua memoria. Tra il 1938 e il 1945 la sua pittura fu classificata «degenerata», mentre in seguito fu di nuovo inserita in una serie di esposizioni.

Nessun altro pittore austriaco della sua generazione ha attinto come Faistauer alla pittura francese dell'800, specialmente da Courbet e Cézanne. Negli anni giovanili aveva dipinto soprattutto nature morte e ritratti. All'inizio degli anni '20 si interessò anche ai paesaggi. La sua pittura monumentale è dominata invece da temi allegorici e religiosi. Molto stimato dai suoi contemporanei, era considerato figura guida dell'arte moderna in Austria.

Bibliografia: F. Fuhrmann, *Anton Faistauer — Mit einem Werkverzeichnis der Gemälde*, Salzburg, 1972.

M.F.

GISELA FALKE VON LILIENSTEIN

Nata il 2.1.1871, studia alla Kunstgewerbeschule, frequentando dal 1895 al 1899 il corso di pittura decorativa di Rudolf Ribarz, dal 1899 al 1901 quello di architettura di Josef Hoffmann, dal 1900 al 1901 quello di ceramica di Friedrich Linke e dal 1903 al 1904 quello di rilegatura dei libri. Nel 1901, insieme ad altri nove studenti della Kunstgewerbeschule, fonda il gruppo «Wiener Kunst im Hause»

Già all'Esposizione universale di Parigi del 1900 Gisela von Falke si fa notare per una serie di piccoli oggetti di ceramica di Faenza dalle «forme originali e dai colori singolari» (Hevesi). Partecipa a numerose mostre: 1901, Kunstgewerbeschuleausstellung; XII e XV Esposizione della Secessione; 1902, Industrie-Gewerbe und Kunstausstellung di Düsseldorf;; Exhibition of Austrian Fine Arts and Decorative Furnishing di Londra; 1902-03 e 1903-04, mostre invernali del Museo austriaco dell'arte e dell'industria; 1904, Esposizione mondiale di St. Louis; 1905, Der gedeckte Tisch di Brünn.

La sua attività comprende la progettazione di vetri, ceramiche, gioielli, lampade, mobili e la decorazione di libri e oggetti in metallo che vengono eseguiti da famose ditte viennesi come Bakalowits, Angentor, Lobmeyr.

Bibliografia: W. Neuwirth, *Österreichische Keramik des Jugendstils*, München, 1974; Idem, *Glas des Jugendstils*, München, 1973; Idem, *Wiener Keramik*, Braunschweig, 1974.

G.K.

OSCAR FELGEL RITTER VON FARNHOLZ

Architetto della scuola di Wagner. Nato a Vienna il 30.7.1876, morto a Salisburgo il 15.10.1957.

Dopo un breve periodo di libera professione Oscar Felgel intraprese la carriera didattica; insegnò nell'Istituto tecnico superiore di Plzen, poi di Merano, infine a Hallein, dove diresse l'Istituto tecnico di stato per la lavorazione del legno e della pietra. Gli edifici di Felgel, sparsi nelle varie regioni della ex monarchia austro-ungarica, sono spesso di grande interesse.

Il progetto ideale di «Greytown», che gli valse il premio Roma, è uno dei vertici raggiunti dalla scuola di Wagner.

M.P.

EUGEN G. B. FASSBENDER

Nato il 28.5.1854 a Penzing presso Vienna, nel 1873 finì il liceo scientifico a Wiener Neustadt, fece il servizio militare e dal 1874 al 1880 studiò architettura al Politecnico di Vienna. I suoi maestri più importanti furono Karl König, Carl von Lützwow e Heinrich von Ferstel. In seguito frequentò la scuola speciale per architettura presso l'Accademia di arti figurative a Vienna.

I primi lavori di urbanistica di Fassbender furono i progetti per la sistemazione della Josefsplatz e della piazza parrocchiale a Baden presso Vienna, che però non furono realizzati. Ottenne un grande riconoscimento nel 1893 vincendo il secondo premio al concorso internazionale per il piano regolatore generale di Vienna.

Il consiglio comunale di Vienna nel 1905 approvò all'unanimità il progetto generale elaborato dall'Ufficio dell'edilizia urbana per la cintura di boschi e prati e per la Strada Alta (Höhenstrasse), riprendendo una proposta di Eugen Fassbender che da allora fu imitata in molte metropoli.

Il lavoro più completo di Fassbender fu poi il piano regolatore generale per il comune di Villach che egli elaborò tra il 1905 e il 1908. L'impostazione del piano regolatore resta valida ancora oggi e la relazione in due volumi che accompagnava il progetto fece scuola.

In occasione dell'VIII Congresso internazionale di architettura tenutosi a Vienna nel 1908 Fassbender lesse una relazione su «L'urbanistica e la sua regolamentazione giuridica». In essa, tra l'altro, sostenne la necessità di introdurre una cattedra di urbanistica negli istituti tecnici. Per i suoi pareri e progetti nella pianificazione di Lovraba in Istria, di Baden-Weikersdorf, Gräfenberg in Slesia, Semmering e Puchberg, Fassbender fu un pioniere della pianificazione urbana delle località termali. Nel 1912 Eugen Fassbender riassunse le sue esperienze di vent'anni nel libro sui *Principi dell'urbanistica moderna*, primo e finora unico libro sull'urbanistica austriaca, in gran parte tuttora attuale.

Eugen Fassbender morì a Vienna il 3.4.1923.

Bibliografia: Rudolf Wurzer, *Eugen G. B. Fassbender* in *Handwörterbuch der Raumforschung und Raumordnung*, Hannover, 1970, vol. I.

R.W.

FERDINAND FELLNER — HERMANN HELLMER

Lo studio Fellner e Hellmer fu il più grande studio d'architettura specializzato nella costruzione di teatri dell'impero austro-ungarico e dell'area tedesca. Con i suoi 47 teatri, questo gruppo di architetti viennesi progettò la metà di tutti i nuovi teatri costruiti in questi paesi. Già Fellner padre era stato architetto di teatri. Suo figlio, Ferdinand Fellner Junior (nato il 19 aprile 1847 a Vienna), frequentò il Politecnico fino al 1866, entrò poi nello studio paterno, iniziò il suo lavoro in questo studio e vi conobbe anche il suo futuro socio Hermann Hellmer (nato il 13 luglio 1849 a Harburg presso Hannover, aveva fatto studi tecnici tra l'altro a Monaco di Baviera ed era entrato nello studio di Fellner Senior nel 1868).

La società privata «Atelier Fellner & Hellmer» iniziò la sua attività nel 1873 con il progetto del Volkstheater di Budapest. Non tutti i progetti furono fatti in collaborazione: spesso i due dovettero lavorare anche separatamente.

Il modo di concepire la costruzione degli edifici teatrali stava cambiando: il teatro era un edificio monumentale a sé stante in cui l'aspetto architettonico esterno aveva una particolare rilevanza; inoltre si erano rese necessarie alcune importanti innovazioni tecniche, dettate sia dalla nuova legislazione contro gli incendi sia dall'introduzione della illuminazione elettrica. Ciò spiega l'intensa attività di Fellner e Hellmer in questi anni.

Particolare cura fu dedicata alle varie sale per il pubblico e ai corridoi, che furono adornati con decorazioni ricche e costose. Nelle facciate si nota la presenza di alcuni motivi architettonici ricorrenti come, ad esempio, il classicheggiante frontone (frontale del tempio) di chiara ispirazione palladiana (Volkstheater a Vienna, 1888-89; Graz, 1898-99; Volkstheater a Budapest, 1874-75 ecc).

A una tradizione più antica si ricollega il motivo delle logge: una architettura puramente esterna, con marcato carattere pubblico, per discorsi e feste in grande stile (Augsburg, 1876-77; Pressburg, 1885-86; Stadttheater a Zurigo, 1890-91). Il portale a volta articolato su più piani accoglie una citazione dell'architettura rinascimentale francese richiamando icasticamente il genere della commedia brillante francese, cioè la «musa leggera». Il motivo della torre — il più raro — sottolinea il carattere di monumento che assumono alcuni teatri nazionali (Tonhalle a Zurigo, 1893-95; Agram, 1894-95; Teatro nazionale bulgaro a Sofia, 1904-06).

Nei teatri dello Jungendstil costruiti a partire dal 1905 è da notare lo stile squadrato dell'esterno che viene alleggerito con decorazioni in stile impero e rococò (Baden bei Wien, 1908-09; Klagenfurt, 1909-10). A queste costruzioni contribuì in modo determinante Ferdinand Fellner.

Con la morte di Fellner (1916) e di Hellmer (1919), ma anche per il rallentamento dell'attività costruttiva in questo specifico campo, lo studio di architettura cessò la propria attività.

Bibliografia: H. C. Hoffmann, *Die Theaterbauten von Fellner und Hellmer*, München, 1966.

J.W.

MAX FERSTEL

Architetto. Nato a Vienna l'8.5.1859, tra il 1878 e il 1881 e tra il 1882 e il 1883 studiò alla Technische Hochschule di Vienna, e tra il 1881 e il 1882 alla Bauakademie di Berlino. Libero professionista dal 1884, dal 1892 docente di storia dell'architettura medioevale alla Technische Hochschule a Vienna, dal 1909 fu decano alla Hochbau-Architekturschule. Tra le sue opere sono da ricordare: le chiese di Fahrafeld, Ercsi e Belatincz (Ungheria); le cappelle a Grinzing, nei dintorni di Vienna, ad Alternberg sul Danubio e a Würmla; i municipi di Witkowitz (Moravia) e Pettau (Stiria); numerosissime ville, edifici commerciali a Vienna, Dornbach, Döbling e Mährisch-Ostrau. Al concorso per la Jubiläumskirche di Vienna ottenne nel 1899 il secondo premio. Ferstel divenne famoso anche come saggista e nel 1887 pubblicò *Einiges über die Holzarchitektur des Mosseltales* (Notizie sull'architettura in legno della valle della Mosella).

T.B.

FRANZ FIEBIGER

Nato il 6.2.1880 a Ober-Johnsdorf (Boemia), frequenta la Fachschule per la lavorazione dei tessuti e fra il 1898 e il 1902 è allievo alla Kunstgewerbeschule di Vienna con Kolo Moser, diventando in seguito professore alla Kunstgewerbeschule di Magdeburgo. Insieme alle sorelle Hilde e Nora Exner esegue xilografie a colori per un libro per bambini sugli animali, *ABC der Tiere*. Nel 1908 vince il terzo premio con Rudolf Junk al concorso per il manifesto del sessantesimo compleanno dell'imperatore.

E.B.T.

KARL ADALBERT FISCHL

Nato a Birkfeld in Stiria, il 17.4.1871, studiò architettura all'Accademia di arti figurative di Vienna (dal 1891 al 1894 con Karl Hasenauer, e poi con Otto Wagner). Alla fine degli anni '90 lavorò probabilmente nello studio di Otto Wagner, collaborando seppur marginalmente al progetto della stazione della metropolitana in Karlsplatz. Nel 1898, in occasione della esposizione del giubileo, Fischl preparò la sala per il comando militare nella Rotunde, ottenendo grande successo.
Ma l'opera più nota di Fischl è la villa sulla Penzingerstrasse 40, costruita nel 1901-02. Questo edificio è una delle più importanti realizzazioni dei primi anni della scuola di Wagner. Il ricco decoro, in parte di ceramica e in parte di metallo, rispecchia l'alta qualità di questo stile d'avanguardia; la facciata è articolata con grandi finestre nei piani principali; una veranda centrale a sei angoli ha una struttura molto geometrica. Si potrebbe paragonare questa villa con opere del più razionale Jugendstil belga (Blerot, Pompe, Hankar). Ugualmente non convenzionale è un'altra villa a Piestung, dove si notano però anche elementi di stile vagamente locale. Molto interessante, infine, è la casa con atelier costruita per lo scultore Carl Wollek nel 1907, situata nella Hackingerhof 2. Si tratta di un piccolo corpo a forma di cubo con il tetto a mansarda spiovente, nel quale sono stati abilmente combinati diversi materiali volutamente modesti (mattoni, intonaco, rivestimento con assi di legno). Questa architettura costruita «dall'interno verso l'esterno» è tipica dello stile purista viennese di questo periodo e della sua rinuncia ai materiali di lusso e a una stilizzazione esagerata. Delle opere di Fischl del dopoguerra si conosce solo una casa popolare del 1929 (Triesterstrasse 75-77).

J.W.

CABARET FLEDERMAUS

Sabato 19 ottobre 1907 si aprì la prima stagione al Cabaret Fledermaus. Un pubblico illustre si incontrò in Kärntnerstrasse 33, angolo Johannesgasse 1, sia per ascoltare l'atteso programma letterario, sia per ammirare il teatro arredato dalla Wiener Werkstätte. Peter Altenberg aveva scritto una scena dal titolo *Maschere*, la ballerina Gertrude Barrison compare nella prima rappresentazione e induce Altenberg a scrivere sul quotidiano «Wiener Allgemeine Zeitung» un inno: «Grazie a lei la sala diventa una chiesa della danza.»
Nel Cabaret Fledermaus si realizzò per la prima volta e nel modo più puro l'ambizione di un'opera d'arte totale. Hoffmann poté soddisfare il suo ideale senza alcuna limitazione da parte del committente. L'arredamento interno, le tavole apparecchiate, i lampadari, tutti gli oggetti d'uso comune partivano da un'unica idea fondamentale dell'ambiente da creare. L'entrata dalla Johannesgasse era di marmo con larghe strisce verticali in bianco e nero.
Il locale del bar, prima della sala del teatro, e il guardaroba erano ricoperti fino all'altezza dell'intonaco bianco con un mosaico di settemila lastre di maiolica, in parte in rilievo o incisione. Mille di queste lastre formavano un «orbis pictus» ceramico con caricature, ritratti, allegorie, satire, animali fiabeschi e decorazioni. Erano di Bertold Löffler e Michael Powolny, e anche della Wiener Werkstätte.
Dietro questa vivacità di colori seguiva la sala del teatro bianca candida. L'unica macchia di colore era data da due rilievi di Bertold Löffler inseriti nel parapetto del palco. L'eleganza del quadro era completata dai lampadari in ottone e dalle sedie bianco-nere con schienale a semicerchio. Anche i libretti del programma vi si inserivano a perfezione: una miscela di tardo secessionismo e anticipo di espressionismo. Collaboratori erano: C.O. Czeschka, M. Jung, O. Kokoschka, B. Löffler e F. Zeymer. La sala del teatro ospitava trecento persone. Essa era più larga che profonda e dava a tutti i posti una distanza ideale dal palcoscenico. Il pubblico sedeva ai tavoli e nei palchi situati dietro e ai lati della sala; colonnine snelle e quadrate sostenevano il soffitto. Il palcoscenico, a piccolo semicerchio, era sollevato dall'orchestra che era di sotto, appena visibile. Si poteva accedere al palcoscenico da un lato oppure anche dalla sala. Quasi tutti i costumi e le scenografie erano fatti da artisti della Wiener Werkstätte (C.O. Czeschka, F. Delavilla, F. Dittl, J. Hoffmann, C. Hollitzer, G. Klimt, O. Kokoschka, F. Lebisch, B. Löffler, E. Orlic, E. Wimmer, F. Zeymer, A. Roller, K. Moser).

Kokoschka si esibì per la prima volta al cabaret nel 1907, tra le altre cose con la lettura de *I ragazzi sognanti*. Non fu però un successo. La Wiener Werkstätte pubblicò alcune cartoline postali con le scene del varietà per il Cabaret Fledermaus e per i costumi.
Nel gennaio 1908 fu rappresentato uno sketch, scritto da A. Polgar e E. Friedell, *Goethe*, che fu replicato per ben trecento volte. Le sorelle Nagel entusiasmarono il pubblico e la stampa con l'esecuzione di vecchie canzoni viennesi. Con l'avvento e il crescente successo della danza moderna emerse il nome dei fratelli Wiesenthal che si esibirono per la prima volta nel cabaret. Anch'essi lavoravano in stretto contatto con la Wiener Werkstätte. Nel periodo di carnevale i veglioni del Fledermaus costituivano un'attrazione particolare. Nel febbraio 1908 si dimise il direttore artistico Marc Henry. Nel marzo 1909 fu organizzata una matinée in onore di P. Altenberg per il suo cinquantesimo compleanno. B. Löffler illustrò un foglio commemorativo, E. Wimmer e K. Moser disegnarono i costumi per una matinée danzante. Nell'ottobre 1909 cambiò la direzione. Nell'autunno 1913 il locale viene trasformato in una sala di canto e conosce molti cambiamenti. Nel 1945 il palazzo verrà distrutto; pochissimi ricorderanno gli splendori del cabaret e della Wiener Werkstätte.

I.D.

EMILIE FLÖGE

Nata a Vienna nel 1874, nel 1897 conobbe Gustav Klimt, di dodici anni più anziano, al quale restò legata di profonda amicizia per tutta la vita.
Nel 1905 trasferì il suo atelier di sarta, noto come il salone delle sorelle Flöge, nel centro del quartiere della moda di Vienna, in Mariahilferstrasse 1B. Insieme alle sorelle Pauline ed Elena (moglie del fratello di Gustav Klimt, Ernst) diresse un atelier di moda in cui lavoravano fino a ottanta sarte con tre tagliatori, confezionando abiti per una clientela molto scelta, tra cui Sonja Knips, Bruno Walter e soprattutto Clarissa Rothschild.
Il 1938 segnò la fine del salone. Le sorelle traslocarono nella Ungargasse 39, dove durante gli ultimi giorni della guerra bruciarono anche preziosi oggetti appartenenti all'eredità di Gustav Klimt. Come mannequin vediamo Emilie in 24 fotografie dell'album della famiglia Klimt-Flöge. Maniche a campana che ricadono a forma di cascata, una linea continua verticale — simbolo della rivoluzione della moda che aveva eliminato la vita alla vespa — e i contrasti bianco-neri così tipici della Wiener Werkstätte esprimevano la sensibilità estetica di Klimt e di Emilie.
Nel salone c'era anche un reparto inglese — per i mantelli e i tailleurs — e uno francese che creava abiti e giacche. Gran parte della produzione del salone non si distingueva molto dalla normale produzione di quei tempi; i modelli più artistici non potevano certamente coprire le grandi spese del vasto atelier in un'epoca di grande depressione economica come gli anni '30.
Dopo la morte di Klimt la casa Flöge lavorò

nel campo della haute-couture ispirandosi a Chanel e Schiaparelli.

L'arredamento in bianco e nero disegnato da Kolo Moser era in netto contrasto con i colori vivaci dei tessuti collezionati da Emilie: costumi nazionali ungheresi, modelli contadini della Slovacchia, cuffie d'oro e abiti orientali erano stati esposti in apposite vetrine come parte dell'arredamento per creare vivaci macchie di colore. Grazie al suo genio creativo e alla capacità di tradurre i principi di Klimt in modelli di abiti, Emilie Flöge, considerata una musa della Wiener Werkstätte e del gruppo di Klimt, è entrata a far parte della storia dell'arte moderna viennese.

Emilie Flöge morì nel 1952 per una malattia renale.

G.B.

LEOPOLD FORSTNER

Nato il 2.11.1878 a Leonfelden in Alta Austria, frequentò la Scuola statale di artigianato a Linz e la Scuola tirolese di pittura su vetro di Innsbruck. Nel 1899 andò a Vienna e studiò alla Scuola di arti applicate fino al 1902 con Karl Karger e Kolo Moser. Proseguì gli studi a Monaco di Baviera e intraprese alcuni viaggi di studio in Italia (Venezia, Ravenna, Roma) per visitare i capolavori dell'arte musiva romano-bizantina.

Nel 1906, quando fu aperto il laboratorio viennese del mosaico, la Wiener Mosaikwerkstätte, gli fu affidato il primo grande incarico: l'esecuzione delle vetrate per la chiesa am Steinhof su disegni di Kolo Moser e l'esecuzione dei mosaici dell'altare su disegni di Rudolf Jettmar (questi lavori durarono fino al 1912). I successi artistici ed economici ottenuti in occasione delle due Kunstschau del 1908 e del 1909, organizzate da Klimt e Hoffmann, testimoniano l'intensa collaborazione di Forstner con questi due artisti; anche stilisticamente Forstner si sente attratto dal gruppo di Klimt e Hoffmann.

Nel 1909-11 esegue i fregi in mosaico della sala da pranzo del Palazzo Stoclet di Bruxelles, rispettando fedelmente i disegni di Klimt. Altri lavori eseguiti su propri disegni mostrano da una parte la forte influenza di Klimt e dall'altra anche la personale combinazione di mosaici e rilievi in ceramica, di lavori in metallo e smalto. Si tratta soprattutto di lavori svolti a Linz (1910, Hotel Wiesler; 1913, chiesa a Ebelsberg), e anche di lavori di minor impegno a Vienna (decorazione di una facciata sul Graben).

Il contrasto tra piano e rilievo e l'utilizzo di materiali diversi conferiscono ai suoi lavori una certa fissità, che si manifesta anche nella struttura del quadro, rendendoli simili a icone. Nei grandi quadri in mosaico disegnati per l'ingresso del Dianabad (bagno pubblico) di Vienna (1914-16) ammiriamo un Forstner ben diverso e ormai completamente indipendente.

Dopo la caduta della monarchia nel 1918 Forstner cambiò amici e ambiente. Nel 1919 si trasferì a Stockerau, a nord di Vienna, e vi fondò un «Laboratorio di vetri preziosi, mosaici e smalti» e la «Fabbrica di vetri preziosi A. G.». Come ulteriore grande incarico ebbe solo l'esecuzione del sopralzo dell'altare per la chiesa di Colliocon negli USA attorno al 1927. In questo periodo creò soprattutto vetri decorati nello stile art déco.

Nel 1927 fu nominato consigliere specializzato dell'Ufficio per la promozione delle professioni del governo della Bassa Austria, un incarico che mal si accordava con il suo impegno artistico. Nonostante l'alta qualità dei suoi prodotti, Stockerau si trovava troppo lontana da Vienna per accordargli sufficienti incarichi. Dal 1929 al 1936 Forstner insegnò disegno al ginnasio di Hollabrunn. Morì dopo breve malattia il 5 novembre1936.

Bibliografia: Wilhelm Mrazek, *Leopold Forstner*, Wien, 1981.

J.W.

JOSEF FRANK

Nato a Baden presso Vienna il 16.7.1885, si laureò in architettura al Politecnico di Vienna nel 1910 con una tesi sulla «conformazione originale degli edifici ecclesiastici di Leon Battista Alberti».

L'impostazione classica della sua formazione sarà determinante per Frank, convinto che le opere che si muovono nel solco della tradizione classica «saranno in tutti i tempi le uniche che capiremo sempre e che saranno in grado di commuoverci senza che qualsiasi altro entusiasmo nazionale o architettonico possa farcelo superare». Come Loos, tuttavia, Frank non vede nelle forme tradizionali uno schema costruttivo, bensì un materiale di citazioni che presentano il vantaggio di essere generalmente comprensibili.

Sebbene pensasse che «la casa unifamiliare rappresenti la base dell'architettura moderna e della struttura delle nostre città» e, dopo la prima guerra mondiale, concordasse con quanti ritenevano la costruzione di villini unifamiliari con giardino la migliore soluzione al problema della casa popolare, Frank progettò anche alcuni grandi caseggiati popolari a blocchi.

Frank, figura di primo piano del Werkbund austriaco, nel 1928 rappresentò l'Austria al primo Congresso internazionale di architettura moderna (CIAM) a La Sarraz. Negli anni '30 Frank emigrò in Svezia dove disegnò mobili, stoffe e suppellettili. Dopo la seconda guerra mondiale cessò la sua attività pratica di architetto per dedicarsi allo studio. Negli scritti e nei progetti di questo periodo si impegna nella ricerca e nella definizione dei nuovi caratteri di quella che definisce un'architettura antidottrinaria: «Quello che ci vuole è il cambiamento... Via con gli stili universali, via coll'uniformazione dell'industria e dell'arte, via col complesso di idee che è diventato popolare sotto il nome di funzionalismo. Io, conformemente alla moda della nostra epoca, vorrei dare a questo nuovo sistema architettonico un nome: lo chiamo, per ora, *accidentismo* volendo con ciò esprimere che dobbiamo conformare il nostro ambiente come se fosse stato creato per caso» (1958).

Josef Frank morì a Stoccolma l'8 gennaio 1967.

HANS FRANTA

Nato nel 1893 a Linz, ivi morto nel 1983.

L'opera di Franta comprende circa duemila pastelli, un migliaio di quadri a olio e svariate centinaia di acquarelli, disegni e opere grafiche.

Hans Franta raggiunse la piena maturità artistica negli anni tra il 1913 e il 1921. Quando nel 1914 partì per il fronte russo aveva alle spalle solo pochi mesi di studio all'Accademia viennese. Fu dunque essenzialmente un autodidatta che assecondava il suo talento dando libero sfogo alle proprie sensazioni. Se oggi guardiamo i suoi lavori di quegli anni, restiamo colpiti dalla loro spontaneità e semplicità. Franta ha studiato la natura in relazione all'uomo e alla sua sensibilità interiore. Questo vale soprattutto per quelle opere grafiche, solitamente di piccolo formato, che sono contemporaneamente semplici e ambigue, veritiere e misteriose. La malinconia e la poesia conosciute in Russia rimasero una fonte di costante ispirazione per Franta, che tuttavia non raggiunse più la felicità artistica di queste prime opere, caratterizzate da un alto grado di astrazione. Per riprodurre gli elementi primari di un paesaggio — una capanna di legno, qualche campo o case innevate, usa un linguaggio figurativo essenziale, che enfatizza le aree di colore, riducendo al minimo gli elementi compositivi dominanti, a volte con effetto cartellonistico.

Durante la prima guerra mondiale Franta, fatto prigioniero sul fronte russo, dopo molte vicissitudini, gravemente ammalato, soggiornò a Mosca, Kiev e Kharkov, arrivando infine a Tomsk, in Siberia. Sposò una russa e incontrò David Burljuk, membro del Blaue Reiter. Ritornato a Linz nel 1921, si iscrisse all'Accademia di arti figurative di Vienna, quindi si dedicò all'insegnamento a Linz, attività che svolse fino al pensionamento nel 1957.

Nel 1976 la Neue Galerie di Linz richiamerà l'attenzione sull'artista con un'ampia retrospettiva dedicata in particolare alle opere del primo periodo e ai pastelli.

P.B.

OTTO FRIEDRICH

Nato a Györ, in Ungheria, il 2.7.1862, morto a Vienna l'11.4.1937.

Dal 1878 seguì prima i corsi di Carl Müller e August Eisenmenger all'Accademia di Vienna, poi quelli di Wilhelm Lindenschmidt a Monaco. Dal 1891 al 1894 visse a Parigi, facendo alcuni viaggi di studio in Bretagna, Spagna e Tunisia. Dal 1896 rimase sempre a Vienna. Fu uno dei fondatori della Secessione e partecipò regolarmente alle mostre della associazione. Dotato di grande talento pedagogico e profondo conoscitore della storia dell'arte, insegnò per più di trent'anni alla Accademia femminile di Vienna. Con altri membri della Secessione (Andri, Engelhart, Kurzweil, Moll) disegnò litografie a colori e manifesti «per la scuola e la casa» editi dalla Tipografia di stato. Nel 1900 entrò a far parte della redazione della rivista «Ver Sacrum» influenzandone il programma artistico.

Verso il 1900 Friedrich abbandonò i soggetti

storici, cui si era sino ad allora dedicato, volgendosi al paesaggio, alla pittura di genere e al ritratto. La sua pittura si arricchì di effetti decorativi. Il suo quadro *Spalatori di neve* fu uno dei più ammirati della mostra della Secessione del 1901. Fu anche autore di disegni per manifesti, di illustrazioni per libri e di una serie dedicata ai «Sovrani della casa Asburgo». Di Friedrich esistono molti studi di paesaggi e di figure in cui la libertà pittorica e la luminosità del colore ricordano il suo incontro col sole del sud.

M.F.

CLEMENS FRÖMMEL
Nato il 23.10.1874 a New Ullersdorf (Cecoslovacchia), morto attorno al 1945 a Vienna.
Studiò all'Istituto professionale per la lavorazione del legno a Grulich (Cecoslovacchia), poi fece un anno di pratica come disegnatore e operaio specializzato in una fabbrica di mobili. Dal 1896 al 1900 frequentò alla Scuola di arte applicata di Vienna i corsi di architettura di Oskar Beyer, e nel 1898-99 un corso di specializzazione nella lavorazione del legno e dei mobili. Dal 1899 al 1903 lavorò come disegnatore nello studio tecnico del Museo austriaco di arte e industria. Dal 1904 al 1906 fu maestro alla Scuola di arte applicata di Vienna e dal 1906 a quella di Villach. Nel 1914 fu professore alla Scuola professionale statale di Graz. Dopo la prima guerra mondiale fu direttore della Sezione dell'istruzione professionale al ministero federale dell'Istruzione, e infine consigliere ministeriale per l'istruzione professionale.
Frömmel era buon disegnatore, e si dedicava a volte anche alle illustrazioni. Come molti architetti della sua generazione, progettò parecchi oggetti in diversi materiali. Nel 1901 partecipò alla mostra delle scuole professionali con la scuola d'architettura di Beyer: espose disegni di ricami che furono eseguiti dalla ditta viennese Ludwig Nowotny. Per la I Esposizione internazionale d'arte decorativa moderna del 1902 a Torino Frömmel inviò due belle e semplici poltrone che completavano l'arredamento dell'anticamera del reparto austriaco.
La sua tendenza didascalica e i suoi rapporti con l'industria del mobile spiegano le sue scelte stilistiche. Durante l'attività presso l'ufficio tecnico del Museo austriaco i suoi progetti per mobile rivelano influenze da parte dei mobili rustici inglesi. Alcuni mobili eseguiti su suoi disegni mostrano come Frömmel abbia attinto da varie fonti ottenendo ottimi risultati.
Bibliografia: Klassenbücher der Kunstgewerbeschule in Wien 1896-1900; Kataloge der Winterausstellungen im Österreichischen Museum für Kunst und Industrie in Wien, 1901, 1903-04; Vera J. Behal, Möbel des Jugendstils, München, 1981.

V.J.B.

LOTTE FRÖMMEL-FOCHLER
Nata l'1.5.1884 a Vienna, frequenta la scuola speciale per la lavorazione dei tessuti. Dal 1904 al 1908 studia alla Kunstgewerbeschule di Vienna con Josef Hoffmann e dal 1908 al 1914 lavora per la Wiener Werkstätte (stoffe, accessori di moda, lavori in pelle, pizzi ecc.). È membro dell'Österreichischer Werkbund. Esegue inoltre lavori per le ditte Haas (stoffe) e Busch & Ludescher (ceramiche).

E.B.T.

RICHARD GERSTL
Nato a Vienna il 14 settembre 1883, Richard Gerstl crebbe nella sua città. Era il minore di tre figli del benestante israelita Emil Gerstl di Neutra (città allora ungherese) e di sua moglie Marie (nata Pfeiffer, originaria di Koplitz presso Budweis). I figli erano molto attaccati alla madre e il loro rapporto con i genitori fu assai intimo. Le precoci attività artistiche del ragazzo furono incoraggiate dalla madre e tollerate con preoccupazione dal padre, che tuttavia le rese possibili col suo sostegno finanziario. A dodici anni Richard incontra difficoltà a scuola e si rende necessario il suo trasferimento a un liceo privato. Prende lezioni private di disegno e, interrotto il liceo alla quarta classe, frequenta per due mesi la scuola di disegno «Aula», per prepararsi a entrare nella scuola generale di pittura del professor Christian Griepenkerl all'Accademia di belle arti nell'ottobre del 1898. La reciproca profonda disistima rende intollerabili i rapporti tra docente e allievo. Nell'estate del 1900 e nel 1901 Gerstl frequenta il corso del pittore ungherese Simon Holosy, assai benevolo con lui, a Nagy Banya, e nell'autunno del 1901 non ritorna all'Accademia; il padre gli dà la possibilità di prendere in affitto uno studio a Döbling, dove egli si dedica a vasti studi. Nel 1904-05 tenta ancora una volta con Griepenkerl, ma di nuovo non ottiene che il voto di «sufficiente».
Dopo che il più aperto professor Heinrich Lefler, fondatore dell'Hagenbund, ebbe visto dal suo allievo Heinrich Hammer, con il quale Gerstl divideva di tanto in tanto lo studio, il suo *Ritratto delle sorelle Fey*, lo invitò a frequentare la sua scuola di specializzazione, e Gerstl accettò alla condizione, concessa, di poter disporre di un locale tutto per sé. Gerstl intanto cercava di rimediare alle carenze culturali studiando da autodidatta, soprattutto filosofia, letteratura, lingue romanze e musica, con risultati notevolissimi; particolarmente lo interessarono le opere di Ibsen, Wedekind, Weininger e Freud. Ma come Lefler venne a sapere che il suo allievo riteneva indegne di un vero artista le attività che egli andava svolgendo per il corteo che si stava organizzando per il giubileo dell'imperatore, nell'autunno del 1907 lo invitò per lettera a lasciare il locale. Gerstl vi rimase tuttavia sino al semestre estivo del 1908, quando pose termine alla sua presenza all'Accademia inviando una lettera al ministro dell'Istruzione nella quale protestava indignato per il torto subìto e per la mancata accettazione dei suoi dipinti alla mostra degli allievi.
Il suo entusiasmo per la musica e la sua ammirazione per Gustav Mahler l'avevano messo in contatto con Schönberg, Zemlinsky e la loro cerchia di amici. Nel 1904 Schönberg era ritornato a Vienna andando ad abitare in Liech-tensteinstrasse al numero 68-70; più tardi Gerstl affittò uno studio nella stessa via, al numero 20. Schönberg, che a quell'epoca tentava le prime prove pittoriche, chiese consigli tecnici a Gerstl, influendo su di lui, di nove anni più giovane, soprattutto con le sue teorie estetiche e con la sua esigenza di innovazione assoluta nel campo dell'arte. Gerstl passò le estati del 1907 e del 1908 nella stessa località turistica frequentata dagli Schönberg, dipingendovi i ritratti di Arnold e dei suoi amici, che oggi gli assicurano una collocazione eminente nell'arte viennese attorno al 1900 e un posto solitario nella pittura europea tra Secessione, tardo impressionismo ed espressionismo, configurandolo come un «Neutöner», cioè portatore di un tonalismo nuovo, caratterizzato dall'erompere dei timbri e dei ritmi cromatici. È qui l'autentico contributo di Gerstl, cui egli poté pervenire dopo essersi misurato con il Klimt simbolista della *Filosofia* (si veda per esempio l'autoritratto discinto), dopo i ritratti a figura intera e di grande formato (Mathilde Schönberg, Diez, Zemlinsky), che sono da vedersi come un ambizioso inciso alle dame di Klimt ritratte in piedi, e i grandi ritratti «di rappresentanza», dipinti alla maniera secessionista, del padre, di Smaragda Berg, di Arnold Schönberg, di Mathilde, della figlia Gertrud ecc., echeggianti la pittura spagnola e francese, Liebermann, Munch e, soprattutto, van Gogh. «Ora so come debbo dipingere», avrebbe detto improvvisamente a Schönberg, cominciando subito dopo a dipingere «moderno», come lo stesso Schönberg ricorderà nel 1938.
La peculiarità, l'autoconsapevolezza, la passionalità di queste impetuose, furiose manifestazioni creative riflettono però e nel senso più vero esprimono lo stato d'animo che legava il pittore ai suoi modelli. Paesaggi, alberi, figure umane nell'ambiente lacustre illuminato dal sole testimoniano dell'agitazione estrema, della tensione illimite che scuotevano quella «natura geniale». La vicenda d'amore con Mathilde Schönberg, donna altrimenti equilibrata e capace di chiarezza, che per lui lascia il marito e i figli piccoli, lo conduce, dopo la breve felicità, alla catastrofe, quando la donna, avendo a lungo cercato di persuaderlo dell'inevitabile, di nuovo lo abbandona. Egli compiva giusto allora il suo venticinquesimo anno. Gli ultimi autoritratti lo mostrano disperato e senza più scampo, risoluto, condannato. Dà alle fiamme tutto ciò che è legato alla sua vita e s'impicca nella notte tra il 4 il 5 novembre 1908. I quadri rimasti vengono posti in un magazzino e solo nel 1931 il mercante d'arte Kallir Nierenstein li scopre e li espone.
Bibliografia: Otto Breicha, Katalog der Ausstellung Richard Gerstl, Historisches Museum der Stadt, Wien, 1983 (con un'importante bibliografia).

A.K.W.

FRANZ GESSNER
Fratello di Hubert, Franz Gessner nacque il 15.9.1879. Anch'egli frequentò la Scuola professionale statale di Brünn, lavorò poi a Troppau e Vienna, prima di iscriversi dal 1903 al 1906 all'Accademia di arti figurative di Vien-

na, studiando architettura con Otto Wagner. Concluse gli studi presentando come tesi un «progetto per una casa popolare» e ottenne una borsa di studio dello stato. Dal 1907 al 1912 lavorò nello studio del fratello Hubert, che lo aveva aiutato già durante gli studi. Non sappiamo come si sviluppò la collaborazione tra i due fratelli. A volte furono citati pubblicamente insieme, a volte invece Hubert lavorava ai progetti da solo. Questo fatto ha generato, fino ad anni recenti, fraintendimenti ed errori nel giudizio del rispettivo operato.

Franz Gessner, dopo aver lasciato il fratello, lavorò in proprio come architetto progettando abitazioni e edifici industriali, ma anche varie ristrutturazioni e ampliamenti di fabbricati preesistenti. Stranamente Franz, a differenza di Hubert, non era tra quei circa ducento architetti che tra il 1918 e il 1934 ottennero incarichi dal comune di Vienna. Tra le varie opere possiamo nominare le seguenti: impianti industriali a Vienna-Ottakring, Ododakergasse-Sandleitengasse negli anni 1914-1926, impianto balneare all'aperto a Gmunden nel 1927, un palazzo per abitazioni a Wien-Wieden Operngasse 23-25 nel 1936. Franz Gessner, che ebbe molti meno incarichi del fratello, nei suoi progetti rivela di essere altrettanto dotato e si segnala come un valido rappresentante della scuola di Otto Wagner.

Morì il 3.5.1971 all'età di 96 anni.

W.P.

HUBERT GESSNER

Nato il 20.10.1871 nella città di Wallachisch-Klobouk in Moravia, Gessner frequentò le scuole pubbliche e dal 1885 al 1889 la Scuola superiore per l'edilizia dell'Istituto professionale statale di Brünn (Brno). Durante gli ultimi due anni di studio ebbe come compagno Adolf Loos.

Nel luglio 1894 Otto Wagner divenne direttore della Scuola d'architettura all'Accademia di arti figurative di Vienna. Nell'autunno di quell'anno, dopo un esame di ammissione, si iscrissero all'Accademia studenti come Hubert Gessner, Leopold Bauer e Josef Plecnik. In questo anno Josef Hoffmann concluse i suoi studi alla Accademia. Gessner terminò gli studi nel 1898 con una tesi sulla «decorazione della Ringstrasse viennese».

Già durante l'ultimo anno di studio Gessner lavorò nell'atelier di Otto Wagner. Grazie a una sua raccomandazione Gessner venne assunto per due anni, nel 1900, nell'Ufficio per l'edilizia nazionale di Brünn, dove progettò la Casa di cura della Moravia. Vinse poi il concorso per la costruzione del palazzo della Cassa di risparmio di Czernowitz e quello per l'ospedale di Brünn, ma fu il progetto della Casa dei lavoratori a Favoriten, terminato nel 1902, a decretarne il successo. Ben presto diventa — così scrive Max Ermers — «l'architetto di fiducia» di Victor Adler che lo sosterrà fino alla propria morte, nel novembre 1918. Gessner si iscrive al Partito socialdemocratico e progetta per questo, per i sindacati e le associazioni operaie oltre a una dozzina di edifici prima del 1918: case di riposo, abitazioni, magazzini a Vienna, palazzi per tipografie e uffici

a Vienna e Graz, panifici a Vienna-Floridsdorf, Schwechat, Mühlau presso Innsbruck, Leoben, Rosenthal presso Reichenberg e Praga. Si specializza soprattutto nella progettazione di panifici, mulini e silos, cercando sempre le soluzioni più avanzate e razionali. Inoltre costruisce alberghi a Troppau e Neutitschein e alcuni palazzi per abitazioni a Vienna, tra cui anche il proprio nella Sternwartestrasse a Vienna-Währing. Le sue costruzioni di questo periodo sono influenzate dallo Jugendstil. La Casa dei lavoratori a Favoriten e la sua casa sono considerate in effetti capolavori dello Jugendstil viennese.

Nel 1919 Gessner viene incaricato di progettare il primo grande quartiere di case popolari del comune di Vienna, il Metzleinstaler-Hof, cui seguiranno, negli anni successivi, altri di dimensioni ancora maggiori, come Reumann-Hof, Lasalle-Hof, Heizmann-Hof e il Karl-Seitz-Hof. Le sue costruzioni si distinguono per una disposizione delle masse di impressionante plasticità. In questo suo primo intervento sono ancora marginalmente presenti elementi decorativi che ricordano Josef Hoffmann e la Wiener Werkstätte. I palazzi costruiti negli anni successivi presenteranno invece una facciata di semplice intonaco pressoché spoglia. Queste grandi costruzioni di Gessner, con la loro disposizione dai cortili assiali e dagli effetti monumentali, definite spesso palazzi popolari, furono influenzate dall'insegnamento di Wagner e da quelle forze che già prima del 1914 si erano battute per una riforma edilizia basata sul risanamento delle case d'affitto della grande città.

Salvo alcuni articoli di giornale apparsi nel gennaio 1924, Gessner non è mai intervenuto, a difesa delle sue scelte, nell'acceso dibattito tra i fautori del grande caseggiato per abitazioni popolari e i sostenitori delle villette unifamiliari a schiera di modello anglosassone e della «città giardino», soluzione questa proposta da molti architetti socialdemocratici come Josef Frank, Franz Schuster, Max Ermers e Adolf Loos.

Oltre che alle abitazioni, lavorò sempre anche per l'industria, a Linz, Salisburgo e in Moravia, dove costruì panifici, a Graz e Linz costruì palazzi per uffici per la Camera di commercio, a Graz un grande albergo. Fino alla morte, avvenuta il 29 gennaio 1943, eseguì inoltre numerosi piccoli lavori, anche semplici ristrutturazioni.

Max Ermers espresse nel 1931 il seguente giudizio su Hubert Gessner: «Un architetto del tutto particolare, non moderno, non antimoderno… Quasi tutto quello che Gessner ha creato è tecnicamente magistrale. Egli domina il materiale e la costruzione.»

Bibliografia: Hubert Gessner, *Zivilarchitekt — Bauten und Entwürfe*, Wien - Leipzig, 1932; Hans Hautmann - Rudolf Hautmann, *Die Gemeindebauten des roten Wien 1919-1934*, Wien, 1980; Wilfried Posch, *Die Wiener Gartenstadtbewegung — Reformversuch zwischen erster und zweiter Gründerzeit*, Wien, 1981.

W.P.

RUDOLF GEYER

Nato il 24.1.1884 a Vienna, morto il 3.6.1972

a Vienna.

Dal 1904 al 1909 frequenta la Kunstgewerbeschule di Vienna con Kolo Moser e Rudolf von Larisch. Nel 1906 pubblica degli scritti sulla «Beispiele Künstlerischer Schrift» di von Larisch, e sulla «Junge Wien». Nel 1908 partecipa alla Kunstschau. Dal 1909 al 1913 studia all'Accademia di Vienna con F. Rumpler. Assistente per un breve periodo alla Kunstgewerbeschule di Vienna, dal 1942 al 1945 è professore alla Graphischen Lehr und Versuchsanstalt di Vienna. Membro dell'Österreichischen Werkbund, esegue decorazioni e illustrazioni per le case editrici Rikola, Schroll, Reiser, Wila, Kienreich, Bischoff ecc. e per la Wiener Werkstätte, nonché lavori tipografici per la ditta Berthold.

E.B.T.

REMIGIUS GEYLING

Nato il 28.6.1878, figlio del fabbricante di vetrate Rudolf Geyling, imparò la pittura su vetro nell'azienda paterna. Dopo aver studiato alla Kunstgewerbeschule di Vienna fino al 1898 e in quella di Monaco (con Stuck e Thöny) fino al 1904, Geyling fondò un laboratorio di arredamento e decorazione insieme a Otto Prutscher. Dal 1905 collaborò assiduamente all'allestimento in stile storico del Kaiser-Jubiläums-Stadttheater (oggi Volksoper) di Vienna. Nel 1908 venne chiamato alla direzione dell'atelier di scenografia e costumi del teatro Literarische Kammerspiele. In questi anni Geyling, che fu uno dei fondatori del settimanale umoristico «Die Muskete», ideò delle cartoline postali per la Wiener Werkstätte. Disegnò poi costumi e decorazioni per oltre 600 figure della parata per il giubileo dell'imperatore del 1908. Dal 1909 al 1911 e poi dal 1922 al 1946 Geyling fu responsabile degli apparati scenici del Burgtheater di Vienna. Conscio dell'importanza crescente del cinema, collaborò come scenografo alla produzione della cinematografia muta austriaca degli anni '20 (per la Sascha Film), lavorando in quasi tutti i grandi film come *La regina delle schiave* o *Sodoma e Gomorra*. Lo stile di Geyling oscilla, a seconda dei lavori, dal realismo umoristico e dalla caricatura all'art déco, geometrico e cristallino, e all'espressionismo, filtrato dal gusto ornamentale dei manifesti Jugendstil.

Oltre che al lavoro per il teatro e il cinema Geyling rimase sempre legato al design: continuò a produrre lavori grafici, vetrate, rilegature, pubblicità, senza interruzione, fino alla sua morte, nel 1974.

Bibliografia: Christian Nebehay, *Remigius Geyling*, Wien , 1974; Josef Mayerhofer, *Remigius Geyling*, Wien, 1971; G. Szyskowitz, *Remigius Geyling als Bühnenbilder aus der Stilwende der Secession*, Wien, tesi di laurea, 1960.

J.W.

HEINRICH GOLDEMUND

Nato il 13.8.1863 a Kojetin (Moravia), morto il 2.3.1947 a Salisburgo. Laureatosi in ingegneria edile al Politecnico di Vienna nel 1890 entrò nell'Ufficio per l'edilizia urbana di Vienna, collaborando all'elaborazione del piano regolatore della città. In questa veste nel 1900 si recò a Parigi per visitare l'Esposizione universale e per studiare contemporaneamente il piano regolatore della città. Nel 1902 divenne direttore dell'Ufficio cittadino per la regolamentazione dei giardini, nel 1913 fu nominato direttore dell'Edilizia urbana.

Nei primi due decenni del '900 Goldemund ebbe un ruolo decisivo nella determinazione dell'assetto urbano di Vienna come responsabile di parchi e giardini, del regolamento edilizio, delle abitazioni, del traffico e infine della regolazione del Danubio. Si occupò in particolare della manutenzione e dell'ampliamento delle zone verdi della città. Elaborò il progetto per la cintura di boschi e prati e il piano per la costruzione della Wiener Höhenstrasse. Si deve a lui l'ampliamento del parco Türkenschantz, in stile inglese, il più grande e il più bello dei parchi di Vienna, e la creazione di molti altri piccoli parchi. Oltre a ciò, ebbe a cuore la conservazione del volto storico della città. Appoggiò anche il riscatto dei terreni Spitzacher sui quali poi fu costruito il Museo della tecnica. Nel 1920 andò in pensione ma continuò ancora il suo lavoro di ingegnere civile. Si interessò di problemi urbanistici anche da un punto di vista teorico, scrivendo numerosi saggi e interventi.

Bibliografia: *Personenarchiv des Forschungsinstitzutes für Technikgeschichte am Technischen Museum Wien; Österreichisches Biographisches Lexikon 1815-1950,* a cura dell'Österreichische Akademie der Wissenschaften (Leo Santifaller), Graz-Köln, 1959.

U.P.S.

ALEXANDER DEMETRIUS GOLZ

Nato nel 1857, l'ungherese Golz cominciò i suoi studi a Monaco con Otto Seitz nel 1873, in seguito frequentò l'Accademia di arti figurative di Vienna, dove fu allievo di Anselm Feuerbach, dal cui stile venne influenzato ai suoi inizi. Dipinse quadri di soggetto storico e religioso e ritratti. Dopo un viaggio in Italia si stabilì tra l'84 e l'86 a Monaco, recandosi spesso nella vicina Dachau per dipingere dal vivo. Dopo un soggiorno a Parigi tornò a Vienna. Assecondando la propria passione per il teatro, tra il 1904 ed il 1907 ricoprì la carica di direttore della sezione di arredamento e decorazione del Burgtheater di Vienna. Lavorò anche per altri teatri. Tra le altre cose creò i sipari principali dello Stadttheater di Salisburgo, dell'Hoftheater di Wiesbaden, i soffitti del Nationaltheater di Agram e dello Stattheater di Jassy. In contrasto con lo stile realistico dei suoi quadri, le opere per i teatri hanno un carattere di barocca esuberanza.

Prese parte a numerose mostre in patria e all'estero. Dal 1900 al 1911 fu socio dell'Hagenbund e suo presidente nel 1906. Morì a Vienna nel 1944.

Bibliografia: Josef Soyka, *A.D. Golz, Aus seinem Leben und Schaffen,* Wien, 1926: *Wien um 1900,* cat. mostra, Wien, 1964; *Der Hagenbund,* cat. mostra, Historisches Museum der Stadt, Wien, 1975.

E.B.T.

HUGO GORGE

Nato a Botenwald il 30.1.1883, morto a Vienna il 25.12.1934.

Allievo di F. Ohmann all'Accademia di Vienna, Hugo Gorge soggiornò due anni a Roma grazie a una borsa di studio. Nel 1909 conobbe Oskar Strnad, di cui divenne assistente alla Kunstgewerbeschule due anni più tardi. La collaborazione con Strnad fu di importanza decisiva per il suo sviluppo artistico. Prima della guerra Gorge riuscì a portare a termine solo la costruzione di un palazzo d'abitazione nel IV Distretto di Vienna (in Laimgrubengasse 4). L'esecuzione del suo progetto di una sinagoga a Vienna Penzing dovette essere rinviata a tempi migliori a causa della guerra. Al termine del conflitto mondiale, cui Gorge aveva preso parte come ufficiale del genio in Russia, la grave crisi del paese impedì la realizzazione di molti suoi progetti: rimasero così sulla carta il progetto premiato per un bagno cittadino a Wiener Neustadt e quello per un magazzino a Troppau.

Nel dopoguerra Gorge costruì molto a Vienna: due case in Woinovichgasse 1-3, in Lorystrasse 40-42 e in Herderplatz 5 (insieme a F. Kaym e A. Hetmanek), in Breitenseerstrasse 108-112 (insieme a H. Mayer), e quella di Neustift am Walde 69-71, una sintesi particolarmente riuscita tra un grande palazzo residenziale e il paesaggio. Nei primi anni '30 Gorge costruì la propria abitazione in Fleschgasse 8.

Si occupò ripetutamente di architettura di interni, disegnando ad esempio l'arredamento dell'abitazione Czuczka (all'inizio degli anni '20). Fu anche direttore artistico della Fondazione Rudolf Lorenz. Inoltre progettò lampadari di metallo per l'industria Melzer & Neuhart, guarnizioni di mobili per la Wiener Werkstätte e oggetti di ceramica per l'industria Wienerberger.

Un'alta concezione etica del suo lavoro, per quanto modesto potesse essere, una grande sensibilità per i materiali utilizzati, e infine ampie conoscenze tecniche caratterizzarono l'attività di Hugo Gorge. Nel suo lavoro di architetto d'interni utilizzava in modo particolare tessuti pregiati e artistici.

Prese parte negli anni '20 a numerose esposizioni; fu socio del Werkbund austriaco, dell'Associazione degli architetti austriaci e della Künstlerhaus.

Bibliografia: A.J., *Hugo Gorge,* in «Profil», III, n. 10, Wien, 1935; Werner J. Schweiger, *Wiener Werkstätte,* Wien, 1982.

E.B.T.

LUDWIG FERDINAND GRAF

Nato il 29.12.1868 a Vienna, morto il 17.11.1932 a Vienna.

Figlio del pittore Ludwig Graf, studia all'Accademia di Vienna con August Eisenmenger, Christian Griepenkerl e Leopold Karl Müller; in seguito passa all'Accademia Julian di Parigi con J. Lefebvre e T. Robert Fleury. Compie numerosi viaggi in Bretagna, Inghilterra, Belgio, Olanda, Germania e Italia. Dal 1902 fa parte dell'Hagenbund, di cui sarà presidente nel 1909 e membro onorario nel 1930, parteci-

pando a tutte le mostre. Dopo un inizio influenzato dall'impressionismo, i suoi lavori acquistano una connotazione sempre più espressionista, per poi placarsi in uno stile naturalistico.

E.B.T.

GUSTAV GURSCHNER

Nato a Mühldorf (Baviera) il 28.9.1873, morto a Vienna il 2.8.1970.

A Bolzano, dove viveva la famiglia, Gurschner frequentò tra il 1885 e il 1888 l'Istituto tecnico per l'industria del legno. Su consiglio del suo insegnante si trasferì alla scuola d'arte applicata di Monaco, dove rimase fino al 1894 seguendo i corsi di August Kühne e Otto König. Nel 1897 si trasferì a Parigi. Qui entrò in contatto con un gruppo di artisti che, provenendo dalla scultura, erano impegnati nella ricerca di nuove espressioni artistiche nel settore del design. Influenzato dall'art nouveau francese, si dedicò soprattutto alla creazione di lampade a forma di donna. Dopo una mostra al Salon du Champ de Mars, il Museo Galliera di Parigi acquistò alcuni dei suoi lavori. In seguito Gurschner ricevette incarichi da parte di negozi specializzati come la Maison moderne. Nel 1898 fu invitato alla mostra inaugurale della Secessione viennese da Josef Engelhart e Eugène Jettel, che in occasione di un viaggio a Parigi avevano visto i suoi lavori. L'artista prese parte anche alla II e all'VIII Esposizione della Secessione. Si rese presto conto che la sua opera, vicina all'art nouveau parigina, non si accordava con l'indirizzo artistico della Secessione. Entrò allora nell'Hagenbund, di cui fu socio negli anni 1904-08. Alla mostra inaugurale dell'Hagenbund espose alcune sculture, e in seguito, oggetti di arte applicata. Gurschner ebbe incarichi in tutto il mondo (anche per ritratti, monumenti funerari, medaglie e targhe, che eseguiva in uno stile neutro). Mostrò i suoi lavori in molte esposizioni e vinse numerosi premi.

Bibliografia: Franz Windisch-Graetz, *Leben und Werk des Bildhauers Gustav Gurschner,* in «Alte und Moderne Kunst», XI, n. 87, 1966, pp. 34-39; *Jugendstil - 20er Jahre,* cat. mostra, Wien, 1967; *Der Hagenbund,* cat. mostra, Historisches Museum der Stadt, Wien, 1975.

E.B.T.

ALBERT PARIS GÜTERSLOH

Nato il 5 febbraio 1887 a Vienna, morto a Baden, vicino a Vienna, il 16 maggio 1973. Il suo vero nome era Albert Conrad Kiehtreiber. Ebbe un'educazione umanistica, nella prospettiva di abbracciare il sacerdozio. Si risolse tuttavia per la carriera di attore, regista e scenografo. In questa veste, e con il nome di Albert Matthäus, fu attivo dal 1906 al 1913 a Vienna, Berlino e in altre città. Nel 1909 esordì come artista figurativo alla Kunstschau di Vienna con sei disegni; nel 1910 i suoi disegni a penna suscitarono l'attenzione nell'ambito della mostra del Neukunstgruppe; seguirono, nel 1911 e nel '12, altre esposizioni (Hagenbund, Secessione, Budapest ecc.). Il romanzo *Die tanzende Törin* (La danzatrice folle) e il saggio *Egon*

Schiele - Versuch einer Vorrede apparvero con lo pseudonimo di Paris Gütersloh. Solo più tardi, nel 1921, l'artista avrebbe ufficializzato il mutamento del suo nome.

Nel 1911-12 Gütersloh è corrispondente della «Presse» di Budapest da Parigi, dove diventa allievo di Maurice Denis. Nel 1915 si arruola volontario; risale a questi anni di guerra la conoscenza con Robert Musil. Nel 1919-20 lavora come regista alla Schauspielhaus di Monaco; nel 1924 esce *Kain und Abel*, una «leggenda» illustrata con litografie di sua mano. Nel 1923 soggiorna a Roma e a Frascati; dal '25 al '29 vive a Cagnes-sur-Mer. È insignito nel 1926 e nel 1936 del premio dello stato austriaco per la pittura. Nel 1930 è nominato professore (arte dell'arazzo e pittura a fresco) alla Kunstgewerbeschule di Vienna. Nel 1938, dopo l'Anschluss, è licenziato e gli è impedito di esercitare la professione. Nel 1945 ottiene una cattedra alla Wiener Akademie der bildenden Künste; nel '46 diviene presidente dell'Art Club. Nel 1952 è insignito del Grösser Österreichischer Staatspreis für bildende Kunst, nel 1962 dell'analogo premio per la letteratura. Del 1953 è una prima mostra personale, alla galleria dell'Art Club, cui ne seguono altre in patria e all'estero (Accademia delle arti figurative, 1967; Gabinetto delle stampe dell'Albertina, 1970; Museo del XX secolo, 1975; Galleria Ariadne, 1978 e 1979). Nel 1953-54 Gütersloh era stato rettore dell'Accademia.

Questo artista ebbe autentiche doti in due diversi campi, anche se l'accento cadde più fortemente sull'attività letteraria. Come pittore fu un autodidatta. La conoscenza con i pittori del gruppo di Klimt e inoltre con Kokoschka e Schiele lo orientò dapprima verso la pittura. Durante il soggiorno parigino si ispirò a Cézanne e ai cubisti: lo rivelano i primi ritratti e nature morte, mentre i lavori più tardi colpiscono per la dovizia dei particolari e la dura precisione. Gli acquerelli e i guazzi di piccolo formato raffiguranti scene patetiche o ironico-sentimentali divennero sempre più una specialità del pittore Gütersloh, e tuttavia non costituiscono affatto la negazione del letterato Gütersloh. Vi si palesano tendenze della nuova oggettività così come la dimensione idillica Biedermeier.

Come docente all'Accademia Gütersloh ebbe una schiera di allievi, che negli ultimi cinquant'anni rappresentarono uno specifico indirizzo pittorico, noto come «scuola viennese del realismo fantastico».

Bibliografia: H. Hutter, *Albert Paris Gütersloh*, Wien, 1977.

M.F.

JOSEF HACKHOFER

Nato nel 1863, dopo aver frequentato la Technische Hochschule di Vienna, allievo di Lanz e König, lavorò in molti studi. Figura come uno degli architetti meno noti del periodo, nonostante che alcune sue creazioni occupino una posizione di primo piano nella definizione dell'immagine urbanistica di Vienna. Una spiegazione consiste forse nel fatto che la maggior parte delle sue opere principali nacquero in collaborazione con altri architetti. In parti-

colare con Friedrich Ohman. Il gruppo Ohman-Hackhofer lavorò nel 1901-02 alla Villa Schopp a Hietzing, nel 1902-03 allo sbarramento del fiume Wiental tra Stadtpark e Hietzing: l'attuale sistemazione non ci permette però di distinguere nettamente l'apporto personale di Hackhofer da quelli dei suoi colleghi. Questa stessa considerazione vale tanto per la collaborazione con Ohman quanto per i progetti elaborati in comune con H. Müller (Villa Scheid a Währing, 1904-05), con F. Rumpelmeyer (Villa Marbach a Dornbach, 1905). Solamente nell'apparato decorativo la maniera di Hackhofer diventa evidente, come appare dal confronto tra le ville Schopp e Marbach.

Che Hackhofer, anche negli impegni portati avanti da solo, fosse un architetto di grande forza creativa e originalità, lo prova la sua opera principale, l'Hohe Brücke in Wipplingerstrasse del 1903, l'unico ponte di Vienna su cui passa una strada. Il ponte, dalla linea elegante, ha una larghezza di 15 metri e la struttura portante consta di sette pilastri di ferro con basamento arcuato. Le superfici degli intradossi sono rivestite di lamiera ondulata, le fronti di marmo. Su queste lastre marmoree è incisa la storia dei ponti precedenti sorti in quel luogo dal tardo medioevo in poi. Dorature sottolineano i singoli elementi costruttivi, mentre inferriate filigranate fungono da candelabri e parapetti. La combinazione di materiali di uso strettamente tecnico, come la lamiera ondulata e il ferro, con materiali preziosi, come il marmo bianco e l'oro, richiama la stazione della metropolitana a Karlsplatz, come pure la concisa e leggera struttura architettonica, mai dominata ma solo accompagnata dall'ornamentazione in filigrana. L'impianto costruttivo racchiude in sé la propria dimensione estetica, i solchi della lamiera e i chiodi acquistano così una funzione decorativa e le linee portanti diventano evento formale. Marmo e dorature, al contrario, sono qui impiegati in modo sobrio e pacato, quasi sotto tono; il loro compito è di dare volume alla costruzione, sia nel senso letterale di volume architettonico, sia in quello simbolico, nell'accennare al significato del ponte nella sua dimensione storica e urbanistica.

Morì nel 1917.

Bibliografia: *Österreichisches Biographisches Lexikon, 1815-1950*, Österreichischen Akademie der Wissenschaften (Leo Santifaller), Köln, 1959; *Wien am Anfang des XX Jahrhunderts*, Österreichischen Ingen.- und Architektenver., Wien, 1906, pp. 23, 346, 430, 433, 440.

U.P.S.

CARL HAGENAUER

Nato il 30.7.1871, lavora prima come orafo nella ditta viennese Würbel & Czokally e si trasferisce quindi all'oreficeria Bernauer Samu di Pressburg. Nel 1898 fonda a Vienna la «Werkstätte Hagenauer», tuttora esistente, per la produzione di oggetti di bronzo: lampade, candelabri, chiavistelli, attrezzi per caminetti, portacenere ecc. su progetti suoi e di altri artisti. Esegue inoltre copie di piccole sculture antiche. Dopo questi esordi classici entra

a far parte dell'avanguardia viennese e si mette a produrre oggetti in metallo dalle forme curve e con motivi floreali. Dal 1910 è sempre più avvertibile l'influenza di Josef Hoffmann e in effetti produrrà molti progetti di Hoffmann e dei suoi allievi.

Partecipa a numerose mostre: 1902, Exhibition of Austrian Fine Arts and Decorative Furnishing di Londra; 1902-03 e 1903-04, mostre invernali del Museo austriaco di arte applicata a Vienna e a diverse altre mostre a Parigi e a Berlino, in cui molti suoi lavori vengono premiati.

Muore nel 1928.

Bibliografia: *Werkstätten Hagenauer*, cat. mostra, Museum für Angewandte Kunst, Wien, 1971.

G.K.

HAGENBUND

Lo Hagenbund, un circolo di persone che frequentavano il caffè-ristorante Hagen, da cui derivò il nome, fu fondato nel 1900 e costituì la terza organizzazione di artisti viennesi in ordine d'importanza dopo la Künstlerhaus e la Secessione. Appunto l'uscita dei «secessionisti» dalla Künstlerhaus fu l'esempio che diede spunto alla fondazione, in un primo tempo, del «Künstlerbund Hagen der Genossenschaft bildender Künstler» (Associazione artistica Hagen della corporazione degli artisti figurativi di Vienna), che ancora si considerava una sottoassociazione della Künstlerhaus. Tuttavia, già sul finire del 1900, sorsero dissensi che portarono all'uscita dello Hagenbund dall'associazione originaria.

Come sede per le loro esposizioni gli associati scelsero un settore del mercato coperto nella Zedlitzgasse, affidando i lavori di adattamento all'architetto J. Urban. Vi si articolò una sempre più ricca attività espositiva, che offriva al pubblico opere, oltre che dei soci, di artisti non appartenenti al Bund e anche stranieri.

Al suo sorgere lo Hagenbund ebbe una posizione intermedia tra il «progressismo» della Secessione e il «conservatorismo» della Künstlerhaus. Seguaci con riserve della nuova corrente artistica, i membri dello Hagenbund propugnarono uno Jugendstil floreale. Ma proprio questa linea inizialmente moderata e più accetta al pubblico — tra i cui alfieri sono da annoverare lo scultore Franz Barwig, il pittore e grafico Oskar Laske e il ceramista Michael Powolny — indusse lo Hagenbund a staccarsi dopo la prima guerra mondiale dallo Jugendstil e a mettersi alla testa del movimento dell'art déco e dell'espressionismo. Artisti come Carry Hauser, Georg Ehrlich, Georg Merkel e Otto Rudolf Schatz furono gli esponenti principali degli eventi artistici in Austria nel periodo fra le due guerre. Con l'occupazione dell'Austria, lo Hagenbund nel 1938 fu sciolto con la forza dalla Gestapo.

Bibliografia: *Der Hagenbund*, cat. mostra, Wien, 1975.

J.W.

HAGENGESELLSCHAFT

La Hagengesellschaft era un circolo informale di giovani artisti che dal 1876 s'incontravano di regola al sabato sera per discutere di problemi di attualità artistica al di fuori dell'Accademia o della Künstlerhaus. In un primo momento il loro luogo d'incontro fu il Restaurant Ganse, poi l'Hotel Zillinger auf der Wieden, e infine l'albergo «Zum Blaue Freihaus» in Gumpendorfstrasse, il cui proprietario Josef Hagen trovò il nome per il gruppo. Nelle ore più avanzate della notte si trasferivano volentieri nel vicino Café Sperl, gestito da Adolf Kratochwila, che era un amante dell'arte. Tra le altre cose mise a disposizione una cartella di cuoio, dove potevano essere riposti i disegni eseguiti nel locale. Nel 1905 una scelta di questi lavori venne esposta all'Albertina di Vienna.

All'Hagengesellschaft appartennero tra gli altri i pittori Rudolf Bacher, Adolf Böhm, Ludwig Dürnhauer, Josef Engelhart, Janos Fadrusz, Karl Fahringer, Alois Hänisch, Sigmund Walter Hampel, Franz Hohenberger, Eduard Kasparides, Josef Edgard Kleinert, Friedrich König, Johann Victor Krämer, Rudolf Konopa, Maximilian Lenz, Maximilian Liebenwein, Carl Müller, Anton Novak, Ernst Payer, Karl Pippich, Alfred Roller, August Roth, Ferdinand Schirnböck, Eugen Schroth, Ludwig Sigmundt, Leopold Stolba, Ernst Stöhr, Josef Straka, Max Suppantschnitsch, Hans Tichy e Heirich Tomec, gli scultori Wilhelm Hejda, Othmar Schimkowitz e Josef Tautenhayn, gli architetti Josef Beyer, Robert Oerly e Schmidt, come pure il musicista Josef Reiter e l'esploratore Oskar Baumann. Molti artisti di questo circolo divennero poi aderenti alla Secessione. Altri, non aderenti alla Secessione, ma ugualmente impegnati nello stesso versante stilistico, fondarono nel 1900 una propria associazione, lo Hagenbund, che ai suoi inizi restò all'interno della Künstlerhaus di Vienna, un'associazione nell'associazione, per così dire, poi ben presto ne uscì.

Bibliografia: Robert Waissenberger, *Hagenbund 1900-1938, Geschichte der Wiener Künstlervereinigung*, in «Mitteilungen der Österreichischen Galerie», XVI, n. 60, 1972, pp. 54-130; *Der Hagenbund*, cat. mostra, Historisches Museum der Stadt Wien, Wien, 1975; Peter Vergo, *Art in Vienna 1898-1918, Klimt, Kokoschka, Schiele and their Contemporaries*, London, 1975.

E.B.T.

SIGMUND WALTER HAMPEL

Nato nel 1867, suo padre, Wilhelm Hampel, era pittore su vetro, doratore, restauratore e inventore della vetrofania. Walter frequentò per un anno la Kunstgewerbeschule, poi dal 1885 al 1888 l'Accademia, allievo di Heinrich von Angeli, Sigmund L'Allemand e August Eisenmenger. Il suo primo successo gli arrise con il quadro *Magia di luce* già nel 1885. Ma negli anni successivi si oppose così violentemente ai metodi d'insegnamento conservatori dell'Accademia che ne venne espulso. Hampel continuò poi la sua formazione da autodidatta, copiando miniature e dedicandosi a un intenso studio dal vero. L'amicizia con Alfred Roller e altri componenti dell'Hagengesellschaft, come Ernst Stöhr e Rudolf Bacher, esercitò un dura-

turo influsso sulla sua arte. Dal 1904 al 1911 Hampel fu socio dell'Hagenbund, mentre nel 1914 doveva entrare nella Künstlerhaus. Creò una sua speciale tecnica di acquarello e tempera con cui eseguiva ritratti e scene di genere, di piccolo formato, miniaturistici e preziosi, assai stimati in Austria e all'estero. Partecipò alle esposizioni di St. Louis (1904), di Rio de Janeiro (1908), alla VII Esposizione internazionale di Venezia e a quella di Roma del 1911. Una prima imponente mostra personale ebbe luogo nel 1919 alla Künstlerhaus di Vienna; una seconda, nel 1937, gli fruttò l'Österreichischen Staatspreis. Morì nel 1949.

Non è facile inquadrare lo stile pittorico di Hampel all'interno della Secessione viennese. I suoi acquarelli e le sue tempere erano dipinti con una tecnica pointilliste, ricca di preziosi contrasti nella resa dei dettagli (per i quali usava un pennello asciutto). Il pittore creò in questo modo quadri di soggetto fiabesco di esecuzione minuziosa e numerosi piccoli ritratti che trovarono sempre dei compratori. Ludwig Hevesi lo definì ironicamente come «il maestro di strambe acconciature e di piccanti atteggiamenti femminili», dagli effetti di facile presa. Non devono inoltre essere trascurati i suoi disegni dai delicati bagliori oro-bronzo.

M.F.

ANTON HANAK

Nato il 22.3.1875 a Brno (Cecoslovacchia), nel 1889 Hanak si trasferì a Vienna, compiendo gli studi, indirizzati verso la scultura in legno, presso Ludwig Sauer. Accanto ai numerosi impegni come intagliatore di mobili a Brno e ad altre attività in tutta la Germania meridionale e in Cecoslovacchia, frequentò una scuola di specializzazione, prima di iniziare nell'autunno del 1898 il corso di scultura e intaglio del legno del professor Edmund Hellmer all'Accademia delle arti figurative di Vienna. Alla fine degli studi Hanak trascorse gli anni 1904-05 a Roma con una borsa di studio.

La vicinanza delle rispettive abitazioni a Langenzersdorf presso Vienna favorì l'amichevole rapporto di Hanak con la famiglia Primavesi, fatto che determinò fino al 1926 gran parte del suo operato artistico. Assai presto nei lavori di Hanak si scorge la ricerca di accenti di monumentalità e corporeità allegoriche: sorgono così opere di grandi dimensioni che paiono esprimere la sicurezza di sé e della propria vittoria, come ad esempio le sculture per l'edificio della casa editrice socialista Vorwärts a Vienna (*Lavoratore* e *Lavoratrice*), oppure il monumento alla nazione turca ad Ankara (terminato dopo la morte di Hanak), che rappresenta simbolicamente l'antica e la nuova Turchia. Tuttavia la scultura di Hanak molto più frequentemente è rivolta verso l'espressione del dolore, dell'angoscia, della malattia, della morte, tutti temi con cui Anton Hanak, di temperamento molto sensibile e di salute cagionevole, si confrontava di persona quotidianamente. Si possono citare a questo riguardo *Ragazzo morente* (intitolato anche *L'ultimo uomo* o *Ecce Homo*) del 1916, *La grande pena* del 1917, *La madre del dolore* (monumento ai caduti nel cimitero maggiore di Vienna) del 1925 e infine,

ultimata sempre nel 1925, l'opera più espressiva di Hanak, *L'uomo che brucia*. Così ebbe a dire l'artista: «Io stesso sono carbonizzato e assomiglio all'albero, colpito dal fulmine, alza i suoi rami bruciati verso il cielo. Ed è in questo terribile stato d'animo che ho modellato il mio ultimo lavoro...»

L'amicizia con la famiglia Primavesi portò Hanak a contatto con Josef Hoffmann e Gustav Klimt (Hanak fu anche membro della Secessione dal 1906 al 1910). Gli artisti lavorarono in comune per le abitazioni dei Primavesi in Moravia e a Vienna, con sculture e altri lavori decorativi. Oltre alle mostre di gruppo a Roma (1911) e Dresda (1912), anche l'impegno di Hanak come insegnante alla Kunstgewerbeschule lo avvicinò dal 1913 ai più importanti artisti del tempo. Nonostante lunghe malattie che gli resero sempre più difficile il lavoro, Hanak eseguì più di una importante commissione, per esempio il monumento alla Repubblica, terminato nel 1928, opera cui collaborarono anche altri artisti.

All'apice della sua attività creativa Clemens Holzmeister assegnò ad Hanak la progettazione del monumento di Emnyet ad Ankara; nell'ottobre 1932 l'artista venne inoltre chiamato come professore all'Accademia di Vienna. Dopo un grave attacco cardiaco nel novembre del 1933, non più ristabilitosi, Hanak morì sessantenne il 9 gennaio 1934 a Vienna.

Bibliografia: Hedwig Steiner, *Anton Hanak*, München, 1969.

J.W.

FELIX ALBRECHT HARTA

Nato nel 1884, iniziò a studiare architettura presso il Politecnico di Vienna, ma dopo nove semestri decise di dedicarsi alla pittura. Nel 1906 prese a frequentare l'Accademia di Monaco nel corso di Hugo von Habermann e nel 1908 si trasferì a Parigi all'Accademia Vitty, allievo di H. Martin e Anglada. Al Louvre copiava Tiziano, Tintoretto e Ingres, al Luxembourg Manet. Compì anche un viaggio di studio in Inghilterra e sempre nel 1908 espose cinque paesaggi al Salon d'automne a Parigi; nell'inverno di quell'anno si occupò particolarmente degli impressionisti, di Cézanne e van Gogh. Nel 1909 si recò in Spagna per studiare Velázquez, El Greco e Goya, mentre nel 1910-11 andò in Belgio e nel '12 in Italia. Inviò propri lavori alle esposizioni della Secessione negli anni 1911, '12, '13 e '18. Tra il 1913 e il 1916 visse a Vienna e in seguito, dopo il servizio militare, nel 1918 si trasferì a Salisburgo. Nel 1919 fu tra i fondatori dell'associazione Der Wassermann, il cui fine era «creare una nuova Austria artistica da quanto restava» dopo la guerra. Nel '20, insieme ad Anton Faistauer, fondò a Salisburgo una accademia d'arte moderna e una Neue Galerie; l'anno successivo, con Faistauer, promosse la fondazione dell'attuale Residenz Galerie di Salisburgo. Sempre nel 1921 venne premiato con la Staatsmedaille all'Esposizione internazionale di Salisburgo di arte grafica. Altri premi li ricevette nel 1927 (Diploma d'onore dell'Esposizione internazionale di Bordeaux), nel 1929 (premio di stato austriaco) e nel 1934

(premio onorifico della città di Vienna). Nel 1938 molte sue opere vennero distrutte nell'incendio appiccato alla Neue Galerie di Salisburgo e questa fu una delle ragioni che lo convinsero a trasferirsi nel 1939 a Cambridge, dove tenne lezioni all'Università, dedicandosi nel frattempo in modo particolare ai ritratti. Nel 1950 tornò a Salisburgo. Morì nel 1967. Tutta la carriera di Harta è punteggiata dalla partecipazione a numerose esposizioni internazionali. Prima della grande guerra era entrato nella cerchia di Kokoschka, Schiele, Kolig, Faistauer e Gütersloh. La sua opera si orientò in un primo tempo verso l'espressionismo, successivamente prese accenti impressionistici e realistici.
Bibliografia: Robert Waissenberger, *Die Wiener Sezession*, Wien-München, 1971; *Felix Albrecht Harta*, cat. mostra, Salzburg, 1974; *Der Hagenbund*, cat. mostra, Historisches Museum der Stadt, Wien, 1975; *Die uns Verliessen*, cat. mostra, Österreichische Galerie, Wien, 1980.

E.B.T.

MAX HEGELE

Nato a Vienna il 21.5.1873, dopo il ginnasio inferiore frequentò dal 1889 al 1893 la Scuola professionale di stato a Vienna, dove era insegnante e direttore Camillo Sitte. Dal 1893 studiò alla Accademia delle arti figurative di Vienna, dapprima nel corso speciale per architettura di Freiherr von Hasenauer, e poi con Viktor Luntz. Nel 1895 ottenne il premio Friedrich von Schmidt, nel 1896 una borsa di studio statale. Dopo aver concluso gli studi lavorò nell'atelier dell'architetto Franz Ritter von Neumann, che lo prese come collaboratore nel concorso per la ristrutturazione di Karlsplatz nel 1899. Il loro progetto ottenne il secondo premio.
Nel 1900 Hegele ottenne il primo premio nel concorso per il rifacimento del cimitero centrale e fu incaricato di approntarne il progetto. Dopodiché iniziò a lavorare come architetto per proprio conto. Negli anni dal 1900 al 1910 vari suoi progetti furono realizzati: il portale, le arcate, i colombari e la grande chiesa nella cui cripta si trova la tomba di Karl Lueger si inseriscono perfettamente nella pianta generale del cimitero, costituendo un tipico esempio dello spirito del XIX secolo; le due palazzine amministrative, che erano state costruite nel 1874, ebbero da Hegele nuove facciate che le inglobavano nell'architettura del portale. Il progetto della grande chiesa funeraria seguì un'idea che Otto Wagner e la sua scuola avevano ripreso: una grande cupola che fa della chiesa un punto di riferimento visibile da lontano. Ma a differenza di Otto Wagner, che per la cupola della chiesa di Steinhof del 1906 aveva usato una leggera costruzione di acciaio rivestita, Hegele creò una pesante, massiccia costruzione, tecnicamente tradizionale. La parte inferiore e la cupola a essa legata mostrano elementi classici e altri tipici dello Jugendstil: Wagner l'avrebbe definito «falsa Secessione». In quegli anni in cui Ferdinand Fellner Ritter von Feldegg a Vienna aveva lanciato la «guerra tra scuola vecchia e scuola nuova» nell'archi-

tettura», Hegele partecipò con successo ad alcuni concorsi molto combattuti. Le giurie cercavano per lo più di «correggere le correnti del tempo», ossia di soffocare i progetti della nuova scuola. Mentre Hegele riuscì ad avere premi o incarichi per la costruzione del Museo cittadino dell'imperatore Franz Josef (1903), per il ministero della Guerra (1907-08) e per il Museo della tecnica e dell'industria (1909), sia Otto Wagner che Adolf Loos ne furono esclusi.
In questo periodo Hegele eresse la cappella funeraria di Maria Brunn e inoltre, insieme a A. Rehak, la chiesa parrocchiale di Pressbaum e la cappella di Marchfeld-Schutzdamm a Schlosshof, poi, insieme a H. Peschl, le scuole elementari e medie di Berndorf. Le varie aule delle scuole furono eseguite, su desiderio dell'industriale e mecenate Alfred Krupp, in vari stili storici per dare ai bambini un «esempio interessante».
Durante la prima guerra mondiale Hegele prestò servizio militare in parte al fronte e in parte nel genio. Dal 1908 al 1937 insegnò periodicamente alla Scuola professionale di stato di Vienna, quella che poi sarebbe diventata l'Istituto federale tecnico e industriale. Dopo il 1918 eseguì diversi lavori minori di vario tipo e nel 1931 costruì anche un complesso di case popolari per il comune di Vienna. Morì il 12.3.1945.

W.P.

HERMINE HELLER-OSTERSETZER

Nata il 2.7.1874 a Vienna, morta l'8.3.1909 a Grimmenstein, nella Bassa Austria.
Allieva prima della Lehrund Versuchsanstalt di Vienna, frequenta dal 1897 al 1901 la Kunstgewerbeschule con Leopold Krager e Felician von Myrbach, e in seguito con Leopold von Kalkreuth a Stoccarda. Le sue opere esprimono una forte critica e una profonda analisi sociale. I suoi quadri, che ritraggono prevalentemente scene con bambini, rappresentano con uno stile realistico le misere condizioni dei diseredati. La sua opera più importante è una serie di otto grafiche sul tema «La vita dei poveri» (1900).

E.B.T.

HERMANN HELLMER

Si veda FERDINAND FELLNER - HERMANN HELLMER.

ALFONS HETMANEK

Architetto della scuola di Wagner. Nato a Vienna il 7.8.1890, ivi morto l'1.5.1962.
Dopo il servizio militare Hetmanek si associò nel 1919 con Franz Kaym in un sodalizio che durò fino alla morte di Kaym, avvenuta nel 1949. Tra le opere principali: le cliniche mediche di Vienna, 1920; le stazioni ferroviarie di Linz e di Innsbruck, 1922 e 1924 rispettivamente, tutte in seguito a vittorie nei concorsi; lo stabilimento di Moosbrunner Glassfabrik e il relativo complesso di abitazioni per lavoratori; le principali Siedlungen viennesi; «Flötzersteig» (1921), «Elisabethallée» (1922), «Schlö-

gelgasse» (1925), «Spiegelgrund» (1931); Karl Höger-Hof (1925) e complessi per i comuni di Mannersdorf, Liesing, Atzgersdorf.

M.P.

ADOLF HIRSCHL-HIREMY

Nato a Temesvar nel 1860, morto a Roma nel 1933.
Cresciuto a Vienna, frequentò l'Accademia di arti figurative e finì gli studi come allievo di Leopold Karl Müller. Nel 1882 vinse un'importante borsa di studio con il quadro *Il sacco dei goti a Roma* e ampliò questo tema in un trittico sulla fine del paganesimo e sul propagarsi del cristianesimo a Roma, un'opera che gli valse nel 1891 il premio più ambito, il Kaiserpreis. Partecipò poi a varie esposizioni europee e nel 1898 creò la sua opera più impegnativa, *Le anime sulla riva dell'Acheronte* (Österreichische Galerie), con il quale, unico austriaco, vinse una medaglia d'oro alla mostra del giubileo imperiale di quell'anno.
Ragioni personali — lo scandalo per il suo matrimonio con Isa Ruston (divorziata Schön), e forse anche altri motivi più profondi (un certo languire della sua ispirazione, i primi insuccessi e allo stesso tempo il prorompere del nuovo stile di Klimt, la fondazione della Secessione) — provocarono una rottura nel 1898: Hirschl lasciò definitivamente Vienna e si trasferì a Roma dove modificò il proprio nome in Hiremy.
Nella seconda parte della sua vita l'artista, che fino ad allora aveva condotto una vita di successo in società, fece rare apparizioni in pubblico, pur intrattenendo rapporti di amicizia con altri artisti e con persone che condividevano le sue teorie artistiche.
Il periodo più significativo di questo artista, coetaneo di Sartorio, Klinger e Klimt, fu tuttavia quello passato a Vienna, dove era stato un brillante rappresentante dei salotti internazionali nel periodo di transizione verso il simbolismo, con una personale nota neoromantica e alcuni collegamenti con lo Jugendstil. La sua posizione stilistica rimase tuttavia incerta, vacillante e si precisò infine a Roma dopo il 1898 nelle sue componenti: l'arte del pensiero di Böcklin, la curvilineità decorativa dello Jugendstil e un intenso interesse alla natura.
Hirschl-Hiremy fu soprattutto un disegnatore dai contorni precisi ed eleganti e dalle forme raffinate, in bianco e nero, più tardi in gessi colorati su carta colorata, fino ad arrivare a effetti di una certa forza. Come pittore abbandonò ben presto i colori legati all'argilla del suo maestro Müller e giunse a composizioni di colori più artificiali, «trascendentali» (lilla, verde pallido, giallo violento, asfalto e veli bianchi) che provocarono anche critiche accese.
Un campo importante in cui lavorò molto fu la decorazione di libri con cornici per le poesie, i proverbi ecc.; eseguì anche disegni per poemi e rappresentazioni del mondo antico per uso didattico.
La morte, lo sfacelo, la fine improntano il suo personale stato d'animo: si aggiunga poi il mondo di Böcklin abitato da creature marine e divinità. È altrettanto spontaneo il legame con

l'elemento freddo: la neve e piú tardi l'acqua. Le sue stilizzazioni lo avvicinano a Segantini, Toorop, Klimt. Occasionalmente il suo stile penetra pienamente nello Jugendstil dopo il 1900, in modo incontrollato e sovreccitato nell'espressione; falliscono però i suoi tentativi di superare lo stile accademico. Solo le modeste rappresentazioni della natura portano una serena distensione.

Hirschl-Hiremy, con tutta la sua virtuosità di disegnatore, rimase comunque un esecutore vacillante e pesante; accumulava studi, elaborava oggetti fino all'esasperazione e infine scivolava spesso nel Kitsch.

J.G.

ANTON HOFER

Nato l'8.4.1888 a Bolzano, ivi morto nel 1979.

L'altoatesino Anton Hofer frequentò dapprima la Scuola d'arte applicata della sua città natale, poi si recò a Innsbruck e infine a Vienna dove studiò tra il 1908 e il 1922 come allievo di Kolo Moser. Ancora durante gli studi vince il concorso indetto dal Convento di Sant'Agostino di Klosterneuburg (1911) per un paramento pontificale: insieme a Kolo Moser sovrintese all'esecuzione di questo lavoro secondo i metodi della Wiener Werkstätte, cioè in collaborazione con diversi artisti e artigiani: le stoffe in seta provenivano dalla ditta viennese Flemmich, i fili del ricamo furono tinti appositamente, i lavori di cucito furono eseguiti nell'atelier di Rosalie Rothansel, una collaboratrice della Wiener Werkstätte. Questo paramento pontificale è una delle opere più interessanti dell'arte sacra tessile e Hofer viene considerato il più importante rappresentante del moderno artigianato artistico viennese di stile geometrico.

Hofer fu membro della Wiener Werkstätte e per un certo periodo insegnò nella scuola del professor Cizek. Nel 1910 entrò a far parte del Deutsche Werkbund e nel 1921 di quello austriaco, dimostrando così il suo impegno a favore dei movimenti rinnovatori nel campo dell'artigianato artistico. Nel 1921 ritornò in Alto Adige dove rimase fino alla morte.

Sebbene il suo principale campo di creazione fosse quello dell'arte applicata ai tessuti, Hofer dedicò anche molto del suo lavoro ad altri temi. Disegnò mobili e tappezzerie, piastrelle per stufe, francobolli e si occupò anche di creare caratteri di stampa.

Il suo ultimo lavoro importante fu il disegno dei tendaggi per la Casa della cultura a Bolzano nel 1967.

E.B.T.

JOSEF HOFFMANN

Hoffmann nasce il 15.12.1870 a Pirnitz (Brtnice), una piccola cittadina della Moravia nell'isola linguistica tedesca. È figlio di agiati borghesi, proprietari terrieri e comproprietari della locale industria tessile. Nel 1879, dopo

una serena infanzia atta a stimolarne la fantasia, viene mandato al ginnasio di Iglau ora Jihalava (i suoi si auspicano che diventi avvocato), ma con scarsi risultati. Ottiene così il permesso di passare all'istituto tecnico di Brno ove termina gli studi con il massimo dei voti. Nel 1892 si trasferisce a Vienna per frequentare l'Accademia di belle arti, in un primo tempo sotto la guida di Karl Hasenauer, uno degli artefici della Ringstrasse, poi l'ultimo anno sotto quella di Otto Wagner. Verso la fine degli studi entra a far parte del Siebnerklub. Il progetto per il suo diploma, intitolato *Forum orbis insula pacis*, gli vale l'ambito premio Roma e così passa il 1895 girando l'Italia. Si appassiona soprattutto all'architettura vernacolare di Capri e del Meridione, seguendo, per così dire, le orme dell'amico Olbrich. Dopo il ritorno a Vienna entra a far parte dello studio di Otto Wagner, ove accanto a Olbrich è impegnato nella progettazione della Stadtbahn.

Il 3 aprile 1897 viene fondata l'Unione degli artisti figurativi austriaci (Vereinigung der bildenden Künstler Österreichs) dapprima nell'ambito dell'associazione degli artisti Künstlerhaus per trasformarsi successivamente (il 25 maggio) di nome e di fatto in Secessione. Hoffmann ne diviene membro nel giugno dello stesso anno, che segna un altro avvenimento importante per la sua carriera. Arthur von Scala diviene direttore dello Österreichisches Museum für Kunst und Industrie e due anni dopo chiamerà Hoffmann e altri artisti della Secessione a insegnare nella scuola annessa (Hoffmann vi insegnerà fino al 1937). Sin dal principio sia le mostre, e con loro anche i loro allestimenti, sia la rivista «Ver Sacrum» costituiscono un prezioso campo di sperimentazione. Le opere di Hoffmann appartenenti al brevissimo periodo anteriore al 1900 mostrano, anche se meno di quelle di Olbrich, elementi decorativi che ricordano le tendenze floreali diffuse nel resto dell'Europa, ma già allora si può notare una particolare propensione ad accentuare l'aspetto tettonico degli elementi, come anche a ricondurre il lessico formale a geometrizzazione estrema.

Nel 1900 la Secessione organizza una mostra di arte applicata europea con opere della Maison Moderne di Parigi, di van de Velde, di Ashbee e della coppia Mackintosh-Macdonald. Proprio per le affinità di tendenze nascono contatti amichevoli tra Hoffmann, Moser, Mackintosh e Ashbee. Nel 1902, in occasione di un viaggio di Hoffmann in Inghilterra e in Scozia, questi contatti vengono ulteriormente approfonditi. L'influenza che ne deriva risulta però reciproca.

La fondazione della Wiener Werkstätte Produktiv-Gemeinschaft von Kunsthandwerkern in Wien, ma anche una geometrizzazione ancora maggiore del lessico formale di Hoffmann possono essere considerate tra i frutti maggiori di questa esperienza. Fino all'abbandono della Wiener Werkstätte da parte di Kolo Moser nel 1906 la collaborazione tra questi artisti è tanto stretta che è difficile talvolta distinguerne le opere. Infatti Hoffmann estende la sua attività a tutti i rami dell'artigianato artistico, anche se è proprio nel campo dell'architettura e dell'arredamento che i primi anni

della Wiener Werkstätte risultano particolarmente fertili, tanto che gli permettono di realizzare numerose «ville urbane» dalle forme geometricamente elementari e per niente affatto austere. Qui può mettere in opera quanto teorizzato dopo il viaggio in Italia: creare cioè case intime e accoglienti derivate dallo spirito ma non dalla forma di quelle vernacolari e dal pensiero di Ruskin e Morris (vedi le ville sulla Hohe Warte). Assieme ad altri artisti e artigiani della Wiener Werkstätte può realizzare anche il Palazzo Stoclet, l'opera che evidenzia maggiormente il suo talento.

Nel giugno del 1905 Hoffmann, insieme a un gruppo di artisti vicini a Klimt, lascia la Secessione. Nel 1907 partecipa alla fondazione del Deutsche Werkbund su iniziativa di Muthesius (nel 1912 sarà il fondatore e direttore di quello austriaco).

Un avvenimento importante, tanto per l'attività artistica di Hoffmann quanto per la vita artistica viennese, è costituito dalla Kunstschau del 1908. La maggior parte del complesso di padiglioni e giardini sorto per ospitare due mostre nasce dalla fantasia di Hoffmann. Al periodo immediatamente successivo risalgono opere come la Villa Ast, il padiglione di Roma del 1911, la Villa Skywa e il padiglione di Colonia, caratterizzate da una reinterpretazione degli stilemi classici, ma anche alcune case di campagna nelle quali, forse rispecchiando lo spirito dell'epoca (basta ricordare i moti nazionalistici), si nota una sempre maggiore introduzione di elementi propri dell'arte popolare. Dopo il 1914 troviamo un uso più libero e spregiudicato di elementi decorativi gioiosi, particolarmente evidente nell'artigianato artistico, ma anche nella Villa Berl e nel padiglione di Parigi del 1925.

Al primo dopoguerra però risalgono anche opere dalle stereometrie e dalle decorazioni più semplici. Infatti contemporaneamente cambia anche la committenza: troviamo le prime case popolari realizzate da Hoffmann. Una delle realizzazioni più significative di questa fase creativa è senza dubbio il padiglione di Venezia del 1934. Al '32 risale un avvenimento certamente doloroso per Hoffmann: la forzata liquidazione della Wiener Werkstätte, determinata dalla crisi economica e dalla mancanza di una clientela in grado di poterne acquistare i prodotti.

Con il progressivo sorgere e diffondersi dell'international style tramonta la stella di Hoffmann, anche se la sua fantasia continua a rimanere fertile, come dimostrano i disegni dell'anziano maestro che muore nella sua casa a Vienna il 7.5.1956.

M.M.

ROBERT HOLUBETZ

Nato il 29.10.1890 a Gablonz (Boemia) frequenta prima la Hochschule della sua città e dopo un anno e mezzo di praticantato si iscrive alla Kunstgewerbeschule di Vienna con Friedrich Linke e Kolo Moser. Holubetz fu uno di quegli allievi di Kolo Moser che disegnarono oggetti di vetro per Bakalowitz, che li faceva poi eseguire da diverse vetrerie, principalmente da Loetz'Witwe.

E.B.T.

ADOLF HÖLZEL

Nato il 13.5.1853 a Olmütz (Moravia), figlio di un libraio, dal 1868 impara il mestiere di compositore tipografico a Gotha e prende anche lezioni di pittura e di violino. Nel 1871 si trasferisce a Vienna, dove il padre rileva uno stabilimento litografico. Dal 1872 al 1875 frequenta i corsi dell'Accademia di Vienna con Griepenkerl, Wurzinger e Eisenmenger. Nel 1876 si iscrive all'Accademia di Monaco di Baviera e segue i corsi di Barth e Diez. Nascono quadri nello stile della scuola di Diez, con il suo realismo ricco di dettagli. Un viaggio a Parigi nel 1887 lo mette a vivo contatto con l'impressionismo, al quale si aggiunge più tardi l'influsso dell'impressionismo tedesco. La conversione alle nuove tendenze artistiche avviene lentamente, anche in seguito a considerazioni teoriche.
Nel 1891 Hölzel fonda a Dachau la scuola di pittura «Neu-Dachau». Tra i primi allievi ci sono prima Theodor von Hörmann e più tardi Emil Nolde. Ludwig Dill e Arthur Langhammer affiancano Hölzel nell'insegnamento. I loro intenti comuni — come li formulò Hölzel — consistevano in una visione della natura dai colori armonici, con forme semplificate e contrasti simultanei di colore.
Nel 1901 Hölzel pubblica sulla rivista «Ver Sacrum», l'organo della Secessione viennese, un suo primo articolo su «forme e distribuzione delle masse nel quadro». Prendendo spunto dal paesaggio muschioso di Dachau, che egli tratta da impressionista, elabora pitture di piatta astrazione e allo stesso tempo si dedica a studi calligrafici.
Nel 1905 viene chiamato all'Accademia di Stoccarda come direttore di una scuola di composizione. La sua forte personalità didattica influisce successivamente, tra gli altri, su Otto Meyer-Amden, Willi Baumeister, Oskar Schlemmer e Johannes Itten, che a modo loro sviluppano i suoi insegnamenti. Esegue quadri figurativi, grandi composizioni di tema religioso, incarichi per lavori pubblici, collabora a esposizioni e pubblicazioni. Molti dei suoi lavori sono condizionati da un forte impulso ritmico. Quando si appella alla vita interiore Hölzel si avvicina all'espressionismo, dando però la precedenza agli aspetti formali anziché al contenuto.
Nel 1916 ha luogo la mostra «Hölzel e la sua cerchia» presso l'Associazione artistica di Freiburg im Brisgau. Nel 1917 gli vengono commissionate le vetrate per la fabbrica di Bahlsen ad Hannover. Realizza quadri sperimentali di piccolo formato. Dal 1916 al 1918 è direttore dell'Accademia di Stoccarda. Nel 1918 tiene una retrospettiva alla Kestner di Hannover. Nel 1919 va in pensione e nell'ultimo decennio della sua vita esegue soprattutto lavori a pastello dai forti toni di luce e progetti di vetrate. Muore a Stoccarda il 17.10.1934.

P.W.

EMIL HOPPE

Nato il 2.4.1876 a Vienna, morto il 14.8.1957 a Vienna.
Studiò alla Scuola professionale statale di Vienna e fu poi allievo di Otto Wagner dal 1898 al 1901: il periodo trascorso come «apostolo di Wagner» fu determinante per la sua carriera, non solo per la sua formazione artistica e ideologica ma anche per la sua vita professionale. Infatti nella scuola di Wagner, Hoppe conobbe quei colleghi con i quali poi nel corso della vita avrebbe avuto stretti rapporti di lavoro. Tra essi Otto Schönthal, con il quale Hoppe lavorò dal 1902 al 1910 nello studio di Otto Wagner e che poi aprì uno studio con lui. Quasi tutti i lavori del dopoguerra sono firmati «Hoppe & Schönthal»: non è più possibile, oggi, distinguere le due personalità in base alle loro particolarità artistiche. Fino al 1915 un altro allievo di Wagner fece parte del gruppo: Marcel Kammerer; ad alcuni progetti collaborò inoltre il fratello di Emil Hoppe, Paul Hoppe (31.5.1869 - 26.3.1933): per esempio al progetto Sandleiten del 1924-27 (Vienna, Matteottiplatz), alla scuola dell'Associazione del lavoro femminile (Vienna, Wiednergürtel 68) nel 1909, al rifacimento della Kugelhaus, sempre a Vienna, nel 1934. Insieme a Kammerer costruì nel 1910 un'opera relativamente sconosciuta ma importante nel moderno stile viennese: la casa per abitazioni in Frankenberggasse 3. In effetti lo studio Hoppe & Schönthal lavorava soprattutto nel campo delle case popolari realizzando molti edifici della scuola di Wagner. Oltre al Matteotti-Hof sono da menzionare soprattutto lo Zürcher-Hof, lo Strindberg-Hof· e il Türkenritt-Hof.
Sulla personalità artistica di Hoppe parlano solo i suoi lavori giovanili, cioè quelli eseguiti nella scuola di Wagner. Si tratta di progetti caratterizzati da una comprensione molto plastica della costruzione e da una concezione «eroicizzante» nella disposizione. Da qui parte un certo influsso sull'architettura espressionista, uno stile che si può ritrovare in Antonio Sant'Elia e in Mendelsohn. Sono importanti i disegni e i progetti eseguiti da Hoppe dopo il suo viaggio in Italia: si distinguono per una tendenza all'esoterico, perfino al fantastico, qualità dovuta in gran parte all'atmosfera di élite della scuola di Wagner. Sono da menzionare qui i progetti per un monumento ai caduti nel Prater, per una sinagoga a Trieste, per un teatro, per ville ecc.
Hoppe era comunque, come dimostrano i successivi lavori, molto aperto alle esigenze sociali e alle necessità del mondo moderno; eseguì anche progetti per piccoli appartamenti composti da un solo locale. Tra i suoi lavori realizzati, oltre alle case popolari, nominiamo la tribuna dell'ippodromo per il trotto, stazioni ferroviarie nella Bassa Austria, la sede centrale della Cassa di risparmio tedesca, e alcuni palazzi commerciali a Vienna.

Bibliografia: H. Vollmer, Allgemeines Lexikon der bildenden Künstler des XX. Jahrhunderts; Emil Hoppe - Otto Schönthal, Projekte und ausgeführte Arbeiten, Wien, 1931.

U.P.S.

THEODOR VON HÖRMANN

Nato il 19.12.1840 a Imst (Tirolo), morto l'1.7.1895 a Graz.
Suo padre era direttore dell'Ufficio per la manutenzione stradale a Imst. Hörmann iniziò dapprima la carriera di ufficiale, e partecipò alle campagne d'Italia e di Prussia nel 1866. In seguito insegnò in varie scuole militari. I suoi primi tentativi nella pittura risalgono al 1869; ben presto i superiori di Hörmann se ne accorsero e gli permisero di frequentare l'Accademia d'arti figurative a Vienna. Negli anni 1873-75 i suoi maestri furono E. Peithner-Lichtenfels e A. Feuerbach. Nel 1874 partecipò per la prima volta a una mostra. Nel 1875 insegnò disegno libero e scherma nella scuola militare di St. Pölten. Nel tempo libero lavorava instancabilmente per la sua formazione pittorica. Cercò e trovò il contatto con E.J. Schindler, che nei mesi estivi abitava non lontano, a Plankenberg, ed ebbe da lui stimolo e consigli. Carl Moll, uno degli allievi di Schindler, fu colpito dalla sua «spontanea onestà», dalla «ferrea volontà» e dalla «fanatica serietà» di Hörmann. Nel 1884 lasciò la carriera militare e divenne subito membro della Künstlerhaus.
Tra il 1881 e il 1886 fece molti viaggi di studio in Ungheria, dal 1886 fino ai primi del 1890 visse a Parigi. Qui familiarizzò con le correnti della pittura paesaggistica francese contemporanea. Egli cercava i suoi temi non solo a Parigi, ma anche in Bretagna e sulle isole del Canale (Jersey). Dal 1890 al 1893 visse a Znaim (Znojmo, Cecoslovacchia), poi a Dachau (Baviera). Nel 1894 intraprese un viaggio in Italia insieme a J. Engelhart, che lo condusse fino in Sicilia.
Hörmann è stato tra i pittori austriaci del tardo secolo XIX quello che maggiormente si è avvicinato ai principi dell'impressionismo. Il suo scopo era quello di fissare l'attimo. In questo si avvicinava a Schindler, che ammirava molto, tuttavia era più realista e perciò meno sensibile agli stati d'animo. Già nel 1875 dipinse quadri che furono notati per il loro realismo. Dopo i contatti con i paesaggi ungheresi i colori dei suoi quadri divennero più chiari e i tratti pittorici più leggeri. A Parigi trovò maggior libertà pittorica nella tecnica e nei colori. Tornato a Vienna, trovò difficoltà alla Künstlerhaus che continuava a rifiutare i suoi quadri. Hörmann non si limitò a criticare l'istituzione, ma divenne difensore e portavoce della giovane generazione di artisti. Solo poco prima di morire si riconciliò con la Künstlerhaus e con la critica.

Bibliografia: Th. Braunegger - M. Hörmann-Weingartner, Theodor von Hörmann, Wien, 1979.

G.F.

SEPP HUBATSCH

Nato il 4.3.1873 a Schässburg, morto l'8.3.1935 a Maria Enzersdorf.
Dopo aver frequentato il ginnasio e la Staatsgewerbeschule, Hubatsch fu alunno dell'architetto Otto Wagner all'Accademia di Vienna, dal 1896 al 1900. Successivamente lavorò come architetto. Tra il 1902 e il 1912 realizzò a Brunn am Gebirge un complesso di dieci abitazioni, acquistandone una egli stesso, in Franz Keimgasse.
Tutti gli edifici sono uguali nella pianta ma

differiscono nelle facciate: mentre nelle case costruite per prime si nota una decorazione legata strettamente allo stile pittorico, ornamentale e simbolico della Secessione viennese, in quelle successive si va sempre più verso un indurimento e una schematizzazione dell'apparato decorativo.
Bibliografia: Roland L. Schachl, *Eine Ensemble des Jugendstils - Die Reihenhaussiedlung von Sepp Hubatsch in Brunn am Gebirge, Niederösterreich*, in «Alte und Moderne Kunst», n. 118, 1971, pp. 25-30; Marco Pozzetto, *Die Schule Otto Wagners, 1894-1912*, Wien-München, 1980.

E.B.T.

BOHUMIL HÜBSCHMANN

Architetto della scuola di Wagner. Nato a Praga il 10.1.1878, ivi morto il 30.1.1961.
Socio fondatore del Club per l'antica Praga, fu attivo come libero professionista nel campo dell'architettura (ville a Melnik e Praga, case di abitazione a Praga, Ministero della previdenza sociale, Galleria di Stato a Praga, la Corte suprema di Brno ecc.), nel campo del restauro e dell'adattamento (Castello di Libis ecc.), ma soprattutto nel campo urbanistico. Ha fornito i piani di Ceske Budejovice, Litomysl, Mlada Boleslav, Turnov, Pardubice e altri. Ha partecipato ai corsi per la sistemazione dell'antico Municipio di Praga nel 1899, 1909, 1939, 1946, ha sistemato la Piazza Emmaus, il quartiere Peterské nábrezé (attuale riva della Brigata Kiev), ha partecipato alla regolazione di Letná e di Malá Strana a Praga. È stato collaboratore delle riviste «Styl», «Architektura», «Véstnik Klubu za Starou Prahu» (Bollettino del club per l'antica Praga). Hübschmann è concordemente ritenuto uno dei primi urbanisti boemi del primo trentennio del nostro secolo. I piani regolatori citati sopra sono sotto molti aspetti esemplari, come ritengo siano esemplari gli interventi e le proposte che si riferiscono alle città storiche.
Non credo invece che siano stati puntualizzati e valutati in giusta misura gli sforzi di Hübschmann tendenti al rinnovamento della forma. La proposta del monumento alle vittime di Semmering è probabilmente la punta più avanzata della scuola di Wagner nella direzione dell'astrattismo; la pulizia formale nell'ambito del classicismo contraddistingue quasi tutta l'architettura posteriore di Hübschmann ed è in questo tipo di architettura che ben si inseriscono i suoi tentativi «cubisti» e protocostruttivisti.

M.P.

PAVEL (PAUL) JANÁK

Nato a Karlin (Praga) il 13.3.1882, morto a Praga l'1.8.1956. Architetto della scuola di Wagner.
Nel 1908 compie un viaggio in Italia con la borsa boema Turek. Dal 1921 al 1942 è professore di architettura alla Umelecko prumislové skola a Praga (successore di Plecnik). Nel 1909 è cofondatore delle Officine Artel (corrispondenti alla Wiener Werkstätte), nel 1912 cofondatore di Prazské Umelecké Dilny (corrispondente al Werkbund). Membro direttivo del «Klub za Starou Prahu». Nel 1908-09 è nello studio di Jan Kotera, poi collabora con Gocár fino al 1912. Nel 1936 è architetto del Castello di Praga.
Fu attivo come libero professionista nel campo dell'architettura: diga Obristvo, ponte Hlávkuv a Praga, casa a Pelchrim, padiglione boemo a Rio de Janeiro (1922), case popolari (1922) e palazzo dell'Unione Adriatica di Sicurtà (1922-24) a Praga ecc. Lavora anche nel campo dell'urbanistica (regolazione di Letna a Praga, di Letna-Dejvice ecc.) ed eseguì importanti lavori nel campo del restauro (Palazzo Çernin, parte del Castello di Hradcani ecc.).
È stato redattore di «Umelecký Mesicnik» e di «Wýtvarná Práce», collaboratore stabile di «Arch. Obzor», «Styl», «Volné Smery», «Vestnik Klubu za Starou Prahu» e di altre riviste meno importanti.
Janák potrebbe essere considerato come il prototipo di allievo voluto da Wagner. La sua ampia conoscenza dell'architettura e dei vari ambienti progressisti europei, unita alla profonda cultura e alla propensione a teorizzare, gli aveva permesso di considerare criticamente l'insegnamento del maestro: fu infatti Janák a porre — con strumenti wagneriani — le basi teoriche del *cubismo boemo*: architettura plastica, sfociata poi nei vari tipi di espressionismo da una parte, nelle sperimentazioni di Jiri Kroha e dei russi dall'altra.
Dal punto di vista teorico Janák è senza alcun dubbio uno dei personaggi fondamentali — benché quasi ignoti — dell'architettura europea del secondo decennio del secolo. Ritengo che le sue architetture nonché gli oggetti dell'artigianato e del design, pur pregevolissimi ed esemplari nell'ambito boemo, siano meno importanti della sua opera teorica e didattica: la *Scuola di Janák* è infatti fondamentale per l'architettura cecoslovacca dei successivi trent'anni, assieme a quelle di Kotera e di Gocár. Occorre inoltre aggiungere il valore educativo della smisurata serie di saggi e contributi apparsi nelle riviste a cui collaborava (dalla prestigiosa «Volné Smery» alla popolare «Zensky Svet»).

M.P.

URBAN JANKE

Nato il 12.2.1887 a Blottendorf (Boemia), disperso in guerra nel 1915.
Dal 1903 al 1908 studia alla Kunstgewerbeschule di Vienna con Berthold Löffler. Nel 1908 partecipa alla Kunstschau. Dal 1908 è professore alla Kunstgewerbeschule di Magdeburgo e membro dell'Österreichische Werkbund. Collabora alla rivista «Erdgeist», lavora per la ditta Rosenbaum e per la Società per l'industria grafica (manifesti), progetta decorazioni su vetro per Lobmeyr, disegna cartoline e fogli illustrati per la Wiener Werkstätte e collabora anche col Cabaret Fledermaus.

E.B.T.

FRANZ JASCHKE

Nato il 19.6.1862 a Vienna, ivi morto l'1.12.1910.
Figlio di un idraulico, studia per quattro anni alla Kunstgewerbeschule di Vienna e dal 1882 all'Accademia con August Eisenmenger e J. Matthias Trenkwald. Dal 1901 diventa membro della Secessione, che organizzerà una mostra commemorativa dopo la sua morte, nel 1911.
I soggetti più ricorrenti nei suoi dipinti sono ritratti a carattere storico e paesaggi, spesso di città. Da uno stile accademico iniziale si orienta in seguito verso un uso dei colori più vicino ai neoimpressionisti francesi. Significativa l'influenza che hanno su di lui Albert Besnard e Th. van Rysselberghe.
Jaschke è molto apprezzato dai contemporanei per i suoi ritratti di bambini.

M.F.

RUDOLF JETTMAR

Nato a Zawodzie nella Boemia del Nord (oggi Polonia) il 10.9.1869, Rudolf Jettmar frequentò l'Accademia di arti figurative a Vienna, dove ebbe come insegnanti i maggiori esponenti del Wiener Ringstrassenstil, tra i quali Rumpler e Eisenmenger. Pur aderendo al movimento secessionista, l'artista rimase sempre prigioniero di un'inconciliabile tensione tra novità stilistica e richiamo alla tradizione.
Le sue opere, nei cui toni classicheggianti si rivelano dei temi ed eroi della mitologia antica, appartengono alla tradizione del realismo simbolista. La sua formulazione dello Jugendstil viennese raggiunge un'acutezza che ben pochi artisti hanno saputo dimostrare.
Le poche xilografie, pubblicate su «Ver Sacrum», sono dense composizioni, ben ritmate, nelle quali il motivo chiaroscurale contribuisce sostanzialmente alla drammatizzazione dell'opera.
Rudolf Jettmar collaborò nell'ambito della Secessione alla mostra del 1902 dedicata a Beethoven e nel 1908 partecipò alla grande Mostra della caccia. Nel 1910 intraprese la carriera di insegnante all'Accademia di arti figurative, dove nel 1929 ottenne la presidenza del circolo degli insegnanti. Morì nel 1939 a Vienna.

J.W.

MORIZ JUNG

Nato il 20.10.1885 a Nikolsburg, in Moravia, morto in guerra nei Carpazi a soli trent'anni l'11.3.1915.
Frequentò dal 1901 al 1908 la Kunstgewerbeschule di Vienna, come allievo di C.O. Czeschka, B. Löffler, F. von Myrbach e A. Roller. Partecipò nel 1908 e nel 1914 alle mostre della Secessione viennese, ricevendo nel 1914 un primo premio per la xilografia che ritrae l'imperatore Francesco Giuseppe I.
Ancora studente, Jung pubblicò il volume di xilografie *Tier-ABC* (Leipzig, 1906) ed eseguì un manifesto e due programmi per il Cabaret Fledermaus. Collaborò con varie riviste come «Ver Sacrum», «Erdgeist», «Der Ruf», «Illustrator der Sportrevue des Wiener Fremdenblattes» e il giornale satirico «Glühlichter» (sotto gli pseudonimi di Nikolaus Bürger e Simon Mölzlagl). Lavorò come designer per l'industria vetraria Lobmayr, per la Società per l'industria grafica e per la ditta Rosenbaum. Per

la Wiener Werkstätte creò cartoline postali e disegni, illustrando il suo almanacco del 1911. Jung ebbe anche un'attività letteraria. Arthur Rössler pubblicò parte del suo diario di guerra nel giornale «Arbeiter-Zeitung» e nella rivista «Westermanns Monatsheften».

Bibliografia: *Wien um 1900*, cat. mostra, Wien, 1964; Werner J. Schweiger, *Wiener Werkstätte*, Wien, 1982.

E.B.T.

LUDWIG HEINRICH JUNGNICKEL
Nato il 22 luglio 1881 a Wunsiedel (Alta Franconia), morto il 14 febbraio 1965 a Perchtoldsdorf vicino a Vienna.

Il padre era falegname. Nel 1895-96 Jungnickel studiò alla Scuola d'arte applicata di Monaco, nel 1897 emigrò a Napoli, l'anno successivo un suo dipinto, *Kruzifix*, fu collocato nella Cappella Sistina e il giovane autore fu ricevuto in udienza da papa Leone XIII. Nel 1898, attirato dalla Secessione, che era stata fondata l'anno prima, si recò a Vienna per studiare all'Accademia. Qui, da W. Unger, apprese tra l'altro la tecnica dell'incisione. Nel 1906 frequentò temporaneamente l'Accademia di Monaco, ma l'anno successivo era di nuovo a Vienna, alla Scuola d'arte applicata. Si unì al gruppo di Klimt e nel 1908 espose alla Kunstschau. Seguirono soggiorni di studio a Parigi, in Italia, in Olanda , in Dalmazia. Dal 1908 al 1911 lavorò a un fregio con animali per la stanza dei bambini di Palazzo Stoclet a Bruxelles. Seguì una breve parentesi come professore alla Scuola d'arte applicata di Francoforte sul Meno. Dal 1912 era di nuovo a Vienna, nella cui Scuola d'arte applicata attese a cicli di xilografie colorate e di litografie. Ebbe successo, e negli anni seguenti ottenne molti premi e onorificenze (per esempio, il premio per la grafica all'Esposizione internazionale d'arte di Roma del 1910, la medaglia d'argento all'esposizione «Panama-Pacifico» tenutasi a San Francisco nel 1915). Nel 1924 Jungnickel divenne membro del Wiener Künstlerhaus, nel 1936 partecipò alla Biennale di Venezia, nel 1937 ricevette il Grosser Österreichisches Staatspreis. Nel 1938 sue opere figurarono alla mostra dell'«arte degenerata», dopo di che egli si trasferì ad Abbazia, donde solo nel 1952 fece ritorno in Austria fissando la residenza a Villach. Le sue opere sono state esposte a tutt'oggi in una serie di mostre (Villach, Graz, Vienna, Klagenfurt ecc.).

Jungnickel fu pittore e grafico. Già presto si specializzò nella raffigurazione di animali. Dotato per la decorazione, elaborò uno stile personalissimo sul quale inizialmente influirono la Wiener Werkstätte e il disegno pennelleggiato dell'Estremo Oriente. Ben presto tuttavia egli trovò spunti e sollecitazioni nella pittura espressionista. Dal 1912 prese regolarmente a frequentare il giardino zoologico di Schönbrunn per studiarvi gli animali dal vero. Negli animali egli cercò sempre quelle qualità che propriamente si attendeva dall'uomo: armonia, eleganza, bontà. Oltre a innumerevoli fogli d'album, ha lasciato xilografie e litografie. Più prossimi allo stile dell'epoca e più in rapporto con modelli precedenti (per esempio

Kokoschka), gli oli, che non denotano l'autonomia propria della sua grafica.

M.F.

RUDOLF JUNK
Nato il 23.2.1880 a Vienna, morto il 20.12.1943 a Rekawinkel.

Esegue già durante il ginnasio i primi tentativi di pittura a olio, poi si iscrive all'Università di Vienna, laureandosi nel 1903 in filosofia. Fortemente colpito dalle mostre della Secessione viennese, decide di dedicarsi alla pittura: dal 1903 al 1908 frequenta l'Accademia delle arti figurative di Vienna seguendo il corso di Heinrich Lefler e dal 1904 partecipa ripetutamente alle mostre dell'Hagenbund, dei cui cataloghi cura la parte grafica negli anni 1907-09 e 1911. Dal 1909 al 1922 è socio dell'Hagenbund e anche suo presidente (1911-12). Sempre nel 1909 inizia a collaborare stabilmente con la Staatsdruckerei di Vienna. Nel 1924 viene nominato direttore dell'Istituto grafico di ricerca ed insegnamento di Vienna ed entra come socio nella Künstlerhaus.

Dopo aver esordito come pittore, Junk si dedicò sempre più esclusivamente alla grafica: progettò libri, cataloghi ed album, titoli, timbri, biglietti di lotteria, cartelloni, banconote, francobolli (per il Lussemburgo nel 1912, per le poste austriache e bosniache nel 1916, ex libris, cartoline e biglietti di ringraziamento, ricordo, auguri e cerimonia. Nel 1922 e nel 1923 creò le serie, subito esaurite, di francobolli per campagne benefiche. Junk ha anche elaborato un carattere tipografico di scrittura (il «tipo-Junk»). Lo stile di Junk è molto ornamentale, in parte legato ai modi della vignetta satirica o umoristica, ma per lo più risolto in intrecci, foglie e rosette.

Bibliografia: Thieme-Becker, *Künstlerlexikon*, vol. XIX, Leipzig, 1929; *Wien um 1900*, cat. mostra, Wien, 1964; *Der Hagenbund*, cat. mostra, Historisches Museum der Stadt Wien, Wien, 1975.

E.B.T.

RUDOLF KALVACH
Nato il 22.12.1883 a Vienna, morto nel 1932. Nel 1901 quando la famiglia si trasferì a Trieste, Rudolf Kalvach continuò gli studi a Vienna, alla Scuola d'arte applicata, e prese contatto con il gruppo dei secessionisti. Nel 1908 sposò un'austriaca residente a Trieste. Sono di quest'anno i suoi primi importanti lavori grafici, una serie di cartoline postali per la Wiener Werkstätte e un manifesto per la Kunstschau. L'attività artistica di Kalvach in questo periodo si segnala soprattutto per la serie d'intaglio in legno *Il porto di Trieste*, con effetti in bianco e nero per nulla attenuati dal colore. L'uomo viene raffigurato come una piccola rotellina nell'immenso mondo del lavoro portuale. Questo realismo distingue nettamente Kalvach dagli altri pittori viennesi spesso inclini al fantastico dell'epoca. Anche suoi schizzi grafici e suoi quadri rivelano una certa relazione con l'arte di Egon Schiele.

Dal 1912 al 1932, anno della morte, Kalvach fu affetto da schizofrenia e trascorse lunghi pe-

riodi in case di cura, il che pose prematuramente fine alla sua attività artistica.

Bibliografia: Hanna Egger, *Espressive und dekorative Graphik in Wien zwischen 1905 und 1925 — Rudolf Kalvach und Hedwig Mailler*, Wien, 1979.

J.W.

MARCEL KAMMERER
Nato nel 1878, morto il 25.12.1969 a Quebec, nel Canada. Marcel Kammerer, allievo e poi collaboratore di Otto Wagner, rivelò presto un grande talento soprattutto nella grafica. Ma egli stesso, in un articolo del 1908 sulla rivista «Der Architekt», metteva in guardia dalla «mania del disegno che si propagava», e dal progetto architettonico «fine a se stesso», sostenendo che esso doveva dare un quadro perfettamente preciso sia della costruzione che del suo interno.

Come Leopold Bauer, Kammerer fu incitato dal suo maestro Otto Wagner a mettere per iscritto e a pubblicare le sue idee sull'architettura. Dopo un anno di studio alla Scuola statale d'arte applicata di Vienna col maestro Camillo Sitte (1897), Kammerer si iscrisse all'Accademia d'arti figurative (1898-1901) seguendo il corso di Otto Wagner e vincendo molti premi, tra cui l'ambito Rompreis (Premio Roma). Dopo un viaggio di studio in Egitto Italia, Svizzera, Olanda e Inghilterra, entrò nello studio di Otto Wagner dove lavorò fino al 1910. Successivamente lavorò con Hoppe e Schönthal.

Kammerer disegnava poltrone e sedie, poi fabbricate dai fratelli Thonel e di cui si scriveva nella rivista «Das Interieur» (1910). Ebbe l'incarico di presentare la sala della Wiener Werkstätte per la Kunstschau del 1908 a Vienna. Nella rivista «Innendekoration» fu illustrata la tribuna per gli spettatori del campo di trotto a Vienna (1913), eseguita da Kammerer, Hoppe e Schönthal. Vi si descrive «l'edificio veramente moderno» con la parola-slogan americana Efficiency. Sono anche da ricordare altre opere di Kammerer come la Villa Assan a Bucarest (1902-04), il Grand Hotel Wiesler a Graz, il Kurhotel Maria Schutz sul Semmering e le stazioni ferroviarie regionali della bassa Austria.

Come pittore Kammerer rappresentò soprattutto paesaggi. Fece parte del gruppo fondatore del Club pittori tedeschi. In stile nazionalsocialista egli proclamava: «Arte austriaca, sei libera, per mezzo del nostro Führer!» (1938). Questa sua presa di posizione lo costrinse all'esilio dopo il 1945.

Bibliografia: Marco Pozzetto, *Schule Otto Wagner*, Wien-München, 1980; «Der Architekt», XIV, 1908; «Das Interieur», I, 1900, X, 1909, XI, 1910.

C.P.

ANTON JOSEF RITTER VON KENNER
Nato l'11.9.1871 a Brünn am Gebirge, nella bassa Austria, morto l'1.5.1951 a Vienna. Allievo di Ludwig Minnigerode, Karl Hrachowina e Franz Matsch alla Kunstgewerbeschule, ne diviene professore fino al 1950. Tra i

560

suoi allievi, Oskar Kokoschka, che diverrà anche suo assistente, e Anton Kolig.

Kenner è soprattutto un pittore decorativo: ricordiamo, tra i tanti suoi lavori, un salone di Palazzo Dumba (1902), i mosaici per il Dianabad di Vienna (1916), il salone dell'ingegner Planer a Vienna (1923). Illustratore di libri per bambini, dal 1921 al 1923 collabora alla rivista «Faun». Nel 1929 diventa membro della Künstlerhaus.

E.B.T.

KARL MARIA KERNDLE

Nato a Vienna il 13.9.1882, morto a Krumpendorf l'1.3.1957.

Dal 1902 al 1905 fu uno dei più brillanti allievi di Otto Wagner all'Accademia di Vienna. Nel 1903 vinse il premio Füger, nel 1904 l'Hagenmüller e nel 1905 il premio della scuola di specializzazione. Già i suoi primi progetti mostrano la sua caratteristica inclinazione al rigore geometrico. Per l'esposizione del 1908 creò un portale di giardino che rappresenta, secondo le parole del catalogo della mostra, «un tentativo di risolvere artisticamente il cemento armato». Già prima della grande guerra Kerndle iniziò la sua attività in Carinzia, dove visse e lavorò fino alla morte. Tra il 1918 ed il 1924 progettò il monumento ai caduti di Villacher, mentre nei primi anni '30 costruì a Krumpendorf la propria abitazione, a pianta circolare. Del 1937 è il sacrario di St. Jakob im Rosental. Kerndle insegnò anche all'Istituto tecnico superiore di Klagenfurt.

Bibliografia: Marco Pozzetto, *Die Schule Otto Wagners, 1894-1912*, Trieste, 1979, Wien-München, 1980; Friedrich Achleitner, *Österreichische Architektur im 20. Jahrhundert*, vol. II, Salzburg, 1983.

E.B.T.

FRIEDRICH (BEDRICH) KICK

Architetto della scuola di Wagner. Nato a Praga il 21.6.1867.

Dottore in scienze tecniche al Politecnico tedesco di Praga, Kick intraprese la carriera accademica appena terminati gli studi. Secondo lo studioso boemo Matejcek, fu il primo in entrambi i Politecnici di Praga a introdurre lo studio dell'architettura moderna. Nelle opere costruite, impeccabili dal punto di vista organizzativo, rimangono quasi sempre tracce di storicismo, facilmente spiegabili con l'età e la formazione dell'architetto.

M.P.

HUGO FRANZ KIRSCH

Lo scultore e ceramista Hugo Franz Kirsch — nato a Hainsdorf (Boemia tedesca) nel 1873 e morto a Vienna il 24 maggio 1961 — fu allievo della Scuola professionale di Teplitz (Teplice) e poi la Scuola d'arte applicata di Monaco, prima di iniziare gli studi, nel 1898, a quella analoga di Vienna con i professori Breitner e Linke.

Nel 1906 fondò a Vienna un proprio laboratorio di ceramiche. Nel 1908 e nel 1909 prese parte alla Kunstschau e, dal 1909, parecchie volte alle mostre organizzate dall'Österreichisches Museum für Kunst und Industrie e da altre istituzioni. Kirsch produsse fondamentalmente bronzetti e ceramiche. I suoi soggetti sono immagini Biedermeier, figure in abiti del secolo XIX, rappresentazioni dei mesi, animali, nudi e ritratti. Mentre i suoi lavori figurativi sono realizzati in colori freddi, Kirsch creò i suoi vasi principalmente adornandoli di una decorazione geometrica in bianco e nero, con parchi tocchi di rosso, blu, verde, giallo, tutti colori pieni.

Le ceramiche di Hugo F. Kirsch venivano vendute anche nella Wiener Werkstätte; l'artista era membro anche dell'Österreichischer Werkbund.

Bibliografia: Jugendstil — 20er Jahre, cat. mostra, Wien, 1969; Waltraud Neuwirth, *Wiener Keramik*, Braunschweig, 1974; Waltraud Neuwirth, *Porzellan aus Wien*, Wien, 1974; Waltraud Neuwirth, *Österreichische Keramik des Jugendstils*, Wien-München, 1974; Werner J. Schweiger, *Wiener Werkstätte*, Wien, 1982.

E.B.T.

MARIA KIRSCHNER

Nata il 7.1.1852 a Praga, morta il 20.6.1931 a Kosatky ù Kropàcovy Vrutice.

Allieva di A. Lies a Monaco, prosegue gli studi a Parigi. Dal 1887 vive a Berlino, dove esegue numerose opere di arte applicata. Dal 1903 lavora per la ditta Loetz'Witwe. Firma le sue opere con la sigla

MK.

EDUARD KLABLENA

Nato l'8.4.1881 a Bucsan, morto a Lagenzersdorf presso Vienna il 6.11.1933.

Già allievo di Karl Waschmann, studia poi alla Kunstgewerbeschule di Vienna. Si trasferisce quindi a Berlino dove nel 1909-10 esegue alcuni studi decorativi per la Manifattura reale delle porcellane.

Nel 1911 apre un proprio laboratorio a Lagenzersdorf, la «Lagenzersdorfer Keramik». Partecipa a varie mostre al Museo austriaco per l'arte e per l'industria, che gli compra diverse opere. Numerosi i suoi bozzetti di moda, le illustrazioni di animali, spesso caricaturali, le cosiddette «fantasie di animali».

E.B.T.

ANTON KLIEBER

Nato il 18.6.1886 a Pirkenhammer, in Boemia, studia dapprima alla Fachschule di ceramica di Teplitz e dal 1905 al 1909 scultura e ceramica con Josef Breitner alla Kunstgewerbeschule di Vienna. Collaboratore nel 1912 della Wiener Keramik, lavora anche per le ditte Candida e Keramos. Partecipa più volte alle mostre del Museo per l'arte e per l'industria e nel 1925 espone in una mostra di arte applicata a Parigi.

E.B.T.

GEORG KLIMT

Nato a Vienna il 21.11.1867, ivi morto il 3.9.1931.

Il fratello di Ernst e Gustav Klimt, dopo un periodo di apprendistato artigianale, frequentò la Scuola d'arte applicata di Vienna studiando con Schwartz l'arte del cesello e la scultura. Dal 1896 lavorò per conto proprio, e dal 1897 partecipò alle mostre del Museo austriaco per l'arte e l'industria con lavori di oreficeria e conio. Dal 1910 insegnò per il corso di lavorazioni artistiche in metallo nella Scuola d'arte femminile, istituto privato per l'insegnamento delle arti figurative.

Suo fratello Gustav lo aiutò molto, procurandogli diversi lavori e disegnando per lui (lavori di conio nella sala di musica Dumba, una croce per la tomba dei genitori, alcune cornici di quadri). Accanto a opere da lui stesso disegnate, Georg Klimt ne eseguì su disegno di C.O.Czeschka (cassetta d'argento del Palazzo della Secessione viennese, distrutte nel 1945, e sostituite oggi da copie). Collaborò anche con mobilieri e creò ornamenti di metallo per mobili, spesso con incastonate pietre di vetro, raffiguranti teste. Per evitare confusioni Georg Klimt si firmava G.F.Klimt.

Bibliografia: Wien um 1900, cat. mostra, Wien, 1964; Christian M. Nebehay, *Gustav Klimt — Dokumentation*, Wien, 1969; Waltraud Neuwirth, *Wiener Keramik*, Braunschweig, 1974; Vera J. Behal, *Möbel des Jugendstils*, München, 1981.

E.B.T.

GUSTAV KLIMT

Gustav Klimt, secondo di sette figli, nasce il 14.7.1862 a Vienna da Anna Finster (1836-1915) e Ernst Klimt (1832-1892), orafo incisore discendente da una famiglia della Boemia. Nel 1876 ottiene una borsa di studio del Museo austriaco d'arte e industria per la Kunstgewerbeschule, dove studierà sette anni. Nel 1883, insieme al fratello Ernst e al compagno di scuola Franz Matsch, con i quali nel 1880 aveva già dipinto un soffitto per le terme di Karlsbad, si trasferisce nello studio della Sandwirthgasse. Su bozzetti di Makart i tre eseguono nel 1885 un murale per la villa di Hermes a Lainz vicino a Vienna ed anno seguente iniziano gli affreschi per l'ingresso del Burgtheater di Vienna. Nel 1888 Klimt riceve una croce d'oro al merito, massimo riconoscimento dell'imperatore Francesco Giuseppe, e nel 1890 il premio dell'imperatore per il dipinto *Sala del vecchio Burgtheater*. Prosegue le decorazioni, lasciate incompiute da Makart, per l'ingresso del Museo di storia dell'arte di Vienna. Nel 1892, anno in cui muoiono il padre e il fratello Ernst, inizia gli studi per i pannelli dell'aula magna dell'Università di Vienna, che gli verranno ufficialmente affidati dal ministero dell'Istruzione l'anno seguente.

Nel 1897 è tra i fondatori della Secessione e inizia a trascorrere i mesi estivi sull'Attersee, dove dipinge i primi paesaggi. Ogni sua energia viene dedicata alla Secessione (collaborazione alla veste grafica del periodico «Ver Sacrum», progettazione del manifesto per la prima mostra). La commissione artistica del ministero dell'Istruzione attacca i bozzetti per le facoltà universitarie e anche l'opera *Pallade Atena*, presentata in occasione dell'inaugurazione della sede della Secessione, suscita violente polemiche (1898). Nel 1899 termina la decorazione della sala da musica nel Palazzo Nikolaus Dumba; 87 professori firmano una nota di protesta contro la messa in opera della *Filosofia* nell'aula magna dell'Università. L'opera viene difesa dal critico d'arte Franz Wickhoff e, presentata a Parigi (1900), viene premiata con la medaglia d'oro per la miglior opera non francese. Critiche altrettanto negative da parte della stampa suscita la *Medicina* (1901), anch'essa destinata all'aula magna dell'Università. La Procura imperial-regia esige il sequestro del numero di «Ver Sacrum» con i bozzetti per la *Medicina*, ma la corte d'appello respinge tale istanza.

In occasione della XIV Mostra della Secessione nel 1902 Klimt presenta il *Fregio di Beethoven*, esegue inoltre il ritratto di Emilie Flöge e alcuni bozzetti di abiti per la sua casa di moda; incontra Rodin di passaggio a Vienna. Viaggia a Ravenna nel 1903 e amicizia con Hodler che gli compra la *Giuditta*. Alla fine dell'anno, alla XVIII Mostra della Secessione, vengono esposte 80 sue opere. Nel 1904 il ministero dell'Istruzione respinge la proposta che l'Austria venga rappresentata all'Esposizione mondiale di St. Louis esclusivamente da Klimt con le sue facoltà universitarie. Nello stesso periodo gli viene commissionato il fregio ornamentale per la sala da pranzo di Palazzo Stoclet a Bruxelles, progettato da Josef Hoffmann.

Nel 1905 Klimt restituisce al ministero dell'Istruzione l'onorario percepito per le tre facoltà e le ritira. Partecipa alla mostra del Künstlerbund di Berlino e rifiuta il premio Villa Romana che verrà quindi assegnato a Mark Kurzweil. Insieme a un gruppo di amici Klimt esce dalla Secessione. Compie un viaggio a Bruxelles e uno a Londra.

Nel 1906 fonda l'Österreichischer Künstlerbund, di cui diverrà presidente dal 1912. Dà gli ultimi ritocchi alle facoltà e le presenta alla Galleria Miethke (1907). Incontra Schiele. La Österreichische Staatgalerie acquista *Il bacio*, esposto alla Kunstschau del 1908. Alla Kunstschau del 1909 parteciparono numerosi artisti stranieri. In ottobre Klimt va a Parigi. Nel 1910 partecipa alla IX Biennale di Venezia e nell'11 all'Esposizione internazionale d'arte di Roma dove vince il primo premio ex aequo. Viene montato il fregio Stoclet, eseguito dalla Wiener Werkstätte a Bruxelles. Compie un viaggio a Londra e a Madrid. Nel 1913 trascorre l'estate sul lago di Garda.

A partire da questo periodo i suoi dipinti risentono di influenze cromatiche dell'arte popolare slava e di elementi decorativi orientali. Nel 1917 visita la Moravia e trascorre i mesi estivi nel Tirolo. Vicne nominato socio onorario dell'Accademia delle arti figurative di Vienna e di Monaco.

Ritornato a Vienna dopo un viaggio in Romania, l'11 gennaio del 1918 Klimt è colpito da un ictus cerebrale e il 6 febbraio muore. La sepoltura avviene nel cimitero di Hietzing a Vienna. Nello stesso anno sarà pubblicato *Das Werk Gustav Klimts* con prefazione di Hermann Bahr e Peter Altenberg.

T.Z.

ANTON KLING
Nato a Vienna il 26.11.1881, morto a Karlsruhe il 21.9.1963.
Kling fa parte della prima generazione di artisti che studiò con i nuovi maestri progressisti Willibald Schulmeister, Ludwig Minnigerode, Josef Hoffmann e Alfred Roller alla Scuola d'arte applicata di Vienna. Già nel 1903 collaborava alla rivista satirica «Lucifer». Nel periodo 1905-07 disegnò i primi mobili, nel 1905 illustrò il primo libro. Nel 1908 non solo partecipò come espositore alla Kunstschau, ma fece parte del comitato e fu responsabile del catalogo. Espose anche alla Kunstschau del 1909.
Kling era in stretto contatto con Josef Hoffmann e la Wiener Werkstätte. Collaborò alla decorazione del Cabaret Fledermaus e fece cartoline postali per la Wiener Werkstätte, come pure ornamenti per i capelli che però rimasero solo nei progetti. Disegnò anche per la Wiener Keramik. Nel 1908 fu chiamato a insegnare alla Scuola d'arte applicata di Amburgo, dove insegnò insieme a Richard Luksch, Carl Otto Czeschka, Franz Carl Delavilla e altri artisti austriaci. Nel museo di Amburgo fu organizzata la prima mostra personale di Kling, nel 1913. Tra il 1923 e il 1927 Kling fu direttore della Scuola d'arte applicata di Pforzheim. Successivamente si trasferì a Karlsruhe dove lavorò dapprima come libero artista, poi, tra il 1930 e il 1947, come insegnante alla scuola tecnica statale di quella città.
Come molti artisti viennesi dell'epoca, Kling lavorava in diversi campi. Curò la presentazione di libri, creò degli ex-libris, progettò vetrate (per la biblioteca di Lipsia), ceramiche (per la Wiener Keramik, Sommerhuber-Steyr, Meimersdorf, Karlsruhe), e molti altri oggetti d'artigianato. Mentre i suoi primi lavori pittorici e grafici erano molto legati allo stile viennese, il suo stile si trasformò poi progressivamente in una rappresentazione sempre più obiettiva.
Bibliografia: *Wien um 1900*, cat. mostra, Wien, 1964; Waltraud Neuwirth, *Österreichische Keramik des Jugendstils*, Wien-München, 1974; Waltraud Neuwirth, *Anton Kling und sein Freundeskreis*, cat. mostra, Museum für angewandte Kunst Wien, 1979; Werner J. Schweiger, *Wiener Werkstätte*, Wien, 1982.

E.B.T.

DEMETER KOKO
Nato il 13.6.1891 a Linz, ivi morto il 29.10.1929.
La famiglia era di origine greca; anche la sorella, Sophie, era pittrice. Frequentata per breve tempo l'Accademia commerciale, dal 1908 al 1910 fu allievo della scuola di pittura di Bertha Tarnoczy a Linz. Dal 1910 al 1915 studiò con il pittore Heinrich Zügel all'Accademia di belle arti di Monaco. Nel 1916-17 prestò servizio militare; superata una malattia, intraprese diversi viaggi di studio e, dal 1918, visse come libero pittore a Linz. Tenne la sua prima esposizione collettiva nel 1919, insieme con la sorella, all'Oberösterreichischer Kunstverein di Linz. Partecipò pure a mostre della Secessione viennese (nel '19 e nel '20). Dopo la sua morte — fu stroncato dalla tubercolosi —, mostre in sua memoria si tennero nella sua città (1929) e a Vienna (1932).
Il suo tema favorito furono gli animali, in particolare gli animali da cortile, che andava a ritrarre nelle aie delle fattorie. Koko dipinse anche paesaggi con impressioni di città portuali italiane. Il suo stile risentiva fortemente del tardo impressionismo del suo maestro Zügel. L'esperienza della luce è al centro della sua energica pittura, nella quale si giustappongono con virtuosismo macchie cromatiche e scintillanti tocchi di luce solare.
Bibliografia: H. Wallner, *Demeter Koko*, con introduzione di F. Novotny, Wien, 1961.

M.F.

OSKAR KOKOSCHKA
Nato l'1.3.1886 da Gustav Kokoschka, originario di Praga, e da Romana Loide, consegue la licenza liceale nel 1904 con l'intenzione di diventare chimico. Ottiene poi una borsa di studio alla Kunstgewerbeschule di Vienna dove, trascorsi i due anni propedeutici, si iscrive al corso di pittura diretto da C.O. Czeschka e dal 1907 da Berthold Löffler.
Kokoschka inizia in questo periodo a collaborare alla Wiener Werkstätte. Nel 1908 pubblica il poemetto illustrato *I ragazzi sognanti*, progetta manifesti per la Kunstschau del 1908 e per il giubileo dell'imperatore. Nell'autunno-inverno dello stesso anno scrive il dramma *Assassino, speranza delle donne*.
Nel 1909 partecipa alla Kunstschau, nel cui ambito viene rappresentato il dramma *Assassino, speranza delle donne*. Diventa amico di Adolf Loos che gli presenta, tra gli altri, Karl Kraus e Peter Altenberg e lo convince a cimentarsi anche nel ritratto. Compie un viaggio in Svizzera.
A partire dal 1910 si reca spesso a Berlino, dove collabora alla rivista «Der Sturm» con disegni e ritratti. Tiene la prima mostra personale.
Nel 1911 lavora come assistente alla Kunstgewerbeschule di Vienna, esegue illustrazioni e ritratti, stringe amicizia con Alma Mahler. Nel 1912 rinuncia al posto di assistente alla Kunstgewerbeschule e tiene la famosa conferenza «Sulla natura delle visioni». Espone a Berlino e a Colonia.
Nel 1913 insegna alla Schwarzwaldschule e fa un viaggio in Italia. Esegue le litografie per *La muraglia cinese* di Karl Kraus e per il suo dramma *Il colombo incatenato* (già *Il cacciatore bianco*), e alcuni ritratti, tra cui quello di Carl Moll. Si separa da Alma Mahler.
Entrato volontario nell'esercito nel 1914, viene gravemente ferito al fronte. Nel 1916 tiene una grande esposizione a Berlino e nel '17 a Zurigo con i dadaisti. Soggiorna a Dresda, dove insegna e realizza acqueforti e grandi ritratti litografici. Hindemith mette in musica il dramma *Assassino, speranza delle donne* (1920).
Nel 1922 e nel 1932 partecipa alla Biennale di Venezia. Tra il 1922 e il 1927 compie numero-

si viaggi ed espone in diverse città europee e dal 1928 al 1932 visita Tunisi, il Sahara, l'Irlanda, la Scozia, l'Egitto, Istanbul, Gerusalemme e Algeri.

Dal 1934 al 1937 si trasferisce a Praga, dove incontra la futura moglie Olda Palkovska. Inizia a lavorare al dramma *Comenio* e prende posizione con diverse opere nei confronti della guerra civile spagnola. Nel 1938 sfugge alle truppe di occupazione tedesche e si rifugia a Londra. Espone negli Stati Uniti, esegue una serie di quadri e tiene conferenze di carattere politico-culturale.

Nel 1945 il suo manifesto *Cristo aiuta i bambini affamati* viene tirato in 5.000 esemplari e affisso nella metropolitana londinese. Nel 1947 diventa cittadino britannico. Nel 1949 si reca per la prima volta negli Stati Uniti. Compie ancora numerosi viaggi, intervallati da soggiorni in Svizzera. Nell'estate del 1953 inizia i corsi, che dureranno fino al 1962, alla «Scuola del vedere» di Salisburgo e stabilisce la sua residenza a Villeneuve, sul lago di Ginevra. Nel 1955 fonda una seconda «Scuola del vedere» a Sion (Svizzera). Compie diversi viaggi negli Stati Uniti e gli vengono dedicate numerose retrospettive in varie città europee. Viene insignito di molte onorificenze, tra cui la nomina a dottore honoris causa dell'Università di Oxford e la cittadinanza onoraria di Vienna. Nel 1968 esegue l'olio *Le rane* in cui allude all'occupazione della Cecoslovacchia. Nel 1970 inizia la stesura dell'autobiografia, *La mia vita*. Si susseguono retrospettive in tutta Europa, mentre Kokoschka porta avanti la revisione dei suoi scritti e prepara la pubblicazione degli inediti. Nel 1975, in occasione del novantesimo compleanno, viene proiettato il film *Comenio* tratto dal suo dramma omonimo. Tiene mostre in Europa, negli Stati Uniti e in Giappone.

Attivo fino all'ultimo, muore il 22.2.1980 a Montreux, in Svizzera.

H.G.

ANTON KOLIG

Nato l'1.7.1886 a Neutitschein (Novi Jicin) in Moravia (Cecoslovacchia), morto il 17.5.1950 a Nötsch in Carinzia.

Suo padre era pittore di interni e di chiese. Dal 1904 al 1906 Kolig frequentò la Scuola d'arte applicata di Vienna con A.v.Kenner, dal 1907 al 1912 l'Accademia d'arti figurative con R.Bacher e A.Delug. Insieme a Wiegele, Faistauer, Kokoschka, Andersen e Gütersloh partecipò alla mostra straordinaria del Hagebund nel 1911 con le opere *Reigen (Girotondo)* e *Die drei Grazien (Le tre grazie)*. Lo stesso anno sposò una sorella di Wiegele e come lui ottenne nel 1912 una borsa di studio grazie all'interessamento di Klimt e di Moll che avevano riconosciuto il suo talento. Poté così recarsi in Francia, soggiornando in Normandia, Parigi e Francia del Sud, da dove riuscí a ritornare in Carinzia allo scoppio della guerra. Dal 1916 al 1918 fu pittore al seguito dell'esercito e dipinse notevoli ritratti di ufficiali. Nel 1918 si trasferì a Nötsch, in Carinzia, paese natale di sua moglie e di Wiegele. Negli anni '20 grazie all'architetto Clemens Holzmeister, ottenne impor-

tanti incarichi come la decorazione del crematorio a Vienna e del palazzo del festival di Salisburgo. Nel 1927, dopo aver realizzato a Nötsch un laboratorio di pittura lontano da ogni accademismo, ma che non ebbe lunga durata, fu chiamato a insegnare all'Accademia di Stuttgart, dove ebbe la cattedra di pittura e diresse il laboratorio di pittura murale. Nel 1928 fece uno dei suoi capolavori, il grande quadro di famiglia; nel 1930-31 dipinse con alcuni allievi di Stuttgart un ciclo di affreschi nel palazzo del governo di Klagenfurt, che però fu tolto nel 1938 perché considerato «decaduto». Nel 1943 Kolig ritornò a Nötsch dove rimase fino alla morte sempre attorniato da giovani artisti.

Il primo quadro di Kolig è del 1909; un'opera giovanile importante è il quadro della famiglia Schaukal, del 1912. Queste opere, come anche il ritratto della moglie (1913), sono piuttosto chiare nel colore e senza profondità. Già in questo periodo appare una particolarità della pittura di Kolig, cioè quella di lasciare parti del quadro incompiute. Per molti anni poi, e prima di dedicarsi alle monumentali composizioni di figure, Kolig pose al centro dell'opera figure di nudo. Queste composizioni di nudo si sviluppano nello spazio, cui sono ancorate mediante riflessi di luce e contorni luminosi prodotti dal controluce.

Kolig, le cui opere principali si collocano fuori dal periodo qui considerato, fu la figura centrale del cosiddetto «gruppo di Nötsch», una particolare corrente della pittura espressionista austriaca.

Bibliografia: R. Milesi, *Anton Kolig*, Klagenfurt, 1954; *Anton Kolig*, cat. mostra, Neue Galerie am Landesmuseum Joanneum, Graz, 1981.

G.F.

BRONCIA KOLLER-PINELL

Nata il 23.2.1863 a Sanok in Galizia (oggi Polonia), morta il 26.4.1934 a Oberwalterdorf (Bassa Austria).

Il padre, Saul Pineles, era architetto militare. Nel 1870 la famiglia si trasferì a Vienna. Broncia studiò in un primo tempo presso lo scultore J. Raab, poi presso il pittore A. Delug. Sceltosi il nome d'arte di Pinell, dal 1885 al 1890 visse a Monaco, dove proseguì gli studi all'Accademia con Herterich. Tenne la sua prima esposizione al Wiener Künstlerhaus, con un buon successo di vendita. La sua prima opera, *Adagio*, fu più tardi acquistata da Sigmund Freud.

Nella cerchia del compositore Hugo Wolf conobbe anche il futuro marito, il fisico e medico Hugo Koller. Il matrimonio fu celebrato nel 1896 e la coppia si trasferì dapprima a Kolling (Salisburgo), poi a Norimberga. Nel 1896 nacque Sylvia, che sarebbe diventata a sua volta pittrice.

A Norimberga Broncia apprende la tecnica dell'incisione. Nel 1903 ritorna a Vienna e l'anno successivo si dedica all'amministrazione della tenuta di Oberwalterdorf, ereditata dal padre; affida la costruzione e l'arredamento degli edifici a Kolo Moser e a Josef Hoffmann. Nasce così un centro sociale, punto

d'incontro di artisti, filosofi, musicisti, scienziati. Nella cerchia delle più strette conoscenze dei coniugi Koller figurano in questo periodo gli artisti della Wiener Werkstätte e del gruppo di Klimt. Broncia espone sue opere già alla prima Kunstschau del 1908. Fa anche parte dell'Associazione degli artisti di Monaco e, nell'ambito di questa, espone più volte al Glaspalast. È assiduamente presente alle mostre anche dopo la guerra.

Il marito era uno dei più notevoli mecenati dell'epoca a Vienna, e molti artisti della giovane generazione ne frequentavano la casa, per esempio Gütersloh e Schiele. Tra gli ospiti figuravano Gustav Mahler e Paul Hindemith. Nel 1918 Schiele ritrasse Hugo Koller, mentre Broncia fece il ritratto alla coppia Schiele. Dal 1924, per il tramite di Carl Hofer, l'artista stabilì vivaci contatti con la scena artistica berlinese.

Soltanto poche opere di Broncia testimoniano gli stretti legami con Klimt. Delle correnti internazionali ella risentì in maggior misura di altri pittori viennesi. Di qui la notevole discontinuità della sua opera, nella quale è rilevabile da un lato l'influenza di Bonnard e di Vuillard (per esempio nell'accentuazione cromatica), e dall'altro, per quanto attiene le xilografie, tra le migliori della sua epoca, è avvertibile l'influenza di un Koloman Moser o di un Ferdinand Andri.

Bibliografia: W. Beyer, *Wer war Broncia Koller? Zum Werk einer bedeutenden Künstlerin*, cat. mostra, Neue Galerie, Linz, 1983.

M.F.

KARL KÖNIG

Architetto viennese, consigliere di corte e professore. Nato a Vienna il 3.12.1841, morto il 22.4.1915 nella stessa città.

Studiò alla Technische Hochschule e all'Accademia di belle arti di Vienna sotto la guida di Schmidt. Fu assistente di Ferstel e gli succedette alla cattedra di architettura classica e rinascimentale alla Technische Hochschule. Nel 1870 ottenne il terzo premio al concorso per la progettazione della sede dell'Associazione degli ingegneri e degli architetti austriaci. Tra il 1871 e il 1872 costruì la sinagoga nella Taborgasse (intonaco di ispirazione rinascimentale, pianta a tre navate), si segnalò con un premio al concorso per il municipio di Vienna e tra il 1883 e il 1884 costruì l'esemplare Philipphof nella Augustinerstrasse, «una delle case d'affitto di maggior valore architettonico» (Paul). La Borsa dell'agricoltura, da lui stesso progettata e costruita tra il 1887 e il 1890 e ampliata nel 1895, chiamata comunemente «Mehl- und Kornbörse», per l'impostazione chiara della pianta e per la facciata esterna ispirata ai motivi decorativi del rinascimento italiano e francese risulta una delle opere più significative della città. L'effetto monumentale, che König riteneva essere lo scopo di ogni architettura, fu determinante anche per le opere successive. Dell'ultimo periodo sono il Palazzo Herberstein nella Herrengasse (edificio barocco), la Villa Taussig sulla Königplatz a Hietzing (1893-95), la Rotenturmhof e la casa decorata al Neuer Markt (1895/96), in un moderato stile barocco, «una delle più belle case private in stile» (Hevesi), il Palazzo Max Landau nella Heugasse (1900-01), il Palazzo Friedrich Boehler nella Theresianumgasse, la casa del pittore Propst e l'edificio per l'industria nella Schwarzenbergplatz.

König, uno dei più significativi architetti del tempo, «sviluppa ogni sua opera con purezza, libero da qualsiasi imitazione, e crea il dettaglio in maniera originale e con un linguaggio formale moderno, scelto e raffinato» (Lützow). König fu membro onorario dell'Accademia di belle arti di Vienna e ottenne, tra i vari riconoscimenti, la medaglia d'oro all'Esposizione mondiale di Parigi (1900). I suoi allievi più famosi furono Ohmann e Rudolf Krauss.

T.B.

JAN KOTÉRA

Architetto della scuola di Wagner. Nato a Brno il 18.12.1871, morto a Praga il 17.4.1923.

Dopo il viaggio romano Kotéra sostituì Ohmann all'Istituto superiore d'arte applicata a Praga e vi restò fino al 1911, quando fu chiamato all'Accademia ove rimase fino alla morte come professore di composizione architettonica. Ricoprì moltissime cariche ufficiali all'estero e in patria, organizzando e gestendo il passaggio dell'architettura e, in parte, delle arti applicate dalla fase storicistica a quella propriamente moderna. Attivissimo come libero professionista, s'impegnò a fondo anche come saggista.

Jan Kotéra è comunemente definito come il padre dell'architettura moderna cecoslovacca e credo che la definizione non possa essere scalzata in alcun modo. Avento capito a perfezione ciò che Wagner voleva dai suoi allievi, egli ha continuato per quella via nell'ambiente difficile e culturalmente qualificato di Praga ottenendo risultati splendidi; basti pensare ai nomi degli allievi: Gocar, Novotny, Bohuslav Fuchs e altri che negli anni '20 e '30 avrebbero portato l'architettura boema all'avanguardia. Tra l'altro fu Kotéra a dare «asilo» a Plecnik in seguito all'affaire della chiesa di Santo Spirito, consentendo in tal modo uno dei recuperi più significativi del nostro secolo, quello del Castello di Hradcani. E fu forse ancora Kotéra che, affiancando i più giovani Chochol, Janàk, Vlastislav, Hofman, Josef Capek e altri, determinò la fioritura del «cubismo», la cui lezione avrebbero recepito i tedeschi da una parte e i russi dall'altra. Il giudizio di Graf secondo cui Kotéra fu «un non molto originale allievo di Wagner» dovrà a mio parere essere riveduto sostanzialmente.

M.P.

VIKTOR KOVACIC

Architetto della scuola di Wagner. Nato a Licka Vas (Slovenia) il 28.7.1874, morto a Zagabria il 28.10.1924.

Nel 1906 fonda il «Klub Hrvatskih Arhitekata» (Club degli architetti croati), i cui scopi statutari furono la protezione di ambienti storici, concorsi di architettura e urbanistica, esposizioni e discussioni di progetti.

Fu attivo come libero professionista nel campo dell'urbanistica dei centri storici. Significative alcune case di abitazione e ville a Zagabria e nei dintorni. Dal 1910 al 1918 ha lo studio in comune con Hugo Ehrlich (allievo di Hoffmann).

Dal 1900 collabora come reimpaginatore alla rivista progressista «Zivot» e pubblica studi e progetti nelle riviste «Obzor» e «Hrvatska», tutte a Zagabria.

«Come architetto, scrittore e docente Kovacic ha esercitato una forte influenza sullo sviluppo dell'architettura moderna in Croazia. Egli è riuscito a separare la funzione dell'architetto da quella del costruttore, più o meno dipendente dalle imprese, assicurandogli una completa libertà di espressione artistica» (M. Venturini). Il suo maggiore contributo all'architettura croata rimarrà probabilmente quello della corretta formulazione del problema della protezione e della valorizzazione degli ambienti storici e delle soluzioni urbanistiche in generale. Benché egli sia considerato concordemente come il padre dell'architettura moderna in Croazia, i suoi contributi teorici e applicativi attendono ancora una sistematizzazione critica che superi l'ambiente culturale di Zagabria del primo decennio del secolo.

M.P.

JOHANN VIKTOR KRÄMER

Nato il 23.8.1861 a Adamsthal in Moravia (Cecoslovacchia), morto il 6 maggio 1949 a Vienna.

Dal 1878 al 1881 ebbe una borsa di studio dal principe di Liechtenstein, presso cui lavorava il padre, ingegnere, e studiò alla Scuola d'arte applicata di Vienna con F. Laufberger. Frequentò poi l'Accademia di arti figurative dove fu allievo di L.C. Müller, pittore d'arte orientale dal quale eriditò l'amore per le bellezze dell'Oriente.

Nel 1887 ottenne il Premio Reichel per la sua grande *Deposizione dalla croce*, esposta alla Künstlerhaus e poi venduta a Sydney. Nel 1888 ottenne il Premio Roma con *Il giudizio di Paride*. Tra il 1890 e il 1892 viaggiò molto (tra l'altro in Inghilterra, Francia, Italia, Olanda e Africa del Nord), nel 1893 divenne membro della Künstlerhaus viennese. Nel 1894 si recò in Sicilia con i pittori Engelhart e Hörmann. Nel 1897 fece parte del gruppo fondatore della Secessione e negli anni 1898-1900 intraprese altri viaggi in Italia, Corfù e Palestina; nel 1901 soggiornò in Egitto, Nubia e ancora in Palestina. Nello stesso anno, in una mostra collettiva della Secessione, espose molti studi tratti dal suo viaggio in Oriente. Inoltre preparò le illustrazioni per un libro di viaggi in due volumi. Nel 1903 divenne membro dell'Hagebund.

Krämer ricevette molti premi, anche per la sua versatilità. Nel 1917 ottenne il titolo di professore. Nel 1920 fece numerosi ritratti di importanti personalità.

Nella sua opera predominano i ritratti, scene di genere e paesaggi. Si dedicò anche ripetutamente a grandi composizioni religiose. Non fu molto influenzato dagli «stilisti» della Secessione e si può vedere in lui un continuatore della pittura paesaggistica d'ambiente.

M.F.

FRANTISEK (FRANZ) KRÁSNY

Architetto della scuola di Wagner. Nato a Plzen (Cecoslovacchia) il 6.7.1865, morto a Marianske Lazne (Cecoslovacchia) il 14.6.1947.

Libero professionista con l'interesse prevalente per l'architettura, Krásny opera e vive a Vienna fino al 1920, quando si trasferisce a Praga, dando le dimissioni da tutte le associazioni austriache (Ingenieur- und Architekten-Verein, Künstlerhaus ecc.). A Praga è architetto capo dell'associazione nazionalistica laica Sokol.

I suoi principali edifici sono: Kreditna Banka a Lubiana (1910), Zivnostenska Banca a Vienna (1914), stadio in legno a Praga (1926), sede della Società ingegneri e architetti a Praga (1928), moltissime case di abitazione, ville e restauri. Come architetto del Sokol progetta e costruisce 150 palestre dell'associazione, tra cui le più importanti della Cecoslovacchia.

Scarsissima l'attività teorica. Nel 1934 è nel comitato del «Vestnik Kluba za Starou Prahu», dove pubblica qualche articolo.

Frantisek Krásny è un «prodotto tipico» della scuola di Wagner: cittadino dell'impero, conserva coscienza fortissima della propria nazionalità che negli anni '20 si sarebbe manifestata in quel panslavismo che fu alla base del Sokol. L'alto numero delle citazioni nei periodici viennesi testimonia l'importanza della sua opera nell'ambito del rinnovamento della forma, e poiché egli operava in quasi tutti i paesi della monarchia, l'influenza che esercitava, quella di una tranquilla Secessione, può essere constatata un po' ovunque. Krásny appartiene alla primissima generazione degli allievi di Wagner; se da una parte ciò gli permise di collaborare spesso con Kotera, Frantisek Böhm e altri colleghi, d'altra parte le ragioni di età e di formazione non gli permisero di oltrepassare un misurato classicismo.

M.P.

FRANZ KRAUSS

Architetto, artigiano e grafico, professore alla Technische Hochschule di Vienna; dal 1911 docente di disegno e caratteri stilistici all'Accademia di belle arti di Vienna.

Nato il 14.6.1865 a Döbling, presso Vienna, fu allievo alla Technische Hochschule e alla Scuola superiore di architettura dell'Accademia di belle arti sotto la guida di Schmidt; proseguì la sua formazione a Worms e a Monaco e lavorò nello Studio Fellner e Helmer a Vienna. Ottenne già all'Accademia numerosi premi: nel 1888 lo Haggenmüllerpreis e nel 1889 un premio speciale e il secondo premio per il progetto di un nuovo edificio per l'Accademia. Libero professionista dal 1894, lavorò prevalentemente con Tölk. Tra le sue numerosissime opere sono da ricordare, in ordine cronologico: la facciata della Scuola dei cadetti (Landwehrkadettenschule) a Vienna nella Boerhavegasse (1895), una casa da concerto e un caffè a Millstatt am See, un edificio scolastico a Stockerau (in collaborazione con Tölk). Del 1896, tre progetti di casa d'affitto a Vienna e un progetto per la nuova costruzione del Böhmisches Theater a Pilsen. Nel 1897 Krauss rinnovò la sala da ballo dell'Hotel Stadt Wien a Baden ed edificò una casa d'affitto nella Sechskrügelgasse a Vienna. Nel 1898 curò la costruzione per il Kaiser-Jubiläum-Stadttheater a Vienna (in collaborazione con A. Graf), che mostra chiare reminiscenze degli edifici della Frührenaissance di Norimberga; la facciata tuttavia, poiché era necessario risparmiare nell'uso di materiali nobili, fu ricoperta di semplice intonaco. Nel 1898 Krauss ricevette il terzo premio per il progetto di un teatro a Baden, nel 1900 la medaglia di bronzo all'Esposizione di Parigi, nel 1905 la medaglia d'oro della Künstlerhaus viennese. Il suo progetto di teatro per la città di Merano non fu realizzato. Nel 1903 sorsero la Seefischhalle sul Naschmarkt a Vienna, una casa di cura a Baden, l'agenzia ippica dell'ippodromo sempre a Baden.

Vi fu successivamente un ultimo cambiamento nella sua ricerca stilistica: abbandonò ogni reminiscenza storica e sviluppò la forma esterna della costruzione mirando a una corrispondenza tra pianta e volumi. Talvolta si possono rinvenire influenze dello stile impero, ma si tratta di momenti isolati. Del 1905 sono la Casa Weiss a Freiwaldau, il progetto di una chiesa cattolica per Pressbaum, i magazzini Gerngross a Vienna, gli uffici della Cassa mutua di Vienna, case d'abitazione e commerciali sulla Bognergasse e il completamento del Bürgertheater.

Krauss aveva già trovato una straordinaria soluzione della scalinata nel Bürgertheather, presente ancora in uno dei suoi progetti per il teatro di Gablonz: vi è previsto uno svuotamento rapido della sala grazie a una scala lineare che nulla toglie all'equilibrio dell'esterno. Degli anni 1906-07 sono la casa per il dottor Perl, la casa d'abitazione nella Theresianumgasse, la fabbrica Pospischil a Vienna e numerose case d'abitazione a Pola. Del 1908, lo Stadttheater di Mährisch-Ostrau, la notevole Casa Primavesi a Olmütz; del 1909, il completamento della casa di cura sul Semmering, l'Hotel Riviera a Parenzo, i progetti di una casa di cura ad Abbazia e di una sala da concerto a Pola. Del 1910 sono il ponte Dürwaring e la Casa Pospischil a Vienna, nonché la Villa Hahn a Baden. Del 1911, l'Istituto per le malattie nervose Rosenhügel e una casa nell'Alserstrasse. Del 1912 è la Casa Weiss a Hinterbrühl, del 1913 la Casa Gallia a Vienna (premiata dal Comune). Del 1914 la casa di cura per malattie nervose Mariatheresienschlössel a Vienna. Del 1915 il seminario Frintaneum a Vienna. Del 1914-16 sono i progetti per la ricostruzione degli interni del palazzo dell'arciduca Federico (non realizzati). Nel 1920 progetta il circolo equestre a Barcellona, la ricostruzione della Technische Hochschule a Vienna (in collaborazione con Max Theuer), l'Istituto delle materie combustibili e il laboratorio delle macchine (progetti non realizzati). Nel 1921 esegue la tomba della famiglia Hüchel a Neutitschein. Del 1922 sono gli schizzi per la Technische Hochschule a Temesvar; del 1923 la lapide a ricordo dei caduti alla Technische Hochschule a Vienna (in collaborazione con Schimkovitz), l'ippodromo per il trotto e le stalle a Baden, progetti per case popolari a Vienna. Nel 1923 progetta il municipio di Montevideo (in collaborazione con Theiss e Jaksch); insieme a loro nel 1924 esegue progetti per case popolari a Vienna. Del 1925 è un complesso di 172 abitazioni per il Comune di Vienna; del 1926 è la realizzazione di un complesso (18 case) a Vienna (in collaborazione con Theiss e Jaksch), e inoltre la Villa Friedmann a Vienna.

Come tutti gli allievi di Schmidt, Krauss è passato attraverso numerosi cambiamenti di stile. Se in gioventù aveva aderito allo storicismo, dopo l'esperienza nello Studio Fellner e Helmer si avvicinò a uno stile molto più funzionale: è determinante per la pianta la soluzione della questione delle finalità di costruzione. Le reminiscenze storiche si limitano alle facciate. Per un certo periodo agiscono su di lui le influenze del primo '800, tuttavia non nel senso di un romanticismo storico ma in quello della semplicità. Più tardi scompariranno anche queste connotazioni e si svilupperà un'espressione formale derivata dalle finalità dell'opera da costruire.

T.B.

ROSE (ROSA) KREMM

Nata a St. Marein bei Erlachstein, in Stiria (oggi Jugoslavia), il 5.7.1894. Frequenta la Scuola di arti applicate di Praga e dal 1909 la Kunstgewerbeschule di Vienna (O. Strnad, A. von Kenner, J. Hoffmann). Esposizioni: Frühjahrsausstellung del Museum für Kunst und Industrie, 1912.
Lavori per altre ditte: Böck (porcellane).
Lavori per la Wiener Werkstätte: tessuti; le ceramiche che realizza nell'ambito della Kunstgewerbeschule vengono vendute anche dalla Wiener Werkstätte.

CARL KRENEK

Nato a Vienna il 7.9.1880, ivi morto il 5.12. 1948.
Dapprima Carl Krenek frequentò la scuola di disegno tecnico manufatturiero dell'Istituto per l'industria tessile, in seguito (dal 1898 al 1906) la Scuola d'arte applicata di Vienna, con Willibald Schulmeister, Alfred Roller, Felician von Myrbach, Kolo Moser e Carl Otto Czeschka. Molto presto mostrò particolare talento nel campo dell'illustrazione. Nel 1906 pubblicò il libro illustrato sull'intaglio del legno *Le quattro stagioni*. Nello stesso anno apparvero a Lipsia i suoi intagli a colori in legno *Piccole scene*. Nell'estate 1906 Krenek vinse una borsa di studio e si recò dapprima in Germania poi a Parigi. Nel 1907-08 studiò pittura all'Accademia di Vienna con Heinrich Lefler. Poi lavorò nel laboratorio di scenografia a Vienna-Liesing.
Nel 1909 partecipò alla Kunstschau, nel 1910 alla Mostra della caccia a Vienna, nel 1912 alla Mostra del manifesto della Secessione viennese. Espose anche in varie mostre del Museo austriaco per l'arte e l'industria e della Künstlerhaus. Krenek dipingeva preferibilmente paesaggi viennesi e della Wachau, in piccolo formato, e anche illustrazioni di favole con acquarello e tempera. Il suo stile si caratterizza per i colori e le forme semplici e per la prevalenza del disegno.
Fece numerose illustrazioni per la casa editrice Jugend und Volk, per la casa editrice di stato, per Zeitler, Konegen e la Österreichische Bundesverlag. Inoltre fece anche manifesti e ex libris. Per la Wiener Werkstätte disegnò cartoline postali e decorazioni di stoffe. Progettò vetrate per il villaggio dei bambini di Döbling e oggetti in ceramica per Hugo F. Kirsch. Krenek era membro dell'Österreichische Werkbund e dell'Unione artisti austriaci.
Bibliografia: Thieme-Becker, *Künstlerlexikon*, vol. XXI, Leipzig, 1927; *Wien um 1900*, cat. mostra, Wien, 1964; Werner J. Schweiger, *Wiener Werkstätte*, Wien, 1982.

E.B.T.

ALFRED KUBIN

Nato il 10.4.1877 a Leitmeritz in Boemia, morto il 20.8.1959.
Kubin incominciò la sua attività artistica poco prima della fine del secolo a Monaco, dove frequentava l'Accademia. La prima mostra dei suoi lavori ebbe luogo nel 1902 a Berlino presso Cassirer. L'anno successivo Hans von Weber pubblicò la prima raccolta kubiniana e con questa serie di disegni a inchiostro di china il nome dell'artista cominciò a imporsi. I disegni possedevano un carattere onirico; erano «specificamente ispirazioni spettrali rese visibili da un garbuglio di tratti di penna solo in apparenza convulsi». Dopo una lunga serie di viaggi, prima a Parigi, poi nell'Italia del Nord, in Bosnia, Dalmazia e Ungheria, Kubin comprò un piccolo castello di campagna a Zwickledt, che in seguito diventò la sua residenza permanente.
Con il romanzo fantastico *L'altra parte*, illustrato da 52 disegni, Kubin mise in luce anche un talento per la letteratura, creando con parole e immagini un regno fantastico di sogno. In parte autobiografico, il libro rispecchia alcuni «sogni» dell'artista: nel racconto infatti un redattore del giornale «Specchio del Sogno» assume il disegnatore protagonista per tutto l'anno, indipendentemente dai lavori molto, poco o addirittura nulla. Per Kubin il mondo era un labirinto di suggestive immagini. Da dove provenivano queste apparizioni era per lui di importanza secondaria; solo un impulso che non poteva contrastare lo spingeva a «disegnare configurazioni emergenti come da una luce crepuscolare dell'anima». Nel 1938 scrisse il saggio *All'osservatore della mia opera*, dove illustrava per i visitatori della sua esposizione il proprio tentativo di «trattenere con il disegno forme, figure e avvenimenti colti solo nell'interiorità». Spesso Kubin non venne compreso, e in certi casi persino deriso, per la sua attrazione verso il misterioso, lo strano e l'orribile. Kubin fu membro del Blaue Reiter assieme ai suoi amici Kandinsky, Marc e Klee. Dal punto di vista artistico Kubin si ricollega a Gustave Doré, da quello letterario a Jean Paul e E.T.A. Hoffmann. Ebbe come predecessori delle sue invenzioni Odilon Redon e James Ensor. «Kubin era principalmente il tipo del solitario portato all'introspezione, che possiede una così ricca vita interiore da aver appena bisogno di nuovi stimoli dall'esterno. Per que-

sta ragione poté continuare per decenni la sua vita da eremita a Zwickledt e nel contempo creare opere sempre nuove e sconvolgenti.»
Sebbene alcuni critici definissero «folli» i suoi disegni, Kubin al momento della morte godeva una notevole fama, cui concorsero particolarmente le sue illustrazioni delle opere di Poe, E.T.A. Hoffmann, G. Hauptmann e Dostoevskij. La città di Linz, ancora vivente l'artista, istituì un proprio «Alfred Kubin Kabinett», mentre Monaco possiede ora l'Archivio kubiniano che era prima ad Amburgo. Kubin ricevette numerosi premi, fra gli altri il Premio Vienna e quello di Lugano per la grafica, nonché il Grossen Österreichisches Staatspreis.
Bibliografia: Alfred Kubin zum Gedanken in «Rathauskorrespondenzen», 18 agosto 1969; *Der Künstler wird Seher*, cat. mostra, Neue Galerie der Stadt, Linz, 1947; *Gedächtnis-Ausstellung*, cat. mostra, Galerie St. Stephan, Wien, 1959.

C.P.

KUNSTGEWERBLICHE FACHSCHULE FÜR GÜRTLER, GRAVEURE UND BRONZEWAREN-ERZEUGER IN GABLONZ (JABLONEC, TSCHECHOSLOWAKEI)

Scuola d'arte applicata per le lavorazioni in ottone, incisioni e lavorazioni in bronzo di Gablonz (Jablonec, Cecoslovacchia).
Fondata nel 1880 quale scuola statale di disegno, modellismo e cesello sotto la direzione della Scuola professionale statale di Reichenberg (Liberec, Cecoslovacchia), fu ampliata nel 1882 e trasferita in un fabbricato costruito dal comune. Nel 1887 la scuola fu elevata al rango di «Scuola specializzata per l'industria della chincaglieria».
La scuola comprendeva le sezioni di incisione in metallo e cesellatura, di oreficeria (lavori in oro, argento e ottone), di disegno e pittura decorativa, di ceramica (pittura su maiolica e porcellana) e di pittura a olio. Nel 1886 fu introdotta anche la tecnica della pittura «Limoges», insegnata dal maestro Robert Bengler.
La lavorazione del legno era insegnata nella scuola complementare che comprendeva un corso per carpentieri e falegnami.
Nel 1888 fu organizzata a Reichenberg una mostra di lavori degli studenti delle scuole professionali al Museo dell'artigianato della Boemia settentrionale e in tale occasione fu sottolineata la versatilità della scuola di Gablonz con le seguenti parole: «La più versatile... è senza dubbio la Scuola di arte applicata di Gablonz. Sotto la direzione dell'architetto Robert Stübchen-Kirchner, in questa scuola si lavora con successo il metallo facendone oggetti preziosi in filigrana, bottoni e altri oggetti decorati a colori.»
Dal 1899 al 1904 il direttore della scuola fu il pittore Arthur Koch. Con lui collaborarono altri maestri accademici come il pittore Ernst Wenzel, il creatore di medaglie Karl Pugl, l'incisore e cesellatore August Hammer e l'incisore Rudolf Zitte. Anche dopo la riforma del 1908 la scuola mantenne la sua struttura originaria. Dopo la prima guerra mondiale fu modificata e divenne una «scuola professionale statale» cecoslovacca che ai corsi per incisori e

cesellatori (creatori di oggetti in bronzo), di bigiotteria (lavorazione in ottone, oro e argento), di disegno e pittura decorativa e figurativa, affiancò corsi di specializzazione per incisori, corsi di galvanotecnica, di stampaggio su metallo, di fonderia e modellismo e inoltre le sezioni per tipografia e affini.
L'alto livello della scuola e la sua versatilità furono di grande importanza per l'industria locale: nei corsi di specializzazione per chi già esercitava un mestiere gli artigiani potevano affinare il loro lavoro e imparare nuove tecniche.
Nel 1889 la scuola era presente con oggetti di metallo e maiolica decorati a una mostra del Museo di arte e industria dell'Alta Austria. Nel 1900 partecipò all'Esposizione mondiale di Parigi con ornamenti in metallo per mobili; nel 1901 fu alla Mostra delle scuole professionali di arte applicata a Vienna, nel 1902 alla Esposizione internazionale di Torino, nel 1904 alla Esposizione mondiale di St. Louis. Ogni anno era presente con oggetti di varia lavorazione alle esposizioni del Museo austriaco per l'arte e l'industria.
Bibliografia: Jahresberichte der k.k. Fachschule für Quincaillerie-Industrie in Gablonz a.N.; Jahrbücher des höheren Unterrichtswesens 1887/88 bis 1914; Ausstellungskataloge des Österreichischen Museum für Kunst und Industrie in Wien; Vera J. Behal, Möbel des Jugendstils, München, 1981.

V.J.B.

KÜNSTLERHAUS

Il grande progetto imperiale del viale del Ring e il compito a esso collegato di testimoniare con l'arte la potenza e il prestigio della monarchia fecero diventare la capitale dell'impero un punto di attrazione per artisti di tutti i campi, dall'architettura alla pittura, alla scultura, all'artigianato artistico. Gli artisti si immedesimarono nel ruolo di portavoce della società come della casa regnante e tentarono di diventare degli «operatori di massa»
Dalle due associazioni allora esistenti, e di non grande importanza, la «Associazione Albrecht Dürer» e la «Associazione di artisti Eintracht», si costituì infine, il 29 aprile 1861, la «Genossenschaft der bildenden Künstler Wiens», che a sua volta faceva parte della «Allgemeinen deutschen Künstlergenossenschaft», l'organizzazione cui facevano capo tutte le associazioni artistiche tedesche.
Accanto agli scopi dell'associazione — la salvaguardia degli interessi degli artisti figurativi — lo statuto di fondazione aveva anche prestabilito la costruzione di un palazzo d'esposizioni, la Künstlerhaus (casa degli artisti), per la quale l'imperatore stesso aveva messo a disposizione il terreno tra il Ring e la Karlsplatz. La richiesta iniziale di accogliere nel costruendo palazzo per le esposizioni anche poeti e musicisti non fu accolta. Dal concorso di architettura venne alla ribalta l'ancora sconosciuto architetto August Weber, il cui progetto — finanziariamente sostenuto da membri della casa imperiale, della nobiltà e della ricca borghesia — fu messo in opera nel 1864, poi ampliato nel 1882.
Dal punto di vista artistico e ideale la Kün-

stlerhaus si allineava per lo più con la tradizione, tenendosi in parallelo con l'Accademia delle arti figurative (dove gran parte dei suoi membri aveva studiato) e con il Museo imperiale per l'arte e l'industria. Quasi tutti gli artisti che parteciparono alla costruzione del Ring erano membri o soci onorari della Künstlerhaus. Il ricco programma di esposizioni culminava ogni anno in una mostra che ebbe luogo regolarmente dal 1869 al 1914.
All'interno della Künstlerhaus si formarono delle sottoassociazioni, alcune con scopi di intrattenimento (Club delle bocce, Club del biliardo ecc.), altre con indirizzi culturali specifici (Club fotografico, Società numismatica, Associazione degli architetti ecc.).
Il movimento secessionista all'interno della Künstlerhaus all'inizio non fu un fatto eccezionale. L'abbandono dei secessionisti marchiò però la Künstlerhaus come «istituzione antiquata», e questo le fece perdere gran parte della sua immagine originaria, che non poté più ricuperare nonostante l'appoggio delle alte sfere.
Dal 1914 la Künstlerhaus servì come ospedale militare. Nel 1939 avvenne la fusione della Künstlerhaus con la Secessione.

J.W.

KUNSTSCHAU WIEN 1908 E 1909

Il «gruppo di Klimt» (Klimt-Gruppe), che nel 1905 aveva abbandonato la Secessione, poté costruirsi temporaneamente un edificio per le esposizioni sul terreno della progettata Konzerthaus (Palazzo dei concerti). Il luogo si trovava tra Schwarzenbergplatz e Lothringerstrasse. Le esposizioni erano aperte da maggio a settembre.
Nel 1898 Hermann Bahr proclamava: «Avvolgete il nostro popolo in una bellezza austriaca!» E la mostra che fu organizzata dieci anni dopo, la «Kunstschau», ne fu la realizzazione.
La Kunstschau fu il breve momento culminante delle esposizioni austriache. Gustav Klimt la definì nel suo discorso inaugurale come «rassegna delle forze e delle aspirazioni artistiche dell'Austria, un fedele resoconto sullo stato attuale della cultura nel nostro paese».
179 artisti (di cui 14 che avevano abbandonato la Secessione nel 1905) esponevano in 54 sale. Josef Hoffmann aveva progettato l'intera disposizione della mostra. Dovevano essere rappresentate tutte le forme della vita quotidiana e tutti i rami dell'arte. C'erano sezioni per la pittura, la grafica, l'arte del manifesto, la scultura, l'architettura, l'arte sacra, l'arte funeraria; c'erano sale dedicate all'artigianato e alla moda. Josef Hoffmann arredò una casa modello, Franz Lebisch sistemò i giardini, una sala fu riservata al teatro. Punto centrale della mostra la «Sala Klimt», ideata da Kolo Moser. Peter Altenberg scrisse: «Sala 22, la sala di Gustav Klimt, il tempio dell'arte moderna.»
Nella sala bianca della Wiener Werkstätte, in cinque contenitori stretti e alti che corrispondevano a cinque altre finestre lungo la parete, erano disposte le vetrine per Otto Prutscher, Kolo Moser, Karl Witzmann, Josef Hoffmann e la Wiener Keramik. Carl Otto Cze-

schka esponeva gioielli, lavori in legno e cuoio, ventagli di piume di cigno in una vetrina argentea alta circa due metri che egli aveva creato insieme a Adolf Erbich. Gli allievi della Scuola d'arte femminile e della Scuola d'arte applicata esposero a loro volta più di mille lavori.

Oltre 300 fotografie e numerose recensioni furono pubblicate in tutte le riviste d'arte. I disegni per arazzi che Oskar Kokoschka aveva ideato per una matinée al Cabaret Fledermaus il 29.3.1909 destarono l'ammirazione dei critici d'arte Eduard Pötzl e Franz Seligmann («Neue Freie Presse») e Hermann Figl («Deutsches Volksblatt»). Oskar Kokoschka, considerato l'enfant terrible della Kunstschau, espose le sue opere, oltre che nella sala della «pittura decorativa», nella sala arredata dal suo maestro Berthold Löffler per l'«arte del manifesto».

Bertha Zuckerkandl riferiva nel giornale «Wiener Allgemeine Zeitung» del 21 ottobre 1908: «Il museo austriaco ha acquistato, per speciale incarico del ministro, oggetti d'arte moderna esposti nella Kunstschau. Con questo si vogliono sottolineare gli straordinari risultati ottenuti dalla Wiener Werkstätte e da quanti vi collaborarono per lo sviluppo dell'artigianato artistico. E si riconosce pubblicamente il merito dei giovani artisti ai quali l'Austria deve la creazione di un suo proprio stile.»

Sebbene in origine si fosse programmato di tenere la Kunstschau una sola volta, poi si cambiò idea e da maggio a settembre ebbe luogo la «Internationale Kunstschau 1909». Si volle dimostrare spirito di apertura invitando artisti stranieri come Paul Gauguin, Vincent van Gogh, Lovis Corinth, Max Slevogt, Edvard Munch, George Minne; per la prima volta parteciparono i giovani austriaci Albert Paris Gütersloh e Egon Schiele. Max Oppenheim era già presente nel 1908. In tutto erano 166 artisti. Nel teatro all'aperto, annesso alla mostra, avvenne la prima rappresentazione del dramma di Oskar Kokoschka Assassino, speranza delle donne, con la regia di Ernst Reinhold. Nel 1917 il dramma fu rappresentato a Dresda, nel 1920 a Francoforte con la regia di Heinrich George, nel 1921 fu musicato da Paul Hindemith con scenografie di Oskar Schlemmer ed eseguito a Stoccarda, nel 1922 fu ripetuto a Francoforte e Dresda.

Ludwig Erik Tesar scrisse molto e approfonditamente sulla «Kunstrevue» del giugno 1909 sul dramma di Kokoschka; diceva tra l'altro: «Ci troviamo qui agli inizi di un modo di illustrare con il colore. E cioè vera illustrazione, non quella che si intromette senza tatto nel racconto, ma quella che mette in evidenza singole frasi importanti, parole, avvenimenti e stati d'animo...»

I.D.

MAXIMILIAN KURZWEIL

Nato il 13.10.1867 a Bisenz, Moravia (Cecoslovacchia), morto il 9.5.1916 a Vienna.
Nel 1876 la famiglia si trasferì a Vienna, dove Max Kurzweil frequentò il ginnasio e poi si iscrisse, nel 1886, all'Accademia delle arti figurative (prima con Chr. Griepenkerl, poi con L.C.Müller ed infine, nel 1894-95, con K. Pocjwalski). Nel frattempo fece anche il servizio militare. Dal 1892 al 1894 soggiornò a Parigi e nella Bretagna dove ebbe rapporti soprattutto con la colonia di artisti di Concarneau. Qui si sposò nel 1895, e da allora vi soggiornò per la metà dell'anno, passando l'altra metà a Vienna.

Nel 1895 entrò anche nella Cooperativa degli artisti figurativi di Vienna, e due anni dopo nel gruppo fondatore della Secessione. Partecipò alle prime esposizioni e fu membro della redazione della rivista «Ver Sacrum». Nel 1903 si dimise dalla Cooperativa ma rimase in contatto soprattutto con W. List, C. Moll e G. Klimt. Era uno dei pittori che lavoravano per la Tipografia di stato. Nel 1903 espose in una mostra a Berlino, tra il 1906 e il 1911 intraprese viaggi in Italia e Dalmazia, dal 1909 insegnò nella Scuola d'arte femminile, nel 1911 prese parte alla Esposizione internazionale d'arte di Roma e nello stesso anno espose insieme a Moll alla Galleria Miethke a Vienna. Nel 1915 Kurzweil fu in Dalmazia come pittore di guerra. Un anno più tardi si suicidò insieme a una allieva.

La svolta decisiva nella sua pittura avvenne quando andò in Francia. Abbandonò la tradizionale pittura di genere per avvicinarsi a una pittura figurativa e paesaggistica di stile impressionista. All'inizio fu anche attratto dallo stile piano della Secessione viennese, poi venne a contatto con Hodler (1904), che lo stimolò a una rappresentazione più espressiva. Negli ultimi anni i suoi colori passarono da toni riservati pastello a toni più forti. Parallelamente mutò anche il tratto pittorico, la pennellatura. Kurzweil fece molti ritratti, ma dipinse soprattutto paesaggi dedicandosi, oltre che alla pittura, alla grafica.

Bibliografia: F. Novotny - H. Adolph, *Max Kurzweil — Ein Maler der Wiener Secession*, Wien, 1969.

M.F.

ERWIN LANG

Nato a Vienna il 22.7.1886, il pittore, grafico e scenografo Erwin Lang studiò dal 1903 al 1907 alla Scuola d'arte applicata della sua città con Carl Otto Czeschka e Erich Mallina. Lavorò poi in qualità di scenografo a Vienna e a Berlino. Espose suoi lavori grafici alla Kunstschau del 1908; nel 1911 partecipò alla mostra speciale dell'Hagenbund, organizzata da Oskar Kokoschka, Egon Schiele, Anton Faistauer, Anton Kolig e da lui stesso. Caduto prigioniero dei russi nel corso della prima guerra mondiale, tornò a Vienna solo nel 1920. Dal 1925 al 1938 fu membro dell'Hagenbund; dal 1949, della Secessione viennese.

Nel 1914 ebbe la medaglia d'argento dello stato austriaco e quella della Mostra del libro di Lipsia. Nel 1933 fu insignito del premio della città di Vienna e, l'anno successivo, del premio di stato.

Erwin Lang era sposato con la danzatrice Grete Wiesenthal. Per lei creò allestimenti scenici e manifesti. Fu illustratore di numerosi libri. Di particolare rilievo le sue xilografie, condotte in uno stile caratterizzato da una forte semplificazione della linea e da grandiosi effetti di luce.

Morì il 10.2.1962.

Bibliografia: Robert Waissenberger, *Die Wiener Sezession*, Wien-München, 1971; *Der Hagenbund*, cat. mostra Historisches Museum der Stadt, Wien, 1975.

E.B.T.

RUDOLF LARISCH

Nato a Verona l'1.4.1856, figlio di un ufficiale austriaco, Larisch iniziò molto presto e senza entusiasmo una modesta carriera di funzionario statale, fino a diventare archivista dell'Ordine del Vello d'oro. Contemporaneamente si occupava da autodidatta di calligrafia e scrittura artistica. Frequentò corsi di nudo alla Scuola di arte applicata approfondendo le proprie inclinazioni artistiche.

La sua prima pubblicazione, *Über Zierschriften im Dienste der Kunst* (Sulle scritture ornamentali al servizio dell'arte), del 1899, ebbe un grande successo di vendita e gli valse tre anni più tardi un incarico alla Scuola di arte applicata, dove istituì un corso regolare di calligrafia e araldica. La sua attività di insegnante, iniziata a 47 anni, ebbe un tale successo che Larisch trovò incarichi fino al 1920 in altre cinque scuole di Vienna (Wiener Frauenakademie, Graphische Lehr- und Versuchsanstalt, Niederösterreichische Lehreranstalt, Pädagogisches Institut der Stadt Wien e, dal 1920, Akademie der bildenden Künste).

Per Larisch scrittura significava soprattutto libro. Si occupò di documenti, di ex libris e di manifesti, ma soprattutto di rilegatura di libri, di titoli e di layout, anche se ideò solo due caratteri tipografici («Plinius» nel 1904 e «Wertzeichen» nel 1911, caratteri latini per la Tipografia di stato di Vienna). La costruzione di una pagina di libro affrontata come problema artistico, il rapporto tra forma e contenuto, che si esprimono nella grafia maiuscola e minuscola e in differenti proporzioni e lunghezze di linee, tutto ciò dà ai lavori di Larisch una espressività che deve essere vista accanto ai lavori grafici della prima metà di questo secolo. Il lavoro di Larisch, anche nell'insegnamento, era rivolto soprattutto alla leggibilità della scrittura, il che non doveva però in nessun modo pregiudicarne il carattere ornamentale. Al centro della creatività e della pedagogia di Larisch c'è sempre stata la scrittura personale in corsivo, partendo dalla quale personalità e leggibilità dovevano penetrare nella scrittura artistica e applicata.

Rudolf Larisch morì nel 1934 a 78 anni. Sua moglie Hertha Larisch-Ramsauer e Otto Hurm continuarono la sua attività di insegnamento nelle scuole di Vienna e la tradizione della «scuola di Larisch» fino agli anni '40.

Bibliografia: Eberhard Hölscher — Otto Hurm, *Rudolf Larisch und seine Schule*, Berlin, 1939.

J.W.

OSKAR LASKE

Nato l'8.1.1874 a Czernowitz, suo padre era

architetto. A Vienna, terminata la scuola tecnica, prese lezioni private di pittura dal 1888-89 presso il pittore paesaggista Anton Hlavacek. Dal 1892 al 1898 studiò al Politecnico di Vienna, soprattutto con il prof. Karl König e poi con Otto Wagner all'Accademia di belle arti nel 1899-1901. Negli anni seguenti lavorò nello studio del padre, poi per conto suo (a Vienna tra l'altro costruì la Engelapotheke e disegnò e progettò l'arredamento e la decorazione del Cabaret Nachtlicht).

Oltre che al lavoro di architetto, Laske si dedicò al disegno e all'acquarello nell'ambito della Secessione. Già a 17 anni aveva illustrato con disegni gai e umoristici un libretto scritto dal fratello. Nel periodo attorno al 1904 fece i suoi primi esperimenti di acqueforti, che si avvicinano come motivi ed esecuzione alle illustrazioni caricaturali delle riviste «Simplicissimus» e «Der Liebe Augustin».

Dopo un viaggio in Inghilterra e in Scozia nel 1904-05, Laske partecipò per la prima volta a una mostra nell'ambito dello Jungbund e fu incaricato di allestire le sale dello Hagenbund dove aveva luogo la mostra. Le opere esposte erano paesaggi, panorami di città, piazze di mercato e feste popolari, temi cui rimase fedele anche in seguito. Laske si dedicò ora soprattutto alla pittura, divenne membro dello Hagenbund e sviluppò uno stile decorativo e piano. Persone, animali e piante compongono i suoi quadri utilizzati che si rifanno ai princìpi della Secessione e della Wiener Werkstätte, anche se Laske non oltrepassa mai il confine dell'astrazione.

Dopo il periodo della guerra Laske riprese a viaggiare. Nel 1919 gli fu commissionata la decorazione dell'orfanotrofio di guerra di Kalksburg con un fregio sull'*Arca di Noè*. Lo stesso anno pubblicò una raccolta intitolata *Impressioni su Faust*, nove acqueforti che in parte elaboravano gli avvenimenti della guerra, ma in maniera ben diversa dai precedenti fogli naïfs e umoristici. Nel 1920 Laske creò la scenografia teatrale per una commedia di Shakespeare nel teatro del castello di Schönbrunn. Seguirono viaggi, mostre, premi e onorificenze per i suoi lavori, in cui Laske mostrò sempre di rimanere fedele a uno stile secessionista-impressionista.

Morì il 30.11.1951 a Vienna.

Bibliografia: Erica Tietze-Conrat, *Oskar Laske*, Wien, 1921; Fritz Novotny, *Oskar Laske*, Wien, 1954; *Oskar Laske — Ludwig Heinrich Jungnickel — Franz von Zülow*, cat. mostra, Grafische Sammlung Albertina, Wien, 1979.

P.W.

OTTO LENDECKE

Nato a Lemberg il 4.5.1886, morto a Vienna il 17.10.1918. Lendecke frequentò il ginnasio e la scuola militare, dove ebbe come maestro di disegno Ludwig Hessheimer. Durante il successivo soggiorno a Parigi lavorò per breve tempo presso Paul Poiret, ma nel 1915 decise di stabilirsi definitivamente a Vienna, dove già nel 1911 aveva preso contatto con la Wiener Werkstätte e stretto amicizia con Eduard Wimmer e Josef Hoffmann. Dal marzo al settembre 1917 uscì la rivista di moda «Die Da-

menwelt», edita sotto la sua direzione redazionale e artistica. Gustav Klimt, Dagobert Peche e Lendecke disegnarono le copertine, inserti a colori e decorazioni artistiche. La rivista cessò però quasi subito per difficoltà finanziarie, sebbene fosse considerata la più bella del genere in Europa. Lendecke collaborò anche a «Wiener Mode», «Licht und Schatten», «Die Dame», «Wieland», «Fantasio», «Meggendorfer Blätter», «Jugend», «Muskete», «Simplicissimus».

Nel 1909 partecipò alla mostra del giubileo e della moda, come pure al concorso del comitato della moda dei giovani viennesi. Alla mostra della moda storica e contemporanea del 1912 nel palazzo dell'artigianato Hohenzollern a Berlino i disegni e le toilettes di Wimmer e Lendecke rappresentavano l'attrazione principale. Successivamente partecipò ad altre mostre: Hagenbund (1912), Esposizione di moda (1915), Kunstschau (1920), Secessione (1933). Nel 1917 gli fu affidata la direzione artistica delle mostre di moda della Wiener Werkstätte all'estero.

Nel dicembre 1915, disegnò per il programma del teatro Ronacher le decorazioni del sipario e i costumi delle ballerine Kitty Starling e Grete Wiesenthal. Per la Wiener Werkstätte disegnò una serie di cartoline postali con figure di moda dai vestiti molto stilizzati e di accentuato effetto grafico. Inoltre disegnò stoffe, vestiti, costumi e decorazioni per teatro. Collaborò anche alla raccolta «Die Mode» 1914-15. Oltre che per la Wiener Werkstätte Lendecke disegnò anche per altri atelier di moda (Zwieback) e per la Società per l'industria grafica. Eseguì anche lavori artistici per libri delle case editrici Georg Müller, Wieland, S.Fischer, Albert Langen e della Società per l'industria grafica. Come Schiele, Klimt e Moser, fu vittima dell'epidemia di influenza del 1918.

G.B.

MAXIMILIAN LENZ

Nato il 4.10.1860 a Vienna, ivi morto il 18.5.1948.

Dal 1874 al 1877 studia alla Kunstgewerbeschule con Michael Rieser e Ferdinand Laufenberger, quindi all'Accademia con August Eisenmenger, Christian Griepenkerl e Carl Wurzinger. Ottiene poi una borsa di studio per due anni a Roma. Agli inizi degli anni '90 si mette insieme al grafico F. Schirnböck, con il quale disegna banconote a Buenos Aires per due anni e mezzo.

Tornato a Vienna, è tra i membri fondatori della Secessione, in cui rimarrà fino al 1939. Nel 1903 compie un viaggio in Italia con Gustav Klimt.

Collaboratore fisso di «Ver Sacrum», partecipa all'allestimento della I Mostra della Secessione nel 1898 e al catalogo della XIV Mostra del 1902, dedicata a Beethoven. Il suo famoso quadro *Sirk-Ecke* (1900 c.) si trova oggi all'Historisches Museum di Vienna. Gli affreschi del Palazzo di Giustizia da lui eseguiti sono andati distrutti nell'incendio del 1927.

E.B.T.

ERNST LICHTBLAU

Nato il 24.6.1883 a Vienna, ivi morto l'8.1.1933

Dopo aver frequentato la scuola professionale di Vienna in Schellinggasse, Lichtblau fu allievo di Otto Wagner dal 1902 al 1905 all'Accademia di belle arti. Nel 1909 redasse il penultimo numero del giornale della scuola di Wagner.

Lichtblau lavorò fino al 1914 con Josef Hoffmann, poi esercitò in proprio la professione di architetto e designer. A metà degli anni '20 partecipò, nell'ambito del Werkbund, all'esposizione organizzata da Josef Frank al Museo austriaco per l'arte e l'industria dedicata al «buon oggetto economico». Negli anni '20 e '30 diresse l'ufficio per l'arredamento e l'igiene nelle abitazioni dell'Unione austriaca di riforma delle abitazioni (BEST), in collaborazione con Josef Frank, Julius Jirasek e altri.

Nel 1939 emigrò negli USA, dove per dodici anni insegnò alla Rhode Island School of Design. Negli anni '40 organizzò al Museum of Modern Art di New York una mostra intitolata «Good Design». Mentre i suoi lavori giovanili erano ancora caratterizzati da forme opulente e baroccheggianti, con l'andar degli anni il suo stile divenne sempre più semplice e razionale. Lichtblau mirava soprattutto a razionalizzare l'architettura naïf, e a «ripulirla» con mezzi e materiali moderni.

Lavorò anche all'edilizia popolare per il comune di Vienna. Disegnò stoffe per la ditta Backhausen e per la Wiener Werkstätte. Disegnò tappezzerie per la ditta Piette, gioielli per Alfred Pollak, stufe per Wienerberger, mobili per Hergesell.

Le sue più importanti realizzazioni a Vienna sono: il progetto per concorso della Sinagoga di Vienna XIII (1912), la Parkhaus per l'Esposizione primaverile di artigianato artistico austriaco (1912), case a Vienna XIII in Linzackergasse 9 (1913) e in Wattmanngasse 29 (1914), l'edificio della ditta Lichtblau in Hermanngasse 17 (1923), il palazzo per abitazioni «Julius Ofner-Hof» in Margaretengürtel 22 (1926), il palazzo per abitazioni «Paul Speiser-Hof» in Franklinstrasse 20 (1928, in collaborazione con Bauer, Glaser e Scheffel), il palazzo del Werkbund in Jagsschlossgasse 88-90 (1930), ecc.

Bibliografia: Ottokar Uhl, *Moderne Architektur*, in *Wien von Otto Wagner bis heute*, Wien-München, 1966; Marco Pozzetto, *Die Schule Otto Wagner, 1894-1912*, Trieste, 1979, Wien-München, 1980; Werner J. Schweiger, *Wiener Werkstätte*, Wien, 1982.

E.B.T.

WILHELM LIST

Nato a Vienna nel 1864, ivi morto nel 1918.

Studia all'Accademia con Griepenkerl e nel 1897 è tra i membri fondatori della Secessione, dalla quale uscirà nel 1905 con il gruppo di Klimt.

È conosciuto soprattutto per la sua opera grafica, in particolare per i disegni per «Ver Sacrum» e per il catalogo della XIV Mostra della Secessione del 1902, dedicata a Beethoven.

GLASFABRIK JOHANN LOETZ' WITVE
Vetreria «Johann Loetz' Witwe», Klostermühle bei Unterreichstein (Klastersky Mlyn u Rejsteijna, Cecoslovacchia).

La vetreria fu fondata nel 1836 da Johann Eisner von Eisenstein e acquistata nel 1851-52 da Zuzana Loetz (sposata Gerstner in seconde nozze nel 1845), vedova di Johann Loetz (1778-1844), già proprietario di vetrerie nella regione di Bergreichenstein. Nel 1878 Zuzana lasciò la vetreria in eredità al nipote Max Ritter von Spaun, che la diresse fino al 1908 con la vecchia ragione sociale di «Johann Loetz' Witwe» (vedova di Johann Loetz). Nel 1908 fu ereditata dal figlio Max von Spaun Jr. Con Max Spaun Senior la vetreria ebbe gli anni di massimo splendore: era una delle più rinomate della monarchia austro-ungarica. Merito di tale successo fu in gran parte del direttore Eduard Prochazka (che la diresse dal 1885 al 1914). Dopo il 1910 il proprietario ebbe difficoltà finanziarie che portarono nel 1911 al fallimento e nel 1913 alla trasformazione della ditta in società a responsabilità limitata; nel 1918 divenne società per azioni. La produzione della vetreria poté mantenersi solo grazie alla vecchia clientela senza entrare nella competizione con nuove produzioni. Negli anni '30 la produzione fu sospesa diverse volte. La società fu definitivamente sciolta nel 1947.

Già nella prima fase della sua esistenza, sotto Zuzana Gerstner Loetz, la produzione si distingueva per l'ottima qualità. Negli anni '80 fu creato un vetro che imitava pietre dure come il diaspro, l'onice, la corniola, la malachite ecc. Per la sua ottima qualità di vetro colorato nel 1888 la vetreria ottenne il diploma d'onore all'Esposizione internazionale di Bruxelles, e nel 1889 un «grand prix» all'Esposizione mondiale di Parigi. Negli anni '90 furono prodotti oggetti in vetro iridescente. La fabbrica, che aveva grande esperienza nella produzione di vari tipi di vetro, riuscì a scoprire il segreto dei bicchieri Tiffany, che avevano suscitato grande salute nella seconda metà degli anni '90. Già in occasione della Esposizione invernale 1898-99 Spaun espose nel Museo austriaco per l'arte e l'industria a Vienna dei bicchieri «genre Tiffany».

Fino al 1902 non risulta nessuna collaborazione continua con un disegnatore di grande fama; i disegni sono per lo più dei maestri vetrai o dei disegnatori della fabbrica; le idee sono del direttore E. Prochazka. La maggiore innovazione venne appunto con i bicchieri Tiffany. La fabbrica produceva anche lampadari con decorazioni iridescenti, vetri spessi montati su metallo. Nel 1902 furono prodotti dei bicchieri su disegni di Kolo Moser e dei suoi allievi e lo stesso anno iniziò la collaborazione con la pittrice Maria Kirschner, che durò fino al 1914 circa: i suoi vasi erano caratterizzati da forme semplici, funzionali, con una superficie iridescente o a incisione.

Attorno al 1906 Leopold Bauer disegnò una serie di vasi da fiori e nello stesso periodo la pittrice Marie Wilfert-Waltl, che allora abitava a Praga, creò dei contenitori con decorazioni a smalto e con forme in stile impero. Negli anni 1909-11 Adolf Beckert fu direttore artistico della vetreria: disegnò bicchieri con decorazioni di stile giapponese. Attorno al 1910 compare tra i disegnatori Franz Jofstätter, menzionato per la prima volta all'Esposizione mondiale di Parigi del 1900. Negli anni 1908 al 1915 collaborarono molti artisti viennesi con la fabbrica di Spaun: Josef Hoffmann, Otto Prutscher, Karl Witzmann, Michael Powolny, Hans Bolek e Arnold Nechansky. Le loro creazioni presentano forme del tutto nuove che si allontanano dallo «stile attorno al 1900».

Alcuni pezzi di eccezionale pregio artistico portano un marchio inciso: la produzione normale non reca nessuna indicazione.

La ditta partecipò a molte esposizioni: oltre ai già menzionati, fu insignita di premi alle Esposizioni mondiali del 1893 a Chicago, del 1900 a Parigi e del 1904 a St. Louis.

V.J.B.

BERTHOLD LÖFFLER (1874-1960)
Nacque il 28.9.1874 a Nieder-Rosenthal presso Reichenberg (Boemia), figlio di un fabbricante di tela. Löffler stesso diceva di aver ereditato la passione per il disegno dal padre, che disegnava le proprie stoffe. A indirizzarlo verso la pittura fu però soprattutto la madre. Löffler frequentò la scuola di disegno al Museo dell'artigianato di Reichenberg e nel 1890 poté iscriversi alla Kunstgewerbeschule di Vienna, dove studiò con Franz Matsch e Carl Otto Czeschka. Ancora studente, nel 1889 disegnò la copertina di una versine molto umoristica e satirica di «Ver Sacrum», intitolata «Quer Sacrum — Organ der Vereinigung Bildender Künstler Irrlands» (che vuole dire, con un gioco di parole difficilmente traducibile: «Sacrum incrociato — Organo dell'associazione degli artisti figurativi del paese dei matti»). Nel 1900 terminò gli studi nel corso di Kolo Moser e quindi studiò la tecnica dell'affresco con Andreas Groll. Sono di questo periodo la sua collaborazione all'affresco della cupola della cappella di Santa Brigitta e un intenso lavoro come illustratore. Nel 1907 iniziò l'insegnamento alla Kunstgewerbeschule e nell'anno successivo partecipò all'organizzazione della Kunstschau e del Werkbund.

Insieme a Michael Powolny e allo scultore Lang fondò la Wiener Keramik, le cui prime produzioni faticarono a imporsi al pubblico viennese. Il successo arrivò con *Le quattro stagioni* disegnate da Löffler, che piacquero molto. Iniziò così la collaborazione della Wiener Keramik con la Wiener Werkstätte. In questo periodo (1907-11) furono create le piastrelle per il Palazzo Stoclet di Bruxelles. Già prima Löffler aveva disegnato le piastrelle per il Cabaret Fledermaus e per il Sanatorio di Purkersdorf (1904-05).

Alla esposizione del Werkbund del 1912 al Museo austriaco una sala era dedicata esclusivamente alla Wiener Keramik; Löffler ne aveva ornato le pareti con una tappezzeria di sua creazione. Il fatto nuovo in questa mostra fu una ceramica bianco-nera.

Per difficoltà finanziarie la Wiener Keramik fu poi assorbita dalla Gmundner Keramik. L'ultima mostra fu del 1911.

Nel 1912 Löffler dipinse le pareti della taverna dell'Hotel Pittner di Salisburgo e anche una sala piastrellata. Nel 1913 eseguì le decorazioni di un caffè sul Ring e della taverna Stadtkeller a St. Pölten. Dopo il servizio militare durante la guerra apparvero le sue litografie a colori per il calendario della Wiener Werkstätte, *Amoretten-Kalender*.

Nel 1922 Löffler divenne membro della Künstlerhaus, che pubblicò un libriccino intitolato *Die vier Temperamente* con illustrazioni sue. Negli anni '30 sono da menzionare un suo monumento ai caduti a Trautmannsdorf, un *San Cristoforo* a Dürnstein, lavori a Kirchberg am Wechsel.

Löffler morì a Vienna il 23.3.1960.
Bibliografia: B. *Löffler*, cat. mostra, OMAK, Wien, 1978; B. *Löffler*, cat. mostra, Galerie Metropol, Wien, 1980; L.W. Rochowanski, *Wiener Keramik*, Leipzig - Wien, 1923.

C.P.

ADOLF LOOS
Nato a Brno il 10.12.1870, morto a Vienna il 23.8.1933.

Figlio di uno scalpellino e scultore, frequentò la scuola professionale di Reichenberg (Boemia) e in seguito il Politecnico di Dresda. Il suo soggiorno in America dal 1893 al 1896 ebbe su di lui una influenza decisiva. I suoi primi lavori dopo il ritorno a Vienna furono arredamenti di locali (fra gli altri il Caffè Museum, definito «Caffè Nichilismo» da un critico e di appartamenti.

Gli fu però rifiutato di arredare un vano nel nuovo edificio della Secessione perché la sua idea dell'architettura e della vita moderna in genere, che espresse in una serie di articoli, si opponeva in punti essenziali a quella della Secessione. Quegli articoli non trattano solo di costruzione e di artigianato ma anche dello «stare in piedi, del camminare, dello star seduti, del dormire, del mangiare e del bere». Loos parte dal concetto che la civilizzazione moderna crea da sé una nuova cultura di vita senza che l'artista-architetto debba intervenire. In conseguenza lui vede una rigorosa linea di separazione fra l'oggetto di uso comune e l'arte. Là dove l'architettura assume un carattere monumentale — come per tutti i grandi costruttori — deve servire quale modello l'antichità. Nella più importante costruzione da lui eseguita, il palazzo per uffici e negozi della Michaelerplatz a Vienna, si incarnarono queste idee e anche quel «piano dei volumi» che Loos considera sua invenzione. «Dando ad ogni vano solo l'altezza che gli spetta secondo la sua natura si potrà costruire economicamente.» L'economia del progetto nella superficie della proiezione orizzontale viene trasferita nella sezione, cioè nella terza dimensione.

Dopo la prima guerra mondiale Loos fu per breve tempo direttore dell'ufficio per i centri residenziali del Comune di Vienna. Egli si adopera per la creazione di tali centri; non si terrà però conto delle sue proposte per gli edifici d'abitazione a più piani. Negli anni '20 Loos vive in prevalenza in Francia. Oltre a numerosi progetti non eseguiti crea a Parigi, a Vienna ed a Praga i suoi capolavori, cioè le case unifamiliari.

Loos, che aveva sofferto tutta la vita per una menomazione dell'udito e una malattia allo stomaco, morì in seguito a una malattia nervosa in una clinica nei pressi di Vienna.

H.C.

ELENA LUKSCH-MAKOWSKY

Nata il 13.11.1878 a Pietroburgo, oggi Leningrado, morta il 19.8.1967 ad Amburgo.
Figlia del pittore Constantin Jegorowitsh Makowsky, studiò dal 1894 al 1896 all'Accademia di Pietroburgo con I.Repin (pittura) e con W.A.Beklemischeff (scultura). Nel 1898 ottenne una borsa di studio e si recò a Monaco di Baviera dove continuò gli studi nella scuola di pittura di Anton Azbé, conoscendovi lo scultore viennese Richard Luksch che sposò nel 1900. Con lui si trasferì a Vienna dove, nel 1901, fu il primo membro femminile della Secessione. Lavorò per la rivista «Ver Sacrum» e partecipò a tutte le mostre della Secessione tra il 1901 e il 1907. Nel 1903 i coniugi Luksch esposero in una sala propria, tra l'altro *Adolescentia* creato da lei e alcuni oggetti d'arredamento decorativi di lui.
Nel 1905 essi abbandonarono la Secessione insieme al gruppo di Klimt e nel 1907 si trasferirono ad Amburgo dove Richard Luksch aveva avuto un incarico d'insegnamento. Tuttavia il contatto con Vienna rimase ed Elena partecipò alla Kunstschau del 1908. Nel 1910 ebbe luogo una mostra collettiva ad Amburgo, nel 1954 un'altra nel Museo di etnologia sempre ad Amburgo. Nel 1972 ci fu una mostra alla memoria dei coniugi artisti alla Secessione di Vienna.
Luksch-Makowsky era un'artista molto versatile, dipingeva ritratti, quadri allegorici e scene di genere, scolpiva ed era un'ottima disegnatrice. I primi lavori sono visibilmente influenzati da I. Repin, sia per i colori che per la gioia descrittiva (illustrazioni per proverbi russi, 1908). Si ispirò allo Jugendstil russo col quale ebbe contatti. La Wiener Werkstätte pubblicò di lei dodici cartoline postali in cui, come in altri lavori, il contenuto prevale sul valore decorativo. Spesso si nota in lei anche una impostazione accademica, tuttavia collegata con coraggiose stilizzazioni.
Bibliografia: J.Heusinger von Waldegg, *Elena Luksch-Makowskys Gemälde «Adolescentia» 1903*, in «Mitteilungen der Österreichischen Galerie», n. 62, 1974, p. 106 sgg.; idem, *Richard Luksch — Elena Luksch-Makowsky*, Hamburg, 1979.

M.F.

HANS MAKART

Nato a Salisburgo il 18.5.1840, morto a Vienna il 3.10.1884.
Il padre, sorvegliante a Mirabell, il castello di Salisburgo, aveva ambizioni artistiche, ma lasciò la famiglia prima di poter influire sull'evoluzione del figlio. Il tutore del giovane Hans cercò in tutti i modi di favorirne l'evidente talento artistico. Dal 1860 al 1865 Makart fu allievo del celebre pittore di soggetti storici Karl von Piloty a Monaco. Nel 1862 fu

brevemente a Londa e a Parigi, nel 1863 a Roma. Ebbe i suoi primi grandi successi nel 1868 e il suo nome divenne di un tratto assai noto, tanto che in breve spazio di tempo il giovane artista espose al Kunstverein di Monaco due cicli di tre quadri ciascuno, *Die modernen Amoretten* (Gli amorini moderni) e *Pest in Florenz* (La peste a Firenze). Questo successo gli valse la chiamata a Vienna da parte dell'imperatore. Ci si attendeva dal giovane Makart che rinnovasse a arricchisse la pittura monumentale a Vienna, soprattutto nell'ambito della Ringstrasse, allora in costruzione. I dipinti per lo studio dell'industriale Nikolaus Dumba, vari sipari per teatri, il quadro intitolato *Abundantia* e tele gigantesche come *Venedig huldigt Caterina Cornaro* (Venezia rende onore a Caterina Cornaro) o *Der Einzug Kaiser Karl V in Antwerpen* (L'ingresso dell'imperatore Carlo V ad Anversa) costituirono dei vertici della pittura «storicistica» mitteleuropea.
Nell'inverno 1875-76 Makart soggiornò in Egitto con amici pittori, nel 1879 fu nominato docente di pittura di soggetti storici all'Accademia di Vienna. Il culmine della popolarità lo raggiunse con l'allestimento del «Corteo in costume» che la città di Vienna organizzò per le nozze d'argento della coppia imperiale e che per Makart fu un successo trionfale. Nel 1881 ebbe l'incarico di ornare di pitture allegoriche le pareti delle scale del nuovo Kunsthistorisches Museum, lavoro che non riuscì a portare a termine. Una delle sue ultime opere fondamentali (1883) è un ciclo in otto parti con scene dell'*Anello dei Nibelunghi*, un palese omaggio a Richard Wagner, morto a Venezia nella primavera di quell'anno, da lui sommamente venerato. Negli ultimi anni della sua vita Makart attese a grandi progetti architettonici, accarezzando l'idea di realizzare «opere d'arte totale» in cui architettura, pittura, scultura e destinazione degli edifici trovassero il loro armonico contemperamento.
Il giudizio sull'opera di Makart oscillò già ai suoi tempi tra il netto rifiuto e l'entusiasmo. Quel che gli uni gli rimproveravano, gli altri celebravano come sue peculiari prerogative: che egli, cioè, delle scene storiche, ma anche dei ritratti, facesse un mero pretesto per una pittura scenografica, senza darsi pensiero dei fatti concreti, della realtà storica. Egli rivestiva il presente dei panni del passato, e precisamente di questo c'era urgente bisogno in un'epoca in cui la storia aveva così grande rilievo: tale il giudizio dei suoi ammiratori, di gran lunga in maggioranza. Ma soprattutto si celebrava il virtuosismo della sua pittura e l'inconsueta energia luminosa dei suoi colori, che anche gli avversari riconoscevano. Un ruolo particolare assunse l'atelier di Makart: per oltre un decennio esso fu a Vienna un punto d'incontro sociale, che chiunque volesse poteva frequentare. Più che un luogo di lavoro, fu un enorme salotto, la «residenza» di un «pittore principe». Ne scaturì un indirizzo che ebbe ancor più influenza della pittura del maestro. Gli «interni» di Makart figuravano, ancora ben oltre l'inizio del secolo XX, tra le familiari, tipiche manifestazioni della Gründerzeit. L'entusiasmo venne meno assai rapidamente dopo la morte di Makart, eppure non mancarono alcuni — e tra questi il portavoce della Secessione, Ludwig von Hevesi — che riconobbero giustamente l'importanza della pittura di Makart, la sua aspirazione all'«opera d'arte totale», la sua consapevolezza del ruolo spettante all'arte figurativa nella vita degli uomini, in rapporto alle affini aspirazioni della Secessione e della Wiener Werkstätte.
Bibliografia: Gerbert Frodl, *Hans Makart*, Salzburg, 1974.

G.F.

ERICH MALLINA

Nato il 9.4.1873 a Prerau (Moravia), morto nel 1954 a Vienna.
Di famiglia piccolo-borghese, Mallina frequenta dal 1888 al 1892 l'Istituto magistrale a Troppau abilitandosi all'insegnamento. Dal 1892 al 1898 è maestro di scuola a Laimbach. Nel 1898 si trasferisce a Vienna, e qui frequenta fino al 1902 la Scuola d'arte applicata seguendo i corsi di Alfred Roller, Willibald Schulmeister e Ludwig Minnigerode. Grazie al direttore della scuola, Felician von Myrbach, ottiene una borsa di studio.
Nel 1902 è assistente di disegno a mano libera presso l'Istituto per l'insegnamento della grafica di Vienna. Nello stesso anno partecipa alla Esposizione internazionale di Torino. Nel 1903 insegna alla Scuola d'arte applicata. Nel 1906 viene nominato professore alla stessa scuola e vi rimane come tale per 25 anni. Partecipa alla Esposizione mondiale di St. Louis e riceve una medaglia d'oro. Nel 1915-16 insegna disegno alla Scuola statale dell'industria del vetro a Steinschönau. Dal 1919 al 1925 si occupa della sala per il disegno del nudo aperta presso la Scuola d'arte applicata di Vienna e dirige fino al 1930 il settore di studio del corpo umano. Nominato consigliere di governo nel 1929, va in pensione nel 1930 e riceve l'anno seguente la decorazione d'oro della Repubblica austriaca.
Tra i suoi primi lavori (1897-99) ci sono studi sulla natura, molto precisi e realistici, studi di disegno sulla prospettiva e rappresentazioni allo specchio. Quale tributo allo Jugendstil, molti suoi lavori grafici riccamente ornamentali rispecchiano le molteplici idee della Secessione viennese e della nuova arte internazionale. Partendo da disegni ancora assoggettati al concetto globale di decorazione voluto dalla Secessione Mallina elabora, a partire dal 1903, le sue svariate e vaganti figure femminili e i cori di angeli che simboleggiano cosmiche armonie e melodie delle sfere. Liberandosi dall'influenza di Klimt e forse anche di Moreau egli giunge a una pittura fortemente stilizzata e dai movimenti ritmici. Figure simboliche con contenuto mistico-visionario rivelano il suo interesse per le religioni dell'Estremo Oriente, testimoniato anche dal suo ingresso nella Società teosofica, mentre una tecnica puntigliosa e minuziosa applicata su quadri con formati inconsueti gli permette di ottenere effetti ancor più fantastici. Predominano colori intensi dai forti contrasti chiaroscurali. Accanto a queste opere ci sono leggere e gaie illustrazioni per favole e caricature. Negli anni '20 e '30 i suoi lavori, decisamente realistici e di te-

matica prevalentemente religiosa, tendono ad appiattirsi. Gli ultimi quadri a olio e schizzi sono del 1937.

Nel testamento Mallina, che lavorava in solitudine, alieno da ogni pubblicità, dispose la distruzione delle sue lettere il che rende più difficile lo studio di questo artista lungamente dimenticato. Solo nel 1973 ci fu la prima mostra delle sue opere alla Galleria Nebehay, che lo riscoprì.

Bibliografia: *Erich Mallina — 1873-1954*, cat. mostra, Galerie Christian M. Nebehay, Wien, 1973; *Erich Mallina. 1873-1954*, cat. mostra, Hochschule für Angewandte Kunst, Wien, 1980.

P.W.

EMANUEL JOSEF MARGOLD

Nato a Vienna il 4.5.1889, dopo la formazione come falegname alla Scuola professionale per la lavorazione del legno a Königsberg-Eger fu allievo della Scuola d'arte applicata di Magonza con Anton Huber e, successivamente, con Josef Hoffmann a Vienna.

Un'altissima qualità rivelano soprattutto i lavori grafici di Margold, tanto che A. Rössler nel 1911 gli dedicava un saggio sulla rivista «Deutsche Kunst und Dekoration». Scriveva Rössler: «Uscito dalla severa scuola di Hoffmann, Margold riveste una posizione d'eccezione grazie alla sua spiccatissima capacità di stilizzare la linea in maniera quanto mai personale.» Secondo Rössler gli ornamenti di Margold non erano forme naturali stilizzate, bensì «ritmo divenuto forma» e «necessità d'arte che riposano in se medesime». I suoi ornamenti erano creati in virtù del puro medium dell'arte. Il suo talento poté realizzarsi negli anni tra il 1910 e il 1912 nei progetti di porcellane elaborati per la Wiener Werkstätte. In questo periodo Margold fu anche collaboratore di Josef Hoffmann.

Nel 1913 partecipò ai preparativi per l'esposizione della «Künstlerkolonie» a Darmstadt. La rivista «Innendekoration» pubblicò nel 1913 alcuni interventi di Margold, chiamandolo «architetto a Darmstadt». È nel 1914 la rivista «Deutsche Kunst und Dekoration», informando sull'esposizione di Darmstadt, lo menziona come uno dei progettisti del ristorante, di un piccolo caffè all'aperto, della biblioteca e del padiglione dei concerti. A proposito di questi edifici il cronista lodava il piacevole effetto estetico ottenuto con mezzi così esigui. E l'articolo era corredato dalla riproduzione di alcune opere di Margold: principalmente gli arredi interni realizzati dalla fabbrica di mobili Josef Trier di Darmstadt e lo stand di Alexander Koch, l'editore della rivista «Deutsche Kunst und Dekoration».

Nel 1929 Margold si trasferì a Berlino, dove progettò il negozio della fabbrica di biscotti Bahlsen. Morì a Bratislava il 2.5.1962.

C.P.

RUDOLF MARSCHALL

Nato il 3.12.1873 a Vienna, ivi morto il 25.7.1967.
Dal 1891 al 1897 frequenta la scuola speciale di medaglistica all'Accademia di Vienna e nel 1903 diventa medaglista ufficiale del governo. Nel 1904 è professore all'Accademia e dal 1905 al 1938 direttore della Scuola di medaglistica.

Oltre a numerosissime medaglie esegue anche progetti di vetri per la ditta Lobmeyr, presentati nel 1902 in una mostra di arte applicata di Torino e dal 1902 al 1904 alle mostre del Museo austriaco per l'arte e l'industria.

E.B.T.

KARL MASSANETZ

Nato il 29.9.1890 a Steinschönau, caduto in guerra il 15.6.1918.
Studia alla Fachschule per l'industria vetraria di Steinschönau e dal 1908 al 1912 alla Kunstgewerbeschule con F. Barwig, K. Moser, M. Powolny e Schlechta. Apre poi un laboratorio a Steinschönau e nel 1914 partecipa alla «Werkbundausstellung» di Colonia. Realizza soprattutto vetri con motivi ornamentali in nero e oro. I suoi lavori sono quasi sempre firmati e datati. Elabora anche numerosi progetti per Bakalowits e Lobmeyr.

E.B.T.

FRANZ VON MATSCH

Nato il 16.9.1861 a Vienna, figlio di un piccolo funzionario, morto il 4.10.1942 a Vienna.
Dal 1876 al 1883 frequentò la Kunstgewerbeschule di Vienna dove ebbe tra l'altro come insegnante il professor Ferdinand Laufberger. Suoi compagni di studi furono i fratelli Ernst e Gustav Klimt, coi quali all'inizio degli anni '80 fondò il cosiddetto «sodalizio artistico», durato fino al 1892. In seguito realizzò numerosi arredamenti per palazzi sul Ring e per teatri della monarchia (a Vienna, Villa Hermes, Burgtheater, Kunsthistorisches Hofmuseum). Nel 1892 Matsch divenne membro della Künstlerhaus. Nello stesso anno ottenne, insieme a Gustav Klimt, l'incarico di dipingere l'aula magna dell'Università di Vienna; ma profonde divergenze dividevano ormai i due artisti, soprattutto riguardo ai pannelli delle facoltà universitarie, e alla fine Matsch, dopo il 1905, eseguì da solo tutte le pitture della sala. Tra il 1892 e il 1894 dipinse anche le pareti della villa imperiale di Corfù, nel 1893 divenne professore alla Kunstgewerbeschule di Vienna (dove rimase fino al 1901).

Uno dei lavori più importanti di Matsch furono i quadri e la fontana nella sala di pranzo di Villa Dumba a Vienna; per questi fu premiato in occasione dell'Esposizione mondiale di Parigi del 1900. Nel 1898 aveva lasciato l'Associazione degli artisti figurativi di Vienna.

Per incarico dell'imperatore nel 1908-10 dipinse il quadro storico *Omaggio dei principi tedeschi*, e un secondo quadro nel 1916, *L'imperatore Francesco Giuseppe nel suo studio*. Nei primi dieci anni del secolo Matsch si occupò anche di scultura e di lavori di artigianato artistico.

Nei lavori giovanili dominava dapprima un colore estenuato che però poi, sotto l'influsso di Makart, divenne più accentuato e intenso. Si fece sentire di più anche la sua gioia nel riprodurre le preziosità dei materiali. Negli anni '90 Matsch si creò uno stile particolare, dominato da figure quasi esaltate, che raggiunse il suo culmine negli anni attorno al 1903.

Un certo numero di suoi lavori attorno al 1900 non nasconde l'influenza di Klimt. Sono quadri caratterizzati da una tecnica minuziosa. Figure combinate con motivi ornamentali dello Jugendstil suggeriscono a volte uno sfondo simbolista appena esistente.

Dopo il 1910 una nuova svolta: Matsch si avvicinò alla natura, tanto che sembrava quasi voler dimenticare il suo passato artistico fortemente carico di allegorie. Negli anni '20 e '30 eseguì molti ritratti, nature morte e paesaggi, quadri che si riferivano unicamente al mondo reale.

Bibliografia: *Franz von Matsch - Ein Wiener Maler der Jahrhundertwende*, cat. mostra, Historisches Museum der Stadt, Wien, 1982.

M.F.

HANS MAYR

Architetto della scuola di Wagner. Nato a Vienna il 5.11.1877.
Libero professionista a Vienna, Hans Mayr partecipava ai concorsi e costruiva soprattutto in Slesia.

Che Mayr appartenga alla schiera degli architetti migliori della scuola di Wagner lo testimoniano sia i lavori scolastici sia il terzo premio nel concorso per la «casa del lavoratore» (Arbeiterheim, 1901). Le sue ville sono generalmente molto misurate e piuttosto essenziali, ma meno poetiche di quelle di Deininger con cui talvolta collaborava. Dopo aver vinto il concorso per il cimitero di Bielsko, città polacca pianificata da Fabiani, vi aveva costruito anche svariati edifici. Gli edifici costruiti intorno al 1910 invece risentono dell'influsso del neo-Biedermeier.

M.P.

KARL MAYREDER

Architetto. Nato nel 1856, fratello di Julius (Vienna, 1860-1911), marito di Rosa nata Obermayer. Allievo alla Technische Hochschule a Vienna di H. Ferstel e K. König, tra le sue opere principali si ricordano: Kreuzherrenhof a Vienna (in collaborazione con il fratello Julius) 1898; Palazzo Isbary, Vienna, 1900; Mausoleo Borgfeldt, Kaltenleutgeben, Casa Avenue a Lemberg, 1909; piani urbanistici per i comuni di Vienna, Rovereto, Karlsbad, Jägerndorf, dal 1894 al 1911.
Di Julius Mayreder sono da ricordare l'Hotel Fortino a Grado, la manifattura Schuckert a Vienna, la fabbrica tessile Danubius a Bratislava, il Neuer Markt (1901).

T.B.

ROSA MAYREDER

Pittrice, soprattutto acquarellista, e scrittrice. Nata a Vienna il 30.11.1858, dal 1881 moglie di Karl. Allieva di H. Darnaut e di E. Charlemont, dipinse soprattutto fiori, nature morte e paesaggi.

T.B.

FRANZ METZNER

Nato il 18.11.1870 a Wscherau presso Pilsen, morto il 24.3.1919 a Berlino.

Di famiglia piccolo-borghese, imparò prima il mestiere dello scalpellino, poi fu collaboratore di uno scultore a Berlino. Nel 1891 intraprese un viaggio a Parigi, poi abitò a Francoforte e ad Amburgo, indi fece un viaggio di studio in Italia (1893). Prestò il servizio militare in Boemia.

Nel 1894 Metzner aprì uno studio a Berlino e riscosse i suoi primi successi con lavori in ceramica che aveva creato negli anni dal 1897 al 1902 per la Manifattura reale delle porcellane di Berlino. Nel 1903 si trasferì a Vienna dove fu chiamato a insegnare alla Kunstgewerbeschule. Ancora a Berlino aveva creato un gran numero di progetti, soprattutto di monumenti (monumento per Franz Liszt a Weimar, monumento per le poste a Berlino, monumento per Richard Wagner a Berlino, ecc.)

A Vienna aderì subito alla Secessione, dove espose sue opere negli anni seguenti (nel 1904 gli fu dedicata un'intera sala). Nel 1905 abbandonò la Secessione con il gruppo di Klimt, nel 1908 partecipò alla Kunstschau, dove fu l'artista con il maggior numero di lavori. Tra il 1905 e il 1911 collaborò alla costruzione del Palazzo Stoclet a Bruxelles. In seguito anche altri architetti si valsero della sua collaborazione, come Josef Plecnik (per la Zacherlhaus a Vienna). Una delle opere più importanti di Metzner è il monumento della battaglia delle nazioni di Lipsia (1906). Lasciato l'insegnamento a Vienna, ritornò a Berlino dove nel 1907 aveva acquistato un grande atelier con villa e giardino.

Il suo stile si muove tra lo Jugendstil, il simbolismo e l'espressionismo. I suoi lavori sono caratterizzati da una spensierata arditezza, forza e solennità. Nelle opere giovanili create a Berlino è più evidente il simbolismo, emozioni che si esprimono nel movimento. A Vienna si manifesta una severità statica, ieratica, che accentua la «sovrumanità» delle figure. Lo scultore Metzner mirava soprattutto alla forma pura, senza sfumature pittoriche. Nelle sculture in pietra si accentua la chiusa forma massiccia; le figure in bronzo sono un po' più mosse. Metzner aveva una speciale capacità: quella di adeguarsi, come scultore, all'architettura.

Nel 1919 ebbe luogo una mostra in sua memoria nel suo atelier e all'Accademia di Berlino, nel 1921 un'altra alla Secessione a Vienna. Numerose esposizioni sono state organizzate negli ultimi anni, tra cui quella di Villa Stuck a Monaco di Baviera (1977) e quella all'Österreichisches Museum für Angewandte Kunst di Vienna (1983).

M.F.

GALERIE MIETHKE

Nel 1861 Hugo Othmar Miethke (1834-1918) fondò una galleria che dal 1895 ebbe sede a Palazzo Nako in Dorotheergasse 11. Nel 1904 la galleria venne venduta al gioielliere Paul Bacher, amico di Gustav Klimt, che ne affidò la direzione artistica a Carl Moll. Bacher vole-

va che la galleria lavorasse all'interno della struttura della Secessione come suo punto di vendita. Ma molti soci della Secessione protestarono contro quella che ritenevano una commercializzazione dell'associazione artistica, cosa alla quale si erano già opposti con l'abbandono della Künstlerhaus, tanto che il gruppo di Klimt aveva abbandonato la Secessione. Sotto la direzione di Moll la Galerie Miethke diventò la principale galleria di Vienna. Kolo Moser nel 1904 arredò una seconda sala d'esposizione del palazzo di Dorotheergasse 11, mentre una succursale veniva aperta alla fine del 1905 al Graben n. 17.

Prima del 1904 la galleria aveva presentato principalmente artisti viennesi (Rudolf von Alt, Hans Makart, August von Pettenkofen, Anton Romako, Jacob Schindler); sotto la direzione di Moll (fino al 1912) e in seguito espose anche artisti stranieri ma soprattutto quelli del gruppo di Klimt.

Carl Moll descrive retrospettivamente i suoi intenti nel modo seguente: «Il programma dell'impresa è: promuovere il presente cercandone i mezzi nel passato. Noi pensiamo alla promozione in forma diretta ed indiretta; quest'ultima consiste nell'organizzazione di esposizioni didattiche.»

Già nel febbraio 1905, nella cornice di una esposizione del Wiener Camera Club, si potevano vedere tre vetrine con prodotti della Wiener Werkstätte, e precisamente rilegature e oggetti vari di Josef Hoffmann e Kolo Moser. Alla fine del 1905 la mostra per l'inaugurazione del nuovo locale «am Graben» consisteva in una esposizione complessiva della Wiener Werkstätte: in quell'occasione fu anche presentato il progetto di Palazzo Stoclet.

Tra le più importanti mostre successive della galleria sarebbero da citare quelle di Aubrey Beardsley (1904), Emil Orlik, Edward Gordon Craig, Anton Romako (1905), Vincent van Gogh, Alfred Kubin, Die Jungen (1906), Wilhelm Bernatzik, Paul Gaugin, Wilhelm List, Gustav Klimt (1907), Francisco Goya, Honoré Daumier, Wilhelm Leibl e la sua cerchia (1908), Toulouse-Lautrec, Ferdinand Hodler (1909), Claude Monet, Edouard Manet (1910), Carl Moll, Max Kurzweil, Kolo Moser, Egon Schiele, Broncia Koller (1911), Rudolf Kalvach, Hilde Exner, Nora von Zumbusch, Franz von Zülow, Adolf Hölzel, la collezione privata di Oskar Reichel (1913), Pablo Picasso (1914). Richard Gerstl, cui era stata offerta una mostra alla Miethke, rifiutò perché non si accondiscese al suo desiderio di levare prima tutti i quadri di Klimt.

La Galerie Miethke organizzò oltre cento aste, tra le quali quelle per le opere d'arte dei lasciti Rudolf von Alt, Hans Makart, Emil Jacob Schindler, Victor Tilgner, August von Pettenkofen. Nel 1905 era prevista la realizzazione di una edizione su Hodler, che però alla fine non venne effettuata dalla galleria. Come ultima asta della galleria venne venduta, nel maggio 1918, la collezione del suo fondatore Hugo Othmar Miethke. Nel 1919 la galleria cambiò nome in «Haus der jungen Künstlerschaft»; nel 1936 fu rilevata dalla casa d'aste Dorotheum.

E.B.T.

CARL MOLL

Figlio di un grosso commerciante, Moll nacque a Vienna il 23.4.1861 e a Vienna morì il 12 o 13 aprile 1945. Ricevette la prima educazione artistica in forma privata presso il pittore di soggetti alpini C. Haunold. Nel 1880-81 iniziò gli studi all'Accademia di Vienna con Christian Griepenkerl, ma per una grave malattia dovette interromperli. Divenne poi privatamente allievo di Emil Jacob Schindler, dal 1881 fino alla morte di questi nel 1892. Moll fu accolto da Schindler e da sua moglie come un membro della famiglia e da loro abitò a Vienna e nel castello di Plankenberg, sito nel Wienerwald occidentale, dove Schindler trascorreva i mesi estivi. Con il suo maestro Moll fece vari viaggi ed escursioni nel circondario di Vienna, nel Salzkammergut e in Dalmazia. Tra gli allievi, in questa cerchia familiare, c'erano anche Olga Wisinger-Florian e Marie Egner. Dopo la morte di Schindler, Moll emigrò a Lubecca per proseguire la sua formazione con il pittore G. Kühl, volgendo singolarmente il proprio interesse alla raffigurazione di interni. Nel 1895 sposò la vedova Schindler, diventando così patrigno della figlia di questa, Alma, la futura Alma Mahler-Werfel.

Dal 1888 prese a esporre alla Künstlerhaus, ma ne divenne membro soltanto nel 1892. Nel 1897 fu tra i fondatori della Secessione, figurandovi tra gli organizzatori più importanti (si deve a lui, per esempio, la mostra degli impressionisti francesi nel 1903). Nel 1900-1901 fu presidente dell'associazione, che abbandonò nel 1905 con il gruppo di Klimt. Moll aveva esposto di frequente le sue opere alla Secessione, collaborato a «Ver Sacrum» e organizzato esposizioni all'estero. Viveva in una casa che si era fatto costruire e arredare da Josef Hoffmann. Nel 1908 e nel 1909 partecipò all'allestimento della Kunstschau e sino al 1912 fu consigliere della Galleria Miethke di Vienna. Fu tra i sostenitori di Kokoschka, Wiegele e Kolig. Viaggiava molto e molto dipinse durante i suoi viaggi. Mostre delle sue opere si tennero nel 1926, 1931 e 1936. Nel 1930 pubblicò una monografia sul suo venerato maestro Schindler e nel 1943 stese le sue memorie (tuttora inedite).

Da giovane seguì in un primo tempo il grande esempio di Schindler, affascinato dalla sua concezione della natura che si traduceva nella cosiddetta «Stimmungsmalerei» o pittura di stati d'animo. Soltanto dopo il 1892, anno della morte di Schindler, la sua pittura si rese più autonoma, grazie a vari soggiorni nella Germania settentrionale. Così Moll cominciò intensamente a misurarsi con la raffigurazione di interni, diventando per alcuni anni addirittura uno specialista in questo genere. Ciò nonostante il paesaggio ebbe sempre il primo posto nella sua opera. Spesso traeva motivi da quanto direttamente lo circondava (l'interno della sua casa, il parco di Vienna, Heiligenstadt). Dalla tavolozza piuttosto scura delle prime opere approdò a toni chiari, a pastello, come conseguenza della sua problematica con la luce. La forma pittorica dei suoi quadri rimase abbastanza estranea alla moderna «arte di superfici». Purtuttavia alcuni rapporti sussistono, e lo rivelano varie peculiarità della struttura dell'immagine, nonché il formato quadrato, ch'egli prediligeva. Negli anni attorno al 1900 i suoi colori si mantennero assai lievi, una giustapposizione di minutissime macchie cromatiche. Soltanto nel secondo decennio della sua attività il suo colorismo si fece più pastoso e più intenso. La pittura di Moll serbò sempre un carattere di discrezione e di accuratezza, mai denegando il retaggio dell'«impressionismo di stati d'animo» di Schindler.

M.F.

DITHA (EDITHA) MOSER

Nata il 12.4.1883 a Vienna, figlia di una ricca famiglia di industriali, i Mautner-Markhof, studia dal 1902 al 1905 alla Kunstgewerbeschule di Vienna con Josef Hoffmann (che le arreda l'appartamento) e con Friedrich Linke. Nel 1905 sposa Kolo Moser.
Le sue opere grafiche sono tutte improntate a uno stile geometrico, dai calendari alle carte dei tarocchi disegnate per la Wiener Werkstätte.

E.B.T.

KOLOMAN (KOLO) MOSER

Nato a Vienna il 30.5.1868, ivi morto il 18.10.1918.
Il padre era amministratore presso il Theresianum. Fu proprio nelle officine di quella scuola che Kolo Moser si impadronì delle prime tecniche artigianali. Aspirando a un'attività commerciale, decise poi di iscriversi a una scuola di indirizzo professionale. Sappiamo però che segretamente prese lezioni di disegno. Dal 1886 al 1892 frequentò l'Accademia sotto la guida di Ch. Griepenkerl, F. Rumpler e M. Trenkwald. Successivamente, nel 1892, optò per la Scuola di arte applicata. A questo periodo risalgono i suoi primi contatti con il Siebenerclub, di cui erano soci J.M. Olbrich e J. Hoffmann. Nel 1897 fu tra i fondatori della Secessione. Divenne inoltre uno dei più attivi promotori della rivista «Ver Sacrum» e delle mostre della Secessione. Il suo influsso si estese a gran parte degli appartenenti all'associazione: Moser «dimostrava eccezionali capacità nella Flächenkunst e nell'arte applicata in genere».
Nel 1897 l'artista intraprese viaggi di studio a Monaco, Lipsia, Praga. Il 1898 lo vide impegnato nella realizzazione del Palazzo della Secessione, progettato da Olbrich (finestre e struttura architettonica). L'anno seguente gli fu offerto di insegnare alla Scuola di arte applicata; nel 1900 ottenne la qualifica di professore e gli fu affidato il corso di pittura decorativa. A questa fase appartiene un notevole numero di disegni per mobili, tessuti, vetri e oggetti vari, successivamente realizzati da diverse ditte. Nel 1900 lo troviamo a Parigi, all'Esposizione universale, dove un intero settore è riservato alla Secessione viennese. Il suo modello di Flächenkunst risale al 1901-02.
Nel 1903 fondò con J. Hoffmann e F. Wärndorfer la Wiener Werkstätte. Subito dopo il soggiorno viennese dei coniugi Mackintosh, che al tempo sollevò grande scalpore, Moser

partì per Parigi, visitò il Belgio e l'Olanda, si fermò infine ad Amburgo e a Berna, dove ebbe occasione di fare visita a F. Hodler. Nello stesso anno prese parte all'allestimento della grande mostra di Beethoven nel Palazzo della Secessione. Dal 1905 collaborò con Hoffmann alla realizzazione di Palazzo Stoclet a Bruxelles e contemporaneamente eseguì schizzi per gli interni della chiesa di Steinhof, opera di Otto Wagner.
Con il gruppo di Klimt abbandonò la Secessione nel 1905 e nel 1907 lasciò la Wiener Werkstätte. Da allora Moser concentrò la sua attività sulla produzione pittorica e il risultato fu una serie di quadri che vennero esposti nel 1911 alla Galleria Miethke. Nel 1913 riprese i contatti con Hodler. Tre anni più tardi già cominciava a risentire di quei disturbi alla laringe che non gli avrebbero più dato tregua fino alla morte.
Nel 1927 gli verrà dedicata una retrospettiva all'Österreichisches Museum für Kunst und Industrie e nel 1969 ne sarà allestita un'altra alla Neue Galerie di Graz.
Kolo Moser fu un artista dai molteplici ruoli: pittore, grafico, illustratore, organizzatore di mostre, creatore di oggetti artistici. Nella capitale viennese fin de siècle giunge a occupare una posizione di primo piano, esercitando un influsso decisivo sui suoi contemporanei. Fecondo e costruttivo fu il suo rapporto con Hoffmann. L'elemento geometrico cromatico, che Moser impose quale legge primaria, mantenne sempre lo stesso ruolo di vitale importanza nella produzione artistica della Wiener Werkstätte anche dopo il suo ritiro. Stoffe, mobili, vetri, decorazioni, metalli, giocattoli, libri, tutto fu oggetto della sua creatività artistica: degna di menzione è anche una serie di disegni per manifesti che costituisce un capitolo di indubbio interesse artistico.
Il colore costituì un'esperienza essenziale nella sua carriera: a esso è legata una profonda ricerca teorica sulla base della lezione goethiana. Nelle sue composizioni i colori complementari vengono spesso affiancati allo scopo di ottenere un contrasto di maggior effetto.
Dal 1913 in poi il linguaggio figurativo di Hodler suscita una particolare influenza nell'opera di Moser: la figura irrompe nella sua monumentalità e l'elemento concettuale si impone con sempre maggior forza.
Bibliografia: W. Fenz, *Kolo Moser*, Salzburg, 1976.

M.F.

«DIE MUSKETE»

Il settimanale umoristico «Die Muskete» (Il moschetto), se non il primo, fu senz'altro il più riuscito tentativo all'inizio del '900 di creare un equivalente valido e soprattutto austriaco dei popolarissimi periodici satirici tedeschi «Jugend» e «Simplicissimus». Dopo il numero zero dell'agosto 1905 «Die Muskete» iniziò la regolare pubblicazione settimanale con il numero del 5 ottobre. Quando nel luglio 1941 la rivista cessò le pubblicazioni, dopo trentasei anni di vita, solamente la testata ricordava ancora la pubblicazione originaria. Troppo era

cambiato per poter parlare di continuità; i collaboratori, l'editore, la proprietà, ma anche il contenuto e la veste tipografica non erano più gli stessi.
Si possono distinguere grosso modo cinque differenti periodi, e cioè gli anni che vanno dal 1905 al 1911, poi quelli dal 1912 al 1918, dal 1919 al 1922, il 1923-24 e infine il periodo 1925-1941. Nel programma di «Die Muskete» del 1905 si legge: «Vogliamo essere una pubblicazione austriaca, con disegnatori e autori nazionali.» E rivolgendosi ai lettori potenziali, gli ufficiali con una certa cultura: «Austriaca sarà anche la nostra posizione nei confronti dell'esercito, al quale in particolare dedicheremo una parte del contenuto.» Lettore preferenziale della rivista fu, sino alla fine della prima guerra mondiale, anche il ceto medio che si componeva in maggioranza di funzionari pubblici. Tra gli obiettivi principali della satira, ossia delle vignette, vi erano i clericali. Ma la tendenza nazionalista e filoasburgica lascia trasparire al tempo stesso una punta antitedesca.
La redazione di «Die Muskete» si impegnò con ogni mezzo e senza risparmio di energie a propagandare nei testi e nelle immagini l'auspicata grande guerra. All'entusiasmo guerrafondaio si unirono entro il 1919 un lampante antisemitismo e antisocialismo rappresentati da un collaboratore fisso di nome Karl Paumgartten, alias Karl Huffnagel. Con la neonata repubblica si impose anche la ricerca di una nuova identità, ma il successo dei primi anni non si ripeté più, il prestigio di un tempo non fu più eguagliato. È interessante il breve intermezzo, dal 1922 al 1924, con Robert Müller che cercò di trasformare «Die Muskete» in una sofisticata rivista d'arte. Il periodo che abbraccia gli anni dal 1925 al 1941 vide il lento declino del vecchio periodico, che era cominciato nei primi anni '20 con un grave abbassamento qualitativo dei disegni e dei pezzi letterari. Fino alla metà degli anni '20 tuttavia la rivista contava ancora molti collaboratori di fama, tra cui Max Brod, Alfons Petzold, Mirko Jelusich, Robert Hohlbaum, il già menzionato Karl Paumgartten, poi Anton Wildgans, Fr. Th. Csokor, Rudolf Kreutz, Robert Weil; più tardi, con Robert Müller, vi scrivevano anche Franz Blei, Robert Musil, Bela Balàzs, Otto Basil, Andreas Thom e negli anni '30 si videro qua e là le firme di Friedrich Torberg e Otto Soyka, di Gina Kaus, Peter Hammerschlag e Hans Weigel. Sin dai primi numeri il testo e la parte grafica di «Die Muskete» avevano lo stesso peso, tanto che perfino gli annunci economici avrebbero dovuto essere presentati in una veste tipografica «artistica».
Tra i tanti disegnatori e gli altri artisti che hanno lavorato per «Die Muskete» ricordiamo Fritz Schönpflug, K.A. Wilke, Fritz Gareis, Willy Stieborsky, Alfred Gerstenbrand e inoltre E.A. Bier, Franz Wacik, Josef Danilowatz, Carl Josef, Hans Strohofer. Negli ultimi anni la fotografia cominciò a prevalere sul disegno e sulla caricatura e il gran numero di nudi adombrò la fine della rivista come magazine per soli uomini. Alcuni disegni vennero pubblicati anche più volte nel giro di pochi anni. «Die Muskete» cercò di attirare gli inserzioni-

sti facendosi forte della sua elevata tiratura, che nel 1939, per esempio, andava da 18.000 a 28.500 copie; dai primi anni '30 fino all'Anschluss del '38 la tiratura era però scesa attorno alle 2.000 copie, per cui l'altrimenti forse non del tutto ingiustificato paragone con il periodico gemello tedesco «Simplicissimus» risulta decisamente a vantaggio di quest'ultimo. Ma «Die Muskete» non ne era il pendant austriaco, dopo tutto, anche per una serie di altri motivi, per esempio le circostanze completamente diverse in cui nacque, i molti suoi voltafaccia, le diverse condizioni politiche e sociali nelle quali usciva. Uno dei motivi, almeno per quanto riguarda la versione di «Die Muskete» fino al primo dopoguerra, va cercato anche nella sua posizione «semiufficiale» che gli sottraeva completamente ogni potenziale critico. Mentre «Simplicissimus» da Monaco poteva «abbaiare» contro la capitale Berlino, «Die Muskete» parlava dalla metropoli Vienna: gli mancava, in altri termini, l'indispensabile controparte.

M.G.H.

FELICIAN VON MYRBACH
Nato nel 1853 a Zaleszczyki, Felician von Myrbach frequentò dal 1868 al 1871 l'Accademia militare e lavorò in seguito come disegnatore all'Istituto geografico militare e come insegnante di disegno alla Scuola dei cadetti di Vienna. Ciò spiega perché Myrbach, che oltretutto era anche ufficiale, abbia svolto nella sua attività artistica temi principalmente di carattere militare (si vedano tra l'altro le sue illustrazioni di opere come Viribus unitis di Herzig (1898) e del Napoléon di F. Masson (1905-1914), in 23 volumi).
Al suo soggiorno a Parigi, dal 1881 al 1897, risalgono numerosi lavori grafici di consumo e illustrazioni di romanzi, tra l'altro di Alphonse Daudet e Victor Hugo.
Tuttavia il rilievo che Myrbach ebbe nel rinnovamento dell'arte al volgere del secolo non è tanto nei suoi lavori propriamente artistici. Egli apparteneva infatti a quel gruppo di «operatori culturali» di orientamento naturalistico che nell'illustrazione di libri continuavano una tradizione assai antica. (Nel 1881 Myrbach entrò a far parte della Künstlerhaus, nel 1897 aderì alla Secessione, della quale, dal 1903 al 1904, fu anche presidente.)
Il grande merito di Felician von Myrbach fu nelle innovazioni che realizzò nella struttura e nel personale della Kunstgewerbeschule di Vienna. Già nel 1897 vi aveva lavorato come insegnante di disegno e pittura e nel 1899 ne era stato nominato direttore ad interim, diventandolo stabilmente l'anno successivo. In questa sua funzione ebbe modo di legare al corpo insegnante dell'istituto gli artisti più eminenti, radicando tra gli studenti le nuove correnti artistiche. Così Josef Hoffmann divenne direttore della scuola di architettura, Kolo Moser direttore della classe di disegno e pittura decorativa, Alfred Roller direttore del dipartimento di figura, mentre Arthur Strasse fu chiamato a dirigere la scuola di scultura. Rudolf Larisch assunse nel 1901 la direzione della nuova specializzazione di calligrafia e araldica. Nel 1903

venne fondata la «Scuola d'esercitazione», alla quale fu preposto Franz Cizek. Quanto all'organizzazione è da menzionare la separazione della scuola dal Museo dell'arte e dell'industria, avvenuta nel 1900, che assicurò alla scuola una completa autonomia. Alla riproduzione estrinseca degli stili storici si venne sostituendo lo studio del vero; in modo completamente nuovo furono organizzati anche i laboratori, nei quali gli studenti potevano attendere a lavori concreti.
Per alcune irregolarità e per divergenze di opinioni nell'amministrazione della scuola, nel 1905 Felician von Myrbach andò in pensione e trascorse gli anni sino al 1936 in Fancia e in Spagna. Tornato in patria morì a Klagenfurt nel 1940.
Bibliografia: Gabriele Koller, Die Kunstgewerbeschule des K.K. Österreichischen Museums für Kunst und Industrie 1899-1905, tesi di laurea, Vienna, 1983.

J.W.

NEUKUNSTGRUPPE
Nel dicembre del 1908 in Lothringerstrasse n. 14, nei locali di Gustav Pisko, si tenne la prima mostra del Neukunstgruppe (Gruppo arte nuova). Il manifesto pubblicitario portava la firma di Anton Faistauer (1887-1930), per volere di Schiele presidente ed al tempo stesso segretario della nuova associazione di artisti. Il gruppo era formato da alcuni artisti che con Schiele nell'estate del 1909 avevano abbandonato l'Accademia per protesta contro il professor Griepenkerl, il più inflessibile tra gli accademici della scuola d'arte. Il gruppo non nacque, dunque, da esigenze politico-culturali, né tanto meno da considerazioni di natura estetica, bensì da una necessità di «legittima difesa». Egon Schiele compose il testo per un manifesto che venne pubblicato dalla rivista «Die Aktion» di Berlino nel 1914: «Molti di noi sono artisti, e dicendo artisti mi rivolgo non a uomini di titolo o di talento, ma ai "chiamati". L'"artista nuovo" [der Neukünstler] deve essere assolutamente se stesso, ovverosia un creatore: deve abbandonare tutto ciò che appartiene al passato e che è ormai esaurito per un nuovo inizio. Questo è l'artista nuovo. Il canone è la sua antitesi.»
Tra gli artisti che presero parte alla mostra di Pisko spiccano alcuni nomi di rilievo: accanto a Egon Schiele, suo cognato Anton Peschka, Anton Faistauer, Franz Wiegele, Hans Ehrlich, il maestro di arte applicata Oswald, gli scultori Friedrich Pollak e Willersdorfer, il compositore Löwenstein, l'ambigua figura dello scenografo Erwin Osen che per un breve periodo esercitò un indubbio influsso su Schiele. I pittori Hans Massmann (nato nel 1887) e Karl Zakovsek (nato nel 1888) sono ormai dimenticati o vengono ricordati solo perché ritratti da Schiele. Sono inoltre degni di menzione Rudolf Kalvach (nato nel 1883), Hans Böhler e Paris von Gütersloh, personaggi che al tempo non avevano più di venticinque anni.
Arthur Rössler (1887-1955), direttore della Galleria Miethke e critico d'arte dell'«Arbeiter Zeitung», espresse pareri discordi sull'esposizione. Da un lato si dimostrò contrario alla

formazione di ogni genere di gruppo, dall'altro non poté evitare di riconoscere ai nuovi artisti «intimità e peculiarità». «Alcuni scompariranno con il tempo, altri però sono abbastanza validi da poter sopravvivere. Tra questi Egon Schiele, eccezionalmente dotato, Toni Faistauer, Franz Wiegele e Hans Ehrlich.»
Dopo una seconda mostra il gruppo si sciolse e mantenne solo sporadici contatti.

I.D.

FRANZ NEUMANN
Architetto, consigliere per l'edilizia. Nato a Vienna il 16.1.1844, morto l'1.2.1905 nella stessa città.
Allievo di van der Null, di Siccardsburg e di Schmidt, tra le sue opere si ricordano una casa con arcate nella Karl Lueger-Platz a Vienna, la chiesa di Sant'Antonio alla Favoriten (1896-1901), i municipi di Reichenberg e Friedland in Boemia; e inoltre a Vienna la Regersburgerhof am Lugeck, il Palazzo dei telefoni nella Berggasse (1899), una casa popolare al Koflerpark, il torrione asburgico sull'Hermannskogel, il castello dell'arciduca Guglielmo in Baviera.

T.B.

GUSTAV NEUMANN
Architetto di corte a Vienna, costruì fra l'altro le chiese parrocchiali di Schaan (1888-91), Rugell (1897-99) e Giehübel (1908), le cappelle al Semmering e a Landsberg (1899-1903) e la Herz-Jesu-Kirche con il convento a Vienna, la Allerseelenkapelle a Währing, il Palazzo del governo a Vaduz.

T.B.

GEORG NIEMANN
Architetto e archeologo, grafico e incisore. Nato ad Hannover il 12.7.1841, morto a Vienna il 19.2.1912. Allievo di Hase e per sei anni di Hansen, dal 1873 fu docente di disegno e caratteri stilistici alla Wienerakademie.

T.B.

FRIEDRICH OHMANN
Nato a Lemberg il 21.12.1858, morto a Vienna il 6.4.1927.
Ohmann fu una delle personalità più attive e conosciute dell'architettura imperiale a Vienna tra i due secoli. Proveniva da un'antica famiglia di funzionari statali (suo padre era direttore dei lavori di costruzione in Galizia e in Bucovina). Dal 1877 al 1882 studiò alla Technische Hochschule di Vienna con Heinrich von Ferstel, poi all'Accademia di arti figurative con Friedrich von Schmidt. Il primo successo Ohmann lo ottenne in un concorso per la Borsa di Amsterdam (II premio nel 1894). Dal 1886 all'89 fu assistente di Karl König alla Technische Hochschule di Vienna, poi insegnò alla Staatsgewerbeschule di Vienna e infine diventò professore alla Scuola di arte applicata di Praga (1889-1899). I suoi incarichi più importanti furono la direzione dei lavori di costruzione della Hofburg di Vienna (1899-

1907) e la sistemazione artistica della regolazione del fiume Wien (nello stesso periodo).

Ricoprì numerose ed importanti funzioni pubbliche nel campo dell'architettura: dal 1904 al 1927, direttore della scuola di architettura all'Accademia di belle arti di Vienna; membro del Consiglio di vigilanza del Museo austriaco per l'arte e l'industria; membro della Commissione centrale per lo studio e la conservazione dei monumenti storici ed artistici; membro del Consiglio e della Commissione permanente per l'arte del ministero dell'Istruzione.

Le sue opere più significative sono la Nunziatura papale (1891), l'Hotel Central a Praga (1902), le costruzioni e i ponti per la regolazione del fiume Wien, il portale del parco cittadino (1903-09), il monumento alla regina Elisabetta, la sistemazione del giardino nel Volksgarten (1904-06), il compimento della Hofburg con le serre (1906), numerose case private, ditte e ville a Vienna, il Museo Carnuntinum a Bad Deutsch-Altenburg (1901), il Museo di Spalato (1906-08), il Museo della città di Magdeburgo (1906-1909), il Kurhaus di Merano (1911-14) e numerosi progetti a Vienna. Di questi ultimi basterà citare i progetti per la Karlsplatz (1899) e per la Heldenplatz (1906), non eseguiti.

Ohmann non fu soltanto architetto ma anche disegnatore di talento; conosceva la pittura e le arti plastiche. Un particolare influsso su di lui ebbe la tradizione barocca del suo paese, che sviluppò fino a creare un'arte del tutto personale, vicina allo Jugendstil. Il particolare interesse per i giardini e per gli oggetti d'uso testimonia la sua versatilità artistica che non si esprime mai con effetti esagerati ma in uno stile disciplinato e pieno di fantasia. Manca ancora uno studio sistematico dal punto di vista della storia dell'arte sulla sua personalità, sicché non si può precisare quale sia stato esattamente l'apporto artistico di Ohmann nei lavori in collaborazione con altri (per esempio nella regolazione del fiume Wien insieme a Hackhofer, Krieghammer e Kirstein).

Le opere di Ohmann mostrano un legame particolarmente intenso col paesaggio e un avvicinarsi allo stile del proprio paese (per esempio la Villa Schopp a Hietzing o la Trinkhalle nel parco della città, entrambe a Vienna). Fu consapevole della tradizione e meno radicale dei rappresentanti della scuola di Otto Wagner.

Opere di Ohmann sono conservate all'Accademia di arti decorative, all'Albertina e al Museo storico della città di Vienna, all'Istituto di architettura dell'Università di Innsbruck e alla Ostdeutsche Galerie di Ratisbona.

Bibliografia: F. von Feldegg, *Friedrich Ohmanns Entwürfe und ausgeführte Bauten*, 2 voll., 1906-1914; R. Wagner-Rieger, *Wiens Architektur im 19. Jahrhundert*, Wien, 1970; R. Schachel, *Friedrich Ohmann*, in *Österreichisches Biographisches Lexikon 1815-1950*, 1978, vol. VII.

G.H.

JOSEPH MARIA OLBRICH

Sin dalle sue prime espressioni quella di Joseph Maria Olbrich fu una carriera artistica decisamente contestata. Per ben due volte il suo maestro Otto Wagner tentò di far approvare la sua nomina a professore (nel 1899 alla Scuola di arti applicate di Vienna, nel 1904 all'Accademia viennese delle arti figurative), ma in entrambi i casi fallì. Le voci dei suoi denigratori e dei suoi sostenitori ben rappresentano il dissidio della corrente modernista tra consapevole oggettività e leggiadria decorativa.

J.M. Olbrich nacque a Troppau il 22 dicembre 1867. Frequentò dal 1882 al 1886 la Scuola statale di arti applicate a Vienna, diretta dal 1883 da Camillo Sitte, e dal 1890 al 1893 l'Accademia di arti figurative, la cui sezione di architettura era gestita da Carl von Hasenauer. Con Otto Wagner lavorò come assistente alla realizzazione del progetto per la metropolitana. Wagner apprezzò la sua destrezza nel disegno, la sua sensibilità musicale e la sua sbrigliata fantasia. Non ci si deve meravigliare pertanto se il giovane studente, che aveva vinto tutti i premi straordinari della scuola, seppe attirare su di sé l'attenzione di Wagner.

Già il suo primo progetto, quello per il Palazzo della Secessione, suscitò grande scalpore. Fu per lungo tempo «bersaglio del più bieco umorismo del circondario»; secondo quanto riportato da Ludwig Hevesi, il palazzo fu soprannominato «la casa del cavolo d'oro». L'intento di Olbrich era stato quello di creare un edificio che irradiasse pura e obiettiva dignità: «I muri devono apparire candidi e lucenti, casti ed inviolabili» (Olbrich, 1899). Ludwig Abels ebbe a descrivere in «Das Interieur» lo stile di Olbrich come frutto di un conflitto tra due distinte predisposizioni dell'indole viennese: «Agio e amore per lo sfarzo, sono essi a fronteggiarsi nello stile di Olbrich.»

Ma Olbrich aveva già da tempo imparato a difendersi: nel 1899, dopo la sua convocazione a Darmstadt richiesta dal granduca d'Assia Ernst Ludwig, apparve la prima edizione di *Ideen von Olbrich*. Accanto al ringraziamento rivolto al granduca, all'introduzione di Ludwig Hevesi e a numerose illustrazioni delle opere di Olbrich (Villa Friedmann, Villa Stift, la Camera della musica Berl a Vienna e Casa Keller a Darmstadt), venivano tracciate le linee fondamentali del suo pensiero artistico. Come scrisse Hevesi, «la costruzione di Olbrich era un organismo vivente, ed ogni suo locale era un organo vivente». Anche per ciò che riguardava l'arredo «nulla era lasciato al caso; ogni pezzo aveva la sua corretta collocazione e un suo scopo preciso».

Grazie al sostegno del granduca Olbrich riuscì a costituire a Darmstadt nel corso di due anni una «colonia di artisti». Casa Ernst Ludwig, innalzata quale atelier e padiglione per feste e intrattenimenti del giovane gruppo di artisti (1899-1901), mostra una suddivisione di interni basata sul criterio della praticità: i locali potevano essere separati o riuniti a seconda dell'occasione. La Sieben-Häuser-Kolonie (colonia delle sette case) a essa annessa e la pianificazione complessiva del terreno destinato all'edificio (1901) si riproponevano una centralità nel campo della moderna arte applicata. Casa Olbrich fu costruita «partendo dall'interno e procedendo verso l'esterno»: univa alla matrice inglese del progetto l'elemento ornamentale secessionista della facciata, che appa-

riva «quasi incollata».

Le critiche non mancarono: «The Studio» pubblicò nel 1902 un articolo che, nell'elogio alla ricchezza ideale della produzione artistica dell'autore, esprimeva un'aspra critica al concetto di «diversificazione del particolare», ritenuto responsabile di una presunta mancanza di uniformità.

Dopo la seconda mostra della colonia di artisti di Darmstadt e l'esposizione mondiale di St. Louis del 1904, in occasione della quale la sua «residenza estiva di un mecenate» suscitò grande interesse tra il pubblico americano, Olbrich si trasferì con alcuni collaboratori a Düsseldorf, pur conservando il suo atelier a Darmstadt. Nel 1907 fu tra i fondatori del Deutsche Werkbund a Monaco. La sua Hochzeitturm (Torre delle nozze) sulla Mathildenhöhe rimane l'opera più famosa (1905-08). Questa costruzione, così come casa Feinhals (Colonia-Marienburg, 1908), è rappresentativa del tardo pluralismo stilistico di Olbrich, tramite il quale l'artista mirava a una rivitalizzazione di antichi elementi architettonici.

Olbrich morì a Düsseldorf nel 1908.

C.P.

ROBERT ÖRLEY

Nato a Vienna il 24.8.1876, morto nel 1945. Frequentò e concluse i suoi studi alla Kunstgewerbeschule di Vienna e fece pratica di falegnameria fino al 1892. Si occupò anche di pittura tra il 1889 e il 1903, ma la sua carriera fu essenzialmente dedicata all'artigianato artistico.

Già nel 1900 Örley scrisse due articoli sulla costruzione dei mobili per la rivista «Das Interieur»: per lui la regola più importante nella fabbricazione dei mobili era quella dell'«utilità»: «in primo luogo il mobile deve essere pratico, e poi sarà desiderato.» Altre sue dichiarazioni si riferiscono alla «autenticità» del materiale: per Örley un mobile era «moderno» solo se corrispondeva alle esigenze di utilità e, per quanto riguarda i materiali, alle più recenti scoperte della tecnica. Nel suo secondo articolo dava indicazioni sistematiche per i disegnatori e per gli artigiani sulla concezione e la fabbricazione del mobile, cioè sulla scelta della forma e del materiale: «Il disegnatore deve conoscere bene le esigenze che il mobile deve soddisfare: deve sapere a chi e per che cosa deve servire il mobile.» Örley si sforzava di instaurare su un piano il più possibile personale i rapporti tra l'artigiano e il committente, convinto che — come i vestiti — anche i mobili dovessero adattarsi alla personalità del proprietario.

Robert Örley fu socio fondatore dell'Hagenbund e dal 1907 al 1939 membro della Secessione. Una sala di esposizione da lui ideata per l'Hagenbund fu anche illustrata nella rivista «The Studio» (1908). È di questo periodo anche il sanatorio nella Auerspergstrasse, a Vienna VIII, un'opera che fu molto lodata da Franz Ottmann.

Nel 1912 Örley partecipò alla Esposizione di artigianato artistico austriaco con una sala di soggiorno-pranzo. Ma i suoi più grandi successi li ebbe nella costruzione di ville. La sua casa privata fu costruita in una forma rigorosamente funzionale, con la predominanza di forme stereometriche. Anche la villa dell'acquafortista Schmutzer nel XVIII Distretto di Vienna, e una villa a Hietzing costruita appena prima della grande guerra sono esempi di questo tipo. Orley creò inoltre gli arredamenti interni per molti appartamenti a Vienna, ripetutamente illustrati nella rivista «Das Interieur» (1912).

Costruzioni di una certa importanza sono anche i laboratori della ditta Carl Zeiss e il palazzo per appartamenti e negozi della ditta Bosch AG a Stoccarda.

Sebbene Orley fosse stato presidente della Secessione e del Werkbund, egli non era comunque molto popolare per la costruzione di palazzi pubblici. Tra il 1924 e il 1927 progettò solamente alcune costruzioni di case popolari per il comune di Vienna, come pure alcuni quartieri di città-giardino.

C.P.

EMIL ORLIK

Nato a Praga il 21.7.1870, morto nel 1932. Studiò a Monaco con H. Knirr, W. Lindenschmitt e J.L. Raab presso l'Accademia. Nel 1898 viaggiò attraverso l'Olanda, il Belgio, l'Inghilterra, la Scozia, quindi visitò Parigi. Il viaggio più determinante per il suo stile fu però quello in Giappone (attorno al 1900). Durante questo viaggio Orlik imparò nei minimi dettagli le tecniche della stampa colorata giapponese, come si può notare nelle sue opere di quel periodo. Un secondo lungo viaggio lo portò nel 1911 ancora una volta in Giappone, poi in Cina, India ed Egitto. Orlik godette di molta considerazione soprattutto come «innovatore della moderna incisione colorata in legno». Nel suo modo elegante di curare i colori si vedeva una sensibilità, appunto, «giapponese».

Già durante un'esposizione a Vienna nel 1902 l'artista riscosse grande successo. Ludwig Hevesi lo definì un «talento grafico naturale», interessante, divertente e geniale allo stesso tempo.

Emil Orlik fu un personaggio popolare a Berlino: nei concerti o a teatro egli prendeva appunti su foglietti e cartoncini disegnando una specie di «galleria dei contemporanei». Negli anni '90 aveva già creato un laboratorio per acqueforti. Con grande maestria egli sapeva cogliere il carattere della persona con penetrazione psicologica. Le sue acqueforti più importanti sono quelle che ritraggono G. Hauptmann (1909), G. Mahler (1903), Bach (1915), Michelangelo (1913), Schopenhauer (1922) e R. Strauss (1917), divenute ben presto famose.

Nel 1914 fu pubblicato un volume con acqueforti di Orlik. Nell'introduzione era scritto che Orlik era anche un maestro di ex libris. Orlik aveva un raro talento, quello di mantenere intensi rapporti personali con i committenti e di soddisfare le loro esigenze.

Bibliografia: Zeichnungen von Emil Orlik, Leipzig, 1914; Ludwig Hevesi, Österreichische Kunst, Leipzig, 1903.

C.P.

ÖSTERREICHISCHES MUSEUM FÜR KUNST UND INDUSTRIE

Museo austriaco per l'arte e l'industria.
Stimolato dall'esempio del Museo londinese fondato nel 1857, il South-Kensington Museum (ora Victoria and Albert Museum), il primo ministro austriaco arciduca Rainer, dopo la sua visita alla terza Esposizione mondiale di Londra nel 1862, promosse la fondazione di una istituzione analoga a Vienna con l'obiettivo di «elevare il gusto nell'ambito industriale». Già due anni dopo, il 31 marzo 1864, il professore di storia dell'arte Rudolf Eitelberger veniva nominato direttore del Museo austriaco per l'arte e l'industria, inaugurato due mesi più tardi con una mostra nella Ballhaus del palazzo imperiale. Nacque così il primo museo statale della monarchia austro-ungarica e allo stesso tempo il primo museo di arte applicata del continente. Lo scopo, come si è detto, era quello di stimolare l'artigianato artistico locale e di formare il gusto del pubblico. Il nuovo museo doveva collezionare ed esporre quanto di bello ed esemplare fosse prodotto dall'artigianato contemporaneo, come pure pezzi di artigianato storico. Il palazzo del museo in Stubenring — costruito su progetto di Heinrich Ferstel in stile rinascimentale italiano — fu inaugurato nel 1871; fu poi ampliato nel 1909 su progetto di Ludwig Baumann.

Negli anni '90 si fece sentire sempre più tra gli artisti il malcontento per quella tendenza a imitare gli stili del passato, tanto più che all'estero fiorivano le scuole moderne e i nuovi movimenti artistici. L'esposizione organizzata nel 1896 al Museo per l'arte e l'industria, dedicata al Congresso di Vienna del 1814, fece scoprire le qualità artistiche del Biedermeier e indusse a ricredersi anche i gruppi accademici. Nel 1897, anno di nascita della Secessione e primo anno della direzione di Myrbach alla Kunstgewerbeschule, associata al museo, divenne direttore del museo l'ingegnere Arthur Scala. In collaborazione con la Kunstgewerbeschule, con la Secessione e, a partire dal 1903, con la Wiener Werkstätte, il Museo per l'arte e l'industria diede un nuovo orientamento alla produzione dell'artigianato artistico. Dal 1898 apparve una nuova pubblicazione del museo, «Kunst und Kunsthandwerk» (Arte e artigianato artistico), che insieme a «Ver Sacrum» divenne la tribuna più importante dell'arte contemporanea. Dal 1897 ebbero luogo regolari esposizioni invernali che portavano a conoscenza del pubblico i prodotti dell'artigianato moderno: all'inizio furono presentati molti lavori inglesi.

Nel 1900 la Kunstgewerbeschule ebbe completa autonomia, ma rimase legata al museo per diversi progetti in comune e anche per numerose partecipazioni alle esposizioni.

Dopo aver subìto gravi perdite durante la seconda guerra mondiale, e dopo lunghi lavori di ricostruzione, il museo riaprì i battenti nel 1949 con la nuova denominazione di «Österreichisches Museum für Angewandte Kunst», decisa nel 1947.

J.W.

DAGOBERT PECHE

In occasione della prima mostra organizzata in memoria di Dagobert Peche a Vienna, nel 1923, l'opera dell'artista venne così riassunta: «Rafforzando il pensiero di Hoffmann nei termini di un nuovo romanticismo, Peche ha subordinato le arti applicate, che non possono decadere nella prosaicità della forma funzionale, a una volontà artistica assoluta: e tutto questo in un momento decisivo.» Con Peche, infatti, la «forma nobile», ormai perdente, tornò a vincere sulla torpida «forma funzionale», risvegliando una lontana consapevolezza secondo la quale l'elemento estetico non deve necessariamente sposare la funzionalità. La fantasia dell'artista non soffrì mai di intorpidimento; si espresse sempre in tatto, sensibilità, finezza. Peche nacque a Salisburgo il 3.4.1887. Di lui è stato scritto che non riuscì mai a liberarsi nella sua opera di quel tocco «barocco» che la sua città natale gli regalò. Peche studiò dapprima alla Wiener Technik (1906) e successivamente alla Wiener Akademie der bildenden Kunsten (1908) sotto la guida di Ohmann, al quale si sentì subito più vicino piuttosto che a Wagner. Nel 1911, conseguito il Rompreis (Premio Roma), partì per Parigi con la moglie. Fu il Louvre a ispirargli la sua prima passione per lo stile Luigi XV e la pittura di Watteau. Al ritorno ebbe l'occasione di incontrare a Darmstadt Alexander Koch, che rimase favorevolmente colpito dalla capricciosa grazia della sua grafica e finì con il pubblicare ben presto un articolo sull'artista in «Deutsche Kunst und Dekoration» (1913).

La partecipazione di Peche alla «Tapetenausstellung» del 1913 presso l'Österreichisches Museum, con la progettazione e la realizzazione del padiglione dedicato all'Austria, richiamò l'attenzione del pubblico. Venne poi il debutto nel campo dell'arredamento d'interni. Sempre nel 1913 l'artista allestì un salone da ricevimento con atrio presso la Secessione. Nel 1914, grazie alla raccomandazione di Hoffmann, gli venne affidata la progettazione del settore riservato all'Austria nella mostra internazionale d'arte. Sempre nel 1914 collaborò all'esposizione del Werkbund a Colonia.

I primi mesi di guerra lasciarono Peche senza alcuna commissione. Disperato, si dedicò anima e corpo al suo appartamento in Neubaugasse. Fu questo il periodo delle sue incisioni al linoleum e delle sue opere decorative. Dovette attendere sino al 1915 per ottenere un altro incarico: gli fu offerta una collaborazione alla Wiener Werkstätte, che l'artista accettò di buon grado. Con sorprendente facilità riuscì a far proprie le nuove tecniche e nell'autunno dello stesso anno realizzò l'allestimento per l'esposizione dedicata alla moda all'Österreichisches Museum. Nel 1916 venne dichiarato idoneo al servizio militare e solo grazie a una sopraggiunta malattia e all'intervento della Wiener Werkstätte ottenne l'esonero. Gli venne affidata la direzione della Wiener Werkstätte di Zurigo; qui, nell'arredamento del locale adibito alla vendita al pubblico, Peche non risparmiò la fantasia. Fu un periodo decisamente produttivo. Ultimò anche i suoi schizzi per l'argenteria, i gioielli, i ricami.

Nel 1919 fu richiamato a Vienna. Presentò nuove opere alla Kunstschau del 1920 presso l'Österreichisches Museum e a quella del

1921. Nel 1921 partì per Colonia allo scopo di sovrintendere ai lavori per una serie di tappezzerie di sua composizione commissionategli dalla ditta Flammersheim und Steinmann. Il suo ultimo viaggio fu a Monaco, alla Deutsche Gewerbeschau, dove si occupò della vetrina della Wiener Werkstätte. Già sofferente, Peche lavorò al progetto per la messa in scena del balletto di R. Strauss *Sclagobers*. Morì a Mödling il 16.4.1923.

C.P.

EMIL PIRCHAN

Architetto della scuola di Wagner. Nato a Brno il 27.5.1884, morto a Vienna il 2.12.1957.
Pirchan abbandonò Vienna quasi immediatamente dopo la laurea per trasferirsi a Monaco di Baviera. Esercitò la libera professione fino al 1914, quando divenne scenografo capo del Teatro dello stato (Staatstheater). Dal 1919 al 1932 ebbe la stessa mansione a Berlino; dal 1932 al 1936 fu direttore artistico del Teatro tedesco di Praga. Da quell'anno diresse la nuova Meisterschule di scenotecnica all'Accademia di Vienna. L'opera didattica di Pirchan ebbe inizio già nel 1908 alla Scuola d'arte di Monaco, per proseguire con una scuola privata di scenografia e grafica nella stessa città; a partire dal 1923 insegnò scenografia alla Staatliche Hochschule di Berlino.
Pirchan pubblicò svariati libri e articoli, essenzialmente sui problemi del teatro e dell'arte in generale, e inoltre una breve monografia su *Otto Wagner*, Bergland, Vienna, 1956.

M.P.

JOSEF PLECNIK

Josef Plecnik nacque a Lubiana il 23.1.1872; era figlio di un falegname. Dopo il corso quadriennale di falegnameria alla scuola industriale di Graz, nel 1892 si trasferì a Vienna e per due anni lavorò come disegnatore di mobili all'Imperial-regia ebanisteria di corte «J.W. Müller».
Entrato in contatto con Otto Wagner nel 1894, studiò con lui dal 1895 al 1898 architettura all'Accademia di belle arti. Seguirono viaggi in Italia e in Francia, che denotano innanzitutto il suo interesse per i monumenti storici. Nel 1899 Plecnik fa ritorno all'atelier di Otto Wagner e con lui collabora alla costruzione della metropolitana.
Dal 1900 si profilarono possibilità di lavori autonomi. Nel periodo in cui fu a Vienna, cioè sino al 1911, Josef Plecnik figurò come una delle personalità più importanti nel movimento che andava preparando l'architettura moderna. Nella casa d'affitto multifamiliare Langer, che costruì a Hietzing (1900-1901), pur aderendo ancora totalmente allo Jugendstil floreale, si distaccò tuttavia dall'articolazione in piani; l'intero edificio fu concepito come una struttura plastica, con la facciata percorsa verticalmente da motivi ondeggianti e floreali. Nella casa d'affitto Langer edificata a Wienzeile (1901-02) è ancora fortemente avvertibile l'influenza di Wagner, e nondimeno la dominanza degli elementi verticali e l'intensa geo-

metrizzazione già alludono all'opera principale che egli realizzò a Vienna, la Zacherl-Haus a Brandstätte (1903-05).
La facciata di questo edificio ha un peculiare carattere monumentale, e ciò non solo per le esigenze della committenza, ma per la collocazione stessa dell'edificio al centro di Vienna. Le modanature a T non servono soltanto a fissare i lastroni sulla facciata, hanno soprattutto la funzione di ingenerare le strutture verticali. L'obiettivo non è l'ornamento — come nel caso della Postsparkasse di Otto Wagner — ma l'articolazione architettonica. Le «lesene» che in tal modo ne scaturiscono si trasformano in altrettanti zoccoli per gli atlanti di Metzner collocati sull'ultimo piano.
Configurazione monumentale hanno pure i progetti di Plecnik di edifici sacri, in contrasto con l'unica chiesa da lui costruita a Vienna, la Chiesa dello Spirito Santo a Wien-Ottakring, un quartiere operaio, nel 1910-13. Fortemente influenzato dalla *Beuroner Kunst* (scuola fondata nel 1868 nel monastero di Beuron, a Schwäbisch Alb nel Baden-Württemberg, tesa a rivitalizzare l'arte religiosa), Plecnik creò uno spazio comunitario «protocristiano», a forma di basilica, con matronei, cripte a galleria e un severo motivo a portico lungo la facciata. Questa chiesa può essere considerata il primo passo verso l'architettura realizzata a Vienna tra le due guerre.
Nel 1911 Plecnik fu chiamato alla Scuola d'arte applicata di Praga, donde l'anno successivo fece ritorno alla sua città natale, Lubiana. Oltre a numerosi edifici d'abitazione e di carattere sacro, si debbono menzionare il restauro di Hradcin, il castello di Praga (1920-25), nonché un vastissimo monumentale complesso cimiteriale a Lubiana (1937-40). Josef Plecnik morì il 6.1.1957.
Bibliografia: Damjam Prelovsek, *Josef Plecnik -Wiener Arbeiten 1896-1911*, Wien, 1979.

J.W.

MICHAEL POWOLNY

Nato a Judenburg, in Stiria, il 18.9.1871. Dopo un periodo di apprendistato, frequenta dal 1891 al 1894 la Fachschule für Tonindustrie di Znaim; dal 1894 al 1901 la Kunstgewerbeschule (O. König, A. Strasser); dal 1903 al 1906 segue i corsi di F. Metzner. Nel 1906 fonda con B. Löffler la Wiener Keramik, che intorno al 1907 conclude un contratto con la Wiener Werkstätte per la vendita dei propri prodotti. La Wiener Werkstätte ne ha anche la rappresentanza generale per la Germania (vendita nelle filiali delle Deutsche Werkstätte). Nel 1913 la Wiener Keramik si fonde con la Gmundner Keramik (Vereinigte Wiener und Gmundner Keramik und Gmundner Tonwarenfabrik Schleiss Gesellschaft). Dal 1909 al 1936 insegna alla Kunstgewerbeschule.
Esposizioni: Esposizione mondiale di Parigi, 1900; Wiener Kunst im Hause (Secession, 1902); Kunstschau, 1908 e 1909; mostre d'inverno del Museum für Kunst und Industrie, 1909-10, 1910-11, 1913-14; Frühjahrsausstellung dello stesso museo, 1912; Ausstellung Sonderkurs Keramik/Email, 1911; Esposizio-

ne internazionale d'arte, Roma, 1911; Werkbundausstellung, Colonia, 1914; Ausstellung Österreichisches Kunstgewerbe, 1919; Einfacher Hausrat, 1920; Jubiläumsausstellung des Wiener Kunstgewerbe-Vereines, 1924; Parigi, 1925; Kunstschau, 1927; mostre di Natale della Künstlerhaus, 1928-29; Werkbundausstellung, 1930; Parigi, 1937. Membro del Deutscher e dell'Österreichischer Werkbund. Muore a Vienna il 4.1.1954.
Lavori per altre ditte: Wiener Keramik, Böck, Sommerhuber, Schwadron, Augarten e Wienerberger (ceramiche e porcellane), Lobmeyr e Lötz (vetri); Klinkosch (argenteria).
Lavori per la Wiener Werkstätte: ceramiche. Contribuisce all'arredamento del Cabaret Fledermaus e del Palazzo Stoclet; collabora con J. Hoffmann a diversi progetti di costruzioni (ad esempio casa Skywa, Vienna; casa Berl, Freudenthal).

PRESSTOFF-MÖBEL-GESELLSCHAFT MBH, WIEN

Mobili in materiale pressato, SRL.
Fondata all'inizio del 1911 a Vienna VI, in Gumpendorferstrasse 111, il 3 marzo 1911 la ditta fu iscritta alla Camera di commercio.
«Scopo della ditta è la produzione, la lavorazione e la distribuzione di mobili e di altri oggetti in materiale pressato sulla base dei brevetti austriaco e ungherese conferiti al nome di Hans Günther Reinstein ad Hannover o ancora da conferire. In considerazione di questi brevetti Heinrich Latwesen assume la rappresentanza per l'Austria-Ungheria di Günther Reinstein con un contratto di licenza. La società ha diritto di partecipare ad altre imprese simili e di fondare filiali...» Così recitava la pubblicazione sulla Gazzetta ufficiale della Camera di commercio del 3.3.1911.
Heinrich Latwesen, banchiere di Hannover, uno dei fondatori e soci della ditta viennese, era il titolare della licenza del brevetto austriaco n. 46100 conferito a Reinstein, come da contratto del 20.11.1910. Egli cedette i suoi diritti come sua quota di partecipazione alla società.
Nel 1912 la sede fu trasferita in Hintzerstrasse 11 e al vecchio direttore Kurt Franke fu affiancato Ernst Schwarz, un avvocato. La società fu sottoposta a un procedimento di concordato nel 1915 e nel 1916 fu sospesa la produzione. Fu definitivamente sciolta nel 1929.
La descrizione del brevetto, accompagnata da disegni, spiegava che «il cartone non viene usato come riempitivo o rivestimento della struttura del mobile, ma viene usato in... forma ondulata e scanalata, di modo che la sua resistenza basti a sopportare il peso senza che l'oggetto abbisogni di un'ossatura portante fatta di legno, tubi o simili». Un brevetto analogo era già stato registrato in Germania nel 1909 a nome di Hans Günther Reinstein (nato nel 1880 in Sassonia, pittore e fondatore di un atelier con altri allievi di Peter Behrens).
A Vienna, nel 1912, alla Esposizione primaverile nel Museo austriaco per l'arte e l'industria, la ditta presentò una garniture di poltrone in materiale pressato, con un tavolo rotondo. Era sistemata in un padiglione arredato da

Robert Örley. Il tipo di poltrona — dove lo schienale forma come una conchiglia con i braccioli — si può trovare , in diverse varianti, già molto prima. La novità — il rivestimento in cartone ondulato — doveva soddisfare contemporaneamente le esigenze di praticità e di decorativià. Tuttavia rimane dubbia la capacità di resistenza del materiale: le sedie viennesi in materiale pressato hanno in ogni modo dei sostegni di legno sul retro (come sostituzione delle gambe posteriori), in modo che il cartone faccia solo da riempitivo.

Bibliografia: Dorothee Müller, *Klassiker des modernen Möbeldesign*, München, 1980; Vera J. Behal, *Möbel des Jugendstils*, München, 1981; Graham Gry, *Hans Günther Reinstein und seine «Möbel aus Pappe»*, in *Kunst in Hessen und am Mittelrhein*, Sonderdruck, 1982.

V.J.B.

HANS PRUTSCHER

Nato a Vienna il 5.12.1873, ivi morto il 25.1.1959.
Fratello di Otto Prutscher, era un architetto autodidatta. Aveva imparato il mestiere di falegname e muratore e studiato presso l'architetto Friedrich von Exter. Dapprima lavorò con Hermann Stierlin, con il quale disegnò progetti di vestiboli di case a Vienna in Gumpendorferstrasse 74 e Franz Josefstrasse 5.
L'opera di Prutscher è del tutto particolare e riunisce vari stili. I suoi primi progetti risentono dell'influsso di Otto Wagner. Come risulta da una delle sue lettere, fu anche ammiratore di Adolf Loos, sebbene non abbia mai raggiunto nelle sue costruzioni la severità di Loos. Prutscher prediligeva le costruzioni con articolazioni plastiche e usava spesso elementi di balconi e verande segmentati o arrotondati: è la continuazione di un'idea barocca trasferita nel moderno. Altre influenze sul suo stile sono da ricercare nello «Heimatstil» (stile patrio) tedesco, come anche nell'architettura antica, bizantina e medievale.
Prima della grande guerra Prutscher si dedicò soprattutto alla costruzione di palazzi per appartamenti e negozi, mentre dopo la guerra costruì prevalentemente chiese e tombe.
Nel 1909 disegnò mobili per la ditta J&J Kohn e nel 1909-10 per la ditta Ludwig Schmitt. I suoi mobili vennero spesso presentati nelle esposizioni.
Le case più importanti da lui costruite sono in Friedrichstrasse (1913-14), in Dannhausergasse 10 (1913), in Nikolsdorfergasse 7 (1911), in Neubaugasse 25 (1912), in Lerchenfelderstrasse 35 (1913), in Westbahnstrasse 26.
Tra le chiese e le cappelle: Kriegskapelle in Wagramerstrasse; Antoniuskapelle in Alserstrasse (1928); Notkirche in Windtenstrasse (1915-16); Karmeliterkirche in Stefan Fadengerplatz 2 (1930, questa chiesa, dopo la chiesa di Plecnik in Herbstrasse, è la seconda in cemento armato di Vienna, oggi molto modificata).
Prutscher costruì inoltre nel 1908 la villa del pittore Kreycy a Vienna, nel 1910 ricostruì il castello di Datschitz in Moravia, nel 1913 il castello Heroldeck a Millstatt, nel 1919 il Domcafé a Vienna.

Bibliografia: Hans Prutscher, *Auslese meiner Arbeiten, 1898-1928*, Wien, 1928; Ottokar Uhl, *Moderne Architektur in Wien von Otto Wagner bis heute*, Vienna, 1966; Geza Hajos, *Hans Prutscher und einige Probleme der Wiener Architektur vor dem ersten Weltkrieg*, in «Mitteilungen der Gesellschaft für Vergleichende Kunst Forschung in Wien», n. 1, gennaio 1978; Vera J. Behal, *Möbel des Jugendstils*, München, 1981.

E.B.T.

OTTO PRUTSCHER

Nato a Vienna il 7.4.1880, morto nel 1949.
Ereditò dalla famiglia le «migliori tradizioni dell'antico artigianato austriaco e una cultura di buon gusto». Il suo campo di attività fu vasto, la sua capacità produttiva enorme. Nella rivista «Österreichische Kunst» nel 1932 vennero presentati i più svariati oggetti d'uso di Otto Prutscher, nei quali era «racchiusa in un'unica formula la funzionalità e la forma». Lampadari, servizi di porcellana, gioielli, rilegature in pelle venivano perfezionati con la stessa abilità che le ville e gli appartamenti. Si lodavano anche le sue capacità pedagogiche; dal 1909 aveva insegnato alla Kunstgewerbeschule «stimolando gli interessi di numerosi artigiani e artisti».
Prutscher stesso aveva studiato in quella scuola di arte applicata con Franz Matsch e Josef Hoffmann. Appena ventenne aveva pubblicato schizzi e progetti nella rivista «Das Interieur» (1900). In occasione di un concorso per l'arredamento della sala riunioni della Kunstgewerbeschule di Vienna era stato accettato il suo progetto.
Lavorò anche con molto successo insieme a Erwin Puchinger a Londra e a Parigi. Sulla sua arte dell'arredamento J.A. Lux ebbe a scrivere: «Il lusso qui si manifesta solo nell'uso di materiali preziosi, senza però pregiudicare la logica costruttiva. L'artigianato di lusso qui già prende il sopravvento sull'oggetto d'uso.»
Per la Kunstschau del 1908 Prutscher creò una sala di marmo, eseguita dalla Wiener Werkstätte, confermando le sue doti nell'allestimento delle esposizioni. Nel 1911 si fece notare per la sua tendenza all'ornamento arredando un salone di parrucchiere per signora. Arthur Rössler rende omaggio all'arte di Prutscher nella rivista «Deutsche Kunst und Dekoration» nel 1911: «Uno sguardo alle fotografie del suo salone bianco convince che egli non cade nell'addobbo esagerato e senza senso. Neppure nel salone per signore Otto Prutscher lascia spazio a una bellezza sterile: l'ornamento, qui come altrove, serve solo a valorizzare il materiale e la forma.»
Nei primi due decenni di questo secolo Prutscher fornì progetti alle ditte Prag-Rudniker e Fratelli Thonet.

C.P.

CARL ANTON REICHEL

Nato a Wels nel 1874, morto a Vienna nel 1944.
Proveniente da un'antica famiglia franco-bavarese, Carl Anton Reichel, terminato il ginnasio a Salisburgo e Kremsmünster, studiò

medicina all'università di Vienna, come suo fratello, e successivamente anche a Praga e Monaco. Ventenne, inizia a interessarsi intensivamente di psichiatria e psicologia, storia dell'arte e indologia. Per la sua formazione artistica come grafico ha un'importanza decisiva la permanenza a Parigi nel 1900. Dopo le prime xilografie passa alle acqueforti e con questa tecnica ci lascia un'opera di circa 300 fogli, molto apprezzata dai suoi contemporanei ma poi dimenticata per decenni. Solo una grande esposizione del 1970 all'Albertina ha riportato l'interesse su questo artista.
Reichel sposa nel 1905 la sua prima moglie, proveniente da nobile famiglia russa. Dapprima abita presso Salisburgo e poi per dieci anni, assieme a Hermann Bahr, al castello di Bürgelstein. Animato da molteplici interessi, è consigliere privato di personaggi politici altolocati come il principe ereditario Rupprecht di Baviera, ed è in rapporto col compositore Hans Pfitzner, con Arnold Schönberg e con Alfred Kubin, che possedeva numerose sue acqueforti. Nel 1917 acquista la residenza di Micheldorf, in Alta Austria, che fino al 1924 è centro di un'intensa vita politica, culturale e spirituale. Nel 1933 si reca in Svizzera, ma poi torna in Austria e trascorre gli ultimi anni della sua vita a Vienna, dove sposa nel 1942 l'attrice del Burgtheater Tony van Eyck.
L'opera di Reichel (acqueforti e puntasecca) si basa in linea di massima su abilità ed esperienze acquisite autodidatticamente. Contiene ritratti e nudi nella tradizione dei francesi moderni, ma è interessante soprattutto per quei lavori che, in maniera molto indipendente e assolutamente originale, combinano elementi del tratto Jugendstil con un disegno figurativo fortemente astratto e rappresentazioni piene di tensione, molteplicemente visionarie. Le preferenze e gli interessi di Reichel per il buddismo, per campi marginali della psichiatria, della musica (Gustav Mahler) e della letteratura, influiscono su queste opere, così come la sua insolita sensibilità per processi disegnativi formali e valori tipici dell'acquaforte.

P.B.

ALFRED ROLLER

Nato a Brünn il 2.10.1864, morto a Vienna il 21.6.1935.
Fu una delle personalità dominanti del mondo artistico e politico di Vienna alla fine del secolo scorso e nei primi decenni del nuovo secolo. Raggiunse fama mondiale come scenografo e soprattutto per la collaborazione con Gustav Mahler e Max Reinhardt. In effetti i molteplici interessi di Roller, il suo talento di organizzatore e maestro, i suoi lavori artistici sono rimasti alquanto offuscati dall'apprezzamento più immediato di lui come scenografo e riformatore del teatro postnaturalistico. Si è troppo poco apprezzata anche l'importanza della sua vasta attività didattica alla Kunstgewerbeschule, dove era stato chiamato a insegnare da Myrbach. Negli anni dal 1903 al 1909 fu esonerato dall'insegnamento per dirigere i lavori di scenografia della Hofoper. Ma nel 1909 ritornò alla scuola e contribuì a farle ottenere riconoscimenti mondiali. (Lascerà la scuola solo

nel 1934, andando in pensione.)
Come presidente della Secessione Roller partecipò alla esposizione dedicata a Max Klinger nel 1902. Fu inoltre redattore della rivista «Ver Sacrum», determinando lo stile di questa rivista politico-artistica così importante per il suo contenuto.

In qualità di direttore dei laboratori di scenografia della Hofoper, insieme a Mahler, contribuì in modo decisivo a liberare il teatro musicale dalla scenografia realistica e tardo-storicista. Dopo il suo primo lavoro in comune (Wagner, *Tristano e Isotta*, 1903), segue una serie di scenografie rivoluzionarie anche dal punto di vista della tecnica (Beethoven, *Fidelio*, 1904; Wagner, *L'oro del Reno*, 1905; Mozart, *Don Giovanni, Nozze di Figaro, Il flauto magico*, 1905-06; Wagner, *Le Walkirie*; Chr. W. Gluck, *Ifigenia in Aulide*).

Dal 1905 lavora in collaborazione costante con Max Reinhardt a Berlino: Hofmannsthal, *Edipo e la Sfinge*; Goethe, *Faust I* (1909) e *Faust II* (1911); Sofocle, *Edipo re*; Eschilo, *Oreste*; Hofmannsthal, *Jedermann*. Dal 1913 lavorò anche per il Burgtheater (soprattutto in collaborazione con il regista Albert Heine). Fu, con Reinhardt e Hofmannsthal, fondatore e animatore del Festival di Salisburgo: Hofmannsthal, *Jedermann*, 1920, regia di Reinhardt; Hofmannsthal, *Das Salzburger grosse Welttheater*, 1922, regia di Reinhardt; Strauss, *Der Rosenkavalier*, 1929, e *Die Frau ohne Schatten*, 1932.

Ebbe notorietà anche come teorico della scenografia e grafico (decorazione di libri).

W.G.

MILEVA ROLLER
Nata Stoisavlievic il 18.2.1886, morta il 5.6.1949, dal 1906 moglie di Alfred Roller.
Alla Kunstgewerbeschule frequenta i corsi di pittura e di grafica e in seguito quello di ceramica diretto da Adele von Stark.
Esegue numerosi acquarelli, acqueforti e dipinti su avorio.

«DER RUF»
Oggi si trascura ingiustamente l'interessante testimonianza che la rivista espressionista viennese «Der Ruf» seppe offrire del dissidio tra le giovani avanguardie artistiche e letterarie e la situazione politico-culturale del periodo prebellico.
«Der Ruf - Ein Flugblatt an junge Menschen» (Il richiamo - Un manifesto per giovani) venne pubblicata dalla «Akademischer Verband für Musik und Literatur in Wien» dal febbraio 1912 all'ottobre 1913. In totale uscirono cinque fascicoli. Accanto a recensioni, saggi, drammi, racconti, poesie, vennero pubblicati disegni di Gustav Klimt, Oskar Kokoschka, Egon Schiele, Joseph von Dikery e Moriz Jung, così come partiture di Anton con Webern.
Tra i principali componenti della Akademischer Verband troviamo il giurista Ehrard Buschbeck, lo scrittore e attivista Robert Müller, il compositore Paul Stefan e il giornalista Ludwig Ullmann. Redattori della prima edizione, intitolata al *Carnevale*, apparsa nel febbraio 1912, furono Paul Stefan, Ludwig Ullmann ed Ehrard Buschbeck. Ludwig Ullmann redasse anche il «Ruf-Heft» del marzo 1912 dal titolo *Primavera*, Ehrard Buschbeck quello del novembre 1912 intitolato *Guerra*. Il quarto e il quinto fascicolo vennero pubblicati nel maggio e nell'ottobre 1913 da Robert Müller.
La Akademische Verband, grazie ai suoi coraggiosi tentativi di diffusione del nuovo pensiero artistico, divenne a Vienna un pulpito dell'avanguardia. Organizzava serate con concerti di Arnold Schönberg, Anton von Webern e Alban Berg, conferenze con Karl Kraus e Adolf Loos. Gli incontri erano pubblicizzati con manifesti e litografie di Oskar Kokoschka ed Egon Schiele, ma spesso il pubblico viennese indignato respingeva energicamente quelle iniziative.
Tuttavia «Der Ruf» poté fungere da pubblico intermediario per le giovani coscienze artistiche e letterarie. Tra i collaboratori della rivista spiccavano nomi quali Peter Altenberg, Franz Theodor Csokor, Theodor Däubler, Albert Ehrenstein, Paris Gütersloh, Alfred Grünewald, Karl Hauer, Otfried Krzyzanowski, Adolf Loos, Erich Mühsam, Heinrich Nowak, Emil Alphons Rheinhardt, Georg Trakl, Arnold Schönberg, Else Lasker-Schüler, Frank Wedekind e Franz Werfel. Notevole era la partecipazione di collaboratori ebrei.
Non appena Hitler giunse al potere gran parte dell'avanguardia espressionista che aveva fatto capo a «Der Ruf» dovette fuggire in esilio. Alfred Grünewald, Erich Mühsam ed Emil Alphons Rheinhardt morirono nei campi di concentramento tedeschi. Heinrich Nowak venne dato per disperso.
La protesta di «Der Ruf» si esprime a più voci. In contrasto con il tentativo di divinizzazione del nuovo stato, sostenuto dalle forze politiche ufficiali, Paul Stefan denuncia il sistema coercitivo del regime che sfrutta la popolazione e perseguita gli intellettuali progressisti. Erich Mühsam, Karl Hauer e Robert Müller accusano i «filistei borghesi», tipici rappresentanti di questo sistema, che nella loro avidità e ottusità appaiono sensibili al solo profitto. Le istituzioni borghesi e in particolar modo il sistema educativo vengono giudicate limitative e dannose per ogni forma di intelletto: al servizio del sistema sociale borghese e della sua gestione della vita culturale del paese si schiera anche la stampa che, priva di alcuna congnizione di causa, si scaglia in toni sensazionalistici contro gli artisti e le loro opere. Sotto l'influsso di Nietzsche e dei futuristi Robert Müller contrappone alle deficienze di un simile stato sociale l'utopia di un'epoca di vitalità ed eroismo, espressa in un linguaggio che rasenta l'estasi: accanto a memorabili imprese belliche, un massiccio utilizzo della tecnologia moderna contribuirà a distruggere il vecchio mondo, a frantumare «le tavole antiche».
La lirica di «Der Ruf» non rievoca l'atmosfera di «Ver Sacrum»; non è più tempo di ritirarsi «nel parco». La realtà moderna e la sua banale quotidianità irrompono nel linguaggio poetico. La natura, quella decantata dalla lirica tradizionale di beneamati poeti, appare definitivamente decaduta, deformata, consegnata alle peggiori forze conservatrici. Le comunità sacrificate alla disintegrazione, l'effige del freddo e dell'inverno, la disillusione dell'umanità e la svalutazione del concetto d'amore fermano lo sguardo sbalordito su questo mondo irrigidito che porta in sé il germe della decadenza. Metafore demoniache e dinamiche sineddochi traducono in termini poetici la paura e l'insicurezza dell'uomo di fronte a una realtà sempre più sfuggente e un mondo sempre più aggressivo. Lo sterile estetismo della lirica dello Jugendstil e la falsità di una poesia idilliaca decadente vengono ora smascherati. Queste posizioni di critica alla cultura del tempo confutano l'opinione secondo la quale l'espressionismo austriaco non avrebbe alcuna matrice politica, diversamente dalla parallela corrente artistica tedesca.

FRIEDRICH SCHACHNER
Architetto. Nato ad Atzenburg il 14.12.1841, morto a Vienna il 7.11.1907.
Allievo di van der Null e di Siccardsburg, tra le sue opere figurano il Palazzo K. Wittgenstein (1871-83), il Palazzo degli uffici della Allgemeine Verkehrsbank (1880-83), l'ampliamento della Künstlerhaus (1881, in collaborazione con Streit), il completamento della facciata della Universitätskirche, i magazzini Esders (1894-95), tutti edifici costruiti a Vienna. Sono inoltre da ricordare il Sanatorio Vorderbrühl-Mödling, la Villa Hohenhof sul Kahlenberg, l'Hotel Austria a Gmunden, il Palazzo Sessler-Hertzinger a Graz, la facciata della chiesa parrocchiale a Klagenfurt (1893-94) e la Rainerhof, la Cassa di risparmio boema a Praga.

T.B.

EGON SCHIELE
Vedere appendice al testo di Rudolf Leopold.

EMIL JAKOB SCHINDLER
Nato il 27.4.1842 a Vienna, morto il 9.8.1892 a Westerland auf Sylt (Germania settentrionale).
Suo padre era proprietario di una fabbrica poi fallita, il suo patrigno era un ufficiale. Schindler, che avrebbe dovuto intraprendere la carriera militare, partecipò nel 1859 alla campagna d'Italia e alla battaglia di Solferino. A Milano conobbe il paesaggista Albert Zimmermann e, quando quest'ultimo si recò a Vienna, all'Accademia d'arti figurative, decise di seguirlo diventando suo allievo. Fino al 1870 i suoi compagni di classe furono, tra gli altri, Eugen Jettel, Robert Russ e Rudolf Ribarz. Nel 1869 Schindler lasciò l'Accademia e si diede a studiare la pittura paesaggistica olandese del XVII secolo e quella preimpressionistica della scuola di Barbizon (Corot, Daubigny ecc.), meglio conosciuta poi in occasione della Esposizione mondiale di Vienna (1873).
I temi più cari a Schindler erano la brughiera del Danubio, la Wachau (parte della valle del Danubio sopra Vienna, particolarmente bella dal punto di vista paesaggistico) e il Wienerwald (la foresta viennese). Nel 1869 espose per

la prima volta con successo alcune opere. Negli anni successivi ebbe sempre a lottare con gravi difficoltà finanziarie. Per un certo periodo lo ospitò Makart, di cui era amico. Nel 1873 soggiornò per breve tempo a Venezia, nel 1874 fece un viaggio in Dalmazia, nel 1875 si recò in Olanda in compagnia di Tina Blau, a lui molto vicina artisticamente. Dopo una grave malattia nel 1880, le sue condizioni migliorarono. Nel 1881 vinse l'ambito e ben retribuito Reichelpreis. Lo stesso anno andò a Parigi, dove però rimase solo due settimane. Nei mesi estivi degli anni 1881-84 soggiornò a Bad Goisern nel Salzkammergut con la famiglia e l'affezionato allievo Carl Moll. Dal 1885 abitò nel castello di Plankenberg (Wienerwald occidentale), che divenne una piccola colonia di artisti dove Schindler e i suoi allievi lavorarono in armonia e serenità. Tra gli allievi c'erano, oltre a Moll, O. Wisinger-Florian, Marie Egner e Eduard Zetsche.

Nel 1887-88 Schindler si recò in Dalmazia e a Corfù con la famiglia (sua figlia Alma divenne Alma Mahler-Werfel) e con Moll. Ebbe allora, insieme ad altri pittori, l'incarico per il più grande lavoro di pittura paesaggistica del tempo: si trattava di decorare le sale del primo piano del Museo di storia naturale di Vienna con quadri di grandi dimensioni. Negli ultimi anni della sua vita ebbe finalmente un riconoscimento ufficiale con una medaglia d'oro di stato (1891). Poco dopo ebbe luogo la prima e più grande esposizione dei suoi quadri alla Künstlerhaus.

I primi studi sulla natura di Schindler ricordano il realismo di F.G. Waldmüller. Egli e i suoi colleghi nella scuola di Zimmermann erano assoluti sostenitori della pittura en plein air (all'aperto). Schindler sceglieva motivi silenziosi, persino poco attraenti. Egli tendeva a fissare l'essenza delle cose, e non solo la realtà. Per la sua pittura e quella dei suoi allievi si cominciò a usare la definizione di «Stimmungsimpressionismus» (impressionismo di stati d'animo). Schindler in effetti era molto sensibile agli stati d'animo. Un paesaggio, fosse un viale sotto la pioggia o lo scorcio del parco di Plankenberg, aveva per lui un significato solo se poteva non solo vederlo ma anche «sentirlo con tutti i sensi». La natura lo interessava nel mutare delle stagioni, del tempo, della luce. L'opera di Schindler e quella dei suoi allievi o seguaci hanno influenzato la pittura paesaggistica viennese del XX secolo.

Bibliografia: C. Moll, *Emil Jakob Schindler*, Wien, 1930; H. Fuchs, *Emil Jakob Schindler* (con catalogo), Wien, 1970.

G.F.

WILHELM SCHMIDT
Nato il 1880 a Grulich in Boemia, figlio di un architetto, studia dal 1893 al 1901 alla Kunstgewerbeschule di Vienna, negli ultimi anni con Josef Hoffmann.
Disegna mobili per la Rudniker Werkstätte di Praga. Professore in un istituto professionale femminile, è tra i fondatori nel 1901 della «Wiener Kunst im Haus». Nel 1914 diventa direttore della Fachschule per la lavorazione del legno a Königsberg sull'Eger in Boemia. È membro del Werkbund austriaco.

E.B.T.

OTTO SCHÖNTHAL
Nato a Vienna il 10.8.1878, morto nel 1961. Cresciuto in una famiglia di architetti, studiò dapprima in una scuola professionale di stato, poi alla scuola di Wagner. Vinse vari premi e fece un viaggio in Italia. Fino al 1910 fu collaboratore di Hoppe nell'atelier di Wagner, lavorando ai più importanti progetti dell'epoca: la Stadtbahn (metropolitana), la chiesa di Steinhof e la Postsparkasse. Probabilmente tramite Otto Wagner ottenne l'incarico di costruire la casa del medico Vojcsik: il ventitreenne Schönthal, che aveva da poco terminato gli studi, creò una casa «di concezione classica» con ornamenti secessionistici. Dal 1910 al 1915 lavorò nel gruppo Schönthal-Hoppe-Kammerer e dopo la prima guerra mondiale solo con Hoppe. Il progetto più noto del gruppo è l'ippodromo del trotto a Vienna (1911-13).

Schönthal presenterà i lavori con Hoppe in un libro illustrato (apparso a Vienna nel 1931) nell'intento di mostrare il loro contributo allo sviluppo della nuova architettura. Nella prefazione sta scritto: «Qui non si vuole descrivere né commentare. L'interpretazione e l'effetto sono intrinseci. Funzionalità, costruttività, sviluppo dello spazio e igiene sono presupposti naturali che non debbono essere neppure menzionati.» La realizzazione dei princìpi dettati da Wagner fu quindi considerata come naturale. Da queste basi si sviluppò la nuova architettura che doveva adattarsi alle esigenze dell'uomo. I lavori illustrati nel libro sono: la Zentralbank der Deutschen Sparkassen a Vienna (1914), l'ingresso di una tabaccheria (1928), un palazzo di abitazioni popolari del comune di Vienna (1924), il ponte Friedensbrücke di Vienna (1925), per menzionarne solo alcuni, tutti improntati alle concezioni di Otto Wagner.

Schönthal fu presidente della Wiener Künstlervereinigung (dal 1923 al 1925) e della Zentralvereinigung Österreichischer Architekten (1930-32). Nel 1920 ottenne il titolo di architetto governativo e nel 1937 quello di professore. Tra i lavori degli ultimi anni vanno ricordati un edificio per la fabbrica di scarpe Rehberg e un palazzo a Vienna in Wimmergasse (1948-50).

Bibliografia: «Wiener Zeitung», 9.8.1953; *Wiener Architekten Emil Hoppe und Otto Schönthal*, Wien-Leipzig, 1931.

C.P.

FRANZ SCHWARZ
Nato a Vienna nel 1887, dal 1909 al 1912 studia all'Accademia con Otto Wagner, di cui in seguito diventa collaboratore per vari progetti. Schwarz appartiene infatti a quel numeroso gruppo di allievi che lavorano e progettano nello spirito del grande maestro.
Rari gli studi originali rimastici: alcuni sono reperibili negli archivi, ma per la maggior parte sono andati dispersi.
I disegni eseguiti da Schwarz durante il periodo in cui frequenta la scuola, dal 1910 al 1912, rispecchiano talmente lo stile di Wagner che spesso è difficile distinguerli da quelli del maestro. La purezza dello stile, quasi del tutto priva di elementi decorativi e ornamentali, rappresenta una fedele testimonianza dello stile architettonico della Vienna intorno al 1900.

CARL MARIA SCHWERDTNER
Nato il 27.5.1874 a Vienna, ivi morto il 10.5.1916.
Studia all'Accademia di Vienna con Edmund Hellmer e Caspar von Zumbusch. Esegue medaglie, ritratti, monumenti funebri e, insieme all'architetto Anton Weber, il monumento di Priessnitz in Türkenschanzpark di Vienna. È membro della Künstlerhaus.

E.B.T.

SIEBENERCLUB
Il «Club dei sette» era, in confronto alla Hagengesellschaft, un gruppo più esclusivo ma anche più informale di giovani artisti aperti alle tendenze moderne. Si riuniva, a partire dal 1895, nella trattoria «Zum blauen Freihaus» e al Café Sperl. Della cerchia facevano parte gli architetti Max Fabiani, Josef Hoffmann, Jan Kotéra, Friedrich Pilz e Joseph Maria Olbrich, i pittori Sigmund Walter Hampel, Leo Kainradl, Adolf Kapellus, Theodor Kempf-Hartenkampf, Max Kurzweil e Kolo Moser, gli scultori Josef Grünhut, Arthur Kaan e Carl Schwager. Anche Otto Wagner partecipava talvolta alle riunioni.
Il Siebenerclub realizzò due piccole pubblicazioni in proprio. Dopo la I Mostra della Secessione il gruppo si sciolse.
Bibliografia: Robert Waissenberger, *Hagenbund 1900-1938, Geschichte der Wiener Künstlervereinigung*, in «Mitteilungen der Österreichischen Galerie», n. 60, 1972; *Der Hagenbund*, cat. mostra, Historisches Museum der Stadt, Wien, 1975; Peter Vergo, *Art in Vienna, Klimt, Kokoschka, Schiele and Their Contemporaries*, London, 1975.

E.B.T.

FRANZ SIEGEL
Nato a Vienna, studia dal 1889 al 1896 alla Kunstgewerbeschule della capitale. Tra i vari progetti e lavori, esegue insieme a Georg Klimt una cornice in rame per un pannello presentato alla Esposizione mondiale di Parigi del 1900 nel padiglione della Kunstgewerbeschule di Vienna.

E.B.T.

GUSTAV SIEGEL
Nato il 2.1.1880 a Vienna, ivi morto alla fine degli anni '60
Inizia a studiare come apprendista da un falegname, si iscrive quindi alla scuola professionale di falegnameria di Vienna e dal 1897 al 1901 alla Kunstgewerbeschule con Josef Hoffmann. Dal 1900 è collaboratore della ditta Jakob & Josef Kohn. Un suo arredamento d'interni eseguito da questa ditta viene premiato

con il grand prix all'Esposizione mondiale di Parigi del 1900.
I suoi mobili vengono presentati alle mostre della Kunstgewerbeschule presso il Museo austriaco per l'arte e l'industria. Nel 1902 allestisce una mostra austriaca a Glasgow. Dopo la prima guerra mondiale diventa collaboratore della ditta Thonet-Mundus.

E.B.T.

LUDWIG SIGMUNDT
Nato il 2.9.1861 a Graz, ivi morto l'11.2.1936.
Figlio di un avvocato, dal 1883 al 1887 studia all'Accademia di Vienna con L.C. Müller. Nel 1895 diventa membro della Künstlerhaus. Due anni dopo è tra i fondatori della Secessione, di cui diventa presidente dal 1901 al 1902. Insieme al gruppo di Klimt lascia l'associazione nel 1905.
Soprattutto paesaggista, nei suoi quadri dominano sentimenti poetici. I colori sono misurati e uniformi. Si potrebbe considerarlo un seguace di Schindler e della sua pittura di stati d'animo.

G.F.

JUTTA SIKA
Nata a Linz il 17.9.1877, morta a Vienna il 2.1.1964.
Allieva di Hörwarter e Lenhart alla Scuola sperimentale di grafica dal 1895 al '97, studiò alla Scuola di arte applicata di Vienna dal 1897 al 1902 con Rudolf Ribarz, Franz Matsch, Kolo Moser, Friedrich Linke e Alfred Roller. Come altri allievi di Moser, Jutta Sika lavorò spesso per la ditta Bakalowits (oggetti di vetro). Nel 1901 fondò insieme ad altri l'associazione «Wiener Kunst im Hause», formata da un gruppo di allievi di Josef Hoffmann e Kolo Moser, che organizzava mostre e vendite dei più diversi oggetti. A partire dal 1905 l'associazione aprì un negozio nel centro di Vienna ed eseguì interi arredamenti su commissione. All'Esposizione mondiale di St. Louis del 1904 e alla Jagdausstellung di Vienna del 1910 Jutta Sika vinse una medaglia di bronzo e nel gruppo «Wiener Kunst in Hause» un premio di stato. Nel 1908 e nel 1909 partecipò alla Kunstschau. Dal 1911 al 1933 lavorò alla Gewerbliche Fortbildungsschule di Vienna. Nel 1920 divenne membro della Associazione delle artiste di arti figurative, alle cui esposizioni partecipò regolarmente. Jutta Sika era anche membro del Werkbund austriaco.
Nel campo dell'arte applicata la sua attività fu molteplice. Oltre ai vetri per Bakalowits progettò cartoline postali e ceramiche per la Wiener Werkstätte, ceramiche per la ditta Böck, bomboniere e ornamenti per alberi di Natale per Demel, oggetti di moda per l'atelier Flöge, confezioni da tè per Kohansky-Danzig, cartoni da imballaggio per Spitzer a Löwith e oggetti di metallo per Argentor. Lavorò inoltre per la fabbrica di porcellane Augarten di Vienna e per la Wiener Mosaikwerkstätte.

Bibliografia: Waltraud Neuwirth, *Österreichische Keramik des Jugendstils*, Wien-München, 1974; Werner J. Schweiger, *Wiener Werkstätte*, Wien, 1982; Vera J. Behal, *Möbel des Jugendstils*, München, 1981.

E.B.T.

CAMILLO SITTE
Nato il 17.4.1843 a Vienna, ivi morto il 16.11.1903.
Sitte è una delle personalità più interessanti dell'architettura viennese della fine del XIX secolo. Di grande importanza e novità non sono tanto le sue opere quanto le sue osservazioni teoriche riguardanti l'urbanistica.
Studiò con il padre, l'architetto Franz Sitte (1808-1879), e alla Technische Hochschule con Heinrich von Ferstel. Fece numerosi viaggi in Europa, in Asia Minore e in Egitto ampliando notevolmente l'orizzonte dei propri interessi storici. Dal 1875 al 1883 fu direttore della Staatsgewerbeschule di Salisburgo, poi di quella di Vienna, entrambe da lui fondate. Fu autore di numerosi piani di sviluppo per diverse città, per esempio per la zona del Ring viennese, per Olmütz, Teschen e Laibach. Le singole opere da lui eseguite non sono state ancora oggetto di uno studio sistematico: per esempio, la Mechitaristenkirche a Vienna (compresa la dipintura a tempera con figure e decorazione eseguita di propria mano sulla base di propri schizzi), la Kaiser Jubiläumskirche di Privoz (compresa la dipintura e tutti i modelli per la decorazione plastica), il municipio di Privoz, la chiesa parrocchiale di Temeswar ecc.
Dei suoi piani di sviluppo urbanistico sono da citare due per Vienna e uno per Olmütz. Nel 1889 Sitte fece un progetto di trasformazione della piazza del Municipio e della piazza della Votivkirche di Vienna. Al Municipio cercò, «chiudendo in parte lo spazio troppo grande e vuoto», di «creare un'immagine originale della città». Scrive: «Il fatto che tale chiusura dello spazio possa portare più gente intorno al Municipio ed eliminare anche il conflitto di stili tra le costruzioni più diverse ora chiaramente visibili non ha bisogno di particolari dimostrazioni.» La proposta di Sitte per la piazza della Votivkirche doveva impedire il «disperdersi» di tutta la piazza. Sitte aveva progettato l'ampliamento di Olmütz nel 1893 seguendo il modello viennese. La città vecchia e la zona industriale venivano separate da una zona verde (il parco cittadino) larga 150 metri, ai margini della quale doveva sorgere tutta una fila di ville. Si fa risalire a Sitte il cosiddetto «sistema di Olmütz», cioè una disposizione nuova e una nuova forma dei gruppi di edifici. Questi si estendevano in lunghezza, ma non in profondità, perché fosse possibile evitare una «chiusura» dell'interno degli isolati.
Il più grande merito di Sitte fu senza dubbio il suo libro *Der Städtebau nach seinen künstlerischen Grundsätzen*, pubblicato a Vienna nel 1889 e poi più volte ristampato. Influenzato da Rudolph von Eitelberger, che nel 1858 tenne una conferenza sugli «spazi e le costruzioni di una città», Sitte cominciò a occuparsi in modo sistematico e da un punto di vista storico dei problemi urbanistici, un concetto completamente nuovo per l'epoca. Fu un sostenitore della «terza dimensione nel costruire le città», cioè dell'importanza del senso dello spazio. Criticò la zona del Ring viennese, dove «le grandi costruzioni monumentali... sono ben riuscite, ma dal punto di vista artistico tutto è disposto male e in modo sbagliato». Fu un accanito avversario delle monotone città del periodo della rivoluzione industriale, dove tutto era concepito semplicemente sul tavolo di disegno. «Che architetto è colui che ha paura di uno spazio asimmetrico? Forse uno che non ha ancora imparato bene i primissimi elementi che consentono di fare una pianta. Proprio gli spazi asimmetrici permettono le soluzioni più interessanti e spesso anche le migliori, non solo perché costringono a uno studio più accurato dello spazio a disposizione e perché impediscono di fare dei progetti in serie, ma perché all'interno della costruzione rimangono piccoli spazi che spesso si adattano magnificamente a essere usati come stanze laterali, cosa che non succede con gli spazi simmetrici.» Sitte cercò quindi di considerare la progettazione di una città un compito artistico e sociale, rappresentando una teoria critica che ancora oggi è attuale in molti punti.

Bibliografia: R. Wurzer, *C. Sitte*, in *Handwörterbuch der Raumforschung und Raumordnung*, Hannover, 1970; G. Albers, *Entwicklungslinien im Städtebau — Ideen, Thesen, Aussagen 1875-1945*, Düsseldorf, 1975; C. Sitte, *L'arte di costruire le città*, Milano, 1953.

G.H.

MAX FREIHERR VON SPAUN
Fu proprietario dal 1879 al 1908 della vetreria Johann Loetz'Witwe di Klostermühle in Boemia, fondata nel 1836 da J.B. Eisner von Eisenstein, i cui prodotti furono presentati con successo in numerose mostre nazionali e internazionali. (Numerosi vetri prodotti dall'azienda vennero regalati da Max Ritter von Spaun all' Österreichisches Museum.)
La maggior parte dei vetri veniva eseguita su progetti di Kolo Moser e dei suoi allievi della Kunstgewerbeschule, Rudolf Holubetz, Antoinette Krasnich, Jutta Sika, Therese Trethan ecc. per i negozi Bakalowits.
Max Freiherr von Spaun si fece costruire la casa dall'architetto Leopold Bauer. Morì nel 1909, un anno dopo aver ceduto l'azienda al figlio. La ditta cesserà l'attività durante la seconda guerra mondiale.

E.B.T.

ADELE VON STARK
Nata a Teplitz il 14.3.1859, morta a Vienna il 10.9.1923.
Adele von Stark iniziò la sua formazione artistica nella scuola di disegno di Pönninger. Nel 1877 entrò alla Kunstgewerbeschule di Vienna. In un primo momento frequentò per un anno la scuola di preparazione presso il professor Karl Hrachowina, poi dal 1879 al 1887 la scuola professionale di disegno e pittura e fino al 1890 il corso speciale per decorazione su ceramica e pittura a smalto presso Hans Macht, il quale la definì la più dotata fra le sue allieve. Fino al 1903 lavorò autonomamente nel campo delle tecniche a smalto e delle miniature e

impartì lezioni private di disegno e pittura. Fu quindi chiamata a insegnare alla Kunstgewerbeschule di Vienna.

Felician von Myrbach (direttore della scuola) chiuse lo studio di H. Macht, perché il suo indirizzo artistico non corrispondeva più alle moderne esigenze dell'artigianato, e lo sostituì con un atelier specializzato per la pittura a smalto che affidò ad Adele von Stark. Accanto a Leopoldine Guttmann e a Rosalia Rothausl (conduttrici degli atelier per il restauro di arazzi e tappeti dal 1902) la Stark rimase per molti anni insegnante all'istituto. Dopo la sua morte Josef Hoffmann ristrutturò l'organizzazione del laboratorio.

Adele von Stark partecipò a varie esposizioni, tra cui le mostre della Secessione del 1902 e 1903, la «Austrian Exhibition of Fine Arts and Decorative Furnishing» di Londra nel 1902, mostre del Museo per l'arte e l'industria di Vienna, le Kunstchau del 1908 e 1909 a Vienna.

G.K.

ERNST STÖHR

Nato l'1.11.1860 a St. Pölten (Bassa Austria), ivi morto suicida il 17.6.1917.

Suo padre era costruttore di strumenti musicali. Dal 1877 al 1879 Stöhr studiò alla Kunstgewerbeschule di Vienna; uno zio gli dava lezioni di musica. Dal 1879 al 1887 fu allievo di C.H. Huber, August Eisenmenger e L.C. Müller all'Accademia viennese. Lavorava come maestro di violino per guadagnarsi da vivere. Socio dell'Hagengesellschaft, nel 1896 entrò a far parte della Künstlerhaus e un anno più tardi nel gruppo fondatore della Secessione. Dalla fine dei suoi studi soffrì di disturbi nervosi che lo costrinsero spesso a soggiornare in sanatori. Viveva in parte a Vienna, in parte a St. Pölten, a Melk e a Wochein (dove possedeva una casa). Nel 1903 ebbe luogo una mostra delle sue opere alla Secessione e nel 1913 una seconda. Rimase fedele all'associazione anche dopo l'abbandono del gruppo di Klimt (1905). Nel 1915 ottenne un premio dall'Accademia per un suo capolavoro, *Kreuzigung* (Crocifissione), per il quale si ispirò alla *Passione secondo Matteo* di J.S. Bach. Durante un soggiorno nel sanatorio di Tulln (Bassa Austria) conobbe il compositore Hugo Wolf.

Stöhr non amava molto muoversi; mete dei suoi pochi viaggi furono l'Italia, i Paesi Bassi, Londra, Parigi. Fu importante non solo come pittore e grafico, ma anche come poeta (una tragedia, *Jugendzeit*) e come musicista. Il numero 12 della rivista «Ver Sacrum», a lui dedicato, presenta 17 sue poesie e 34 disegni. Spesso vi sono motivi lirici alla base dei quadri di Stöhr, dal carattere sognante di luce crepuscolare e lunare. Oltre a paesaggi dipinse ritratti, nudi, interni e anche quadri storici. Usava soprattutto colori freddi (blu) spesso collegandoli alla luce lunare, sottolineando i valori dell'ambiente.

Nel 1918 fu organizzata una mostra in sua memoria alla Secessione, e nel 1962 un'altra a St. Pölten.

M.F.

LEOPOLD STOLBA

Nato a Vienna l'11.11.1863, ivi morto il 17.11.1929.

Studiò all'Accademia di Vienna con gli scultori Karl Kundmann (1838-1919) e Sigmund Hellmer (1850-1939). Più tardi fu attivo prevalentemente come pittore e grafico. Negli anni '90 fece parte della Hagengesellschaft, un circolo culturale come il Siebenerclub, che si riuniva presso la «Blaues Freihaus» del signor Hagen in Gumpendorferstrasse e nell'attiguo «Café Sperl» del signor Kratochwila, soprattutto al sabato sera.

Nel 1900 Leopold Stolba divenne membro della Secessione viennese e vi rimase fino alla morte. In questa associazione culturale il suo istinto creativo ottenne un impulso notevole. Alla XIV Esposizione, quella del *Beethoven* di Max Klinger, nel 1902, presentò lavori decorativi su smalto e intarsi in ottone lavorato. Nel 1903 fece parte, accanto ad Alfred Roller, Kolo Moser e Max Kurzweil, del comitato di redazione di «Ver Sacrum», dove pubblicò alcune opere. Per la XXIII Esposizione, progettò un manifesto.

L'opera di Stolba comprende acquarelli e numerosi piccoli lavori di grafica come caricature, vignette, cornici, iniziali. Egli sperimentò tecniche diverse dando prova di grande sensibilità pittorica e di una creatività impressionistica non comune. Destò così l'interesse di Josef Engelhart, soprattutto con i «Tunk-Kleisterpapiere», una fantasiosa tecnica di collage che ebbe fortuna tra i secessionisti. Nei suoi lavori Stolba rimase sempre vicino alla natura; questo vale anche per i suoi esperimenti impressionistici che denotano spirito di osservazione e una giocosa fantasia.

La vita e l'opera di Stolba furono di grande modestia. Morì solo e amareggiato.

Lavori di Stolba sono conservati all'Albertina e al gabinetto delle incisioni dell'Accademia di Vienna, oltre che in collezioni private.

W.Mr.

ANDREAS STREIT

Architetto e consigliere per l'edilizia. Nato a Habendorf il 15.7.1840, morto a Reichenau presso Vienna il 20.1.1916.

Allievo della Wiener Akademie, tra i fondatore della Wiener Bauhütte, più volte ispettore capo, nel 1905 fu eletto membro onorario dell'Associazione degli artisti viennesi. Era stato inoltre consigliere di Makart per l'allestimento del corteo degli artisti (1879). Tra le opere costruite a Vienna: il Palazzo Miller (1880), l'Equitable-Palais e il Policlinico.

T.B.

OSKAR STRNAD

Oskar Strnad nacque il 26.10.1879 a Vienna e studiò nella sua città alla scuola tecnica con Ferstel, Mayreder e Carl König. Formulò la sua tesi di laurea sui «principi dell'arte protocristiana» e si laureò nel 1904. Fu collaboratore di Friedrich Ohmann e degli architetti di teatri Fellner e Hellmer; in questi anni fu due volte in Italia. Nel 1909 divenne insegnante alla Scuola d'arte applicata di Vienna.

Iniziò la sua attività arredando case d'abitazione. Andando, si può dire, contro lo spirito del tempo, si attenne al criterio della «mobilità» di tutti gli arredi: i mobili dovevano essere il più possibile leggeri e di piccole dimensioni. Egli progettò i suoi mobili con la mentalità di un ingegnere. Completamente nuova, come scrisse Max Eisler, fu la sua distinzione fra arredo e locale. Il primo, a suo parere, aveva vita propria: «Strnad vedeva in ogni arredamento un complesso a sé stante, che si poteva combinare secondo i bisogni e i gusti, collocare in modo nuovo o, in caso di trasloco, inserire in un nuovo spazio. Del tutto diversamente da Olbrich e da Hoffmann, che propugnavano l'amalgama di spazio e oggetto d'uso, egli trascurò il rapporto proporzionale tra mobile e spazio in cui inserirlo.

La prima costruzione importante dell'architetto Strnad fu la casa edificata nel 1910 in Koblenzstrasse. Inconfondibile è il principio di chiarezza classica cui si attenne nel disegno ricostruttivo del Partenone. Nel 1914 Strnad costruì la villa del poeta Jakob Wassermann nel Kaasgraben e prese parte alla configurazione del padiglione austriaco alla mostra del Werkbund tedesco a Colonia. Dal 1918, nei diciassette anni in cui si dedicò al teatro, allestì qualcosa come settantasette scenografie. Il teatro gli dava la possibilità di liberarsi, di circoscrivere lo spazio. Insieme a Frank, Gorge e Wlach, rinnovò il modo di concepire i mobili, introducendo un criterio di intimità e di autentica rispondenza alle esigenze della vita abitativa. Sulla rivista «Deutsche Kunst und Dekoration» pubblicò pure alcuni saggi teorici sulla configurazione dello spazio, l'architettura e le scuole d'arte applicata.

Di grande rilievo per lo sviluppo della nuova architettura fu il suo saggio *Gedanken beim Entwurf eines Grundrisses* (Pensieri che sorgono progettando una planimetria). L'architettura, a suo avviso, non è affatto «un mondo meramente visibile, si compone invece di una serie infinita di imponderabili». Per lui un abbozzo architettonico nasce così: «Grazie alla concentrata energia della rappresentazione tanto la possibilità di movimento quanto anche dell'effetto della luce, degli odori, dei rumori e delle sensazioni tattili: coinvolta deve essere non la sola superficie della materia, ma anche la sua anima.» Tale principio traspare nel modo più evidente già nella Casa Hoch in Koblenzgasse (1910-12) e nella Casa Wassermann nel Kaasgraben (1914). In entrambi gli edifici il percorso si snoda in significative accentuazione dalla strada all'interno e da qui al retrostante giardino.

Tra le opere più tarde di Strnad figurano l'edificio centrale del Winarskyhof a Vienna XX, lo stand della ditta Lobmeyr all'Esposizione d'arte applicata di Parigi (1925), le Terme Schallerbach, progettate assieme a Clemens Holzmeister (1926), la casa di due appartamenti presentata all'esposizione del Werkbund a Vienna XIII e la casa d'abitazione del comune di Vienna nella Holochergasse (1932).

Negli ultimi anni della sua vita Strnad approdò anche al cinema, mostrando negli edifici realizzati per *Maskerade* e per *Episode* quale importanza potesse assumere la scenografia. Nulla in Strnad era casuale e occasionale. Strnad morì il 3.9.1935 a Bad Aussee.

Bibliografia: «Deutsche Kunst und Dekoration», 1914; «Innendekoration», 1919, 1922, 1923; «Moderne Bauformen», 1929, 1930; Max Eisler, *Oskar Strnad*, Wien, 1936; Otto Niedermoser, *Oskar Strnad*, Wien, 1965.

C.P.

RICHARD TESCHNER

Nato a Karlsbad nel 1879, morto nel 1948. Durante gli studi, svolti a Praga e Vienna, si occupò anche di marionette. Partecipò a varie mostre d'arte con le sue figure plastiche: *Brautzug* di Tragant e marionette in stile Biedermeier per l'opera di Hofmannsthal *Der Tor und der Tod* ecc. Nel 1908 gli fu affidata la scenografia completa della prima esecuzione in lingua tedesca di *Pelleas et Melisande* di Debussy a Praga.

Nel 1909 Teschner si trasferì a Vienna, dove iniziò a lavorare alla Wiener Werkstätte. Durante i suoi viaggi conobbe le figure «Wajang» giavanesi comandate mediante bacchette, che egli poi rielaborò per il suo teatro (1912, *Goldene Schrein*; dal 1931, *Figurenspiegel*). Le prime rappresentazioni furono tenute nel 1925 nell'atelier dell'artista a Gersthof. La tradizione del suo teatro fu portata avanti anche dopo la sua morte, fino al 1968.

Teschner creava egli stesso le sue marionette, era librettista, scenografo e costumista, arrangiatore della musica e regista delle sue opere, e dirigeva le sue marionette con l'aiuto di tre assistenti.

Oltre alla sua occupazione preferita di burattinaio, Teschner lavorò anche come designer e architetto, grafico e pittore. Sviluppò una propria tecnica grafica, la «Handtonätzung» (incisione a mano in argilla), inventò un fissatore speciale per tempera e un procedimento di colorazione. Testimonianze di questa sua molteplice attività erano nella Villa Kranz (1914), andata distrutta durante la guerra, e in una mostra speciale a lui dedicata nel quadro dell'esposizione «Österreichische Kunstgewerbe» del 1919.

Anche il cinema destò il suo interesse e il suo entusiasmo. Collaborò a scenografie per film e girò egli stesso due film, nel 1929-30, sempre con le marionette.

L'eredità artistica di Richard Teschner è conservata per la maggior parte nella collezione teatrale della Österreichische Nationalbibliothek insieme al suo teatro delle marionette e ai due film.

Bibliografia: Franz Hadamowsky, *Richard Teschner und sein Figurenspiel*, Wien, 1959; Josef Mayerhöfer, *Richard Teschner*, Wien, 1970; Arthur Rössler, *R. Teschner*, Wien, 1947; Rudolf Thetter, *R. Teschner*, Wien, 1919.

J.We.

THERESE TRETHAN

Nata a Vienna il 17.7.1879, Therese Trethan si iscrive nel 1897 alla Kunstgewerbeschule di Vienna, frequentando il corso di architettura di Oscar Beyer, alla fine del quale le viene rilasciato il «Musterzeichnerin». Nel maggio 1899 passa al corso di pittura decorativa diretto fino a ottobre da Rudolf Ribarz e quindi da Kolo Moser, con il quale studia fino al 1902. Tenta anche di iscriversi al corso di Josef Hoffmann, ma non viene accolta. Dal 1900 al 1902 frequenta il corso di ceramica di Friedrich Linke e dal 1903 al 1904 il corso per la rilegatura dei libri. È nel gruppo dei nove studenti della Kunstgewerbeschule fondatore della «Wiener Kunst im Hause».

Partecipa a numerose mostre: 1901, Kunstgewerbeschuleausstellung; XIII, XV e XVII Mostra della Secessione; 1902, Exhibition of Fine Arts and Decorative Furnishing di Londra; 1903, Die Kinderswelt di Pietroburgo; 1902-03 e 1903-04, mostre invernali del Museo austriaco per l'arte e l'industria; 1904, Esposizione mondiale di St. Louis (medaglia di bronzo); 1905, Der gedeckte Tisch di Brünn; 1908 e 1909, Kunstschau di Vienna; 1909-10 e 1910-11, esposizioni di arte applicata al Museo austriaco per l'arte e l'industria; 1925, Exposition internationale des arts décoratifs di Parigi.

Si dedica alla progettazione di vetri, porcellane, ceramiche, mobili, a bozzetti di moda e alla decorazione di libri e tessuti, realizzati dalle ditte Böck, Wahliss, Loetz, Kralik, Bakalowits. Come pittrice lavora anche per la Wiener Werkstätte (1905-10). Nel 1913 entra nel Deutsche Werkbund. È tra i fondatori del Wiener Arbeitsbund.

G.K.

RUDOLF TROPSCH

Membro dell'Hagenbund dal 1902, molti suoi progetti e studi di architettura sono pubblicati nelle riviste «Das Interieur» e «Der Architekt».

MITZI VON UCHATIUS

Nata a Vienna nel 1882, morta a Hall, in Tirolo, l'8.9.1958.

Dal 1900 al 1906 frequenta la Kunstgewerbeschule di Vienna, allieva di Felician von Myrbach e Otto Czeschka. Diviene quindi professoressa alla scuola di intaglio di Wolkenstein e alla Staatsgewerbeschule di Innsbruck.

E.B.T.

JOSEF URBAN

Nato il 25.5.1872, studiò all'Accademia di Vienna con Karl von Hasenauer. Nel 1898 progettò le costruzioni per la sede del governo della Bosnia. Di questa sua prima opera Ludwig Hevesi scrisse che Josef Urban era un talento versatile ma che «la sua scaltrezza nel trattare le forme e la materia giunge allo scherzo». Insieme al pittore Heinrich Lefler, Urban realizzò un salone per signore nel castello Esterhazy a St. Abraham (Ungheria). Presentato all'Esposizione invernale presso il Museo austriaco (1900), fu molto apprezzato dal pubblico. Nella rivista «Das Interieur» (1900-01) vennero pubblicati alcuni progetti per St. Abraham. Di questo periodo sono anche gli arredi per il circolo degli impiegati statali di Baden.

Le opere di Urban non vennero accolte sempre positivamente da parte dei critici. Urban trovò però un difensore in Ludwig Abels, che dedicò a Urban un articolo nella rivista «Das Interieur» (1902). A proposito del rimprovero fatto a Urban sulla «non originalità» dei suoi lavori Abels scrisse: «Nella cantina del municipio di Vienna (progettata da Urban e Lefler) si trovano certamente echi di modelli inglesi e in alcune parti, nella Strauss-Lanner-Loge, vi sono intenzionalmente dei motivi Biedermeier. Il risultato tuttavia è uno stile del tutto personale.»

Nel 1902 Urban divenne membro dell'Hagenbund per il quale progettò diverse sale di Esposizione e diresse i lavori di ricostruzione e di risistemazione della sede viennese in Zedlitzgasse. La rivista «The Studio» (1902) riprodusse e citò lodandola la «stanza per bambini» dell'esposizione sull'«arte nella vita del bambino» dell'Hagenbund. All'esposizione internazionale di St. Louis (1904) Urban era presente con una stanza che venne citata per la sua «tranquillizzante stabilità».

Nel 1911 Urban venne chiamato all'Opera di Boston come direttore della scenografia. Poi passò al Metropolitan di New York. Nel 1922 arredò una filiale della Wiener Werkstätte. Dal 1926 lavorò anche come progettista per l'industria. Partecipò al concorso per il Palazzo dei Soviet a Mosca nel 1932. Morì a New York il 10.7.1933.

Bibliografia: Ludwig Hevesi, *Österreichische Kunst 1848-1900*, Leipzig, 1903, vol. III.

C.P.

«VER SACRUM»

Si veda il saggio di Dieter Bogner.

FRANZ WACIK

Il pittore, grafico e scenografo Franz Wacik nacque a Vienna il 9.9.1883. Dopo aver frequentato la scuola di commercio e aver lavorato come impiegato, si preparò, nella Malschule di Heinrich Stehblow, all'ammissione alla Scuola d'arte applicata. Qui fu allievo nel 1901-02 di Alfred Roller. Dal 1902 al 1908 studiò all'Accademia di belle arti di Vienna con Christian Griepenkerl, Franz Rumpler e Heinrich Lefler. Tra il 1906 e il 1919 collaborò come disegnatore al settimanale umoristico «Die Muskete», consegnando un totale di 577 tavole, per lo più a colori. Sempre a partire dal 1906 lavorò come illustratore per le case editrici Gerlach & Wiedling e Jugend und Volk, nonché per altri editori a Vienna, Linz, Praga, Lipsia e Magonza.

Wacik era particolarmente dotato come illustratore di libri per l'infanzia e di favole (illustrò opere di Andersen, dei fratelli Grimm, di E.T.A. Hoffmann, di Clemens Brentano). Aveva un segno arguto, lievemente stilizzato. Nel 1910 Wacik entrò nella Secessione viennese, nei cui locali ebbe luogo, nel 1918, la sua prima ampia esposizione.

Oltre che come illustratore Wacik fu attivo in molti altri ambiti artistici. Creò manifesti, progettò vetrate, marionette in legno e carta, dipinse anche affreschi (tra l'altro, nel 1924, nel cosiddetto Kaffeehaus, sito nel sotterraneo della Secessione, realizzò il ciclo *Quattro Lieder di Schubert*). Nel corso delle sue escursioni estive (tra l'altro nel Riesengebirge, nel Mühlviertel, nel Salzkammergut) dipinse poetici paesaggi romantici. Mise inoltre in scena, per la Komödie di Vienna, *Die gefesselte Phantasie* di Raimund e, subito dopo, al Burgtheater, *Und Pippa tanzt* di Gerhart Hauptmann. Alle rappresentazioni teatrali della Secessione viennese partecipò come drammaturgo, regista e attore. Dal 1929 prese a fare anche cartoni animati *(Das Bohnenwunder, Das tapfere Schneiderlein)*.

Nel 1934 ricevette il premio di stato. Morì il 15 settembre 1938. Nell'aprile del 1939 la Secessione viennese dedicò una mostra alla sua memoria.

E.B.T.

OTTO WAGNER

Figlio di un notaio della corte reale ungherese, Otto Koloman Wagner nacque il 13.7.1841 a Penzing, un sobborgo di Vienna. Contrariamente al desiderio del padre, che l'avrebbe voluto giurista, a sedici anni egli prese a frequentare un corso di edilizia tenuto al Politecnico di Vienna da Stummer von Trauenfels. I suoi eccellenti attestati gli valsero l'esenzione dal servizio militare. Wagner si trasferì a Berlino per studiare all'Accademia con C.F. Busse. Tornò nel 1861 a Vienna, impostando i suoi studi con Siccardsburg e van der Nüll, il costruttore della Wiener Staatsoper. Nel 1862 entrò a far parte dello studio di Ludwig von Förster, un architetto impegnato nella costruzione della Ringstrasse, nel cui ambito, in seguito, progettò e realizzò un gran numero di edifici ispirati stilisticamente allo storicismo e che più tardi avrebbe ripudiato come «peccati di gioventù». Una prima pietra miliare nella sua opera fu l'edificio della Länderbank, realizzato nel 1883-84, il cui interno, articolato con nitida concezione, denota l'avvio di un'architettura aperta al futuro. Un compito specificamente moderno gli fu affidato nel 1894 con l'incarico di progettare la metropolitana di Vienna. Nello stesso anno fu chiamato a dirigere la Scuola speciale di architettura all'Accademia di Vienna. Nel 1895 pubblicò il libro *Moderne Architektur*, nel quale diede una fondazione teorica alle tesi che era venuto elaborando nell'attività pratica.

Aperte critiche raccolse invece con il gruppo di case edificate sulla Wienzeile, che nel loro carattere «violentemente secessionista» tradiscono il suo impegno artistico nell'ambito della Secessione viennese. Nel 1905 il cosiddetto «gruppo di Klimt», nel quale anche Wagner figurava assieme a Josef Hoffmann e a Kolo Moser, uscì compatto dalla Secessione.

Tra le più importanti opere di Wagner è da menzionare la Postsparkasse, la cui edificazione avvenne in due fasi, nel 1904-06 e nel 1910-12, per i ritardi imposti da uno sciopero degli edili e da particolari difficoltà insorte nelle fondazioni. Nel 1908 Wagner fu nominato presidente del Congresso internazionale degli architetti che si tenne a Vienna e che in partico-

lar modo fu dedicato alla sua opera. Nel 1912, a settant'anni, Wagner andò in pensione. Rimasto vedovo e scoppiata la prima guerra mondiale, visse molto ritirato ed ebbe considerevolmente a soffrire della mancanza di personale e delle difficoltà di ottenere committenze. Morì l'11 aprile 1918 — lo stesso anno di Gustav Klimt, Egon Schiele e Kolo Moser — da vario tempo minato dalle privazioni e dai disagi della guerra.

Elenco delle opere
1863: Kursalon; Börsengebäude.
1864: Harmoniegasse, 12 case e un teatro.
1867: Villa Epstein; Duomo a Berlino.
1868: Sinagoga a Budapest; progetto per Budapest.
1869: Bellariastrasse 4, Vienna.
1870: Villa Kunewalder, Bad Vöslau.
1872-73: Deviazione del fiume Wien; progetto per la Stadtbahn.
1874: Palazzo di Giustizia.
1875: Bauernmarkt 6; Schönburggasse 2; Landtag Lemberg.
1876: Abitazione per il sig. K.; Municipio di Amburgo.
1877: Schottenring 23.
1878: Ristrutturazione del Dianabad; progetto per una casa di abitazioni.
1879: Freisingergasse; chiesa a Soborsin, in Romania.
1880: Artibus; Giro-Cassenverein; Rathausgasse 3; Franz Josefsäule.
1881: Decorazioni per l'incoronazione della principessa Stephanie; monumento a Goethe; tomba della famiglia Wagner.
1882: Monumento in memoria dell'incendio della Ringstrasse; Länderbank; Stadiongasse 6-8; Parlamento a Budapest.
1884: Lobrowitzplatz 1; Bodencreditanstalt; Borsa di Amsterdam.
1885: Villa Hahn a Baden; padiglione di caccia a Nisch, in Serbia.
1886: Villa Wagner; palazzo per il consolato russo.
1887: Universitätsstrasse 12.
1889: Casa Wagner; Rennweg 1; Auenbruggergasse 2; *Einige Skizzen, Projekte und ausgeführte Bauwerke*, vol. I.
1890: Monumento a Innsbruck; Duomo a Berlino.
1892: Risistemazione di Karlsplatz.
1893: Chiesa a Esseg, in Slovenia; Piano regolatore generale per Vienna; Handelsministerium; Kasernenfrage.
1893: Negozio Neumann.
1894: Caserma Nussdorf; Stadtbahn; Discorso all'Accademia; Spiegelgasse 2.
1895: St. Johanneskapelle; monumento per l'imperatore Franz Josef.
1896: Museo dei gessi; *Moderne Architektur*; porto del Donaukanal.
1897: Monumento nazionale; *Einige Skizzen, Projekte und ausgeführte Bauten*, vol. II.
1898: Ristrutturazione dell'Accademia; Köstlergasse 1; Köstlergasse 3; Linke Wienzeile 40; chiesa nel cimitero di Währing; allargamento dell'Hofburg; ricostruzione della Kapuzinerkirche e Kaisergruft.
1899: Moderne Galerie; *Die Kunst im Gewerbe*.
1900: Studio per abitazione; studio per banca;

Stadtmuseum Agitationsprojekt.
1901: Österreichisch-Ungarische Bank a Budapest; Stadtmuseum, Vorkonkurrenz e concorso a Enger.
1902: *Erhaltung, nicht Restaurierung von St. Stephan in Wien*; St. Leopold; Ufficio per il giornale «Zeit»; chiesa a Patrasso, Grecia; esposizione del *Marc'Antonio* di Strasser.
1903: Postsparkassenamt; Kleines Theater; padiglione d'esposizione; *Unsere Kunst*; negozio; Stadtmuseum; grande progetto, sei studi fino al 1910; spostamento del Naschmarkt.
1904: Ponte di Vindobona; Schutzenhaus; diga Kaiserbad; casa del Vereinigten K.K. Garden; fontana monumentale; discorso per la riorganizazione delle Kunstschulen e della Kunstpflege.
1905: Ponte di Ferdinand, due varianti; discorso per il decimo anniversario della scuola di Wagner; Villa Wagner II; Friedenspalast all'Aia.
1906: *Einige Skizzen, Projekte und ausgeführte Bauten*, vol. III; *Der Architekt und sein Werdegang*; studio per abitazione, palazzo della Wiener Gesellschaft; Kolonnaden Karlsbad; Interimskirche, 4 diverse variazioni.
1907: House of Glory, USA; scuola a Klosterneuburg; ricostruzione della Zedlitzhalle; ministero dell'Economia.
1908: Ministero della Guerra; Gesellschafshaus; ospedale per i malati di lupus, 2 varianti; discorso per l'VIII Internationaler Architektenkongress; *Joseph Olbrich*.
1909: *Zur Kunstförderung*; ponte di Ferdinand; Technisches Museum für Industrie und Gewerbe; Neustiftgasse 40; teatro moderno; progetto per un'abitazione; regolazione delle Freihausgründe.
1910: Universitätsbibliothek I; Hotel Wien I e II; ricostruzione dell'accademia.
1910: Stadtmuseum, progetto per «Die Schmelz».
1911: *Laienurteile in der Kunst*; *Die Grossstadt*; Döblergasse 4;
1912: Villa Wagner; *Die Qualität des Baukunstlers*; discorso per l'anniversario della scuola di Wagner; Stadtmuseum, Opus IV; padiglioni per l'associazione Österreichischer Künstler.
1913: Zedlitzhalle II; Haus der Kunst; Hotel Wien III; monumento davanti al castello Schonbrunn; *Die Baukunst unserer Zeit*.
1914: Krebsforschungsspital; Universitätsbibliothek II; Höhen- und Sonnenlichtheilstatte Palmschoos, Brixen; ristrutturazione del Kursalon.
1915: Spitalsbaracken; *Der Wettbewerb für ein Kriegerdenkmal*; Chiesa della Vittoria, Maria Ellend.
1916: progetto per Kirchennot; tre case d'abitazione; Ottohof; ponte di Brigitta; St. Magdalenenspital.
1917: Progetto per abitazione; *Wien nach dem Kriege*; ponte ferroviario attraverso la Schönbrunnerallee; *Über Architektenkammern*; chiesa della Pace; casa del bambino; monumento di Franz Josef; allargamento della scuola nel Wienerwald; Kunstlerhof.
1922: *Einige Skizzen, Projekte und ausgeführte Bauten*, vol. IV, postumo.
(Tratto da Otto Antonia Graf, *Otto Wagner* —

Das Werk des Architekten, Wien, ed. Böhlau, 1984.)

A.H.

WAGNERSCHULE

Successore di Hasenhauer e professore all'Accademia di arti figurative di Vienna dal 1894 al 1913, Otto Wagner fu il fondatore di una «scuola» che, in netta contrapposizione con le dottrine conservatrici dell'Accademia, così profondamente radicate nello storicismo, promosse un'attività intellettuale radicale e progressista in un clima di assoluta libertà e democrazia. Wagner considerò sempre la sua scuola come un laboratorio dove poter sperimentare, lontano da vincoli materiali e politici, un nuovo modo di costruire.

Questa posizione di Wagner, affiancata al pieno dispiegamento delle sue capacità creative, nonché alla forza della sua personalità e al suo innegabile carisma, creò le condizioni per una nuova esperienza artistica feconda e stimolante. «Funzionalità, costruzione e poesia» divennero le colonne portanti della sua didattica; il problema centrale era il rapporto tra forma e tecnica nella realizzazione estetica dei più moderni compiti dell'architettura, tra i quali l'organizzazione dei sistemi di comunicazione, la pianificazione di grossi centri urbani, l'elaborazione delle strutture tecniche. La forma doveva pertanto rivolgersi a queste nuove esigenze in «eterno progresso», aderendo alla trasformazione delle strutture sociali senza mai intorpidirsi in uno sterile stilismo. L'esperimento, l'utopia, la riflessione teorica furono le parole chiave della lezione wagneriana, per non dimenticare l'importanza che la discussione, lo scambio ideologico tra il maestro e i suoi allievi ebbero per entrambe le parti.

L'insegnamento di Wagner rivelava il suo carattere anticonvenzionale nel rifiuto di un regolare svolgimento e nell'abolizione di ogni severa direttiva: l'intento era quello di promuovere il più ampio dispiegamento delle capacità dell'individuo, garantito dalla vasta gamma di attività con cui lo studente doveva misurarsi nell'arco dell'intero anno scolastico. Il primo anno era dedicato alla progettazione di una Zinshaus; il secondo a un edificio pubblico; nel terzo la scelta era libera, purché il risultato corrispondesse alla libera espressione della fantasia e delle concezioni teoriche dello studente. Le opere premiate alla fine dell'anno scolastico venivano pubblicate su riviste, il che contribuì alla popolarità della scuola stessa. Ben presto l'affluenza alle classi di architettura di Wagner aumentò in maniera considerevole; ma solo 12 studenti venivano ammessi ogni anno (12 «come gli apostoli», secondo Wagner) al fine di coltivare una più stretta intesa tra maestro e allievi. Otto volumi tra quaderni e libri (1898-1907) raccolgono i progetti degli allievi della scuola di Wagner. Queste pubblicazioni, redatte dagli alunni stessi e corredate da introduzioni di Wagner, Lux e Roller. Ci danno la migliore informazione sul lavoro svolto dalla scuola, in quanto la maggior parte di questi progetti non fu mai realizzata, ci sono giunti così i nomi di circa settanta studenti della scuola. Tra i più rinomati: Leopold Bauer, Wunibald Deininger, Jan Kotera, Franz Matouschek, Joseph M. Olbrich, Emil Pirchan, Josef Plecnik, Otto Schöntal, Rudolf Schindler, Mauriz Balzarek, Hermann Aichinger, Karl Maria Kerndle, Christof Stumpf, Karl Benirsschke, Otto Funk, Ernst Lichtblau, Oscar Felgel, Karl Dorfmeister, Karl Ehn, Oscar Barta, Franz e Hubert Gessner, Victor Kovacic, Oskar Laske, Rupert Pokorny, Paul Roller.

Le composizioni degli allievi della scuola di Wagner sono opere grafiche di grande fascino: esse elevano la pura forma funzionale a una dimensione poetica, che talvolta sfiora l'esoterico ed il monumentale.

Tipica era anche la scelta dei temi: accanto a costruzioni di carattere pratico, magazzini, ville, stadi, stabilimenti balneari, troviamo opere di culto: monumenti commemorativi, monumenti funerari, mausolei, monumenti nazionali. Ma sono proprio le opere di carattere tecnico e pratico a portare in sé il marchio di esigenze formali, in aperto contrasto con la loro originaria funzione. Ma nei risultati, ovverosia nell'attività professionale, questo caratteristico elemento risultò spesso perdente a favore di una più concreta praticabilità e convenienza. L'unico esempio di fedeltà all'ispirazione ideale originaria risale agli anni tra le due guerre e ci è dato dal Wiener Gemeindebau.

Bibliografia: Otto Antonia Graf, *Die vergessene Wagnerschule*, Wien, 1969, Marco Pozzetto, *Die Schule Otto Wagners, 1894-1912*, Wien-München, 1980.

U.P.S.

ERNST WAHLISS

Nel 1863 Ernst Wahliss apre un negozio di ceramiche a Vienna e nel 1894 compra la fabbrica di porcellane di Stellmacher a Turn-Teplitz. Nel 1899 l'azienda di Wahliss partecipa a diverse mostre del Museo austriaco per l'arte e per l'industria, che gli comprerà anche alcuni oggetti. Nel 1904 l'azienda ha 400 operai, un magazzino e negozi a Vienna, Londra, Berlino, Parigi e Bruxelles.

A partire dal 1911 inizia la produzione delle famose ceramiche chiamate «Serapis-Fayencen», che ottengono un enorme successo in tutte le mostre in cui vengono esposte. I disegni delle ceramiche sono di Franz Staudigl, Charles Gallé, Willy Russ e Karl Kraus. Nel 1914 Wahliss partecipa alla mostra del Werkbund a Colonia.

La ditta è tuttora esistente.

E.B.T.

ALFONS WALDE

Nato l'8.2.1891 a Oberndorf (Tirolo), crebbe a Kitzbühel, dove il padre era direttore di scuola, e frequentò la scuola media a Innsbruck. Dal 1910 al 1914 studiò al corso di edilizia alla Technische Hochschule di Vienna. Suoi insegnanti furono, tra gli altri, Örley e Fabiani, che lo incoraggiarono e lo misero in contatto con la Secessione e con l'Hagenbund, tanto più che Walde sin dall'inizio si sentiva maggiormente attratto dalla pittura che dalla tecnica. L'incontro con le opere di Klimt e di Schiele imprinta in modo sostanziale i suoi primi lavori, che risentono di influenze e suggestioni del pointillisme e del decorativismo della Secessione, palesando nei quadri con figure e nei paesaggi urbani chiare tendenze espressioniste.

Dopo la guerra e il servizio militare ritorna a Kitzbühel. Ora Walde elegge a suoi temi la vita campestre, la natura e gli sport invernali, e i suoi quadri si caratterizzano per l'intensità dei colori e la pregnanza della composizione. Le prime mostre e l'allargarsi continuo della cerchia dei committenti grazie allo sviluppo del turismo nella regione assicurarono a Walde una solida posizione come pittore tirolese, pur vivendo lontano dal capoluogo. L'amicizia con lo scultore viennese Gustinus Ambrosi gli procurò la partecipazione alla Biennale di Roma del 1925. Nel medesimo anno figurò anche in una mostra itinerante di pittori tirolesi in Germania, cui seguirono presentazioni a Vienna e a Norimberga, onorificenze e premi. Di quando in quando Walde credette di dover accogliere degli imprestiti — non molto riusciti, per il vero — da Egger-Lienz, mentre invece nei quadri dipinti nell'ambiente di Kitzbühel si dà una felice concordanza di motivi e di atmosfera. Numerosi sono anche i suoi manifesti pubblicitari per il turismo locale.

Walde, che dipingeva esclusivamente paesaggi e sciatori, collocando i suoi tirolesi purosangue su pascoli innevati sotto cieli azzurri, era pervenuto al suo modo di rappresentare variando innumerevoli volte, e in parte anche ripetendo, i quadri con questi soggetti. Merita tuttavia attenzione come costante nell'opera di Walde anche il nudo, che egli, dopo un piccolo scandalo sorto in occasione della sua prima mostra a Innsbruck nel 1921, mantenne sempre, ovviamente escludendone dal pubblico, i suoi motivi sino agli ultimi anni. Già nel periodo trascorso a Vienna aveva dipinto dei nudi femminili chiaramente influenzati da Schiele. Nei decenni seguenti produsse anche pastelli erotici, non di rado pesantemente sensuali, e talvolta piccoli quadri voyeuristici che nei colori cartellonistici e nell'immersione nella luce del sole riflettono altresì, ripetutamente, un'atmosfera mondana.

L'importanza di Walde risiede nelle prime opere, negli esordi secessionistico-impressionisti, nelle folte vedute di Kitzbühel, nella vivace rappresentazione dell'operosa quotidianità popolare e nella raffigurazione originale del paesaggio alpino. Sporadicamente Walde fu attivo anche come architetto. Progettò e costruì le stazioni a monte e a valle della funivia Kitzbühel-Hahnenkamm e nel 1929 si costruì una casa di montagna sull'Hahnenkamm. Morì a Kitzbühel l'11.12.1959.

Bibliografia: G. Ammann, *A. Walde, 1891-1959*, Innsbruck-Wien-München, 1981.

P.W.

FRANZ WIEGELE

Nato il 17.4.1887 a Nötsch (Carinzia), morto il 17.12.1944 fra le macerie della sua casa di Nötsch colpita da una bomba.

Era figlio di un fabbro. Dal 1907 al 1911 studiò all'Accademia di Vienna con R. Bacher. Si presentò per la prima volta al pubblico all'Esposizione speciale dell'Hagenbund del 1911 ed ebbe subito successo. Le prime opere di Wiegele risentirono meno dell'influenza della correnti locali viennesi che non quelle di Anton Kolig. La mostra destò l'attenzione di Carl Moll e di Gustav Klimt per Wiegele (e per Kolig) ed egli, grazie a loro, ottenne una borsa di studio per un viaggio in Francia. Nell'autunno del 1912 il giovane pittore partì per Parigi, nel 1913 fece un viaggio in Olanda e l'anno successivo si recò in Nord-Africa. In Algeria fu sorpreso dallo scoppio della guerra e subito internato; si ammalò di tubercolosi, sinché alla fine del 1916, grazie a uno scambio di prigionieri, arrivò in Svizzera. Guarito, si stabilì a Zurigo, dove visse e lavorò sino al 1925. Ritornato a Nötsch, si diede a trasformare l'officina paterna in abitazione e atelier. Nel 1936 rifiutò un posto di insegnante all'Accademia di Vienna.

Quasi tutti i dipinti a olio di Wiegele sono ritratti; solo di quando in quando scelse come soggetto le nature morte. Nei numerosi disegni di sua mano prevalgono le rappresentazioni del nudo femminile. Le sue opere principali sono *Nudi nel bosco* (1911), il *Ritratto della famiglia Isepp* (1927-28) e il *Ritratto della famiglia di Alfred Wiegele* (1932-33). Nelle prime opere dominano i colori scuri; l'incarnato delle sensibili e raffinate dame dei ritratti è addirittura bronzeo, quasi l'artista abbia voluto suggerire delle sculture. Anche a Parigi Wiegele rimase fedele al colorito scuro e forse soltanto la luce africana apportò alla sua tavolozza uno schiarimento rilevante. I concreti, freddi disegni accompagnano la sua opera come un costante esercizio. Egli non avviò mai un quadro di consistenti dimensioni senza averlo preparato con numerosi disegni e studi a olio. Con lo schiarirsi dei colori, attorno al 1920, anche il suo modo di comporre subì un mutamento: l'artista prese a porre settorialmente in risalto determinate parti del dipinto al modo minuzioso degli antichi maestri (cercò sempre i suoi modelli negli antichi pittori italiani, mai nei contemporanei), ponendole in contrasto con altre appena schizzate e trattate pastosamente. Nel 1921 scrisse di lui Anton Faistauer: «Wiegele mi sembrò volto a una meta sin dal principio. Credo che questa meta egli l'abbia scorta chiaramente già prima dei quindici anni. In tal modo si sottrasse alle gioie delle animose spericolatezze e delle facili fedi, giacché solo con affanno poté esser pari alla sua severa coscienza morale, alla sua fede classica.» Egli si costrinse, «contro il suo forte temperamento, alla massima concentrazione e alla massima contenutezza» (O. Herzmansky).

Wiegele e Kolig furono le figure centrali della cosiddetta «scuola di Nötsch», una variante quanto mai autonoma della pittura espressionista austriaca. In effetti Wiegele era uscito dalla celebre Kunstschau senza aver avuto punti di contatto degni di nota con il «secessionismo».

Bibliografia: R. Milesi, *Franz Wiegele*, Klagenfurt, 1957.

G.F.

EDUARD JOSEF WIMMER-WISGRILL

Nato a Vienna il 2.4.1882, studiò alla Kunstgewerbeschule con Alfred Roller e Josef Hoffmann. Dal 1907 fu collaboratore della Wiener Werkstätte, dove diresse dal 1910 la sezione della moda. La prima collezione completa, disegnata in piccola parte da Hoffmann e per la maggior parte da Wimmer, fu presentata nell'aprile 1911 e mostrò chiaramente l'aspirazione della Wiener Werkstätte a staccarsi dai dettami della moda di Parigi e a creare tagli nuovi per la figura della donna viennese. Wimmer sosteneva che si doveva «creare una moda adatta per le signore delle case della Wiener Werkstätte».

Negli anni 1912-13 fu anche allievo di Kolo Moser. Dal 1918 diresse il laboratorio di moda e figurinismo alla Kunstgewerbeschule e dal 1922 lavorò in proprio come figurinista a New York. Negli anni 1923-25 diresse i corsi di arte applicata e figurinismo all'Art Institute di Chicago e dal 1925 i corsi di perfezionamento per la moda e il laboratorio di lavori tessili alla Kunstgewerbeschule di Vienna. Tra il 1930 e il 1939 arredò a Vienna 12 appartamenti completi e fu corrispondente di moda del giornale «Neue Freie Presse» di Vienna.

Eseguì numerosi lavori per la Wiener Werkstätte: stoffe, vestiti, cappelli, accessori di moda, costumi per il teatro e scenografie per il Cabaret Fledermaus, collaborò al fascicolo «Die Mode» nel 1914-15, realizzò lavori in argento e metalli vari, gioielli, avorio, oggetti in pelle, rilegature di libri, lampadari, cartoline postali anche con decorazioni in stoffa.

Lavorò anche per altre ditte: Ungethüm, Niedermoser (mobili), Lobmeyr (vetro), Haas (tappeti), Gesellschaft für Graphische Industrie.

Tra le sue mostre: Kunstschau del 1908 e 1909, Esposizione internazionale di Roma del 1911, Esposizione invernale del Museo per l'arte e l'industria del 1911-12, Esposizione primaverile del 1912, Mostra dei tappeti del 1913, Mostra del Werkbund a Colonia nel 1914, Esposizione di moda della Wiener Modegesellschaft nel 1915, «Les arts décoratifs» a Parigi nel 1925, Kunstschau del Museo per l'arte e l'industria a Vienna nel 1927, Esposizione del Werkbund nel 1930, decorazione interna del padiglione austriaco alla Esposizione mondiale di Parigi nel 1937, «Wimmer-Wisgrill e la Wiener Werkstätte» al Museo austriaco per l'arte applicata nel 1962.

Socio del Werkbund tedesco e del Werkbund austriaco, nel 1955 ricevette una medaglia per i suoi meriti verso la Repubblica Austriaca. Negli ultimi anni della sua vita si dedicò intensamente alla pittura; rimangono 64 quadri ad olio e 30 acquarelli.

Morì a Vienna il 25.12.1961.

G.B.

OLGA WISINGER-FLORIAN

Nata l'1.11.1844 a Vienna, morta il 27.11.1926 a Grafenegg (Bassa Austria).

Era figlia del segretario di corte e consigliere della cancelleria del gabinetto imperiale Franz Florian; fu una pianista di successo prima che una malattia la costringesse a rinunciare a questa carriera. Dal 1879 sino al 1882 fu allieva del pittore di paesaggi August Schäffer a Vienna e, successivamente, di Emil Jakob Schindler, con il quale e con altri allievi intraprese varie escursioni di studio. A Schindler e alla sua concezione della natura si sentì da principio molto legata. Anche come pittrice ebbe un cospicuo successo. Il suo atelier diventò una delle attrazioni di Vienna ed ella fu al centro di una vivace vita di società. Dal 1881 prese regolarmente parte a mostre a Vienna e in tutta Europa, ottenendo molti premi e riconoscimenti. Tra i suoi numerosi viaggi è da menzionare quello negli Stati Uniti per l'Esposizione universale di Chicago del 1893 (e anche in questa occasione ebbe una medaglia). Come delegata della «Società austriaca degli amici della pace» prese parte a un congresso, dopo il quale viaggiò per parecchi mesi attraverso il Nord-America. Sposata dal 1874 con un farmacista, divenne presidentessa dell'Associazione delle scrittrici e delle artiste austriache. Particolari successi le vennero da una sua caratteristica composizione che combinava la raffigurazione di fiori con il paesaggio; ebbe molte committenze per dipinti con motivi di giardini e di parchi. Nel 1914 fu colpita da cecità.

Nel 1881 Olga Wisinger-Florian attese a un ciclo di quadri nel quale fiori diversi caratterizzano i dodici mesi. In questi anni la sua pittura era nel segno dell'«impressionismo di stati d'animo» di Schindler. Ben presto, tuttavia, si sciolse da questa influenza: la sua tecnica pittorica si fece più vigorosa e corrispondentemente più robusti i suoi colori; spessissimo poi la spatola prendeva il posto del pennello. Assai volentieri l'artista sceglieva come soggetti minuscoli spicchi di natura, per i quali la definizione di «paesaggio» è affatto impropria. Si deve piuttosto parlare di nature morte ritratte direttamente dalla natura. I fiori di prato, non nel vaso, ma «vivi», inondati dalla luce del sole, divennero uno dei suoi motivi favoriti. A occuparla molto fu anche il tema del bosco autunnale, il che le meritò l'appellativo di «maestra dell'autunno». Nelle sue opere il manifestarsi realistico delle cose ha costantemente importanza maggiore che non l'idillio del motivo, che pure è del pari presente. Una mostra in sua memoria ebbe luogo nel 1927 alla Wiener-Künstlerhaus.

G.F.

KARL WITZMANN

In occasione del cinquantesimo compleanno di Karl Witzmann (nato a Vienna il 26.9.1883), Robert Kotas, in una breve biografia, ne lodò soprattutto la fine sensibilità che aveva dato a tutti i suoi lavori una «nota viennese». Le realizzazioni di Witzmann, nel campo dell'arredamento di teatri e di cinema (rifacimento del Teatro Apollo e dello Josefstädter-Theater di Vienna) e in particolare di caffè (Café Carlton, Casa Piccola, Café Fenstergucken, Fetzer, Bastei), furono determinanti per lo stile dell'età moderna.

Witzmann crebbe in un ambiente borghese di albergatori. Imparò il mestiere di mobiliere dall'artigiano Adolf Legerer e, dopo aver frequentato la scuola professionale, entrò nella Scuola di arte applicata di Vienna, dove Josef

Hoffmann divenne suo maestro, amico e consigliere. Nell'atmosfera comunitaria della Wiener Werkstätte Witzmann imparò ad apprezzare il legame tra arte e artigianato. Divenne famoso partecipando all'allestimenmto della I Esposizione internazionale d'arte di Torino (1904): il suo progetto venne definito un'opera d'arte, perché il particolare si adattava al generale così armonicamente da raggiungere una perfetta unitarietà. Nel progettare le esposizioni cercò di rappresentare non solo «gli interessi dei ricchi, ma soprattutto quelli di ceti più vasti».

Witzmann partecipò alle seguenti esposizioni: Kunstschau, Vienna, 1908; Esposizioni di arte applicata austriaca (1910-11, 1911-12, 1913-14); Kunstschau, Vienna, 1920; «250 Jahre Wiener Kaffeehaus» 1933; «Mode-Ausstellung», Hofburg, 1933; «Glas-und-Keramik Ausstellung», Vienna, 1934.

Il principio architettonico fondamentale di Witzmann, «che l'economia artistica fa parte della composizione», si esprime concretamente non solo nella realizzazione delle esposizioni, ma anche nella costruzione di ville. In un articolo per la rivista «Innendekoration» (1915) Arthur Rössler così scriveva delle ville di Witzmann: «Vi è una cosciente e sistematica moderazione, una voluta semplificazione. Se si esaminano nell'insieme le sue costruzioni e i suoi interni, ci si accorge con soddisfazione che danno un'impressione di necessità in tutte le loro parti; non vi è mai eccesso di reminiscenze o di desiderio di novità.» Le creazioni spaziali di Witzmann non sono comunque fredde e spoglie: «Ci sono spazi abitativi veramente accoglienti, un'arte borghese dell'arredamento simile a un sorriso soddisfatto.»

Dal 1912 Witzmann fu continuamente impegnato: Casa Haas, Casa Kittl, Casa Kosmak (1912-13), Casa Röminger (1913), Casa Klein, Casa Blum e Casa Frankl (1920-25), per citarne solo alcune. Poco dopo, nel 1927, eseguì un progetto per il comune, dove concretizzò le sue «ottime soluzioni del problema abitativo».

Nel 1918 Witzmann divenne professore alla Scuola di arte applicata di Vienna dove, fino al suo pensionamento nel 1949, restò sempre un sostenitore di un'espressione architettonica aderente alla vita moderna. Morì a vienna il 30.8.1952.

Bibliografia: Robert Kotas, *Karl Witzmann anlässlich seines fünfzigsten Geburtstages*, Wien, 1934; Arthur Rössler, *Haus Röminger in Wien*, in «Innendekoration», 1915.

C.P.

CARL WOLLEK

Nato il 31.10.1862 a Brünn, in Cecoslovacchia, morto il 3.9.1936 a Vienna.

Studia per un anno alla Kunstgewerbeschule di Vienna con Otto König e per quattro anni all'Accademia di Monaco con lo scultore Eberle. Per due anni partecipa, in qualità di scultore, alla costruzione del Reichstag di Berlino. Grazie a una borsa di studio visita l'Italia, il Belgio e Parigi (1891-93). Prima di diventare membro della Künstlerhaus di Vienna, nel 1898, esegue quattro sculture per la Deutsche Haus di Brünn. È autore di numerosi busti, ritratti, sculture per fontane, monumenti funebri a Vienna e nella sua città natale.

Da un realismo di stile neobarocco approda a forme plastiche più lineari e più semplici. Nel 1905 esegue un gruppo scultoreo per la fontana di Mozart a Vienna e nel 1911 la scultura monumentale, oggi distrutta, *Wieland il fabbro* per l'Accademia aeronautica di Vienna, che gli frutta il premio dell'imperatore. Esistono sue opere a Vienna, Praga e Istanbul. Sue sono anche numerose targhe e medaglie.

Partecipa a numerose mostre internazionali ricevendo premi e riconoscimenti. Nel 1936 la Künstlerhaus di Vienna organizza una mostra commemorativa in suo onore.

M.F.

UGO ZOVETTI

Nato il 5.9.1879 a Curzola in Dalmazia, dal 1901 al 1908 è allievo di Kolo Moser e Rudolf von Larisch alla Kunstgewerbeschule di Vienna. Nel 1911 diventa assistente di Kolo Moser. Partecipa alle Kunstschau del 1908 e 1909.

Attivo nelle diverse discipline delle arti applicate, esegue studi in bianco e nero per le ceramiche Böck, fogli illustrati, stoffe e accessori di moda per la Wiener Werkstätte, bozzetti di moda per la Wiener Mode. Zovetti si dedica in particolare alla decorazione dei tessuti. È membro del Werkbund austriaco.

E.B.T.

FRANZ VON ZÜLOW

Nato a Vienna il 15.3.1883, nel 1901-1902 frequenta la Graphische Lehr- und Versuchsanstalt e quindi per breve tempo è uditore all'Accademia, dove segue i corsi di Christian Griepenkerl. Nel 1905 frequenta la Scuola d'arte applicata della capitale nella classe di C. O. Czeschka. Sempre a Vienna, nel 1915, tiene una personale alla Galleria Miethke.

Il lavoro di Zülow è nel segno dell'arte applicata, e anche in seguito continuerà a orientarsi sul decorativismo. Esegue una serie di paesaggi stilizzati: xilografie colorate, immagini di animali, tutti lavori a due dimensioni, intensamente colorati. Zülow elabora una personale tecnica di serigrafia con carta ritagliata, che fa brevettare.

Nel 1908 entra nella Secessione, partecipa alla Kunstschau e inizia la sua attività per la Wiener Werkstätte. Tra il 1909 e il 1915 Zülow pubblica i suoi «Monatshefte» (Quaderni mensili), impaginati a fisarmonica, nei quali accoglie suggestioni dell'arte popolare, che elabora in forme consapevolmente naïve. Nel 1910 appaiono i primi «Kleisterbilder» (immagini ottenute con carte colorate). Nel 1912, grazie a una borsa per un viaggio di studio istituita dal principe Liechtenstein, si reca in Germania, Francia, Inghilterra e Olanda. Le sue opere, in parte di grande formato, sono affollate di figure e animate da uno spirito narrativo e arguto. Fra i suoi temi favoriti sono idilli campagnoli e scene favolistiche o mitologiche. Prende ripetutamente parte a mostre a Vienna, ma anche a Brünn (Brno), Dresda, Haarlem, Roma, Lipsia, Copenhagen e Stoccolma.

Dopo il servizio militare e la prigionia, nel 1920-22 insegna ai laboratori Schleiss (ceramica) a Gmunden. Nel 1922 e nel 1923 attende ai cicli di litografie dedicati a San Francesco e agli «Elisir del Diavolo». Seguono numerose partecipazioni a mostre in Austria e all'estero e una serie di premi, in tutto sei. Per la fabbrica di porcellane Augarten di Vienna progetta nel 1924-25 decorazioni per servizi da tavola e vasi. Compie viaggi di studio in Italia e in Nord-Africa.

Zülow ora si volge alla pittura a olio, inaugurando un linguaggio formale più espressivo; la sua tavolozza si fa più vivace, e più compiuta la rappresentazione del movimento. Egli rimane peraltro fedele ai motivi dei suoi delicati paesaggi e ai temi infantili e giocosi. Nel 1931 e nel 1932 tiene delle personali alla Galleria Würthle di Vienna; nel 1936 all'Associazione artistica Maerz di Linz. Esegue affreschi per il Brau-Hotel Lofer e, tra l'altro, il cartone per l'arazzo *Panorama di Ankara*, per la villa di Kemal Pascià Ataturk nella capitale turca. Ha numerose altre committenze d'arte applicata, per esempio, nel 1939, quella del sipario metallico per il Teatro dell'Accademia di Vienna. Dopo il 1945 numerose sono le sue mostre e frequenti i riconoscimenti che gli vengono tributati. Nel 1949 è docente alla Scuola d'arte di Linz. Muore il 26 febbraio 1963.

Bibliografia: Fritz Novotny, *Franz Zülow*, Wien, 1958; Oskar Laske, *Ludwig Heinrich Jungnickel, Franz von Zülow — Drei österreichische Künstler der Jahrhundertwende und Zwischenkriegszeit*, cat. mostra, Albertina, Wien, 1978; *Franz von Zülow*, cat. mostra, Akademie der bildenden Künste, Wien, 1980; Peter Baum, *Franz von Zülow — Monographie*, Wien, 1980; Fritz Koreny, *Franz von Zülow — Frühe Graphik 1904-1915*, Wien, 1983.

P.W.

F. Achleitner, *Österreichische Architektur im 20. Jahrhundert*, Salzburg, 1983.

J. Apfelthaler, *Byzantinismus bei Gustav Klimt und der Secession*, Wien, 1982.

H. Bahr, *Secession*, Wien, 1900.

V.J. Behal, *Möbel des Jugendstils*, München, 1981.

M. Bisanz-Prakken, *Das Quadrat in der Flächenkunst der Wiener Secession*, Wien, 1982.

O. Breicha - G. Fritsch, *Finale und Auftakt: Wien 1898-1914*, Salzburg, 1964.

W. Eckert, *Wiener Secession*, Wien, 1957.

H. Escher, *Wiener Secession: Graphik*, Wien, 1972.

G. Fanelli - E. Godoli, *La Vienna di Hoffmann architetto della qualità*, Bari, 1981.

R. Feuchtmüller - W. Mrazek, *Kunst in Österreich 1860-1918*, Wien, 1964.

R. Forstner, *Ver Sacrum*, Wien, 1982.

F. Glück - G. Bott (a cura di), *Kunst in Wien um 1900*, cat. mostra, Darmstadt, 1966.

F. Glück - F. Novotny (a cura di), *Wien um 1900: Ausstellung, veranstaltet vom Kulturamt des Stadt Wien*, Wien, 1964.

O.A. Graf, *Die Vergessene Wagnerschule*, Wien, 1969.

N. Greth, *Die Wiener Sezession*, Salzburg, 1970.

Der Hagenbund, cat. mostra, Historisches Museum der Stadt Wien, Wien, 1975.

L. Hevesi, *Acht Jahre Sezession (März 1897 - Juni 1905): Kritik, Polemik, Chronik*, Wien, 1906.

L. Hevesi, *Altkunst - Neukunst: Wien 1894-1908*, Wien, 1909.

W. Hofmann (a cura di), *Experiment Weltuntergang: Wien um 1900*, cat. mostra, Kunsthalle, Hamburg, 1981.

W. Hofmann, *Moderne Malerei in Österreich*, Wien, 1965.

H.H. Hofstätter, *Geschichte der europäischen Jugendstilmalerei*, Köln, 1963.

Ch. Holme (a cura di), *The Art Revival in Austria*, London, 1906.

A. Koch, *Jung Wien*, Darmstadt, s.d.

W.Mrazek (a cura di), *Die Wiener Werkstätte*, cat. mostra, Österreichisches Museum für angewandte Kunst, Wien, 1967.

D. Müller, *Klassiker des modernen Möbeldesigns*, München, 1980.

C.M. Nebehay, *Ver Sacrum, 1898-1903*, Wien, 1975.

W. Neuwirth, *Wiener Keramik*, Braunschweig, 1964.

W. Neuwirth, *Österreichische Keramik des Jugendstils*, Wien-München, 1974.

K. Oettinger, *Das Wienerische in der bildenden Kunst*, Salzburg, 1948.

N. Powell, *The Sacred Spring - The Arts in Vienna 1898-1918*, London, 1974.

M. Pozzetto, *La scuola di Wagner*, Trieste, 1979.

G. Ramberg, *Zweck und Wesen der Sezession*, Wien, 1898.

L.W. Rochowanski, *Wiener Keramik*, Leipzig-Wien, 1923.

C.E. Schorske, *Fin de siècle Vienna*, New York, 1961 (ed. it., Milano, 1981).

W.J. Schweiger, *Wiener Werkstätte*, Wien, 1982 (ed. it., Milano, 1983).

Sezession - Europäische Kunst um die Jahrhundertwende, cat. mostra, München, 1964.

A.F. Seligmann, *Kunst und Künstler: Gestern und Heute*, Wien, 1919.

O. Uhl, *Moderne Architektur in Wien von Otto Wagner bis Heute*, Wien, 1966.

P. Vergo, *Art in Vienna 1898-1918: Klimt, Kokoschka, Schiele and Their Contemporaries*, London, 1975.

R. Waissenberger, *Die Wiener Secession*, Wien, 1971.

R. Waissenberger, *Wien und die Kunst in unserem Jahrhundert*, Wien, 1965.

Wien um 1900, cat. mostra, Villa Stuck, München, 1982.

Riviste e repertori d'epoca

«Der Architekt», Wien, 1895-1919.

«Die Fläche», Wien.

«Das Interieur», Wien, 1900-1915.

«Kunst und Kunsthandwerk», Wien, 1898-1921.

«Ver Sacrum», Wien, 1898-1903.

«Wagnerschule», Leipzig, 1902-1910.

«Wiener Neubauten im Stil der Secession», Wien, 1902-1908.

IMBALLAGGIO · OPERAZIONI DOGANALI · SPEDIZIONI · TRASPORTI · ASSICURAZIONI

UNA DELLE PIÙ AFFIDABILI COMPAGNIE DI TRASPORTO DI OPERE D'ARTE NEL MONDO

KUNSTTRANS / FRANZISKANERPLATZ 1 / 1010 VIENNA / AUSTRIA / TEL. (222)522712

Finito di stampare nel maggio 1984
presso le Arti Grafiche Leva A & G di Sesto S. Giovanni (MI)
per conto delle Nuove Edizioni Gabriele Mazzotta srl